Soil Mechanics

토목직 공무원·공기업

최신판

토질역학

- 출제경향에 맞는 기본 이론
- 학습효과 최적의 단계적 학습
- 적중문제 선정과 상세한 해설

최근 기출문제 수록

| 박영태 편저 |

도서출판 세화

저마다의 일생에는,

특히 그 일생이 동터 오르는 여명기에는

모든 것을 결정짓는 한 순간이 있다.

그 순간을 다시 찾아내는 것은 어렵다.

그것은 다른 수많은 순간들의 퇴적 속에

깊이 묻혀있다.

– 장그르니에, 섬 LES ILES

머리말

본서는 단순 공식에 의존하거나 지나친 고정관념적인 학습 방법을 탈피하고, 보다 근본적인 이해 및 적응 능력의 함양을 중요시하여, 단답형 암기보다는 논리의 이해를 높이기 위한 방식으로 구성되었다. 즉, 독자들은 문제의 답안 작성에 지나치게 집착하지 말고, 문제에서 출제자가 요구하는 의도와 그 답안 창출 과정을 보다 심도 있게 추구함으로써 동일 개념 및 이와 유사한 응용 문제에 대비해야 할 것이다.

또한, 본서는 출제 경향을 알고 싶어하는 독자, 단기간에 시험과목 전반을 복습하고 싶어하는 독자, 시험을 대비해 최종으로 마무리하고 싶어하는 독자들을 염두에 두고 독자들 각자의 목적에 따라 수월하게 읽으면서 문제의 중복을 피하고 상세한 해설을 통해 논리의 반복적 사고를 할 수 있도록 집필한 것이 특징이라 할 수 있다.

❶ 중요공식은 음영 처리하여 그 중요도를 강조하였다.

❷ 가능한 문제의 중복을 피하여 새로운 유형의 문제를 접하도록 하였다.

❸ 유사문제를 단원별로 묶어 반복 학습을 유도하였다.

덧붙여, 본서를 보면서 이론서나 기타 관련 서적을 참고한다면 더 좋은 결실을 맺을 수 있을 것이다.

그러나, 필자의 노력에도 불구하고 많은 부족함이 독자들의 눈에 뜨일 것이라 생각된다. 그래서, 앞으로 독자들의 욕구를 만족시키지 못한 미흡한 사항은 계속적인 수정과 개선을 통해 보상하려 한다.

본서와 관련된 학습 질의는 한국건축토목학원 홈페이지(www.pass100.co.kr)나 편저자의 메일(passpyt@hanmail.net)로 문의하시면 최선을 다해 답변해 드리려 한다.

본서를 기술하면서 참고한 많은 저서와 논문 저자들에게 지면으로나마 감사드리며, 항상 좋은 책 편찬에 애쓰시는 세화출판사 편집진 여러분께 진심으로 감사드린다.

편저자 씀

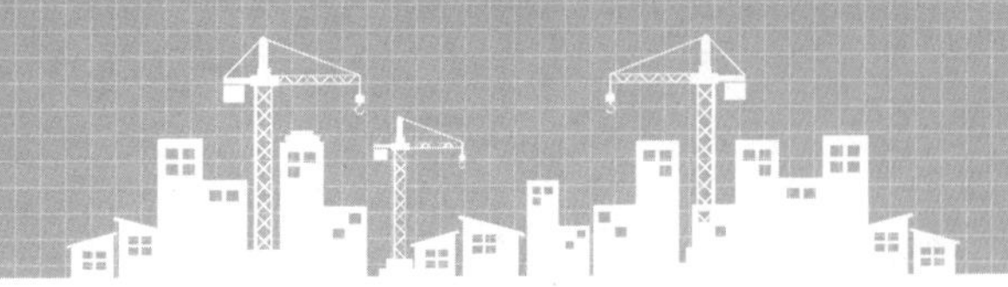

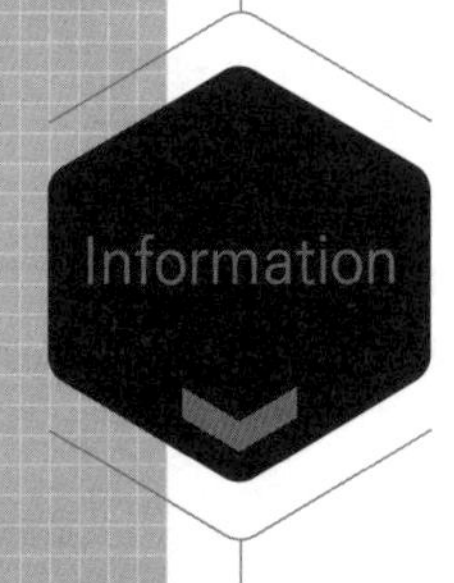

기술직 공무원 시험안내

개요

기술직 시험은 국가직과 지방직으로 분류되어 실시된다. 직렬에 따라 채용이 없는 해도 있으며, 국가직이나 서울시 지방직은 거주지 제한이 없고, 지방직의 경우 해당 지역의 공고문에 따른다.

시행일

시행처 / 시험명	국가직	지방직
7급	매년 1월 초에 공고되어 7~10월경 시행	매년 1~2월에 공고되어 2~11월 사이 시행
9급	매년 1월 초에 공고되어 4~5월경 시행	매년 1~2월에 공고되어 2~12월 사이 시행

※ 부산, 세종, 대구, 경기, 인천, 광주, 대전, 울산, 강원, 충북, 충남, 전북, 전남, 경북, 경남, 제주 16개 시 · 도 지방공무원 시험의 문제출제는 인사혁신처와 일원화하여 국가직과 별도로 같은 날(5월 · 9월경) 시험을 실시하며, 기술직의 전문과목을 포함한 일부 과목을 인사혁신처가 위탁출제한다.

※ 서울시의 경우에는 7 · 9급 모든 과목을 서울시가 출제하며, 2019년도부터 타 시 · 도 지방공무원 임용시험과 동일한 일자에 실시할 예정이다.

응시자격

– 학력 및 경력 : 제한없음

– 응시연령

시행처 / 시험명	국가직	지방직
7급	20세 이상	20세 이상
9급	18세 이상	18세 이상(고졸채용에 한해 고3 재학생 중 조기 입학한 17세(1~2월생)도 응시 가능)

– 전산직 응시에 필요한 자격증[해당 시험의 최종시험 시행예정일(면접시험 최종예정일) 현재 유효한 것]

7급	9급
컴퓨터시스템응용기술사, 정보통신기술사, 정보관리기술사, 전자계산기기사, 정보통신기사, 정보처리기사, 전자계산기조직응용기사, 정보보안기사	전자계산기제어산업기사, 정보통신산업기사, 사무자동화산업기사, 정보처리산업기사, 정보보안산업기사, 멀티미디어콘텐츠제작전문가 ※ 7급 공채 응시에 필요한 자격증은 9급 공채 응시에도 인정된다.

– 장애인 구분모집 응시대상자

「장애인복지법 시행령」 제2조에 따른 장애인 및 「국가유공자 등 예우 및 지원에 관한 법률 시행령」 제14조 제3항에 따른 상이등급기준에 해당하는 자

※ 장애인 구분모집에 응시하고자 하는 자는 응시원서 접수마감일 현재까지 장애인으로 유효하게 등록되거나, 상이등급기준에 해당하는 자로서 유효하게 등록 · 결정되어 있어야 한다. 장애인은 장애인 구분모집 직렬(직류) 외의 다른 직렬(직류)에도 비장애인과 동일한 조건으로 응시할 수 있다.

– 지역별 구분모집의 거주기간 제한 및 임용안내

9급 공채시험 중 지역별로 구분 모집하는 시험은 당해연도 1월 1일을 포함하여, 1월 1일 전 또는 후로 연속하여 3개월 이상 해당 지역에 주민등록이 되어 있어야 응시할 수 있다(다만, 서울 · 인천 · 경기지역은 주민등록지와 관계없이 누구나 응시할 수 있다).

– 저소득층 구분모집 응시대상자

「국민기초생활보장법」에 따른 수급자(생계, 주거, 교육, 의료급여 중 한 가지 이상의 급여를 받는 자) 또는 「한부모가족지원법」에 따른 지원대상자에 해당하는 기간(이 기간의 시작은 급여 또는 보호를 신청한 날)이 응시원서 접수일 또는 접수마감일까지 계속하여 2년 이상인 사람

군복무(현역, 대체복무) 또는 교환학생으로 해외에 체류하는 경우, 이로 인하여 그 기간에 급여(지원) 대상에서 제외된 경우에도 가구주가 그 기간에 계속하여 수급자(지원대상자)로 있었다면 응시자도 수급자(지원대상자)에 해당하는 것으로 봄(다만, 군복무 또는 교환학생으로 해외에 체류한 기간 종료 후 다시 수급자(지원대상자)로 결정되어야 기간의 계속성을 인정하며, 이 경우 급여(지원)의 신청을 기간 종료 후 2개월 내에 하거나, 급여(지원)의 결정이 기간 종료 후 2개월 내여야 함)

※ 군복무 또는 교환학생으로 해외에 체류한 전 · 후 기간에 1인 가구 수급자(지원대상자)였다면 군복무 또는 교환학생으로 해외에 체류한 기간 동안 수급자 또는 지원대상자 자격을 계속 유지하는 것으로 봄(다만, 군복무 또는 교환학생으로 인한 해외체류 종료 후 다시 수급자(지원대상자)로 결정되어야 기간의 계속성을 인정하며, 이 경우에도 급여(지원)의 신청을 기간 종료 후 2개월 내에 하거나, 급여(지원)의 결정이 기간 종료 후 2개월 내여야 함)

※ 단, 교환학생의 경우는 소속 학교에서 교환학생으로서 해외에 체류한 기간(교환학생 시작시점 및 종료시점)에 대한 증빙서류를 제출해야 함

※ 필기시험 합격자는 주민등록상의 거주지 관할 시 · 군 · 구청장이 발행하는 수급자증명서(수급기간 명시), 한부모가족증명서(지원기간 명시) 등 증빙서류를 필기시험 합격자 발표일에 안내하는 기간 내에 제출해야 한다.

※ 수급(지원)기간이 명시된 수급자(한부모가족)증명서는 주민등록상의 거주지 관할 시 · 군 · 구청에 본인 또는 가족(동일 세대원에 한함)이 직접 방문하여 발급받을 수 있으며, 방문 전 시 · 군 · 구청 기초생활보장 · 한부모가족 담당자(주민생활지원과, 사회복지과 등)에게 유선으로 신청 바람

출제형태

국가직	각 과목 25문항, 객관식 4지선다형, 소요시간 1문항당 1분
지방직	각 과목 20문항, 객관식 4지선다형, 소요시간 1문항당 1분

시험과목

직렬 \ 시험과목	7급	9급
공업직(일반기계)	국어(한문 포함), 영어, 한국사, 물리학개론, 기계공작법, 기계설계, 자동제어	국어, 영어, 한국사, 기계일반, 기계설계
공업직(전기)	국어(한문 포함), 영어, 한국사, 물리학개론, 전기자기학, 회로이론, 전기기기	국어, 영어, 한국사, 전기이론, 전기기기
공업직(화공)	국어(한문 포함), 영어, 한국사, 화학개론, 화공열역학, 전달현상, 반응공학	국어, 영어, 한국사, 화학공학일반, 공업화학
농업직(일반농업)	국어(한문 포함), 영어, 한국사, 생물학개론, 재배학, 식용작물학, 토양학	국어, 영어, 한국사, 재배학개론, 식용작물
임업직(산림자원)	국어(한문 포함), 영어, 한국사, 생물학개론, 조림학, 임업경영학, 조경학	국어, 영어, 한국사, 조림, 임업경영
보건직	국어(한문 포함), 영어, 한국사, 생물학개론, 보건학, 보건행정학, 역학	국어, 영어, 한국사, 공중보건, 보건행정
식품위생직	국어(한문 포함), 영어, 한국사, 화학개론, 식품위생학, 식품저장학, 식품화확	국어, 영어, 한국사, 식품위생, 식품화학개론
환경직(일반환경)	국어(한문 포함), 영어, 한국사, 화학개론, 환경공학, 환경계획, 생태학	국어, 영어, 한국사, 화학, 환경공학개론
시설직(일반토목)	국어(한문 포함), 영어, 한국사, 물리학개론, 응용역학, 수리수문학, 토질역학	국어, 영어, 한국사, 응용역학개론, 토목설계
시설직(건축)	국어(한문 포함), 영어, 한국사, 물리학개론, 건축계획학, 건축구조학, 건축시공학	국어, 영어, 한국사, 건축계획, 건축구조
시설직(지적)	국어(한문 포함), 영어, 한국사, 물리학개론, 지적학, 지적측량학, 지적전산학	국어, 영어, 한국사, 지적측량, 지적전산학개론
전산직(전산개발)	국어(한문 포함), 영어, 한국사, 자료구조론, 데이터베이스론, 소프트웨어공학, 정보보호론	국어, 영어, 한국사, 컴퓨터일반, 정보보호론
방송통신직(전송기술)	국어(한문 포함), 영어, 한국사, 물리학개론, 통신이론, 전기자기학, 전자회로	국어, 영어, 한국사, 전자공학개론, 무선공학개론

※ 7급 영어는 영어능력검정시험으로 대체[TOEIC 700, TOEFL PBT 530/CBT 197/IBT 71, TEPS 625, G-TELP 65(level 2), FLEX 625 이상 성적표 제출]

→ 영어능력검정시험의 인정범위는 국내 · 국외 모두 3년(해당년도 1. 1.~)이며, 자체 유효기간이 2년인 시험의 경우 유효기간이 만료될 예정이면 반드시 유효기간 만료 전 별도 안내하는 기간에 사이버국가고시센터를 통해 사전등록을 해야 한다. 사전등록을 하지 않고 유효기간이 경과되어 진위여부 확인이 불가능한 성적은 인정되지 않으니 유의 바람.

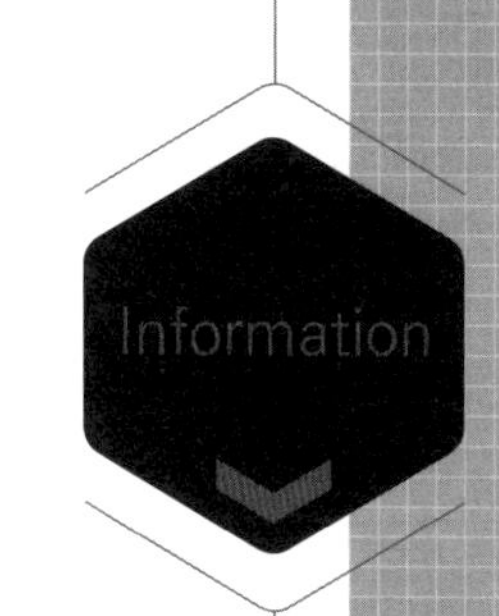

7급·9급 공무원 시험에 대한 가산점

7급, 9급 공무원시험 가산점은 아래 ①, ②, ③으로 구분되며, ①과 ② 가점은 1개만 적용되고 ①/②와 ③ 가산점은 각각 적용된다.

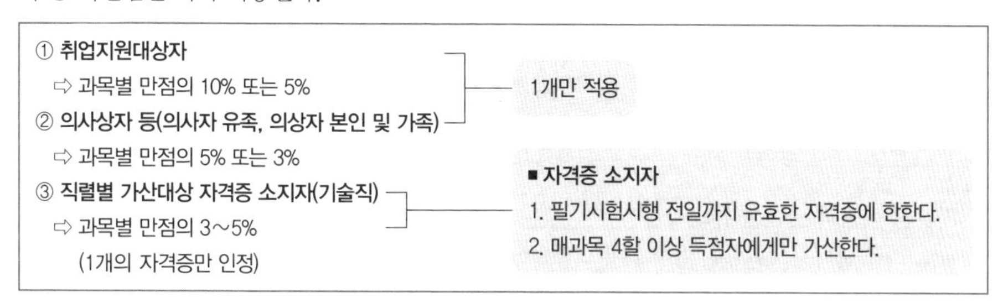

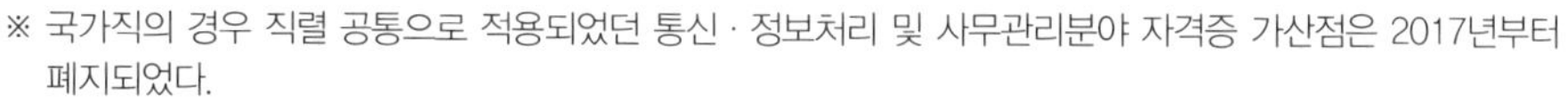
※ 국가직의 경우 직렬 공통으로 적용되었던 통신 · 정보처리 및 사무관리분야 자격증 가산점은 2017년부터 폐지되었다.

① · ② 취업지원대상자 및 의사상자 등

「독립유공자예우에 관한 법률」 제16조, 「국가유공자 등 예우 및 지원에 관한 법률」 제29조, 「보훈보상대상자 지원에 관한 법률」 제33조, 「5 · 18민주유공자예우에 관한 법률」 제20조, 「특수임무유공자예우 및 단체설립에 관한 법률」 제19조에 의한 취업지원대상자, 「고엽제후유의증 등 환자지원 및 단체설립에 관한 법률」 제7조의9에 의한 고엽제후유의증 환자와 그 가족 및 「국가공무원법」 제36조의2에 의한 의사자 유족, 의상자 본인 및 가족은 각 과목별 득점에 위에서 정한 가산비율에 해당하는 점수를 가산한다.

취업지원대상자 및 의사상자 등 가점은 각 과목 만점의 40% 이상 득점한 자에 한하여, 각 과목별 득점에 각 과목별 만점의 일정 비율(10% / 5% / 3%)에 해당하는 점수를 가산한다.

※ 취업지원대상자 여부와 가점비율은 국가보훈처 및 지방보훈청 등으로, 의사상자 등 여부와 가점비율은 보건복지부 사회서비스자원과로 본인이 사전에 확인하여야 한다.

※ 국가유공자, 5 · 18민주유공자, 특수임무유공자 등 취업지원대상자 가점을 받아 합격하는 사람은 선발예정인원의 30%(의사상자 등 가점의 경우 10%)를 초과할 수 없다. 단, 응시인원이 선발예정인원과 같거나 그보다 적은 경우에는 그러하지 않다.

③ 직렬별 가산대상 자격증 소지자(기술직)

국가기술자격법령 또는 그 밖의 법령에서 정한 자격증 소지자가 해당 분야(전산직은 제외)에 응시할 경우 각 과목 만점의 40% 이상 득점한 자에 한하여 각 과목별 득점에 각 과목별 만점의 일정 비율(다음 표에서 정한 가산비율)에 해당하는 점수를 가산한다(채용 분야별 가산대상 자격증의 종류는 공무원임용시험령 별표 12를 참조).

Information

※ 가산대상 자격증이 2 이상 중복되는 경우에는 본인에게 유리한 것 하나만을 가산한다.

구분	7급		9급	
	기술사, 기능장, 기사 [시설직(건축)의 건축사 포함]	산업기사	기술사, 기능장, 기사, 산업기사 [시설직(건축)의 건축사 포함]	기능사 [농업직(일반농업)의 농산물품질관리사 포함]
가산비율	5%	3%	5%	3%

※ 가산점 적용과 관련한 유의사항

- 7 · 9급 국가공무원 공개경쟁 채용시험에서 가산점을 받고자 하는 자는 필기시험 시행 전일까지 해당 요건을 갖추어야 하며, 반드시 필기시험 시행을 포함한 3일 이내(가산점 등록기간 참고)에 사이버국가고시센터(http://gosi.kr)에 접속하여 자격증의 종류 및 가산비율을 입력하여야 한다.
- 자격증 종류 및 가산비율을 잘못 기재하는 경우에는 응시자 본인이 불이익을 받을 수 있다.

차례

contents

contents

Chapter 08 흙의 전단강도

Chapter 09 토압

Chapter 10 흙의 다짐

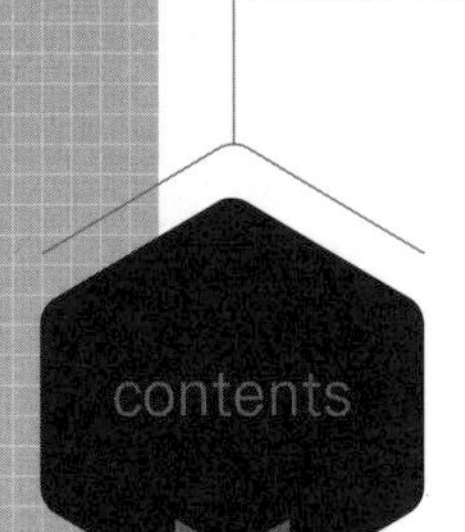

Chapter 11 사면의 안정

Chapter 12 지반조사

Chapter 13 얕은 기초

Chapter 14 깊은 기초

Chapter 15 연약지반 개량공법

부 록 부록 <최근 기출문제>

토목직 공무원·공기업 토질역학

흙의 구조

Chapter 01

흙의 구조

흙의 구조(structure of soil)란 흙입자의 배열상태와 입자 사이에 작용하는 여러 가지 힘을 통틀어 일컫는 말이다.

01 비점토성의 구조

자갈, 모래 또는 실트는 구나 입방체와 같이 둥그스름한 모양을 하고 있으며 각각의 입자는 인력이나 점착력 없이 중력작용을 받아 서로 접촉되어 있다.

1. 단립구조(single grained structure)

입자 사이에 점착력이 없어 마찰력에 의해 맞물려 있어 상당히 안정성을 가진다.

2. 봉소구조(honeycombed structure)

아주 가는 모래와 실트가 물 속에 침강하여 이루어진 구조로서 아치형태로 결합되어 있다.

(1) 단립구조보다 공극이 크다.

(2) 충격, 진동에 약하다.

(a) 단립구조

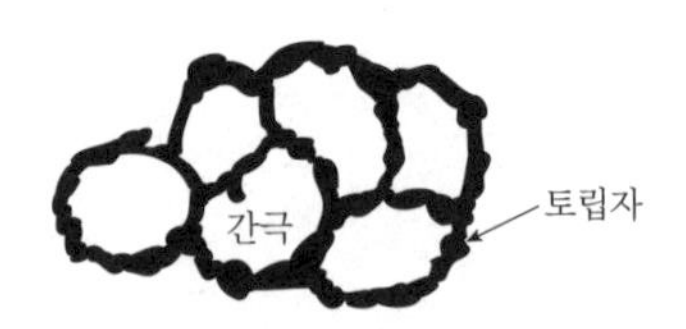

(b) 봉소구조

[그림 1-1] 비점성토의 구조

02 점성토의 구조

점성토의 모양은 얇고 넓적하나 바늘이나 파이프처럼 길쭉한 것도 있다. 점성토의 구조는 직접적인 결합이 아닌 전기화학적인 힘에 의해 형성되어 있다.

점토입자의 표면은 보통 음전기를 띠고 있으며, 그 원인으로는 동형치환과 모서리구조의 불연속 등이 있다.

동형치환(同形置換)이란 어떤 한 원자가 비슷한 이온반경을 가진 다른 원자와 치환하는 것을 의미한다. 그 예로써, Kaolinite 형성과정에서 Al원자가 충분히 존재하였다면 Si^{4+}가 자리잡고 있어야 할 자리에 Al^{3+}이 대신 들어가면 +1가(價)가 부족하게 되어 음으로 대전하게 될 것이다. 점토광물이 음으로 대전되는 것은 주로 동형치환에 기인한다.

또 다른 원인으로 점토는 두 방향으로 연속되어 있는데 산소와 규소 사이 등에는 반드시 모서리 불연속이 있어서 점토입자가 음전기를 띠게 된다.

1. 분산구조(이산구조 ; dispersed structure)

점토가 현탁액 속으로 용해되어 가라앉을 때 입자 간의 거리가 먼 상태로 침강하면 반발력이 인력보다 크므로 각각의 입자상태로 천천히 침강하여 평형한 구조를 이루는데 이것을 **분산구조**라 한다.

(1) 혼합 또는 되비빔된 흙, 습윤상태로 다진 흙 등에서 생성된다.

(2) 면모구조보다 투수성, 강도가 작다.

2. 면모구조(flocculated structrue)

콜로이드와 같은 미세립자(0.001mm 이하)가 현탁액 속에서 브라운 운동을 하던 중 서로 접근하여 음전하를 띤 면(face)과 양전하를 띤 단(edge)이 결합하여 침강할 때 생기는 구조이다.

(1) 점토 입자의 두께에 비해 폭이나 길이가 너무 커서 대단히 느슨하게 엉키는 배열을 하고 있다.

(2) 공극비, 압축성이 커서 기초지반 흙으로 부적당하다.

(3) 분산구조보다 투수성, 강도가 크다.

(a) 분산구조

(b) 면모구조

[그림 1-2] 물 속의 점성토구조

Check Point

면모구조와 이산구조

1. 면모구조는 인력이 크고 이산구조는 반발력이 크다.
2. 일반적으로 점토입자의 이중층 두께가 얇을 때에는 면모구조가 되고 두꺼울 때에는 이산구조가 된다.
3. 점토입자가 해수에 퇴적되면 면모구조가 되고 담수에 퇴적되면 이산구조가 된다.
4. 최적함수비보다 건조측에서 다지면 면모구조가 되고 습윤측에서 다지면 이산구조가 된다.

03 점토광물(clay mineral)

점토광물은 지표면의 1차 광물이 화학적으로 변화된 광물이다.

1. 분자구조

점토광물의 분자구조는 기본단위로 실리카 정사면체와 알루미나 정팔면체가 있으며 실리카판과 알루미나판이 결합된 결정체가 다시 여러 겹으로 중첩된 격자구조(sheet)이다.

(1) Tetrahedron

Si원자를 중심으로 4개의 산소로 둘러싸여 4면체를 이루고 있다.

(2) Octahedron

Al, Mg를 중심으로 6개의 수산기로 둘러싸여 8면체를 이루고 있다.

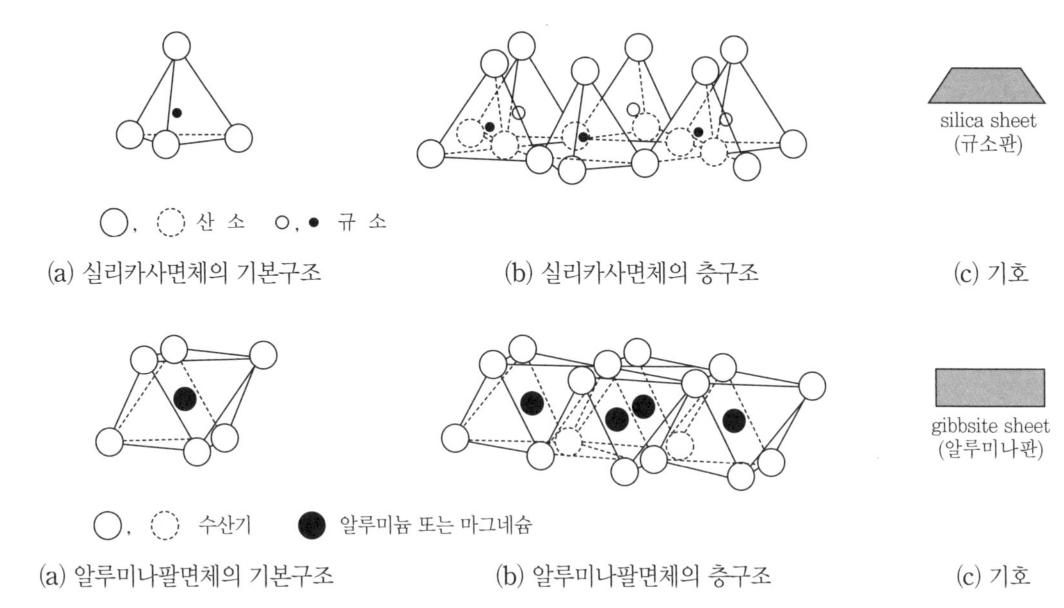

[그림 1-3] 점토광물의 분자구조

2. 3대 점토광물

(1) 카올리나이트(kaolinite, 고령토)

① 1개의 실리카판(silica sheet)과 1개의 알루미나판(gibbsite sheet)으로 이루어진 2층구조가 무수히 많이 연결되어 형성된 점토광물이다.

② 수소결합으로 결속되어 있어 다른 광물에 비해 매우 안정된 구조를 이루고 있으며, 물의 침투를 억제하고 물로 포화되더라도 팽창이 잘 일어나지 않는다.

(2) 일라이트(illite)

① 2개의 실리카판과 1개의 알루미나판으로 이루어진 3층구조가 무수히 많이 연결되어 형성된 점토광물이다.

② 3층구조 사이에 칼륨(K^+)이온이 있어서 서로 결속되며 카올리나이트의 수소결합보다는 약하지만 몬모릴로나이트의 결합력보다는 강하다. 물을 가하면 약간 팽창한다.

(3) 몬모릴로나이트(montmorillonite)

① 2개의 실리카판과 1개의 알루미나판으로 이루어진 3층구조가 무수히 많이 연결되어 형성된 점토광물이다.

② 결합력이 매우 약해 물이 침투하면 쉽게 팽창하고, 건조하면 수축과 균열이 크게 일어난다.

③ 팽창, 수축이 크다.

④ 공학적 안정성이 제일 작다.

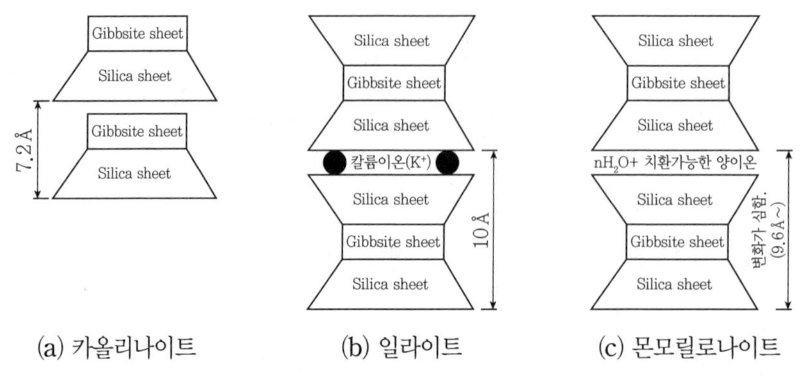

[그림 1-4] 3대 점토광물의 결합구조

[표 1-1] 대표적인 점토광물의 특성(Lambe and Whitman, 1969)

점토광물	기 호	시트 사이의 연결	입자 모양	입자 크기
kaolinite		수소결합 + 이차원자가결합	판 상	• 크기 : 0.1~0.2μ • 두께 : 0.01~0.1μ
halloysite ($4H_2O$)		이차원자가결합	파이프	• 직경 : 0.05~1μ
illite		이차원자가결합 + K이온결합	판 상	• 크기 : 0.1~0.5μ • 두께 : 50~500Å
montmorillonite		이차원자가결합 + 교환가능이온결합	판 상	• 크기 : 0.1~0.5μ • 두께 : 10~50Å
vermiculite		이차원자가결합 + Mg이온결합	판 상	• 크기 : 2μ 이하 • 두께 : 수십Å 이상

○ : H_2O, ● : Hg, ● : K

04 암과 풍화작용

1. 암석의 순환

암석은 형성과정에 따라 화성암, 퇴적암, 변성암 등으로 구분할 수 있으며 마그마의 분출에 의해 생성된 화성암(igneous rock)은 다음과 같은 순환과정을 겪는다.

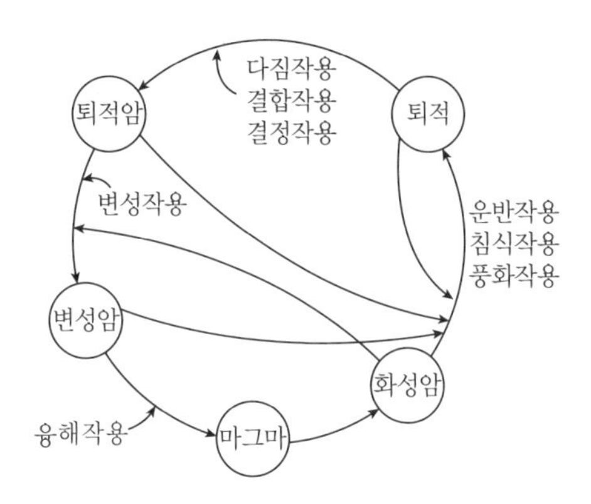

[그림 1-5] 암석의 순환

2. 풍화작용(weathering)

(1) 암의 분류

① **화성암**(igneous rock) : 화산작용에 의해 지반에 분출된 마그마가 냉각되어 형성된 것

② **퇴적암**(수성암 ; sedimentary rock) : 지표면에 노출된 암이 풍화작용을 받고 작은 입자로 분리되어 바람, 물, 빙하 등에 의해 운반된 후 퇴적되어 생성된 것

③ **변성암**(metamorphic rock) : 화성암이나 수성암이 풍화작용에 의하지 않고 고압이나 고온에 의해 다른 성질로 변화한 것

(2) 풍화작용을 받아 이루어진 흙

① **잔적토**(residual rock) : 풍화작용에 의해 생성된 흙이 운반되지 않고 남아 있는 것

② **운적토**(퇴적토) : 풍화된 흙이 물, 빙하, 바람 등에 의해 다른 장소로 운반된 것

㉠ **충적토**(alluvial soil) : 하천에 의해 운반, 퇴적된 흙으로 상류지역에서는 큰 자갈, 모래가, 하류지역에서는 입자가 작은 모래, 실트, 점토 등이 차례로 퇴적된다.

㉡ **붕적토**(coluvial soil) : 중력에 의해 경사면 아래로 운반, 퇴적된 흙

㉢ **풍적토**(aeolian soil) : 바람에 의해 운반, 퇴적된 흙

㉣ **빙적토**(glacial soil) : 빙하에 의해 운반, 퇴적된 흙

㉤ **호상토**(lacustrine soil) : 호수에 퇴적된 흙

㉥ **해성토**(marine soil) : 바다에 퇴적된 흙

Chapter 01

흙의 구조

기출 및 적중예상문제

여기에 수록된 「기출문제」는 수험생들의 기억을 바탕으로 유사한 유형의 문제로 새로이 창작하여 구성하였습니다. 따라서 원안과 동일하지는 않지만 출제 수준과 경향을 파악하는 데 결정적인 도움을 주리라 믿습니다.

01 **흙의 구조조직에 대한 설명 중에서 옳지 않은 것은?**

① 면모구조는 공극비가 크고 압축성이 크므로 기초지만 흙으로 부적당하다.

② 입도의 배합이 좋으면 입경이 균등한 흙보다 공극비가 적어지고 밀도가 증가한다.

③ 모래시료가 느슨한 상태에 있는가 조밀한 상태에 있는가는 공극비로만 구할 수 있다.

④ 봉소구조는 실트나 점토와 같은 세립자가 물 속에서 침강하여 이루어진 구조이다.

해설

1. 면모구조
   ① 분산구조보다 투수성, 강도가 크다.
   ② 공극비, 압축성이 커서 기초지반 흙으로 부적당하다.
2. 상대밀도는 조립토가 자연상태에서 조밀한가 또는 느슨한가를 표시하기 위해 사용한다.

02 **다음 중 점토광물과 가장 관계가 먼 것은?**

① 격자구조(sheet)

② 결정구조(crystal)

③ 카올리나이트

④ 단립구조

해설

1. 점토광물은 실리카판과 알루미나판으로 결합된 결정체가 다시 여러 겹으로 중첩된 격자구조(sheet)이다.
2. 비점성토의 구조
   ① 단립구조
   ② 봉소구조

03 **실트, 점토가 물 속에서 침강하여 이루어진 구조로 단립구조보다 간극비가 크고 충격과 진동에 약한 흙의 구조는?**

① 분산구조　② 면모구조

③ 낱알구조　④ 봉소구조

해설

봉소구조 : 아주 가는 모래, 실트가 물 속에 침강하여 이루어진 구조로서 아치형태로 결합되어 있다. 단립구조보다 공극이 크고 충격, 진동에 약하다.

04 **3층구조로 구조결합 사이에 불치환성 양이온이 있어서 수축팽창은 거의 없지만 안정성은 중간정도의 점토광물은?**

① silt　② illite

③ kaolinite　④ montmorillonite

해설

일라이트(illite)는 두 개의 실리카판 사이에 한 개의 알루미나판으로 결합된 3층구조가 무수히 많이 연결되어 형성된 점토광물이다.

01 ③　02 ④　03 ④　04 ② [정답]

05 점토광물 중에서 3층구조로 구조결합 사이에 치환성 양이온이 있어서 활성이 크고, sheet 사이에 물이 들어가 팽창, 수축이 크고 공학적 안정성이 제일 약한 점토광물은?

① kaolinite ② illite
③ montmorillonite ④ vermiculite(질석)

해설

몬모릴로나이트
1. 2개의 실리카판과 1개의 알루미나판으로 이루어진 3층구조로 이루어진 층들이 결합한 것이다.
2. 결합력이 매우 약해 물이 침투하면 쉽게 팽창한다.
3. 공학적 안정성이 제일 작다.

06 자연 점토시료를 함수비가 변하지 않은 상태로 되비빔(remolding)하였다. 그 구조는 다음 중 어느 것이 될 것인가?

① 단립구조 ② 봉소구조
③ 이산(분산)구조 ④ 면모구조

해설

혼합 또는 되비빔된 흙, 습윤상태로 다진 흙 등의 구조는 분산(이산)구조가 된다.

07 수소결합의 2층구조로 공학적으로 대단히 안정하고 활성이 적은 점토광물은?

① 카올리나이트 ② 일라이트
③ 몬모릴로나이트 ④ 실트

해설

카올리나이트(kaolinite) : 1개의 실리카판과 1개의 알루미나판으로 이루어진 층들이 결합한 것으로 각 층간에는 수소결합을 하고 있어서 다른 광물에 비해 상당히 안정된 구조를 이루고 있다.

08 다음 점토광물 중 입자 모양이 판상이 아닌 것은?

① montmorillonite ② illite
③ halloysite ④ kaolinite

해설

할로이사이트는 2층구조의 점토광물로서 관상(파이프 모양)이며 직경이 0.05~1μ이다.

09 점토광물에 대한 설명 중에서 옳지 않은 것은?

① Sheet형의 결정입자로 2μ이하의 점토를 말한다.
② 기본구조 단위로 정사면체 구조(silica sheet)와 정팔면체 구조(gibbsite)가 있다.
③ 카올리나이트(kaolinite) 구조는 공학적으로 제일 안정되어 수축팽창이 거의 없다.
④ 몬모릴로나이트(montmorillonite) 구조는 공학적으로 안정되어 있지만 수축팽창은 조금 생긴다.

해설

1. 점토광물의 기본 단위에는 실리카 정사면체와 알루미나 정팔면체가 있다.
2. 몬모릴로나이트
   ① 공학적 안정성이 제일 작다.
   ② 3대 점토광물 중에서 결합력이 가장 약해 물이 침투하면 쉽게 팽창한다.

10 어느 점토의 체가름시험, 액·소성시험 결과 0.002mm(2μ) 이하의 입경이 전시료 중량의 90%, 액성한계 60%, 소성한계 20%이었다. 이 점토의 광물의 주성분은 어느 것으로 추정되는가?

① kaolinite ② illite
③ halloysite ④ montmorillonite

해설

점토광물에 따른 액성한계 및 소성한계

종류	W_L	W_P
montmorillonite	100~800	50~100
illite	50~100	30~60
kaolinite	35~100	25~35

05 ③ 06 ③ 07 ① 08 ③ 09 ④ 10 ① [정답]

11 어떤 점토를 가지고 다짐시험을 하여 각 현상을 분석하였다. 옳지 않은 것은?

① 면모구조가 분산구조보다 강도가 크다.
② 최적함수비에서 강도가 가장 크다.
③ 최적함수비보다 큰 함수비에서 다졌을 경우 입자배열이 분산구조로 바뀐다.
④ 건조측에서 점토의 이중층수의 두께가 작아서 입자간의 반발력이 작다.

해설

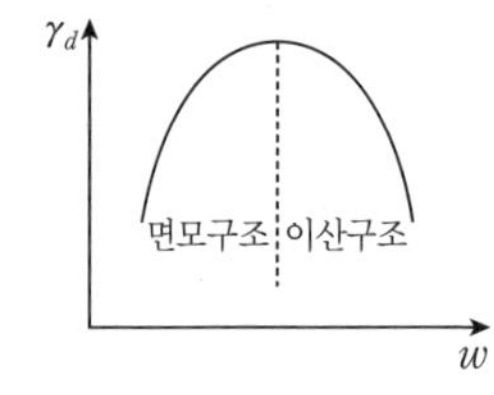

1. 면모구조가 분산구조보다 강도가 크다.
2. 최적함수비 근처에서 강도가 크게 감소한다.
3. 최적함수비보다 건조측에서 다지면 면모구조가 되고 습윤측에서는 이산구조가 된다.
4. 점토입자의 이중층 두께가 얇을 때에는 면모구조가 되고 두꺼울 때에는 이산구조가 된다.

12 풍화작용에 의하여 분해되어 원 위치에서 이동하지 않고 모암의 광물질을 덮고 있는 상태의 흙은?

① 호상토(lacustrine soil)
② 충적토(alluvial soil)
③ 빙적토(glacial soil)
④ 잔적토(residual soil)

해설

1. 잔적토는 풍화작용에 의해 생성된 흙이 운반되지 않고 남아 있는 것이다.
2. 운적토는 잔적토에 비하여 운반 및 침전의 형태에 따라서 여러 가지 광물질 및 유기물을 혼입하게 되어 그 성질이 매우 복잡하게 되어 빙하토, 충적토, 호상토, 해성토, 풍적토, 붕적토 등의 형태를 이룬다.

11 ② 12 ④ [정답]

흙의 기본적 성질

Chapter 02

흙의 기본적 성질

흙은 본질적으로 위치마다 성질이 다른 비균질성(이질성)이며, 연직방향과 수평방향으로 성질이 다른 비등방성(이방성)의 특성을 가지고 있다. 또 흙은 물을 포함하고 있는가 아닌가 및 포함한 물의 많고 적음에 따라 그 특성에 큰 차이가 있다.

01 흙의 주상도

흙은 고체(solid), 액체(liquid), 기체(gas)의 3상으로 되어 있다.

1. 시료의 전 체적

$$V = V_s + V_v \qquad (2-1)$$

여기서, V_s : 흙입자의 체적, V_v : 공극의 체적

2. 공기의 무게를 무시할 때 시료의 전 중량

$$W = W_s + W_w \qquad (2-2)$$

여기서, W_s : 흙입자의 중량, W_w : 물의 중량

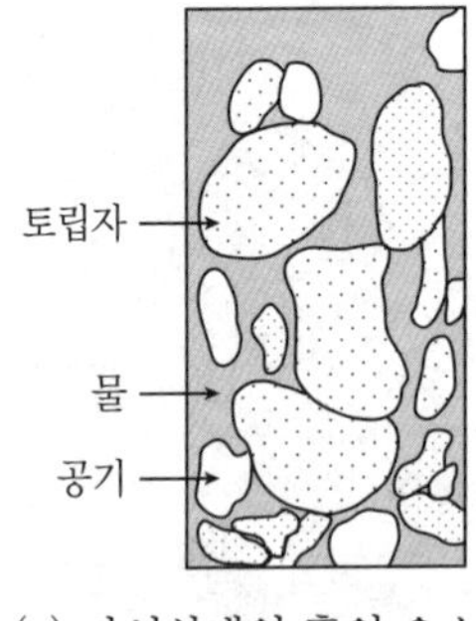

(a) 자연상태의 흙의 요소

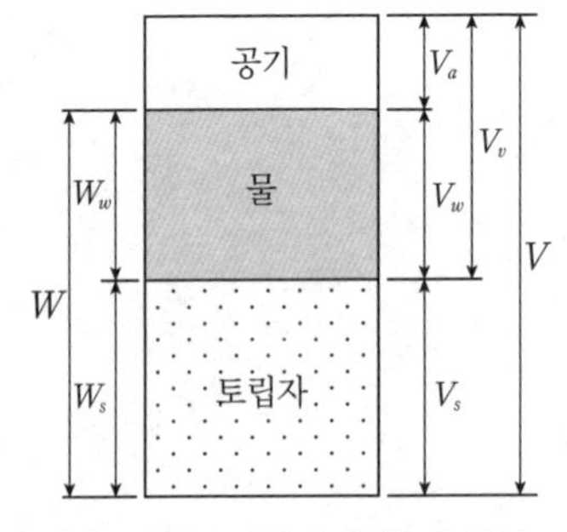

(b) 3상으로 나타낸 흙의 성분

[그림 2-1] 흙의 3상

02 흙의 상태정수

1. 공극비, 공극률, 함수비, 함수율, 포화도

(1) 공극비(void ratio ; e)

흙 속에서 공기와 물에 의해 차지되고 있는 입자 간의 간격을 말하며, 흙입자의 체적에 대한 간극의 체적의 비로 정의된다.

① $e=\dfrac{V_v}{V_s}$ ··························· (2−3)

여기서, V_v : 공극의 체적, V_s : 흙입자의 체적

② 공극비의 범위 : $e=0\sim\infty$

[표 2-1] 일반적인 자연상태의 흙의 공극비와 공극률

흙의 종류	e	n
모 래	0.54~0.82	0.35~0.45
실 트	0.67~1.00	0.40~0.50
점 토	1.00~3.00	0.50~0.75

(2) 공극률(porosity ; n)

흙 전체의 체적에 대한 공극의 체적을 백분율로 표시한 것

① $n=\dfrac{V_v}{V}\times 100(\%)$ ··························· (2−4)

② 공극률의 범위 : $n=0\sim100\%$

(3) 공극비와 공극률의 상호 관계식

$$n=\frac{V_v}{V}=\frac{V_v}{V_s+V_v}=\frac{V_v/V_s}{V_s/V_s+V_v/V_s}$$

$\therefore n=\dfrac{e}{1+e}\times 100(\%)$ ··························· (2−5)

(4) 함수비(water content ; w)

흙만의 무게에 대한 물의 무게를 백분율로 표시한 것

① $w=\frac{W_w}{W_s}\times 100(\%)$ ·· (2-6)

여기서, W_w : 물의 무게, W_s : 흙만의 무게

② **함수비의 범위** : 자연함수비는 100% 이하(해성점토, 유기질토에서는 함수비가 500% 이상일 때도 있다)

③ **흡착수 및 자유수**

㉠ **흡착수**(absorbed water) : 이중층 내에 있는 물을 말하며 물이라기보다는 고체에 가까운 성질을 갖는다. 흡착수는 점토의 consistency, 투수성, 팽창성, 압축성, 전단강도 등 공학적 성질을 좌우한다.

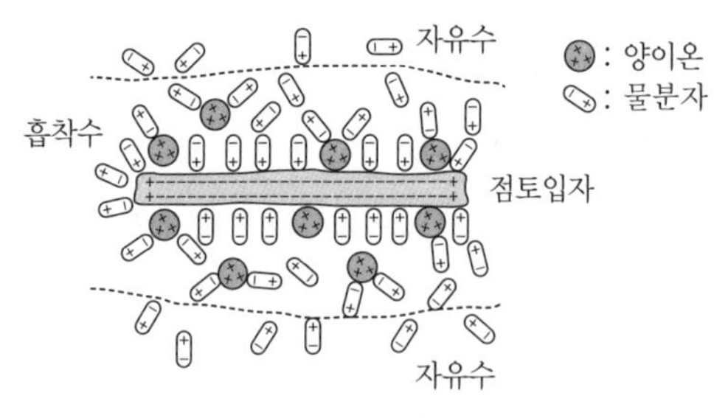

[그림 2-2] 흡착수

㉡ **자유수**(free water) : 이중층 외부에 있는 물을 말하며 시료 건조시 110±5℃로 노건조하는 것은 자유수만을 제거하기 위함이다.

(5) 함수율(ratio of moisture ; w')

흙 전체의 무게에 대한 물의 무게를 백분율로 표시한 것

$w'=\frac{W_w}{W}\times 100(\%)$ ·· (2-7)

(6) 흙 전체의 무게(W)와 흙만의 무게(W_s)의 관계

$$w=\frac{W_w}{W_s}\times 100=\frac{W-W_s}{W_s}\times 100$$

$$wW_s=100W-100W_s$$

$$100W=100W_s+wW_s$$

$\therefore W_s=\frac{100W}{100+w}=\frac{W}{1+\frac{w}{100}}$ ·· (2-8)

(7) 포화도(degree of saturation ; S_r)

공극 속에 물이 차 있는 정도를 나타낸다.

① $S_r = \frac{V_w}{V_v} \times 100(\%)$ ························ (2-9)

② 포화도의 범위 : $S_r = 0 \sim 100\%$(포화상태인 경우 $S_r = 100\%$, 완전히 노건된 경우 $S_r = 0$이다)

(8) 체적과 중량의 상관관계

$$S_r = \frac{V_w}{V_v} = \frac{\frac{V_w}{V_s}}{\frac{V_v}{V_s}} = \frac{\frac{1}{V_s} \cdot \frac{W_w}{\gamma_w}}{e} = \frac{\frac{W_w}{W_s} \cdot \frac{W_s}{V_s}}{e \cdot \gamma_w} = \frac{w \cdot \gamma_s}{e \cdot \gamma_w} = \frac{w \cdot G_s}{e}$$

$\therefore S_r \cdot e = w \cdot G_s$ ························ (2-10)

2. 밀도(단위중량)

(1) 습윤밀도(total unit weight ; γ_t)

$$\gamma_t = \frac{W}{V} = \frac{W_s + W_w}{V_s + V_v} = \frac{G_s\gamma_w + Se\gamma_w}{1+e}$$

$\therefore \gamma_t = \frac{G_s + Se}{1+e}\gamma_w$ ························ (2-11)

(2) 건조밀도(dry unit weight ; γ_d)

$\gamma_d = \frac{W_s}{V} = \frac{G_s}{1+e}\gamma_w$ ························ (2-12)

$$\gamma_d = \frac{W_s}{V} = \frac{W_s}{\frac{W}{\gamma_t}} = \frac{W_s\gamma_t}{W} = \frac{W_s\gamma_t}{W_s + W_w} = \frac{\gamma_t}{1 + \frac{W_w}{W_s}}$$

$\therefore \gamma_d = \frac{\gamma_t}{1 + \frac{w}{100}}$ ························ (2-13)

(3) 포화밀도(saturated unit weight ; γ_{sat})

$$\gamma_{sat} = \frac{W_{sat}}{V} = \frac{W_s + W_w}{V} = \frac{G_s\gamma_w + Se\gamma_w}{1+e}$$

$\therefore \gamma_{sat} = \frac{G_s + e}{1+e}\gamma_w$ ························ (2-14)

(4) 수중밀도(submerged unit weight ; γ_{sub})

흙이 수중상태에 있으면 흙의 체적만큼 부력을 받게 되므로 부력만큼 단위중량이 감소하게 된다.

$$\gamma_{sub}=\gamma_{sat}-\gamma_w=\frac{G_s+e}{1+e}\gamma_w-\gamma_w$$

$$\therefore \gamma_{sub}=\frac{G_s-1}{1+e}\gamma_w \quad \cdots\cdots (2-15)$$

Check Point

1. $\gamma_w=1\text{t/m}^3$
2. $\gamma_{sat} \geqq \gamma_t \geqq \gamma_d \geqq \gamma_{sub}$

3. 비중(specific gravity ; G_s)

흙의 비중은 토립자의 중량과 토립자와 부피가 같은 15℃ 물의 중량과의 비 또는 토립자의 단위중량 γ_s와 15℃ 물의 단위중량 γ_w와의 비를 말하고 KS F 2308에서는 15℃를 기준으로 한다.

일반적으로 흙의 비중이라고 하면 흙입자의 비중을 말하며, 흙의 비중이 불명할 때에는 석영입자가 흙 속에 가장 많기 때문에 석영의 비중 2.65를 쓰고 있다.

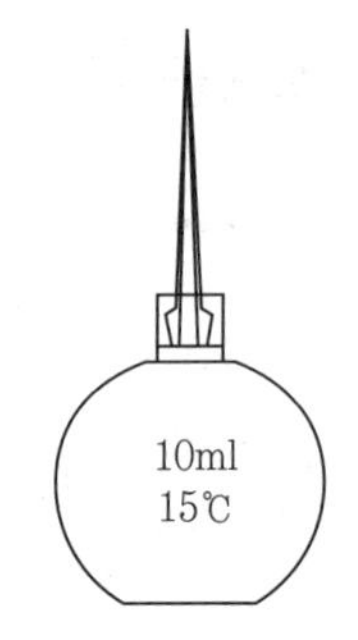

[그림 2-3] 비중병

(1) 흙입자의 비중

$$G_s=\frac{\gamma_s}{\gamma_w}=\frac{W_s}{V_s\gamma_w} \quad \cdots\cdots (2-16)$$

(2) 비중시험에 의한 흙의 비중(KS F 2308)

$$G_s=\frac{\gamma_s}{\gamma_w}=\frac{W_s}{W_w}=\frac{W_s}{W_s+(W_a-W_b)}\cdot K \quad \cdots\cdots (2-17)$$

여기서, W_s : 비중병에 넣는 흙의 노건조 무게(g)

W_a : T℃에서 (비중병+증류수)의 무게(g)

W_b : T℃에서 (비중병+노건조 흙+증류수)의 무게(g)

K : 보정계수(온도 T℃에서의 비중을 15℃의 물의 비중으로 나눈 수)

$$W_a=\frac{T\text{℃에서의 물의 비중}}{T'\text{℃에서의 물의 비중}}\times(W_a'-W_f)+W_f \quad \cdots\cdots (2-18)$$

여기서, W_a' : T'℃에서의 (비중병+증류수)의 무게(g), W_f : 비중병의 무게(g)

4. 상대밀도(relative density ; D_r)

자연 상태의 조립토의 조밀한 정도를 나타내는 것으로 사질토의 다짐정도를 나타낸다.

(1) $$D_r = \frac{e_{max} - e}{e_{max} - e_{min}} \times 100(\%) \quad \cdots\cdots (2-19)$$

여기서, e_{max} : 가장 느슨한 상태의 공극비

e_{min} : 가장 조밀한 상태의 공극비

e : 자연상태의 공극비

$$D_r = \frac{\gamma_{d\,max}}{\gamma_d} \cdot \frac{\gamma_d - \gamma_{d\,min}}{\gamma_{d\,max} - \gamma_{d\,min}} \times 100(\%) \quad \cdots\cdots (2-20)$$

여기서, $\gamma_{d\,max}$: 가장 조밀한 상태의 건조밀도

$\gamma_{d\,min}$: 가장 느슨한 상태의 건조밀도

γ_d : 자연상태의 건조밀도

(2) 상대밀도의 범위

$D_r = 0 \sim 100\%$

[표 2-2] 입상토에 대한 표준관입시험치(N치)와 상대밀도와의 관계

N치	흙의 상태	상대밀도 $D_r(\%)$
0~4	대단히 느슨	0~15
4~10	느 슨	15~50
10~30	중 간	50~70
30~50	조 밀	70~85
50 이상	대단히 조밀	85~100

03 흙의 연경도(consistency of soil)

점착성이 있는 흙은 함수량이 차차 감소하면 액성 → 소성 → 반고체 → 고체의 상태로 변화하는데 함수량에 의하여 나타나는 이러한 성질을 흙의 연경도라 하고 각각의 변화의 한계를 Atterberg 한계라 한다.

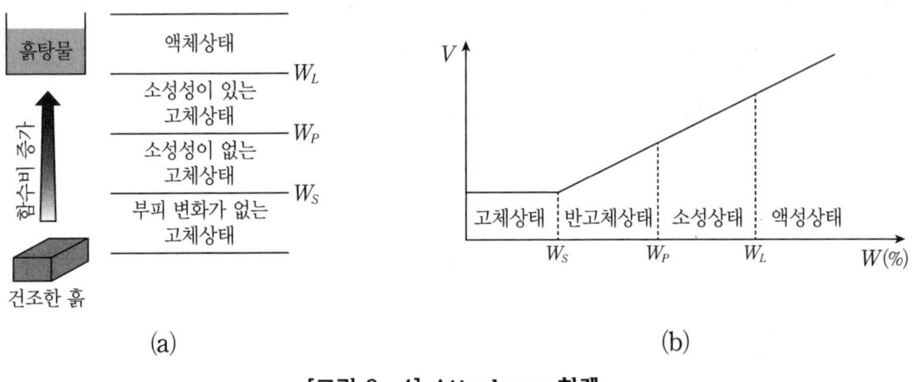

[그림 2-4] Atterberg 한계

1. Atterberg 한계

0.425mm(No.40)체 통과시료(교란시료)를 사용한다.

(1) 액성한계(Liquid limit ; W_L) KS F 2303

흙이 액성에서 소성으로 변화하는 한계의 함수비를 **액성한계**라 한다.

① **액성한계**

㉠ 소성상태를 나타내는 최대함수비이다.

㉡ 액체상태를 나타내는 최소함수비이다.

㉢ 자중으로 인하여 유동할 때의 최소함수비이다.

② **측정방법** : 0.425mm(No.40)체 통과시료 200g으로 시료를 조제한 후 황동접시에 흙의 최대 두께가 1cm가 되도록 넣고, 홈파기 날로 시료를 2등분하여 바닥나비 2mm의 V형 홈을 판 다음 이 접시를 1cm 높이에서 1초에 2회의 속도로 25회 낙하시켰을 때 유동된 흙이 약 1.3cm의 길이로 양쪽 부분이 달라 붙을 때의 함수비를 **액성한계**라 한다.

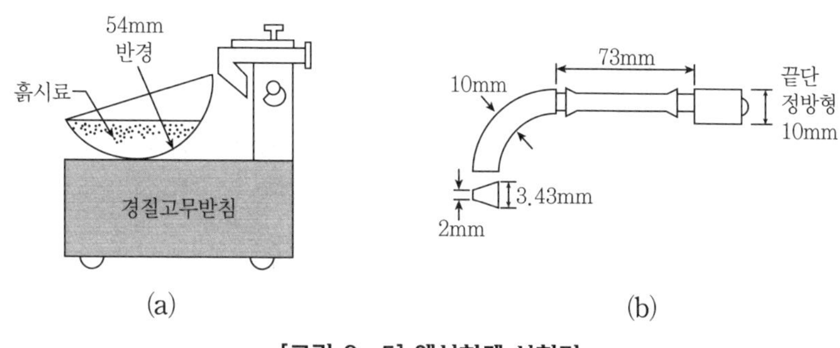

[그림 2-5] 액성한계 시험기

[표 2-3] 점토광물의 액성한계 · 소성한계 · 활성도의 전형적인 값

광 물	액성한계	소성한계	활성도
kaolinite	35~100	20~40	0.3~05
illite	60~120	35~60	0.5~1.2
montmorillonite	100~900	50~100	1.5~7.0
halloysite	50~70	40~60	0.1~0.2

(2) 소성한계(Plastic limit ; W_P) KS F 2304

흙이 소성에서 반고체의 상태로 변화하는 한계의 함수비를 **소성한계**라 한다.

① **소성한계**

㉠ 반고체상태를 나타내는 최대함수비이다.

㉡ 소성상태를 나타내는 최소함수비이다.

② **측정방법** : 불투명 유리판 위에서 흙을 지름 3mm의 줄 모양으로 늘였을 때, 막 갈라지려는 상태로 되었을 때의 함수비를 **소성한계**라 한다.

[그림 2-6] 소성한계시험

③ 액성한계와 소성한계의 시험이 불가능한 흙을 **비소성**(Non Plastic ; NP)라 하며 비소성인 경우는 다음과 같다.

㉠ 소성한계를 구할 수 없는 경우

㉡ 소성한계와 액성한계가 일치하는 경우

㉢ 소성한계가 액성한계보다 큰 경우

[표 2-4] 흙의 액성한계 및 소성한계의 범위

흙의 종류	액성한계(%)	소성한계(%)
모래질 흙	30~50	20~40
모래질 실트	40~70	30~50
점토질 실트	50~100	30~70

(3) 수축한계(Shrinkage limit ; W_S) KS F 2305

흙의 함수량을 어떤 양 이하로 줄여도 그 흙의 용적이 줄지 않고 함수량이 그 양 이상으로 늘면 용적이 증대하는 한계의 함수비를 **수축한계**라 하며, 공극이 포화된 때의 함수비로 정의할 수 있다. 수축한계의 물리적 의미는 흙이 포화상태에서 불포화상태로 이동하는 점이다.

① 수축한계

㉠ 고체상태에서 반고체상태로 변화하는 한계의 함수비이다.

㉡ 고체상태를 나타내는 최대함수비이다.

㉢ 반고체상태를 나타내는 최소함수비이다.

② $W_S = w - \dfrac{(V-V_0)}{W_0}\gamma_w \times 100(\%)$ ························ (2-21)

$$W_S = \left(\frac{1}{R} - \frac{1}{G_s}\right) \times 100(\%) \quad \cdots\cdots (2\text{-}22)$$

여기서, R : 수축비(shrinkage ratio)

$$R = \frac{W_0}{V_0} \cdot \frac{1}{\gamma_w} \quad \cdots\cdots (2\text{-}23)$$

여기서, w : 습윤토의 함수비

V : 습윤시료의 체적(cm^3)

V_0 : 노건조 시료의 체적(cm^3)

W_0 : 노건조 시료의 중량(g)

2. 연경도에서 구하는 지수

(1) 소성지수(Plasticity Index ; I_P)

흙이 소성상태로 존재할 수 있는 함수비의 범위를 말한다.

① $I_P = W_L - W_P$ ························ (2-24)

② I_P가 클수록 소성이 풍부한 흙이며, 점토함유율이 클수록 I_P가 커진다.

(2) 수축지수(Shrinkage Index ; I_S)

흙이 반고체상태로 존재할 수 있는 함수비의 범위를 말한다.

① $I_S = W_P - W_S$ ………… (2-25)

② I_S가 클수록 흙이 반고체상태로 존재하는 범위가 크다는 것을 의미한다.

(3) 액성지수(Liquidity Index ; I_L)

흙의 유동가능성의 정도를 나타낸 것으로 0에 가까울수록 흙은 안정한 상태이다.

① 자연상태에 있는 흙의 함수비가 액성한계보다 큰 경우는 흙이 액성상태이고 액성지수는 1보다 크며, 소성한계에 가까울수록 0에 가깝게 되고 안정된 상태의 흙이 된다.

㉠ $I_L \leqq 0$: 고체 또는 반고체상태로서 안정하다.

㉡ $0 < I_L < 1$: 소성상태

㉢ $I_L > 1$: 액성상태로서 불안정하다.

② $I_L = \frac{W_n - W_P}{I_P}$ ………… (2-26)

여기서, W_n : 자연함수비

③ $I_L + I_C = 1$ ………… (2-27)

(4) 연경지수(Consistency Index ; I_C)

점토에서 상대적인 굳기를 나타낸 것으로 1에 가까울수록 흙은 안정한 상태이다.

① I_c값이 0에 가까울수록 자연함수비는 액성한계에 가깝고 흙은 연약한 상태가 되며, 1에 가까울수록 단단한 상태의 흙이 된다.

② $I_C = \frac{W_L - W_n}{I_P}$ ………… (2-28)

(5) 유동지수(Flow Index ; I_f)

① 유동곡선의 기울기를 말하며, 일반식은 $w = -I_f \log N + C$로 나타낼 수 있다.

② $I_f = \frac{w_1 - w_2}{\log N_2 - \log N_1}$ ………… (2-29)

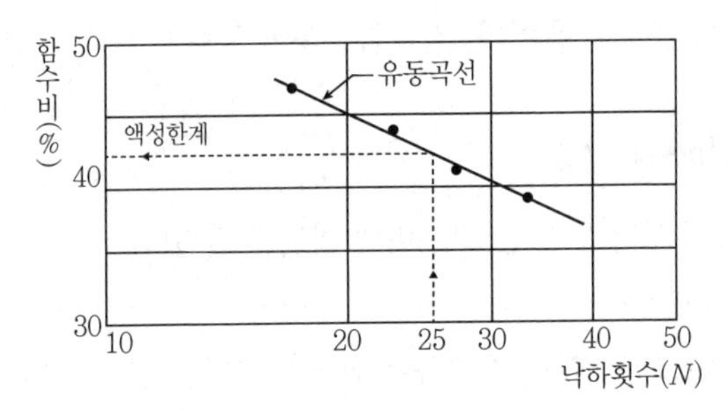

[그림 2-7] 유동곡선

(6) 터프니스지수(Toughness Index ; I_t)

소성한계에 있는 흙의 전단강도를 나타내는 지수이다.

① $I_t = \dfrac{I_P}{I_f}$ ························ (2-30)

② Colloid가 많은 흙일수록 I_t가 크고, 활성도가 크다.

③ 보통점토는 I_t=0~3, 활성이 높은 점토는 I_t=5 정도이다.

3. 활성도(Activity ; A)

(1) 정 의

$$A = \frac{I_P}{2\mu \text{ 이하의 점토함유율(\%)}} \quad \cdots\cdots (2-31)$$

(2) 특 성

① 흙의 팽창성을 판단하는 기준으로 활주로, 도로 등의 건설재료를 판단하거나 점토광물을 분류하는 데 사용된다.

② 점토입자의 크기가 작을수록, 유기질이 많이 함유될수록 활성도는 크다.

③ 활성도가 클수록 소성지수가 커서 공학적으로 불안정한 상태가 되며 팽창, 수축이 커진다.

[표 2-5] 활성도에 따른 점토의 분류

점 토	활성도	점토광물
비활성점토	$A<0.75$	kaolinite
보통점토	$A=0.75\sim1.25$	illite
활성점토	$A>1.25$	montmorillonite

4. 흙의 물리적 성질

(1) 팽창작용

① Bulking

㉠ 모래 속의 물의 표면장력에 의해 팽창하는 현상

㉡ 입경이 커지면 비표면적이 감소하므로 bulking의 크기가 감소한다.

② Swelling

㉠ 점토가 물을 흡수하여 팽창하는 현상

㉡ Montmorillonite가 특히 크다.

(2) 수축작용

점토에서 수분이 증발함에 따라 수축되는 현상

(3) 비화작용(slaking)

① 점착력이 있는 흙을 물 속에 담글 때 고체 → 반고체 → 소성 → 액성의 단계를 거치지 않고 물을 흡착함과 동시에 입자 간의 결합력이 약해져 바로 액성상태로 되어 붕괴되는 현상

② 비화작용이 생기면 전단강도가 감소한다.

5. 함수당량

(1) 원심함수당량(centrifuge moisture equivalent ; CME) KS F 2315

물로 포화되어 있는 흙이 중력의 1000배와 같은 힘(원심력)을 1시간 동안 받은 후의 시료의 함수비를 원심함수당량이라 한다.

① 원심함수당량은 흙의 모관작용의 크기의 정도를 나타내는 것으로 흙의 동상성을 판정하는 데 이용된다.

② 점토가 많을수록 CME가 커지고 CME > 12%인 흙을 불투성인 흙이라 한다.

③ CME > 12%이면 투수성이 작고 보수력, 모관작용이 크며 팽창·수축이 크기 때문에 동상이 크다.

④ CME < 12%이면 투수성이 크고 보수력, 모관작용이 적으며 팽창·수축이 적기 때문에 동상이 적다.

⑤ CME 값

㉠ 모래 : CME = 3~4%

㉡ 사질토 : CME = 5~12%

㉢ 점토 : CME=50% 내외

(2) 현장함수당량(field moisture equivalent ; FME) KS F 2307

습윤시료를 매끈하게 한 표면에 떨어뜨린 한 방울의 물이 흡수되지 않고 30초간 없어지지 않으며 매끈한 표면상에서 광택이 있는 모양을 띠면서 퍼질 때의 함수비이다.

Chapter 02

흙의 기본적 성질

기출 및 적중예상문제 I [4지선다형]

여기에 수록된 「기출문제」는 수험생들의 기억을 바탕으로 유사한 유형의 문제로 새로이 창작하여 구성하였습니다. 따라서 원안과 동일하지는 않지만 출제 수준과 경향을 파악하는 데 결정적인 도움을 주리라 믿습니다.

01 토립자 부분의 부피 $V_s=1$로 해서 주상도를 그리면 전 부피 V는 어떻게 되겠는가? (단, e : 공극비, S : 포화도이다)

① e ② $1+e$ ③ $\dfrac{S\cdot e}{100}$ ④ 1

해설

$V=V_s+V_v=1+V_v=1+e\left(\because e=\dfrac{V_v}{V_s}=\dfrac{V_v}{1}=V_v\right)$

02 다음은 흙의 각 성분 사이의 관계에 대한 설명이다. 옳은 것을 모두 고르면? 2016. 서울시 7급

㉠ 공극비(e)는 실수로 표현되며, 1보다 큰 값을 가질 수 없다.
㉡ 공극률(n)은 %로 표현되며, 100%보다 클 수는 없다.
㉢ 포화도(S)는 %로 표현되며, 0~100%의 값을 가질 수 있다.
㉣ 함수비(w)는 %로 표현되며, 일반적으로 100%보다 작지만 100%보다 클 수도 있다.

① ㉠, ㉡, ㉢ ② ㉠, ㉢, ㉣
③ ㉡, ㉢, ㉣ ④ ㉡, ㉣

해설

1. e는 실수로 표현되며 1보다 큰 값을 가질 수 있다.(세립토일수록 공극비는 커진다.)
2. w는 %로 표현되며, 자연함수비는 100% 이하이지만 해성점토, 유기질토에서는 함수비가 500% 이상일 때도 있다.

03 흙의 습윤밀도 $1.8g/cm^3$, 함수비 20%, 이 흙의 비중이 2.7이다. 이 흙의 간극비(또는 공극비)는 얼마인가?

① 0.9 ② 0.8 ③ 0.7 ④ 0.6

해설

$\gamma_t=\dfrac{G_s+Se}{1+e}\gamma_w=\dfrac{G_s+wG_s}{1+e}\gamma_w$

$1.8=\dfrac{2.7+0.2\times2.7}{1+e}\quad\therefore e=0.8$

04 점토지반으로부터 불교란 시료를 채취하였다. 이 시료는 직경 5cm, 길이 10cm, 습윤질량 350g이고, 건조로에서 건조시킨 후의 질량은 250g이었다. 이 시료의 건조밀도는 얼마인가?

① $1.78g/cm^3$ ② $1.27g/cm^3$
③ $0.78g/cm^3$ ④ $0.27g/cm^3$

해설

$\gamma_d=\dfrac{W_s}{V}=\dfrac{250}{\dfrac{\pi\times5^2}{4}\times10}=1.27g/cm^3$

05 어느 흙의 지하수면 아래의 흙의 단위중량이 $1.94g/cm^3$이었다. 이 흙의 공극비가 0.84일 때 이 흙의 비중을 구하면?

① 1.65 ② 2.65
③ 2.73 ④ 3.73

해설

$\gamma_{sat}=\dfrac{G_s+e}{1+e}\gamma_w$

$1.94=\dfrac{G_s+0.84}{1+0.84}\times1$

$\therefore G_s=2.73$

01 ② 02 ③ 03 ② 04 ② 05 ③ [정답]

06 간극률이 50%인 모래의 비중이 2.65이었다. 이 모래가 완전히 포화되어 있다면 그 단위중량은?

① 0.83t/m³ ② 1.56t/m³
③ 1.83t/m³ ④ 2.04t/m³

해설

1. $e=\dfrac{n}{100-n}=\dfrac{50}{100-50}=1$

2. $\gamma_{sat}=\dfrac{G_s+e}{1+e}\gamma_w$

$=\dfrac{2.65+1}{1+1}\times 1=1.83\text{t/m}^3$

07 토립자의 비중이 2.7이고 건조단위중량이 1.8g/cm³인 흙의 간극비는?

2010. 지방직 7급

① 0.3 ② 0.5
③ 0.9 ④ 1.5

해설

$\gamma_d=\dfrac{G_s}{1+e}\gamma_w$

$1.8=\dfrac{2.7}{1+e}\quad \therefore e=0.5$

08 습윤토 1000cm³의 교란되지 않은 시료가 있다. 이 시료의 시험결과 무게는 1600g, 함수비는 10%, 비중은 2.6의 값을 얻었다. 교란되지 않은 상태의 포화도는 얼마인가?

2010. 지방직 7급

① 33% ② 38%
③ 44% ④ 56%

해설

1. $\gamma_t=\dfrac{W}{V}=\dfrac{1600}{1000}=1.6\text{g/cm}^3$

2. $\gamma_t=\dfrac{G_s+S_r\cdot e}{1+e}\gamma_w=\dfrac{G_s+wG_s}{1+e}\gamma_w$

$1.6=\dfrac{2.6+0.1\times 2.6}{1+e}\times 1$

$\therefore e=0.79$

3. $S_r\cdot e=w\cdot G_s$

$S_r\times 0.79=10\times 2.6\quad \therefore S_r=32.91\%$

09 습윤단위중량이 2.0t/m³, 함수비가 25%, 비중이 2.7인 경우 건조밀도와 포화도는?

① 1.93t/m³, 97.8% ② 1.6t/m³, 92.3%
③ 1.93t/m³, 92.3% ④ 1.6t/m³, 97.8%

해설

1. $\gamma_t=\dfrac{G_s+Se}{1+e}\gamma_w=\dfrac{G_s+wG_s}{1+e}\gamma_w$

$2=\dfrac{2.7+0.25\times 2.7}{1+e}\quad \therefore e=0.69$

2. $\gamma_d=\dfrac{G_s}{1+e}\gamma_w=\dfrac{2.7}{1+0.69}=1.6\text{t/m}^3$

3. $S_r\cdot e=w\cdot G_s$

$S_r\times 0.69=25\times 2.7\quad \therefore S_r=97.83\%$

10 다음은 흙의 단위중량을 나타내는 여러 가지 식이다. 이 가운데 어떤 흙이 물에 포화되어 있으나 부력은 받지 않는 상태에 있을 때 택하여야 할 단위중량은? (단, 토립자의 비중은 G_s, 물의 단위중량은 γ_w이다)

① $\dfrac{G_s-1}{1+e}\gamma_w$ ② $\dfrac{G_s+e}{1+e}\gamma_w$
③ $\dfrac{G_s-1}{1+e}$ ④ $\dfrac{G_s}{1+e}\gamma_w$

해설

$\gamma_{sat}=\dfrac{G_s+e}{1+e}\gamma_w$

11 어떤 흙시료의 비중이 2.50이고 흙 중의 물의 무게가 100g이며, 순 흙입자의 부피가 200cm³일 때 이 시료의 함수비는 얼마인가?

① 10% ② 20%
③ 30% ④ 40%

해설

1. $G_s=\dfrac{W_s}{V_s\gamma_w}$ 에서 $2.5=\dfrac{W_s}{200\times 1}\quad \therefore W_s=500\text{g}$

2. $w=\dfrac{W_w}{W_s}\times 100=\dfrac{100}{500}\times 100=20\%$

06 ③ 07 ② 08 ① 09 ④ 10 ② 11 ② [정답]

12 모래치환법으로 현장밀도시험을 한 결과 원지반을 파낸 구멍의 부피는 2,000cm^{3}이고 파낸 흙의 중량은 33N 이며, 함수비는 10%였다. 이 흙의 간극비는? (단, 이 흙의 비중(G_s)은 2.70이고 물의 단위중량은 10kN/m^{3}이다)

2015. 국가직

① 0.6　② 0.7
③ 0.8　④ 0.9

해설

1. $\gamma_t = \dfrac{W}{V} = \dfrac{33}{2000} = 0.0165\text{N/cm}^3 = 16.5\text{KN/m}^3$
2. $\gamma_t = \dfrac{G_s + Se}{1+e}\gamma_w = \dfrac{G_s + wG_s}{1+e}\gamma_w$

$16.5 = \dfrac{2.7 + 0.1 \times 2.7}{1+e} \times 10$

$\therefore e = 0.8$

13 흐트러지지 않은 100% 포화된 시료의 체적이 20.5cm^{3}이고 무게는 33.2g이었다. 이 시료를 노건조시킨 후 무게는 22.6g이었다. 간극비는?

① 1.07　② 1.52
③ 2.14　④ 2.63

해설

1. $S_r = 100\%$ 일 때

$V_v = V_w = W_w = 33.2 - 22.6 = 10.6\text{cm}^3$

2. $e = \dfrac{V_v}{V_s} = \dfrac{V_v}{V - V_v} = \dfrac{10.6}{20.5 - 10.6} \fallingdotseq 1.07$

14 완전히 포화된 흙의 함수비가 40%이고, 이때 흙의 습윤단위중량이 2.0t/m^{3}이다. 이 흙의 비중은 얼마인가?

① 3.3　② 3.0
③ 2.7　④ 2.3

해설

1. $\gamma_{sat} = \dfrac{G_s + e}{1+e}\gamma_w$

$2 = \dfrac{G_s + e}{1+e} \times 1$ ………………………… ㉠

2. $S_r \cdot e = w \cdot G_s$　$1 \times e = 0.4G_s$ …………… ㉡

㉠, ㉡에서 $G_s = 3.33$

15 포화된 흙의 함수비가 40%, 비중이 2.7인 경우 건조단위중량은 얼마인가?

① 1.3t/m^3　② 1.5t/m^3
③ 1.7t/m^3　④ 1.8t/m^3

해설

1. $S_r \cdot e = w \cdot G_s$ 에서　$1 \times e = 0.4 \times 2.7$　$\therefore e = 1.08$
2. $\gamma_d = \dfrac{G_s}{1+e}\gamma_w = \dfrac{2.7}{1+1.08} \times 1 = 1.3\text{t/m}^3$

16 흙의 습윤단위무게(γ_t) 1.30g/cm^{3}이며 함수비가 65%인 흙의 비중이 2.70일 때 포화단위무게를 구하면?

① 0.8g/cm^3　② 1.5g/cm^3
③ 1.8g/cm^3　④ 2.3g/cm^3

해설

1. $\gamma_t = \dfrac{G_s + Se}{1+e}\gamma_w = \dfrac{G_s + wG_s}{1+e}\gamma_w$

$1.3 = \dfrac{2.7 + 0.65 \times 2.7}{1+e} \times 1$

$\therefore e = 2.43$

2. $\gamma_{sat} = \dfrac{G_s + e}{1+e}\gamma_w = \dfrac{2.7 + 2.43}{1 + 2.43} = 1.50\text{g/cm}^3$

17 건조단위중량이 1.3g/cm^{3}이고 공극비가 0.9인 시료가 90% 포화되었을 때의 단위중량은?

① 1.92g/cm^3　② 1.73g/cm^3
③ 1.69g/cm^3　④ 1.62g/cm^3

해설

1. $\gamma_d = \dfrac{G_s}{1+e}\gamma_w$

$1.3 = \dfrac{G_s}{1+0.9} \times 1$　$\therefore G_s = 2.47$

2. $\gamma_t = \dfrac{G_s + Se}{1+e}\gamma_w = \dfrac{2.47 + 0.9 \times 0.9}{1+0.9} = 1.73\text{g/cm}^3$

12 ③　13 ①　14 ①　15 ①　16 ②　17 ② [정답]

18 습윤단위중량이 2.0t/m³, 함수비 20%, $G_s=2.7$인 경우 포화도는?

① 86.1% ② 87.1%
③ 95.6% ④ 100%

해설

1. $\gamma_t=\dfrac{G_s+Se}{1+e}\gamma_w=\dfrac{G_s+wG_s}{1+e}\gamma_w$

$2=\dfrac{2.7+0.2\times2.7}{1+e}\times1 \qquad \therefore e=0.62$

2. $S_r e=wG_s$

$S_r\times0.62=20\times2.7 \qquad \therefore S_r=87.1\%$

19 다음 그림에서 흙 고체만의 체적(V_s)은 얼마나 되겠는가? (단, 이 흙의 비중은 2.65이고, 함수비는 20%이다)

① 2.3m³
② 2.8m³
③ 3.1m³
④ 3.4m³

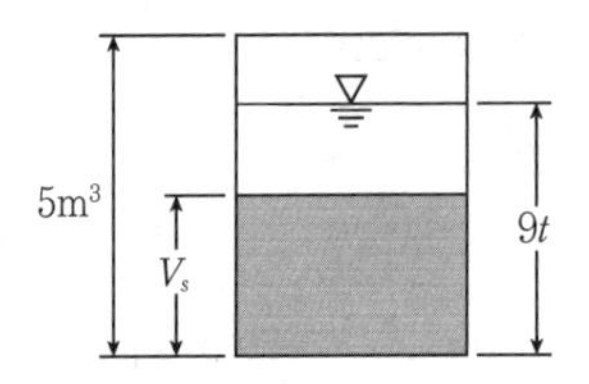

해설

1. $\gamma_t=\dfrac{W}{V}=\dfrac{9}{5}=1.8\text{t/m}^3$

2. $\gamma_t=\dfrac{G_s+Se}{1+e}\gamma_w=\dfrac{G_s+wG_s}{1+e}\gamma_w$

$1.8=\dfrac{2.65+0.2\times2.65}{1+e}\times1 \qquad \therefore e=0.77$

3. $e=\dfrac{V_v}{V_s}=\dfrac{V-V_s}{V_s}$

$0.77=\dfrac{5-V_s}{V_s} \qquad \therefore V_s=2.82\text{m}^3$

20 현장에서 들밀도시험을 한 결과 파낸 구멍의 용적은 2000cm³이고 파낸 흙의 중량이 3200g이며 함수비는 10%였다. 이 흙의 간극비는 얼마인가? (단, 이 흙의 비중은 2.70이다)

① 0.86 ② 0.76
③ 0.70 ④ 0.66

해설

1. $\gamma_t=\dfrac{W}{V}=\dfrac{3200}{2000}=1.6\text{g/cm}^3$

2. $\gamma_t=\dfrac{G_s+Se}{1+e}\gamma_w=\dfrac{G_s+wG_s}{1+e}\gamma_w$

$1.6=\dfrac{2.7+0.1\times2.7}{1+e}\times1 \qquad \therefore e=0.86$

21 어떤 흙층의 지하수위가 1m 강하되었다. 강하 후 흙층의 포화도를 50%라 하고, 건조밀도 $\gamma_d=1.6\text{t/m}^3$, 포화밀도 $\gamma_{sat}=1.7\text{t/m}^3$라 할 때 수위가 강하된 흙층의 습윤밀도는?

① 0.11t/m³ ② 0.87t/m³
③ 1.65t/m³ ④ 1.74t/m³

해설

1. $\gamma_d=\dfrac{G_s}{1+e}\gamma_w$

$1.6=\dfrac{G_s}{1+e}$ ……………… ㉠

2. $\gamma_{sat}=\dfrac{G_s+e}{1+e}\gamma_w$

$1.7=\dfrac{G_s+e}{1+e}$ ……………… ㉡

㉠, ㉡을 연립방정식으로 풀면, $G_s=1.78,\ e=0.11$

3. $\gamma_t=\dfrac{G_s+S_e}{1+e}\gamma_w=\dfrac{1.78+0.5\times0.11}{1+0.11}=1.65\text{t/m}^3$

22 부피가 2208cm³이고 무게가 4000g인 몰드 속에 흙을 다져 넣어 무게를 측정하였더니 8416g이었다. 이 몰드 속에 있는 흙을 시료추출기를 사용하여 추출한 후 함수비를 측정하였더니 10.0%였다. 이 흙의 건조단위중량은 얼마인가?

① 1.9g/cm³ ② 1.7g/cm³
③ 1.8g/cm³ ④ 1.6g/cm³

해설

1. $\gamma_t=\dfrac{W}{V}=\dfrac{8416-4000}{2208}=2.0\text{g/cm}^3$

2. $\gamma_d=\dfrac{\gamma_t}{1+\dfrac{w}{100}}=\dfrac{2}{1+\dfrac{10}{100}}=1.82\text{g/cm}^3$

18 ② 19 ② 20 ① 21 ③ 22 ③ [정답]

23 완전히 포화된 흙의 건조단위중량과 함수비가 각각 16kN/m³와 25%일 때, 이 흙의 간극비(e)와 비중(G_s)은? (단, 물의 단위중량은 10kN/m³로 가정한다) 2014. 국가직

	간극비(e)	비중(G_s)
①	0.63	2.52
②	0.65	2.60
③	0.67	2.67
④	0.68	2.72

해설

1. $\gamma_d = \dfrac{G_s}{1+e}\gamma_w$

   $16 = \dfrac{G_s}{1+e} \times 10$ ········· ㉠

2. $Se = wG_s$

   $1 \times e = 0.25G_s$ ········· ㉡

   ㉠, ㉡을 연립방정식으로 풀면

   $G_s = 2.67 \quad e = 0.67$

24 단위중량이 1.5t/m³이고, 비중이 2.7인 건조한 모래를 비 속에 두었다. 비를 맞은 후 포화도가 40%로 되었으나 부피는 일정하다. 비를 맞은 후 이 흙의 단위중량은?

① 1.88g/cm³ ② 1.68g/cm³
③ 1.38g/cm³ ④ 1.31g/cm³

해설

1. $\gamma_d = \dfrac{G_s}{1+e}\gamma_w$

   $1.5 = \dfrac{2.7}{1+e} \times 1 \qquad \therefore e = 0.8$

2. $\gamma_t = \dfrac{G_s+Se}{1+e}\gamma_w = \dfrac{2.7+0.4\times0.8}{1+0.8} = 1.68\text{g/cm}^3$

25 다음 밀도 중 큰 것부터 차례로 된 것은? (단, γ_{sat} : 포화밀도, γ_{sub} : 수중밀도, γ_t : 습윤밀도, γ_d : 건조밀도, γ_s : 흙 골격만의 밀도)

① $\gamma_s > \gamma_{sat} > \gamma_t > \gamma_{sub}$ ② $\gamma_{sat} > \gamma_s > \gamma_t > \gamma_{sub}$
③ $\gamma_{sat} > \gamma_t > \gamma_s > \gamma_{sub}$ ④ $\gamma_{sat} > \gamma_d > \gamma_{sub} > \gamma_s$

해설

$\gamma_s = \dfrac{W_s}{V_s} = G_s\gamma_w$, $\gamma_{sat} = \dfrac{G_s+e}{1+e}\gamma_w$, $\gamma_t = \dfrac{G_s+Se}{1+e}\gamma_w$

$\gamma_d = \dfrac{G_s}{1+e}\gamma_w$, $\gamma_{sub} = \dfrac{G_s-1}{1+e}\gamma_w$

$\therefore \gamma_s > \gamma_{sat} > \gamma_t > \gamma_d > \gamma_{sub}$

26 현장밀도시험의 결과로부터 건조밀도를 구하는 식으로 옳은 것은? (단, V : 시험구멍의 용적, W : 시험구멍에서 파낸 흙의 습윤중량, w : 시험구멍에서 파낸 흙의 함수비)

① $\gamma_d = \dfrac{1}{V}\left(\dfrac{W}{1+w/100}\right)$

② $\gamma_d = W\left(\dfrac{V}{1+w/100}\right)$

③ $\gamma_d = \dfrac{1}{W}\left(\dfrac{W}{1+w/100}\right)$

④ $\gamma_d = V\left(\dfrac{w}{1+W/100}\right)$

해설

$$\gamma_d = \frac{W_s}{V} = \frac{\dfrac{W}{1+\dfrac{w}{100}}}{V}$$

27 완전 포화된 흙의 단위중량이 1.9t/m³이고, 함수비가 30%이었다. 이 흙의 공극비와 비중은?

① $G_s = 2.60,\ e = 0.78$
② $G_s = 2.65,\ e = 0.85$
③ $G_s = 2.70,\ e = 0.91$
④ $G_s = 2.73,\ e = 0.91$

해설

1. $\gamma_{sat} = \dfrac{G_s+e}{1+e}\gamma_w$

   $1.9 = \dfrac{G_s+e}{1+e}$ ········· ㉠

2. $S_r \cdot e = w \cdot G_s$

   $1 \times e = 0.3G_s$ ········· ㉡

   ㉠, ㉡식을 연립방정식으로 풀면

   $G_s = 2.60,\ e = 0.78$

23 ③ 24 ② 25 ① 26 ① 27 ① [정답]

28 $100cm^3$인 포화점토 가운데 물의 무게가 60g 포함되어 있다. 이 포화점토의 공극비는?

① 0.75 ② 1.00
③ 1.25 ④ 1.50

해설

1. $S_r = 100\%$ 일 때 $V_v = V_w = W_w = 60g$
2. $e = \dfrac{V_v}{V_s} = \dfrac{V_v}{V - V_v} = \dfrac{60}{100-60} = 1.5$

29 함수비 15%인 흙 2300g이 있다. 이 흙의 함수비를 25%로 증가시키려면 얼마의 물을 가해야 하는가?

① 200g ② 230g
③ 345g ④ 575g

해설

1. $w = 15\%$일 때
   $W_w = \dfrac{wW}{100+w} = \dfrac{15 \times 2300}{100+15} = 300g$
2. $w = 25\%$일 때
   $W_w = \dfrac{300 \times 25}{15} = 500g$
3. 추가할 물 $W_w = 500 - 300 = 200g$

30 도로 성토를 위한 흙의 함수비가 20%였다. 이 흙을 원활히 다짐하기 위하여 최적함수비 상태로 만들려고 한다. 단위중량이 $18kN/m^3$인 이 흙의 최적함수비가 25%라면, $1m^3$의 흙에 필요한 물의 무게[N]는 얼마인가?

2016. 서울시 7급

① 250 ② 500
③ 750 ④ 1,000

해설

1. $\gamma_t = \dfrac{W}{V}$ $\quad 18 = \dfrac{W}{1}$
   $\therefore W = 18kN = 18{,}000N$
2. $w = 20\%$일 때
   $W_w = \dfrac{wW}{100+w} = \dfrac{20 \times 18{,}000}{100+20} = 3{,}000N$
3. $w = 25\%$일 때
   $W_w = \dfrac{3{,}000 \times 25}{20} = 3{,}750N$
4. 추가할 물
   $W_w = 3{,}750 - 3{,}000 = 750N$

31 간극률(n)이 0.5, 토립자의 비중이 2.60, 함수비가 20%인 흙을 완전 포화시키고자 한다. $10m^3$의 완전포화토를 얻기 위해서는 얼마의 물이 더 필요한가? 2007. 국가직 7급

① 2400kg ② 2600kg
③ 3200kg ④ 5000kg

해설

1. $e = \dfrac{n}{100-n} = \dfrac{50}{100-50} = 1$
2. $\gamma_t = \dfrac{G_s + Se}{1+e}\gamma_w = \dfrac{2.6 + 0.2 \times 2.6}{1+1} \times 1 = 1.56t/m^3$
3. $\gamma_{sat} = \dfrac{G_s + e}{1+e}\gamma_w = \dfrac{2.6+1}{1+1} \times 1 = 1.8t/m^3$
4. $10m^3$당 추가할 물의 양 $= (1800 - 1560) \times 10 = 2400kg$

32 도로를 축조하기 위하여 토취장에서 시료를 채취하여 함수비를 측정하였더니 10%였다. 이 흙의 다짐이 잘되지 않아 최적함수비인 22% 정도로 올리려고 한다. $1m^3$당 몇 kg의 물을 가해야 하는가? (단, 이 흙의 습윤밀도는 $2.2t/m^3$이고, 간극비는 일정하다고 본다)

① 200kg ② 220kg
③ 240kg ④ 280kg

해설

1. $1m^3$당 흙의 무게
   $\gamma_t = \dfrac{W}{V}$에서 $2.2 = \dfrac{W}{1}$
   $\therefore W = 2.2t$
2. $w = 10\%$일 때 물의 무게
   $W_w = \dfrac{wW}{100+w} = \dfrac{10 \times 2200}{100+10} = 200kg$
3. $w = 22\%$일 때 물의 무게
   $10 : 200 = 22 : W_w$
   $\therefore W_w = 440kg$
4. 추가할 물의 무게
   $W_w = 440 - 200 = 240kg$

28 ④ 29 ① 30 ③ 31 ① 32 ③ [정답]

33 토취장 흙의 평균 습윤단위중량은 16.8kN/m³이고, 함수비는 12%이다. 다짐된 도로제방의 부피가 10000m³, 건조단위중량이 18.0kN/m³, 함수비가 16%일 경우, 이 제방에 필요한 토취장 흙의 부피(m³)와 필요한 물의 양(kN)은? (단, 흙의 토량변화율은 무시한다)

2011. 지방직 7급

	흙의 부피	물의 양
①	10,000	7,200
②	12,000	7,200
③	11,000	8,000
④	12,000	8,000

해설

1. $\gamma_{d(제방)} = \dfrac{W_s}{V}$

$18 = \dfrac{W_s}{10,000}$ $\quad \therefore W_s = 180,000\text{kN}$

$\gamma_{d(토취장)} = \dfrac{W_s}{V}$ $\quad 15 = \dfrac{180,000}{V}$ $\quad \therefore V = 12,000\text{m}^3$

$\left(\because \gamma_d = \dfrac{16.8}{1+\dfrac{12}{100}} = 15\text{kN/m}^3\right)$

2. ① $w = 12\%$일 때

$w = \dfrac{W_w}{W_s} \times 100$

$12 = \dfrac{W_w}{180,000} \times 100$

$\therefore W_w = 21,600\text{kN}$

② $w = 16\%$

$w = \dfrac{W_w}{W_s} \times 100$ $\quad 16 = \dfrac{W_w}{180,000} \times 100$

$\therefore W_w = 28,800\text{kN}$

③ 추가 $W_w = 28,800 - 21,600 = 7,200\text{kN}$

34 토취장에서 간극비가 0.8인 흙을 5400m³만큼 가져와 4900m³의 성토구역에 다져넣었다. 이 다져 놓은 현장의 간극비는 얼마인가?

① 0.43 ② 0.63
③ 0.73 ④ 0.93

해설

1. $e_{토} = \dfrac{V_v}{V_s} = \dfrac{V - V_s}{V_s}$

$0.8 = \dfrac{5400 - V_s}{V_s}$ $\quad \therefore V_s = 3000\text{m}^3$

2. $e_{성} = \dfrac{V_v}{V_s} = \dfrac{V - V_s}{V_s} = \dfrac{4900 - 3000}{3000} = 0.63$

35 토립자의 3상 전체의 체적을 1이라고 볼 때 물의 체적(V_w)은 다음 중 어느 것인가?

① $\dfrac{S_r \cdot n}{10000}$ ② $\dfrac{S_r \cdot e}{100}$

③ $\dfrac{S_r\left(1-\dfrac{n}{100}\right)}{100}$ ④ $1-e$

해설

1. $n = \dfrac{V_v}{V} \times 100$ 에서 $V_v = \dfrac{n \cdot V}{100} = \dfrac{n}{100}$ $(\because V = 1)$

2. $S_r = \dfrac{V_w}{V_v} \times 100$ 에서 $V_w = \dfrac{S_r V_v}{100} = \dfrac{S_r \cdot \dfrac{n}{100}}{100} = \dfrac{S_r n}{10000}$

36 어느 지반에서 시료를 채취하여 실내시험을 한 결과, 흙시료의 총 중량은 2.21N, 흙만의 중량은 1.28N, 흙의 비중은 2.7, 포화도는 75%였다. 이 흙시료에서 물이 차지하는 체적[cm³]은? (단, 물의 단위중량은 10kN/m³로 한다)

2012. 국가직 7급

① 69.75 ② 93.00
③ 96.00 ④ 165.75

해설

1. $W_w = 2.21 - 1.28 = 0.93N$

2. $\gamma_w = \dfrac{W_w}{V_w}$ 에서

$10 = \dfrac{0.93 \times 10^{-3}}{V_w}$ $\quad \therefore V_w = 0.93 \times 10^{-4}\text{m}^3 = 93\text{cm}^3$

37 흙의 삼상에서 전체 체적을 "1"로 가정하는 경우 물만의 무게는 다음 중 어느 것인가? (단, S_r과 n은 %)

① $\dfrac{n}{100}\gamma_w$ ② $\dfrac{S_r}{100}\gamma_w$

③ $\dfrac{S_r \cdot n}{10000}\gamma_w$ ④ $\left(1-\dfrac{S_r \cdot n}{10000}\right)\gamma_w$

해설

1. $n = \dfrac{V_v}{V} \times 100$ 에서 $V_v = \dfrac{n \cdot V}{100} = \dfrac{n}{100}$ $(\because V = 1)$

2. $S_r = \dfrac{V_w}{V_v} \times 100$ 에서 $V_w = \dfrac{S_r \cdot V_v}{100} = \dfrac{S_r \cdot n}{10000}$

3. $\gamma_w = \dfrac{W_w}{V_v}$ 에서 $W_w = V_w \cdot \gamma_w = \dfrac{S_r \cdot n}{10000} \cdot \gamma_w$

33 ② 34 ② 35 ① 36 ② 37 ③ [정답]

38 흙의 삼상에서 흙만의 체적을 "1"로 가정하는 경우 물만의 무게는 다음 중 어느 것인가? (단, w와 S_r은 %)

① $e\gamma_w$　　② $\frac{w}{100}\gamma_w$

③ $\frac{w \cdot e}{100}\gamma_w$　　④ $\frac{S_r \cdot e}{100}\gamma_w$

해설

1. $e = \frac{V_v}{V_s} = V_v \quad (\because V_s = 1)$
2. $S_r = \frac{V_w}{V_v} \times 100$ 에서 $V_w = \frac{S_r \cdot V_v}{100} = \frac{S_r \cdot e}{100}$
3. $\gamma_w = \frac{W_w}{V_w}$ 에서 $W_w = V_w \cdot \gamma_w = \frac{S_r \cdot e}{100} \cdot \gamma_w$

39 함수비 시험에서 건조로의 기준온도를 110±5℃로 하는 이유는?

① 흙의 흡착수까지 증발시키기 위한 것이다.

② 흙의 흡착수와 자유수를 동시에 증발시키기 위한 것이다.

③ 흙의 자유수만을 증발시키기 위한 것이다.

④ 건조로의 과열을 방지하기 위한 것이다.

해설

1. 2중층 내에 있는 물을 흡착수라 하고 밖에 있는 물을 자유수라 한다. 그리고 점토가 점성을 갖는 것은 흡착수 때문이다.
2. 110±5℃로 노건조하는 것은 자유수만을 제거하기 위함이다(흡착수는 흙입자로 취급한다).

40 석고나 유기물 등을 다분히 함유한 흙의 함수비 측정시 적당한 건조온도는?

① 60℃　　② 100℃

③ 110℃　　④ 130℃

해설

석고나 유기질을 함유한 흙에서 110±5℃로 노건조시키면 결정수를 잃거나 유기질이 연소되므로 80℃ 이하로 장기간 건조시켜야 한다.

41 노건조한 시료의 중량 46g, 15℃의 물을 채운 비중병의 중량이 62.5g, 온도 15℃의 물과 흙을 채운 비중병의 중량이 92.5g일 때 비중은?

① 1.6　　② 1.8

③ 2.1　　④ 2.9

해설

$$G_s = \frac{W_s}{W_s + W_a - W_b} = \frac{46}{46 + 62.5 - 92.5} = 2.9$$

42 다음 설명 중 틀린 것은?

① 점토의 경우 입도분포는 상대적으로 공학적 거동에 큰 영향을 미치지 않고 물의 유무가 거동에 매우 큰 영향을 준다.

② 액성지수는 자연상태에 있는 점토지반의 상대적인 연경도를 나타내는데 사용되며 1에 가까운 지반일수록 과압밀된 상태에 있다.

③ 활성도가 크다는 것은 점토광물이 조금만 증가하더라도 소성이 매우 크게 증가하는 것을 의미하므로 지반의 팽창잠재능력이 크다.

④ 흐트러지지 않은 자연상태의 지반인 경우 수축한계가 종종 소성한계보다 큰 지반이 존재하며 이는 특히 민감한 흙의 경우 나타나는 현상으로 주로 흙의 구조 때문이다.

해설

1. 액성지수는 흙의 유동가능성의 정도를 나타낸 것으로 0에 가까울수록 흙은 안정하다.
2. 과압밀된 흙의 함수비는 소성한계보다 작은 경우가 있으며 이러한 흙의 액성지수는 0보다 작은 값이 된다.

43 흙의 함수량을 어떤 양 이하로 줄여도 그 흙의 용적이 줄지 않고 함수량이 그 양 이상으로 늘면 용적이 증대하는 한계의 함수비로 표시된 것은?

① 액성한계　　② 소성한계

③ 수축한계　　④ 유동한계

38 ④ 39 ③ 40 ① 41 ④ 42 ② 43 ③ [정답]

44 노건조된 점토시료의 중량이 11.8g, 수은을 사용하여 수축한계에 도달한 시료의 용적을 측정한 결과가 5.9cm³일 때의 수축한계는? (단, 비중은 2.60이다)

① 11.5%　② 14.5%
③ 16.5%　④ 18.5%

해설

1. $R = \dfrac{W_0}{V_0 \gamma_w} = \dfrac{11.8}{5.9 \times 1} \times 1 = 2$
2. $W_s = \left(\dfrac{1}{R} - \dfrac{1}{G_s}\right) \times 100 = \left(\dfrac{1}{2} - \dfrac{1}{2.6}\right) \times 100 = 11.54\%$

45 흙의 연경도(consistency)에 관한 다음 설명 중 옳지 않은 것은?

① 소성지수는 액성한계와 소성한계의 차로서 표시된다.
② 수축한계를 지나서도 수축이 계속되는 것이 보통이다.
③ 유동지수는 유동곡선의 기울기이다.
④ 어떤 흙의 함수비가 소성한계보다 높으면 그 흙은 소성상태 또는 액성상태에 있다고 할 수 있다.

해설

1. 소성지수 : $I_P = W_L - W_P$
2. 수축한계보다 함수량이 적을 때에는 함수량을 줄여도 흙의 체적이 줄지 않는다.
3. 유동지수는 유동곡선의 기울기이다.

46 점성토에 대한 다음 기술 중 옳지 않은 것은?

① 소성지수(I_P)가 큰 흙일수록 세립분이 많다.
② 액성지수(I_L)가 작을수록 흙은 안정하다.
③ 자연함수비가 액성한계에 가까운 흙은 안정하다.
④ 압축지수가 작을수록 안정하다.

해설

1. 점토가 많을수록 W_L, I_P가 크다.
2. $I_L < 0$이면 흙은 고체나 반고체상태로서 안정하다.
3. 자연함수비가 수축한계에 가까운 흙일수록 안정하다.

47 액성한계(W_L)와 소성지수(I_P)의 공학적 의의를 설명한 것 중 틀린 것은?

① W_L와 I_P의 값이 크면 점토와 콜로이드 크기의 입자함량이 많다.
② W_L와 I_P의 값이 크면 다짐이 잘 되므로 도로의 기층이나 노반재료로 적당하다.
③ W_L와 I_P의 값이 큰 흙은 약한 지반이므로 기초에 적합하지 않다.
④ W_L와 I_P의 값이 큰 흙은 함수량에 따라 체적변화가 민감한 흙이다.

해설

1. W_L, I_P가 클수록 점토함량이 많다.
2. 점토는 다짐이 잘 안되고 잔류침하가 크므로 기초나 노반의 재료로서 부적당하다.

48 흙의 연경도에 관한 설명 중 옳지 않은 것은?

① 자연함수비 W_n이 액성한계 W_L에 근접하면 흙은 안정한 상태에 있다.
② 소성지수가 크다는 것은 점토분이 많다는 것을 의미한다.
③ 액성지수 I_L이 1보다 큰 경우 극히 예민한 점토이다.
④ 자연함수비 W_n이 소성한계 W_P에 근접하면 흙은 안정상태에 있다.

해설

1. 자연함수비가 액성한계에 근접하면 불안정한 상태이다.
2. W_L, I_P가 클수록 점토분이 많다.
3. $I_L > 1$이면 액성상태로서 흙은 불안정한 상태이다.

44 ① 45 ② 46 ③ 47 ② 48 ① [정답]

49 교란된 시료로 실내 토질시험을 하면 시험결과가 불교란시료에 대한 시험에 비해 현저한 차이를 가져온다. 그러나 차이가 나지 않는 것은?

① 전단강도
② 압밀곡선
③ 흙의 구조
④ 액성한계

해설

액성한계는 0.425mm(No.40)체 통과시료(교란시료)를 사용한다.

50 에터버그 한계(Atterberg limits)에 관한 설명 중에서 잘못된 것은 어느 것인가?

① 액성한계가 크다는 말은 팽창량이나 수축량이 크다는 말이다.
② 소성지수는 액성한계에서 소성한계를 뺀 값이다.
③ 고체상태로부터 반고체로 변하는 순간의 함수비를 수축한계라 한다.
④ 자연상태의 흙의 함수비에서 액성한계를 뺀 값을 소성지수로 나눈 값이 액성지수이다.

해설

1. 액성한계가 큰 흙일수록 점토분이 많으므로 팽창, 수축이 크다.
2. $I_L = \dfrac{W_n - W_P}{I_P}$

51 액성한계에 관한 설명 중 옳지 않은 것은?

① 흙이 유동할 때의 최소함수비를 말한다.
② 일반적으로 점착성이 있는 흙의 성질을 나타내는 것이다.
③ 흙이 액성에서 소성으로 옮겨지는 한계를 말한다.
④ 세립자가 많은 흙일수록 액성한계가 작다.

해설

세립자가 많은 흙일수록 액성한계가 크다.

52 점토의 공학적 특성에 대한 설명으로 옳지 않은 것은?

2016. 국가직 7급

① 점토의 비율이 증가하면 흙의 소성지수(PI)도 증가한다.
② 예민한 점토의 현장 함수비는 액성한계보다 클 수 있다.
③ 점토의 함수비는 100%를 초과할 수 없다.
④ 점토의 액성한계는 100%를 초과할 수 있다

해설

해성점토, 유기질토에서는 함수비가 500% 이상일 때도 있다.

53 다음은 흙의 상태와 함수비의 한계를 정의한 것이다. 옳지 않은 것은?

① 액성한계는 소성을 나타내는 최대의 함수비 또는 점성유체로 되는 최소의 함수비를 말한다.
② 소성한계는 소성을 나타내는 범위의 함수비 중에서 가장 큰 것을 말한다.
③ 수축한계는 함수비가 감소해도 체적이 감소하지 않을 때의 함수비를 말한다.
④ 소성지수는 액성한계와 소성한계의 차를 말한다.

해설

소성한계

1. 소성상태를 나타내는 함수비 중에서 가장 작은 함수비이다.
2. 반고체상태를 나타내는 함수비 중에서 가장 큰 함수비이다.
3. 흙이 반고체상태와 소성상태의 경계가 되는 함수비이다.

49 ④ 50 ④ 51 ④ 52 ③ 53 ② [정답]

54 다음 중 옳지 않은 것은 어느 것인가?

① 액성한계에서는 모든 흙의 강도가 거의 같은 값이다.
② 소성한계에서는 각종 흙의 강도가 서로 다른 것이 보통이다.
③ 활성도가 클수록 흙의 팽창, 수축 가능성이 적다.
④ 함수비가 수축한계보다 커지면 점토는 팽창한다.

해설

1. 액성한계와 동일한 함수비를 가지고 있는 흙은 어떤 흙이든 최솟값의 전단강도를 가진다. 따라서 자연함수비가 액성한계를 넘어서면 그 흙의 전단강도는 거의 무시할 수 있다.
2. 활성도가 클수록 소성지수가 커서 공학적으로 불안정한 상태가 되며 팽창, 수축이 커진다.

55 액성지수 I_L과 연경지수 I_C와의 관계 중 옳지 않은 것은?

① I_L과 I_C의 값은 흙의 안정성을 판별하는데 이용된다.
② $I_C \geq 1$인 경우 흙은 안정상태에 있다.
③ 액성한계와 자연함수비와의 차를 소성지수로 나눈 값을 I_C라 한다.
④ I_C와 I_L은 같은 의미를 가지며, $I_L \leq 0$이면 흙은 불안정상태이다.

해설

1. $I_C = \dfrac{W_L - W_n}{I_P}$
2. $I_L > 1$이면 액성상태로서 흙은 불안정하다.

56 액성한계와 소성한계에 대한 기술 중 옳지 않은 것은?

① 액성한계가 큰 흙은 점토분이 많다는 것을 의미한다.
② 소성한계가 크다는 것은 그 흙 또한 점토분이 많다는 것을 의미한다.
③ 액성한계나 소성지수가 큰 흙은 일반적으로 연약한 지반이다.
④ 자연함수비와 액성한계가 같은 지반은 단단한 지반이다.

해설

$W_n = W_L$인 지반은 소성상태에서 액성상태로 넘어가는 순간의 상태로서 연약한 지반이다.

57 자연함수비가 액성한계보다 크다면 그 흙은?

① 고체상태에 있다.
② 소성상태에 있다.
③ 반고체상태에 있다.
④ 액성상태에 있다.

해설

자연함수비가 액성한계보다 크면 액성상태이다.

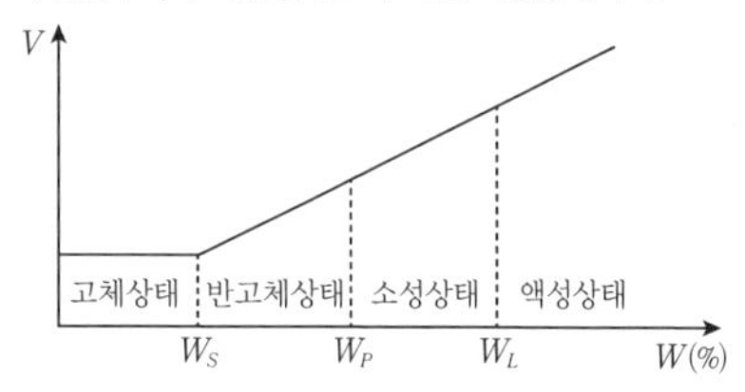

58 $I_L = \dfrac{W - W_P}{I_P}$ 식으로 나타내는 액성지수(Liquidity Index)에 관한 다음 사항 중 옳지 않은 것은?

① 액성지수의 값은 일반적인 경우 0에서 1 사이이다.
② 액성지수의 값이 1에 가깝다는 것은 유동(流動)의 가능성을 뜻한다.
③ 액성지수의 값이 0에 가깝다는 것은 안정된 점토를 뜻한다.
④ 액성지수의 값은 흙의 투수계수를 추정하는 데 이용된다.

해설

1.

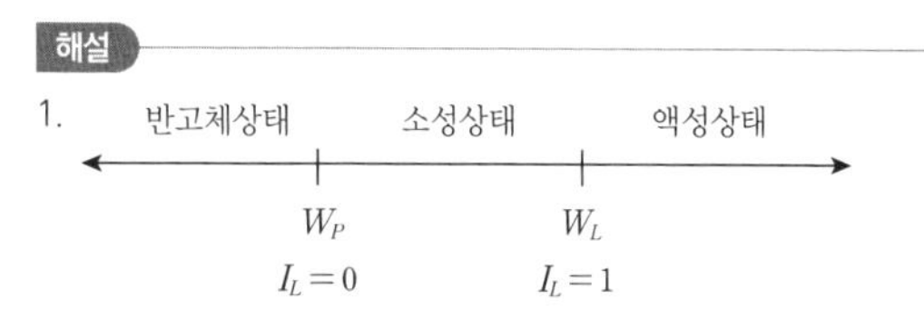

2. 액성지수는 흙의 유동가능성의 정도를 나타내는 값으로 0에 가까울수록 흙은 안정하다.

54 ③ 55 ④ 56 ④ 57 ④ 58 ④ [정답]

제2장

59 흙의 물리적 성질이나 분류에 대한 설명으로 옳지 않은 것은?

2011. 국가직 7급

① 액성지수가 1보다 크면 흙은 액체상태이다.
② 활성도는 점토광물 중 카오리나이트가 몬모릴로나이트보다 일반적으로 크다.
③ 통일분류법에서 CH는 고소성의 무기질 점토를 의미한다.
④ 점토의 연경도가 함수비에 의존하는 이유는 점토입자 표면의 흡착수층의 두께가 함수비에 따라 다르기 때문이다.

해설

활성도

점토광물	활성도
kaolinite	A<0.75
illite	A=0.75~1.25
montmorillonite	A>1.25

60 Consistency가 "0"보다 작은 흙은 다음 중 어느 성상에 있는가?

① 고체상 ② 반고체상
③ 소성상 ④ 액체상

해설

고체나 반고체 상태	소성상태	액성상태
$I_L<0$	$0<I_L<1$	$I_L>1$
$I_C>1$	$0<I_C<1$	$I_C<0$

61 노건조된 점토시료의 중량이 11.8g, 수은을 사용하여 수축한계에 도달한 시료의 용적을 측정한 결과 5.9cm³였다. 이때의 수축한계는? (단, 비중은 2.6이다)

① 11.5% ② 12.5%
③ 14.7% ④ 15.5%

해설

1. $R=\dfrac{W_0}{V_0\gamma_w}=\dfrac{11.8}{5.9\times1}=2$

2. $W_s=\left(\dfrac{1}{R}-\dfrac{1}{G_s}\right)\times100=\left(\dfrac{1}{2}-\dfrac{1}{2.6}\right)\times100=11.5\%$

62 어떤 흙에 있어서 토립자 부분의 중량이 60g이고, 토립층 부분의 용적이 30cm³일 때, 이 흙의 비중은?

① 2.5 ② 2.0
③ 1.25 ④ 0.63

해설

$G_s=\dfrac{W_s}{V_s\gamma_w}=\dfrac{60}{30\times1}=2$

63 다음은 흙의 액성한계시험으로부터 유동곡선을 그리고 이를 설명한 것이다. 가장 적합한 것은?

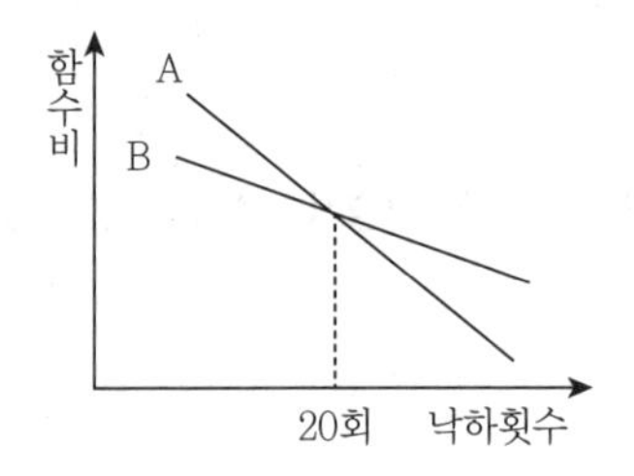

① B는 A보다 함수비의 변화에 따른 전단강도의 변화가 크다.
② A와 B의 액성한계는 서로 같다.
③ A는 B보다 점토 함유율이 더 많다.
④ A는 B보다 유동지수의 값이 더 작다.

해설

1.

액성한계	A<B
점토함유율	A<B
유동지수	A>B

2. 함수비의 변화에 대한 낙하횟수의 변화가 클수록 전단강도의 변화가 큰 것이다.

59 ② 60 ④ 61 ① 62 ② 63 ① [정답]

64 수축한계시험에서 수은을 사용하는 궁극적인 목적은 $W_S = w - \left[\frac{(V-V_0)\gamma_w}{W_0} \times 100\%\right]$에서 무엇을 구하기 위함인가?

① V　　② W
③ W_0　　④ V_0

해설

수축접시에 채워진 습윤시료가 노건조되었을 때 노건조된 시료의 체적을 구하기 위해 수은을 사용한다.

65 수축한계시험을 하는 데 필요하지 않다고 생각되는 것은?

① 0.425mm(No.40)체
② 메스실린더
③ 수 은
④ 비중계

해설

1. 수축한계시험(KS F 2305)의 시험용구
   ① 0.425mm(No.40)체
   ② 수축접시(지름 4.5cm, 높이 13mm 정도)
   ③ 수은(mL)
   ④ 메스실린더(25mL)
   ⑤ 깔때기
   ⑥ 와셀린 또는 그리이스
2. 비중계는 흙의 입도시험(KS F 2302)에서 사용된다.

66 수축한계시험에서 얻어진 값이 이용되지 않는 것은?

① 군지수의 계산　　② 비중의 근사치 계산
③ 동상성의 판정　　④ 체적변화의 계산

해설

수축한계 시험결과의 정리

1. 흙입자 비중의 근사치 : $W_S = \left(\frac{1}{R} - \frac{1}{G_s}\right) \times 100\%$ 에서 G_s를 구한다.
2. 수축비의 계산 : $R = \frac{W_0}{V_0\,\gamma_w}$
3. 체적변화의 계산 : $C = R(W_n - W_S)$
4. 동상성의 판정 : $W_S > 20$ 이면 동해의 우려가 있다.

67 A, B 두 종류의 흙에 관한 토질시험 결과가 표와 같다. 다음의 내용 설명 중 옳은 것은?

구 분	A	B
액성한계	30%	10%
소성한계	15%	5%
함수비	23%	12%
비 중	2.73	2.67

① A는 B보다 공극비가 크다.
② A는 B보다 점토분을 많이 함유하고 있다.
③ A는 B보다 습윤밀도가 크다.
④ A는 B보다 건조밀도가 크다.

해설

A가 B보다 W_L, I_P가 크므로 점토의 함유율이 크다.

구 분	A	B
W_L	30%	10%
W_P	15%	5%
I_P	15%	5%

68 흙의 공학적 성질을 구하기 위한 시험이 아닌 것은?

① 다짐시험　　② 함수량시험
③ 투수시험　　④ C.B.R시험

해설

실제 흙은 고체인 토립자와 공극 속의 물과 공기가 섞여 있는 형상이다. 지내력, 투수성, 압축성, 전단강도 등 공학적 성질을 파악해야만 흙을 잘 유용할 수 있다.

64 ④ 65 ④ 66 ① 67 ② 68 ② [정답]

69 다음 상대밀도에 대한 설명으로 옳은 것은?

① 주로 점토와 같은 세립토에 사용된다.
② 60% 정도이면 느슨한 상태이다.
③ 보통 진동다짐에 의하여 e_{max}, 건조모래를 가만히 유입함으로써 e_{min}을 측정한다.
④ 흙의 조밀 또는 느슨한 상태를 알려할 때 공극비만으로는 명확하지 못하므로 상대밀도를 사용한다.

해설

조립토가 자연상태에서 조밀한지 또는 느슨한지를 표시하기 위해 상대밀도를 사용한다.

70 어떤 시료가 조밀한 상태에 있는가, 느슨한 상태에 있는가를 나타내는데 쓰이며, 주로 모래와 같은 조립토에서 사용되는 것은?

① 상대밀도 ② 건조밀도
③ 포화밀도 ④ 수중밀도

해설

상대밀도는 조립토가 자연상태에서 조밀한가 또는 느슨한가를 표시하기 위해 사용된다.

71 점토인가 아닌가를 시험결과로 판정하고자 한다. 가장 관계가 먼 것은?

① 액성한계
② 포화도
③ 소성지수
④ 0.075mm(No.200)체 통과량

72 자연상태 실트질 점토의 액성한계 65%, 소성한계 30%, 0.002mm보다 가는 입자의 함유율이 25%이다. 이 흙의 활성도는?

① 0.8 ② 1.0
③ 1.2 ④ 1.4

해설

$$A = \frac{I_P}{2\mu \text{ 이하의 점토 함유율}} = \frac{65-30}{25} = 1.4$$

73 흙의 활성도(A)에 관한 설명 중 틀린 것은?

2004. 서울시 7급

① A는 소성지수를 2μ 이하의 점토 함유량으로 나눈 값으로 정의된다.
② 흙 속의 점토분에 대한 소성정도를 나타낸다.
③ A가 가장 큰 점토광물은 montmorillonite계이다.
④ Kaolinite의 A=1.5~7.5 정도이다.

해설

활성도(activity)

1. $A = \frac{\text{소성지수}(I_P)}{2\mu \text{ 이하의 점토 함유율}(\%)}$
2. 점토가 많으면 활성도가 커지고 공학적으로 불안정한 상태가 되며 팽창, 수축이 커진다.

점토광물	활성도
kaolinite	$A<0.75$
illite	$A=0.75\sim1.25$
montmorillonite	$A>1.25$

69 ④ 70 ① 71 ② 72 ④ 73 ④ [정답]

74 다음 중 터프니스지수(Toughness Index ; I_t)가 큰 값을 나타내는 흙은?

① 사질점토
② 0.85mm(No.20)체가 잔류하는 흙
③ Colloid가 많은 흙
④ silt

해설

Colloid가 많은 흙일수록 I_t가 크고, 활성도가 크다.

75 모래지반을 다져서 공극비를 e_{min}에 이르도록 하였다고 하면 이 모래지반의 상대밀도 D_r은?

① 0 ② 0.5
③ 1.0 ④ 2.0

해설

$$D_r = \frac{e_{max} - e}{e_{max} - e_{min}} = \frac{e_{max} - e_{min}}{e_{max} - e_{min}} = 1$$

76 현장 모래의 건조밀도를 측정하니 1.5g/cm^{3}이었다. 이 모래를 채취하여 실험실에서 가장 조밀한 상태 및 가장 느슨한 상태의 건조밀도를 측정한 결과 각각 1.7g/cm^{3}와 1.4g/cm^{3}를 얻었다. 현장에 있어서 모래의 상대밀도는 얼마인가?

① 0.25 ② 0.38
③ 0.49 ④ 0.62

해설

$$D_r = \frac{\gamma_{d\max}}{\gamma_d} \cdot \frac{\gamma_d - \gamma_{d\min}}{\gamma_{d\max} - \gamma_{d\min}} = \frac{1.7}{1.5} \times \frac{1.5 - 1.4}{1.7 - 1.4} = 0.38$$

77 모래지반의 상대밀도를 추정하는 데 많이 이용하는 실험방법은 다음 중 어느 것인가?

① 원추관입시험 ② 평판재하시험
③ 표준관입시험 ④ 베인전단시험

해설

입상토에 대한 표준관입시험값(N값)과 상대밀도(D_r)와의 관계

N값	흙의 상태	상대밀도 D_r(%)
0~4	대단히 느슨	0~15
4~10	느 슨	15~50
10~30	중 간	50~70
30~50	조 밀	70~85
50 이상	대단히 조밀	85~100

78 다음은 원심함수당량 시험에 관한 설명이다. 틀린 것은?

① 투수성의 흙과 불투수성의 흙을 판별한다.
② 흙의 팽창성과 동상성을 알아낸다.
③ 도가니 시료의 수분이 시료의 표면으로 모일 때는 모관력이 강한 흙이다.
④ 점토의 함량이 증가하면 원심함수당량은 감소한다.

해설

원심함수당량(CME)
1. CME>12% : 투수성이 작다. 동해의 피해가 크다.
   CME<12% : 투수성이 크다. 동해의 피해가 적다.
2. 점토의 함량이 증가할수록 CME는 커진다.

79 원심함수량이 몇 % 이상이면 불투수성의 재료로 볼 수 있는가?

① 18% ② 16%
③ 14% ④ 12%

74 ③ 75 ③ 76 ② 77 ③ 78 ④ 79 ④ [정답]

80 다음 중 틀린 것은 어느 것인가?

① 액성한계 측정용 시료는 0.425mm체를 통과한 노건조시료를 사용해야 한다.
② 소성한계는 소성범위의 함수량 중 가장 작은 함수량을 말한다.
③ 원심함수당량이 큰 흙일수록 보수력이 크다.
④ Montmorillonite계 점토는 물을 흡수하면 팽창성이 매우 크다.

해설

1. 액성한계, 소성한계, 수축한계 시험용 시료는 0.425mm(No.40)체 통과시료를 사용한다.
2. 소성한계는 소성상태의 함수비 중에서 가장 작은 함수비를 말한다.
3. 원심함수당량(CME)
   ① CME>12% : 투수성이 작다(보수력이 크다), 동상작용이 크다.
   ② CME<12% : 투수성이 크다(보수력이 작다), 동상작용이 작다.
4. 점토광물 중 몬모릴로나이트(montmorillonite)는 결합력이 매우 약해 물이 침투하면 팽창이 매우 크기 때문에 공학적 안정성이 가장 작다.

81 흙의 연경도(Consistency)에 대한 설명으로 옳지 않은 것은?

2008. 국가직 7급

① 소성지수는 액성한계와 소성한계의 차이로 정의된다.
② 주어진 점토의 액성한계와 소성한계는 교란도에 상관없이 일정하다.
③ 애터버그 한계(Atterberg limit)는 사질토에 대한 흙의 분류기준으로 흔히 이용된다.
④ 소성지수가 큰 흙은 일반적으로 점토분을 많이 함유하고 있다.

해설

애터버그의 한계는 점착성이 있는 흙의 함수량에 의한 액성 → 소성 → 반고체 → 고체의 변화한계를 말한다.

80 ① 81 ③ [정답]

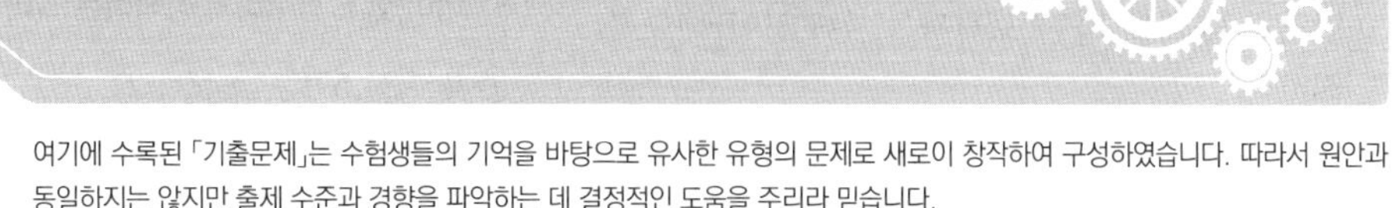

여기에 수록된 「기출문제」는 수험생들의 기억을 바탕으로 유사한 유형의 문제로 새로이 창작하여 구성하였습니다. 따라서 원안과 동일하지는 않지만 출제 수준과 경향을 파악하는 데 결정적인 도움을 주리라 믿습니다.

01 흙의 구조에 대하여 적당하지 않은 것은 어느 것인가?

① 흙의 구조는 단입(團粒)구조와 단입(單粒)구조로 크게 나눌 수 있다.
② 단입(團粒)구조는 봉소구조와 면모구조로 나눌 수 있다.
③ 단입(單粒)구조는 조립토에서 흔히 볼 수 있는 구조이다.
④ 실트, 점토는 봉소구조와 면모구조를 이루며 충격력이나 진동에 강하다.
⑤ 하상의 퇴적물은 봉소구조와 면모구조이다.

해설

흙의 구조

1. 사질토의 구조 : 자갈, 모래 및 실트가 유수, 바람 등에 의해 운반되어 퇴적될 때 생기며 단립(單粒)구조로서 입자 간의 점착력이 없고 마찰력에 의해 이루어져 있다.
2. 점성토의 구조
   ① 봉소구조 : 실트나 점토와 같은 세립토가 정수 중에 가라앉아 쌓일 때 생기며 가벼운 하중에 대해서는 비교적 안정되어 있지만 진동이나 갑자기 걸리는 하중에 대해서는 약하다.
   ② 면모구조 : 미세립의 점토광물은 콜로이드 모양으로 되어 있어 수중에 분산하면 좀처럼 가라앉지 않는데 수중에서 입자가 서로 충돌하여 입자 간의 점착력이 작용하여 입자가 뭉쳐져서 큰 입자를 이룬다. 일반적으로 면모구조로 된 흙은 공극비가 크고 압축성이 있어 상부하중에 의해 큰 침해가 발생한다.

02 다음에 열거한 점토광물 중 공학적 안정성이 제일 작은 것은? 2005. 서울시 7급

① Kaolinite ② Chlorite
③ Illite ④ Halloysite
⑤ Montmorillonite

해설

Montmorillonite는 결합력이 매우 약해 물이 침투하면 쉽게 팽창하고 건조하면 수축과 균열이 크게 일어난다. 점토광물 중 공학적 안정성이 제일 작다.

03 부피 1000cm^{3}의 흙에서 공극의 부피가 400cm^{3}일 때 공극비 e, 공극률 n은 얼마인가?

① $e=0.4$, $n=60\%$
② $e=0.67$, $n=40\%$
③ $e=1.5$, $n=60\%$
④ $e=0.4$, $n=40\%$
⑤ $e=0.7$, $n=52\%$

해설

1. $e=\dfrac{W_v}{V_s}=\dfrac{400}{1000-400}=0.67$
2. $n=\dfrac{e}{1+e}=\dfrac{0.67}{1+0.67}=0.4=40\%$

04 포화점토 100cm^3 가운데 물의 무게가 40g이 포함되어 있다. 이 점토의 공극률은 얼마인가?

① 60% ② 20%
③ 15% ④ 40%
⑤ 50%

해설

1. 포화점토이므로 $V_v=V_w=40\text{cm}^3$
2. $n=\dfrac{V_v}{V}\times 100=\dfrac{40}{100}\times 100=40\%$

01 ④ 02 ⑤ 03 ② 04 ④ [정답]

05 토립자의 크기와 형태에 대하여 설명한 것 중 틀린 것은 어느 것인가?

① 납작한 형태를 가진 토립자는 운모편이 대표적이다.
② 토질 특성은 토립자의 크기와 형태에 따라 매우 달라진다.
③ 토립자가 모가 난 것은 둥근 것에 비하여 변형과 파괴에 약하다.
④ 점토 입자를 많이 포함한 흙은 특히 변형되기 쉽다.
⑤ 점토입자는 점착력이 크다.

해설

토립자가 모가 난 것은 내부마찰각이 크므로 둥근 것에 비해 변형과 파괴에 강하다.

06 다음 설명 중 틀린 것은 어느 것인가?

① 공극비는 1보다 큰 값을 갖는 경우도 있다.
② 공극률은 100%를 초과할 수 없다.
③ 함수비는 100%를 초과할 수 없다.
④ 포화도는 100%를 초과할 수 없다.
⑤ 함수율은 100%를 초과할 수 없다.

해설

공극률, 함수율, 포화도는 100%를 초과할 수 없다.

07 다음 설명 중 틀린 것은 어느 것인가?

① 비중과 함수비를 알면 γ_d를 구할 수 있다.
② 습윤밀도와 함수비로부터 γ_d를 구할 수 있다.
③ 공극비와 비중으로부터 γ_d를 구할 수 있다.
④ 공극비와 함수비, 포화도로부터 γ_d를 구할 수 있다.
⑤ 토입자의 체적과 토입자만의 중량으로부터 γ_d를 구할 수 있다.

해설

$$\gamma_d = \frac{W_s}{V} = \frac{G_s}{1+e}\gamma_w$$

08 포화상태의 점토 덩어리 무게가 436g, 비중은 2.65였다. 이 점토를 완전건조한 후 무게를 측정하였더니 324g이었다. 함수비와 공극비는 얼마인가?

① $w=34.57\%$, $e=0.92$
② $w=37.42\%$, $e=0.84$
③ $w=39.32\%$, $e=0.86$
④ $w=42.25\%$, $e=0.88$
⑤ $w=45.43\%$, $e=0.92$

해설

1. $w = \frac{W_w}{W_s} \times 100 = \frac{436-324}{324} \times 100 = 34.57\%$
2. $Se = wG_s$
   $100 \times e = 34.57 \times 2.65$
   $\therefore e = 0.92$

09 흙 중에 함유된 물의 상태에 대한 설명 중 바르지 못한 것은 어느 것인가?

① 수분이 중력의 작용으로 공극을 따라서 침투할 때 이 수분을 중력수라 한다.
② 흡착수는 고온으로 가열하지 않으면 제거하지 못한다.
③ 지하수면 부근의 토층에는 거꾸로 모관작용에 의해서 수분을 빨아올린다. 이와 같이 해서 공극 중에 함유되어 있는 물을 모관수라 한다.
④ 토립자의 표면에 얇은 수막상으로 되어 붙어 있는 수분을 흡착수라 한다.
⑤ 흡착수는 표면에 붙어있는 수분이므로 원심함수당량시험에서 원심력을 작용시키면 완전 탈수시킬 수 있다.

해설

1. 흡착수는 이중층 내에 있는 물을 말하고 고체에 가까운 성질을 갖는다.
2. 온도가 110℃ 이상이 되면 흙 중에 함유되어 있는 유기질 성분이 탄화되거나 토립자의 흡착수까지 없어진다.

05 ③ 06 ③ 07 ① 08 ① 09 ⑤ [정답]

10 어떤 토괴에서 토립자 부분의 부피 V_s를 1이라고 할 때 물의 부피 V_w는 다음 중 어느 것인가?

① $1+e$　② n
③ $S \cdot e$　④ $n \cdot e$
⑤ $1-e$

해설

1. $e=\frac{V_v}{V_s}=\frac{V_v}{1}=V_v$
2. $S_r=\frac{V_w}{V_v}$
   $V_w=S_rV_v=Se$

11 액성한계가 40%, 소성한계가 20%, 자연함수비가 30%이면 소성지수 PI(%)와 액성지수 LI(%)는?

① 10, 1.0　② 20, 0.67
③ 10, 0.5　④ 20, 0.25
⑤ 20, 0.5

해설

1. $I_P=W_L-W_P=40-20=20\%$
2. $I_L=\frac{W_n-W_P}{I_P}=\frac{30-20}{20}=0.5$

12 흙의 Consistency에 관한 다음 설명 중 틀린 것은 어느 것인가?

① 액성한계란 자중에 의해서 유동하는 최소의 함수비이다.
② 수축한계란 고체상태의 최대함수비이다.
③ 소성한계란 소성범위 내에서의 최소함수비이다.
④ 자연상태의 함수비는 보통 소성한계와 액성한계의 함수비 사이에 있다.
⑤ 소성한계는 소성범위 내에 있어서의 최대함수량을 말한다.

해설

소성한계는 소성범위 내의 최소함수량을 말한다.

13 액성한계 및 소성한계가 각각 60%, 40%인 점성토가 있다. 이 점성토의 현재 액성지수가 0.7이라면 이 흙의 상태와 함수비를 바르게 구한 것은?

① 소성상태, 54%　② 액체상태, 64%
③ 고체상태, 34%　④ 소성상태, 51%
⑤ 액체상태, 61%

해설

1. $I_L=\frac{W_n-W_P}{I_P}$
   $0.7=\frac{W_n-40}{60-40}$　$\therefore W_n=54\%$
2. $W_P<W_n<W_L$ 이므로 소성상태이다.

14 다음 설명 중 틀린 것은 어느 것인가?

① 사질토는 점착력이 거의 없다.
② 모래는 압축성이 적으며, 점토는 압축성이 크다.
③ 모래는 입자가 점토보다 커서 공극률이 점토보다 크다.
④ 모래는 마찰각이 크며, 재하와 동시에 압밀이 된다.
⑤ 모래는 NP(비소성)이다.

해설

세립토일수록 공극률이 크다.

성질	간극률	압축성	소 성	점착성
조립토	작 다.	작 다.	NP	0
세립토	크 다.	크 다.	소 성	크 다.

10 ③　11 ⑤　12 ⑤　13 ①　14 ③ [정답]

제2장

15 다음 중 옳지 않은 것은 어느 것인가?

① Toughness지수가 높은 흙은 colloid 함유량이 많은 흙이다.
② 점토 함유량과 액성한계는 비례관계가 있다.
③ Consistency지수는 점토의 응력과정을 아는 데 도움이 된다.
④ 유기물의 colloid가 많이 함유된 흙은 비활성점토이다.
⑤ 일반적으로 점토분이 많이 함유된 흙은 함수당량이 높다.

해설

1. 콜로이드가 많을수록 I_t가 크고 활성도가 크다$\left(I_t = \frac{I_P}{I_f}\right)$.
   따라서 colloid를 많이 함유한 흙은 활성점토이다.
2. 보통점토 I_t = 0~3, 활성이 높은 점토 I_t = 5 정도이다.
3. 점토가 많을수록 CME가 커지고 CME>12%인 흙을 보통 불투수성인 흙이라 한다.

16 수축한계시험에 있어서 시료의 노건조중량이 26.40g, 수축한계에 도달시의 시료용적이 16.24cm³인 경우 수축비는 얼마인가?

① 1.6 ② 0.6
③ 4.3 ④ 1.0
⑤ 2.5

해설

$$R = \frac{W_0}{V_0 \gamma_w} = \frac{26.4}{16.24 \times 1} = 1.63$$

17 모래질과 같은 흙의 비소성 흙을 표시하는 기호는 어느 것인가?

① SP ② NS
③ NP ④ PS
⑤ SW

18 NP(비소성)로 표시되지 않는 흙은 다음 중 어느 것인가?

① 소성한계를 결정할 수 없는 흙
② 액성한계가 소성한계보다 적은 흙
③ 소성한계가 액성한계와 같은 흙
④ 모래와 같은 흙
⑤ 액성한계가 소성한계보다 큰 흙

해설

비소성(NP)인 경우
1. 소성한계를 구할 수 없는 경우
2. 소성한계와 액성한계가 일치하는 경우
3. 소성한계가 액성한계보다 큰 경우

19 어떤 흙에 있어서 고체부분의 중량이 50g이고, 고체부분의 용적이 20cm³일 때 이 흙의 비중은 다음 중 어느 것인가?

① 2.5 ② 1.25
③ 0.63 ④ 2.0
⑤ 3.2

해설

$$G_s = \frac{W_s}{V_0 \gamma_w} = \frac{50}{20 \times 1} = 2.5$$

20 활성도는 A와 B의 값으로부터 계산되며 활성도에 따른 점토 구분에 이용된다. 다음 중 A, B에 들어갈 말로 알맞은 것은?

① 액성한계, 소성지수
② 소성한계, 수축한계
③ 소성지수, 점토함유율
④ 액성지수, 수축지수
⑤ 액성한계, 수축한계

해설

$$A_c = \frac{I_P}{2\mu \text{ 이하의 점토 함유율}}$$

15④ 16① 17③ 18⑤ 19① 20③ [정답]

21 다음 설명 중 틀린 것은 어느 것인가?

① 유동지수는 유동곡선의 기울기를 말한다.
② 소성도표는 소성지수와 소성한계의 값으로 표시되고 있다.
③ 수축지수란 소성한계 값에서 수축한계 값의 차이로 나타낸다.
④ Toughness지수는 소성지수와 유동지수의 비이다.
⑤ 액성한계란 액성상태와 소성상태의 한계를 말한다.

해설

1. 소성도표는 액성한계와 소성지수의 값으로 표시된다.
2. $I_t = \dfrac{I_P}{I_f}$

22 다음 중 유동곡선의 방정식을 옳게 표시한 것은 어느 것인가? (단, C : 정수, N : 타격회수, W : 함수비, I_P : 소성지수, I_f : 유동지수)

① $N = I_P \log W + C$
② $W = I_f \log N + C$
③ $W = \log N + I_P \cdot C$
④ $N = C + \log I_f$
⑤ $N = C \log I_f$

해설

$W = -I_f \log N + C$

23 활성도의 값이 얼마 이상인 흙을 활성점토라 하는가?

① 1.00 ② 1.25
③ 0.50 ④ 0.75
⑤ 0.85

해설

1. 비활성점토 : $A < 0.75$
2. 보통점토 : $A = 0.75 \sim 1.25$
3. 활성점토 : $A > 1.25$

24 건조된 점토시료의 중량이 12.38g, 수은을 사용하여 수축한계에 도달한 시료의 용적을 측정하여 보니 5.98cm³이었다. 비중이 2.65일 때 시료의 수축한계는 얼마인가?

① 50.4% ② 40.5%
③ 30.1% ④ 20.2%
⑤ 10.5%

해설

1. $R = \dfrac{W_0}{V_0 \gamma_w} = \dfrac{12.38}{5.98 \times 1} = 2.07$
2. $W_s = \left(\dfrac{1}{R} - \dfrac{1}{G_s}\right) \times 100$
$= \left(\dfrac{1}{2.07} - \dfrac{1}{2.65}\right) \times 100$
$= 10.57\%$

25 현장 모래의 습윤밀도를 측정하였더니 1.64g/cm³였고 이것을 실험실에서 최대 및 최소습윤밀도를 측정하여 본 결과 1.96g/cm³와 1.52g/cm³였다. 함수비는 동일하게 20%일 때 이 모래의 상대밀도를 계산하여라.

① 12% ② 20%
③ 33% ④ 42%
⑤ 54%

해설

$D_r = \dfrac{\gamma_{d\max}}{\gamma_d} \times \dfrac{\gamma_d - \gamma_{d\min}}{\gamma_{d\max} - \gamma_{d\min}}$
$= \dfrac{1.63}{1.37} \times \dfrac{1.37 - 1.27}{1.63 - 1.27} = 0.33$

21 ② 22 ② 23 ② 24 ⑤ 25 ③ [정답]

제2장

26 현장함수당량은 습윤시료토의 평활한 표면에 낙하시킨 한방울의 물이 표면에 흡수되지 않고 몇초간 광택을 내며 머물 때의 함수비를 말하는가?

① 10
② 20
③ 30
④ 40
⑤ 50

27 흙의 함수당량에 관한 다음 설명 중 틀린 것은 어느 것인가?

① 일반적으로 모래의 함유량이 증가하면 함수당량은 감소된다.
② 점토분이 많이 함유된 흙은 함수당량이 높다.
③ 함수당량이 낮은 흙일수록 불투수성에 가까워진다.
④ 함수당량 시험은 흙의 보수력을 알아보는 시험이다.
⑤ 점토의 함유량이 증가하면 함수당량은 증가된다.

해설

CME<12%이면 투수성이 크고 보수력, 모관작용이 적으며 팽창·수축이 적기 때문에 동상이 적다.

26 ③ 27 ③ [정답]

흙의 분류

Chapter 03

흙의 분류

01 일반적인 분류

1. 조립토

화학적 변화를 받지 않는 광물의 파편으로서 큰 돌(호박돌), 자갈, 모래가 있다. 입자형은 모가 나 있으며 일반적으로 입자간의 점착력은 없고 마찰저항력으로 입자의 위치가 유지되어 있다.

2. 세립토

실트, 점토가 있다.

3. 유기질토

동·식물의 부패물이 함유되어 있는 흙(공학적으로는 일반적으로 5% 이상의 유기성분을 함유한 흙)으로 한랭하고 습윤한 지역에서 잘 발달되며 보통 해안지방과 빙하작용을 받은 지역에서 나타난다.

(1) 특 성

① 함수량이 높아 자연함수비가 200~300% 정도이다.

② 압축성이 크다.

③ 투수성이 낮다.

④ 2차 압밀침하량이 크다.

⑤ 유기질은 부패하여 간극을 발생시키기도 하고 흙의 성질을 변화시키기도 한다.

⑥ 유기물의 함유량이 2~4% 이상이 되면 consistency, 강도 또는 안정처리 등에 좋지 않은 영향을 미친다.

(2) 유기질토의 판정법

① 유기질토는 조개 껍질, 썩은 식물성 물질 등의 파편으로 구성되어 있으며 독특한 냄새가 나며 암회색 또는 암갈색의 색깔을 나타낸다.

② 냄새와 색깔이 분명하지 않을 때에는 노건조한 시료의 액성한계가 자연건조 시료의 액성한계

의 75%보다 작으면 유기질토로 판별한다.

[표 3-1] 입경에 의한 흙의 성질

성 질	간극률	압축성	투수성	압밀속도	마찰력	소 성	점착성
조립토	작 다.	작 다.	크 다.	순간적	크 다.	NP	0
세립토	크 다.	크 다.	작 다.	장기적	작 다.	소 성	크 다.

02 입경에 의한 분류

흙의 입경이란 흙입자의 크기를 말하며, 여러 가지 크기의 입자들이 어떤 비율로 섞여있는가를 나타내는 것이 흙의 입도이다.

[표 3-2] 입경에 의한 흙의 분류

분류법 \ 입경(mm)	100 10 1 0.1 0.01 0.001 0.0001
MIT 1931	자 갈 │2.0│ 모 래 │0.06│ 실 트 │0.002│ 점 토
AASHTO 1970	│76.2│ 자 갈 │ 모 래 │0.075│ 실 트 │ 점 토
ASTM 1967	│ 자 갈 │4.75│ 모 래 │ 실 트 │0.005│ 점 토
KS F 2301 1985	자 갈 │ 모 래 │0.05│ 실 트 │ 점 토

1. 입도분석(KS F 2302)

입도분포를 결정하는 방법에는 체분석법과 비중계 시험법이 있는데 입경이 0.075mm 이상이면 체분석을 하고 그 이하의 입경에 대해서는 **비중계 분석**을 한다.

체분석에 사용되는 표준체는 4.8mm(No.4), 2.0mm(No.10), 0.85mm(No.20), 0.40mm(No.40), 0.25mm(No.60), 0.11mm(No.140), 0.075mm(No.200)의 7종류이다.

[표 3-3] 입도분석의 구분

체분석 (sieve analysis)	비중계 시험법(hydrometer analysis)	
	체분석	

2.0mm(No.10) 0.075mm(No.200)

(1) 체분석법(sieve analysis)

0.075mm체 위에 노건조시료를 맑은 물이 나올 때까지 세척하여 노건조시킨 후 체에 넣고 체 진동기로 흔들어 주고 각 체에 남은 흙의 중량을 측정한다.

① 잔유율

$$P_\gamma = \frac{W_{s\gamma}}{W_s} \times 100(\%) \quad \cdots\cdots (3-1)$$

② 가적 잔유율

$$P_\gamma' = \sum P_\gamma \quad \cdots\cdots (3-2)$$

③ 가적 통과율

$$P = 100 - P_\gamma' \quad \cdots\cdots (3-3)$$

여기서, W_s : 시료의 노건조중량, $W_{s\gamma}$: 각 체에 남은 시료의 노건조중량

[표 3-4] 체 번호와 눈금의 크기(KS A 5101-1989)

KS 호칭지수	4.75mm	2mm	1mm	425μm	250μm	150μm	75μm
별 칭	No.4	No.10	No.18	No.40	No.60	No.100	No.200
눈금크기(mm)	4.75	2.00	1.00	0.425	0.250	0.150	0.075

(2) 비중계 시험법(hydrometer analysis)

비중계 시험은 0.075mm보다 작은 세립토의 입경을 결정하는 방법으로 수중에서 흙입자가 침강하는 원리에 근거를 둔 것이다.

① Stokes 법칙

㉠ 모든 입자를 구라고 가정했을 때 침강속도

$$V = \frac{(\gamma_s - \gamma_w)d^2}{18\eta} \quad \cdots\cdots (3-4)$$

여기서, V : 침강속도(cm/s), γ_s : 흙의 단위중량(g/cm^3)

d : 흙의 지름(cm), η : 물의 점성계수(g/cm·s)

㉡ 입경의 적용범위

d=0.0002~0.2mm(d>0.2mm이면 침강시 교란이 되고 d<0.0002mm이면 Brown 현상이 생긴다)

② 흙의 지름

$$d=\sqrt{\frac{30\eta}{980(G-G_t)\gamma_w}}\times\sqrt{\frac{L}{t}}=C\sqrt{\frac{L}{t}}(\text{mm}) \quad \cdots\cdots (3-5)$$

여기서, G : 흙의 비중, G_t : T℃의 물의 비중, L : 비중계 유효깊이(cm), t : 침강시간(분)

③ 비중계 유효깊이

$$L=L_1+\frac{1}{2}\left(L_2-\frac{V_B}{A}\right)(\text{cm}) \quad \cdots\cdots (3-6)$$

여기서, L : 비중계 유효깊이

L_1 : 비중계 구부상단에서 읽은 점까지의 거리(cm)

L_2 : 비중계 구부의 길이(cm)

V_B : 비중계 구부의 체적(cm^3)

A : *masscylinder* 단면적(cm^2)

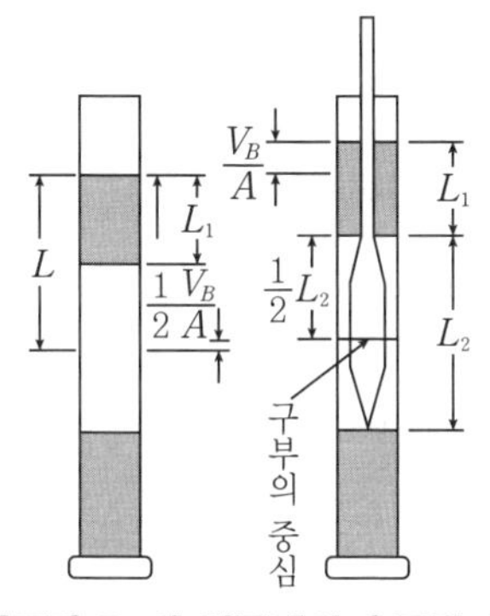

[그림 3-1] 비중계의 유표깊이

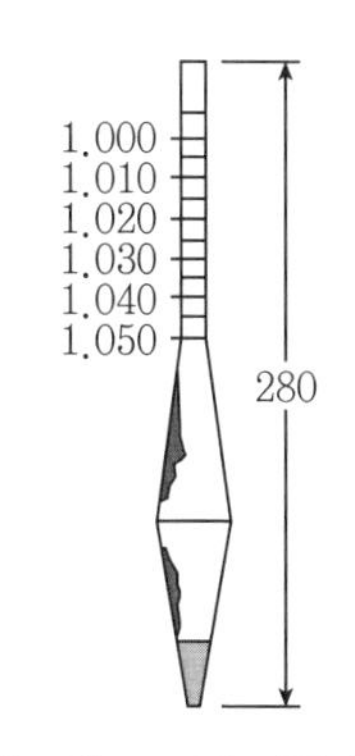

[그림 3-2] 비중계

㉠ 비중계의 비중값은 비중계 구부 중앙의 볼록한 부분의 현탁액의 값을 나타낸다.

㉡ 비중계의 눈금은 0.995~1.050까지이며, 15℃일 때의 값이어야 한다.

④ **현탁액** : 시료의 면모화 방지를 목적으로 규산나트륨, 과산화수소를 사용한다.

2. 입도분포곡선(입경가적곡선)

체분석이나 비중계 분석에 의한 흙의 입경과 그 분포를 반대수지를 사용하여 횡축(대수자 눈)에 입경을, 종축(산술자 눈)에 통과백분율을 잡아 그 관계를 곡선으로 나타낸 것을 **입경가적곡선**이라 한다.

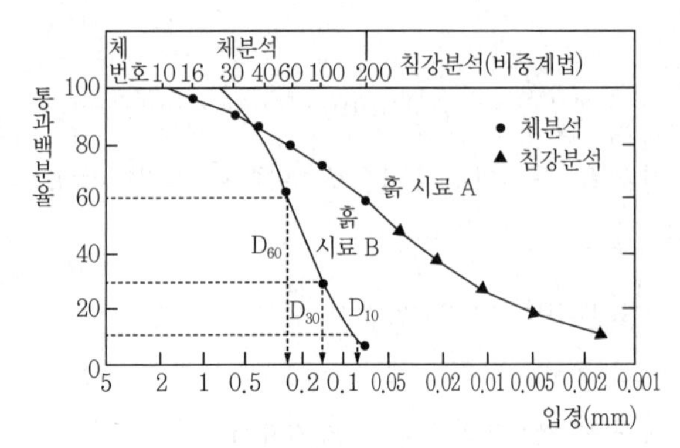

[그림 3-3] 입도분포곡선

(1) 균등계수와 곡률계수

① **균등계수** : 입도분포가 좋고 나쁜 정도를 나타내는 계수이다.

㉠ $C_u = \dfrac{D_{60}}{D_{10}}$ ························ (3-7)

㉡ C_u가 클수록 입도분포가 넓은 범위의 입경으로 구성되어 있다.

㉢ 하천이나 백사장 모래와 같이 입경이 고른 흙은 $C_u \fallingdotseq 1$이다. 이러한 경우는 입경이 동일한 토립자로 구성되어 있다고 볼 수 있다.

② **곡률계수** : 입도분포상태를 정량적으로 나타내는 계수이다.

㉠ $C_g = \dfrac{{D_{30}}^2}{D_{10} \cdot D_{60}}$ ························ (3-8)

여기서, D_{10} : 통과백분율 10%에 해당하는 입경(유효입경 : D_e)

D_{30} : 통과백분율 30%에 해당하는 입경

D_{60} : 통과백분율 60%에 해당하는 입경

㉡ 입경이 비슷한 토립자로 구성되어 있으면 곡률계수가 1에 가깝다.

(2) 입도분포의 판정

① **입도분포가 양호(양립도)한 경우**

㉠ **흙일 때** : $C_u > 10$, $C_g = 1 \sim 3$

㉡ **모래일 때** : $C_u > 6$, $C_g = 1 \sim 3$

㉢ **자갈일 때** : $C_u > 4$, $C_g = 1 \sim 3$

② **입도분포가 불량(빈립도)한 경우** : 통일분류법에서 균등계수와 곡률계수의 값이 모두 만족해야만 입도분포가 양호(양립도)하다. C_u, C_g 조건 중 어느 한가지라도 만족하지 못하면 입도분포가 불량(빈립도)하다.

(3) 입도분포의 형태

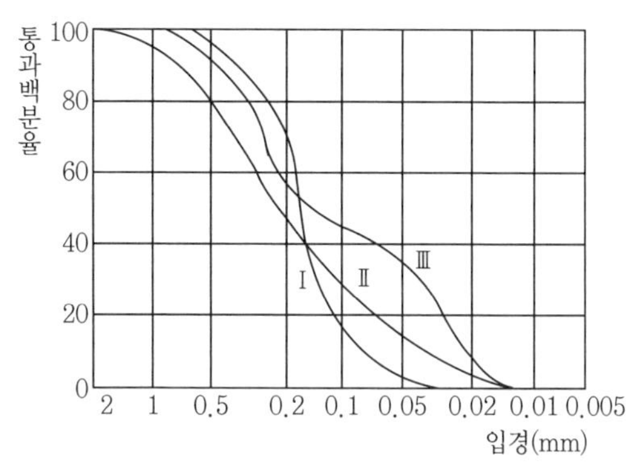

[그림 3-4]

① 곡선 Ⅰ

㉠ 입경이 거의 균등하므로 입도조성이 나쁘다(빈립도, poor grading).

㉡ C_g가 1에 가깝다.

② 곡선 Ⅱ

㉠ 크고 작은 입자가 고루 섞여 있으므로 입도조성이 양호하다(양립도, well grading).

㉡ $C_g=1\sim3$이다.

③ 곡선 Ⅲ : 2종류 이상의 흙들이 섞여 있다(균등계수는 크지만 곡률계수가 만족되지 않으므로 빈립도이다).

03 삼각좌표 분류법

1. 모래, 실트, 점토의 3성분으로 구분하여 각 성분의 함유량에 의하여 삼각좌표 중에 점을 정하여 흙을 분류하는 방법이다(삼각좌표 분류법은 자갈이 섞인 흙에는 부적합하다).

2. 점의 위치에 의해 모래, 롬(loam), 점토 등 10종류의 이름이 붙여져 있다.

3. 주로 농학적인 분류에 이용되고 공학적인 분류법으로는 이용되지 않는다.

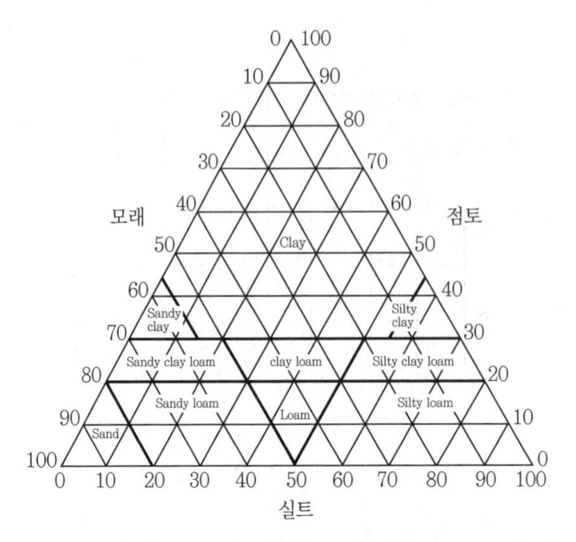

[그림 3-5] 미도로국의 삼각좌표 분류법(Taylor, 1948)

04 Atterberg 한계를 사용한 흙의 분류

Casagrande는 액성한계와 소성지수를 사용하여 도표를 만들었다. 이것을 소성도표(plasticity chart)라 한다.

(1) A선은 점토와 실트 또는 유기질흙을 구분한다.
A선의 방정식 $I_P = 0.73(W_L - 20)$

(2) U선은 액성한계와 소성지수의 상한선을 나타낸다.
U선의 방정식 $I_P = 0.9(W_L - 8)$

(3) 액성한계 50%를 기준으로 H(고압축성), L(저압축성)을 구분한다.
B선의 방정식 $W_L = 50\%$

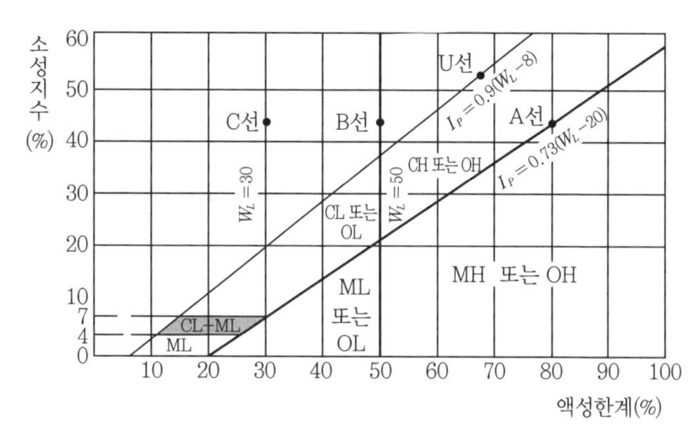

[그림 3-6] 소성도표(통일분류법에서 사용)

05 흙의 공학적 분류

입자의 크기와 Atterberg 한계를 고려한 두 분류체계는 AASHTO 분류법과 통일분류법이 있다. AASHTO 분류법은 미국 관내 도로건설에 사용하고 있고 토질공학자들은 일반적으로 통일분류법을 더 많이 사용하고 있다.

1. 통일분류법(unified soil classification system)

통일분류법은 제2차 세계대전 당시 미공병단의 비행장 활주로를 건설하기 위해 Casagrande가 고안한 분류법으로 1952년에 수정된 후 세계적으로 가장 많이 사용되고 있다.

통일분류법은 입경을 표시하는 제1문자와 입도 및 성질을 표시하는 제2문자를 사용하여 15종으로 흙을 분류한다.

(1) 제1문자

① 조립토 : 0.075mm(No.200)체 통과량이 50% 이하 ………… G, S

세립토 : 0.075mm(No.200)체 통과량이 50% 이상 ………… M, C, O

② 조립토의 분류

㉠ 자갈 : 4.75mm(No.4)체 통과량이 50% 이하

㉡ 모래 : 4.75mm(No.4)체 통과량이 50% 이상

③ 세립토의 분류 : 세립토는 입경에 의해 분류할 수 없으므로 소성도를 이용하여 M, C, O, P_t로 분류한다.

(2) 제2문자

① 조립토의 표시

㉠ 0.075mm체 통과량이 5% 이하일 때 C_u와 C_g에 의해 W, P로 표시한다.

㉡ 0.075mm체 통과량이 12% 이상일 때 I_p에 의해 M, C로 표시한다.

② 세립토의 표시

㉠ $W_L > 50\%$이면 H로 표시한다.

㉡ $W_L \leqq 50\%$이면 L로 표시한다.

[표 3-5] 분류기호의 설명

구분	제1문자		제2문자	
	기호	설명	기호	설명
조립토	G S	자갈(gravel) 모래(sand)	W P M C	양립도(well graded) 빈립도(poor graded) 실트질(silty) 점토질(clayey)
세립토	M C O	실트(silt) 점토(clay) 유기질토(organic clay)	L H	저압축성(low compressibility) 고압축성(high compressibility)
고유기질토	P_t	이탄(peat) 및 고유기질토	–	–

※ GM, SM에서 D, U로 세분하는 것은 D는 $W_L \leqq 28$ 및 $I_P \leqq 6$일 때, U는 $W_L > 28$일 때이다.

[표 3-6] 통일분류법

<table>
<tr><th colspan="3">주요 구분</th><th>문자</th><th>대표적인 흙</th><th colspan="5">분류 규준</th></tr>
<tr><td rowspan="8">조립토 : 0.075mm 체에 50% 이상 남음.</td><td rowspan="4">자갈 (gravel) : 4.75mm체에 50% 이상 남음.</td><td rowspan="2">세립분이 약간 또는 거의 없는 자갈</td><td>GW</td><td>입도분포가 좋은 자갈 또는 자갈과 모래의 혼합토, 세립분이 약간 또는 없음.</td><td rowspan="8">세립분의 함유율에 의한 분류 :
• 0.075mm체 통과율이 5% 이하인 경우는 GW, GP, SW, SP이다.
• 0.075mm체 통과율이 12% 이상인 경우는 GM, GC, SM, SC이다.
• 0.075mm체 통과율이 5~12%인 경우는 2중문자로 표시한다.</td><td colspan="4">$C_u>4$ $C_u=\frac{D_{60}}{D_{10}}$
$1<C_g<3$ $C_g=\frac{D_{30}^2}{D_{10}\cdot D_{60}}$</td></tr>
<tr><td>GP</td><td>입도분포가 나쁜 자갈 또는 자갈과 모래의 혼합토, 세립분이 약간 또는 없음.</td><td colspan="4">GW의 조건이 만족되지 않을 때</td></tr>
<tr><td rowspan="2">세립분을 함유한 자갈</td><td>GM</td><td>실트질의 자갈, 자갈·모래·점토의 혼합토</td><td>Atterberg 한계가 A선 밑에 있거나 소성지수가 4 이하</td><td rowspan="2">소성지수가 4~7이면서 Atterberg 한계가 A선 위에 존재할 때는 2중문자로 표시</td><td>GM</td><td>D
U</td></tr>
<tr><td>GC</td><td>점토질의 자갈, 자갈·모래·실트의 혼합토</td><td>Atterberg 한계가 A선 위에 있거나 소성지수가 7 이상</td><td></td><td></td></tr>
<tr><td rowspan="4">모래 (sand) : 4.75mm체에 50% 이상 통과</td><td rowspan="2">세립분이 약간 또는 거의 없는 모래</td><td>SW</td><td>입도분포가 좋은 모래 또는 자갈질의 모래, 세립분은 약간 또는 없음.</td><td colspan="4">$C_u>6$
$1<C_g<3$</td></tr>
<tr><td>SP</td><td>입도분포가 나쁜 모래 또는 자갈질의 모래, 세립분은 약간 또는 없음.</td><td colspan="4">SW의 조건이 만족되지 않을 때</td></tr>
<tr><td rowspan="2">세립분을 함유한 모래</td><td>SM</td><td>실트질의 모래, 모래와 실트의 혼합토</td><td>Atterberg 한계가 A선 밑에 있거나 소성지수가 4 이하</td><td rowspan="2">소성지수가 4~7이면서 Atterberg 한계가 A선 위에 존재할 때는 2중문자로 표시</td><td>SM</td><td>D
U</td></tr>
<tr><td>SC</td><td>점토질의 모래, 모래와 점토의 혼합토</td><td>Atterberg 한계가 A선 위에 있거나 소성지수가 7 이상</td><td></td><td></td></tr>
<tr><td rowspan="6">세립토: 0.075mm 체에 50% 이상 통과</td><td rowspan="3" colspan="2">액성한계 50% 이하인 실트나 점토</td><td>ML</td><td>무기질의 실트, 매우 가는 모래, 암분, 소성이 작은 실트질의 세사나 점토질의 세사</td><td rowspan="7" colspan="5">• 소성도(plasticity chart)는 조립토에 함유된 세립분과 세립토를 분류하기 위해 사용된다.
• 소성도의 빗금친 곳은 2중 표기해야 하는 부분이다.
[세립토의 분류를 위한 소성도]</td></tr>
<tr><td>CL</td><td>소성이 중간치 이하인 무기질 점토, 자갈질점토, 모래질점토, 실트질 점토, 소성이 작은 점토</td></tr>
<tr><td>OL</td><td>소성이 작은 유기질 실트 및 실트질 점토</td></tr>
<tr><td rowspan="3" colspan="2">액성한계 50% 이상인 실트나 점토</td><td>MH</td><td>무기질의 실트, 운모질 또는 규소의 세사 또는 실트질 흙, 탄성이 큰 실트</td></tr>
<tr><td>CH</td><td>소성이 큰 무기질의 점토, 소성이 큰 점토</td></tr>
<tr><td>OH</td><td>소성이 중간치 이상인 유기질 점토</td></tr>
<tr><td colspan="3">고유기성 흙</td><td>P_t</td><td>이탄 및 그 밖의 유기질을 많이 함유한 흙</td></tr>
</table>

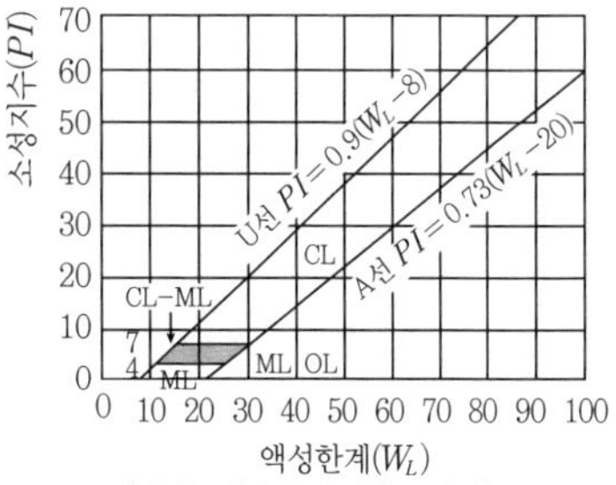

2. AASHTO 분류법(개정 PR법)

도로, 활주로의 노상토 재료의 적부를 판단하기 위해 사용하며 이 이외의 분야에서는 사용되지 않는다.

AASHTO 분류법은 1929년 도로, 노상 재료의 적부를 판단하기 위해 제정된 PR분류법을 수차 개정하여 사용하고 있다.

(1) AASHTO 분류

흙의 입도, 액성한계, 소성지수, 군지수를 사용하여 A−1에서 A−7까지 7개의 군으로 분류하고 각각을 세분하여 총 12개의 군으로 분류한다.

[표 3-7] AASHTO 분류법

일반적 분류		조립토(No.200체 통과율 35% 이하)							세립토(No.200체 통과율 35% 초과)			
분류기호		A−1		A−3	A−2				A−4	A−5	A−6	A−7
		A−1−a	A−1−b		A−2−4	A−2−5	A−2−6	A−2−7				A−7−5 A−7−6
체분석 통과율 (%)	No.10체	50이하										
	No.40체	30이하	50이하	51이상								
	No.200체	15이하	25이하	10이하	35이하	35이하	35이하	35이하	36이상	36이상	36이상	36이상
No.40체 통과분	액성한계				40이하	41이상	40이하	41이상	40이하	41이상	40이하	41이상
	소성지수	6이하		*N.P	10이하	10이하	11이상	11이상	10이하	10이하	11이상	11이상
군지수		0		0	0		4이하		8이하	12이하	16이하	20이하
주요 구성재료		석편, 자갈, 모래		세사	실트질 또는 점토질(자갈, 모래)				실트질 흙		점토질 흙	
노상토로서의 일반적 등급		우 또는 양							가 또는 불가			

(2) 군지수(Group Index ; GI)

흙의 성질을 수로써 나타낸 것으로 0~20 범위의 정수로 나타내며 GI값이 클수록 재료의 품질이 나쁘다.

① $GI=0.2a+0.005ac+0.01bd$ ······ (3−9)

여기서, a=No.200체 통과율−35(a : 0~40의 정수)

b=No.200체 통과율−15(b : 0~40의 정수)

$c=W_L-40$(c : 0~20의 정수)

$d=I_P-10$(d : 0~20의 정수)

② 군지수를 결정하는 몇가지 규칙

㉠ 만일 GI값이 음(−)의 값을 가지면 0으로 한다.

㉡ GI값은 가장 가까운 정수로 반올림한다.
(예로 $GI=4.4$이면 4로, $GI=4.5$이면 5로 반올림한다)

㉢ A−1−a, A−1−b, A−2−4, A−2−5, A−3에 속하는 군지수는 항상 0이다.

③ 군지수에서 제1항은 No.200체를 통과한 흙입자량의 영향을, 제2항은 액성한계의 영향을, 제3항은 소성지수의 영향을 주로하여 나타낸 식이다. 각 항의 최댓값은 각각 8, 4, 8이다.

Chapter 03

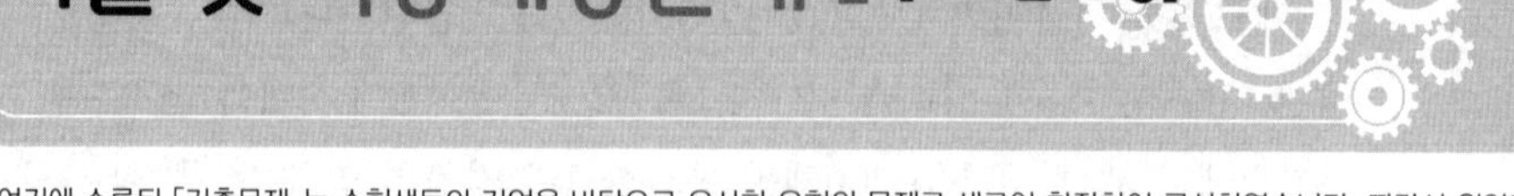

여기에 수록된 「기출문제」는 수험생들의 기억을 바탕으로 유사한 유형의 문제로 새로이 창작하여 구성하였습니다. 따라서 원안과 동일하지는 않지만 출제 수준과 경향을 파악하는 데 결정적인 도움을 주리라 믿습니다.

01 조립토와 세립토의 비교 설명 중 옳지 않은 것은?

① 공극률은 조립토가 작고 세립토는 크다.
② 마찰력은 조립토가 작고 세립토는 크다.
③ 압축성은 조립토가 작고 세립토는 크다.
④ 투수성은 조립토가 크고 세립토는 작다.

해설

성 질	공극률	압축성	투수성	마찰력	점착력
조립토	작다.	작다.	크다.	크다.	0
세립토	크다.	크다.	작다.	작다.	크다.

02 조립토의 성질과 관계가 가장 없는 것은?

① 점착성이 거의 없다. ② 소성이 거의 없다.
③ 마찰력이 크다. ④ 투수성이 작다.

해설

조립토는 투수성이 크다.

03 다음 설명 중 틀린 것은?

① 점토는 마찰력보다 점착력이 그 흙의 강도를 지배한다.
② 점토는 압축성이 크고 모래는 압축성이 작다.
③ 점토는 입자의 크기가 모래보다 작고 공극률도 작다.
④ 점토는 모래에 비해 오랜 시간에 걸쳐 압밀이 진행된다.

해설

점토는 모래보다 공극률이 크다.

04 입경가적곡선에서 중량통과백분율의 10%에 해당하는 입경(D_{10})과 직접적인 관련이 없는 것은?

① No.10체 눈의 크기
② 유효입경
③ 균등계수
④ 곡률계수

해설

1. 유효입경($D_e = D_{10}$)은 입경가적곡선에서 가적통과율 10%일 때 해당하는 입경을 말한다.
2. $C_u = \dfrac{D_{60}}{D_{10}}$
3. $C_g = \dfrac{{D_{30}}^2}{D_{10} \cdot D_{60}}$
4. No.10체 = 2.0mm 이므로 D_{10}과는 관계가 없다.

05 흙의 입도분석시험에 있어서 다음 설명 중 바르지 못한 것은?

① 0.075mm 이상은 체분석에 의한다.
② 유효깊이를 산정할 때 비중계의 용적은 구부와 적신부의 용적이다.
③ 비중계의 눈금은 1.000~1.050이다.
④ 수면과 일치하는 비중계의 눈금은 비중계의 구부 중심부분 현탁액의 비중이다.

해설

1. 입경이 0.075mm 이상이면 체분석을 하고 그 이하의 입경에 대해서는 비중계분석을 한다.
2. $L = L_1 + \frac{1}{2}\left(L_2 - \frac{V_B}{A}\right)$에서 비중계 구부의 체적($V_B$)은 구부만의 체적이다.
3. 비중계의 눈금은 1.000~1.050이다.

01 ② 02 ④ 03 ③ 04 ① 05 ② [정답]

06 다음 중 흙의 입도분석시험에 대한 설명으로 옳지 못한 것은?

① 균등계수가 10 이상이면 입도분포가 양호하다.
② 비중계의 눈금은 0.995~1.050으로 표시된 것으로, 15℃의 증류수에서 정확히 1.000을 지시해야 한다.
③ 유효깊이를 산정할 때 비중계의 체적은 구부와 적신부의 체적이다.
④ 0.075mm 이상은 체분석에 의한다.

07 Brown 운동과 침강시에 교란이 생길 위험성이 있으므로 입도분석시 Stokes 법칙의 적용한계를 정하고 있다. 다음 중 어느 것인가?

① 0.0002~2.0mm ② 0.0002~0.2mm
③ 0.002~2.0mm ④ 0.002~0.2mm

해설

Stokes 법칙의 적용범위는 $d=0.0002\sim0.2$mm이다. 그 이유는 $d>0.2$mm이면 침강시 교란이 되고 $d<0.0002$mm이면 Brown 현상이 생기기 때문이다.

08 입도시험에서 유효깊이(L)는 다음의 무엇을 구하는데 사용하는가?

① 흙의 통과백분율 ② 현탁액 속의 흙의 입경
③ meniscus 보정치 ④ 온도 보정치

해설

1. 비중계 유효깊이 : $L=L_1+\frac{1}{2}\left(L_2-\frac{V_B}{A}\right)$(cm)
2. 구체(흙)의 직경 : $d=\sqrt{\frac{30\eta}{980(G-G_t)\gamma_w}}\times\sqrt{\frac{L}{t}}=C\sqrt{\frac{L}{t}}$(mm)

09 비중계법에 의한 입도시험용 시료는 몇 번 체를 통과한 시료인가?

① 10번체 ② 40번체
③ 100번체 ④ 200번체

해설

No.10체 통과시료를 사용하여 비중계 시험을 실시한다.

10 세립토를 비중계법으로 입도분석을 할 때 반드시 분산제를 쓴다. 다음 설명 중 옳지 않은 것은?

① 입자의 면모화를 방지하기 위하여 사용한다.
② 분산제의 종류는 소성지수에 따라 달라진다.
③ 현탁액이 산성이면 알칼리성의 분산제를 쓴다.
④ 시험 도중 물의 변질을 방지하기 위하여 분산제를 사용한다.

해설

시료의 면모화를 방지할 목적으로 규산나트륨, 과산화수소 등의 분산제를 사용한다.
1. A방법($I_P<20$ 일 때) : 규산나트륨($Na_2SiO_3\cdot9H_2O$) 용액 사용
2. B방법($I_P>20$ 일 때) : 과산화수소(H_2O_2)6% 용액 사용

11 흙의 기본적 성질에 대한 설명으로 옳은 것은?

2010. 국가직 7급

① 비중계분석법은 토립자의 침강속도가 입경의 세제곱에 비례한다는 Stokes의 법칙을 이용한 것이다.
② 유기질토(O)의 판별은 노건조시료와 자연건조시료의 액성한계(LL)를 비교하여 구할 수 있다.
③ 액성한계를 구하기 위한 유동곡선은 함수비－낙하횟수를 대수－대수지상에 도시한다.
④ 카올리나이트 성분이 많을수록 활성도가 증가한다.

해설

1. $v_s=\frac{(\gamma_s-\gamma_w)d^2}{18\eta}$
2. 냄새와 색깔이 분명하지 않을 때에는 노건조시료와 자연건조시료의 액성한계와 비교하여 그 값이 30%이상 감소하면 유기질토로 판별한다.

06 ③ 07 ② 08 ② 09 ① 10 ④ 11 ② [정답]

12 흙의 입도시험을 할 때 체가름 시험용 체로 구성된 것은?

① No.4, No.10, No.20, No.40, No.60, No.140, No.200(7종)
② No.4, No.10, No.20, No.40, No.60, No.80, No.120, No.200(8종)
③ No.4, No.8, No.20, No.40, No.80, No.120, No.200(7종)
④ No.4, No.8, No.16, No.30, No.50, No.100, No.140, No.200(8종)

해설

체가름 시험시 주로 사용하는 체는 4.8mm(No.4), 2.0mm(No.10), 0.85mm(No.20), 0.40mm(No.40), 0.25mm(No.60), 0.11mm(No.140), 0.075mm(No.200)의 7종류이다.

13 흙의 입도분석시험에 대한 설명 중 옳지 못한 것은?

2004. 서울시 7급

① 수면과 일치하는 비중계의 눈금은 비중계 구부의 중심부분 현탁액의 비중이다.
② 곡선의 구배가 계단으로 되어 있으면 가장 이상적인 배합이다.
③ 곡선의 구배가 완만할수록 입도분포는 양호하다.
④ 0.075mm 이상은 체분석에 의한다.

14 입경가적곡선에서 가적통과율 60%에 해당하는 입경 D_{60} = 1.6mm의 뜻은?

① 전체시료 중 무게로 따져서 60%가 1.6mm보다 가늘다.
② 전체시료 중 무게로 따져서 60%가 1.6mm보다 굵다.
③ 이 흙의 균등계수가 1.6이다.
④ 이 흙의 유효입경이 1.6이다.

해설

입경가적곡선에서 D_{60} = 1.6mm란 가적통과 백분율 60%일 때 해당하는 흙의 지름이 1.6mm라는 것이다. 즉, 60%가 통과되었다는 것이므로 60%가 1.6mm보다 흙의 지름이 가늘다라는 것을 의미한다.

15 일반적으로 흙의 입도분포곡선에서 입도분포가 좋다(well graded)라고 하는 것은 모래의 경우 균등계수가 얼마 이상을 뜻하는가?

① 1.0
② 1.5
③ 6.0
④ 20

해설

입도분포가 양호(양립도)한 경우

1. 흙일 때 : C_u>10 이고, C_g = 1~3
2. 모래일 때 : C_u>6 이고, C_g = 1~3
3. 자갈일 때 : C_u>4 이고, C_g = 1~3

16 흙의 입도분석 결과 입경가적곡선이 입경의 좁은 범위 내에 대부분이 몰려 있는 입경분포가 나쁜 빈립도(poor grading)일 때 다음 중 옳지 않은 것은?

① 균등계수는 작을 것이다.
② 공극비가 클 것이다.
③ 다짐에 적합한 흙이 아닐 것이다.
④ 투수계수는 낮을 것이다.

해설

빈립도(poor grading)

1. 같은 크기의 흙들이 섞여 있는 경우로서 입도분포가 나쁘다.
2. 특징
   ① 균등계수가 작다.
   ② 공극비가 크다.
   ③ 다짐에 부적합하다.
   ④ 투수계수가 크다.
   ⑤ C_g가 1에 가깝다.

12 ① 13 ② 14 ① 15 ③ 16 ④ [정답]

17 흙의 입도시험 결과 입도분포가 매우 좋은 흙임이 판명되었다. 이 흙에 대한 다음 물음 중 옳은 것은?

① 균등계수가 매우 작은 값이다.
② 다짐에 부적당한 흙이다.
③ 투수계수가 낮다.
④ 간극비가 매우 크다.

해설

양립도(well grading)

1. 큰 흙과 작은 흙이 골고루 섞여 있는 경우로써 입도분포가 좋다.
2. 특 징
   ① 균등계수가 크다. ② 다짐효과가 좋다.
   ③ 투수계수가 작다. ④ 간극비가 매우 작다.

18 그림과 같은 입도곡선에서 다음 설명 중 틀린 것은?

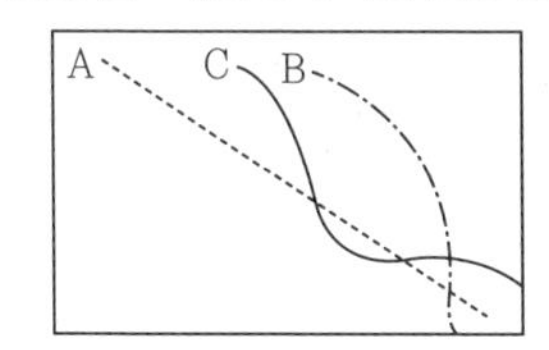

① 횡축은 입경의 크기를 log 좌표로 잡는다.
② 횡축의 오른편으로 갈수록 입경의 크기는 작다.
③ 입도곡선이 오른편에 있을수록 입경이 작다.
④ 입도곡선의 중간에서 요철(凹凸)부분이 있을 수 있다.

해설

1. 입도곡선
   ① 횡축 : 입경의 크기를 대수(log) 눈금으로 표시한다.
   ② 종축 : 가적통과백분율을 산술눈금으로 표시한다.
2. 입도곡선이 문제의 그림처럼 오른쪽으로 하향경사인 경우 오른쪽으로 갈수록 입경의 크기는 작아진다.
3. 입도곡선은 중간에서 요철부분이 있을 수 없다. 즉, 하향이든 상향이든 한쪽 방향으로의 경사만 나타난다.

19 흙의 입도분포에서 균등계수가 가장 큰 흙은?

① 특히 모래자갈이 많은 흙
② 실트나 점토가 많은 흙
③ 모래자갈 및 실트, 점토가 골고루 섞인 흙
④ 모래나 실트가 특히 많은 흙

해설

입도분포가 넓은 범위의 입경으로 구성되어 있을수록 균등계수가 크다.

20 입경가적곡선으로 볼 때 다음 설명 중 옳지 않은 것은?

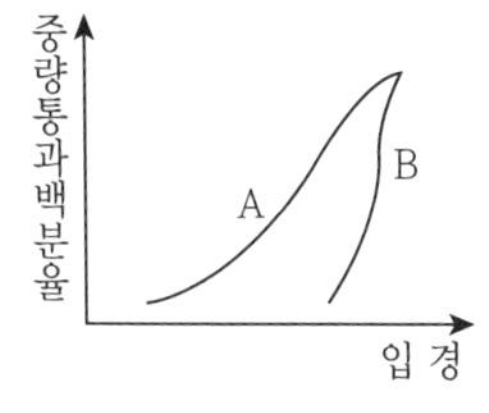

① 도면은 반대수용지를 사용한다.
② 균등계수는 A보다 B가 크다.
③ 하천 모래는 B와 같은 곡선을 나타낸다.
④ A와 같은 흙은 양립도의 흙이다.

해설

입경가적곡선

1. 반대수지를 사용하여 횡축(대수눈금)에 입경을 종축(산술눈금)에 통과백분율을 잡아 흙의 입경과 그 분포를 곡선으로 나타낸 것이다.
2. 균등계수는 $A>B$이다.
3. 곡선의 경사가 완만하고 입경의 폭이 넓은 A흙이 입도분포가 양호하므로 양립도의 흙이다.

제3장

21 흙의 입경가적곡선에 관한 설명 중 옳은 것은?

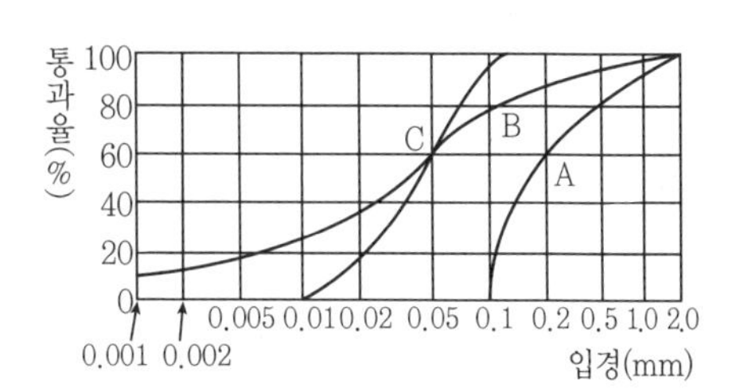

① A는 B보다 유효입경이 작다.
② A는 B보다 균등계수가 작다.
③ A는 B보다 균등계수가 크다.
④ B는 C보다 유효입경이 크다.

해설

균등계수(C_u)	B>C>A
유효입경(D_{10})	A>C>B

17 ③ 18 ④ 19 ③ 20 ② 21 ② [정답]

22 흙의 분류에 대한 설명 중 옳지 않은 것은?

① AASHTO분류법과 통일분류법은 입자의 크기와 Atterberg 한계를 고려하였다.
② AASHTO분류법은 도로의 노상 재료로서 흙의 품질을 평가하기 위해 군지수(GI)를 사용한다.
③ 양립도일수록 입경가적곡선의 기울기는 완만하고 균등계수가 작다.
④ 입경가적곡선에서 통과백분율의 10%에 해당하는 입경을 유효입경이라 한다.

해설

양립도일수록 입경가적곡선의 기울기는 완만하고 균등계수는 크며 C_g = 1~3이다.

23 흙의 입도곡선을 설명한 것 중 옳지 않은 것은?

① 입도곡선의 그래프는 가로선이 대수눈금이고 입경을 표시한다.
② 곡선의 구배가 계단으로 되어 있으면 가장 이상적인 배합이다.
③ 곡선의 구배가 완만할수록 입도분포는 양호하다.
④ 곡선의 구배가 급할수록 입경이 균등하다.

해설

1. 양립도인 흙의 입도분포곡선은 구배가 완만하고 입경의 폭이 넓다.
2. 곡선의 구배가 계단으로 되어 있으면 두 개 또는 그 이상의 흙들이 섞인 경우를 말하며 빈립도를 나타낸다.

24 통일분류법에 의한 흙의 공학적 분류에서 필요한 토질시험이 아닌 것은?

① 체가름시험
② 현장밀도시험
③ 액성한계시험
④ 소성한계시험

25 삼각좌표에 의한 흙의 분류는 일반적으로 공학적 성질을 잘 나타내지 못한다고 한다. 그 이유 중 가장 타당한 것은?

① 분류시에 자갈(gravel)을 제외시키기 때문이다.
② 삼각좌표 눈금을 읽을 때 많은 오차가 발생한다.
③ 일반적인 흙의 성직은 컨시스턴시(consistency)에 영향을 받는다.
④ 분류시에 군지수(group index)를 이용하지 않는다.

해설

삼각좌표의 분류

1. 입도곡선에서 자갈을 제외하고 모래, 실트, 점토의 3성분으로 구분하고 각 성분의 함유량에 의하여 삼각좌표 안에 점을 정하여 흙을 분류하는 방법이다. 그 점의 위치에 의해 10종류의 이름이 붙여져 있다.
2. 점착성이 있는 흙은 함수량에 따라 고체, 반고체, 소성, 액성으로 변화하는 성질, 즉 연경도(consistency)에 의해 공학적 성질이 영향을 받는다. 그러나 삼각좌표의 분류에서는 연경도를 고려하지 않았기 때문에 공학적 분류법으로는 사용되지 않고 주로 농학적인 분류에 사용하고 있다.

26 다음은 흙의 분류에 관한 사항들이다. 틀린 것은?

① 입경가적곡선에서 곡선의 모양이 일정 구간 수평인 것은 그 구간 사이의 흙이 존재하지 않는다.
② 성토재료로서 가장 좋은 것은 이탄(peat)으로 분류되어진다.
③ AASHTO 분류법에서 군지수는 어떤 분류 내에서 가치평가의 기준일 뿐이다.
④ 군지수의 값이 클수록 노상토로서 부적당함을 뜻한다.

해설

1. 이탄(peat) 등 극히 유기성이 강한 흙은 성토재료로서 사용해서는 안된다.
2. 성토재료는 강도가 크고 압축성이 적은 흙일수록 좋다.
3. 군지수의 값이 클수록 노상토로서 부적당하다.

22 ③ 23 ② 24 ② 25 ③ 26 ② [정답]

27 소성도표에 대한 설명 중 옳지 않은 것은?

① A선의 방정식은 $I_P = 0.73(W_L - 10)$이다.
② 액성한계를 횡좌표, 소성지수를 종좌표로 한다.
③ 흙의 분류에 사용된다.
④ 흙의 성질을 파악하는데 사용할 수 있다.

해설

소성도표(plastic chart)

1. 액성한계와 소성지수를 사용하여 세립토와 유기질토를 분류한다.
2. A선의 방정식 $I_P = 0.73(W_L - 20)$이고 A선은 점토와 실트 또는 유기질토를 구분한다.
3. B선의 방정식 $W_L = 50\%$이고 B선은 H(고압축성)과 L(저압축성)을 구분한다.

28 통일분류법으로 흙을 분류하는데 직접 사용되지 않는 요소는?

① 200번체 통과율 ② 4번체 통과율
③ 군지수 ④ 액성한계

해설

흙의 공학적 분류

1. 통일분류법 : 흙의 입경을 나타내는 제1문자와 입도 및 성질을 나타내는 제2문자를 사용하여 흙을 분류한다.
2. AASHTO 분류법(개정 PR법) : 흙의 입도, 액성한계, 소성지수, 군지수를 사용하여 흙을 분류한다.

29 흙의 공학적 분류 방법으로 흙을 분류할 때 필요한 요소가 아닌 것은?

① 액성한계 ② 소성지수
③ 수축한계 ④ 입 도

해설

흙의 공학적 분류에서 수축한계는 관계가 없다.

30 다음은 통일분류법에 의하여 표시된 흙들이다. 잘못 표기된 것이 포함되어 있는 것은?

① GP, CL, SC
② MH, P_t, OL
③ SP, ML, GM
④ OH, SP, OC

해설

세립토의 제1문자는 M, C, O이고 제2문자는 L, H이므로 OC의 표기가 잘못되었다.

31 다음은 통일분류법에 의한 흙의 기호이다. 도로 노반으로 가장 좋은 토질은?

① MH ② SP
③ GW ④ SC

32 통일분류법(U.S.C.S)에 의한 흙의 분류에서 조립토인 자갈과 모래를 구별할 때 몇 mm체 통과율 50%를 기준으로 하는가?

① 4.75mm체 ② 2.0mm체
③ 0.425mm체 ④ 0.075mm체

해설

통일분류법

1. 조립토와 세립토
   ① 조립토 : 0.075mm체 통과량이 50% 이하(G, S)
   ② 세립토 : 0.075mm체 통과량이 50% 이상(M, C, O)
2. 자갈과 모래
   ① 자갈 : 4.75mm체 통과량이 50% 이하
   ② 모래 : 4.75mm체 통과량이 50% 이상

27 ① 28 ③ 29 ③ 30 ④ 31 ③ 32 ① [정답]

제3장

33 통일분류법에 의해 SP로 분류된 흙의 설명 중 옳은 것은?

① 모래질 실트를 말한다.
② 모래질 점토를 말한다.
③ 압축성이 큰 모래를 말한다.
④ 입도분포가 나쁜 모래를 말한다.

34 통일분류법에서 실트질이고 액성한계가 50% 이상인 흙의 기호는? 2004. 서울시 7급

① CH ② OL
③ MH ④ ML

해설

$W_L>50\%$ 이면 H, $W_L \leq 50\%$ 이면 L로 표시한다.

35 다음은 흙의 통일분류 기호이다. 압축성과 팽창성이 가장 큰 흙은 어느 것인가?

① GP ② MH
③ SM ④ ML

36 통일분류법에 의해 그 흙이 MH로 분류되었다면 이 흙의 대략적인 공학적 성질은?

① 액성한계가 50% 이상인 실트이다.
② 액성한계가 50% 이하인 점토이다.
③ 소성한계가 50% 이상인 점토이다.
④ 소성한계가 50% 이하인 실트이다.

해설

주요 구분	세립토(fine-grained soils) 0.075mm체에 50% 이상 통과					
	$W_L>50\%$인 실트나 점토			$W_L\leq 50\%$인 실트나 점토		
문 자	MH	CH	OH	ML	CL	OL

37 통일분류법에 의한 흙의 분류에서 입도분포가 나쁘고 세립토를 거의 함유하지 않은 모래의 분류는?

① SW ② SP
③ SM ④ SC

38 체분석시험 결과, 4.75mm체 통과율이 70%이고, 2mm체 통과율이 45%, 0.074mm체 통과율이 4%였고, $D_{10}=0.10$mm, $D_{30}=0.60$mm, $D_{60}=4.5$mm이었다. 통일분류법 기준으로 이 흙을 분류하면 다음 중에서 어느 것에 해당하는가? 2016. 서울시 7급

① SP ② SW
③ GP ④ GW

해설

1. $P_{No.200}=4\%<50\%$, $P_{No.4}=70\%>50\%$ 이므로 모래이다.
2. $C_u=\dfrac{D_{60}}{D_{10}}=\dfrac{4.5}{0.1}=45>6$

$C_g=\dfrac{{D_{30}}^2}{D_{10}D_{60}}=\dfrac{0.6^2}{0.1\times 4.5}=0.8\neq 1\sim 3$ 이므로 빈립도이다.

$\therefore$ SP

39 입도시험결과 No.4체 통과백분율이 60%, No.10체 통과백분율이 40%, No.200체 통과백분율이 8%이었다. 이 흙의 입도분포가 비교적 양호할 때 통일분류방법에 의한 흙의 분류는?

① GP ② GP~GM
③ SW ④ SW~SM

해설

1. No.200체 통과율이 5~12%인 경우 2중문자로 표시한다.
2. $P_{No.200}<50\%$, $P_{No.4}>50\%$ 이므로 S이고 입도분포가 양호하므로 W이다.

$\therefore$ SW ~ SM

33 ④ 34 ③ 35 ② 36 ① 37 ② 38 ① 39 ④ [정답]

40 입도분석시험 결과 다음과 같은 결과를 얻었다. 이 흙을 통일분류법에 의해 분류하면? (단, 0.075mm체 통과율 = 3%, 2mm체 통과율 = 40%, 4.75mm체 통과율 = 65%, D_{10} = 0.10mm, D_{30} = 0.13mm, D_{60} = 3.2mm)

① GW ② GP
③ SW ④ SP

해설

1. $P_{No.200(0.075mm)} = 3\% < 50\%$ 이고 $P_{No.4(4.75mm)} = 65\% > 50\%$ 이므로 모래이다.
2. $C_u = \frac{D_{60}}{D_{10}} = \frac{0.32}{0.01} = 32 > 6$

   $C_g = \frac{D_{30}^2}{D_{10} \cdot D_{60}} = \frac{0.013^2}{0.01 \times 0.32} = 0.05 \neq 1 \sim 3$ 이므로 빈립도이다.

   ∴ SP이다.

41 다음 표는 어떤 흙의 입도분석결과와 Atterberg 한계 실험결과이다. 이 흙을 통일분류법으로 바르게 분류한 것은? 2009. 지방직 7급

통과백분율					Atterberg 한계	
No.10	No.40	No.60	No.100	No.200	LL	PL
99%	94%	89%	82%	76%	40%	28%

① MH ② ML
③ CH ④ CL

해설

1. $P_{No.200} = 76\% > 50\%$ 이므로 세립토이다.
2. $W_L = 40\%$일 때 A선 방정식

   $PI = 0.73(W_L - 20) = 0.73(40 - 20) = 14.6\%$ 이고

   $I_p = W_L - W_p = 40 - 28 = 12\% < 14.6\%$ 이므로 M 또는 O 이다.
3. $W_L = 40\% < 50\%$ 이므로 L(저압축성)이다.

   ∴ ML

42 어떤 흙의 4번체와 200번체 통과율이 각각 80%와 30%이고, 액성한계는 25%, 소성한계가 10%일 때 이 흙을 통일분류법으로 분류하면? 2009. 국가직 7급

① SM ② SC
③ GM ④ GC

해설

1. $P_{No.200} = 30\% < 50\%$, $P_{No.4} = 80\% > 50\%$ 이므로 sand이다.
2. $I_p = 25 - 10 = 15\% > 7\%$ 이므로 C이다.

   ∴ SC

43 어떤 시료를 입도분석한 결과 No.200체 통과량이 56%이었고 에터버그 시험결과 액성한계가 40%이었으며 카사그랜드 소성도의 A선 위의 구역에 plot되었다면 이 시료는 통일분류법으로 다음 중에 어디에 해당되는가?

① SM ② SC
③ CL ④ MH

해설

1. $P_{No.200} = 56\% > 50\%$ 이므로 세립토이다.
2. A선 위의 구역이므로 점토이며 B선에서 $W_L = 40\% < 50\%$ 이므로 저압축성이다. 따라서 CL이다.

44 어느 시료의 No.4체 통과량이 95%, No.10체 통과량이 90%, No.200체 통과량이 60%이다. 이 시료를 통일분류법으로 바르게 분류한 것은? (단, 이 시료의 액성한계는 45%, 소성한계는 20%이다) 2011. 지방직 7급

① CH ② MH
③ ML ④ CL

해설

1. $P_{No.200} = 60\% > 50\%$ 이므로 세립토이다.
2. $W_L = 45\%$일 때 A선 방정식

   $I_P = 0.73(W_L - 20) = 0.73(45 - 20) = 18.25\%$ 이고

   $I_P = W_L - W_p = 45 - 20 = 25\% > 18.25\%$ 이므로 C(점토질토)이다.
3. $W_L = 45\% < 50\%$ 이므로 L(저압축성)이다.

   ∴ CL

40 ④ 41 ② 42 ② 43 ③ 44 ④ [정답]

45 흙의 분류 중에서 유기질이 가장 많은 흙은?

① CH　② CL
③ P_t　④ OL

해설

P_t(이탄)는 고유기질토이다.

46 No.200체 통과량이 38%, 액성한계가 21%, 소성지수가 8%일 때 군지수는?

① 0.6　② 0.7
③ 12.6　④ 20.0

해설

$GI = 0.2a + 0.005ac + 0.01bd$

1. $a = P_{No.200} - 35 = 38 - 35 = 3$
2. $b = P_{No.200} - 15 = 38 - 15 = 23$
3. $c = W_L - 40 = 21 - 40 = 0$
4. $d = I_P - 10 = 8 - 10 = 0$

$\therefore GI = 0.2 \times 3 + 0.005 \times 3 \times 0 + 0.01 \times 23 \times 0 = 0.6$

47 어떤 흙의 No.200체 통과율이 60%, 액성한계가 40%, 소성지수가 10%일 때 군지수는?

① 3　② 4
③ 5　④ 6

해설

$GI = 0.2a + 0.005ac + 0.01bd$

1. $a = P_{No.200} - 35 = 60 - 35 = 25$
2. $b = P_{No.200} - 15 = 60 - 15 = 45 \rightarrow 40$
3. $c = W_L - 40 = 40 - 40 = 0$
4. $d = I_P - 10 = 10 - 10 = 0$

$\therefore GI = 0.2 \times 25 = 5$

48 토질시험 결과 No.200체 통과율이 50%, 액성한계가 45%, 소성한계가 25%일 때 군지수는?

① 3　② 5
③ 7　④ 9

해설

1. $a = P_{No.200} - 35 = 50 - 35 = 15$
2. $b = P_{No.200} - 15 = 50 - 15 = 35$
3. $c = W_L - 40 = 45 - 40 = 5$
4. $d = I_P - 10 = (45 - 25) - 10 = 10$
5. $GI = 0.2a + 0.005ac + 0.01bd$
$= 0.2 \times 15 + 0.005 \times 15 \times 5 + 0.01 \times 35 \times 10$
$= 6.875$
$\fallingdotseq 7$

49 흙의 분류에 있어 AASHTO 분류법을 사용한다면 다음 사항 중 불필요한 것은?

① 입도분석　② 에터버그한계
③ 균등계수　④ 군지수

해설

AASHTO 분류 : 흙의 입도, 액성한계, 소성지수, 군지수를 사용하여 A-1에서 A-7까지 7개군으로 분류하고 각각을 세분하여 총 12개의 군으로 분류한다.

45 ③　46 ①　47 ③　48 ③　49 ③ [정답]

흙의 분류

기출 및 적중예상문제 Ⅱ [5지선다형]

여기에 수록된 「기출문제」는 수험생들의 기억을 바탕으로 유사한 유형의 문제로 새로이 창작하여 구성하였습니다. 따라서 원안과 동일하지는 않지만 출제 수준과 경향을 파악하는 데 결정적인 도움을 주리라 믿습니다.

01 다음 중 자갈을 나타내는 입경은 어느 것인가?

① 1.0mm 이상　② 2.0mm 이상
③ 0.5mm 이상　④ 0.1mm 이상
⑤ 3.0mm 이상

해설

입경에 의한 흙의 분류(단위 : mm)

분류법 \ 흙	자 갈	모 래	실 트	점 토
MIT	2	0.06	0.002	
AASHTO	2	0.075	0.002	
KSF	4.75	0.05	0.005	

02 Stokes의 법칙에 관한 다음 설명 중 틀린 것은 어느 것인가?

① 침강속도는 토립자 직경의 자승에 비례한다.
② 침강속도는 중력가속도에 비례한다.
③ 수온이 높을수록 침강속도가 빠르다.
④ 침강속도는 물의 점성계수에 비례한다.
⑤ Stokes의 법칙에 적용되는 입자의 직경은 0.2~0.0002mm이다.

해설

$$V = \frac{(\gamma_s - \gamma_w)d^2}{18\eta}$$

03 다음 중 흙의 분류와 관계가 적은 것은?

① 입 경　② 균등계수
③ 비 중　④ 액성한계
⑤ 수축지수

04 비중계법에 의한 입도시험용 시료는 몇 번체를 통과한 시료인가?

① 4번체　②10번체
③ 40번체　④ 100번체
⑤ 200번체

05 비중계법에 의한 입도분석에서 시료를 분산하는 방법의 결정에 있어서 소성지수의 값은 얼마를 기준으로 하여 정하는가?

① 10%　② 20%
③ 30%　④ 40%
⑤ 50%

해설

1. $I_P \geq 20$: 과산화수소 6% 용액 100mL
2. $I_P < 20$: 규산나트륨용액 20mL

01 ② 02 ④ 03 ⑤ 04 ② 05 ② [정답]

제3장

06 유효깊이 L은 다음 중 어느 것을 구하고자 할 때 사용하는가?

① 체분석 시험에서 잔유율을 구하는 데 이용된다.
② 비중계법 시험에서 입경을 계산하는 데 이용된다.
③ 비중계법 시험에서 가적통과율을 계산하는 데 이용된다.
④ 체분석 시험에서 입경을 구하는 데 이용된다.
⑤ 체분석 시험에서 침강속도를 구하는 데 이용된다.

해설

$d = C\sqrt{\frac{L}{t}}$(mm)

07 유효깊이를 구하는 식 $L = L_1 + \frac{1}{2}\left(L_2 - \frac{V_B}{A}\right)$에서 침강시간에 따라 그 값이 변화하는 것은 다음 중 어느 것인가?

① L_1　　② L_2
③ V_B　　④ A
⑤ 없 음.

08 현재 널리 쓰이고 있는 흙의 입도분석법은 어느 것인가?

① 침전법　　② 비중계법
③ 피펫법　　④ 원심기법
⑤ 탈수법

해설

침강분석은 비중계법, 피펫법(pipette method), 광투과법, 침강저울법 등이 있으며 비중계법을 가장 많이 사용하고 있다.

09 입경가적곡선에 대한 다음 설명 중 틀린 것은 어느 것인가?

① 곡선의 기울기가 급할수록 입도가 균등하다.
② 곡선의 기울기가 완만할수록 입도가 양호하다.
③ 곡선의 형태가 굴곡이 많으면 빈입도의 흙이다.
④ 모래는 흙에 비하여 곡선의 구배가 급하다.
⑤ 하나의 곡선에서 기울기가 급한 부분에 해당하는 입자는 기울기가 완만한 부분에 해당하는 입자보다 함유율이 낮다.

해설

입경가적곡선의 기울기가 급한 부분은 이 부분에 해당하는 입자함유율이 높다

10 흙을 비중계법으로 입도분석할 때 현탁액의 용적은 얼마로 하는가?

① 500cc　　② 100cc
③ 10000cc　　④ 1000cc
⑤ 150cc

11 다음은 흙의 입도에 대한 설명이다. 옳지 않은 것은?

① 균등계수의 값이 크면 입도배합이 양호하다.
② 균등계수의 값이 작으면 입도배합이 좋지 못하다.
③ 토립자의 크기가 균등하면 균등계수의 값이 크다.
④ 입도배합이 양호하다는 것은 크고 작은 입자가 잘 배합된 것을 말한다.
⑤ 균등계수는 D_{60}/D_{10}을 말한다(D_{10} : 10%경, D_{60} : 60%경).

해설

토립자의 크기가 균등하면 균등계수의 값이 작아지고 하천이나 백사장 모래와 같이 입경이 고른 흙은 C_u≒1이다.

06 ② 07 ① 08 ② 09 ⑤ 10 ④ 11 ③ [정답]

12 흙의 삼각좌표에 의한 분류시 필요하지 않은 것은?

① 모 래 ② silt
③ 점 토 ④ colloid
⑤ loam

13 AASHTO 분류법으로 흙을 분류하고자 할 때 사용되지 않는 것은?

2005. 서울시 7급

① 40번째 통과율 ② 액성한계
③ 활성도 ④ 소성지수
⑤ 군지수

해설

AASHTO 분류 : 흙의 입도, 액성한계, 소성지구, 군지수를 사용하여 A－1에서 A－7까지 7개의 군으로 분류하고 각각을 세분하여 총 12개의 군으로 분류한다.

14 어떤 흙의 No.200체 통과율이 70%, 액성한계 70%, 소성한계 40%였다. 이 흙의 군지수는 얼마인가?

① 12.5 ② 14.5
③ 16.5 ④ 18.5
⑤ 20

해설

1. $a = P_{\#200} - 35 = 70 - 35 = 35$
2. $b = P_{\#200} - 15 = 70 - 15 = 55 \rightarrow 40$
3. $c = W_L - 40 = 70 - 40 = 30 \rightarrow 20$
4. $d = I_P - 10 = (70 - 40) - 10 = 20$
5. $GI = 0.2a + 0.005ac + 0.01bd$
$= 0.2 \times 35 + 0.005 \times 35 \times 20 + 0.01 \times 40 \times 20$
$= 18.5$

제3장

12 ④ 13 ③ 14 ④ [정답]

토목직 공무원·공기업 토질역학

흙의 투수성과 침투

흙의 투수성과 침투

01 흙 속의 물

흙의 간극 속에 있는 물은 그 존재상태에 따라 공학적 성질이 매우 달라진다. 흙 속에 있는 물의 종류에는 지하수, 자유수, 보유수가 있다.

1. 지하수

지하수는 지하수면 아래에서 흐르는 물을 말하며 Darcy의 법칙이 적용된다.

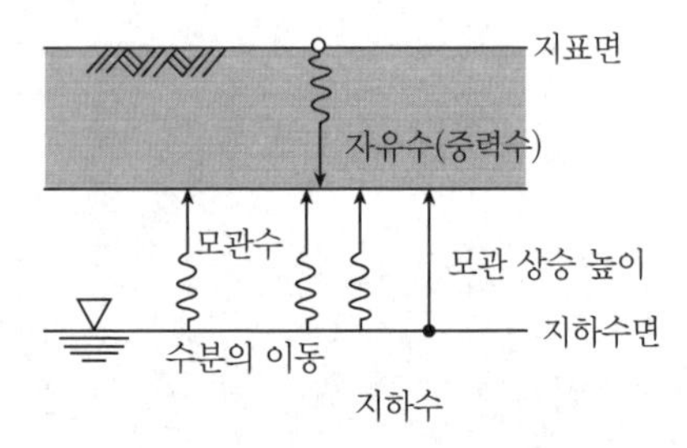

[그림 4-1] 지하수와 자유수

2. 자유수

자유수는 빗물이나 지표에 머물러 있는 물이 중력작용을 받아 지하에 침투하는 물을 말하며, 물의 중력작용으로 흐르기 때문에 중력수라고도 한다.

3. 보유수

보유수는 흙의 강도, 지지력 등에 역학적으로 영향을 주는 물로서 지하수, 자유수보다 성질이 복잡하다.

(1) 모관수

모관수는 모관작용을 받아서 지하수면 위로 솟아올라 얇은 막을 형성한 물을 말한다.

(2) 흡착수

흡착수는 물리, 화학적 작용에 의해 흙입자 표면에 흡착되어 있는 물로, 110±5℃ 이상 가열해야 분리가 가능한 물이다.

(3) 화학적 결합수

화학적 결합수는 110±5℃의 고온에서 가열해도 분리가 안 되는 물로서, 공학적으로 흙 입자와 일체로 보기 때문에 물의 이동이 없다고 본다.

02 Darcy의 법칙

1. 적용범위

(1) $R_e<4$인 층류에서 적용된다.

(2) 지하수의 흐름은 $R_e \fallingdotseq 1$이므로 Darcy의 법칙이 적용된다.

2. 유출속도 및 침투수량

유출속도 V는 동수경사 i에 비례하고 침투유량 Q는 i 및 A에 비례한다. 이것을 Darcy의 법칙이라 하며 중력작용에 의해 물이 흙 속을 흐를 때 유량을 계산하는 가장 기본이 되는 식이다.

$$V=Ki \quad \cdots\cdots (4-1)$$

$$Q=KiA \quad \cdots\cdots (4-2)$$

여기서, V : 유출속도
K : 투수계수
Δh : 전수두차($\Delta h=H_A-H_B$)
i : 동수경사$\left(i=\frac{\Delta h}{L}\right)$
Q : 단위시간당의 유량
A : 시료의 단면적

3. 수 두

물은 전수두가 큰 곳에서 작은 곳으로 흐른다. Bernoulli 정리에 의해 전수두는 다음과 같이 나타낼 수 있다.

$$H=\frac{V^2}{2g}+\frac{P}{w}+Z \quad \cdots\cdots (4-3)$$

흙 속을 통과하는 물의 속도는 매우 느리므로 일반적으로 속도수두는 무시한다.

(1) 전수두

① A점 : $H_A = Z_A + h_A$

② B점 : $H_B = Z_B + h_B$

(2) 손실수두(head loss)

어느 두 점 사이의 전수두의 차이를 손실수두라 한다.

$\Delta h = H_A - H_B$

손실수두, 즉 전수두차 Δh를 물이 통과한 거리 L로 나눈 값을 동수경사라 한다.

$$i = \frac{\Delta h}{L} \quad \cdots\cdots (4-4)$$

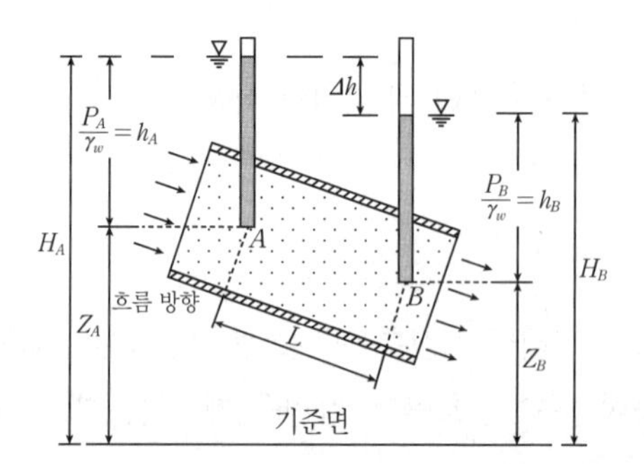

[그림 4-2] 흙 속의 유수에서 압력수두, 위치수두 및 전수두

(3) 수두의 계산

1차원 흐름에 대한 여러 종류의 수두와 수두손실을 구해보면 다음과 같다.

[표 4-1]

구 분	위 치	압력수두	위치수두	전수두	수두차
a	2	h_1	h_2	h_1+h_2	$h_1+h_2=\Delta h$
	4	h_3	$-h_3$	0	
b	2′	h_1	h_2	h_1+h_2	$h_1+h_2=\Delta h$
	3′	$-h_3$	h_3	0	

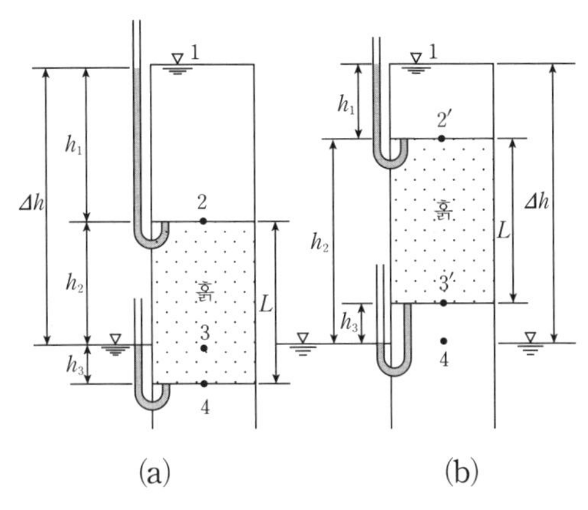

[그림 4-3] 전수두의 계산방법

제4장

Q 예제 1

다음 상향방향 흐름의 경우에 A, B, C, D점에서의 압력수두, 위치수두, 전수두를 구하시오.

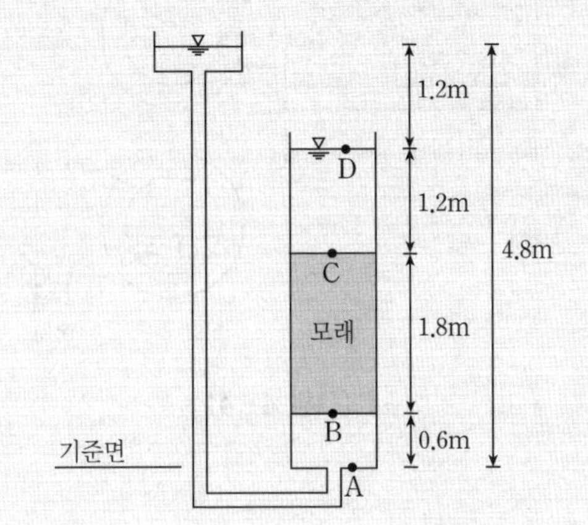

풀이

위 치	압력수두(m)	위치수두(m)	전수두(m)
A	4.8	0	4.8
B	4.2	0.6	4.8
C	1.2	2.4	3.6
D	0	3.6	3.6

4. 실제 침투속도

$$Q = AV = A_v V_s$$

$$V_s = \frac{A}{A_v} \cdot V = \frac{A \cdot L}{A_v \cdot L} \cdot V = \frac{\overline{V}}{\overline{V}_v} \cdot V = \frac{V}{\frac{\overline{V}_v}{\overline{V}}}$$

$$\therefore V_s = \frac{V}{n} \quad \cdots\cdots (4-5)$$

여기서, A : 시료의 전단면적

V : 평균속도

A_v : 공극의 단면적

V_s: 실제 침투속도($V_s > V$)

n : 공극률$\left(n = \frac{\overline{V}_v}{\overline{V}}\right)$

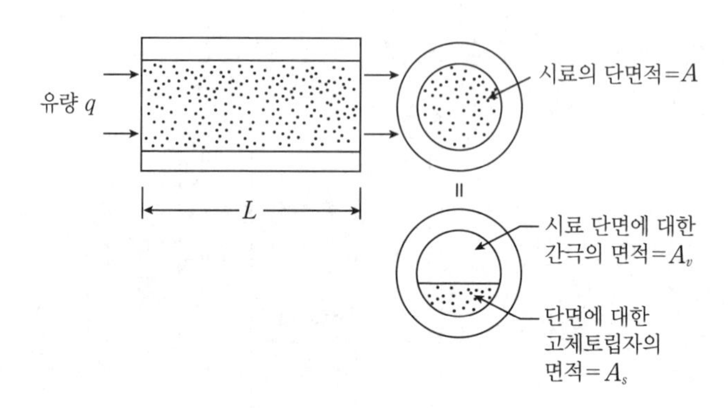

[그림 4-4]

03 투수계수(coefficient of permeability)

투수계수는 유속과 같은 차원이다.

1. 투수계수에 영향을 미치는 요소

투수계수는 유체의 점성, 온도, 흙의 입경, 공극비, 형상, 포화도, 흙입자의 거칠기 등의 요소에 의해 지배된다.

Taylor는 물과 흙의 모든 영향을 반영하는 식을 다음과 같이 제안하였다.

$$K = D_s^2 \frac{\gamma_w}{\mu} \frac{e^3}{1+e} C \quad \cdots\cdots (4-6)$$

여기서, K : 투수계수

D_s : 토립자의 지름(보통 D_{10})

γ_w : 물의 단위중량(g/cm^3)

μ : 물의 점성계수(g/cm·s)

e : 공극비

C : 합성 형상계수

[표 4-2] 전형적인 투수계수의 크기

토 질	투수계수(cm/s)
깨끗한 자갈	100~1.0
굵은 모래	1.0~0.01
가는 모래	0.01~0.001
실트질토	0.001~0.00001
점토	0.00001 이하

(1) 점성계수

투수계수는 γ_w에 비례하고 μ에 반비례한다. 실내시험에서 투수계수를 정할 때 한국공업규격에서는 표준상태인 15℃에 있어서의 투수계수로 나타난다.

$$K_1 : K_2 = \mu_2 : \mu_1 \quad \cdots\cdots (4-7)$$

(2) 공극비

$$K_1 : K_2 = \frac{e_1^3}{1+e_1} : \frac{e_2^3}{1+e_2} \fallingdotseq e_1^2 : e_2^2 \quad \cdots\cdots (4-8)$$

(3) 합성형상계수

합성형상계수는 흙의 공극, 형상 및 구조와 관계가 있으며 이 값은 실험에 의해서 구한 여러 값에서 간접적으로 계산하여 정할 수 있는 값이다. 점토의 구조에서 면모구조가 이산구조보다 투수계수가 크다.

(4) 포화도

공기의 존재가 물의 흐름을 방해하기 때문에 포화도가 클수록 투수계수가 크다.

Check Point

절대투수계수(absolute permeability)

1. $K'=\dfrac{K\eta}{\gamma_w}$
2. 흙 속을 통과하는 물의 성질과는 관련이 없고, 매체인 흙의 성질에만 의존하는 투수성을 표현하는 것으로서의 K의 단위는 cm^2이다.

2. 투수계수의 측정

(1) 경험공식에 의한 방법

A.Hazen(1930)은 유효입경이 0.1~3mm이고, 균등계수가 5 이하인 아주 균등한 모래의 투수계수를 구하는 경험식을 다음과 같이 제시하였다.

$$K=CD_{10}^{\ 2}(\text{cm/s}) \quad \cdots\cdots (4-9)$$

여기서, C : 100~150/cm·s(둥근입자의 경우 C=150/cm·s이다), D_{10} : 유효입경(cm)

(2) 실내투수시험

① **정수위 투수시험**(constant head test) : 수두차를 일정하게 유지하면서 토질시료를 침투하는 유량을 측정한 후 Darcy의 법칙을 사용하여 투수계수를 구한다.

㉠ 투수계수가 큰 조립토에 적당하다($K=10^{-3}$~10^{-2}cm/s).

㉡ 투수계수

$$Q=KiAt=K\cdot\frac{h}{L}\cdot At$$

$$\therefore K=\frac{QL}{hAt} \quad \cdots\cdots (4-10)$$

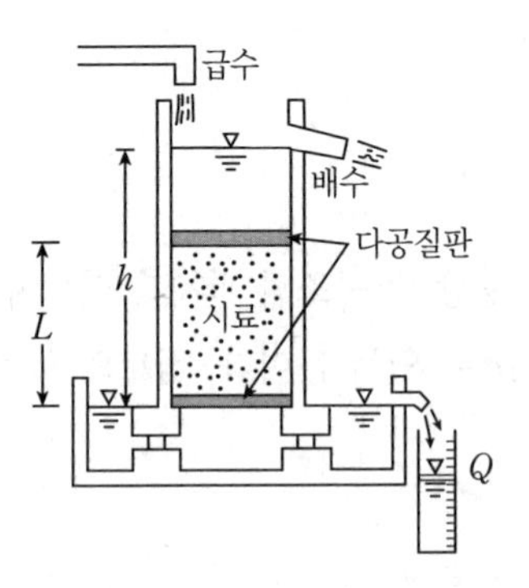

[그림 4-5] 정수위 투수시험기

② **변수위 투수시험**(falling head test) : Stand pipe 내의 물이 시료를 통과해 수위차를 이루는 데 걸리는 시간을 측정하여 투수계수를 구한다.

㉠ 투수계수가 작은 세립토에 적당하다($K=10^{-6}\sim10^{-3}$cm/s).

㉡ 투수계수

$$q=KiA=K\cdot\frac{h}{L}\cdot A=-a\frac{dh}{dt}$$

$$\int_0^t dt=\int_{h_1}^{h_2}\frac{aL}{AK}\left(-\frac{dh}{h}\right)$$

K에 대해 정리하면

$$K=\frac{aL}{AT}\log_e\frac{h_1}{h_2}=2.3\frac{aL}{AT}\log_{10}\frac{h_1}{h_2} \quad\cdots\cdots (4-11)$$

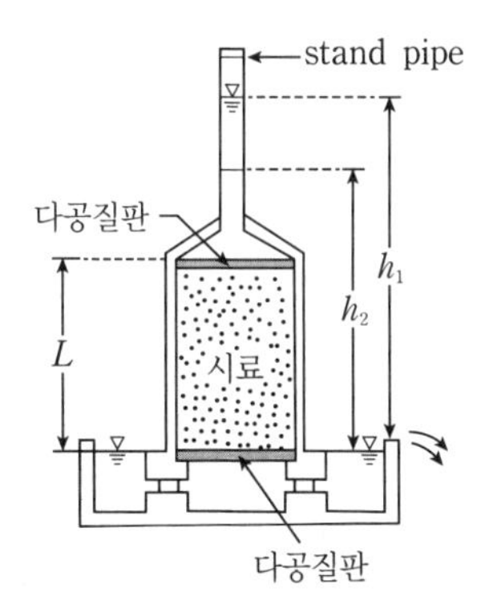

[그림 4-6] 변수위 투수시험기

③ 압밀시험

㉠ 순수한 점토와 같은 $K=1\times10^{-7}$cm/s 이하의 불투수성 흙은 소요시간이 너무 길어지므로 일반적으로 투수시험을 하지 않고 압밀시험의 결과로부터 간접적으로 투수계수를 구한다.

㉡ 투수계수

$$K=C_v m_v \gamma_w \quad\cdots\cdots (4-12)$$

여기서, C_v : 압밀계수(cm^2/s)

m_v : 체적변화계수(cm^2/kg)

γ_w : 물의 단위중량(kg/cm^3)

[표 4-3] 실내투수시험의 종류

시험방법	적용범위	적용지반
정수위 투수시험	$K=10^{-2}\sim10^{-3}$cm/s	투수계수가 큰 모래지반
변수위 투수시험	$K=10^{-3}\sim10^{-6}$cm/s	투수성이 작은 흙
압밀시험	$K=10^{-7}$cm/s 이하	불투수성 흙

(3) 현장투수시험

실험실에서 투수계수를 측정함에 있어서는 실제의 현장 흙의 상태를 재현하기 곤란하기 때문에 시험결과의 신뢰성이 작을 수 있다. 따라서 중요하고 대규모 공사인 경우에는 현장에서 투수시험을 하여 투수계수를 결정하는 일이 많다.

① **양정시험** : 균일한 조립토의 투수계수를 측정하는 데 적합하다.

㉠ 깊은 우물(deep well)에 의한 방법

$$V=K\left(\frac{dh}{d\gamma}\right)$$

$$Q=2\pi\gamma h\cdot V=2\pi\gamma h\cdot K\left(\frac{dh}{d\gamma}\right)$$

$$\int_{r_2}^{r_1}\frac{d\gamma}{\gamma}=\left(\frac{2\pi K}{Q}\right)\int_{h_2}^{h_1}h\cdot dh$$

$$K=\frac{2.3Q\log_{10}\left(\frac{\gamma_1}{\gamma_2}\right)}{\pi(h_1^2-h_2^2)} \quad \cdots\cdots (4-13)$$

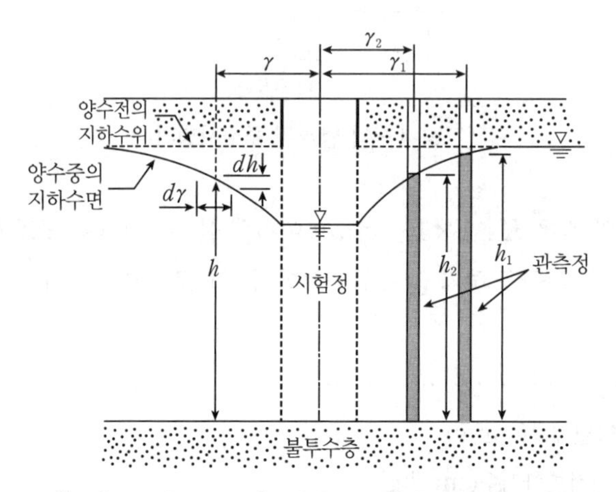

[그림 4-7] 불투수층 위의 투수층에 대한 양수시험

㉡ 굴착정(artesian well)에 의한 방법

$$Q=2\pi\gamma H\cdot V=2\pi\gamma H\cdot K\left(\frac{dh}{d\gamma}\right)$$

$$\int_{r_2}^{r_1}\frac{d\gamma}{\gamma}=\left(\frac{2\pi K}{Q}\right)\int_{h_2}^{h_1}H\cdot dh$$

$$\therefore K=\frac{2.3Q\log_{10}\left(\frac{\gamma_1}{\gamma_2}\right)}{2\pi H(h_1-h_2)} \quad \cdots\cdots (4-14)$$

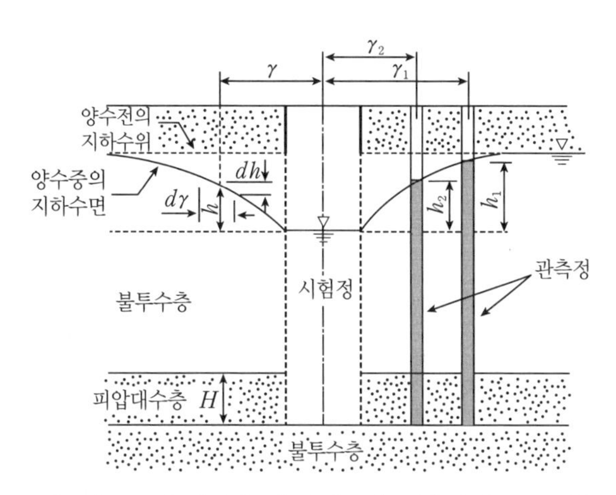

[그림 4-8] 피압대수층까지 뚫은 시험정의 양수시험

② **주수법** : 지반 내의 지하수가 매우 낮거나 암반과 같이 투수계수가 작을 때 실시하는 방법이다.

㉠ **개단시험**(open-end test) : 케이싱 내의 수위는 케이싱 상단과 일치하도록 유지시켜야 하며, 투수계수가 작은 흙에서는 압력을 가해주는 것이 효과적이다.

$$k=\frac{q}{5.5rh} \quad \cdots\cdots (4-15)$$

여기서, q : 일정한 수두를 유지하기 위해 공급한 유량

r : 케이싱의 반경

h : 수두차(=중력수두차 h_g+압력수두차 h_p)

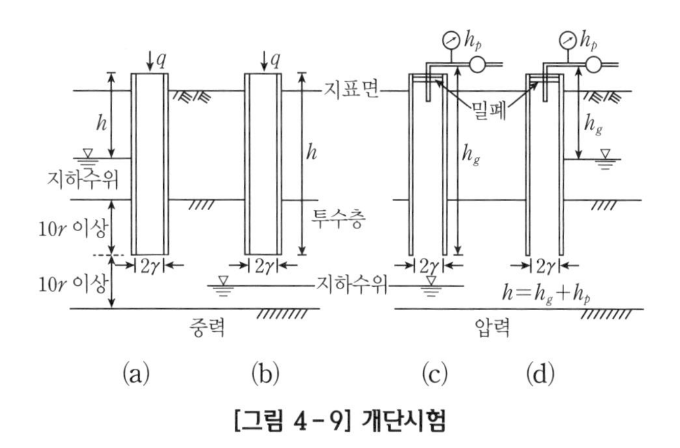

[그림 4-9] 개단시험

㉡ **팩커시험**(packer test) : 이 시험은 암반의 투수계수를 구하기 위한 시험이나, 흙에서도 사용할 수 있다. 개단시험과 달리 케이싱을 전구간에 걸쳐 설치하지 않는다.

$$k=\frac{q}{2\pi Lh}\log_e\frac{L}{r} \ (L\geq 10r) \quad \cdots\cdots (4-16)$$

$$k=\frac{q}{2\pi Lh}\sinh^{-1}\frac{L}{2r}\ (10r>L\geq r) \quad \cdots\cdots (4-17)$$

여기서, q : 일정하게 시추공 안으로 유입되는 유량

L : 시추공의 길이

r : 시추공의 반경

h : 수두차

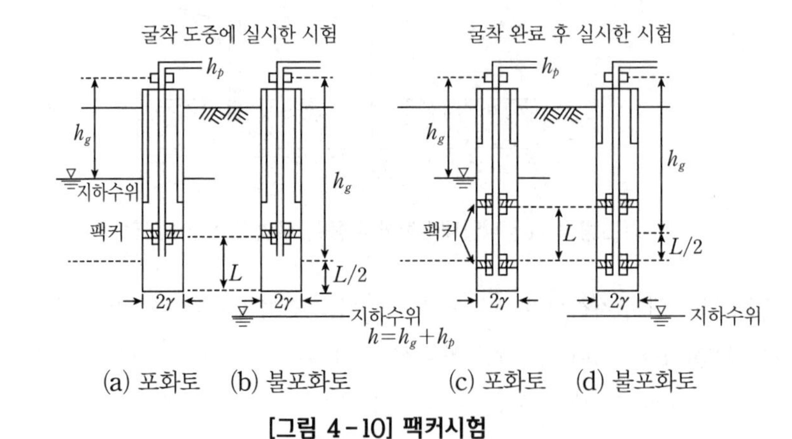

[그림 4-10] 팩커시험

04 비균질 흙에서의 평균투수계수

성층 퇴적된 흙에서의 투수계수는 흐름의 방향에 따라 변하기 때문에 주어진 방향에 대해 각 토층의 투수계수를 결정하여 평균투수계수를 계산에 의해 결정할 수 있다.

1. 수평방향 평균투수계수

전체 층의 유량 = 각 층의 유량의 합이므로

$q=(H_1+H_2+\cdots+H_n)K_h i=(H_1K_{h1}+H_2K_{h2}+\cdots+H_nK_{hn})i$

$$\therefore K_h=\frac{1}{H}(K_{h1}H_1+K_{h2}H_2+\cdots+K_{hn}H_n) \quad \cdots\cdots (4-18)$$

여기서, $H=H_1+H_2+\cdots+H_n$

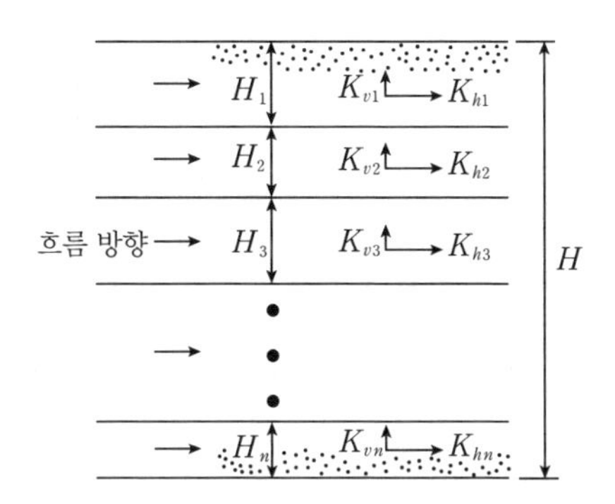

[그림 4-11] 수평방향 평균투수계수

2. 수직방향 평균투수계수

투수가 수직으로만 일어나면 각 층에서의 유출속도는 동일하므로

$$V=V_1=V_2=\cdots=V_n$$

$$V=K_v\frac{h}{H}=K_{v1}\frac{h_1}{H_1}=K_{v2}\frac{h_2}{H_2}=\cdots=K_{vn}\frac{h_n}{H_n} \quad \cdots\cdots ①$$

$$h_1=\frac{VH_1}{K_{v1}}$$

$$h_2=\frac{VH_2}{K_{v2}}$$

$$\vdots$$

$$h_n=\frac{VH_n}{K_{vn}}$$

총 손실수두=각 층의 손실수두의 합이므로

$$h=h_1+h_2+h_3+\cdots+h_n \quad \cdots\cdots ②$$

$$\frac{VH}{K_v}=\frac{VH_1}{K_{v1}}+\frac{VH_2}{K_{v2}}+\cdots+\frac{VH_n}{K_{vn}}$$

①식을 ②식에 대입하면

$$\therefore K_v=\frac{H}{\dfrac{H_1}{K_{v1}}+\dfrac{H_2}{K_{v2}}+\cdots+\dfrac{H_n}{K_{vn}}} \quad \cdots\cdots (4-19)$$

제4장

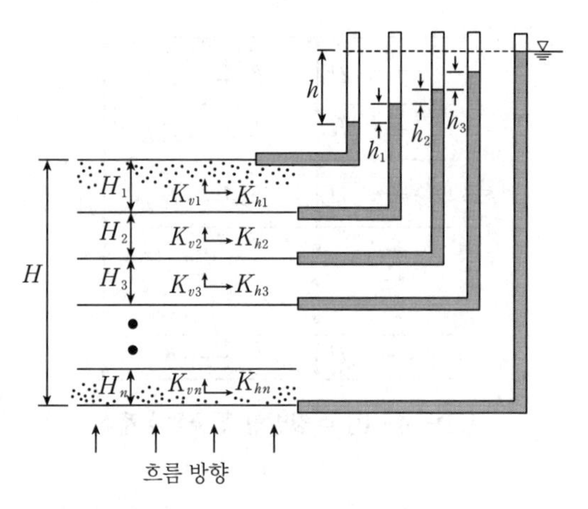

[그림 4-12] 연직방향 평균투수계수

05 이방성 투수계수

균질한 흙이라도 퇴적되어 자연지반을 이루었다면 흙입자의 형상 때문에 대략 평행한 층을 이루면서 퇴적되므로 수평방향과 수직방향의 투수계수가 다르다. 이와같이, 한 위치에서 방향에 따라 투수계수가 다르다면 이것을 **이방성**(anisotropic)이라 한다. 또한 흙이 서로 다른 두 위치에서의 투수계수가 다르다면 이것을 **비균질**이라 한다.

1. 등가 등방성 투수계수

$$K' = \sqrt{K_h \cdot K_v} \quad \cdots\cdots (4-20)$$

여기서, K' : 등가 등방성 투수계수

K_h : 수평방향의 등가 투수계수

K_v : 수직방향의 등가 투수계수

2. $K_h > K_v$이며 일반적으로 K_h가 K_v보다 10배 정도 크며 점성토일수록 이러한 경향이 크다.

06 유선망(flow net)

유선과 등수두선으로 이루어지는 곡선군을 **유선망**이라 한다.

1. 용어설명

(1) 유선(flow line)

물이 흐르는 경로이다.

(2) 등수두선(equipotential line)

전수두가 같은 선이다(등수두선을 따라 피조미터를 세웠다고 하면 각 피조미터는 같은 높이까지 물이 올라오며 손실수두도 동일하다).

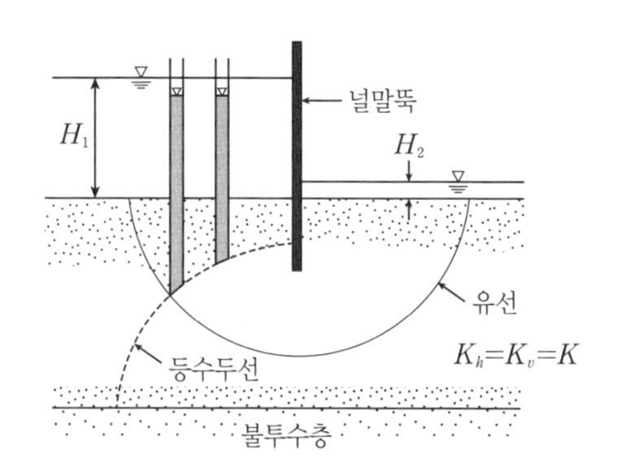

[그림 4-13]

2. 유선망의 특징

(1) 각 유로의 침투유량은 같다.

(2) 인접한 등수두선 간의 수두차는 모두 같다.

(3) 유선과 등수두선은 서로 직교한다.

(4) 유선망으로 되는 사각형은 이론상 정사각형이므로 유선망의 폭과 길이는 같다.

(5) 침투속도 및 동수구배는 유선망의 폭에 반비례한다.

3. 2차원 흐름의 기본 원리

(1) 2차원 흐름의 기본 가정

① Darcy 법칙은 타당하다.

② 흙은 등방성이고 균질하다.

③ 흙은 포화되어 있고 모관현상은 무시한다.

④ 흙이나 물은 비압축성이고 물이 흐르는 동안 압축이나 팽창은 생기지 않는다.

(2) Darcy 법칙에 의한 Laplace의 연속방정식

① 이방성인 경우

$$K_x\frac{\partial^2 h}{\partial X^2}+K_z\frac{\partial^2 h}{\partial Z^2}=0 \text{ 또는 } \frac{\partial^2 h}{\left(\frac{K_z}{K_x}\right)\partial X^2}+\frac{\partial^2 h}{\partial Z^2}=0$$

$X_t=X\sqrt{\dfrac{K_z}{K_x}}$로 치환하면

$$\frac{\partial^2 h}{\partial X_t^2}+\frac{\partial^2 h}{\partial Z^2}=0 \quad \cdots\cdots (4-21)$$

② 등방성인 경우

각 방향의 투수계수는 같다. 즉, $K_x=K_z$이므로

$$\frac{\partial^2 h}{\partial X^2}+\frac{\partial^2 h}{\partial Z^2}=0 \quad \cdots\cdots (4-22)$$

4. 유선망 결정법

(1) 도해법

경계조건을 고려하여 유선망을 작도한 후 침투수량, 간극수압, 동수경사 등을 구한다.

① 작도법

㉠ 유선과 등수두선은 직각으로 만난다.

㉡ 유선망 미소요소는 정방형이 되도록 한다.

② 경계조건

㉠ 선분 AB는 전수두가 동일하므로 등수두선이다.

㉡ 선분 DE는 전수두가 동일하므로 등수두선이다.

㉢ ACD는 하나의 유선이다.

㉣ FG는 하나의 유선이다.

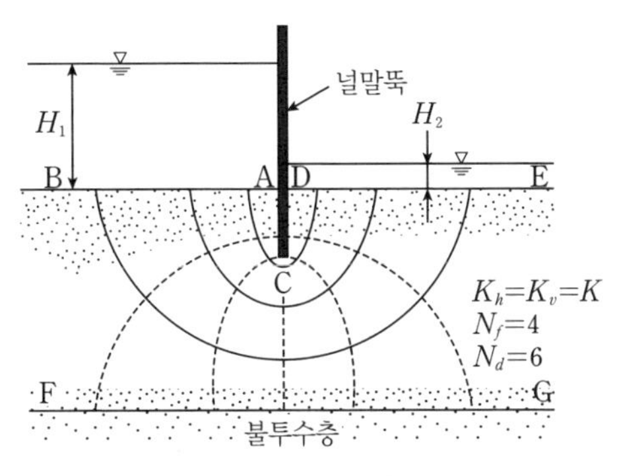

[그림 4-14]

(2) 실험에 의한 방법

모형을 만들어 흐름을 분석하는 모형투수실험법, 전기적 상사를 이용한 모델실험법, 광탄성실험법 등이 있다.

(3) 해석적 방법

Laplace의 방정식에 의하는 수학적 해법이다.

5. 침투수량 및 간극수압의 계산

(1) 침투수량

① 등방성 흙인 경우($K_h=K_v$)

$$q=KH\frac{N_f}{N_d} \quad \cdots\cdots (4-23)$$

여기서, q : 단위폭당 제체의 침투유량(cm^3/s)

K : 투수계수(cm/s)

H : 상하류의 수두차(cm)

N_f : 유로의 수

N_d : 등수두면의 수

② 이방성 흙인 경우($K_h \neq K_v$)

$$q=\sqrt{K_h \cdot K_v}\,H\frac{N_f}{N_d} \quad \cdots\cdots (4-24)$$

(2) 간극수압

① 간극수압 $U_p=\gamma_w \times$ 압력수두 ……………… (4-25)

② 압력수두 = 전수두 − 위치수두 ……………… (4-26)

③ 전수두$=\frac{n_d}{N_d}\times \mathrm{H}$ ································ (4－27)

여기서, n_d : 구하는 점에서의 등수두면 수, N_d : 등수두면 수, H : 수두차

Q 예제 2

다음과 같은 유선망을 보고 물음에 답하라. $k=0.05\text{cm/s}$이다.

(1) 점 a, b, c, d에 꽂은 피에조미터의 수위를 구하라(지표면 기준).

(2) 유로 II를 흐르는 단위 폭당 침투수량을 구하라.

(3) 투수층을 흐르는 단위 폭당 전체 침투수량을 구하라.

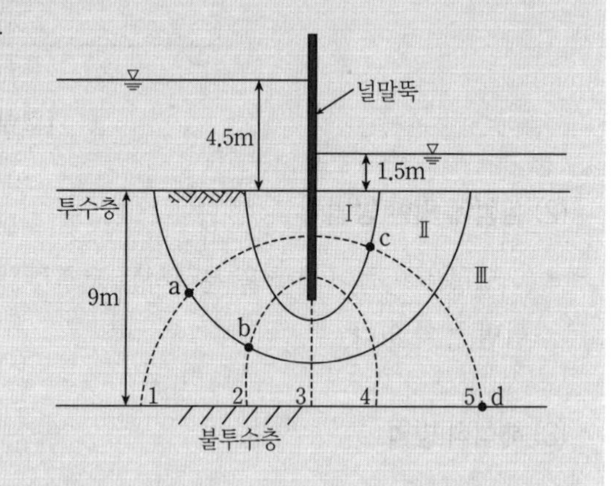

풀이

(1) 전수두차 $H=3\text{m}$, $N_d=6$이므로, $\Delta H=\frac{H}{N_d}=\frac{3}{6}=0.5\text{m}$

① a점 : $4.5-0.5\times1=4\text{m}$(별해 $\frac{5}{6}\times3+1.5=4\text{m}$)

② b점 : $4.5-0.5\times2=3.5\text{m}$(별해 $\frac{4}{6}\times3+1.5=3.5\text{m}$)

③ c점 : $4.5-0.5\times5=2\text{m}$(별해 $\frac{1}{6}\times3+1.5=2\text{m}$)

④ d점 : $4.5-0.5\times5=2\text{m}$(별해 $\frac{1}{6}\times3+1.5=2\text{m}$)

(2) $\Delta q=KH\frac{1}{N_d}=0.05\times300\times\frac{1}{6}=2.5\text{cm}^3\text{/s/cm}$

(3) $q=KH\frac{N_f}{N_d}=0.05\times300\times\frac{3}{6}=7.5\text{cm}^3\text{/s/cm}$

6. 비균질토층으로 물이 통과할 때의 유선망

(1) 투수계수가 K_1, K_2인 2가지 다른 토층의 경계면 AB에 수직되게 물이 흐르는 경우

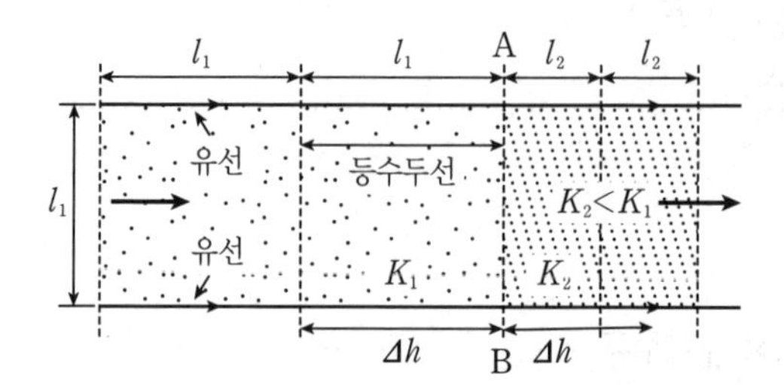

[그림 4－15] 두 토층의 경계면에 직각으로 물이 흐를 때의 유선망

두 유선 사이의 침투수량은 항상 같으므로

$Q = K_1 i_1 A_1 = K_2 i_2 A_2$

인접한 두 등수두선 사이의 손실수두를 Δh라 하면

$$i_1 = \frac{\Delta h}{l_1},\ i_2 = \frac{\Delta h}{l_2},\ A_1 = A_2 = l_1 \times 1$$

$$K_1 \frac{\Delta h}{l_1} l_1 = K_2 \frac{\Delta h}{l_2} l_1$$

$$\therefore \frac{K_1}{K_2} = \frac{l_1}{l_2} \quad \cdots\cdots (4-28)$$

즉, 투수계수가 다른 지층을 물이 통과하면 처음에는 정사각형이던 유선망이 직사각형이 되며 직사각형의 양변의 비는 투수계수의 비와 같다.

(2) 유선이 두 토층의 경계면 AB의 법선과 α_1의 각도로 유입하는 경우

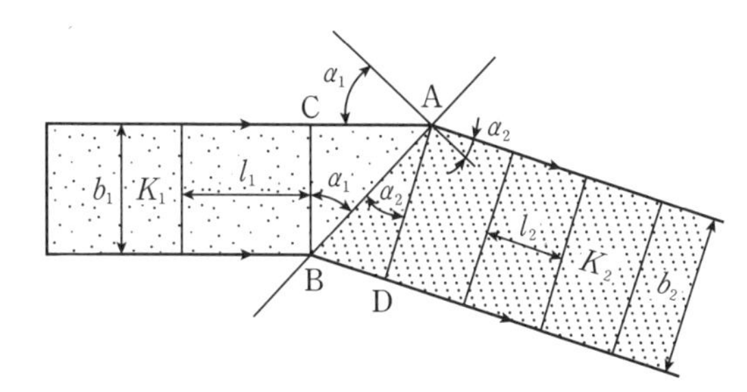

[그림 4-16] 두 토층의 경계면에 경사지게 물이 흐를 때의 유선망

$$Q = K_1 \frac{\Delta h}{\text{CA}} b_1 = K_2 \frac{\Delta h}{\text{BD}} b_2$$

$$\frac{\text{CA}}{b_1} = \tan\alpha_1,\ \frac{\text{BD}}{b_2} = \tan\alpha_2$$

$$\therefore \frac{K_1}{K_2} = \frac{\tan\alpha_1}{\tan\alpha_2} \quad \cdots\cdots (4-29)$$

07 침윤선(seepage line)

1. 정의

흙댐을 통해 물이 통과할 때 여러 유선들 중에서 최상부의 유선을 **침윤선**이라 한다. 침윤선에서의 압력은 항상 대기압과 같으므로 손실수두는 위치수두뿐이다.

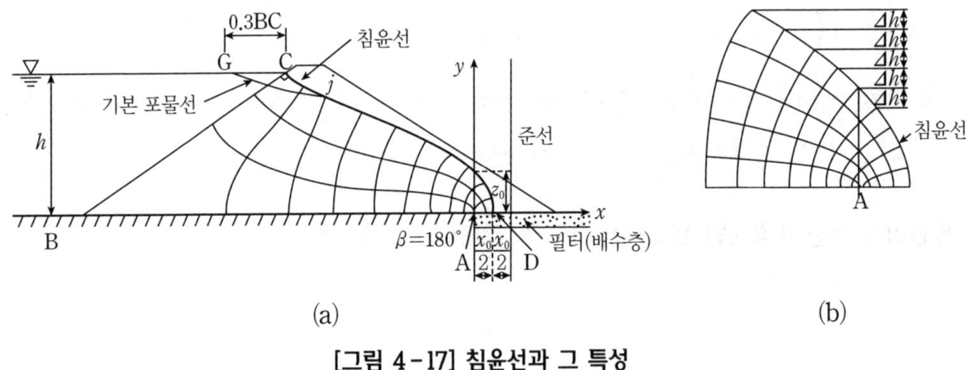

[그림 4-17] 침윤선과 그 특성

2. 경계조건

(1) 불투수층 경계면 AB는 최하부 유선이고 CD는 최상부 유선으로 침윤선이라 한다.

(2) BC 위의 모든 점에서는 전수두가 h인 등수두선이다.

(3) 필터가 있을 경우에는 AD도 전수두가 0인 등수두선이다.

유 선	AB, CD
등수두선	BC, AD

※ 침윤선 CD에서는 압력수두가 0이므로 전수두는 위치수두와 같다.

3. 침윤선의 작도

A. Casagrande에 의한 방법으로 filter가 없는 경우 다음과 같이 작도한다.

(1) G점 결정

AE의 수평거리(l)의 30% 지점

(2) 준선 결정

초점 F와 G의 수평거리를 d라 하고 FG 거리 $\sqrt{h^2+d^2}$ 과 d와의 거리차를 x_0라 표시한다.

$$x_0=\sqrt{h^2+d^2}-d \quad \cdots\cdots (4-30)$$

(3) 기본포물선의 작도

F점에서 하류측에 $\frac{x_0}{2}$만큼 떨어진 점을 G_0라 하면 F를 초점으로 하여 기본포물선 방정식 $x=\frac{y^2-{x_0}^2}{2x_0}$에 의해 G, M, G_0를 통과하는 기본포물선을 그린다.

기본포물선 방정식을 유도하면

$$\sqrt{x^2+y^2}=x+x_0$$

$$\therefore\ x=\frac{y^2-{x_0}^2}{2x_0} \quad \cdots\cdots (4-31)$$

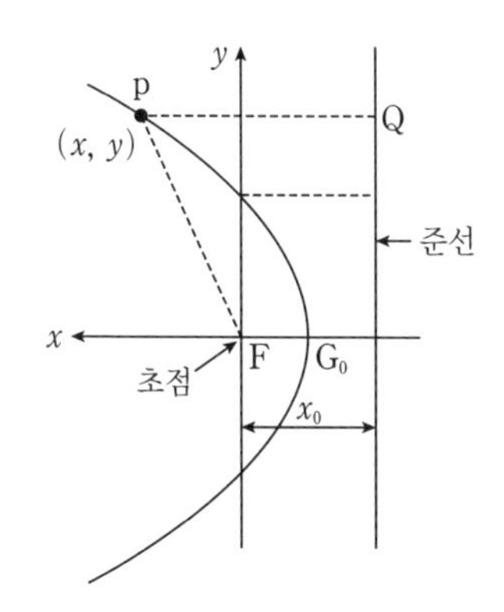

[그림 4-18] 기본포물선의 작도

(4) 상류측 보정

상류측 경사면 AE는 하나의 등수두선이므로 침윤선은 이 면에 직교해야 하므로 E점에서 직각으로 유입하게 하고, 기본포물선과 접하도록 한다.

(5) 하류측 보정

기본포물선과 하류측 경사면과의 교점을 M, 침윤선과 하류측 경사면과의 교점을 N이라 하면 N점을 통과하도록 하여 E, N을 통과하는 실제 침윤선을 얻는다.

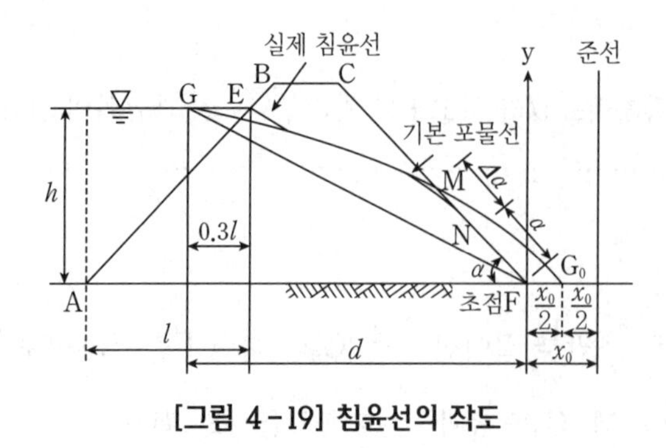

[그림 4-19] 침윤선의 작도

08 모관현상

1. 모관현상

(1) 정 의

표면장력 때문에 물이 표면을 따라 상승하는 현상을 **모관현상**이라 한다.

(2) 모관상승고

① 물의 무게=표면장력

$$\gamma_w \cdot \frac{\pi D^2}{4} \cdot h_c = T\cos\alpha\, \pi D$$

$$\therefore h_c = \frac{4T\cos\alpha}{\gamma_w D} \quad \cdots\cdots (4-32)$$

여기서, T : 표면장력, α : 접촉각, γ_w : 물의 단위중량, D : 모관의 지름

② 깨끗한 증류수인 경우 표준온도(20℃)에서 $\alpha=0°$, $T=0.075\text{g/cm}$이므로

$$h_c = \frac{0.3}{D}(\text{cm}) \quad \cdots\cdots (4-33)$$

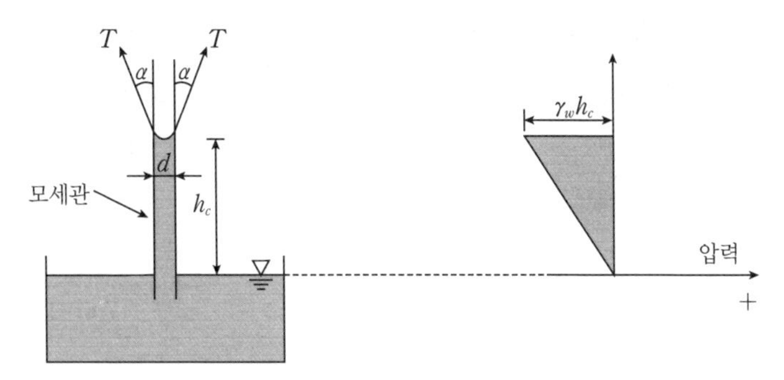

(a) 모관에 의한 물의 상승　　(b) 모관상승으로 인한 압력의 증가 (기준면상으로부터의 대기압)

[그림 4-20]

2. 흙 속 물의 모관현상

(1) 정 의

표면장력으로 인해 물은 자유수면 위로 상승하게 된다. 모관상승의 개념을 흙에 적용하려면 실제의 흙은 서로 다른 입경의 토립자로 구성되어 있고 그 구조도 매우 복잡하므로 불규칙적인 형태의 무수한 모관의 집합체이므로 근사적으로 다음과 같이 표시된다.

(2) 흙 속의 물의 모관상승고

$$h_c = \frac{C}{eD_{10}}\,(\text{cm}) \quad \cdots\cdots (4-34)$$

여기서, C : 입자의 모양, 상태에 의한 상수(0.1~0.5cm^2)

e : 공극비

D_{10} : 유효입경(cm)

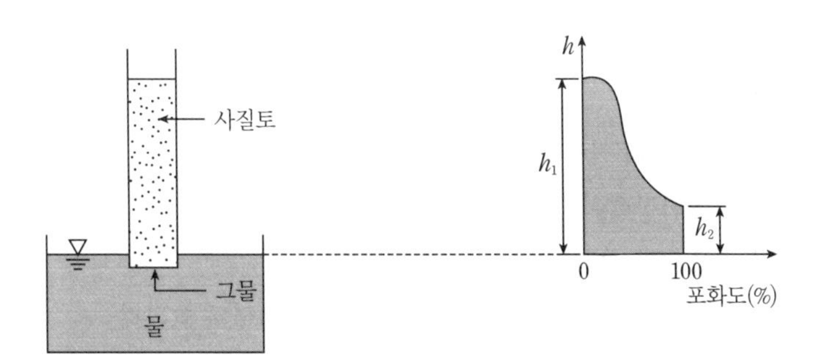

(a) 흙기둥 시료가 물에 접했을 경우　　(b) 흙기둥 시료에 대한 포화도의 변화

[그림 4-21] 사질토에서의 모관효과

[표 4-4] 흙의 종류에 따른 모관상승 높이의 대략적 범위

흙의 종류	모관상승 범위(m)
굵은 모래	0.12~0.18
가는 모래	0.3~1.2
실 트	0.76~7.6
점 토	7.6~23

3. 모관포텐셜(capillary potential)

(1) 정 의

흙이 모관수를 지지하는 힘을 모관포텐셜이라 하고 모관포텐셜은 (−) 공극수압과 같다. 모관수 중의 압력은 항상 1기압보다 작기 때문에 포텐셜은 0보다 작다.

(2) 모관포텐셜

$$\phi = -\gamma_w h_c \quad \cdots\cdots (4-35)$$

(3) 모관압력(capillary pressure)

① 관 내에 상승한 모관수가 표면장력에 의해 인장되는 힘으로서 P에 상당하는 압축력이 관에 작용하는 것으로 해석되기 때문에 **모관압력**이라 한다.

② $\gamma_w h_c = \dfrac{4T}{D} = P \quad \cdots\cdots (4-36)$

(4) 모관포텐셜의 크기

흙의 함수량, 토립자의 직경, 공극비, 액체의 온도, 액체 중에 용해되어 있는 염류 등은 모관포텐셜에 영향을 미친다.

① 함수비, 토립자의 직경이 작을수록 저포텐셜이다.
② 온도가 작을수록 표면장력이 증가하므로 저포텐셜이다.
③ 염류가 클수록 저포텐셜이다.
④ 일반적으로 불포화 수분의 흐름은 고포텐셜에서 저포텐셜로 흐른다.

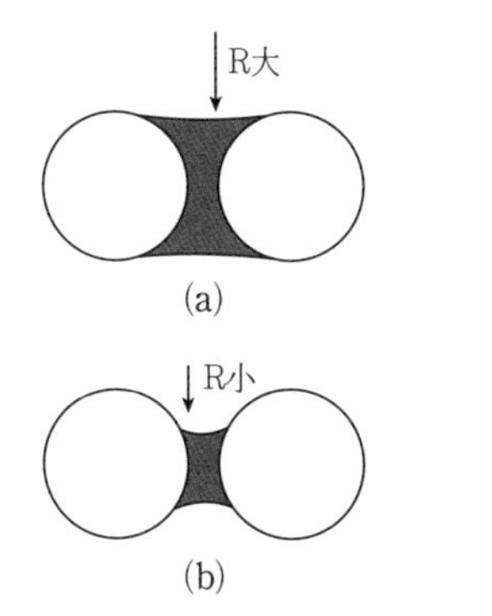

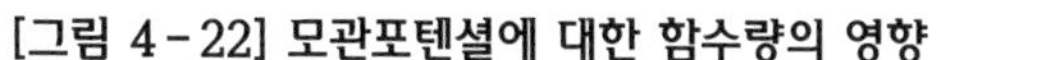
[그림 4-22] 모관포텐셜에 대한 함수량의 영향

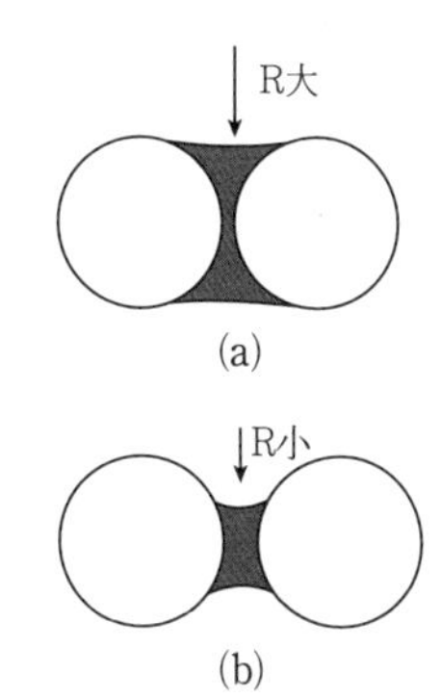

[그림 4-23] 모관포텐셜에 대한 공극비의 영향

09 흙의 동해

1. 동상현상(frost heave)

대기의 온도가 0℃ 이하로 내려가면 흙 속의 공극수가 동결하여 흙 속에 얼음층(ice lens)이 형성되기 때문에 체적이 팽창하여 지표면이 부풀어 오르는 현상을 **동상현상**이라 한다.

지표면의 동상은 ice lens 때문이며 이 두께만큼 체적이 부풀어 오른다. 물이 얼어서 얼음이 되면 그 부피는 약 9% 증가한다.

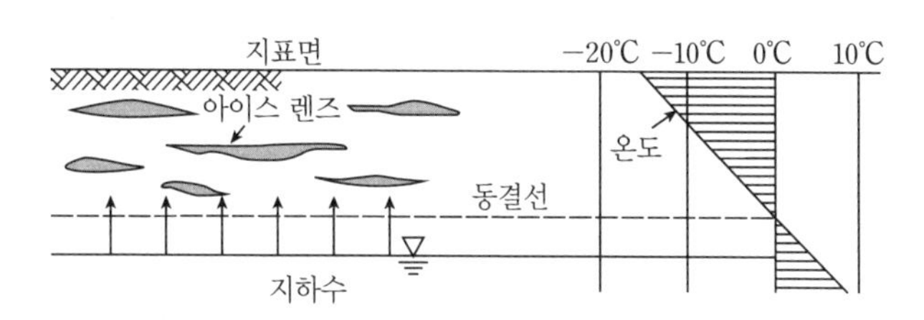

[그림 4-24] 아이스 렌즈의 형성

(1) 동상이 일어나는 조건

① 동상을 받기 쉬운 흙(실트질토)이 존재한다.

② 0℃ 이하의 온도 지속시간이 길다.

③ Ice lens를 형성할 수 있도록 물의 공급이 충분해야 한다.

(2) 동상량을 지배하는 인자

① 모관 상승고의 크기
② 흙의 투수성
③ 동결온도의 지속기간
④ 동결심도 하단에서 지하수면까지의 거리가 모관상승고보다 작다.

(3) 동결심도(frost depth)

지표면에서 동결선까지의 깊이를 **동결심도**라 한다.

① **동결심도**

$$Z=C\sqrt{F}\,(\text{cm}) \qquad (4-37)$$

여기서, C : 정수(3~5)

북쪽으로 향한 산악도로에서 용수의 침투가 많고 실트질 흙이 많은 노상의 경우에는 5를 사용하고, 햇빛이 적당히 있고 토질 및 배수조건이 양호하면 3, 그 중간조건이면 4를 사용한다.

F(동결지수)$=\theta\cdot t=$영하의 온도×지속시간(day)

② 동결선은 −1℃ 부근의 곳에 있고 0℃의 등온선은 동결선보다 2~3cm 아래에 있지만 편의상 동결선은 0℃의 등온선상에 있다고 본다.

(4) 동상방지대책

동기에 동상이 일어나면 철도, 도로, 활주로, 건물 등의 안정을 크게 위협하며 특히 해빙기에는 지반토의 연화현상으로 침하 또는 파괴되는 피해를 입기 쉬우므로 동상방지 대책을 세워야 한다.

① 배수구를 설치하여 지하수위를 낮춘다.
② 모관수의 상승을 방지하기 위해 지하수위보다 높은 곳에 조립의 차단층(모래, 콘크리트, 아스팔트)을 설치한다.
③ 동결심도보다 위에 있는 흙을 동결하기 어려운 재료(자갈, 쇄석, 석탄재)로 치환한다.
④ 지표면 근처에 단열재료(석탄재, 코크스)를 매설한다. 그리고 적설은 천연적인 단열재로서 적설하에서는 동결심도가 얕아진다.
⑤ 지표의 흙을 화학약품 처리($CaCl_2$, NaCl, $MgCl_2$)하여 동결온도를 낮춘다.

(5) 토질에 따른 용해

동해를 가장 받기 쉬운 흙은 비교적 모관상승고가 크고 투수성도 큰 실트질토이다. 실트질토에서는 흡착수막 내의 물분자의 이동이 비교적 쉽고 모관상승고도 비교적 커서 투수도가 높기 때문에 주위로부터 수분공급도 쉬워 두꺼운 빙층이 발달하는 한편 점토질토에서는 공극이 작고 투수도도 작기 때문에 주위로부터의 수분공급이 쉽지 않으므로 실트질토와 같이 렌즈모양으로 발달한 빙층의 발생이 없다. 그러나 얇은 빙층은 무수히 발생되어 많은 빙층이 생기지만 하나하나의 빙층이 얇기 때문에 점토지반의 동상량은 실트지반보다 작다. 일반적으로 동상이 잘 일어나는 순서는 실트, 점토, 모래, 자갈 순서이다.

2. 연화현상(frost boil)

동결된 지반이 융해할 때 흙 속에 과잉의 수분이 존재하여 지반이 연약화되어 강도가 떨어지는 현상을 연화현상이라 한다.

(1) 연화현상의 원인

① 융해수가 배수되지 않고 머물러 있는 것
② 침표수의 유입
③ 지하수의 상승

(2) 연화현상 방지대책

① 동결부분의 함수량 증가를 방지
② 융해수의 배제를 위한 배수층을 동결깊이 아랫부분에 설치

Chapter 04

흙의 투수성과 침투

기출 및 적중예상문제 I [4지선다형]

여기에 수록된 「기출문제」는 수험생들의 기억을 바탕으로 유사한 유형의 문제로 새로이 창작하여 구성하였습니다. 따라서 원안과 동일하지는 않지만 출제 수준과 경향을 파악하는 데 결정적인 도움을 주리라 믿습니다.

01 다음 중 흙 속에 있는 물의 종류에서 다르시의 법칙이 적용되는 물은 어느 것인가?

① 지하수 ② 자유수
③ 보유수 ④ 흡착수

02 다음 그림에서 공극비가 0.8이고 투수계수 K= 4.8×10^{-3}cm/s일 때 Darcy 유출속도 V와 실제 물의 속도(침투속도) V_s는? (단, cos15° = 0.97)

① $V=3.4\times10^{-4}$cm/s, $V_s=5.6\times10^{-4}$cm/s
② $V=3.4\times10^{-4}$cm/s, $V_s=9.4\times10^{-4}$cm/s
③ $V=5.8\times10^{-4}$cm/s, $V_s=10.8\times10^{-4}$cm/s
④ $V=5.8\times10^{-4}$cm/s, $V_s=13.2\times10^{-4}$cm/s

해설

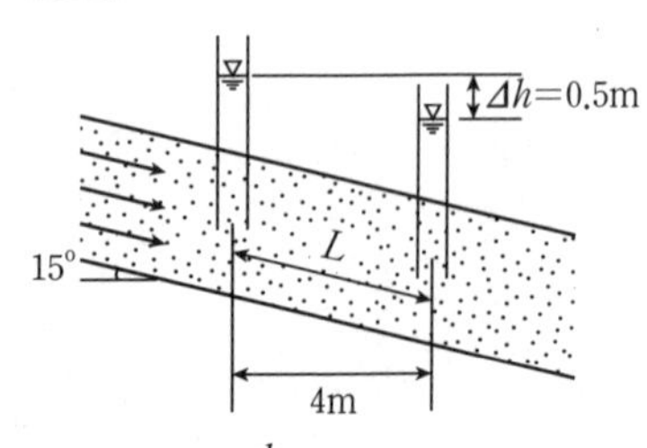

1. $V=Ki=K\cdot\dfrac{h}{L}$

$=(4.8\times10^{-3})\times\dfrac{50}{\left(\dfrac{400}{0.97}\right)}$

$=5.82\times10^{-4}$cm/s

2. $n=\dfrac{e}{1+e}=\dfrac{0.8}{1+0.8}=0.44$

$V_s=\dfrac{V}{n}=\dfrac{5.82\times10^{-4}}{0.44}=13.23\times10^{-4}$cm/s

03 다르시 법칙에서 동수경사를 계산하는 데 사용하는 수두차는 다음 중 어느 것인가?

① 전수두 ② 위치수두
③ 압력수두 ④ 속도수두

04 단면적 25cm², 길이 10cm의 시료를 15cm의 수두차로 정수위 투수시험을 한 결과 2분 동안에 150cm³의 물이 유출되었다. 이 흙의 G_s=2.6이고, 건조중량이 420g이었다. 공극을 통하여 침투하는 실제 침투유속 V_s는?

① 0.05cm/s ② 0.14cm/s
③ 0.28cm/s ④ 0.32cm/s

해설

1. $Q=KiA\ \dfrac{150}{60\times2}=Ki\times25\qquad\therefore V=Ki=0.05$cm/s

2. $\gamma_d=\dfrac{W_s}{V}=\dfrac{G_s}{1+e}\gamma_w$ 에서 $\dfrac{420}{25\times10}=\dfrac{2.6}{1+e}\qquad\therefore e=0.55$

3. $n=\dfrac{e}{1+e}=\dfrac{0.55}{1+0.55}=0.35$

4. $V_s=\dfrac{V}{n}=\dfrac{0.05}{0.35}=0.14$cm/s

01 ① 02 ④ 03 ① 04 ② [정답]

05 흙의 투수성에 관한 Darcy의 법칙$\left(Q=K\frac{\Delta h}{L}A\right)$을 설명하는 것 중 옳지 않은 것은?

① 투수계수 K의 차원은 속도의 차원(cm/s)과 같다.
② A는 실제로 물이 통과하는 공극부분의 단면적이다.
③ Δh는 수두차이다.
④ 물의 흐름이 난류인 경우에는 Darcy의 법칙이 성립하지 않는다.

해설

1. $V=Ki$에서 동사경사 i가 무차원이므로 K와 V는 단위가 cm/s로서 같다.
2. A는 시료의 전단면적이다.
3. Darcy 법칙이 적용되는 범위는 $R_e<4$인 층류이다.

06 투수계수에 영향을 미치는 인자가 아닌 것은?

① 물의 점성
② 흙의 비중
③ 흙의 공극비
④ 흙의 입경

해설

투수계수는 유체의 점성, 온도, 흙의 입경, 공극비, 형상, 포화도, 흙입자의 거칠기 등의 요소에 의해 지배된다.

07 폐기물 매립장에서 누출된 침출수가 지하수를 통하여 100m 떨어진 하천으로 이동한다. 매립장 내부와 하천의 수위차가 5m이고, 매립장과 하천 사이에 있는 포화된 지반은 평균 투수계수가 2×10^{-3}cm/sec인 자유면 대수층으로 구성된 경우, 침출수가 하천에 도착하는 데 걸리는 시간[sec]은 얼마인가? (단, 이 대수층의 공극비 $e=0.25$이다)

2016. 서울시 7급

① 1×10^7
② 2×10^7
③ 3×10^7
④ 4×10^7

해설

1. $V=Ki=(2\times10^{-3})\times\frac{5}{100}=10^{-4}\text{cm/sec}$
2. $n=\frac{e}{1+e}=\frac{0.25}{1+0.25}=0.2$
3. $V_s=\frac{V}{n}=\frac{10^{-4}}{0.2}=5\times10^{-4}\text{cm/sec}$
4. $l=Vt \quad 10{,}000=5\times10^{-4}\times t \ \therefore t=2\times10^7$초

08 다음은 투수계수 K(cm/s)에 관련된 요소이다. 관계 없는 것은?

① 물의 온도
② 간극비
③ 입자의 형상
④ 투수계수를 결정하려는 흙층의 길이

09 다음 중 흙의 투수계수에 영향을 미치는 요소만으로 된 항목은?

㉠ 유효경	㉡ 흙의 단위중량
㉢ 흙의 비중	㉣ 물의 단위중량
㉤ 흙의 간극비	㉥ 물의 점성계수
㉦ 유동지수	㉧ 형상계수

① ㉠, ㉡, ㉢, ㉤, ㉥
② ㉠, ㉣, ㉤, ㉥, ㉧
③ ㉠, ㉣, ㉤, ㉦, ㉧
④ ㉠, ㉡, ㉤, ㉥, ㉦

해설

$K=D_s^2\cdot\frac{\gamma_w}{\mu}\cdot\frac{e^3}{1+e}\cdot C$

10 투수계수에 관한 다음 설명 중 옳지 않은 것은?

① 투수계수는 점성계수에 반비례한다.
② 투수계수는 일반적으로 세립토가 조립토보다 작다.
③ 투수계수는 수두차에 비례한다.
④ 침투수량은 투수계수에 비례한다.

해설

$Q=KiA=K\cdot\frac{h}{L}\cdot A$ 이므로 투수계수는 수두차에 반비례하고 침투수량은 투수계수에 비례한다.

05 ② 06 ② 07 ② 08 ④ 09 ② 10 ③ [정답]

제4장

11 정수위 투수시험에서 투수계수에 대한 설명 중 옳은 것은?

2005. 충남 7급

① 투수계수는 유출수량에 반비례한다.
② 투수계수는 시료길이에 비례한다.
③ 투수계수는 수두에 비례한다.
④ 투수계수는 유출소요시간에 비례한다.

12 흙의 투수계수에 대한 설명 중 잘못된 것은?

① 투수계수는 점성계수와 수두차에 반비례한다.
② Darcy법칙에서의 투수계수는 속도의 차원과 같다.
③ 세립토의 투수계수는 변수위 투수시험으로 구한다.
④ 투수계수에 영향을 미치는 요소로는 토립자의 비중, 유효입경, 흙의 공극비, 물의 점성계수, 포화도 등이 있다.

해설

투수계수에 영향을 미치는 요소는 유체의 점성, 온도, 흙의 입경, 공극비, 형상, 포화도, 흙입자의 거칠기 등이며 토립자의 비중과는 관계가 없다.

13 다음은 투수계수에 관한 설명이다. 옳지 않은 것은?

① 성층토의 투수계수는 층이 흐름의 방향에 평행일 때가 수직일 때보다 큰 값을 나타낸다.
② 같은 종류의 흙이면 공극비가 클수록 투수계수는 큰 값을 나타낸다.
③ 세립토의 투수계수는 변수위 투수시험이나 압밀시험으로 구한다.
④ 다르시(Darcy)의 법칙에서 평균유속(V)은 토립자 사이의 실제유속을 말한다.

해설

1. $K_h > K_v$
2. Darcy의 법칙 $V = Ki$ 에서 V는 평균유속이다.
3. 실제 침투속도 $V_s = \frac{V}{n}$ 이고 $V_s > V$ 이다.

14 흙의 투수계수에 대한 다음 사항 중 옳지 않은 것은?

① 흙의 투수계수는 보통 Darcy 법칙에 의하여 정해진다.
② 모래의 투수계수는 공극비나 균등계수와 관계가 있다.
③ 투수계수는 물의 점성과 관계가 있다.
④ 투수계수는 수온이나 온도와는 관계가 없다.

해설

온도가 높아지면 점성이 작아져서 투수계수가 커진다.

15 투수계수에 영향을 미치는 요소에 대한 설명으로 옳지 않은 것은?

2010. 국가직 7급

① 흙입자의 입경이 클수록, 간극비가 증가할수록 투수계수는 증가한다.
② 온도가 증가함에 따라 물의 점성계수가 감소하므로 투수계수가 증가한다.
③ 점토의 경우 입자간의 인력이 우세한 면모구조가 반발력이 우세한 이산구조보다 투수계수가 크다.
④ 점토의 경우 이중층수의 두께가 두꺼울수록 투수계수가 증가한다.

해설

1. $K = D_s^2 \frac{\gamma_w}{\mu} \frac{e^3}{1+e} C$
2. 점토의 경우 이중층수의 두께가 두꺼울수록 이산구조가 되고 투수계수가 감소한다.

16 조립토의 투수계수는 일반적으로 그 흙의 유효입경과 어떠한 관계가 있는가?

① 제곱에 비례한다.　② 제곱에 반비례한다.
③ 3제곱에 비례한다.　④ 3제곱에 반비례한다.

해설

Harzen의 조립토에만 적용할 수 있는 공식 : $K = CD_{10}^2$

11 ② 12 ④ 13 ④ 14 ④ 15 ④ 16 ① [정답]

17 입도시험 결과 균등계수 C_u=6, D_{60}=1.2mm이었다면, 이 상수도 여과용 모래의 투수계수는 대략 얼마나 되겠는가? (단, C=100이고, A.Harzen의 공식을 사용하시오)

① 0.02cm/s ② 0.04cm/s
③ 2.0cm/s ④ 4.0cm/s

해설

1. $C_u = \frac{D_{60}}{D_{10}}$ 에서 $6 = \frac{0.12}{D_{10}}$ $\therefore D_{10} = 0.02\text{cm}$
2. $K = 100D_{10}^2 = 100 \times 0.02^2 = 0.04\text{cm/s}$

18 입경가적곡선에서 ㉠에 해당하는 입경을 유효입경이라 하며, ㉡의 추정에 이용된다. 다음 중 위 문장의 ㉠, ㉡에 알맞은 것은?

	㉠	㉡
①	10%	투수계수
②	10%	압축지수
③	15%	투수계수
④	15%	압축지수

해설

$K = CD_{10}^2$

19 공극비가 e_1=0.8인 어떤 모래의 투수계수가 K_1=0.01cm/s일 때 이 모래를 다져서 공극비를 e_2=0.5로 하면 투수계수 K_2는?

① 8×10^{-3}cm/s
② 3×10^{-3}cm/s
③ 8×10^{-2}cm/s
④ 3×10^{-2}cm/s

해설

$K_1 : K_2 = \frac{e_1^3}{1+e_1} : \frac{e_2^3}{1+e_2}$

$0.01 : K_2 = \frac{0.8^3}{1+0.8} : \frac{0.5^3}{1+0.5}$

$\therefore K_2 = 3.08 \times 10^{-3}\text{cm/s}$

20 사질토층에 물이 침투할 때 침투유량이 같은 조건에서 만약 사질토의 입경이 2배로 커진다면 침투동수구배는 몇 배로 변하는가?

① 4배 ② 1/4배
③ 2배 ④ 1/2배

해설

$K \propto D_s^2$ 이므로 $Q = KiA \propto D_s^2 A = (2D_s)^2 \times \frac{i}{4} \times A$

따라서 동수구배는 $\frac{1}{4}\,i$ 로 변한다.

21 투수시험을 할 때의 온도가 17℃이었다. 이것을 15℃의 투수계수로 환산할 때 옳은 것은? (단, μ : 보정계수)

① $K_{15} = K_{17} \cdot \frac{\mu_{17}}{\mu_{15}}$ ② $K_{15} = K_{17} \cdot \frac{\mu_{15}}{\mu_{17}}$

③ $K_{15} = \frac{1}{K_{17}} \cdot \frac{\mu_{17}}{\mu_{15}}$ ④ $K_{15} = \frac{1}{K_{17}} \cdot \frac{\mu_{15}}{\mu_{17}}$

해설

투수계수는 점성계수에 반비례하므로

$K_{15} : K_{17} = \frac{1}{\mu_{15}} : \frac{1}{\mu_{17}} \Rightarrow \frac{K_{15}}{\mu_{17}} = \frac{K_{17}}{\mu_{15}}$ $\therefore K_{15} : K_{17} \cdot \frac{\mu_{17}}{\mu_{15}}$

22 투수계수 값이 10^{-8}~10^{-7}cm/s의 토질은 다음 어느 시험에 의하여 결정되는가?

① 입도시험
② 정수위 투수시험
③ 변수위 투수시험
④ 압밀시험

해설

투수계수의 측정(실내 투수시험)

1. 정수위 투수시험 : $K = 10^{-3}$~10^{-2}cm/s 인 모래질에 적용한다.
2. 변수위 투수시험 : $K = 10^{-6}$~10^{-3}cm/s 인 점토에 적용한다.
3. 압밀시험 : $K = 1 \times 10^{-7}$cm/s 이하의 불투수성 흙에 적용한다.

17 ② 18 ① 19 ② 20 ② 21 ① 22 ④ [정답]

제4장

23 다음 중 정수위 투수시험에서 필요한 기계 및 기구가 아닌 것은?

① 다짐봉 ② 온도계
③ 메스 실린더 ④ 하중계

24 지반 내의 지하수위가 매우 낮거나 암반과 같이 투수계수가 작은 경우에 실시하는 현장투수시험은?

① 정수위 투수시험 ② 변수위 투수시험
③ 양수방법 ④ 주수법

25 다음 흙의 특성 중 모래와 점토에 있어서 그 값이 가장 여러 배 차이가 나는 것은?

① 토압계수 ② 전단강도
③ 투수계수 ④ 비 중

해설

전형적인 투수계수의 크기

토 질	투수계수(cm/s)
깨끗한 자갈	100~1.0
굵은 모래	1.0~0.01
가는 모래	0.01~0.001
실트질토	0.001~0.00001
점 토	0.00001 이하

26 높이 20cm, 지름 10cm의 모래시료에 정수위 시험한 결과 정수두 30cm로 하여 10초간의 유출량이 $60cm^3$이었다. 이 시료의 투수계수는?

① 0.05cm/s ② 0.1cm/s
③ 0.5cm/s ④ 1.0cm/s

해설

$Q = KiA$

$\frac{60}{10} = K \times \frac{30}{20} \times \frac{\pi \times 10^2}{4}$

$\therefore K = 0.05\text{cm/s}$

27 정수위 투수시험을 단면적 $40cm^2$, 길이 25cm의 시료에 대하여 하였다. 이때 50cm의 수두에서 100초 동안에 $200cm^3$가 유출되었다. 이 흙의 투수계수는?

① 1.25×10^{-1}cm/s
② 2.5×10^{-2}cm/s
③ 1.25×10^{-3}cm/s
④ 2.5×10^{-4}cm/s

해설

$Q = KiA = K \cdot \frac{h}{L} \cdot A$

$\frac{200}{100} = K \times \frac{50}{25} \times 40$

$\therefore K = 0.025\text{cm/s}$

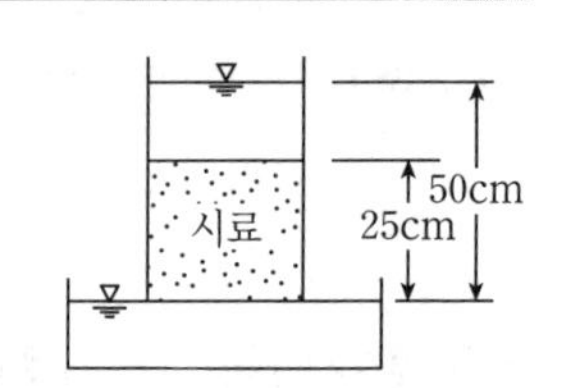

28 그림과 같이 길이가 1m이고 직경이 10cm인 원통형 관에 흙이 채워져 있다. 이 흙의 간극비(e)는 0.6이고, 10초간 흙 속을 통과한 유량의 합은 $1cm^3$였다. 이때 흙속을 통과한 침투속도(v_s[cm/s])는?

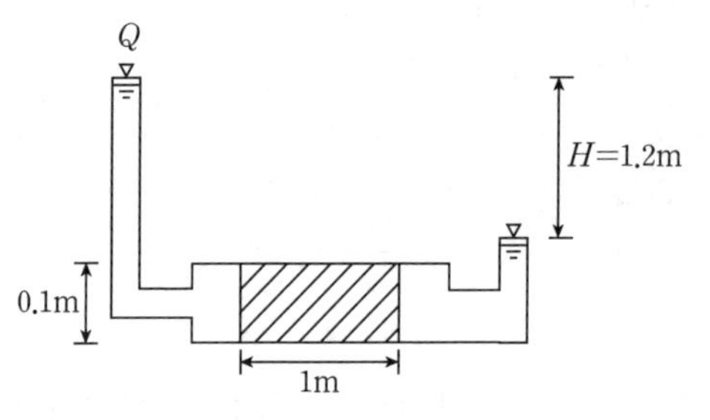

① 0.0004 ② 0.0014
③ 0.0034 ④ 0.0054

해설

1. $Q = KiA$

$\frac{1}{10} = Ki \times \frac{\pi \times 10^2}{4}$

$\therefore V = Ki = 0.00127\text{cm/s}$

2. $n = \frac{e}{1+e} = \frac{0.6}{1+0.6} = 0.375$

3. $V_s = \frac{V}{n} = \frac{0.00127}{0.375} = 0.0034\text{cm/s}$

23 ④ 24 ④ 25 ③ 26 ① 27 ② 28 ③ [정답]

29 그림과 같이 10cm×10cm 정사각형 단면의 튜브 내에 투수계수가 다른 세 종류의 흙을 충전하고, ΔH=30cm의 정수두차를 유지하며 물을 침투시켰다. 이때, 흙 D를 통과하기 이전과 이후의 수두차 $h_C - h_D$[cm]는? (단, 흙 C, D, E의 투수계수는 각각 $k_C = 1.5\times10^{-3}$cm/sec, $k_D = 2\times10^{-3}$cm/sec, $k_E = 3\times10^{-3}$cm/sec이며, 수두 손실은 흙에서만 발생한다.

2015. 국가직

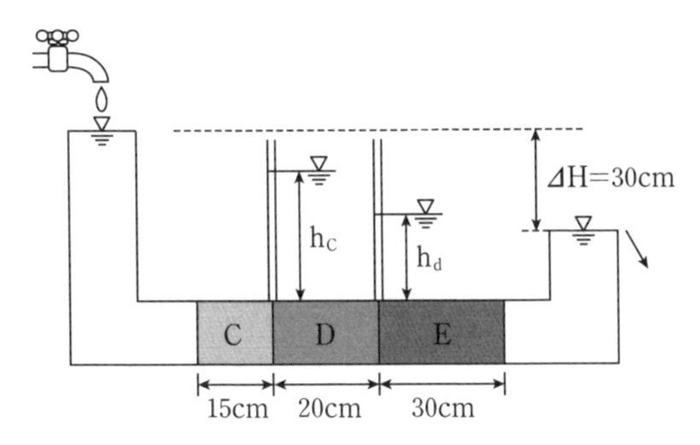

① 8　　② 10

③ 12　　④ 14

해설

1. $V = Ki$에서

$(1.5\times10^{-3})\times\frac{\Delta h_1}{15} = (2\times10^{-3})\times\frac{\Delta h_2}{20} = (3\times10^{-3})\times\frac{\Delta h_3}{30}$

$\therefore \Delta h_1 = \Delta h_2 = \Delta h_3$

2. $\Delta h_1 + \Delta h_2 + \Delta h_3 = 30\text{cm}$ 이므로

$\Delta h_1 = \Delta h_2 = \Delta h_3 = 10\text{cm}$

$\therefore h_C - h_D = 10\text{cm}$

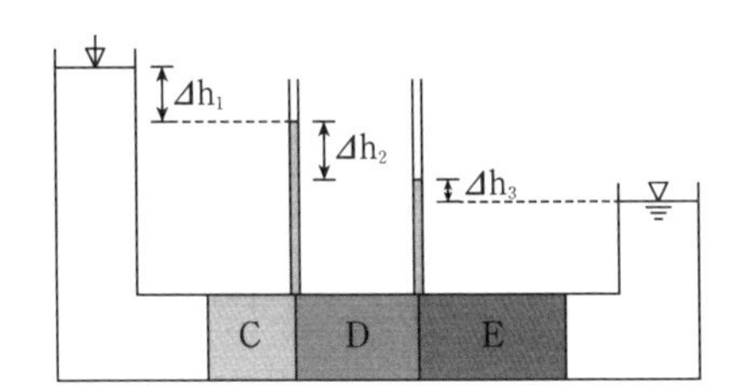

30 그림과 같이 관 속에 위치한 모래층과 실트층을 통해 물이 흐르고 있다. 흐름에 따라 발생한 모래층과 실트층에서의 수두강하 비($\Delta h_{silt}/\Delta h_{sand}$)는? (단, 모래층의 투수계수 k_{sand}=0.01cm/s, 실트층의 투수계수 $k_{silt} = 1\times10^{-5}$cm/s, 시료의 단면적 A=100cm²이다)

2014. 국가직

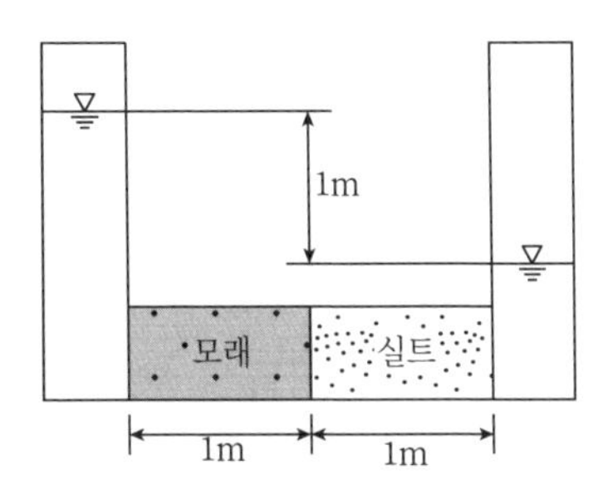

① 0.005　　② 0.001

③ 200　　④ 1000

해설

$Q_1 = Q_2$

$K_1 i_1 A_1 = K_2 i_2 A_2$

$0.01\times\frac{\Delta h_{모래}}{1} = 1\times10^{-5}\times\frac{\Delta h_{실트}}{1}$

$\therefore \frac{\Delta h_{실트}}{\Delta h_{모래}} = \frac{0.01}{1\times10^{-5}} = 1000$

31 두께 2m인 투수성 모래층에서 동수경사가 $\frac{1}{10}$이고, 모래의 투수계수가 5×10^{-2}cm/s라고 하면 이 모래층의 폭 1m에 대하여 흐르는 수량은 매분당 얼마나 되는가?

① 6000cm³/min

② 600cm³/min

③ 100cm³/min

④ 60cm³/min

해설

$Q = KiA = (5\times10^{-2})\times\frac{1}{10}\times(200\times100) = 100\text{cm}^3/s$

$= 6000\text{cm}^3/\text{min}$

29 ② 30 ④ 31 ① [정답]

32 어떤 흙의 변수위 투수시험을 한 결과 시료의 면적과 길이가 각각 19.6cm², 2.0cm이었으며, 유리관의 면적이 0.15cm², 1분 10초 동안에 수두가 40cm에서 20cm로 내렸다. 이 시료의 투수계수는? (단, log2 = 0.3이다)

① 6.0×10^{-4}cm/s

② 5.5×10^{-4}cm/s

③ 1.5×10^{-4}cm/s

④ 6.6×10^{-5}cm/s

해설

$K=2.3\dfrac{aL}{AT}\log_{10}\dfrac{h_1}{h_2}=\dfrac{2.3\times0.15\times2}{19.6\times70}\times0.3=1.5\times10^{-4}$cm/s

33 다음 중 흙의 지지력과 직접적인 관계가 없는 시험은?

① 평판재하시험 ② CBR시험

③ 표준관입시험 ④ 변수위 투수시험

해설

투수계수의 측정시험

1. 정수위 투수시험
2. 변수위 투수시험
3. 압밀시험

34 다음 그림에서 수평방향 평균투수계수 $\overline{K}_x$는 어느 것인가?

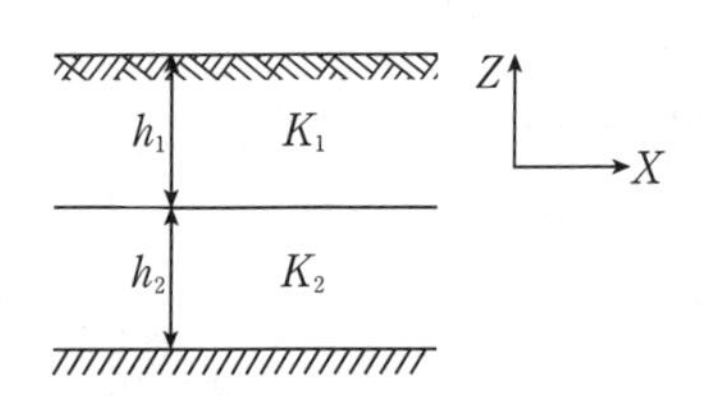

① $\overline{K}_x=\dfrac{h_1K_1+h_2K_2}{h_1+h_2}$

② $\overline{K}_x=(h_1+h_2)/\left(\dfrac{h_1}{K_1}+\dfrac{h_2}{K_2}\right)$

③ $\overline{K}_x=\sqrt{K_1K_2}$

④ $\overline{K}_x=\sqrt{K_1h_1+K_2h_2}$

해설

$\overline{K}_x=\dfrac{K_1h_1+K_2h_2}{H}$

35 그림과 같이 2층으로 되어있는 성층토의 수평방향 평균투수계수는? 2005. 서울시 7급

	$H_1=2$m	$K_1=2.5\times10^{-4}$cm/s
	$H_2=3$m	$K_2=2\times10^{-4}$cm/s

① 1.5×10^{-4}cm/s

② 1.8×10^{-4}cm/s

③ 2.0×10^{-4}cm/s

④ 2.2×10^{-4}cm/s

해설

$K_H=\dfrac{K_1h_1+K_2h_2}{H}$

$=\dfrac{(2.5\times10^{-4})\times200+(2\times10^{-4})\times300}{200+300}$

$=2.2\times10^{-4}$cm/s

36 다음 그림과 같이 2m 두께의 점토층이 모래층 사이에 끼어 있고, 하부 모래층은 피압대수층으로 점토층과의 경계면에서 수두는 6.0m로 측정되었다. 점토층과 상부 모래층을 통해서 1일 동안 지표면으로 흐르는 단위면적당 침투수량(cm³/day/cm²)은? 2007. 국가직 7급

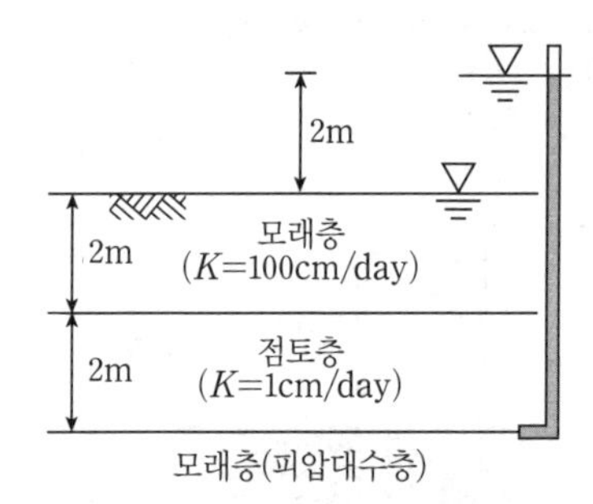

① 약 0.99 ② 약 1.98

③ 약 2.97 ④ 약 3.96

해설

1. $K_v=\dfrac{H}{\dfrac{h_1}{K_{v1}}+\dfrac{h_2}{K_{v2}}}=\dfrac{400}{\dfrac{200}{100}+\dfrac{200}{1}}=1.98$cm/day

2. $Q=KiA=1.98\times\dfrac{2}{4}\times A=0.99A$

32 ③ 33 ④ 34 ① 35 ④ 36 ① [정답]

37 그림과 같이 같은 두께의 3층으로 된 수평 모래층이 있을 때 모래층 전체의 연직방향 평균 투수계수는 몇 cm/s인가? (단, K_1, K_2, K_3는 각 층의 투수계수이다)

9m	3m	$K_1 = 2 \times 10^{-4}$cm/s
	3m	$K_2 = 9 \times 10^{-3}$cm/s
	3m	$K_2 = 3 \times 10^{-4}$cm/s

① 2.38×10^{-3}
② 3.01×10^{-4}
③ 3.55×10^{-4}
④ 4.56×10^{-5}

해설

$$K_v = \frac{H}{\frac{h_1}{K_1} + \frac{h_2}{K_2} + \frac{h_3}{K_3}}$$
$$= \frac{900}{\frac{300}{2 \times 10^{-4}} + \frac{300}{9 \times 10^{-4}} + \frac{300}{3 \times 10^{-4}}}$$
$$= 3.55 \times 10^{-4}\text{cm/s}$$

38 다음과 같이 3개 층으로 구성된 지층의 수평방향 흐름에 대한 등가투수계수(cm/s)는? 2011. 지방직 7급

$H_1 = 0.5$m, $k_1 = 2 \times 10^{-4}$cm/s
$H_2 = 1.0$m, $k_2 = 5 \times 10^{-4}$cm/s
$H_3 = 1.5$m, $k_3 = 4 \times 10^{-4}$cm/s

① 2×10^{-4} ② 3×10^{-4}
③ 4×10^{-4} ④ 5×10^{-4}

해설

$$K_H = \frac{K_{h1}h_1 + K_{h2}h_2 + K_{h3}h_3}{H}$$
$$= \frac{(2 \times 10^{-4}) \times 50 + (5 \times 10^{-4}) \times 100 + (4 \times 10^{-4}) \times 150}{500 + 100 + 150}$$
$$= 4 \times 10^{-4}\text{cm/s}$$

39 어떤 퇴적층에서 수평방향의 투수계수는 8.0×10^{-4} cm/s이고, 수직방향의 투수계수는 2.0×10^{-4}cm/s이다. 이 흙을 등방성으로 생각할 때 등가의 평균투수계수는 얼마인가?

① 4.0×10^{-4}cm/s ② 5.0×10^{-4}cm/s
③ 6.0×10^{-4}cm/s ④ 7.0×10^{-4}cm/s

해설

$$K' = \sqrt{K_h \times K_v} = \sqrt{(8 \times 10^{-4}) \times (2 \times 10^{-4})}$$
$$= 4.0 \times 10^{-4}\text{cm/s}$$

40 지표면까지 포화된 지반의 투수계수의 분포도는 다음 그림과 같다. 지하수가 수평방향으로만 흐른다면 지반의 등가 수평투수계수 $\bar{k}$ 및 각 층의 투수계수에 대한 상관관계를 설명한 것 중 옳지 않은 것은? 2014. 국가직

→ h	투수계수 k_1	
→ h	투수계수 k_2	투수계수 k_4
→ h	투수계수 k_3	

① $k_4 = k_2 + k_3 - 2k_1$
② $k_1 = 3\bar{k} - 2k_4$
③ $k_4 = \frac{1}{2}(k_2 + k_3)$
④ $\bar{k} = \frac{1}{3}(k_1 + k_2 + k_3)$

해설

$Q = Q_1 + Q_2 + Q_3 = Q_1 + Q_4$
$K_H(3h) = K_1h + K_2h + K_3h = K_1h + K_4(2h)$

1. $K_H \cdot 3h = (K_1 + K_2 + K_3)h$
   $\therefore K_H = \frac{K_1 + K_2 + K_3}{3}$
2. $K_1h + K_2h + K_3h = K_1h + K_4 \cdot 2h$
   $K_2h + K_3h = K_4 \cdot 2h$
   $K_2 + K_3 = 2K_4$
   $\therefore K_4 = \frac{K_2 + K_3}{2}$
3. $K_H \cdot 3h = K_1h + K_4 \cdot 2h$
   $\therefore K_1 = 3K_H - 2K_4$

37 ③ 38 ③ 39 ① 40 ① [정답]

제4장

41 투수계수에 대한 설명 중 옳지 않은 것은?

① 성층토에서는 층에 평행한 평균투수계수가 수직한 평균투수계수보다 보통 더 작다.
② 모래의 투수계수는 점토의 투수계수보다 보통 더 큰 값이다.
③ 수온이 상승하면 투수계수는 커진다고 본다.
④ 정수위 투수시험은 투수성이 큰 흙에 주로 사용한다.

해설

$K_h > K_v$

42 그림과 같이 투수계수가 등방성(isotropic)으로 각각 K_h, K_v인 두개의 토층으로 이루어진 지반이 있다. 수평방향의 평균투수계수 K_h와 연직방향의 평균투수계수 K_v의 대소를 비교하였을 때 다음 중 옳은 것은?

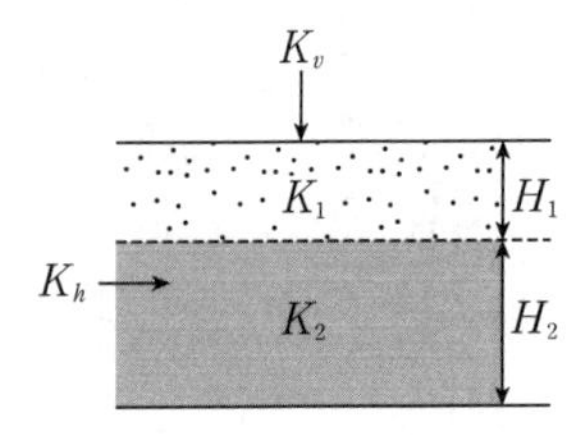

① $K_v > K_h$
② $K_v < K_h$
③ $K_v = K_h$
④ 비교를 하기 위해서는 더 많은 자료가 필요하다.

해설

1. $K_h = \dfrac{K_1 h_1 + K_2 h_2}{H}$
2. $K_v = \dfrac{H}{\dfrac{h_1}{K_1} + \dfrac{h_2}{K_2}}$
3. $K_h > K_v$

43 수평다층지반에서 물이 왼쪽에서 오른쪽으로 수평방향으로만 흐른다고 가정할 때, 다음 중 옳지 않은 것은?

2009. 지방직 7급

① 각 층에서의 동수경사는 서로 다르다.
② 왼쪽에서의 전수두가 오른쪽에서의 전수두보다 크다.
③ 각 층의 동일 수평위치에서 전수두는 서로 같다.
④ 각 층을 통과한 유량은 서로 다르다.

해설

토층에 수평방향으로 물이 흐르면 각 층의 동수경사는 서로 같다.

44 각 층의 손실수두 Δh_1, Δh_2 및 Δh_3를 각각 구한 값으로 옳은 것은?

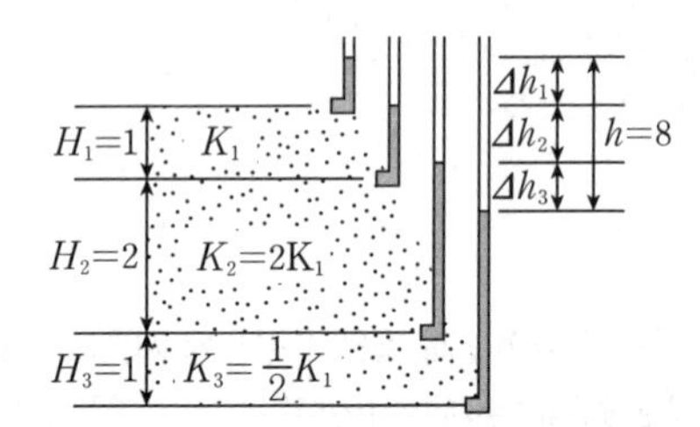

① $\Delta h_1=2,\ \Delta h_2=2,\ \Delta h_3=4$
② $\Delta h_1=2,\ \Delta h_2=3,\ \Delta h_3=3$
③ $\Delta h_1=2,\ \Delta h_2=4,\ \Delta h_3=2$
④ $\Delta h_1=2,\ \Delta h_2=5,\ \Delta h_3=1$

해설

비균질 흙에서의 투수

1. 수평방향의 토층에서 투수가 수직으로 일어날 경우 전체 토층을 균일 이방성층으로 생각하므로 각 층에서의 유출속도가 같다.
   $V = K_1 i_1 = K_2 i_2 = K_3 i_3$
   $K_1\left(\dfrac{\Delta h_1}{1}\right) = 2K_1\left(\dfrac{\Delta h_2}{2}\right) = \dfrac{1}{2}K_1\left(\dfrac{\Delta h_3}{1}\right)$
   $\therefore \Delta h_1 = \Delta h_2 = \dfrac{\Delta h_3}{2}$
2. $H = \Delta h_1 + \Delta h_2 + \Delta h_3 = 8$
   $\therefore \Delta h_1 = 2,\ \Delta h_2 = 2,\ \Delta h_3 = 4$

41 ① 42 ② 43 ① 44 ① [정답]

45 그림과 같이 단면이 100mm×100mm인 튜브에 종류가 다른 흙 Ⅰ, Ⅱ, Ⅲ을 넣고 전수두차(Δh)를 300mm로 유지하면서 물을 흘려보냈다. 각 흙의 투수계수가 $K_I = 7.5\times10^{-3}$cm/s, $K_{II} = 3\times10^{-3}$cm/s, $K_{III} = 5\times10^{-3}$cm/s일 때, 튜브를 통해 흐르는 물의 초당 유량(cm³/s)은?

2009. 국가직 7급

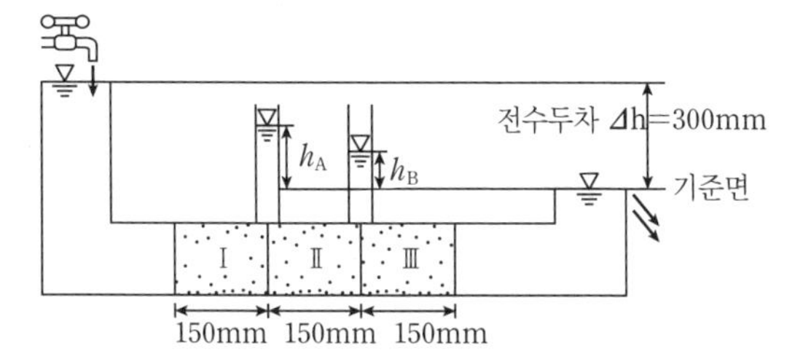

① 0.25 ② 0.30
③ 0.35 ④ 0.40

해설

① $K_h = \dfrac{45}{\dfrac{15}{7.5\times10^{-3}}+\dfrac{15}{3\times10^{-3}}+\dfrac{15}{5\times10^{-3}}}$
$= 4.5\times10^{-3}$cm/s

② $Q = KiA = (4.5\times10^{-3})\times\dfrac{30}{45}\times(10\times10)$
$= 0.3$cm³/s

46 유선망에서 등수두선(equipotential line)이란 수두(head)가 같은 점들을 연결한 선이다. 이때 수두란?

① 압력수두 ② 위치수두
③ 속도수두 ④ 전수두

해설

등수두선은 전수두가 같은 선을 말한다.

47 다음과 같이 수평방향으로 퇴적된 3개의 흙층으로 되어 있을 경우 투수계수 K에 대한 설명 중 맞는 것은?

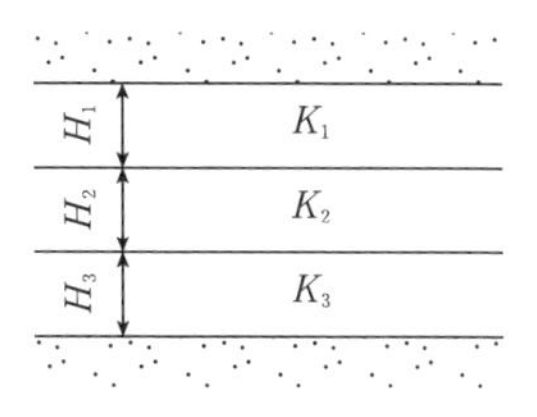

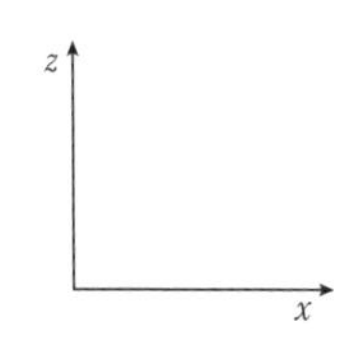

① x방향의 투수계수가 가장 크다.
② z방향의 투수계수가 가장 크다.
③ $\sqrt{x^2+z^2}$ 방향의 투수계수가 가장 크다.
④ 투수계수의 크기는 방향과 무관하다.

48 유선망에서 손실수두가 같은 점을 연결한 선을 무엇이라 하는가?

① 위치수두 ② 침윤선
③ 유 선 ④ 등수두선

49 다음은 유선망에 관하여 기술한 것이다. 틀린 것은 어느 것인가?

① 유선과 등수두선은 직교한다.
② 각 유선 사이의 물의 침투경로를 유로라 하며, 각 유로를 통한 침투량은 밑으로 갈수록 침투압이 증가하므로 커진다.
③ 침투유속 및 동수구배는 유선망의 폭에 역비례한다.
④ 2개의 등수두선에 수압강하량은 다른 2개의 등수두선에 대한 것과 같은 값을 갖는다.

해설

각 유로의 침투수량은 같다.

45 ② 46 ④ 47 ① 48 ④ 49 ② [정답]

50 유선망(flow net)의 특징 중 옳지 않은 것은?

① 두 개의 등수두선의 수압강하량은 다른 두 개의 등수두선에 대해서도 같다.
② 유선망으로 되는 사각형은 이론상으로 직사각형이다.
③ 유선과 등수두선은 서로 직교한다.
④ 침투속도 및 동수경사는 유선망의 폭에 반비례한다.

해설

유선망의 특징

1. 각 유로의 침투수량은 서로 같다.
2. 인접한 등수두선 간의 수두차는 모두 같다.
3. 유선과 등수두선은 서로 직교한다.
4. 유선망으로 되는 사각형은 이론상 정사각형이므로 유선망의 폭과 길이는 같지만 이 정사각형의 면적은 서로 다르다.
5. 침투속도 및 동수구배는 유선망의 폭에 반비례한다.

51 흙댐(earth dam)에서 댐 제체의 유선망을 그리는 주된 이유는?

① 침투수량과 침하량을 알기 위해서
② 간극수압과 지지력을 알기 위하여
③ 간극수압과 전단강도를 알기 위하여
④ 침투수량과 간극수압을 알기 위하여

해설

유선망으로 침투수량 및 간극수압 등을 결정할 수 있다.

52 유선망의 특성에 관한 다음 사항 중 옳지 않은 것은?

① 인접한 두 유선 사이의 유량은 같다.
② 인접한 두 등수두선 사이의 수두손실은 같다.
③ 인접한 두 등수두선 사이의 동수경사는 같다.
④ 유선과 등수두선은 직교한다.

해설

인접한 두 등수두선 간의 수두차(수두손실)는 모두 같다.

53 다음은 유선망의 특성을 설명한 것이다. 틀린 것은?

① 인접한 두 개의 유선과 두 개의 등수두선은 한 원에 접한다.
② 인접한 두 유선 사이의 침투수량은 동일하고 인접한 두 등수두선 사이의 수두손실도 서로 같다.
③ 유선과 등수두선은 서로 직교하며, 동일 면적의 정방향으로 구성된다.
④ 투수계수가 서로 다른 흙의 경계선을 통하여 물이 흐를 때는 유선망을 이루는 사각형의 형상이 달라진다.

해설

1. 유선과 등수두선이 서로 직교하고 유선망의 폭과 길이가 서로 같기 때문에 유선망으로 되는 사각형은 이론상 정사각형이 되므로 인접한 두 개의 유선과 두 개의 등수두선은 한 원에 접한다.
2. 유선망으로 되는 사각형은 이론상 정사각형이지만 이 정사각형의 면적은 서로 다르다.

54 유선망에 관한 다음 설명 중 옳지 않은 것은?

① 각 유로의 침투유량은 같다.
② 침투속도 및 동수경사는 유선망의 폭에 비례한다.
③ 인접한 2개의 등수두선 사이의 수두손실은 같다.
④ 유선망으로 이루어지는 사각형은 정사각형이다.

해설

침투속도 및 동수경사는 유선망의 폭에 반비례한다.

55 유선망(flow net)으로부터 결정할 수 없는 것은?

① 간극수압의 결정 ② 동수경사의 결정
③ 침투수량의 결정 ④ 투수계수의 결정

해설

1. 침투수량 : $Q = KH\dfrac{N_f}{N_d}$
2. 간극수압
   ① $U_p = \gamma_w \times$ 압력수두
   ② 압력수두 = 전수두 - 위치수두
3. 동수경사 : $i = \dfrac{h_m}{d}$

50 ② 51 ④ 52 ③ 53 ③ 54 ② 55 ④ [정답]

56 유선망에서 인접한 등압선 간의 수두손실은 서로 같다. 이때의 수두는?

① 위치수두이다. ② 압력수두이다.
③ 속도수두이다. ④ 전수두이다.

해설

압력수두 = 전수두 + 위치수두이므로 인접한 등압선 간의 수두손실은 압력수두 중에서 전수두이다.

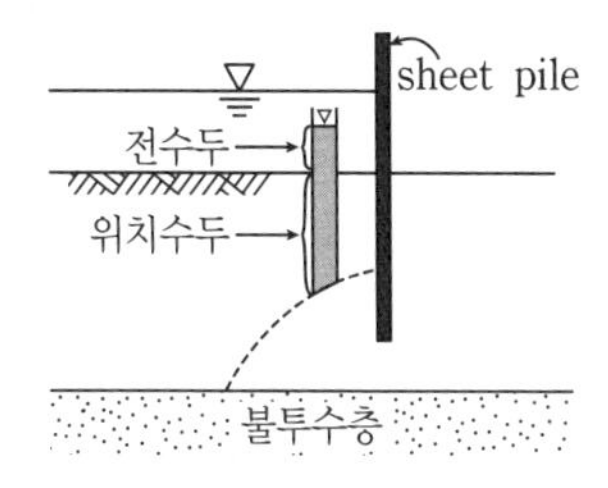

57 토질역학에서 보통 무시하고 있는 수두(head)는 다음 중 어느 것인가?

① 전수두 ② 속도수두
③ 압력수두 ④ 위치수두

해설

토질역학에서 속도수두는 다른 수두에 비해 아주 작으므로 보통 무시한다.

58 스탠드 파이프(stand pipe)의 수위가 그림과 같을 때 모래층의 물은?

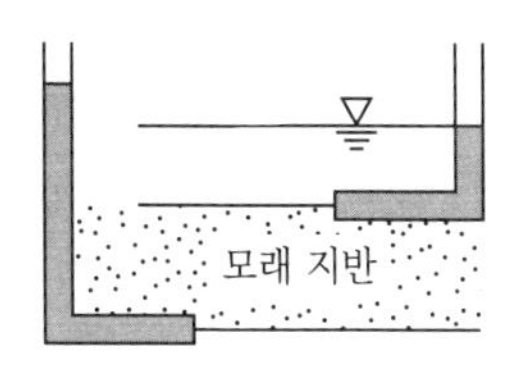

① 위쪽으로 흐른다.
② 아래쪽으로 흐른다.
③ 정지상태로 있다.
④ 이 그림만으로는 알 수 없다.

해설

스탠드 파이프의 수위가 모래지반 아래쪽이 더 높으므로 모래지반 내에서 상향침투가 생긴다. 따라서 물은 위쪽으로 흐른다.

59 다음 그림과 같이 널말뚝을 박은 지반의 유선망을 작도하는데 있어서 경계조건이 아닌 것은?

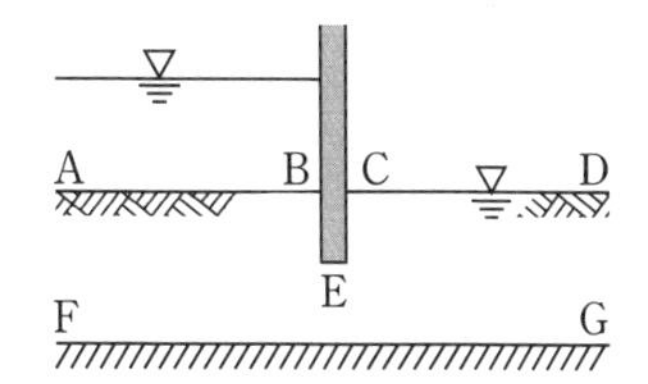

① $\overline{AB}$는 등수두선이다.
② $\overline{CD}$는 등수두선이다.
③ $\overline{FG}$는 유선이다.
④ $\overline{BEC}$는 등수두선이다.

해설

경계조건
1. 유선 : BEC, FG
2. 등수두선 : AB, CD

60 투수계수 2×10^{-5}cm/s, 수위차 15m인 필댐의 단위폭 1m에 대한 1일 침투유량은? (단, 등수두선으로 싸인 간격수 = 15, 유선으로 싸인 간격수 = 5) 2005. 충남 7급

① 1cm^3/day
② 864cm^3/day
③ 3600cm^3/day
④ 86400cm^3/day

해설

$$Q = KH\frac{N_f}{N_d} = (2\times10^{-5})\times1500\times\frac{5}{15}\times100$$
$$= 1\text{cm}^3/\text{s} = 86400\text{cm}^3/\text{day}$$

56 ④ 57 ② 58 ① 59 ④ 60 ④ [정답]

제4장

61 상하류 수위차 h=10m, 투수계수 $K=1\times10^{-5}$ cm/s, 투수층 유로의 수 N_f=3, 포텐셜 면의 수 N_d=9인 흙댐의 1일 단위 m당 침투수량은 얼마인가?

① 0.086m³/day ② 0.864m³/day
③ 0.29m³/day ④ 0.029m³/day

해설

$Q=KH\dfrac{N_f}{N_d}=(1\times10^{-7})\times10\times\dfrac{3}{9}$
$=3.33\times10^{-7}\text{m}^3/s$
$=0.029\text{m}^3/\text{day}$

62 유선망을 작성하여 침투수량을 결정할 때 유선망의 정밀도가 침투수량에 큰 영향을 끼치지 않는 이유는?

① 유선망은 유로의 수와 등수두면의 수의 비에 좌우되기 때문이다.
② 유선망은 등수두선의 수에 좌우되기 때문이다.
③ 유선망은 유선의 수에 좌우되기 때문이다.
④ 유선망은 투수계수 K에 좌우되기 때문이다.

63 그림과 같은 지반 내의 유선망이 주어졌을 때 폭 10m에 대한 침투유량은? (단, K=0.02cm/s)

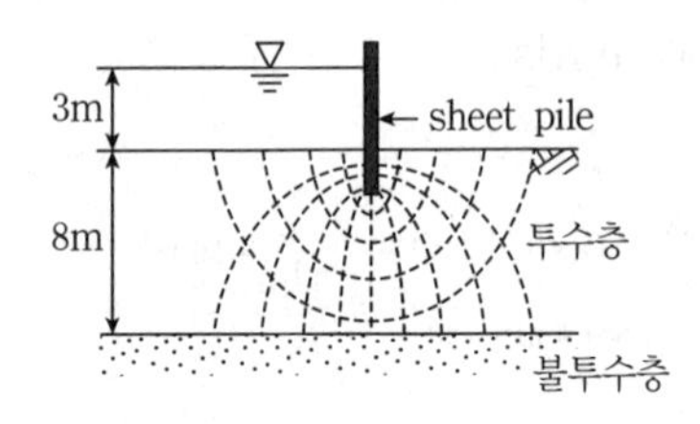

① 3cm³/s
② 30cm³/s
③ 300cm³/s
④ 3000cm³/s

해설

1. 단위폭당 침투유량 : $Q=KH\dfrac{N_f}{N_d}=0.02\times300\times\dfrac{5}{10}=3\text{cm}^3/s$
2. 10m에 대한 침투수량 : $Q=3\times1000=3000\text{cm}^3/s$

64 어떤 콘크리트댐 하부의 투수층에서 그림과 같은 유선망도가 그려졌다고 할 때 침투유량 Q는? (단, 투수층의 투수계수는 $K=2.0\times10^{-2}$cm/s이다)

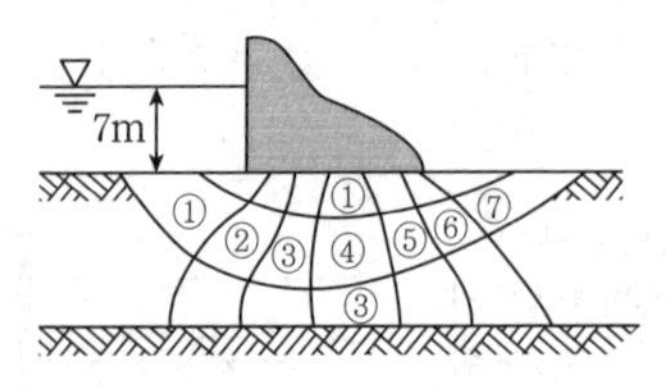

① 6cm³/s/cm
② 10cm³/s/cm
③ 15cm³/s/cm
④ 18cm³/s/cm

해설

$Q=KH\dfrac{N_f}{N_d}$
$=(2\times10^{-2})\times700\times\dfrac{3}{7}=6\text{cm}^3/s/cm$

65 수평방향 투수계수와 수직방향 투수계수가 각각 9×10^{-2}mm/sec와 4×10^{-2}mm/sec인 지반에 강널말뚝을 타입하고, 강널말뚝 앞뒤의 수위차를 10m로 유지하였다. 물 흐름을 해석하기 위해 좌표변환을 수행하여 지반 내(지반 경계선 포함)에서 작도된 유선망이 11개의 등수두선과 6개의 유선으로 이루어졌다면, 지반을 통한 단위폭 당 침투유량[m³/sec/m]은? 2013. 국가직 7급

① 2.0×10^{-4} ② 3.0×10^{-4}
③ 3.25×10^{-4} ④ 4.5×10^{-4}

해설

1. $K=\sqrt{K_h\times K_v}$
$=\sqrt{(9\times10^{-5})(4\times10^{-5})}$
$=6\times10^{-5}\text{m/sec}$
2. $Q=KH\dfrac{N_f}{N_d}$
$=(6\times10^{-5})\times10\times\dfrac{5}{10}$
$=3\times10^{-4}\text{m}^3/\text{sec}$

61 ④ 62 ① 63 ④ 64 ① 65 ② [정답]

66 그림과 같은 수리구조물에서 A점의 간극수압[t/m^2]은? (단 물의 단위중량은 $1t/m^3$로 계산한다) 2016. 국가직 7급

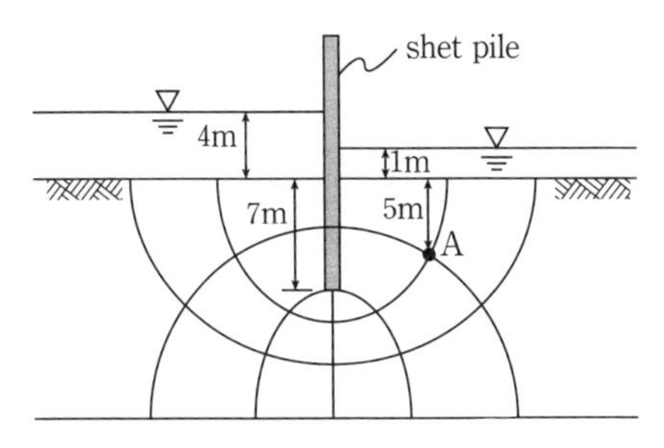

① 5.0　　② 5.5
③ 6.0　　④ 6.5

해설

1. 전두수 = $\frac{n_d}{N_d}H = \frac{1}{6} \times 3 = 0.5\text{m}$
2. 위치수두 = $-(1+5) = -6\text{m}$
3. 압력수두 = $0.5-(-6) = 6.5\text{m}$

67 그림에서 유로 II를 흐르는 단위폭당 유량은? (단, 투수층의 투수계수 $K = K_x = K_z = 0.02\text{cm/s}$)

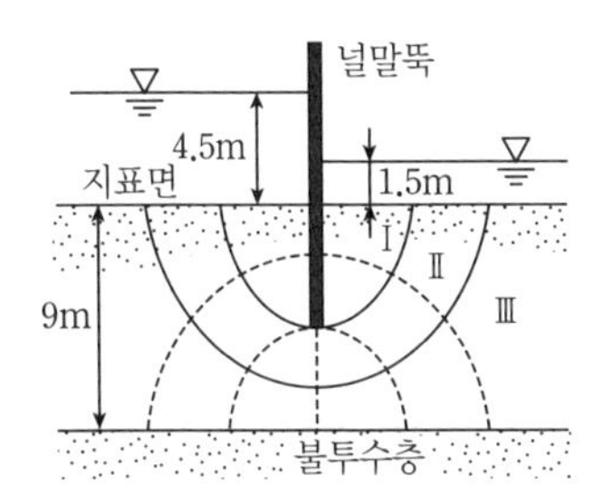

① $1\text{cm}^3/\text{s}$　　② $3\text{cm}^3/\text{s}$
③ $4\text{cm}^3/\text{s}$　　④ $6\text{cm}^3/\text{s}$

해설

$Q = KH\frac{N_f}{N_d}$

$= 0.02 \times 300 \times \frac{1}{6} = 1\text{cm}^3/\text{s}$

68 그림의 유선망에 대한 것 중 틀린 것은? (단, 흙의 투수계수는 $2.5 \times 10^{-3}\text{cm/s}$)

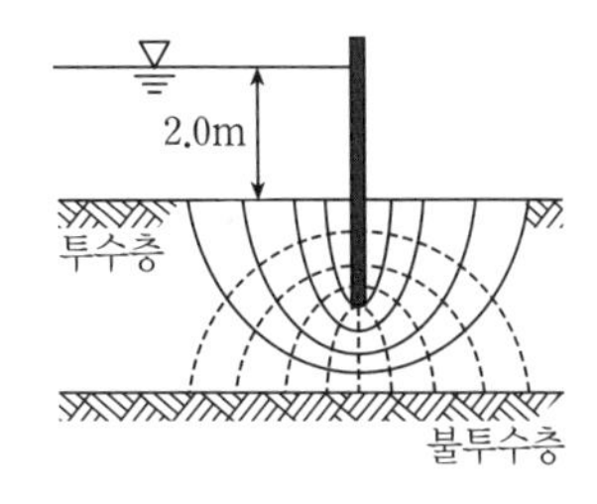

① 유선의 수=6
② 등수두선의 수=6
③ 유로의 수=5
④ 전 침투수량 $Q=0.25\text{cm}^3/\text{s}$

해설

1.

	유 선	유 면	등수두선	등수두면
개 수	6	5	11	10

2. $Q = KH\frac{N_f}{N_d} = (2.5 \times 10^{-3}) \times 200 \times \frac{5}{10} = 0.25\text{cm}^3/\text{s}$

69 그림의 유선망이 올바른 것이라 가정할 때, A점의 압력수두는?

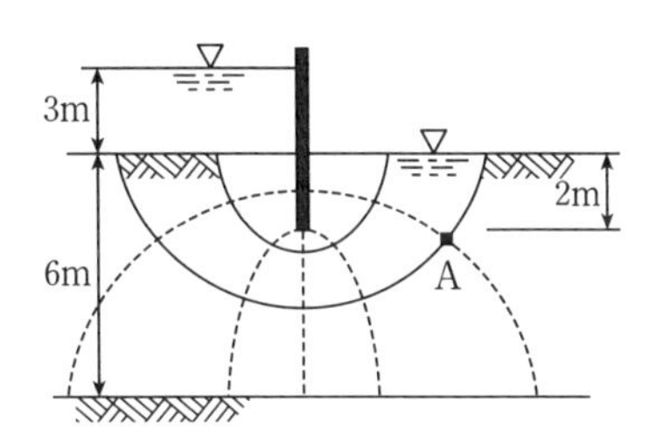

① 0.5m　　② 2.0m
③ 2.5m　　④ 6.5m

해설

1. 전수두 = $\frac{n_d}{N_d} \times H = \frac{1}{6} \times 3 = 0.5\text{m}$
2. 위치수두 = -2m(위치수두는 하류측 수위면을 기준면으로 한다)
3. 압력수두 = 전수두 - 위치수두 = $0.5-(-2) = 2.5\text{m}$

66 ④ 67 ① 68 ② 69 ③ [정답]

70 다음 그림에 보인 댐에 대하여 A점에 대한 간극수압은?

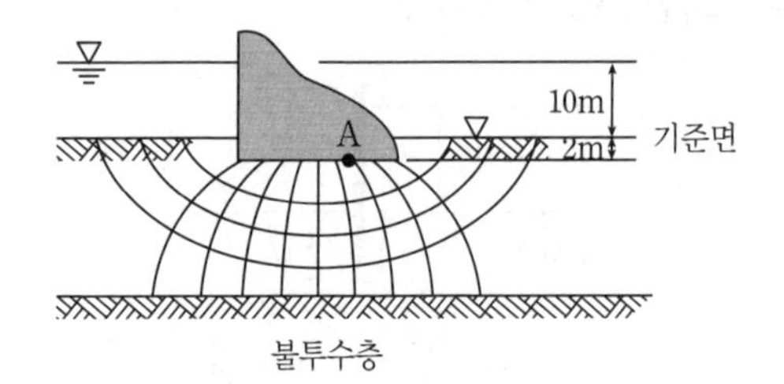

① 3t/m² ② 4t/m²
③ 5t/m² ④ 6t/m²

해설

1. 전수두 = $\frac{n_d}{N_d}$ $H = \frac{3}{10} \times 10 = 3\text{m}$
2. 위치수두 = -2m
3. 압력수두 = 전수두 − 위치수두 = $3-(-2)=5\text{m}$
4. 간극수압 = $\gamma_w \times$ 압력수두 = $1 \times 5 = 5\text{t/m}^2$

71 그림과 같은 유선망에서 점 A의 공극수압은?

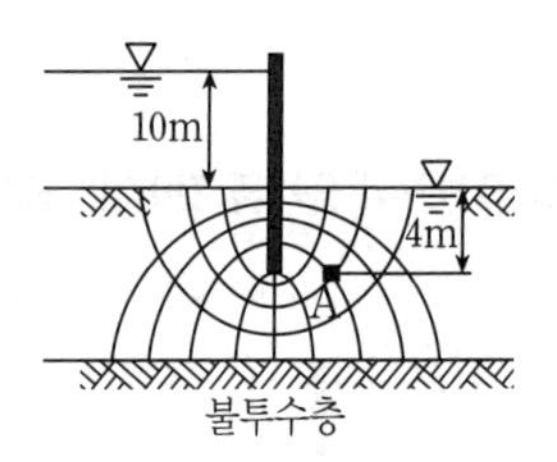

① 4t/m² ② 6t/m²
③ 7t/m² ④ 10t/m²

해설

1. 전수두 = $\frac{n_d}{N_d} \times H = \frac{3}{10} \times 10 = 3\text{m}$
2. 위치수두 = -4m
3. 압력수두 = 전수두 − 위치수두 = $3-(-4)=7\text{m}$
4. 간극수압 = $\gamma_w \times$ 압력수두 = $1 \times 7 = 7\text{t/m}^2$

72 다음 그림에서 P점의 간극수압은?

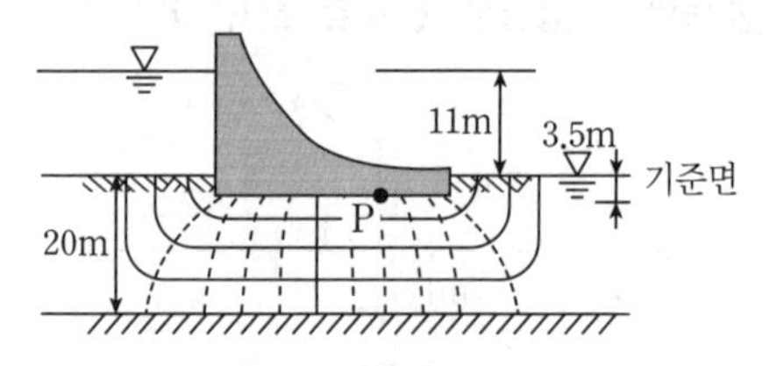

① 7.0t/m² ② 7.5t/m²
③ 8.0t/m² ④ 8.5t/m²

해설

1. 전수두 = $\frac{n_d}{N_d} \times H = \frac{4}{11} \times 11 = 4\text{m}$
2. 위치수두 = -3.5m
3. 압력수두 = 전수두 − 위치수두 = $4-(-3.5)=7.5\text{m}$
4. 간극수압 = $\gamma_w \times$ 압력수두 = $1 \times 7.5 = 7.5t/\text{m}^2$

73 다음 그림에서와 같이 물이 상방향으로 일정하게 흐를 때 A, B 양단에서의 전수두차를 구하면?

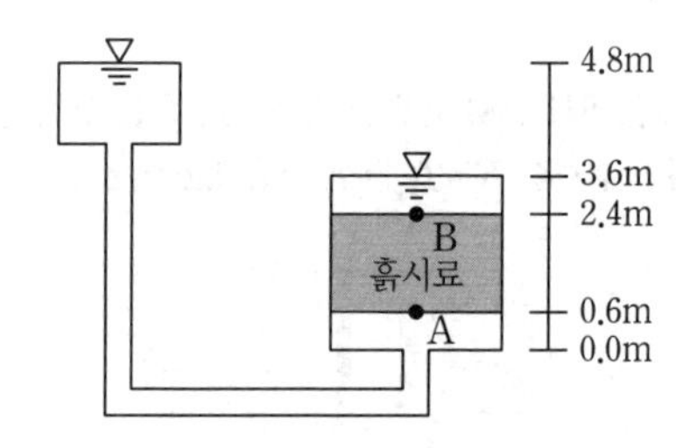

① 1.8m ② 3.6m
③ 1.2m ④ 2.4m

해설

구 분	압력수두	위치수두	전수두
A점	4.2m	−3m	1.2m
B점	1.2m	−1.2m	0

70 ③ 71 ③ 72 ② 73 ③ [정답]

74 그림과 같은 조건에서 유선망을 그릴 때 A, B 부분에서 인접한 등수두선(equipotential line)간의 간격을 각각 b_A, b_B라 하면 b_A/b_B의 값은? (단, A, B 부분의 투수계수는 각각 1×10^{-3}cm/s, 1×10^{-5}cm/s이고 등방성이다)

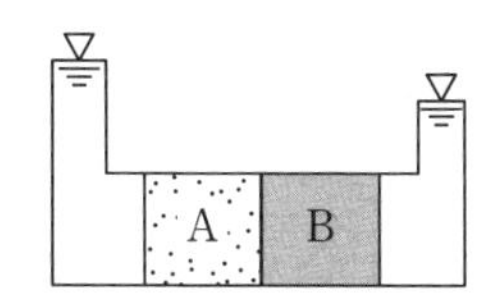

① 100　　② 1.67
③ 0.60　　④ 0.01

해설

A, B 부분의 경계면에 수직으로 침투하는 경우

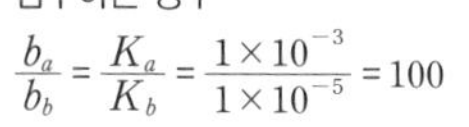

$$\frac{b_a}{b_b}=\frac{K_a}{K_b}=\frac{1\times10^{-3}}{1\times10^{-5}}=100$$

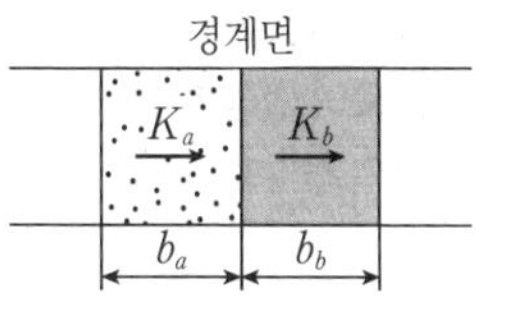

75 다음 그림에서 C점의 압력수두 및 전체 수두값은 얼마인가?

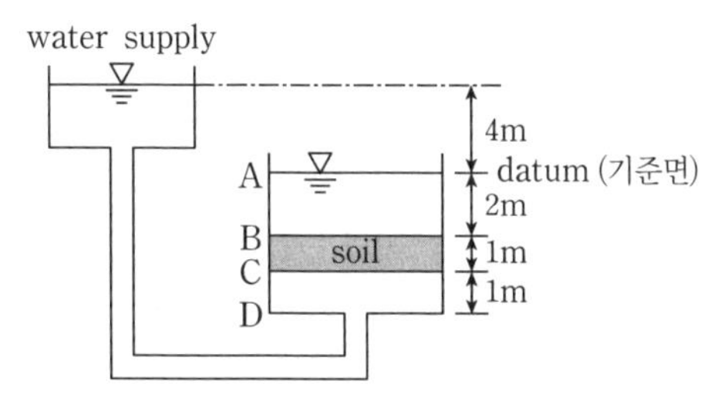

① 압력수두 3, 전체수두 0
② 압력수두 7, 전체수두 0
③ 압력수두 3, 전체수두 4
④ 압력수두 7, 전체수두 4

해설

구 분	압력수두	위치수두	전수두
B점	2	−2	0
C점	7	−3	4

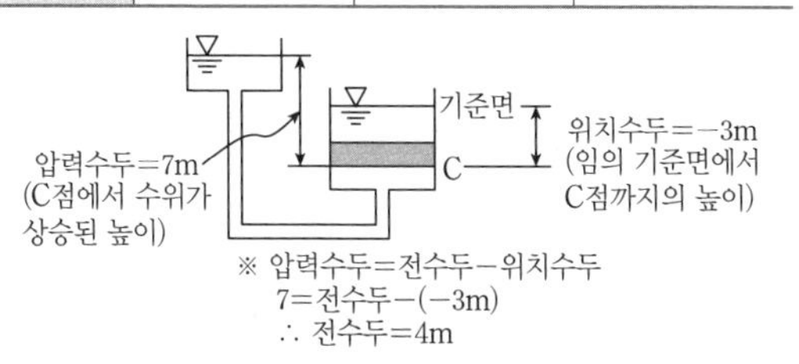

76 그림과 같이 콘크리트 댐 아래 투수지반에 대한 유선망을 작도하였다. A점의 간극수압(tf/m²)은? (단, γ_w = 1.0tf/m³이다)

2008. 국가직 7급

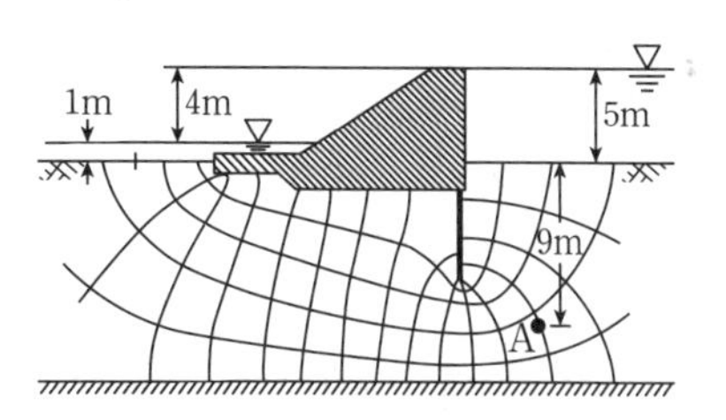

① 12.2　　② 13.2
③ 14.2　　④ 15.2

해설

1. 전수두 $=\frac{n_d}{N_d}\cdot H=\frac{12}{15}\times4=3.2$m
2. 위치수두 $=-(1+9)=-10$m
3. 압력수두 = 전수두 − 위치수두
   $=3.2-(-10)=13.2$m
4. 간극수압 $=\gamma_w\times$ 압력수두 $=1\times13.2=13.2$tf/m²

77 그림과 같이 상하류측 수위가 각각 Δz만큼 상승하였을 때, 수위 상승 전과 후를 비교한 것으로 옳지 않은 것은? (단, 물의 단위중량은 γ_w로 한다)

2016. 서울시 7급

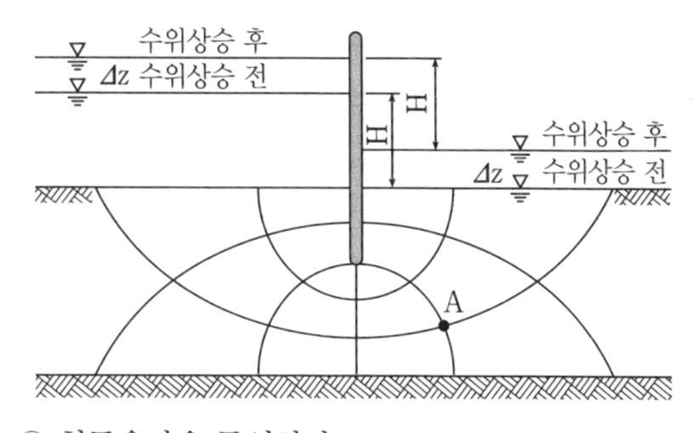

① 침투유량은 동일하다.
② A점에 대하여 전수두는 증가한다.
③ A점에 대하여 유효응력은 $\Delta z\gamma_w$만큼 감소한다.
④ A점에 대하여 간극수압은 $\Delta z\gamma_w$만큼 증가한다.

74 ① 75 ④ 76 ② 77 ③ [정답]

해설

1. A점 수두
   ① 수위 상승전
   전수두 = $\frac{2}{6}H = \frac{H}{3}$
   위치수두 = $-Z$
   압력수두 = $\frac{H}{3}+Z$

   ② 수위 상승후
   전수두 = $\frac{2}{6}H+\Delta Z = \frac{H}{3}+\Delta Z$
   위치수두 = $-Z$
   압력수두 = $\frac{H}{3}+\Delta Z+Z$
2. A점의 유효응력은 $\gamma_{sub}Z$로 일정하다.

78 다음 그림의 경우 점 A와 점 B에서의 압력수두(h_p)와 전수두(h_t)는?

2009. 지방직 7급

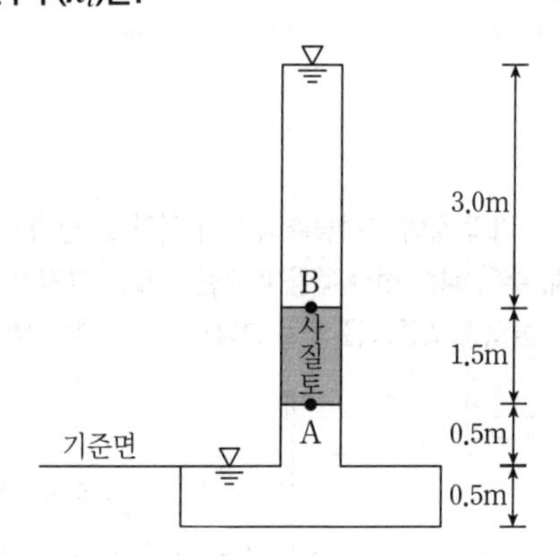

	A점	B점
①	h_p=0.0m, h_t=0.5m	h_p=6.0m, h_t=0.5m
②	h_p=−0.5m, h_t=0.0m	h_p=3.0m, h_t=3.0m
③	h_p=0.0m, h_t=0.5m	h_p=6.0m, h_t=3.0m
④	h_p=−0.5m, h_t=0.0m	h_p=3.0m, h_t=5.0m

해설

위치 \ 수두	압력수두	위치수두	전수두
A점	−0.5m	0.5m	0
B점	3.0m	2.0m	5.0m

79 제체의 침윤선에 대한 설명 중 옳은 것은?

① 흙댐이나 제체 내의 자유수면을 침윤선이라 한다.
② 물분자의 이동하는 괴적을 침윤선이라 한다.
③ 흙 속의 모든 유선을 침윤선이라 한다.
④ 침윤선을 이용하여 침투유량을 계산할 수 없다.

해설

흙댐을 통해 물이 통과할 때 여러 유선들 중에서 최상부의 유선을 침윤선이라 한다.

80 그림과 같이 단면적 $\overline{A}$인 튜브 속의 흙을 통하여 물의 흐름이 발생할 때, 다음 설명 중 옳지 않은 것은? (단, K는 흙의 투수계수이다)

2008. 국가직 7급

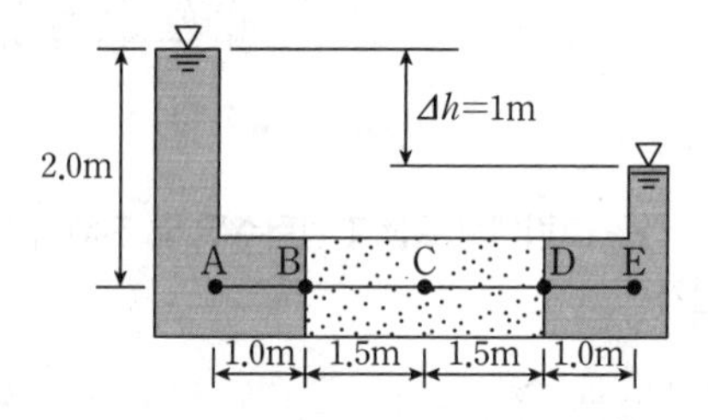

① 점 A의 전수두와 점 B의 전수두는 같다.
② 점 B에서 점 C까지 손실수두는 0.5m이다.
③ 점 C의 압력수두는 1.5m이다.
④ 단위시간당 유출유량은 $0.5K\overline{A}$이다.

해설

1. 각 점에서의 수두(단위 : m)

위 치	위치수두	압력수두	전수두	손실수두
A	−1	2	1	0
B	−1	2	1	0
C	−1	1.5	0.5	0.5
D	−1	1	0	1
E	−1	1	0	1

2. 유출량 : $Q = KiA = K\times\frac{1}{3}\times A = \frac{1}{3}KA$

78 ④ 79 ① 80 ④ [정답]

81 다음의 흙댐에서 유선망을 작도하는 데 있어 경계조건이 틀린 것은?

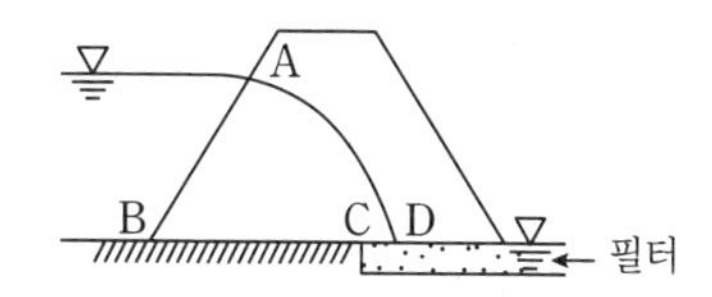

① AB는 등수두선이다.
② BC는 등수두선이다.
③ CD는 등수두선이다.
④ AD는 유선이다.

해설

경계조건

유 선	AD	최상부의 유선으로 침윤선이다.
	BC	최하부의 유선이다.
등수두선	AB	전수두가 h이다.
	CD	전수두가 0이다.

82 다음 그림과 같이 필터를 설치하여 만든 제방 100m 길이당 침투수량을 구하면? (단, 흙댐의 투수계수는 0.085cm/s이다)

① $0.85\text{m}^3/\text{day}$
② $1.02\text{m}^3/\text{day}$
③ $73440\text{m}^3/\text{day}$
④ $88128\text{m}^3/\text{day}$

해설

$$Q = KH\frac{N_f}{N_d} \times l$$
$$= (0.085 \times 10^{-2}) \times 30 \times \frac{3}{9} \times 100$$
$$= 0.85\text{m}^3/\text{s}$$
$$= 73440\text{m}^3/\text{day}$$

83 그림 (A)와 (B)에서 a, b의 수두차에 대한 다음 설명 중 옳은 것은?

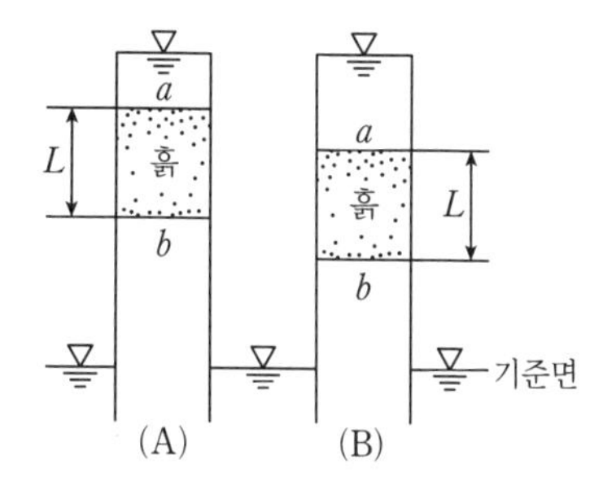

① (A)가 (B)보다 크다.
② 동일하다.
③ (B)가 (A)보다 크다.
④ 흙의 종류에 따라 변한다.

해설

(A), (B)의 수두차는 ΔH로서 서로 같다.

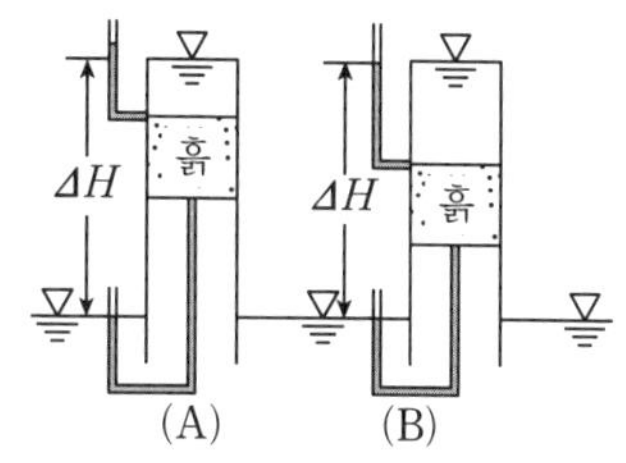

84 흙댐의 침윤선(seepage line)을 설명한 것 중 옳지 않은 것은?

① 침윤선상의 수두는 위치수두뿐이다.
② 침윤선상의 수두는 압력수두뿐이다.
③ 침윤선은 유선 중의 하나이다.
④ 침윤선의 형상은 포물선으로 가정한다.

해설

1. 침윤선은 최상부의 유선이다.
2. 침윤선상의 압력수두 = 0, 전수두 = 위치수두

81 ② 82 ③ 83 ② 84 ② [정답]

85 다음은 침윤선에 대한 설명이다. 틀린 것은?

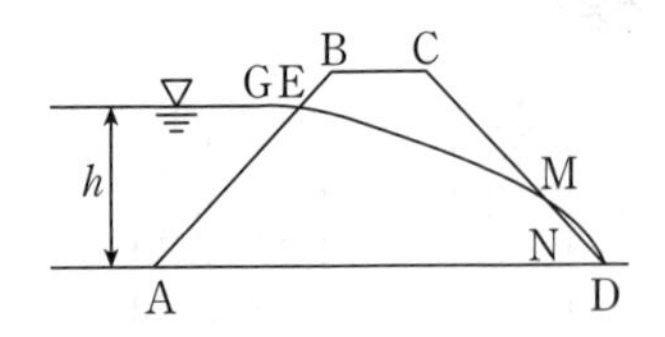

① AE는 등수두선이다.
② AD는 유선이다.
③ 침윤선은 E에서 AB에 직교한다.
④ CD는 등수두선이다.

해설

1.

유 선	ED AD	최상부의 유선으로 침윤선이다. 최하부의 유선이다.
등수두선	AE	전수두가 h로서 일정하다.

2. 침윤선 ED는 E점에서 AB면에 직교한다.
3. CD는 유선도 등수두선도 아니다.

86 다음 그림에서 기본포물선을 작도할 때 EG의 길이는?

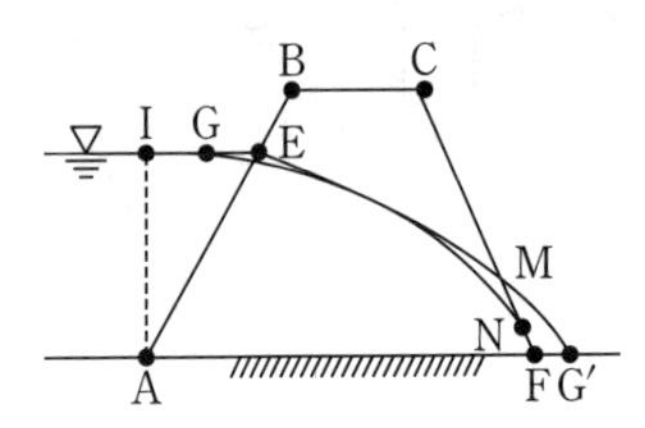

① EG=0.7EI ② EG=0.5EI
③ EG=0.4EI ④ EG=0.3EI

해설

G점은 AE의 수평거리의 30% 되는 지점으로 결정된다.
∴ EG=0.3EI

87 흙댐의 유선망에서 유선의 모양은?

① 포물선 ② 직선
③ 원 ④ 직사각형

88 다음 그림은 흙댐의 침윤선을 구하는 방법을 그린 그림이다. 다음 설명 중 옳지 않은 것은?

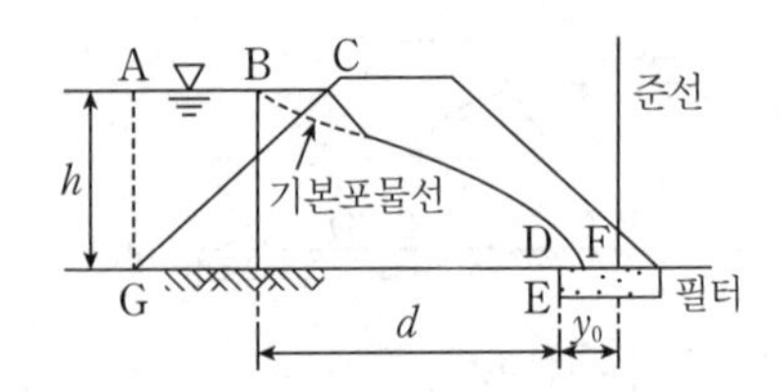

① 기본포물선의 초점은 E이다.
② $y_0=\sqrt{d^2+h^2}-d$로 되는 위치에 준선이 있게 된다.
③ D점은 EF의 중점이 된다.
④ GC와 기본포물선은 직교한다.

해설

1. 기본포물선의 작도 : E를 초점으로 하는 기본포물선 방정식 $x=\dfrac{y^2-x_0^{\,2}}{2x_0}$에 의해 B, D를 통과하는 기본포물선을 그린다.
2. $\overline{ED}=\overline{EF}=\dfrac{y_0}{2}$, $\overline{EF}=y_0$ 이다.
3. GC와 침윤선은 직교한다.

89 안지름이 0.6mm인 유리관 속을 증류수가 상승할 때 그 높이는? (단, 접촉각 α는 0°이고 수온은 15℃, 표면장력은 0.075g/cm이다.)

① 6cm ② 5cm
③ 4cm ④ 3cm

해설

$$h_c=\frac{4T\cos\theta}{\gamma_w D}=\frac{4\times0.075\times\cos0^\circ}{1\times0.06}=5\text{cm}$$

90 물의 온도 15℃에서 표면장력은 0.075g/cm³다. 이 물이 안지름 0.2mm의 유리관 속을 상승하는 높이는 몇 cm인가? (단, 여기서 접촉각은 0으로 한다)

① 5cm ② 10cm
③ 15cm ④ 20cm

해설

$$h_c=\frac{4T\cos\theta}{\gamma_w D}=\frac{4\times0.075\times\cos0^\circ}{1\times0.02}=15\text{cm}$$

85 ④ 86 ④ 87 ① 88 ④ 89 ② 90 ③ [정답]

91 수온이 15℃일 때 표면장력 $T=0.075$g/cm이다. 접촉각 $\alpha=0$이면 모세관 상승고 h_c는 얼마인가?

① $h_c=\dfrac{D}{0.3}$(cm) ② $h_c=\dfrac{0.3}{D}$(cm)
③ $h_c=\dfrac{D}{0.2}$(cm) ④ $h_c=\dfrac{0.2}{D}$(cm)

해설

15℃(표준온도)에서 $T=0.075$g/cm, $\alpha=0$이므로
$h_c=\dfrac{4T\cos\alpha}{\gamma_w D}=\dfrac{0.3}{D}$(cm)

92 직경 2mm의 유리관을 15℃의 정수 중에 세웠을 때 모관상승고는 얼마인가? (단, 물과 유리관의 접촉각은 9°, 표면장력은 0.075g/cm, cos9°=0.99이다)

① 0.15cm ② 1.1cm
③ 1.49cm ④ 15.0cm

해설

$h_c=\dfrac{4T\cos\theta}{\gamma_w D}$
$=\dfrac{4\times0.075\times0.99}{1\times0.2}\fallingdotseq1.49$cm

93 다음은 흙 속의 공극에 생기는 모관상승에 영향을 주는 요소이다. 가장 관계가 먼 것은?

① 흙의 공극비 ② 흙의 유효입경
③ 물의 표면장력 ④ Stokes의 법칙

해설

표면장력으로 인해 물은 자유수면 위로 상승하게 되며 흙 속에서의 물의 모관상승고는 $h_c=\dfrac{C}{eD_{10}}$ 이다.

94 유효입경 0.02mm, 공극비가 0.5인 흙의 모관상승고는 4m였다. 이때, 이 흙의 입자와 표면상태에 의해서 정해지는 정수는?

① $0.1cm^2$ ② $0.16cm^2$
③ $0.4cm^2$ ④ $0.5cm^2$

해설

$h_c=\dfrac{C}{eD_{10}}$ 에서 $400=\dfrac{C}{0.5\times0.002}$ $\therefore C=0.4cm^2$

95 다음에서 흙의 모관현상에 대하여 틀린 것은?

① 모관상승고 $h_c=\dfrac{4T\cos\theta}{\gamma_w D}$에 의하여 계산된다.
② 모관상승이 있는 부분은 간극수압이 크게 발생하여 유효응력이 감소한다.
③ 모관현상으로 지표면까지 포화되면 지표면의 유효응력은 0이 아니다.
④ 모관현상이 일어나면 지하수위면은 간극수압이 0인 면이다.

해설

1. 모관현상이 있는 부분은 (−)간극수압이 발생하여 유효응력은 증가한다.
2. 모관현상으로 지표면까지 포화되면 지표면의 유효응력 $\overline{\sigma}=\sigma-u=0-(-\gamma_w h)=\gamma_w h$이다.
3. 지하수위면에서의 간극수압은 0이다.

96 흙의 모관현상에 관한 설명 중 옳은 것은?

① 모관상승고는 입자의 지름과 관계없다.
② 모관현상으로 지표면까지 포화되면 지표면의 공극수압은 0이다.
③ 모관상승이 있는 부분은 (−)의 공극수압이 생겨 유효응력은 증가한다.
④ 모관현상이 있을 때 지하수위란 모관상승현상을 말한다.

해설

1. 모관상승고 $h_c=\dfrac{C}{eD_{10}}$ 이므로 토립자의 지름과 관계가 있다.
2. 모관현상으로 지표면까지 물로 포화되면 지표면의 공극수압은 $U=-\gamma_w h_c$이다.
3. 모관상승이 있는 부분의 공극수압은 $U=-\gamma_w h_c$ 로서 부압(−)이 발생되어 유효응력은 부압만큼 증가한다.
4. 지하수위면에서 공극수압은 $U=0$ 이다. 그러므로 모관현상과 무관하다.

91 ② 92 ③ 93 ④ 94 ③ 95 ② 96 ③ [정답]

제4장

97 흙의 모관현상에 관한 설명으로 틀린 것은?

① 모관상승고는 점토의 경우가 모래의 경우보다 높다.
② 모관상승이 있는 부분은 (−)의 공극수압이 생겨 유효응력이 감소한다.
③ 모관현상으로 지표면까지 포화되면 지표면의 유효응력은 0이 아니다.
④ 모관현상이 있을 때 지하수위란 공극수압이 0인 면이다.

해설

모관상승이 있는 부분은 부압(−)이 발생하여 유효응력이 증가한다.

98 흙의 모관성에 관한 다음 설명 가운데 옳지 않은 것은?

① 모관포텐셜의 경우도 항상 높은 곳에서 낮은 곳으로 물이 유동한다.
② 모관수에 염류의 용해량이 많을수록 저포텐셜이 된다.
③ 세립토에서는 조립토보다 모관상승 속도가 느리다.
④ 흙의 입경이 작을수록 고포텐셜이 된다.

해설

모관포텐셜(capillary potential) : $\phi = -\gamma_w h$

1. 불포화 수분의 흐름은 고포텐셜에서 저포텐셜로 흐른다.
2. 염류가 클수록 저포텐셜이다.
3. 세립토가 조립토보다 투수계수가 작기 때문에 모관상승 속도는 느리지만 모관상승고는 크다.
4. 입경이 작을수록 저포텐셜이다.

99 흙의 모관현상에 관한 다음 설명 중 옳지 않은 것은?

① 모래와 같은 조립토에서는 모관상승속도가 빠르다.
② 점토와 같은 세립토에서는 모관상승고는 매우 낮다.
③ 모관상승부분의 압력은 부압(負壓)이 된다.
④ 모관고는 공극비에 반비례한다.

해설

세립토일수록 모관상승고는 매우 높다.

$$h_c = \frac{C}{eD_{10}}$$

100 흙의 모관상승에 대한 설명 중 잘못된 것은?

① 흙의 모관상승고는 간극비에 반비례하고, 유효입경에 반비례한다.
② 모관상승고는 점토, 실트, 모래, 자갈의 순으로 점점 작아진다.
③ 모관상승이 있는 부분은 (−)의 간극수압이 발생하여 유효응력이 증가한다.
④ Stokes법칙은 모관상승에 중요한 영향을 미친다.

해설

1. 표면장력 때문에 물이 표면을 따라 상승하는 현상을 모관현상이라 한다.
2. Stokes법칙은 "하나의 구가 무한한 넓이를 갖는 액체속으로 가라앉을 때, 구는 중력가속도와 액체의 점성에 기인하는 저항 때문에 일정한 종국속도를 갖게 되어 그의 속도 v는 다음과 같이 나타낼 수 있다."는 것이다.

$$v = \frac{(\gamma_s - \gamma_w)d^2}{18\eta}$$

101 흙 속의 물이 얼어서 빙층(ice lens)이 형성되기 때문에 지표면이 떠오르는 현상은?

① 연화현상
② 다일러턴시(dilatancy)
③ 동상현상
④ 분사현상

해설

흙 속의 공극수가 동결하여 흙 속에 얼음층(ice lens)이 형성되기 때문에 체적이 팽창하여 지표면이 부풀어 오르는 현상을 동상현상(frost heaving)이라 한다.

97 ② 98 ④ 99 ② 100 ④ 101 ③ [정답]

102 데라다(寺田)의 동결깊이를 구하는 공식으로 다음 조건일 때 동결깊이를 구하면 얼마인가? (단, 기온이 -9℃로 25일간 계속되고 C=3.5이다)

① 52.5cm ② 5.25cm
③ 64.3cm ④ 6.43cm

해설

$Z = C\sqrt{F} = 3.5\sqrt{9 \times 25} = 52.5\text{cm}$

103 다음 중 동상을 발생시키는 주요 요소가 아닌 것은?

① 온 도 ② 지하수의 유무
③ 흙의 입경 ④ 흙의 마찰각

해설

동상이 일어나는 조건

1. 온도 : 0℃ 이하의 온도 지속시간이 길다.
2. 흙의 입경 : 실트질토가 존재
3. 지하수의 유무 : ice lens를 형성할 수 있도록 물의 공급이 충분해야 한다.

104 흙의 동상현상에 대하여 옳지 않은 것은?

① 점토는 동결이 장기간 계속될 때에만 동상을 일으키는 경향이 있다.
② 동상현상은 흙이 조립일수록 잘 일어나지 않는다.
③ 하층으로부터 물의 공급이 충분할 때 잘 일어나지 않는다.
④ 깨끗한 모래는 모관상승 높이가 작으므로 동상을 일으키지 않는다.

해설

동상현상은 하층으로부터 물의 공급이 충분할 때 잘 일어난다.

105 흙의 동해현상에 관한 다음 설명 중 옳지 않은 것은?

① 동해현상은 동상현상과 연화현상으로 일어난다.
② 동해현상은 일반적으로 실트질 흙에서 많이 나타난다.
③ 점토질 흙에서는 동상현상은 일어나지만 연화현상은 일어나지 않는다.
④ 동상현상은 입경과 밀접한 관계가 있다.

해설

우리나라의 모든 흙에서 동상현상이 일어나면 연화현상도 반드시 일어난다.

106 다음 사항 중 동상(frost heave)이 일어날 조건이 아닌 것은?

① 실트질 흙과 같은 동상을 받기 쉬운 흙이 존재해야 한다.
② 0℃ 이하의 온도가 오랫동안 계속되어야 한다.
③ 지하수위가 높아서 물의 공급이 충분하여야 한다.
④ 흙의 전단강도가 커야 한다.

해설

동해를 가장 받기 쉬운 흙은 실트질토이며 사질토와 같이 전단강도가 큰 흙은 동상이 잘 일어나지 않는다.

107 흙이 동상을 일으키기 위한 조건으로 가장 거리가 먼 것은?

① 아이스 렌즈를 형성하기 위한 충분한 물의 공급
② 양(+)이온을 다량 함유할 것
③ 0℃ 이하의 온도가 오랫동안 지속될 것
④ 동상이 일어나기 쉬운 토질일 것

해설

동상이 일어나는 조건

1. Ice lens를 형성할 수 있도록 물의 공급이 충분해야 한다.
2. 0℃ 이하의 동결온도가 오랫동안 지속되어야 한다.
3. 동상을 받기 쉬운 흙(실트질토)이 존재해야 한다.

102 ① 103 ④ 104 ③ 105 ③ 106 ④ 107 ② [정답]

108 동상량을 지배하는 중요한 요소가 아닌 것은?

① 모관상승고의 크기
② 흙의 투수계수
③ 동결온도의 계속시간
④ 동결심도 하단에서 지하수면까지의 거리가 모관수두보다 클 때

해설

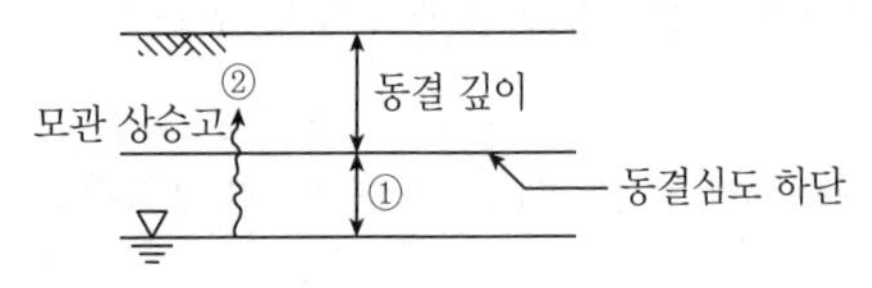

지하수위면에서 동결심도 하단까지의 거리(그림 ①)가 모관상승고(그림 ②)보다 작을 때 동상량이 커진다.

109 흙의 동상에 관한 다음 설명 중 옳지 않은 것은?

① 토층의 동결은 보통 지표면에서 아래쪽을 향하여 진행된다.
② 모래나 자갈은 투수성이 크지만 모관현상은 낮으므로 동상은 그다지 크게 일어나지 않는다.
③ 점토는 모관상승고가 높으므로 실트질 흙보다 동상현상이 크게 일어난다.
④ 흙의 모관성이 클 때 동상현상이 현저하게 일어난다.

해설

토질에 따른 동해

1. 실트질토는 모관상승고나 투수가 비교적 크기 때문에 주위의 수분공급이 쉬워 두꺼운 빙층이 발생한다.
2. 점토질토는 공극비가 작고 투수가 작기 때문에 주위의 수분공급이 어려워 많은 얇은 빙층이 발생하지만 하나하나의 빙층은 얇다.
3. 따라서 실트질토가 점토질토보다 동상현상이 크게 일어난다.

110 다음 중에서 동해가 가장 심하게 발생하는 토질은?

2004. 서울시 7급

① 점 토　② 실 트
③ 콜로이드　④ 모 래

해설

동해가 가장 심하게 발생하는 흙은 실트질토이다.

111 같은 크기의 원통에 포화된 실트질 흙을 그림과 같이 설치하였을 때 동상량이 큰 것부터 나열한 순서로 옳은 것은 어느 것인가? (단, 시료의 상부는 빙점 이하이며 하부는 빙점 이상이다)

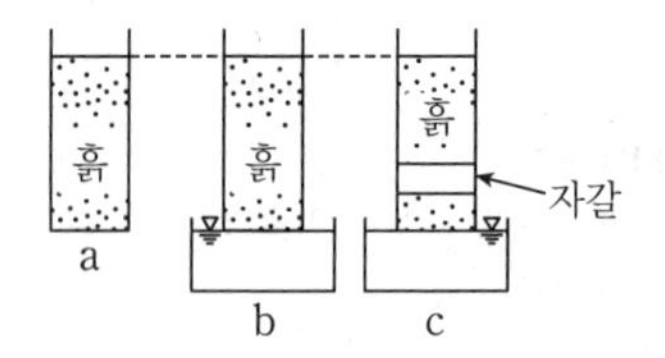

① a−b−c　② c−b−a
③ b−c−a　④ b−a−c

해설

1. 그림 a : 물의 공급이 없으므로 동상이 일어나지 않는다.
2. 그림 b : 물의 공급이 원활하므로 동상량이 크다.
3. 그림 c : 자갈층 아래에서만 물의 공급이 있으므로 자갈층 상부에서는 동상이 일어나지 않는다.

112 흙이 동상작용을 받으면 이 흙은 동상작용을 받기 전의 흙에 비해 함수비가 어떻게 되는가?

① 감소한다.　② 증가한다.
③ 일정하다.　④ 증가하거나 감소한다.

해설

얼음의 결정인 ice lens는 인접해 있는 간극 속의 물을 끌어들여 결정이 더 커지려는 힘이 있기 때문에 흙이 동상작용을 받으면 함수비는 증가하게 된다.

108 ④　109 ③　110 ②　111 ③　112 ② [정답]

113 흙의 동해에 대한 설명으로 옳지 않은 것은?

2011. 국가직 7급

① 흙의 동해에는 아이스렌즈(ice lens) 형성에 의한 동상과 아이스렌즈의 융해에 의한 강도 저하를 말한다.
② 점토질 지층은 충분한 물이 공급되면 동상이 발생할 수 있다.
③ 지하수위가 깊어도 동결선이 모관상승고 이내면 동해를 받을 수 있다.
④ 실트질 흙은 점토질 흙에 비하여 간극이 커서 모관상승고가 낮으므로 동상 피해가 적다.

해설

동상피해가 가장 큰 흙은 실트질토이다.

114 동상(frost heaving)에 대한 설명으로 옳지 않은 것은?

2015. 국가직

① 실트질 지반보다 자갈지반에서 동상이 잘 일어난다.
② 아이스렌즈를 형상하기 위한 물의 공급이 충분할수록 동상이 잘 일어난다.
③ 0도 이하 온도의 지속시간이 길수록 동상이 잘 일어난다.
④ 동상은 주로 지표 부근에서 잘 일어난다.

해설

동해를 가장 받기 쉬운 흙은 실트질토이다.

115 다음 설명 중에서 동상(凍上)에 대한 대책 방법이 될 수 없는 것은 어느 것인가?

① 지하수위와 동결깊이 하단 사이에 모래, 자갈층을 형성하여 모관상승을 막는다.
② 동결깊이 내의 실트질 흙을 모래나 자갈로 치환한다.
③ 동결깊이 내의 흙에 NaCl, $MgCl_2$ 등을 섞는다.
④ 아이스 렌즈(ice lens)가 형성될 수 있도록 충분한 물을 공급한다.

해설

하층으로부터의 충분한 물이 공급되면 렌즈모양으로 발달한 얼음층(ice lens)이 형성되기 때문에 동상현상이 일어난다.

116 일반적으로 흙의 모관상승고(height of capillary rise)가 가장 큰 순서로 배열된 것은?

① 모래－실트－점토
② 실트－점토－모래
③ 점토－모래－실트
④ 점토－실트－모래

117 다음 중 동상(凍上)이 일어나기 쉬운 지반조건인 것은?

① 지하수위 바로 위에 불투수성 점성토지반이 존재한다.
② 모래질 지반으로 지하수위가 지표면에서 10m 이상 멀다.
③ 실트질 지반으로 지하수위가 지표면과 가깝다.
④ 실트질 모래지반으로 지반의 지지력이 상당히 높다.

118 동상을 방지하기 위한 대책으로 잘못 설명된 것은?

① 배수구를 설치하여 지하수위를 저하시킨다.
② 지표의 흙을 화학약액으로 처리한다.
③ 흙 속에 단열재를 설치한다.
④ 모관수를 차단하기 위해 세립토층을 지하수면 위에 설치한다.

해설

모관수를 차단하기 위해 지하수위보다 높은 곳에 조립의 차단층(모래, 콘크리트, 아스팔트)을 설치한다.

113 ④ 114 ① 115 ④ 116 ④ 117 ③ 118 ④ [정답]

119 흙의 동상에 대한 방지대책이 아닌 것은?

① 배수구를 설치하여 지하수위를 낮추는 방법
② 지표의 흙을 화학약액으로 처리하는 방법
③ 동결심도 아래에 있는 흙을 사질토로 치환하는 방법
④ 흙 속에 단열재를 매설하는 방법

해설

흙의 동상방지 대책

1. 배수구를 설치하여 지하수위를 낮춘다.
2. 모관수의 상승을 방지하기 위해 지하수위보다 높은 곳에 조립의 차단층(모래, 콘크리트, 아스팔트)을 설치한다.
3. 동결심도보다 위에 있는 흙을 동결하기 어려운 재료(자갈, 쇄석, 석탄재)로 치환한다.
4. 지표면 근처에 단열재료(석탄재, 코크스)를 넣는다.
5. 지표의 흙을 화학약품 처리($CaCl_2$, $NaCl$, $MgCl_2$)하여 동결온도를 낮춘다.

120 동상방지 대책에 대한 설명 중 옳지 않은 것은?

① 배수구 등을 설치해서 지하수위를 저하시킨다.
② 모관수의 상승을 차단하기 위해 조립의 차단층을 지하수위보다 높은 위치에 설치한다.
③ 동결깊이보다 낮게 있는 흙을 동결하지 않는 흙으로 치환한다.
④ 지표의 흙을 화학약품으로 처리하여 동결온도를 내린다.

해설

동결심도 상부의 흙을 동결하기 어려운 재료(자갈, 쇄석, 석탄재)로 치환한다.

121 흙의 동상피해를 막기 위한 대책으로 옳은 것은?

① 동결깊이 상부 흙을 동상현상이 잘 발생하지 않는 흙으로 치환한다.
② 가급적 지하수위를 높인다.
③ 조립 필터층을 지하수위보다 아래에 설치한다.
④ 도로 포장시 포장하부 깊은 곳에 단열재료를 설치한다.

해설

동상방지 대책

1. 배수구를 설치하여 지하수위를 낮춘다.
2. 지하수위보다 높은 곳에 조립의 차단층(모래, 콘크리트 등)을 설치한다.
3. 동결심도 상부의 흙을 동결하기 어려운 재료(자갈, 쇄석, 석탄재 등)로 치환한다.
4. 지표면 근처에 단열재료(석탄재, 코크스)를 넣는다.

122 흙의 동해 중 연화현상의 주된 원인이 아닌 것은?

① 지하수의 상승
② 지표수의 침입
③ 배수구의 설치
④ 융해수가 배수되지 않고 저류될 때

해설

배수구를 설치하면 융해수가 배제되므로 연화현상이 발생하지 않는다.

119 ③ 120 ③ 121 ① 122 ③ [정답]

흙의 투수성과 침투

기출 및 적중예상문제 Ⅱ [5지선다형]

여기에 수록된 「기출문제」는 수험생들의 기억을 바탕으로 유사한 유형의 문제로 새로이 창작하여 구성하였습니다. 따라서 원안과 동일하지는 않지만 출제 수준과 경향을 파악하는 데 결정적인 도움을 주리라 믿습니다.

01 흙 속의 수류에 관한 Darcy의 법칙이 적용되는 흐름은 어느 것인가?

① 난 류　② 층 류
③ 층류와 난류　④ 한계류
⑤ 등 류

해설

Darcy의 법칙은 $R_e<4$인 층류에서 적용된다.

02 단면적 100m²의 사질토층에 물이 침투하여 흐르고 있다. 동수경사를 0.02, 사질토층의 투수계수를 2.0×10^{-2}cm/s라 할 때 침투수량은?

① $0.004m^3/s$　② $0.0004m^3/s$
③ $0.002m^3/s$　④ $0.0002m^3/s$
⑤ $0.0001m^3/s$

해설

$Q=KiA$
$=(2\times10^{-4})\times0.02\times100=0.0004m^3/s$

03 투수에 관한 다음 설명 중 틀린 것은 어느 것인가?

① 투수계수는 수온이 증가하면 커진다.
② 조립토는 세립토보다 투수계수가 크다.
③ 압밀시험에서 투수계수를 알 수 있다.
④ 투수계수는 물의 점성계수에 반비례한다.
⑤ Darcy의 법칙 v=Ki에서 평균유속 v는 물의 실제 침투속도이다.

해설

Darcy의 법칙에서 유속은 평균침투속도이다.

04 투수계수(K)에 관한 다음 설명 중 틀린 것은 어느 것인가?

① K는 토립자 직경의 제곱에 비례한다.
② K는 공극비에 비례한다.
③ K는 합성형상계수에 따라 변화한다.
④ K는 수온에 따라 변화하는데 점성계수와 비례관계가 있다.
⑤ K는 물의 단위중량에 비례한다.

해설

1. $K=D_s^2\frac{\gamma_w}{\mu}\frac{e^3}{1+e}C$
2. 투수계수는 점성에 반비례하고 온도에 비례한다.

05 다음 중 흙의 투수계수(K)에 영향을 미치는 요소가 아닌 것은?

① 온 도　② 입 경
③ 동수경사　④ 공극비
⑤ 형상계수

01 ② 02 ② 03 ⑤ 04 ④ 05 ③ [정답]

제4장

06 모래를 투수시험한 결과 공극비가 0.6일 때 2×10^{-2}cm/s의 투수계수를 얻었다. 같은 모래를 공극비 0.3으로 감소시켰을 때 투수계수는 얼마인가?

① 2.0×10^{-3}cm/s ② 3.0×10^{-3}cm/s
③ 4.0×10^{-3}cm/s ④ 5.0×10^{-3}cm/s
⑤ 6.0×10^{-3}cm/s

해설

$K_1 : K_2 = \frac{e_1^3}{1+e_1} : \frac{e_2^3}{1+e_2}$

$2\times10^{-2} : K_2 = \frac{0.6^3}{1+0.6} : \frac{0.3^3}{1+0.3}$

$\therefore K_2 = 3.08\times10^{-3}$cm/sec

07 A에서는 투수성이 크므로 충격에 의한 재하를 제외하면 거의 B 전단으로 볼 수 있는데 반하여 C에서는 전단시험시의 배수조건에 따라 전단강도가 크게 달라진다. 다음 중 A, B, C에 들어갈 말로 알맞은 것은 어느 것인가?

	A	B	C
①	사질토	배수	점성토
②	점성토	배 수	사질토
③	사질토	비배수	점성토
④	점성토	비배수	사질토
⑤	실트	배수	점성토

08 입도시험 결과 균등계수 C_u=6, D_{30}=0.21mm, D_{60}=0.84mm였다면 이 상수도 여과용 모래의 투수계수는 대략 얼마나 되겠는가? (단, C=100(cm · s)$^{-1}$이고 Hazen의 공식을 사용하시오)

① 2.0×10^{-2}cm/s ② 4.0×10^{-2}cm/s
③ 2.0cm/s ④ 3.0×10^{-1}cm/s
⑤ 4.0cm/s

해설

1. $C_u = \frac{D_{60}}{D_{10}}$

$6 = \frac{0.084}{D_{10}}$ $\therefore D_{10} = 0.014$cm

2. $K = CD_{10}^2 = 100\times0.014^2 = 0.02$cm/s

09 유효입경이 0.5mm인 모래의 투수계수를 Hazen의 식으로 구하면 다음 중 어느 것이 맞는가?

① 5×10^{-2}cm/s ② 10×10^{-2}cm/s
③ 20×10^{-2}cm/s ④ 25×10^{-2}cm/s
⑤ 27×10^{-2}cm/s

해설

$K = 100D_{10}^2 = 100\times0.05^2 = 0.25$cm/s

10 수위의 저하가 일어나지 않는 영향원의 반경은 우물의 중심으로부터 우물 반경의 몇 배 거리에 있는 지점인가?

① 500~1000배 ② 1000~3000배
③ 3000~5000배 ④ 5000~10000배
⑤ 10000~15000배

해설

영향원의 반경은 보통 우물반경의 3000~5000배 또는 우물 중심에서부터 500~1000m로 계산한다.

11 사질토의 실내투수시험 방법으로 가장 적합한 것은?

2005. 서울시 7급

① 정수위 투수시험 ② 변수위 투수시험
③ 압밀시험 ④ 액성한계시험
⑤ 다짐시험

해설

투수계수 측정

1. 경험공식에 의한 방법
2. 실내투수시험
   ① 정수위 투수시험 : 투수계수가 큰 조립토에 적합하다.
   ② 변수위 투수시험 : 투수계수가 작은 세립토에 적합하다.
   ③ 압밀시험 : 간접적인 측정방법이다.
3. 현장 투수시험
   ① 양정법 : 균일한 조립토에 적합하다.
   ② 주수법 : 투수계수가 작을 때 실시한다.

06 ② 07 ① 08 ① 09 ④ 10 ③ 11 ① [정답]

12 다음 투수시험 중 현장투수시험은 어느 것인가?

① Tube시험 ② 정수위 투수시험
③ 변수위 투수시험 ④ 수평모관시험
⑤ 답이 없다.

13 모래(A)와 비투수성 점토(B)를 실내투수시험하려고 한다. A, B에 적합한 시험은 다음 중 어느 것인가?

	A	B
①	변수위 투수시험	정수위 투수시험
②	정수위 투수시험	압밀시험
③	정수위 투수시험	변수위 투수시험
④	변수위 투수시험	수평모관 투수시험
⑤	수평모관 투수시험	정수위 투구시험

14 흙의 투수성의 정도를 나타내는 A는 B의 계산에도 이용된다. 다음 중 A, B에 들어갈 말로 알맞은 것은 어느 것인가?

	A	B
①	투수계수	압밀계수
②	압축계수	일차압밀비
③	투수계수	점성보정계수
④	압축계수	압밀침하
⑤	투수계수	수축계수

15 유효입경이 0.003mm, 공극비가 0.8인 점토에 있어서 모관수두의 범위는 어느 것인가?

① 3.26~10.24m ② 3.84~15.26m
③ 3.89~16.48m ④ 4.16~20.83m
⑤ 4.28~21.43m

해설

$$h_c = \frac{C}{eD_{10}}$$
$$= \frac{0.1\sim0.5}{0.8\times0.0003}$$
$$= 416.67\sim2083.33\text{cm}$$

16 내경 0.005mm인 유리관 내 모관상승고를 계산하여라. (단, 물과 유리의 접촉각은 0℃이고, 수온은 20℃이다)

① 200cm ② 300cm
③ 400cm ④ 500cm
⑤ 600cm

해설

$$h_c = \frac{0.3}{D} = \frac{0.3}{0.0005} = 600\text{cm}$$

17 물의 표면장력이 0.04g/cm, 물과 유리관벽과의 접촉각이 0°, 유리관의 지름이 0.03cm일 때 모관수두는?

① 3.00cm ② 30.0cm
③ 4.03cm ④ 5.33cm
⑤ 53.3cm

해설

$$h_c = \frac{4T\cos\theta}{\gamma_w D} = \frac{4\times0.04}{1\times0.03} = 5.33\text{cm}$$

18 그림과 같이 3층으로 되어 있는 성층토의 수평방향의 평균투수계수는 얼마인가?

$H_1=2.8\text{m}$	$K_1=3.01\times10^{-4}\text{cm/s}$
$H_2=3.6\text{m}$	$K_2=2.42\times10^{-4}\text{cm/s}$
$H_3=1.5\text{m}$	$K_3=4.02\times10^{-3}\text{cm/s}$

① 12.46×10^{-4}cm/s ② 9.8×10^{-4}cm/s
③ 7.77×10^{-4}cm/s ④ 2.25×10^{-4}cm/s
⑤ 4.12×10^{-4}cm/s

해설

$$K_h = \frac{K_{h1}h_1 + K_{h2}h_2 + K_{h3}h_3}{H}$$
$$= \frac{(3.01\times10^{-4})\times280 + (2.42\times10^{-4})\times360 + (4.02\times10^{-3})\times150}{280+360+150}$$
$$= 9.8\times10^{-4}\text{cm/s}$$

12① 13② 14① 15④ 16⑤ 17④ 18② [정답]

19 **어떤 유선망도에서 상하류면의 수두차가 4m, 등수두면의 수가 12개, 유로의 수가 6개일 때 침투유량은 얼마인가? (단, 투수층의 투수계수는 2.0×10^{-6}m/s)**

① $8.0\times10^{-4}\text{m}^3/\text{s/m}$
② $9.6\times10^{-6}\text{m}^3/\text{s/m}$
③ $4.0\times10^{-6}\text{m}^3/\text{s/m}$
④ $4.8\times10^{-4}\text{m}^3/\text{s/m}$
⑤ $2.4\times10^{-8}\text{m}^3/\text{s/m}$

해설

$$Q=KH\frac{N_f}{N_d}$$
$$=(2\times10^{-6})\times4\times\frac{6}{12}=4\times10^{-6}\text{m}^3/\text{s}$$

20 **다음 그림과 같은 지반에서 연직방향 평균투수계수의 크기?** 2005. 서울시 7급

2m	4×10^{-2}cm/s
3m	2×10^{-2}cm/s

① 3.5×10^{-2}cm/s ② 3.2×10^{-2}cm/s
③ 3.0×10^{-2}cm/s ④ 2.5×10^{-2}cm/s
⑤ 2.8×10^{-2}cm/s

해설

$$K_v=\frac{H}{\frac{h_1}{K_{v1}}+\frac{h_2}{K_{v2}}}$$
$$=\frac{500}{\frac{200}{4\times10^{-2}}+\frac{300}{2\times10^{-2}}}=0.025\text{cm/s}$$

21 **다음 유선망의 특징 중 틀린 것은 어느 것인가?**

① 각 유로의 침투유량은 윗부분의 것이 아랫부분의 것보다 적다.
② 유선과 등수두선은 직교한다.
③ 침투속도 및 동수구배는 유선망의 폭에 반비례한다.
④ 유선망으로 되는 사각형은 이론상 정사각형이다.
⑤ 침투속도 및 동수구배는 유선망의 폭에 반비례한다.

해설

유선망의 특징

1. 각 유로의 침투수량은 서로 같다.
2. 유선과 등수두선은 서로 직교한다.
3. 유선망으로 된 사각형은 이론상 정사각형이므로 유선망의 폭과 길이는 같지만 이 정사각형의 면적은 서로 다르다.
4. 침투속도 및 동수구배는 유선망의 폭에 반비례한다.

22 **다음 흙 중 동상의 영향을 가장 많이 받는 흙은?** 2005. 서울시 7급

① 실 트 ② 점 토
③ 자 갈 ④ 모 래
⑤ 옥 석

해설

동해를 가장 받기 쉬운 흙은 비교적 모관상승고가 크고 투수성도 큰 실트질토이다.

23 **다음 흙 중 동해의 위험이 가장 큰 흙은?**

① SW ② GP
③ ML ④ CH
⑤ CL

19 ③ 20 ④ 21 ① 22 ① 23 ③ [정답]

24 동상(凍上)에 대한 설명 중 옳지 않은 것은?

① 토중수(土中水)가 동결(凍結)하면 체적이 팽창한다.
② 동상층(凍上層)은 흙의 종류에 따라 다르다.
③ 융해할 때 연약화(軟弱化)하여 지지력을 상실한다.
④ 하부기층(下部基層)에 일부를 사층(砂層)으로 대치하면 동상(凍上)을 방지할 수 있다.
⑤ 점토분이 많으면 실트질보다 동상고(凍上高)가 더 크다.

해설

동해를 가장 받기 쉬운 흙은 비교적 모관상승고가 크고 투수성도 큰 실트질토이다.

25 동상방지공법 중 틀린 것은 어느 것인가?

① 배수구 등의 설치로 지하수위를 저하시키는 방법
② 흙 속에 단열재료를 매입하는 방법
③ 동결깊이 상부에 있는 흙을 동결되지 않는 재료로 지환하는 방법
④ 조립토층을 지하수위보다 얕은 위치에 설치하는 방법
⑤ 지표의 흙을 화학약액으로 처리하는 방법

해설

동상방지 대책 공법

1. 배수구를 설치하여 지하수위를 낮춘다.
2. 모관수의 상승을 방지하기 위해 지하수위보다 높은 곳에 조립의 차단층(모래, 콘크리트, 아스팔트)을 설치한다.
3. 동결심도보다 위에 있는 흙을 동결하기 어려운 재료(자갈, 쇄석, 석탄재)로 치환한다.
4. 지표면 근처에 단열재료(석탄재, 코크스)를 넣는다.
5. 지표의 흙을 화학약품 처리($CaCl_2$, $NaCl$, $MgCl_2$)하여 동결온도를 낮춘다.

24 ⑤ 25 ④ [정답]

토목직 공무원·공기업 토질역학

유효응력

Chapter 05

유효응력

01 유효응력의 개념

유효응력의 원리는 최초로 Terzaghi에 의해 제안되었다.

1. 유효응력과 간극수압

(1) 유효응력(effective pressure ; $\bar{\sigma}$)

단위면적 중의 입자 상호간의 접촉점에 작용하는 압력으로 토립자만을 통해서 전달되는 연직응력이다. 유효응력은 토층 내에서 흙의 체적변화와 강도를 지배하며 흙이 보다 촘촘한 상태로 구속되면 큰 유효응력이 발생한다.

(2) 간극수압(pore water pressure ; u)

단위면적 중의 간극수가 받는 압력으로 중립응력이라고도 한다.

① $S_r=100\%$일 때

$u=\gamma_w h$ ······························ (5-1)

② $0<S_r<100\%$일 때

$u=\gamma_w h S_r$ ······························ (5-2)

(3) 전응력(total pressure ; σ)

① 단위면적 중의 물과 흙에 작용하는 압력이다.

② $\sigma=\bar{\sigma}+u$ ······························ (5-3)

2. 흙의 자중으로 인한 응력

(1) 연직방향 응력

$\sigma_v=\gamma Z$ ······························ (5-4)

(2) 수평방향 응력

$$\sigma_h = \sigma_v K \quad \cdots\cdots (5-5)$$

여기서, K : 토압계수

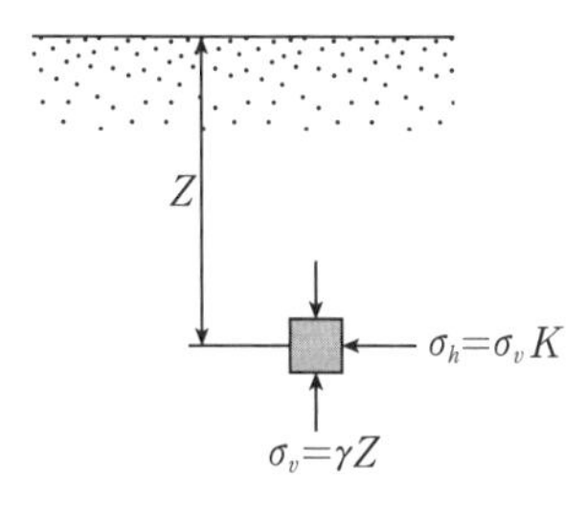

[그림 5-1] 지반 내 한 점에 작용하는 응력

02 침투가 없는 포화토의 유효응력

1. 전응력

$$\sigma = \gamma_w h_w + \gamma_{sat} h$$

2. 간극수압

$$u = \gamma_w (h_w + h)$$

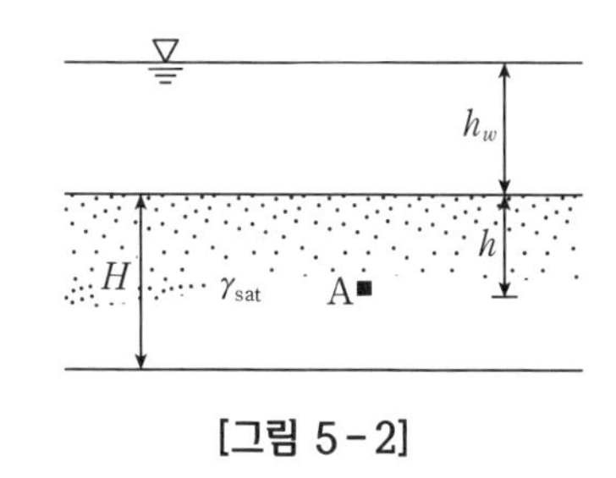

[그림 5-2]

3. 유효응력

$$\begin{aligned}\bar{\sigma} &= \sigma - u \\ &= \gamma_w h_w + \gamma_{sat} h - \gamma_w (h_w + h) \\ &= (\gamma_{sat} - \gamma_w) h \\ &= \gamma_{sub} h\end{aligned}$$

03 모관상승 영역에서의 유효응력

1. 모관상승으로 지표면까지 완전 포화된 경우

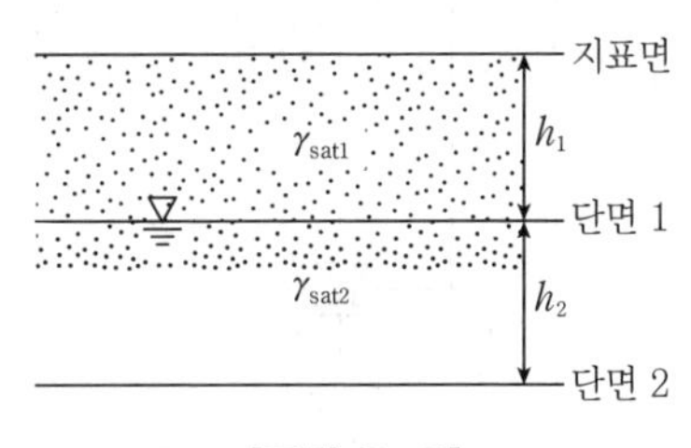

[그림 5-3]

지표면	단면 1	단면 2
① $\sigma=0$ ② $u=-\gamma_w h_1$ ③ $\bar{\sigma}=\sigma-u$ $=\gamma_w h_1$	① $\sigma=\gamma_{sat1} h_1$ ② $u=0$ ③ $\bar{\sigma}=\sigma=\gamma_{sat1} h_1$	① $\sigma=\gamma_{sat1} h_1+\gamma_{sat2} h_2$ ② $u=\gamma_w h_2$ ③ $\bar{\sigma}=\sigma-u$ $=\gamma_{sat1} h_1+(\gamma_{sat2}-\gamma_w)h_2$ $=\gamma_{sat1} h_1+\gamma_{sub2}h_2$

Check Point

1. 모관작용이 일어나면 유효응력이 증가한다.
2. 모관작용이 일어나는 영역에서는 전응력보다 유효응력이 크다.

2. 모관상승으로 부분적으로 포화된 경우

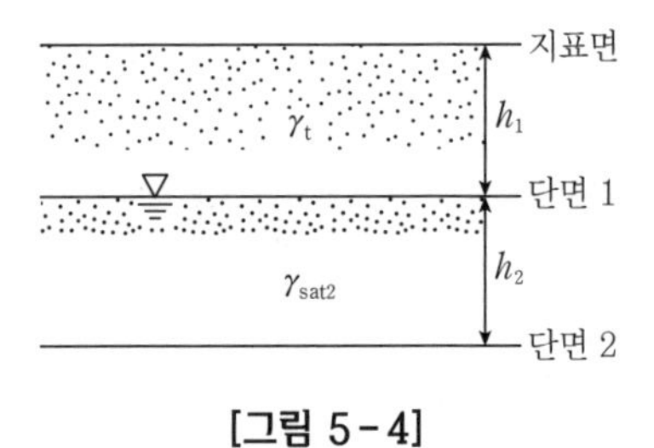

[그림 5-4]

지표면	단면 1	단면 2
① $\sigma=0$ ② $u=-\gamma_w h_1 S_r$ ③ $\bar{\sigma}=\sigma-u$ $=\gamma_w h_1 S_r$	① $\sigma=\gamma_t h_1$ ② $u=0$ ③ $\bar{\sigma}=\sigma-u$ $=\gamma_t h_1$	① $\sigma=\gamma_t h_1+\gamma_{sat} h_2$ ② $u=\gamma_w h_2$ ③ $\bar{\sigma}=\sigma-u$ $=\gamma_t h_1+\gamma_{sub} h_2$

3. 모관현상이 없는 경우

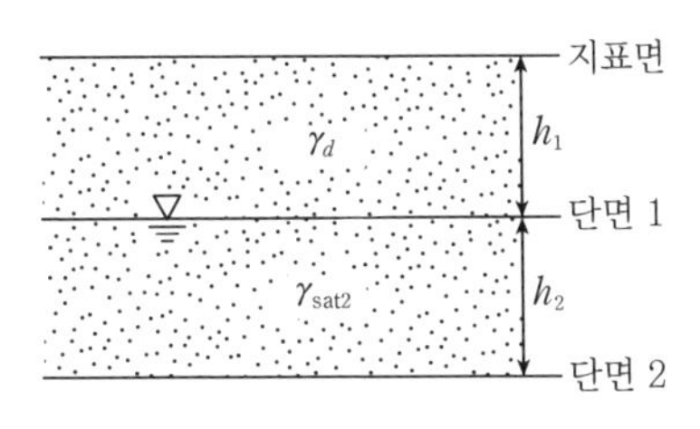

[그림 5-5]

지표면	단면 1	단면 2
① $\sigma=0$ ② $u=0$ ③ $\bar{\sigma}=\sigma-u=0$	① $\sigma=\gamma_d h_1$ ② $u=0$ ③ $\bar{\sigma}=\sigma-u$ $=\gamma_d h_1$	① $\sigma=\gamma_d h_1+\gamma_{sat} h_2$ ② $u=\gamma_w h_2$ ③ $\bar{\sigma}=\sigma-u$ $=\gamma_d h_1+\gamma_{sub} h_2$

04 침투가 있는 포화토의 유효응력

토층 내부의 어떤 점에서 유효응력은 물의 침투로 인해 생긴 침투압에 의해 변화하는데 그것은 침투의 방향에 따라 증가 또는 감소한다.

1. 침투수압(seepage pressure)

(1) 정의

토층 내부의 두 점 사이에 수두차에 의한 침투수로 인하여 생긴 유효응력을 **침투수압**이라 하는데 이것은 흙입자의 표면과 유수의 마찰저항으로 인한 것이다.

(2) 침투수압

침투수압은 물이 흐르는 방향으로 작용하며 그 크기는 $\gamma_w \Delta h$이다.
단위체적당 침투압은

$F=\dfrac{\gamma_w \Delta h A}{lA}=i\gamma_w$이므로

깊이 Z에서의 단위면적당 침투수압은

$$F=i\gamma_w Z \quad \cdots\cdots (5-6)$$

2. 흐름의 방향에 따른 유효응력의 변화

(1) 상향침투일 때

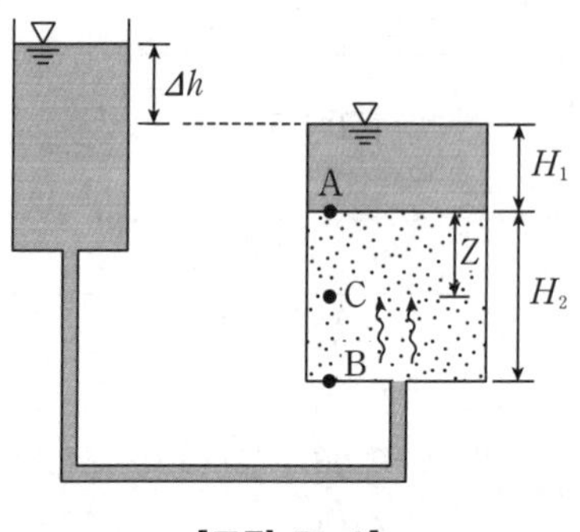

[그림 5-6]

① A점

㉠ $\sigma=\gamma_w H_1$

㉡ $u=\gamma_w H_1+F=\gamma_w H_1 \quad \left(\because F=i\gamma_w h=\dfrac{\Delta h}{H_2}\gamma_w \times 0=0\right)$

㉢ $\bar{\sigma}=\sigma-u=0$

② C점

㉠ $\sigma=\gamma_w H_1+\gamma_{\text{sat}} Z$

㉡ $u=\gamma_w (H_1+Z)+F=\gamma_w (H_1+Z)+\dfrac{\Delta h}{H_2}\gamma_w Z$

$=\gamma_w\left(H_1+Z+\dfrac{\Delta h}{H_2}Z\right) \quad \left(\because F=i\gamma_w h=\dfrac{\Delta h}{H_2}\gamma_w Z\right)$

㉢ $\bar{\sigma}=\sigma-u=\gamma_w H_1+\gamma_{\text{sat}} Z-\gamma_w\left(H_1+Z+\dfrac{\Delta h}{H_2}Z\right)$

$=\gamma_{\text{sub}} Z-\gamma_w \dfrac{\Delta h}{H_2}Z$

③ B점

㉠ $\sigma=\gamma_w H_1+\gamma_{sat} H_2$

㉡ $u=\gamma_w(H_1+H_2)+F=\gamma_w(H_1+H_2)+\Delta h\gamma_w$

$=\gamma_w(H_1+H_2+\Delta h)\quad\left(\because F=i\gamma_w h=\dfrac{\Delta h}{H_2}\gamma_w H=\Delta h\gamma_w\right)$

㉢ $\bar{\sigma}=\sigma-u=\gamma_w H_1+\gamma_{sat} H_2-\gamma_w(H_1+H_2+\Delta h)$

$=\gamma_{sub} H_2-\gamma_w\Delta h$

즉, 유효응력이 침투수압만큼 감소하였다.

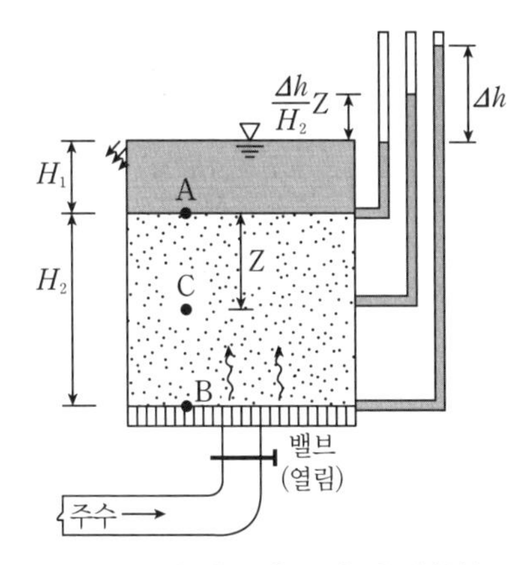

[그림 5-7] 탱크 속 토층의 상향침투

Check Point

상향침투시 응력의 변화	하향침투시 응력의 변화
① $\bar{\sigma}=\bar{\sigma}'-F$ ② $u=u'+F$	① $\bar{\sigma}=\bar{\sigma}'+F$ ② $u=u'-F$

(2) 하향침투일 때

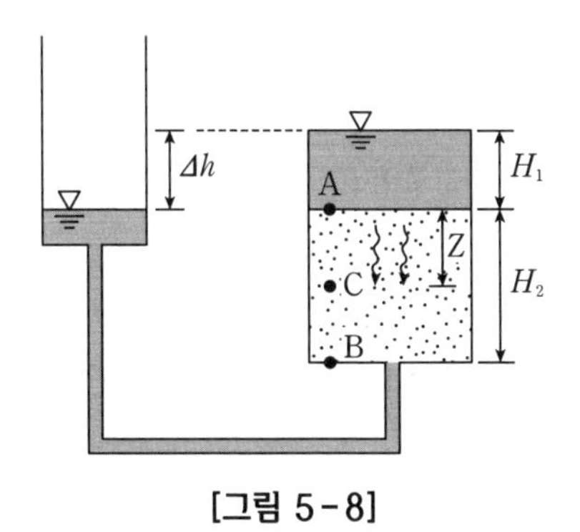

[그림 5-8]

① A점

㉠ $\sigma=\gamma_w H_1$

㉡ $u=\gamma_w H_1-F=\gamma_w H_1 \quad \left(\because F=i\gamma_w h=\dfrac{\Delta h}{H_2}\gamma_w \times 0=0\right)$

㉢ $\overline{\sigma}=\sigma-u=0$

② C점

㉠ $\sigma=\gamma_w H_1+\gamma_{sat} Z$

㉡ $u=\gamma_w(H_1+Z)-F=\gamma_w(H_1+Z)-\dfrac{\Delta h}{H_2}\gamma_w Z$

$=\gamma_w\left(H_1+Z-\dfrac{\Delta h}{H_2}Z\right) \quad \left(\because F=i\gamma_w h=\dfrac{\Delta h}{H_2}\gamma_w Z\right)$

㉢ $\overline{\sigma}=\sigma-u=\gamma_w H_1+\gamma_{sat} Z-\gamma_w\left(H_1+Z-\dfrac{\Delta h}{H_2}Z\right)$

$=\gamma_{sub} Z+\gamma_w \dfrac{\Delta h}{H_2}Z$

③ B점

㉠ $\sigma=\gamma_w H_1+\gamma_{sat} H_2$

㉡ $u=\gamma_w (H_1+H_2)-F=\gamma_w (H_1+H_2)-\Delta h\gamma_w$

$=\gamma_w (H_1+H_2-\Delta h) \quad \left(\because F=i\gamma_w h=\dfrac{\Delta h}{H_2}\gamma_w H=\Delta h\gamma_w\right)$

㉢ $\overline{\sigma}=\sigma-u=\gamma_w H_1+\gamma_{sat} H_2-\gamma_w (H_1+H_2-\Delta h)$

$=\gamma_{sub} H_2+\gamma_w \Delta \mathrm{h}$

즉, 유효응력이 침투수압만큼 증가하였다.

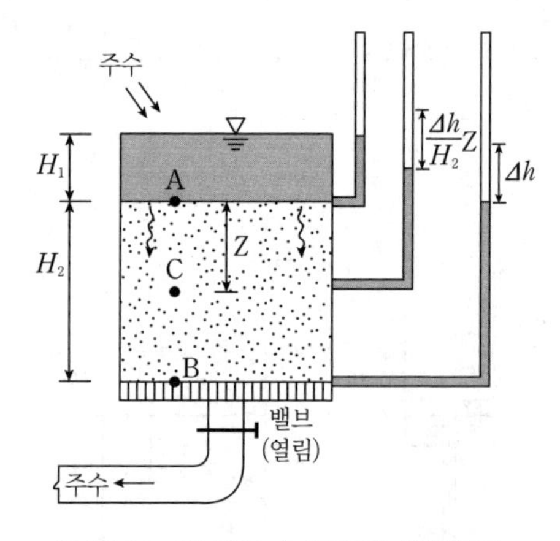

[그림 5-9] 탱크 속 토층의 하향침투

05 분사현상(quick sand)

1. 정 의

상향침투시 침투수압에 의해 동수경사가 점점 커져서 한계동수경사보다 커지게 되면 토립자가 물과 함께 위로 솟구쳐 오르는데 이러한 현상을 **분사현상**이라 하며 주로 사질토 지반(특히 모래)에서 일어난다. 그 이유는 점성토 지반에서는 유효응력이 0이 되었다 하더라도 점착력 때문에 전단강도가 0이 되지 않기 때문이다.

2. 한계동수경사

토층 표면에서 임의의 깊이 Z에서의 유효응력은 물의 상향침투 때문에 감소한다.

$$\overline{\sigma}=\gamma_{\text{sub}}Z-i\gamma_w Z$$

침투압이 커져서 $\overline{\sigma}=0$일 때의 경사를 한계동수경사라 하므로

$$\gamma_{\text{sub}}Z-i_{cr}\gamma_w Z=0$$

$$\therefore\ i_{cr}=\frac{\gamma_{\text{sub}}}{\gamma_w}=\frac{G_s-1}{1+e} \qquad \text{(5-7)}$$

자연적으로 퇴적된 모래의 수중단위중량은 대략 1에 가깝고 물의 단위중량도 1이므로 한계동수경사의 값은 일반적으로 1이다.

3. 안전율

(1) 한계동수경사법

$$F_s=\frac{i_c}{i}=\frac{\dfrac{G_s-1}{1+e}}{\dfrac{h}{L}} \qquad \text{(5-8)}$$

$F_s>1$이면 분사현상이 발생하지 않는다.

(2) 유선망에 의한 방법

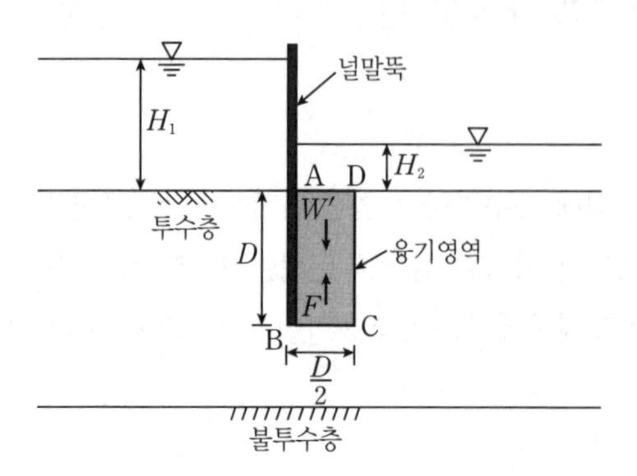

[그림 5-10] 널말뚝 하류측의 융기 검토

① 융기영역 내에 있는 흙의 수중중량

$$W' = D \cdot \frac{D}{2}\gamma_{\text{sub}} = \frac{1}{2}\gamma_{\text{sub}} D^2 \quad \cdots\cdots (5-9)$$

② 융기영역 내에 있는 상향 침투력

$$F = i_{av}\gamma_w \cdot \left(D \cdot \frac{D}{2}\right) = \frac{1}{2} i_{av}\gamma_w D^2 \quad \cdots\cdots (5-10)$$

③ 안전율

$$F_s = \frac{W'}{F} = \frac{\frac{1}{2}\gamma_{\text{sub}} D^2}{\frac{1}{2} i_{av}\gamma_w D^2} = \frac{\gamma_{\text{sub}}}{i_{av}\gamma_w} = \frac{i_c}{i_{av}} \quad \cdots\cdots (5-11)$$

여기서, $i_{av} = \frac{h_{av}}{D}$

h_{av} : 평균손실수두($\overline{BC}$면에서 유출면까지의 평균손실수두)

$$h_{av} = \left(\frac{n_{d_1}}{N_d} + \frac{n_{d_2}}{N_d}\right) \times \frac{1}{2} \times H$$

H : 수두차($H = H_1 - H_2$)

(3) TerZaghi 방법

$$F_s = \frac{i_c}{i_{av}} = \frac{\gamma_{\text{sub}}}{i_{av}\gamma_w} = \frac{\gamma_{\text{sub}}}{\frac{h_{av}}{D} \cdot \gamma_w} = \frac{D\gamma_{\text{sub}}}{h_{av}\gamma_w} \quad \cdots\cdots (5-12)$$

일반적으로 h_{av}는 안전측으로 $\frac{H}{2}$로 간주할 수 있으므로 안전율은 다음 식으로 계산할 수 있다.

$$F_s = \frac{2D\gamma_{\text{sub}}}{H\gamma_w} \quad \cdots\cdots (5-13)$$

Q 예제

다음 그림과 같은 널말뚝 하류에서의 융기에 대한 안전율을 구하라.

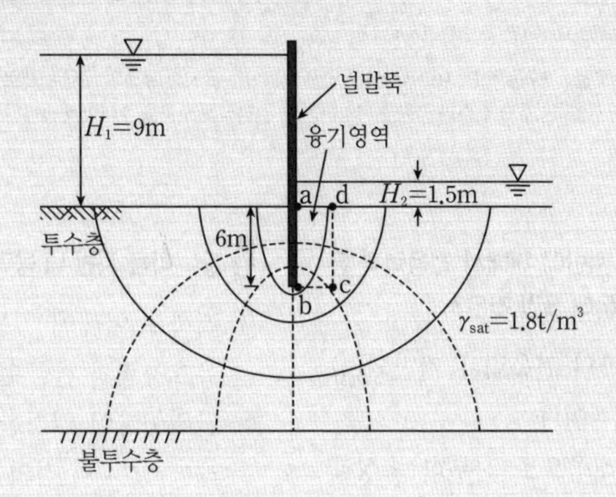

풀이

1. h_{av}

   ① b에서 a까지의 손실수두 $= \frac{3}{6} \times 7.5 = 3.75\text{m}$

   ② c에서 d까지의 손실수두 $= \frac{1.8}{6} \times 7.5 = 2.25\text{m}$

   ③ $h_{av} = \frac{3.75 + 2.25}{2} = 3\text{m}$

2. $i_{av} = \frac{h_{av}}{D} = \frac{3}{6} = 0.5$

3. $F_s = \frac{i_c}{i_{av}} = \frac{0.8}{0.5} = 1.6$

♣ 융기에 대해 가장 위험한 곳은 널말뚝에 인접한 면 ba이다.

   1. $i_{av} = \frac{h_{av}}{D} = \frac{3.75}{6} = 0.625$

   2. $F_s = \frac{i_c}{i_{av}} = \frac{0.8}{0.625} = 1.28$

제5장

Chapter 05

유효응력

기출 및 적중예상문제 I [4지선다형]

여기에 수록된 「기출문제」는 수험생들의 기억을 바탕으로 유사한 유형의 문제로 새로이 창작하여 구성하였습니다. 따라서 원안과 동일하지는 않지만 출제 수준과 경향을 파악하는 데 결정적인 도움을 주리라 믿습니다.

01 **다음은 바다밑에 있는 지반에 대해서 전응력과 유효응력을 설명한 것이다. 이 가운데 틀린 것은?**

① 정수압 상태에 있는 지반의 전응력은 지반의 유효응력과 정수압과의 합계이다.

② 물이 지반을 통하여 아래쪽으로 침투하는 상태에 있을 때는 유효응력이 증가한다.

③ 정수압을 받고 있는 지반의 유효응력은 그 전응력보다 작다.

④ 정수압을 받고 있는 지반의 전응력은 언제나 정수압과 같다.

해설

1. 정수압상태일 때 $\sigma = \bar{\sigma} + u$
2. 하향침투일 때 $\bar{\sigma} = \bar{\sigma}' + F$이므로 침투수압만큼 유효응력이 증가한다.

02 **유효응력에 관한 설명 중 틀린 것은?**

① 포화된 흙인 경우 전응력에서 공극수압을 뺀 값이다.

② 항상 전응력보다는 적은 값이다.

③ 점토지반의 압밀에 관계되는 응력이다.

④ 건조한 지반에서는 전응력과 같은 값으로 본다.

해설

모관작용이 일어나는 영역에서는 $\bar{\sigma} = \sigma - u = \sigma - (-\gamma_w h) = \sigma + \gamma_w h$이므로 유효응력이 전응력보다 크다.

03 **다음 지반 내 응력의 설명 중 틀린 것은?**

① 지하수 아래에 있는 미립 소 요소의 수직응력은 유효응력과 간극수압의 합으로 계산된다.

② 단위중량이 일정한 건조한 흙의 경우 지표면 아래에 있는 일 점의 전응력과 유효응력은 같다.

③ 흙의 변형은 전응력보다 유효응력의 크기에 지배된다.

④ 지하수 아래에 있는 포화토 가운데의 일 점에 있어 유효응력은 물의 높이에 따라 커진다.

해설

유효응력은 토립자 상호간의 접촉점에 작용하는 압력이므로 물의 높이에는 무관하고 흙의 깊이에 따라 증가한다.

04 **다음 그림에서 흙 속 6cm 깊이에서의 중립응력은? (단, 포화된 흙의 단위체적중량은 1.9g/cm³)**

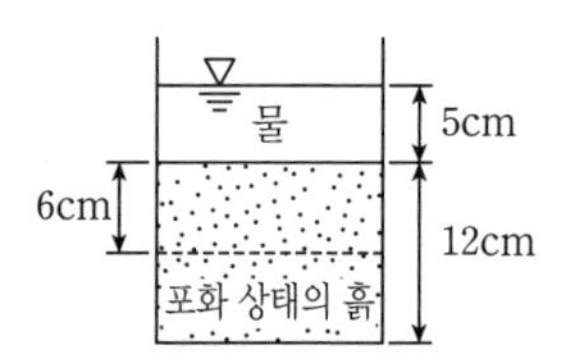

① 5.4g/cm²

② 10.4g/cm²

③ 11.0g/cm²

④ 15.8g/cm²

해설

중립응력(간극수압)

$u = \gamma_w h = 1 \times (5+6) = 11\text{g/cm}^2$

01 ④ 02 ② 03 ④ 04 ③ [정답]

05 습윤밀도가 1.6t/m³, 수중밀도가 0.8t/m³일 때 그림의 X-X면에 작용하는 유효응력은?

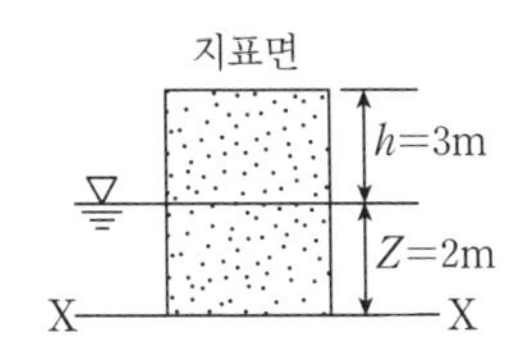

① 5.6t/m^2　② 6.4t/m^2
③ 7.3t/m^2　④ 8.2t/m^2

해설

1. $\sigma = \gamma_t h + \gamma_{sat} Z = 1.6 \times 3 + 1.8 \times 2 = 8.4\text{t/m}^2$
2. $u = \gamma_w h = 1 \times 2 = 2\text{t/m}^2$
3. $\bar{\sigma} = \sigma - u = 8.4 - 2 = 6.4\text{t/m}^2$

06 지하수위가 지표면과 일치하는 두께 10m의 단일 토층지반에서 수위가 강하하여 지표면으로부터 3m 지점까지 내려갔다. 지표면으로부터 깊이 4m 지점에서 수위강하로 인한 연직 유효응력 증가량(tf/m²)은? (단, 흙의 포화단위중량은 2tf/m³이며 수위강하 후 포화도의 변화는 없는 것으로 간주한다)

2008. 국가직 7급

① 3　② 4
③ 7　④ 8

해설

1. $\sigma = \gamma_{sat} h = 2 \times 4 = 8\text{tf/m}^2$
   $u = \gamma_w h = 1 \times 4 = 4\text{tf/m}^2$
   $\bar{\sigma} = \sigma - u = 8 - 4 = 4\text{tf/m}^2$
2. $\sigma = \gamma_{sat} h = 2 \times 4 = 8\text{tf/m}^2$
   $u = \gamma_w h = 1 \times 1 = 1\text{tf/m}^2$
   $\bar{\sigma} = \sigma - u = 8 - 1 = 7\text{tf/m}^2$
3. $\Delta\bar{\sigma} = 7 - 4 = 3\text{tf/m}^2$

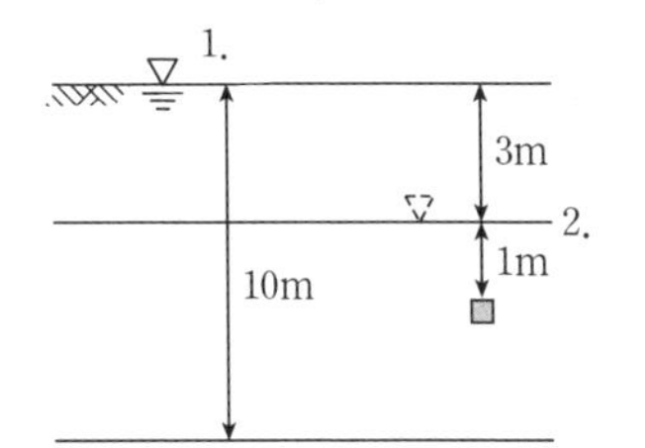

07 다음과 같이 지하수위면으로부터 지표면까지 지층이 모세관 현상에 의해 50% 포화되었다면, A점에서 유효연직응력(kN/m²)은? (단, 간극비는 0.5, 비중은 2.65, 물의 단위중량은 10kN/m³이며, 계산시 소숫점 셋째자리부터 버린다)

2011. 지방직 7급

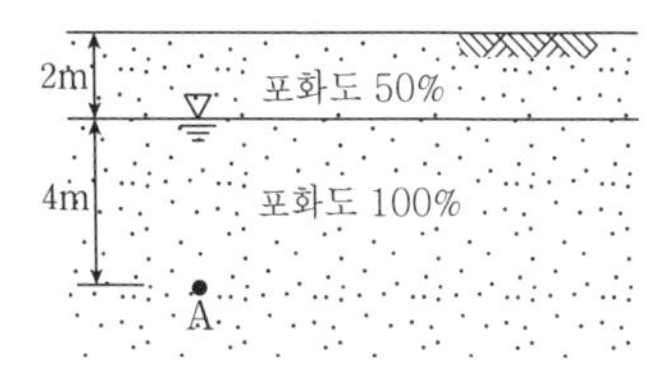

① 82.66　② 115.98
③ 122.66　④ 126.00

해설

1. $\gamma_t = \dfrac{G_s + Se}{1+e}\gamma_w = \dfrac{2.65 + 0.5 \times 0.5}{1+0.5} \times 10 = 19.33\text{kN/m}^3$
2. $\gamma_{sat} = \dfrac{G_s + e}{1+e}\gamma_w = \dfrac{2.65 + 0.5}{1+0.5} \times 10 = 21\text{kN/m}^3$
3. $\sigma = 19.33 \times 2 + 21 \times 4 = 122.66\text{kN/m}^2$
   $u = 10 \times 4 = 40\text{kN/m}^2$
   $\bar{\sigma} = 122.66 - 40 = 82.66\text{kN/m}^2$

08 다음과 같이 호수 내 모래지반의 수위가 A에서 B로 2m 내려갈 때, 장기적으로 C 위치에서 흙의 유효연직응력 증가량(kN/m²)은? (단, 물의 단위중량은 10kN/m³, 흙의 포화단위중량은 19kN/m³이다)

2011. 지방직 7급

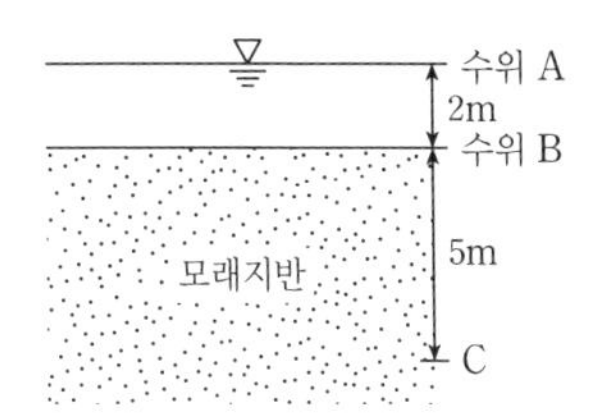

① 0　② 5
③ 10　④ 20

해설

1. 수위 A일 때
   $\sigma = 10 \times 2 + 19 \times 5 = 115\text{kN/m}^2$
   $u = 10 \times 7 = 70\text{kN/m}^2$
   $\bar{\sigma} = 115 - 70 = 45\text{kN/m}^2$
2. 수위 B일 때
   $\sigma = 19 \times 5 = 95\text{kN/m}^2$
   $u = 10 \times 5 = 50\text{kN/m}^2$
   $\bar{\sigma} = 95 - 50 = 45\text{kN/m}^2$
3. $\Delta\bar{\sigma} = 45 - 45 = 0$

05 ② 06 ① 07 ① 08 ① [정답]

제5장

09 다음 그림과 같이 호수바닥 아래 지반(A지점)을 관통하는 지하통로를 설계하려 한다. 바닥면으로부터의 수위가 5m일 때(Case 1)와 물이 불어서 10m로 증가할 때(Case 2) A지점에서의 유효수직응력[kN/m²]은? (단, 호수바닥 아래 지반에서는 물이 흐름이 없는 정지상태로 가정한다) 2014. 국가직

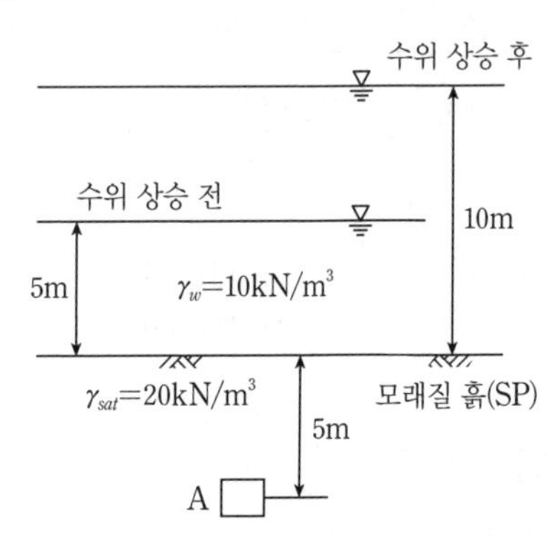

	Case 1	Case 2
①	50	50
②	5	5
③	5	50
④	50	5

해설

1. *Case* 1
   $\sigma = 10 \times 5 + 20 \times 5 = 150\text{kN/m}^2$
   $u = 10 \times 10 = 100\text{kN/m}^2$
   $\overline{\sigma} = 150 - 100 = 50\text{kN/m}^2$
2. *Case* 2
   $\sigma = 10 \times 10 + 20 \times 5 = 200\text{kN/m}^2$
   $u = 10 \times 15 = 150\text{kN/m}^2$
   $\overline{\sigma} = 200 - 150 = 50\text{kN/m}^2$

10 다음 그림에서 X-X 단면에 작용하는 유효응력은?

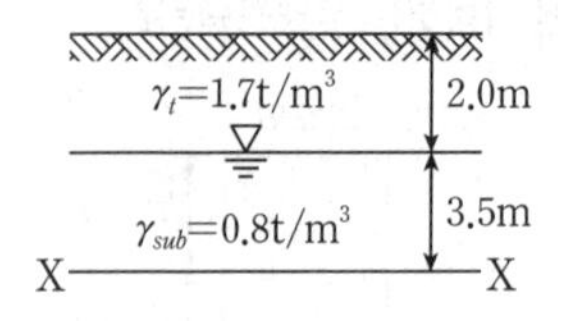

① 4.2t/m²
② 5.2t/m²
③ 6.2t/m²
④ 7.2t/m²

해설

1. $\sigma = \gamma_t h_1 + \gamma_{sat} h_2 = 1.7 \times 2 + 1.8 \times 3.5 = 9.7\text{t/m}^2$
2. $u = \gamma_w h = 1 \times 3.5 = 3.5\text{t/m}^2$
3. $\overline{\sigma} = \sigma - u = 9.7 - 3.5 = 6.2\text{t/m}^2$

11 그림과 같은 실트질 모래층에 지하수면 2.0m까지 모세관 영역이 존재한다. 이때 모세관 영역 바로 아랫부분(B점 아래)의 유효응력은 얼마인가? (단, 실트질 모래층의 간극비는 0.5, 비중은 2.67, 모세관 영역의 포화도는 60%이다)

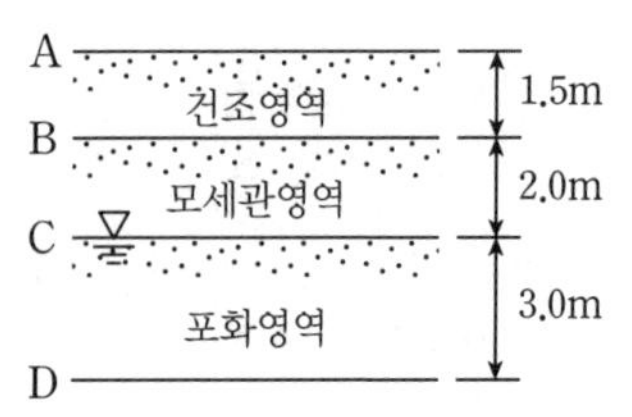

① 2.67t/m²
② 3.67t/m²
③ 3.87t/m²
④ 4.67t/m²

해설

1. $\gamma_d = \frac{G_s}{1+e}\gamma_w = \frac{2.67}{1+0.5} \times 1 = 1.78\text{t/m}^3$
2. $\sigma = \gamma_d h = 1.78 \times 1.5 = 2.67\text{t/m}^2$
3. $u = \gamma_w(hS_r) = 1 \times (-2 \times 0.6) = -1.2\text{t/m}^2$
4. $\overline{\sigma} = \sigma - u = 2.67 - (-1.2) = 3.87\text{t/m}^2$

09 ① 10 ③ 11 ③ [정답]

12 그림과 같이 모세관 현상에 의해 지표면까지 50% 포화되었을 때, A점에 작용하는 유효응력[kN/m^2]은? (단, 물의 단위중량은 10kN/m^{3}이다) 2016. 국가직 7급

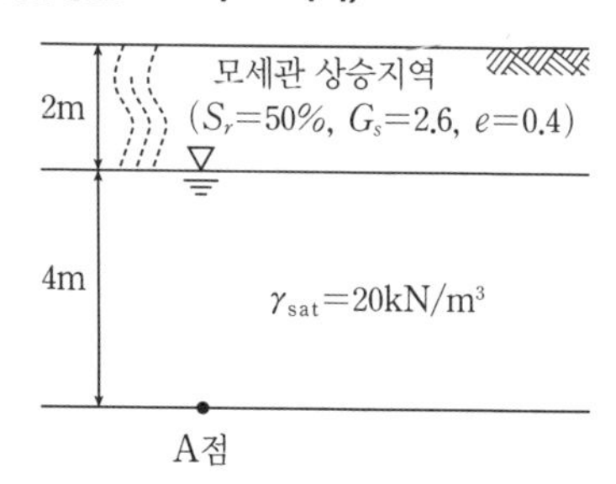

① 50 ② 60
③ 70 ④ 80

해설

1. $\gamma_t = \frac{G_s + se}{1+e}\gamma_w = \frac{2.6+0.5\times0.4}{1+0.4}\times10 = 20\text{kN/m}^3$
2. $\sigma = 20\times2 + 20\times4 = 120\text{kN/m}^2$
   $u = 10\times4 = 40\text{kN/m}^2$
   $\bar{\sigma} = 120 - 40 = 80\text{kN/m}^2$

13 그림에서 흙의 요소 A에 작용하는 유효 연직응력은? (단, 모관수에 의하여 지표면까지 포화되었다고 가정한다)

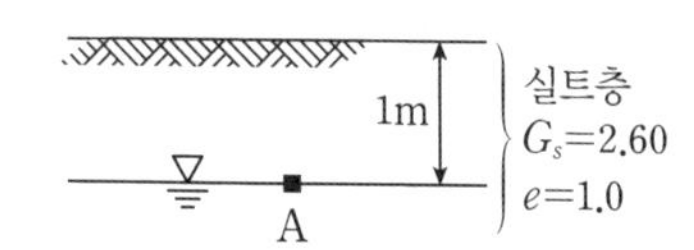

① 0t/m^2
② 0.8t/m^2
③ 1.8t/m^2
④ 2.8t/m^2

해설

1. $\gamma_{sat} = \frac{G_s+e}{1+e}\gamma_w = \frac{2.6+1}{1+1}\times1 = 1.8\text{t/m}^3$
2. A에서의 유효응력
   ① $\sigma = \gamma_{sat}\cdot h = 1.8\times1 = 1.8\text{t/m}^2$
   ② $u = 0$
   ③ $\bar{\sigma} = \sigma = 1.8\text{t/m}^2$

14 다음 그림과 같이 지표까지가 모관상승지역이라 할 때 지표면 바로 아래에서의 유효응력은? (단, 모관상승지역의 포화도는 90%이다)

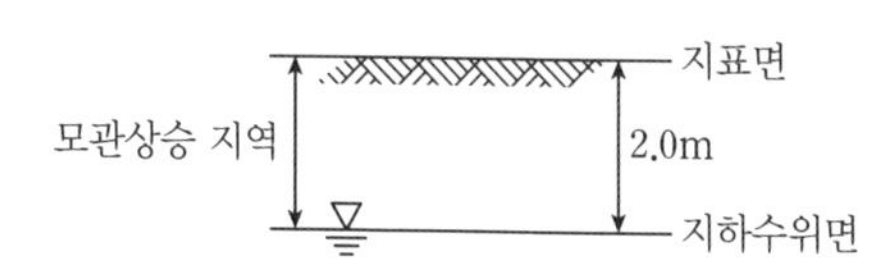

① 0.9t/m^2
② 1.0t/m^2
③ 1.8t/m^2
④ 2.0t/m^2

해설

1. $\sigma = 0$
2. $u = \gamma_w(h\cdot S_r) = 1\times(-2.0\times0.9) = -1.8\text{t/m}^2$
3. $\bar{\sigma} = \sigma - u = 1.8\text{t/m}^2$

15 그림에서 a－a 면 바로 아래의 유효응력은? (단, e=0.5, G_s=2.7)

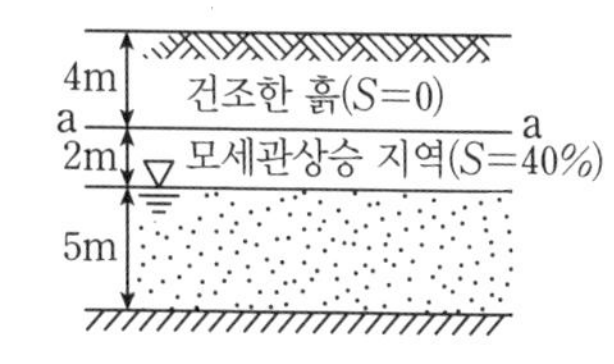

① 7.5t/m^2
② 8.0t/m^2
③ 8.5t/m^2
④ 9.0t/m^2

해설

1. $\gamma_d = \frac{G_s}{1+e}\cdot\gamma_w = \frac{2.7}{1+0.5}\times1 = 1.8\text{t/m}^3$
2. $a-a$ 면의 유효응력
   ① $\sigma = \gamma_d h = 1.8\times4 = 7.2\text{t/m}^2$
   ② $u = \gamma_w(h\cdot S_r) = 1\times(-2\times0.4) = -0.8\text{t/m}^2$
   ③ $\bar{\sigma} = \sigma - u = 7.2 - (-0.8) = 8.0\text{t/m}^2$

12 ④ 13 ③ 14 ③ 15 ② [정답]

16 그림에서 A점의 유효응력 σ'를 구하면?

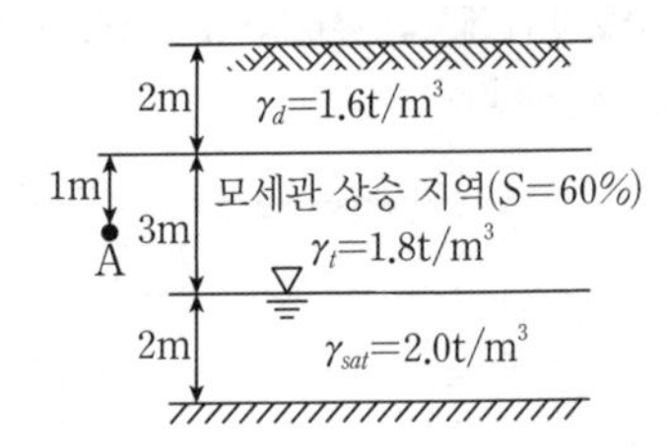

① $\sigma'=4.2\text{t/m}^2$ ② $\sigma'=4.8\text{t/m}^2$

③ $\sigma'=5.6\text{t/m}^2$ ④ $\sigma'=6.2\text{t/m}^2$

해설

1. $\sigma=\gamma_d h_1+\gamma_t h_2=1.6\times2+1.8\times1=5\text{t/m}^2$
2. $u=\gamma_w(h\cdot S_r)=1\times(-2\times0.6)=-1.2\text{t/m}^2$
3. $\bar{\sigma}=\sigma-u=5-(-1.2)=6.2\text{t/m}^2$

17 그림과 같이 모래지반에서 지하수위가 지표면 아래 1m에서 2m로 낮아진다면, A－A′면에 작용하는 연직유효응력의 변화(t/m²)로 옳은 것은? (단, 지하수위가 하강 후 모래의 습윤단위중량은 1.8t/m³으로 한다) 2010. 지방직 7급

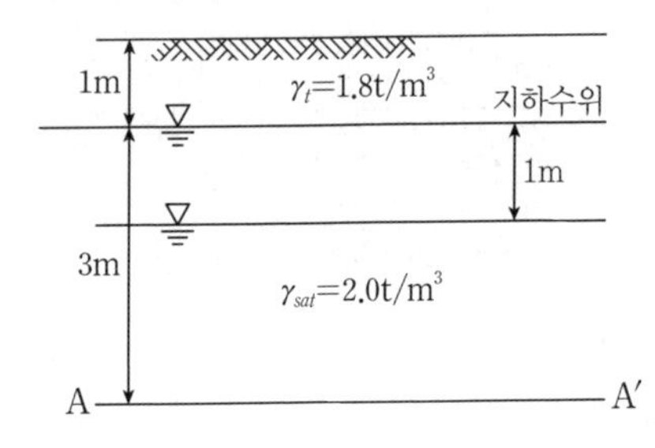

① 0.2 감소 ② 0.2 증가

③ 0.8 감소 ④ 0.8 증가

해설

1. 지하수위가 지표면 아래 1m일 때
   $\sigma=1.8\times1+2\times3=7.8\text{t/m}^2$
   $u=1\times3=3\text{t/m}^2$
   $\bar{\sigma}=7.8-3=4.8\text{t/m}^2$
2. 지하수위가 지표면 아래 2m일 때
   $\sigma=1.8\times2+2\times2=7.6\text{t/m}^2$
   $u=1\times2=2\text{t/m}^2$
   $\bar{\sigma}=7.6-2=5.6\text{t/m}^2$
3. $\Delta\bar{\sigma}=5.6-4.8=0.8\text{t/m}^2$

18 다음 그림 A점에서의 연직유효응력(t/m²)은?

2010. 국가직 7급

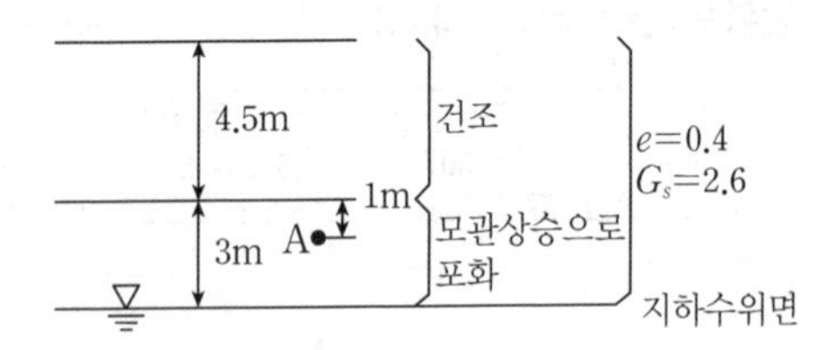

① 12.5 ② 14.5

③ 16.5 ④ 18.5

해설

1. $\gamma_d=\dfrac{G_s}{1+e}\gamma_w=\dfrac{2.6}{1+0.4}=1.86\text{t/m}^3$
2. $\gamma_{sat}=\dfrac{G_s+e}{1+e}\gamma_w=\dfrac{2.6+0.4}{1+0.4}=2.14\text{t/m}^3$
3. $\sigma=1.86\times4.5+2.14\times1=10.51\text{t/m}^2$
   $u=1\times(-2)=-2\text{t/m}^2$
   $\bar{\sigma}=10.51-(-2)=12.51\text{t/m}^2$

19 토사의 습윤단위중량이 $\gamma_t=1.8\text{t/m}^3$, 포화단위중량이 $\gamma_{sat}=2.0\text{t/m}^3$이고, 정지토압계수($K_0$)가 0.5인 균질한 지반이 있다. 지하수위가 지표면으로부터 5.0m 아래에 위치할 때 지표면으로부터 10m 깊이에 작용하는 연직전응력 σ_v(t/m²)와 수평전응력 σ_h(t/m²)는? 2010. 지방직 7급

① $\sigma_v=19.0$, $\sigma_h=7.0$

② $\sigma_v=19.0$, $\sigma_h=12.0$

③ $\sigma_v=14.0$, $\sigma_h=7.0$

④ $\sigma_v=14.0$, $\sigma_h=12.0$

해설

1. $\sigma_v=\gamma_t h_1+\gamma_{sat}h_2$
   $=1.8\times5+2\times5=19\text{t/m}^2$
2. $\sigma_h=(\gamma_t h_1+\gamma_{sub}h_2)K_0+\gamma_w h_2$
   $=(1.8\times5+1\times5)\times0.5+1\times5$
   $=12\text{t/m}^2$

5m γ_t=1.8t/m³
5m γ_{sat}=2t/m³

16 ④ 17 ④ 18 ① 19 ② [정답]

20 다음 그림과 같이 초기 지하수위가 지표면에 위치하다가 3m를 하강하였다. 점토층 중앙부에서 연직유효응력의 증가량(t/m²)은?

2009. 지방직 7급

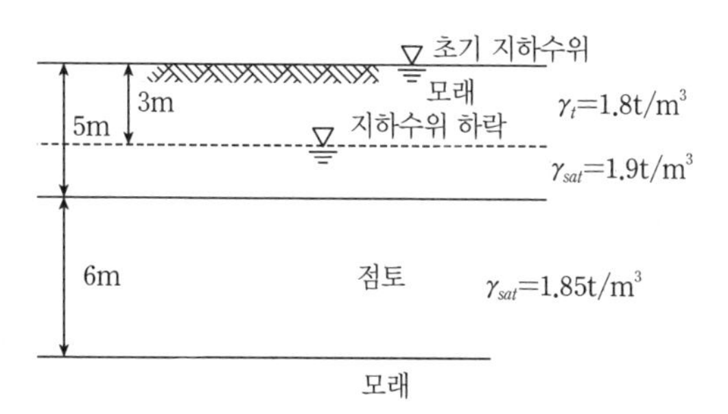

① 2.0 ② 2.5
③ 2.7 ④ 3.0

해설

1. 초기 지하수위일 때
   $\sigma = 1.9 \times 5 + 1.85 \times 3 = 15.05\text{t/m}^2$
   $u = 1 \times (5+3) = 8\text{t/m}^2$
   $\bar{\sigma} = \sigma - u = 15.05 - 8 = 7.05t/\text{m}^2$
2. 지하수위 하락일 때
   $\sigma = 1.8 \times 3 + 1.9 \times 2 + 1.85 \times 3 = 14.75\text{t/m}^2$
   $u = 1 \times (2+3) = 5\text{t/m}^2$
   $\bar{\sigma} = 14.75 - 5 = 9.75\text{t/m}^2$
3. $\Delta\bar{\sigma} = 9.75 - 7.05 = 2.7\text{t/m}^2$

21 그림과 같이 지하수위가 ㉠에서 ㉡으로 h만큼 상승할 때 A점에 작용하는 유효연직응력의 변화량은? (단, γ_{sat}은 포화단위중량, γ_t는 습윤단위중량, γ'은 수중단위중량, γ_w은 물의 단위중량을 의미한다)

2009. 국가직 7급

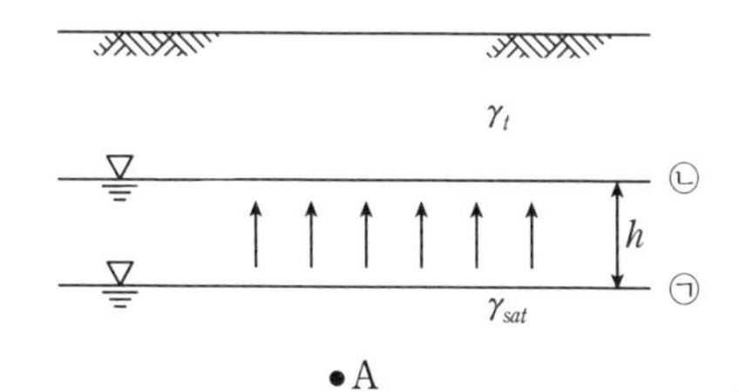

① $(\gamma' - \gamma_t)h$ ② $(\gamma_w - \gamma_t)h$
③ $(\gamma_{sat} - \gamma_t)h$ ④ $(\gamma_{sat} - \gamma')h$

해설

1. 지하수위가 ㉠일 때
   $\sigma = \gamma_t(h_1 + h) + \gamma_{sat} h_2$
   $u = \gamma_w h_2$
   $\bar{\sigma} = \gamma_t(h_1 + h) + \gamma_{sub} h_2$
2. 지하수위가 ㉡일 때
   $\sigma = \gamma_t h_1 + \gamma_{sat}(h + h_2)$
   $u = \gamma_w(h + h_2)$
   $\bar{\sigma} = \gamma_t h_1 + \gamma_{sub}(h + h_2)$
3. $\Delta\bar{\sigma} = \gamma_{sub} h - \gamma_t h = (\gamma_{sub} - \gamma_t)h$

22 지하수위가 지표면 아래 1m 되는 곳에 위치하고 모관현상으로 지표면까지 물로 포화되어 있다면, 지표면과 지하수위면 위치의 유효응력[kN/m²]은? (단, 흙의 포화단위중량은 18kN/m³, 물의 단위중량은 10kN/m³로 한다)

2012. 국가직 7급

	지표면	지하수위면
①	0	8
②	0	18
③	10	8
④	10	18

해설

1. 지표면
   $\sigma = 0$
   $u = -10 \times 1 = -10\text{kN/m}^2$
   $\bar{\sigma} = 10\text{kN/m}^2$
2. 지하수위면
   $\sigma = \gamma_{sat} h = 18 \times 1 = 18\text{kN/m}^2$
   $u = 0$
   $\bar{\sigma} = 18\text{kN/m}^2$

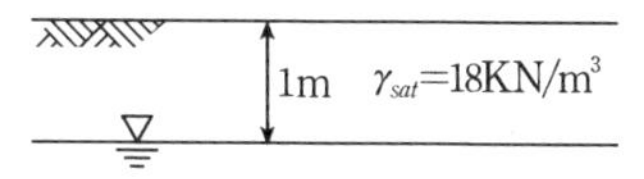

20 ③ 21 ① 22 ④ [정답]

23 그림과 같이 지하수위가 ㉠에서 ㉡으로 h만큼 내려갔을 때, A점에 작용하는 유효연직응력의 변화량은? (단, γ_{sat}는 포화단위중량, γ_t는 습윤단위중량, γ'은 수중단위중량, γ_w는 물의 단위중량이다) 2012. 국가직 7급

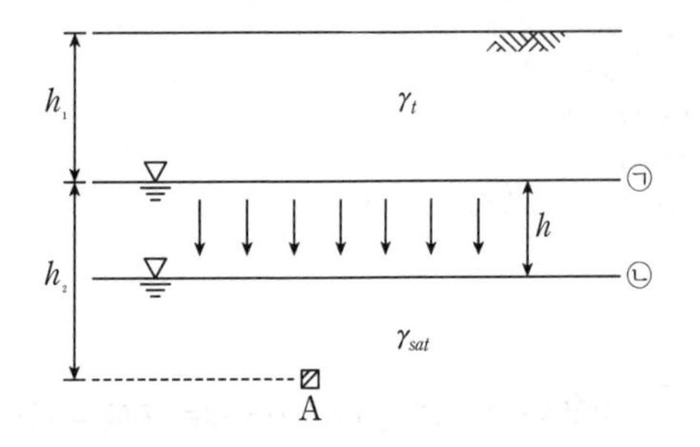

① $(\gamma_{sat}-\gamma_t)h$ 만큼 증가
② $(\gamma_{sat}-\gamma_t)h$ 만큼 감소
③ $(\gamma_t-\gamma')h$ 만큼 증가
④ $(\gamma_t-\gamma')h$ 만큼 감소

해설

1. 지하수가 ㉠일 때
   $\sigma=\gamma_t h_1+\gamma_{sat}h_2$
   $u=\gamma_w h_2$
   $\bar{\sigma}=\sigma-u=\gamma_t h_1+\gamma_{sub}h_2$
2. 지하수위가 ㉡일 때
   $\sigma=\gamma_t h_1+\gamma_t h+\gamma_{sat}(h_2-h)$
   $u=\gamma_w(h_2-h)$
   $\bar{\sigma}=\sigma-u=\gamma_t h_1+\gamma_t h+\gamma_{sub}(h_2-h)$
3. $\Delta\bar{\sigma}=\gamma_t h-\gamma_{sub}h$
   $=(\gamma_t-\gamma_{sub})h$ (증가)

24 그림에서 A점에 작용하는 수평 전응력[kPa]으로 옳은 것은? 2016. 서울시 7급

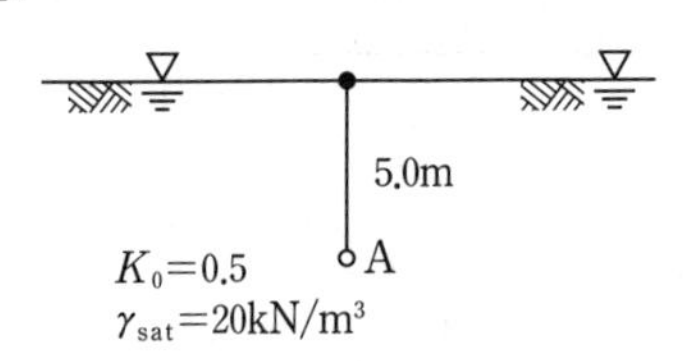

① 25 ② 50
③ 75 ④ 100

해설

$\sigma_h=\gamma_{sub}hK_0+\gamma_w h$
$=10\times5\times0.5+10\times5$
$=75kPa$

25 흙의 단위중량이 1.8t/m³이고, 정지토압계수가 0.5인 균질토층이 있다. 지표면 아래 10m 깊이에서의 연직응력과 수평응력은?

① $\sigma_v=18t/m^2$, $\sigma_h=9t/m^2$
② $\sigma_v=9t/m^2$, $\sigma_h=18t/m^2$
③ $\sigma_v=8t/m^2$, $\sigma_h=4t/m^2$
④ $\sigma_v=4t/m^2$, $\sigma_h=8t/m^2$

해설

1. $\sigma_v=\gamma_t h=1.8\times10=18t/m^2$
2. $\sigma_h=\sigma_v K=18\times0.5=9t/m^2$

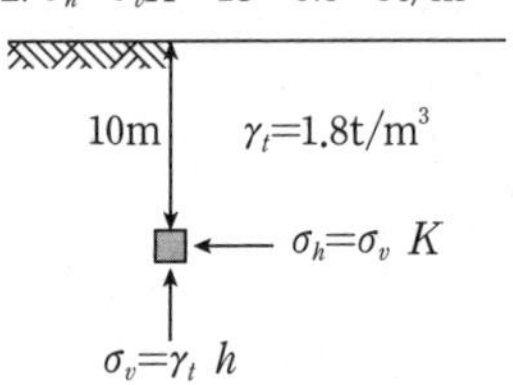

26 다음 그림에서 보인 바와 같이 요소 A의 위치에 공극수압계를 세웠더니 물의 높이가 6.0m가 되었다. 이 흙의 전체 단위중량을 1.8t/m³라고 할 때 요소 A가 받는 유효연직응력은?

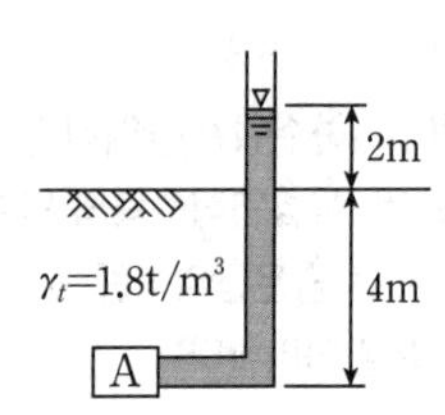

① $1.2t/m^2$
② $4.2t/m^2$
③ $6.3t/m^2$
④ $7.2t/m^2$

해설

1. $\sigma=\gamma_t h=1.8\times4=7.2t/m^2$
2. $u=1\times6=6t/m^2$
3. $\bar{\sigma}=\sigma-u=7.2-6=1.2t/m^2$

23 ③ 24 ③ 25 ① 26 ① [정답]

27 다음 그림에서 지표면 아래 4m 깊이에서의 유효응력은?

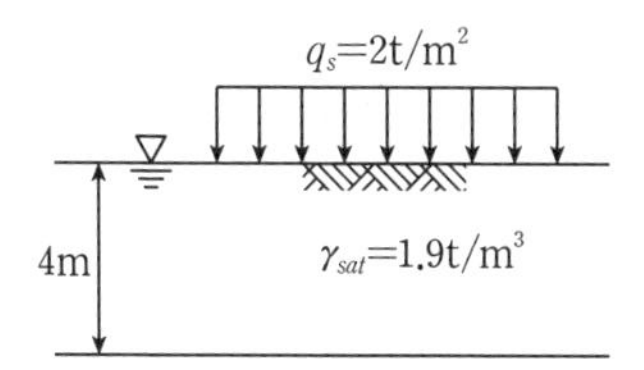

① 5.6t/m²
② 4.4t/m²
③ 6.0t/m²
④ 9.6t/m²

해설

1. $\sigma = \gamma_{sat} h + q_s = 1.9 \times 4 + 2 = 9.6\text{t/m}^2$
2. $u = \gamma_w h = 1 \times 4 = 4\text{t/m}^2$
3. $\bar{\sigma} = \sigma - u = 9.6 - 4 = 5.6\text{t/m}^2$

28 다음 그림에서 흙의 단위중량이 2.0t/m³이라고 할 때 지표면 아래 5m 깊이에서의 유효응력을 구하면 얼마인가?

2004. 서울시 7급

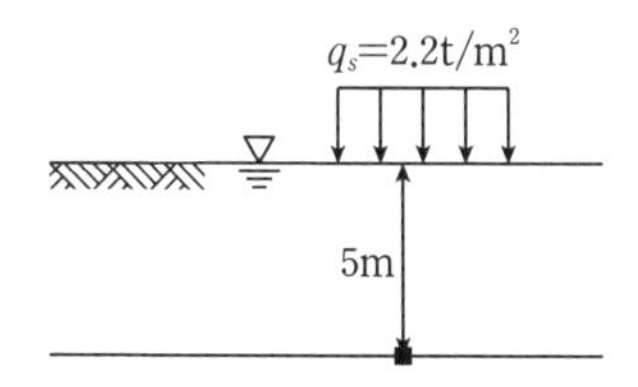

① 5.0t/m²
② 7.2t/m²
③ 12.2t/m²
④ 15.4t/m²

해설

1. $\sigma = \gamma_{sat} h + q_s = 2 \times 5 + 2.2 = 12.2\text{t/m}^2$
2. $u = \gamma_w h = 1 \times 5 = 5\text{t/m}^2$
3. $\bar{\sigma} = \sigma - u = 12.2 - 5 = 7.2\text{t/m}^2$

29 다음 그림에서 A의 위치에 공극수압계를 설치한 결과 높이가 8.0m가 되었다. 이 흙의 전체 단위중량이 1.6t/m³라고 할 때 A점의 유효 연직응력은?

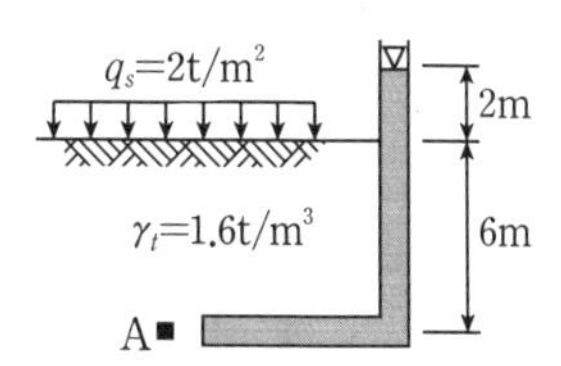

① 1.6t/m²
② 2.6t/m²
③ 3.6t/m²
④ 9.6t/m²

해설

1. $\sigma = \gamma_t h + q_s = 1.6 \times 6 + 2 = 11.6\text{t/m}^2$
2. $u = \gamma_w h = 1 \times 8 = 8\text{t/m}^2$
3. $\bar{\sigma} = \sigma - u = 11.6 - 8 = 3.6\text{t/m}^2$

30 아래 그림에서 점토 중앙단면에 작용하는 유효응력은 얼마인가?

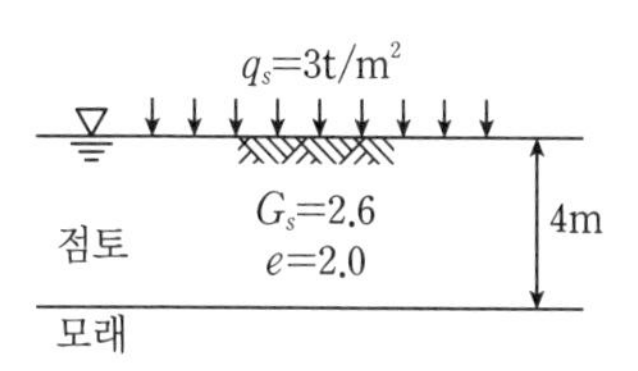

① 1.25t/m²
② 2.37t/m²
③ 3.25t/m²
④ 4.06t/m²

해설

1. $\gamma_{sat} = \dfrac{G_s + e}{1+e}\gamma_w = \dfrac{2.6+2}{1+2} \times 1 = 1.53\text{t/m}^3$
2. $\sigma = \gamma_{sat} h + q = 1.53 \times 2 + 3 = 6.06\text{t/m}^2$
3. $u = \gamma_w h = 1 \times 2 = 2\text{t/m}^2$
4. $\bar{\sigma} = \sigma - u = 6.06 - 2 = 4.06\text{t/m}^2$

27 ① 28 ② 29 ③ 30 ④ [정답]

31 다음과 같은 널말뚝의 유선망에 대하여 단위폭당 침투유량($m^3/s/m$)과 점 A에서의 유효연직응력(kN/m^2)은? (단, 포화단위중량은 $20kN/m^3$, 물의 단위중량은 $10kN/m^3$, 흙의 투수계수는 $2.0 \times 10^{-1}cm/s$이다)

2011. 지방직 7급

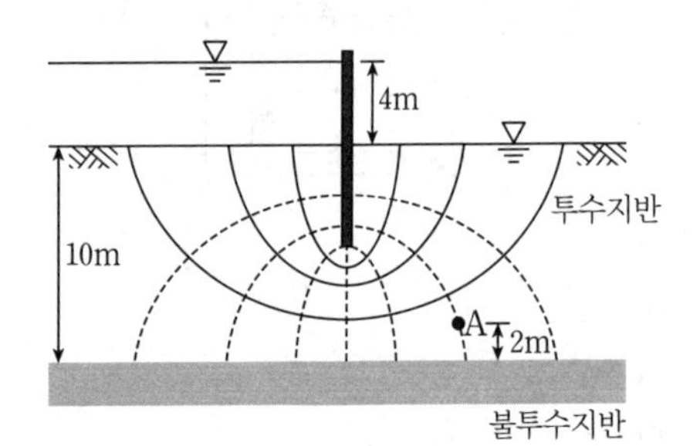

	침투유량	유효연직응력
①	4.0×10^{-3}	70
②	4.0×10^{-3}	80
③	2.0×10^{-3}	70
④	2.0×10^{-3}	80

해설

1. $Q = kH\dfrac{N_f}{N_d}(2 \times 10^{-3}) \times \dfrac{4}{8} = 4 \times 10^{-3}\text{m}^3/\text{sec}$
2. ① 전수두 $= \dfrac{n_d}{N_d}H = \dfrac{2}{8} \times 4 = 1\text{m}$
   ② 위치수두 $= -8\text{m}$
   ③ 압력수두 $= 1-(-8) = 9\text{m}$
   ④ 간극수압 $= 10 \times 9 = 90\text{kN/m}^2$
3. ① $\sigma = 20 \times 8 = 160\text{kN/m}^2$
   ② $u = 90\text{kN/m}^2$
   ③ $\bar{\sigma} = \sigma - u = 160 - 90 = 70\text{kN/m}^2$

32 다음 중 흙 속에서의 물의 흐름이 연직 유효응력의 증가를 가져오는 것은?

① 정수압상태 ② 하향흐름
③ 상향흐름 ④ 수평흐름

해설

1. 상향침투시 : $\bar{\sigma} = \bar{\sigma}' - F,\ u = u' + F$
2. 하향침투시 : $\bar{\sigma} = \bar{\sigma}' + F,\ u = u' - F$

33 포화된 흙에 침투류가 발생했을 때의 설명 중 틀린 것은?

① 한계동수구배 i_c보다도 침투류가 큰 경우는 quick sand가 발생한다.
② 침투류가 하향일 때 유효응력은 침투압만큼 감소한다.
③ 침투압은 $u = i\gamma_w Z$로 표시한다.(Z : 임의 점의 깊이)
④ 유효응력이 0일 때 침투압이 발생하는 동수구배는 i_c이다.

해설

1. $i > i_c$ 이면 분사현상이 일어난다.
2. 하향침투시 $\bar{\sigma} = \bar{\sigma}' + F$ 이므로 유효응력은 침투압만큼 증가한다.
3. 침투수압 $F = i\gamma_w Z$이다.

34 두께 1m인 흙 중 공극에 물이 흐른다. a-a 면과 b-b 면에 피조미터를 세웠을 때, 그 수두차가 0.1m였다면 다음 중 가장 올바른 설명은?

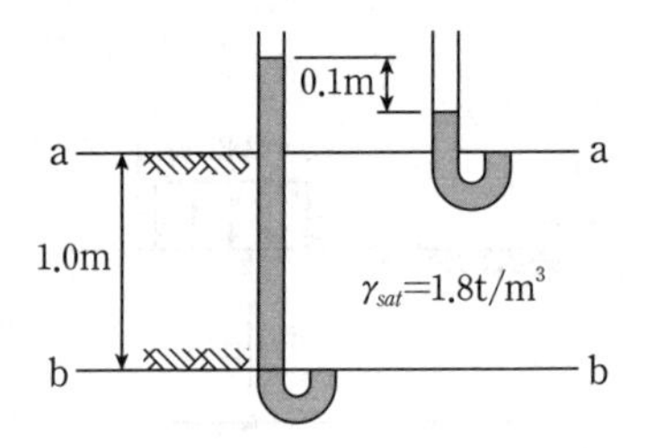

① 물은 a-a 면에서 b-b 면으로 흐르는데 그 침투압은 $1t/m^2$이다.
② 물은 b-b 면에서 a-a 면으로 흐르는데 그 침투압은 $1t/m^2$이다.
③ 물은 a-a 면에서 b-b 면으로 흐르는데 그 침투압은 $0.1t/m^2$이다.
④ 물은 b-b 면에서 a-a 면으로 흐르는데 그 침투압은 $0.1t/m^2$이다.

해설

1. 피조미터의 수위가 $a-a$ 면보다 $b-b$ 면에서 더 높으므로 상향침투가 생긴다.
2. 침투압 $F = \gamma_w h = 1 \times 0.1 = 0.1\text{t/m}^2$

31 ① 32 ② 33 ② 34 ④ [정답]

35 그림의 흙시료는 가는 모래이다. 용기 위치를 A에서 B로 h만큼 들어올렸을 때 시료 표면으로부터 Z되는 깊이에서의 유효응력 $\bar{\sigma}$에 대하여 옳은 표현은? (단, γ'는 모래의 수중단위중량, γ_w는 물의 단위중량이고 i는 동수구배이다)

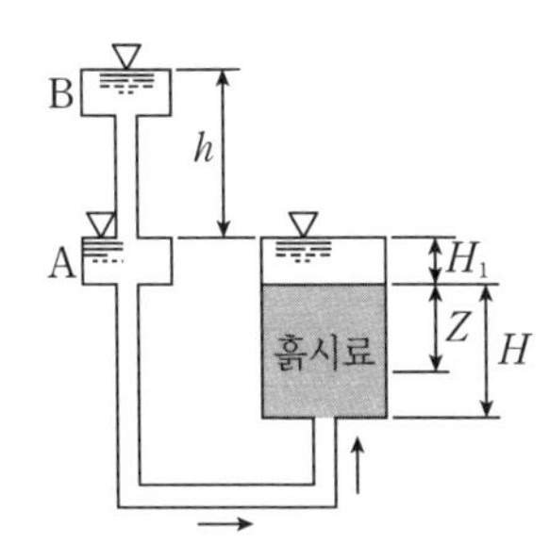

① $\bar{\sigma}=\gamma' Z-\gamma_w iZ$의 크기로 증가한다.
② $\bar{\sigma}=\gamma' Z-\gamma_w iZ$의 크기로 감소한다.
③ $\bar{\sigma}=\gamma' Z-\gamma_w iH_1$의 크기로 증가한다.
④ $\bar{\sigma}=\gamma' Z-\gamma_w iH_1$의 크기로 감소한다.

해설

상향침투가 발생하므로
$\bar{\sigma}=\bar{\sigma}'-F=\gamma' Z-i\gamma_w Z$

36 그림과 같이 물이 아래로 흐를 때 침투압력의 값은? (단, γ_w는 물의 단위중량)

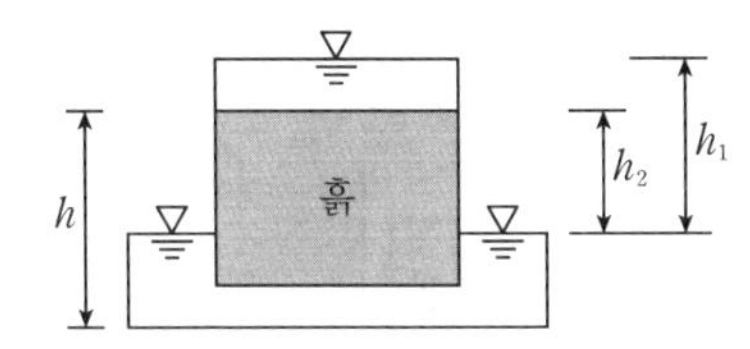

① $h_1\gamma_w$
② $h_2\gamma_w$
③ $h\gamma_w$
④ $(h_1-h_2)\gamma_w$

해설

$F=\gamma_w \Delta h=\gamma_w h_1$

37 그림과 같이 물이 위로 흐르는 경우 Y-Y 단면에서의 유효응력은?

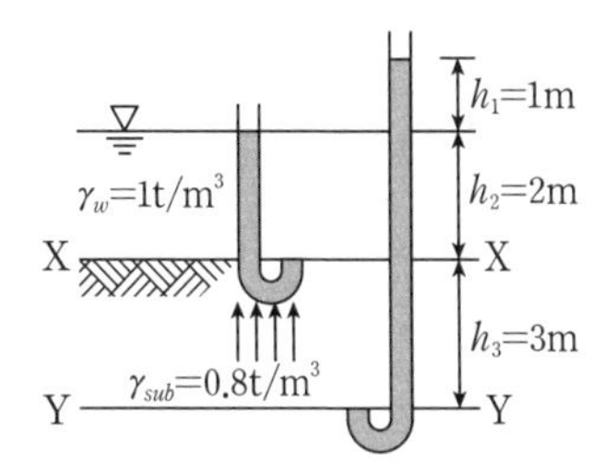

① $1.4t/m^2$
② $2.4t/m^2$
③ $3.4t/m^2$
④ $4.4t/m^2$

해설

1. $\bar{\sigma}'=\gamma_{sub}h_3=0.8\times 3=2.4t/m^2$
2. $F=\gamma_w h_1=1\times 1=1t/m^2$
3. $\bar{\sigma}=\bar{\sigma}'-F=2.4-1=1.4t/m^2$

38 다음 그림에서 흙의 저면에서 작용하는 단위면적당 침투수압은 얼마인가?

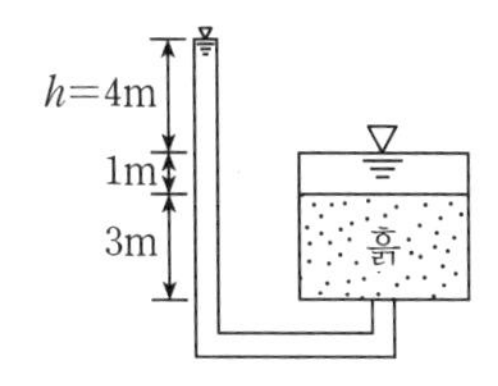

① $8t/m^2$
② $5t/m^2$
③ $4t/m^2$
④ $3t/m^2$

해설

$F=\gamma_w h=1\times 4=4t/m^2$

35 ② 36 ① 37 ① 38 ③ [정답]

39 그림과 같은 수중에 잠긴 지반에서 a-a 면에 작용하는 유효응력(t/m²)은? (단, 흙의 수중단위중량은 1.0t/m³이다)

2009. 국가직 7급

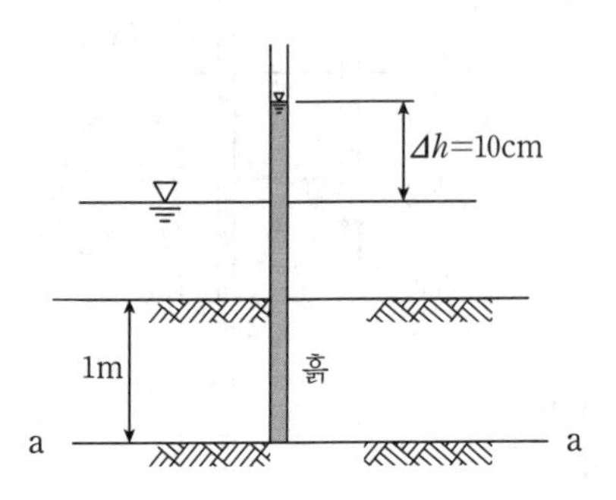

① 0.5 ② 0.9

③ 1.5 ④ 1.9

해설

1. $\overline{\sigma'} = \gamma_{sub} h = 1 \times 1 = 1 \text{t/m}^2$
2. $F = \gamma_w h = 1 \times 0.1 = 0.1 \text{t/m}^2$
3. $\overline{\sigma} = \overline{\sigma'} - F = 1 - 0.1 = 0.9 \text{t/m}^2$

40 그림에서 A-A면에 작용하는 유효 수직응력은? (단, 흙의 포화단위중량은 1.8g/cm³이다.)

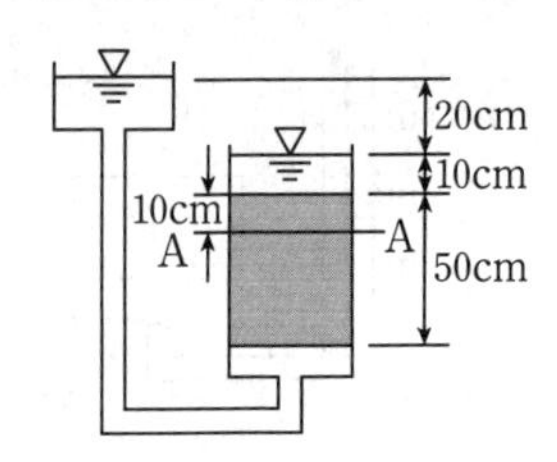

① 2.0g/cm^2

② 4.0g/cm^2

③ 8.0g/cm^2

④ 28.0g/cm^2

해설

1. $\overline{\sigma'} = \gamma_{sub} h = 0.8 \times 10 = 8 \text{g/cm}^2$
2. $F = i\gamma_w h = \frac{20}{50} \times 1 \times 10 = 4 \text{g/cm}^2$
3. $\sigma = \overline{\sigma'} - F = 8 - 4 = 4 \text{g/cm}^2$

41 다음 그림에서 A점의 유효응력은? (단, $e = 0.8$, $G_s = 2.8$)

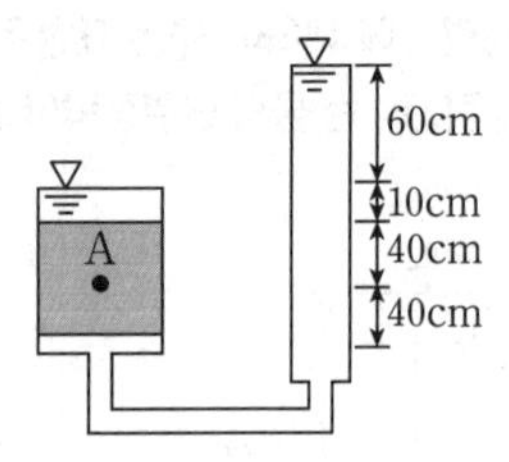

① 7.5g/cm^2

② 8.8g/cm^2

③ 9.5g/cm^2

④ 10.0g/cm^2

해설

1. $\gamma_{sub} = \frac{G_s - 1}{1 + e} \gamma_w$

$= \frac{2.8 - 1}{1 + 0.8} \times 1 = 1.0 \text{g/cm}^3$

2. $\overline{\sigma} = \gamma_{sub} d - F = \gamma_{sub} d - i\gamma_w h$

$= 1 \times 40 - \frac{60}{80} \times 1 \times 40 = 10.0 \text{g/cm}^2$

42 그림과 같이 2층의 흙에 일정한 수두차로 물이 흐르고 있다. 흙(1)을 통과할 때 전 손실수두의 25%가 손실된다면 C점의 공극수압은 얼마인가?

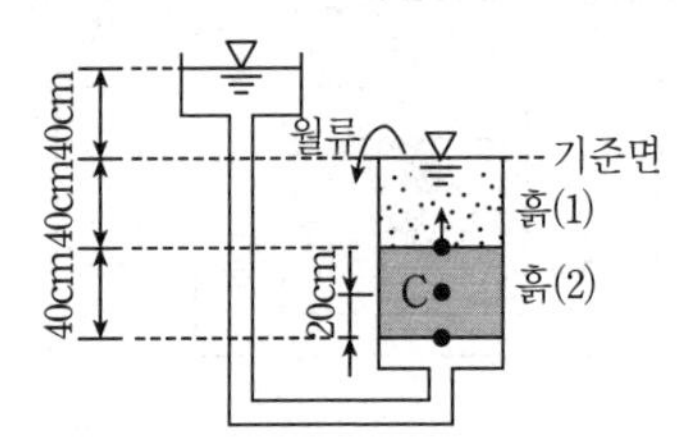

① 60g/cm^2

② 75g/cm^2

③ 85g/cm^2

④ 95g/cm^2

해설

1. $F = i\gamma_w h = \frac{40}{80} \times 1 \times (20 + 40 \times 0.75) = 25 \text{g/cm}^2$
2. $u' = u + F = 1 \times 60 + 25 = 85 \text{g/cm}^2$

39 ② 40 ② 41 ④ 42 ③ [정답]

43 다음과 같이 단면이 서로 다른 각각의 실린더 안에 두 가지의 흙이 들어있다. 두 실린더 사이의 수두 차이를 일정하게 유지할 경우, C 지점의 압력수두(cm)는? (단, 흙 A의 투수계수는 2cm/min, 흙 B의 투수계수는 4cm/min이고, 흙 A 하부 단면적은 흙 B 하부 단면적의 2배이다)

2011. 지방직 7급

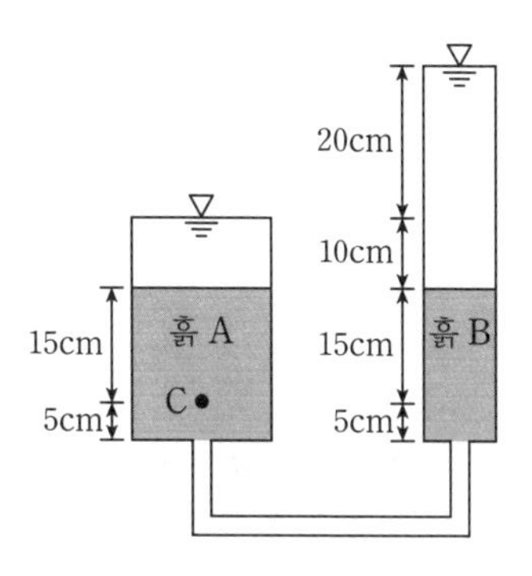

① 27.5　② 32.5
③ 37.5　④ 42.5

해설

1. $K_1 i_1 A_1 = K_2 i_2 A_2$

$2 \times \frac{h-30}{20} \times 2A = 4 \times \frac{50-h}{20} \times A$

$\therefore h = 40\text{cm}$

2. $F = i\gamma_w h = \frac{40-30}{20} \times 1 \times 15 = 7.5\text{g/cm}^2$

3. 압력수두 $= 25 + 7.5 = 32.5\text{cm}$

44 Quick sand(분사현상)에 대한 설명 중 옳지 않은 것은?

① 모래 속을 상승하는 수류에 의한 침투압이 하향으로 작용하는 중력보다 클 때 발생한다.
② 분사현상은 동수구배가 적은 경우 잘 발생한다.
③ 분사현상은 이론적으로는 입경과 무관하나 실제 균등한 세사에서 많이 발생한다.
④ 분사현상의 상태에 있는 모래는 지지력이 전혀 없다.

해설

분사현상은 동수구배가 클수록 잘 발생한다. $\left(F_s = \frac{i_c}{i}\right)$

45 그림과 같은 흙기둥에서 물이 A에서 C로 흐르고 있다. 상부 및 하부 수위가 그림과 같이 항상 일정하게 유지되면서 10초 동안에 100cm³의 유량이 통과하였을 때, 이에 대한 설명으로 옳지 않은 것은? (단, 모든 손실수두는 흙에서만 일어나고, 흙의 포화단위중량은 20kN/m³, 물의 단위중량은 10kN/m³, 흙기둥의 단면적은 40cm²이다)

2013. 국가직 7급

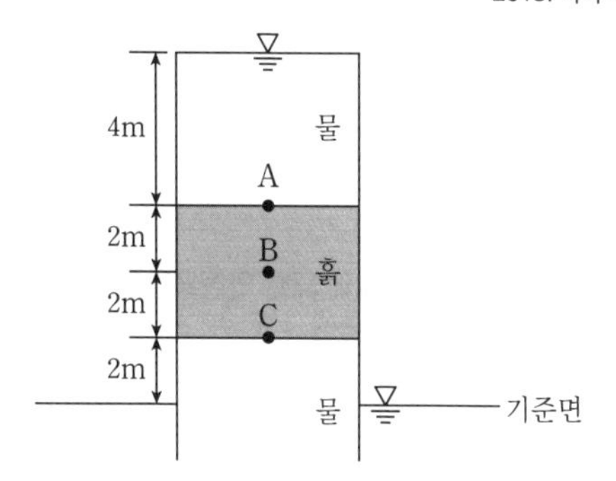

① A점과 B점의 압력수두 차이는 3m이다.
② B점의 단위체적당 침투수력은 25kN/m³이다.
③ B점의 유효응력은 70kN/m²이다.
④ 흙의 투수계수는 1.0cm/sec이다.

해설

1.

위치	압력수두
A	4m
B	1m

2. B점의 침투수압 $F = i\gamma_w = \frac{10}{4} \times 10 = 25\text{kN/m}^3$

3. B점의 유효응력

$\bar{\sigma} = \bar{\sigma}' + F = \gamma_{sub} h + i\gamma_w Z$

$= 10 \times 2 + \frac{10}{4} \times 10 \times 2 = 70\text{kN/m}^2$

4. $Q = KiA$

$\frac{100}{10} = K \times \frac{1000}{400} \times 40 \quad \therefore K = 0.1\text{cm/sec}$

46 Boiling 현상은 주로 어떤 지반에 잘 생기는가?

① 모래지반　② 사질점토지반
③ 보통토　④ 점토질지반

해설

1. 분사현상(quick sand) : boiling<piping
2. 분사현상은 주로 사질토(특히 모래)에서 잘 일어난다.

43 ② 44 ② 45 ④ 46 ① [정답]

제5장

47 어떤 모래층의 공극비 e = 0.6, 비중 G_s = 2.6이었다. 이 모래가 분사현상(quick sand action)이 일어날 한계 동수경사는? 2004. 서울시 7급

① 1.0 ② 0.1
③ 0.01 ④ 0.001

해설

$$i_c = \frac{G_s - 1}{1+e} = \frac{2.6-1}{1+0.6} = 1$$

48 Quick sand 현상에 대한 안전율을 4로 하면 이 지반에서 허용되는 최대동수경사는?

① 0.05 ② 0.25
③ 1.42 ④ 4.01

해설

$F_s = \frac{i_c}{i}$ 에서 $4 = \frac{1}{i}$ (∵ 모래의 한계동수경사는 일반적으로 1이다)

$\therefore i = \frac{1}{4} = 0.25$

49 공극비 1.0, 포화도 81%, 함수비 30%인 사질점토에서 한계동수구배를 구하면?

① 1.5 ② 1.0
③ 0.85 ④ 0.7

해설

1. $S_r e = wG_s$ 에서 $0.81 \times 1 = 0.3 \times G_s$ $\therefore G_s = 2.7$
2. $i_c = \frac{G_s - 1}{1+e} = \frac{2.7-1}{1+1} = 0.85$

50 포화단위중량이 2.2g/cm³인 사질토 지반에서 분사현상(quick sand)에 대한 한계동수경사는? 2007. 국가직 7급

① 0.8 ② 1.2
③ 1.8 ④ 2.2

해설

$$i_{cr} = \frac{G_s - 1}{1+e} = \frac{\gamma_{sub}}{\gamma_w} = 1.2$$

51 어떤 제체에서 동수구배 1.0, 흙의 비중이 2.8, 함수비 40%인 포화토에 있어서 분사현상에 대한 안전율은 얼마인가?

① 0.85 ② 1.85
③ 0.75 ④ 1.75

해설

1. $S_r e = wG_s$ 에서 $1 \times e = 0.4 \times 2.8$ $\therefore e = 1.12$
2. $F_s = \frac{i_c}{i} = \frac{\frac{G_s - 1}{1+e}}{i} = \frac{\frac{2.8-1}{1+1.12}}{1} = 0.85$

52 비중이 2.71이고 최대간극비(e_{max})가 0.9, 최소간극비(e_{min})가 0.5라고 할 때 분사현상이 발생할 수 있는 한계동수경사의 범위에 들지 않는 것은?

① 0.8 ② 0.9
③ 1.0 ④ 1.1

해설

$$i_c = \frac{G_s - 1}{1+e} = \frac{2.71-1}{1+0.9} \sim \frac{2.71-1}{1+0.5}$$
$$= 0.9 \sim 1.14$$

53 모래의 비중이 2.65이고 느슨한 상태에서의 공극률이 45%, 조밀한 상태에서의 공극률이 38%일 때, 이 모래의 한계동수경사는 얼마인가?

① 0.61~0.82 ② 0.82~1.01
③ 0.91~1.02 ④ 1.02~1.10

해설

1. $e = \frac{n}{100-n} = \frac{38}{100-38} \sim \frac{45}{100-45} = 0.61 \sim 0.82$
2. $i_c = \frac{G_s - 1}{1+e} = \frac{2.65-1}{1+0.61} \sim \frac{2.65-1}{1+0.82} = 1.02 \sim 0.91$

47 ① 48 ② 49 ③ 50 ② 51 ① 52 ① 53 ③ [정답]

54 그림과 같은 장치에서 분사현상에 대한 안전율이 3이 되려면 h[cm]는? (단, 흙의 비중은 2.65, 간극비는 0.65이다)

2012. 국가직 7급

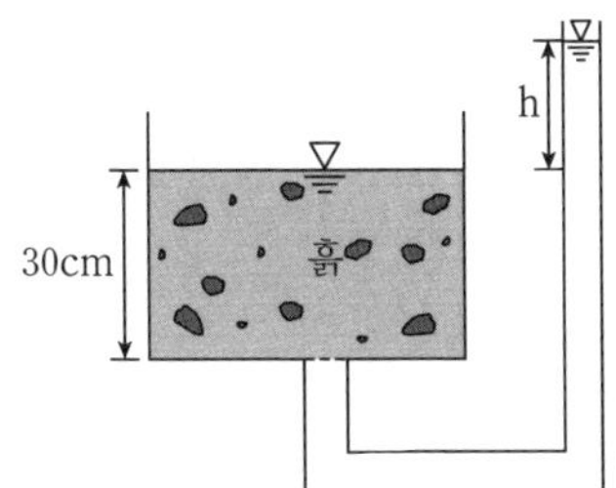

① 10 ② 20
③ 30 ④ 40

해설

$$F_s = \frac{i_c}{i} = \frac{\frac{G_s - 1}{1+e}}{\frac{h}{L}} = \frac{\frac{2.65-1}{1+0.65}}{\frac{h}{30}} = 3$$

$\therefore h = 10\text{cm}$

55 간극비가 0.5이고 토립자의 비중이 2.8인 지반의 분사현상에 대한 안전율이 3이라고 할 때 이 지반에 허용되는 최대동수구배는?

① 0.1 ② 0.4
③ 0.6 ④ 0.9

해설

$$F_s = \frac{i_c}{i} = \frac{\frac{G_s - 1}{1+e}}{i}$$

$$3 = \frac{\frac{2.8-1}{1+0.5}}{i} \qquad \therefore i = 0.4$$

56 다음 그림에서 분사현상(quick sand)에 대하여 안전율 3을 가지려면 h를 얼마로 해야 하는가?

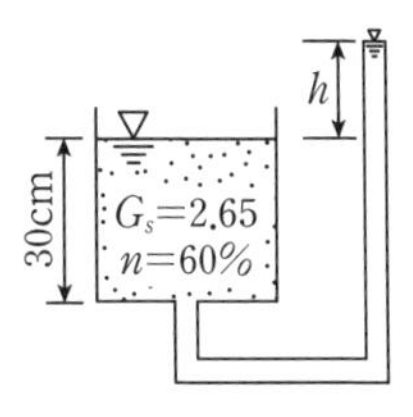

① 6.6cm ② 10.5cm
③ 16.5cm ④ 20.6cm

해설

1. $e = \frac{n}{100-n} = \frac{60}{100-60} = 1.5$

2. $F_s = \frac{i_c}{i}$ 에서 $3 = \frac{\frac{2.65-1}{1+1.5}}{\frac{h}{30}}$ $\therefore h = 6.6\text{cm}$

57 분사현상(quick sand action)에 관한 그림이 아래와 같을 때 수두차 h를 최소 얼마 이상으로 하면 모래시료에 분사현상이 발생하겠는가? (단, 모래의 비중 2.6, 공극률 50%)

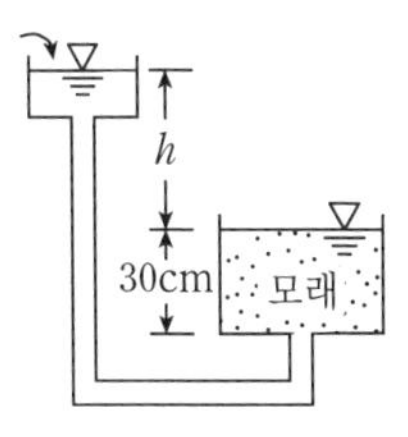

① 6cm ② 12cm
③ 24cm ④ 30cm

해설

1. $e = \frac{n}{100-n} = \frac{50}{100-50} = 1$

2. $F_s = \frac{i_c}{i} = \frac{\frac{G_s - 1}{1+e}}{\frac{h}{L}} = \frac{\frac{2.6-1}{1+1}}{\frac{h}{30}} \leqq 1$ $\therefore h \geqq 24\text{cm}$

54 ① 55 ② 56 ① 57 ③ [정답]

58 비중이 2.7이고 최대간극비(e_{max})는 0.9, 최소간극비(e_{min})는 0.5라고 할 때 분사현상이 발생할 수 있는 한계동수경사의 범위에 들지 않는 것은?

① 0.8 ② 0.9
③ 1.0 ④ 1.1

해설

$$i_c = \frac{G_s - 1}{1+e} = \frac{2.7-1}{1+0.9} \sim \frac{2.7-1}{1+0.5}$$
$$= 0.89 \sim 1.13$$

59 공극비 0.8, 포화도 87.5%, 함수비 25%인 사질점토에서 한계동수경사는?

① 1.5 ② 2.0
③ 1.0 ④ 0.8

해설

1. $S_r e = wG_s$ 에서 $87.5 \times 0.8 = 25 \times G_s$ $\therefore G_s = 2.8$
2. $i_c = \frac{G_s - 1}{1+e} = \frac{2.8-1}{1+0.8} = 1$

60 어느 흙댐에서 동수구배 1.0, 흙의 비중 2.6, 함수비 45%인 포화토에 있어서 분사현상에 대한 안전율은 얼마인가?

① 1.33 ② 1.04
③ 0.90 ④ 0.74

해설

1. $S_r e = wG_s$
 $1 \times e = 0.45 \times 2.6$
 $\therefore e = 1.17$
2. $F_s = \frac{i_c}{i} = \frac{\frac{G_s - 1}{1+e}}{i} = \frac{\frac{2.6-1}{1+1.17}}{1} = 0.74$

61 간극률이 50%, 함수비가 40%인 포화토에 있어서 지반의 분사현상에 대한 안전율이 3.5라고 할 때 이 지반에 허용되는 최대동수구배는?

① 0.21 ② 0.51
③ 0.61 ④ 1.00

해설

1. $e = \frac{n}{100-n} = \frac{50}{100-50} = 1$
2. $S_r e = wG_s$ 에서 $1 \times 1 = 0.4 \times G_s$
 $\therefore G_s = 2.5$
3. $F_s = \frac{i_e}{i} = \frac{\frac{G_s - 1}{1+e}}{i}$ 이므로
 $3.5 = \frac{\frac{2.5-1}{1+1}}{i}$ $\therefore i = 0.21$

62 다음 그림과 같이 왼쪽에는 물이 담겨있는 수조, 오른쪽에는 모래가 담겨있는 토조가 있다. 분사현상이 발생되기 시작하는 수조와 토조 사이의 수위차 h(m)는? (단, 흙의 포화단위중량은 20kN/m³, 물의 단위중량은 10kN/m³이다) 2011. 국가직 7급

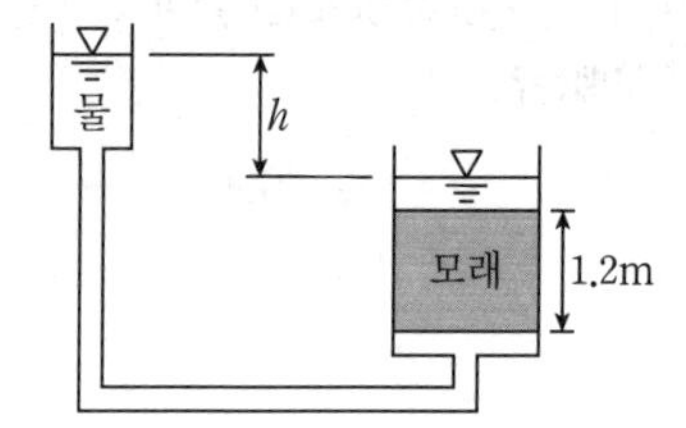

① 0.8
② 0.83
③ 1.0
④ 1.2

해설

$$F_s = \frac{i_c}{i} = \frac{\frac{\gamma_{sub}}{\gamma_w}}{\frac{h}{L}} = \frac{\frac{20-10}{10}}{\frac{h}{1.2}} = 1$$
$\therefore h = 1.2\text{cm}$

58 ① 59 ③ 60 ④ 61 ① 62 ④ [정답]

63 그림과 같이 간극률(n)이 0.5인 모래가 40cm 두께로 있다. 분사현상이 발생하기 시작하는 수두차(h[cm])는? (단, 모래의 비중은 2.5로 한다) 2010. 지방직 7급

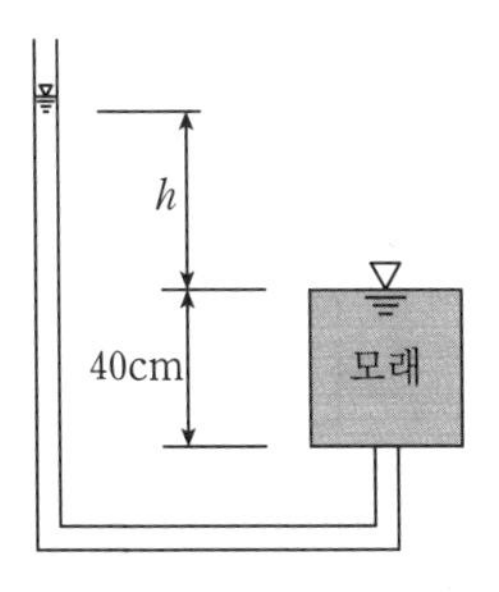

① 20 ② 30

③ 40 ④ 50

해설

1. $e = \frac{n}{100-n} = \frac{50}{100-50} = 1$

2. $F_s = \frac{i_c}{i} = \frac{\frac{G_s - 1}{1+e}}{\frac{h}{L}} = \frac{\frac{2.5-1}{1+1}}{\frac{h}{40}} = 1$

$\therefore h = 30\text{cm}$

64 그림과 같이 물이 위로 침투하는 수조에서 분사현상이 발생하기 위한 수두(h)는 최소 얼마를 초과하여야 하는가? (단, 수조 속에 있는 모래의 비중은 2.6, 간극비는 0.6, 모래층의 두께는 2.5m이다)

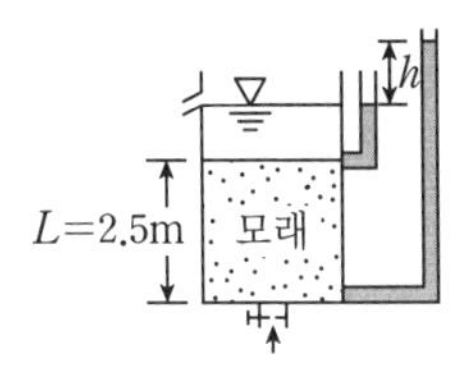

① 1.0m

② 1.5m

③ 2.0m

④ 2.5m

해설

$F_s = \frac{i_c}{i} = \frac{\frac{2.6-1}{1+0.6}}{\frac{h}{2.5}} \leq 1 \quad \therefore h \geq 2.5\text{m}$

65 모래층에 널말뚝을 사용하여 물막이를 한 곳이 있다. 분사현상이 일어나지 않도록 하기 위하여 취한 조치 중 틀린 것은?

① 널말뚝을 더 깊게 박는다.

② 모래의 포화단위중량이 작은 것으로 바꾼다.

③ 모래를 조밀하게 다진다.

④ 상류측과 하류측의 수위차를 줄인다.

해설

분사현상의 방지대책 공법

1. 흙막이의 근입깊이를 깊게 한다.
2. 지하수위를 저하시킨다.
3. 굴착저면을 고결시킨다(약액주입).

66 그림과 같은 널말뚝의 piping에 대한 안전율은 얼마인가? (단, A점과 B점에서의 동수구배는 i_A=0.8, i_B=0.4이다)

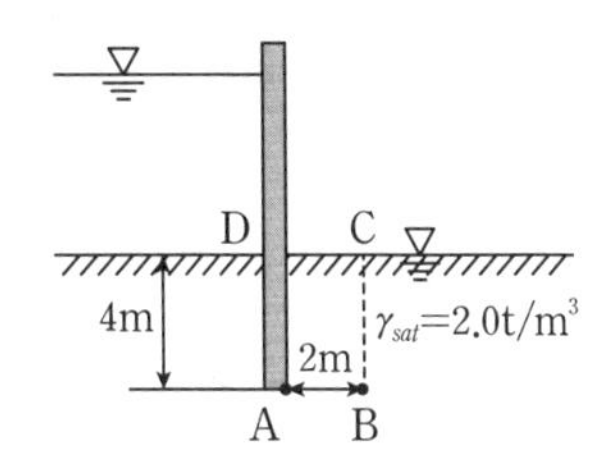

① 1.25

② 1.33

③ 1.67

④ 2.00

해설

$F_s = \frac{i_c}{i} = \frac{1}{\frac{0.8+0.4}{2}} = 1.67$

63 ② 64 ④ 65 ② 66 ③ [정답]

제5장

67 다음 그림과 같은 점성토 지반의 굴착저면에서 바닥융기에 대한 안전율을 Terzaghi의 식에 의해 구하면? (단, $\gamma_t = 1.8\text{t/m}^3$, $c = 2.0\text{t/m}^2$이다)

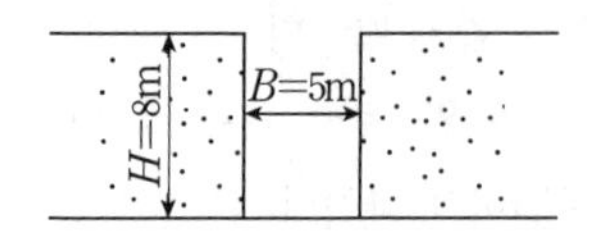

① 3.2
② 2.3
③ 1.8
④ 1.2

해설

$$F_s = \frac{5.7c}{\gamma H - \frac{cH}{0.7B}} = \frac{5.7 \times 2}{1.8 \times 8 - \frac{2 \times 8}{0.7 \times 5}} = 1.16$$

68 상향 침투압 4.8t, 유효압력 8t인 널말뚝의 하단부분 piping에 대한 안전율 3을 유지하기 위해서는 널말뚝 하류 지표면 위에 $\gamma_t = 1.8\text{t/m}^3$인 흙을 약 몇 m 높이로 깔면 되겠는가?

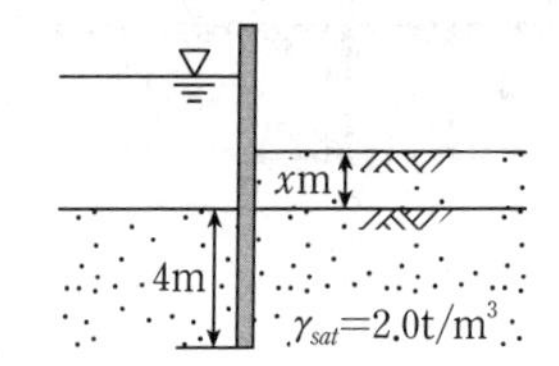

① 1.8m
② 2.4m
③ 3.6m
④ 4.4m

해설

1. $F_s = \dfrac{w'(\text{boiling에 저항하는 힘})}{F(\text{boiling을 일으키는 과잉수압})}$

$3 = \dfrac{w'}{4.8}$ $\quad \therefore w' = 14.4\text{t}$

2. $w' = 8 + \gamma_t \cdot x \cdot \dfrac{d}{2}$

$14.4 = 8 + 1.8 \times x \times \dfrac{4}{2}$ $\quad \therefore x = 1.78\text{m}$

69 그림과 같은 사질토층의 A점에서 상향흐름이 있을 경우, 분사현상이 발생하지 않기 위한 최저수심(h[m])은? (단, 사질토층의 비중은 2.6, 간극비는 1.0으로 가정한다)

2008. 국가직 7급

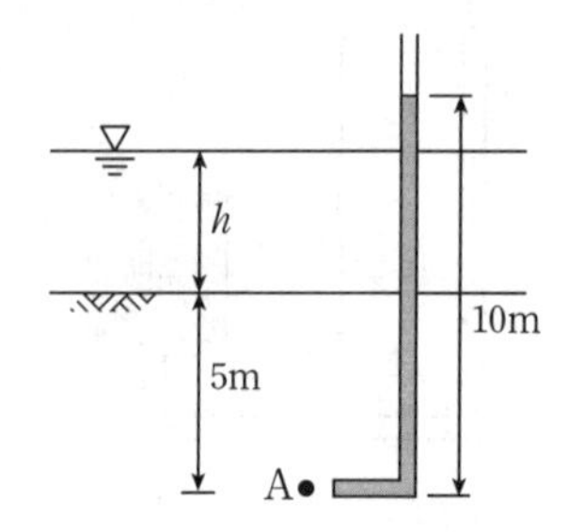

① 0.5 ② 1.0
③ 1.5 ④ 2.0

해설

1. $\gamma_{sat} = \dfrac{G_s + e}{1+e}\gamma_w = \dfrac{2.6+1}{1+1} \times 1 = 1.8\text{tf/m}^3$
2. $\sigma = 1 \times h + 1.8 \times 5 = h + 9$
3. $u = 1 \times 10 = 10\text{tf/m}^2$
4. $\bar{\sigma} = \sigma - u = h + 9 - 10 = 0$ 일 때 분사현상이 발생하지 않으므로
$\therefore h = 1\text{m}$

70 다음 그림과 같은 모래층이 두께가 9m인 점토층 아래에 있다. 점토층에서 융기(heaving)현상이 일어나지 않고 굴착할 수 있는 최대 연직굴착깊이 H[m]는?

2009. 지방직 7급

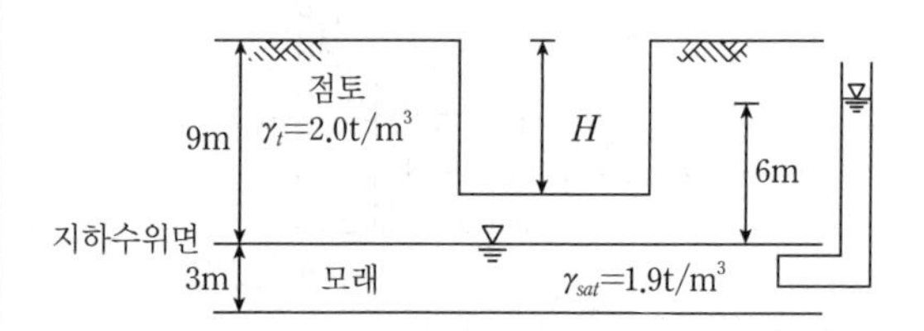

① 4.0 ② 5.0
③ 6.0 ④ 7.0

해설

1. $\sigma = (9-H) \times 2 = 18 - 2H$
2. $u = 6\text{t/m}^2$
3. $\bar{\sigma} = 18 - 2H - 6 = 0$
$\therefore h = 6\text{m}$

67 ④ 68 ① 69 ② 70 ③ [정답]

71 흙의 투수성에 대한 설명으로 옳지 않은 것은?

2010. 지방직 7급

① 널말뚝 주변 지반의 분사현상에 대한 검토에서는 일반적으로 널말뚝의 근입깊이와 동일한 폭에 대한 평균상향침투압을 사용한다.
② 상향침투가 있을 때의 연직유효응력은 정수상태의 연직유효응력보다 작다.
③ 투수성이 낮은 점토의 투수계수는 압밀시험을 통해서 구할 수 있다.
④ 흙의 투수계수는 포화도에 따라 달라진다.

해설

널말뚝 주변지반의 분사현상 검토는 널말뚝의 근입깊이(D)의 $\frac{D}{2}$에 대한 평균상향침투압을 사용한다.

72 그림과 같이 피압을 받는 모래층 위에 놓인 11m 두께의 균질하고 포화된 점토층을 굴착하려 한다. 점토층의 간극비가 e=0.5이고, 비중이 G_s=2.5일 때, 한계동수경사(i_{cr})와 점토층에서 굴착이 가능한 최대 깊이(D)는?

2009. 국가직 7급

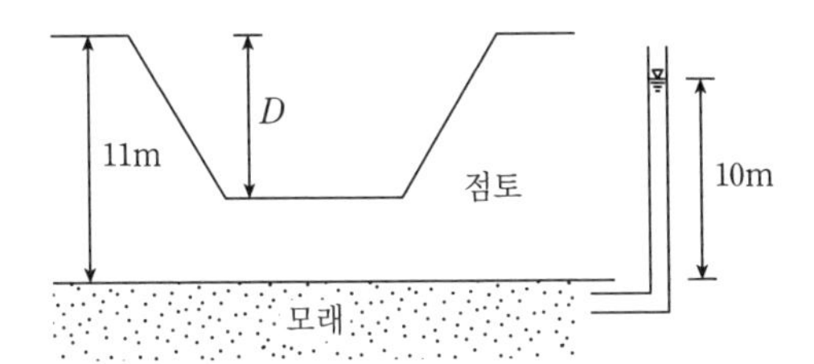

① $i_{cr}=1.0$, $D=6$m
② $i_{cr}=2.0$, $D=6$m
③ $i_{cr}=1.0$, $D=5$m
④ $i_{cr}=2.0$, $D=5$m

해설

1. $i_c = \frac{G_s - 1}{1+e} = \frac{2.5-1}{1+0.5} = 1$

2. ① $\gamma_{sat} = \frac{G_s + e}{1+e}\gamma_w = \frac{2.5+0.5}{1+0.5} = 2\text{t/m}^3$

② $\sigma = \gamma_{sat}(11-D) = 2(11-D)$

$u = 10\text{t/m}^2$

$\bar{\sigma} = 2(11-D) - 10 = 0$

$\therefore D = 6\text{m}$

71 ① 72 ① [정답]

Chapter 05

유효응력

기출 및 적중예상문제 Ⅱ [5지선다형]

여기에 수록된 「기출문제」는 수험생들의 기억을 바탕으로 유사한 유형의 문제로 새로이 창작하여 구성하였습니다. 따라서 원안과 동일하지는 않지만 출제 수준과 경향을 파악하는 데 결정적인 도움을 주리라 믿습니다.

01 그림에서 모관수에 의해 $A-A$ 면까지 완전히 포화되었다고 가정하면 $B-B$면에서의 유효응력은 얼마인가?

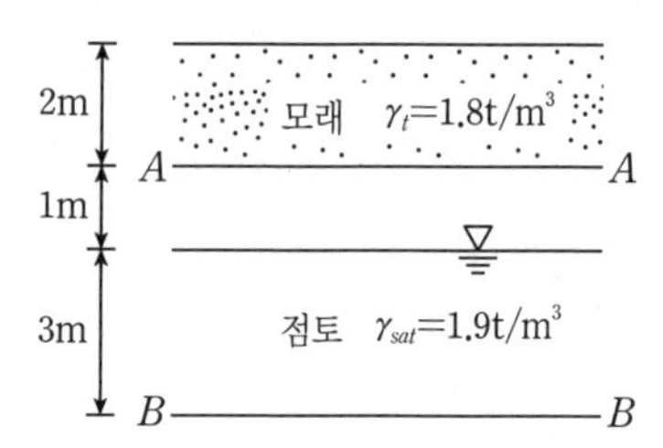

① 7.2t/m² ② 6.1t/m²
③ 8.2t/m² ④ 7.4t/m²
⑤ 12.2t/m²

해설

1. $\sigma = 1.8 \times 2 + 1.9 \times 4 = 11.2\text{t/m}^2$
2. $u = 1 \times 3 = 3\text{t/m}^2$
3. $\bar{\sigma} = \sigma - u = 11.2 - 3 = 8.2\text{t/m}^2$

02 다음 그림에서 지표면 아래 4m 깊이에서의 유효응력은?

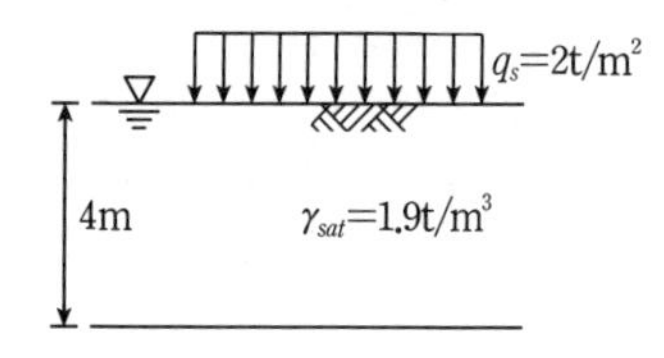

① 5.6t/m² ② 4.4t/m²
③ 6.0t/m² ④ 9.6t/m²
⑤ 8.4t/m²

해설

1. $\sigma = 1.9 \times 4 + 2 = 9.6\text{t/m}^2$
2. $u = 1 \times 4 = 4\text{t/m}^2$
3. $\bar{\sigma} = \sigma - u = 9.6 - 4 = 5.6\text{t/m}^2$

03 e=0.6, G_s=2.68이고 지표면까지 모관현상에 의하여 60% 포화되었다고 가정하였을 때 A점에 작용하는 유효응력의 크기는 얼마인가? (단, 지하수위면 아래 γ_{sat}= 2.05tf/m³) 2005. 서울시 7급

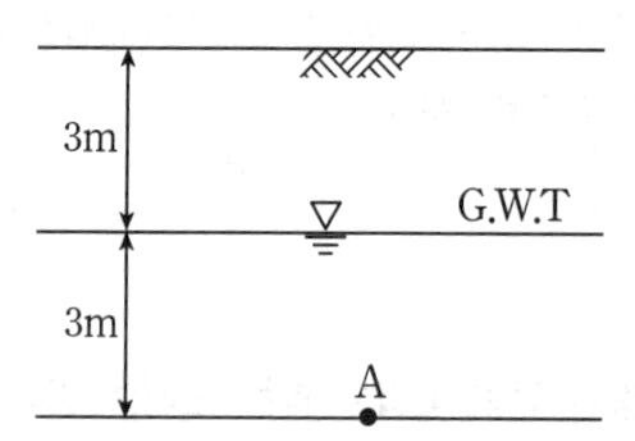

① 6.3tf/m² ② 6.84tf/m²
③ 8.85tf/m² ④ 9.3tf/m²
⑤ 9.84tf/m²

해설

1. $\gamma_t = \dfrac{G_s + Se}{1+e}\gamma_w = \dfrac{2.68 + 0.6 \times 0.6}{1 + 0.6} \times 1 = 1.9\text{tf/m}^3$
2. $\sigma = 1.9 \times 3 + 2.05 \times 3 = 11.85\text{tf/m}^2$
 $u = 1 \times 3 = 3\text{tf/m}^2$
 $\bar{\sigma} = 11.85 - 3 = 8.85\text{tf/m}^2$

01 ③ 02 ① 03 ③ [정답]

04 그림과 같은 정수 중에 있는 포화도의 $A-A$면에서 유효압력은? (단, $\gamma_w = 1.0t/m^3$)

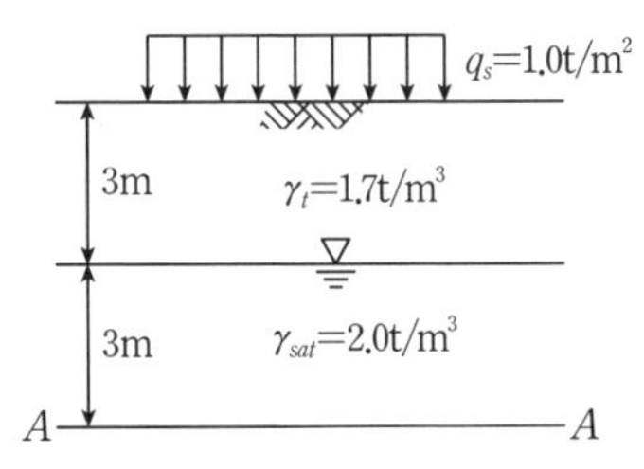

① $11.10t/m^2$ ② $7.10t/m^2$
③ $6.10t/m^2$ ④ $9.10t/m^2$
⑤ $12.10t/m^2$

해설

1. $\sigma = 1.7 \times 3 + 2 \times 3 + 1 = 12.1t/m^2$
2. $u = 1 \times 3 = 3t/m^2$
3. $\bar{\sigma} = \sigma - u = 12.1 - 3 = 9.1t/m^2$

05 침투현상이 전혀 일어나지 않는 저수지가 있다. 이 저수지의 수위가 1m 감소한 경우 저수지 바닥에서 1m 깊이에 있는 흙에 작용하는 유효응력은 얼마나 변하겠는가? (단, 원수위는 10m이고, 물의 단위중량은 $10kN/m^3$, 저수지 바닥 흙의 포화단위중량은 $20kN/m^3$이라 가정한다) 2005. 서울시 7급

① $-10kN/m^2$ ② $-5kN/m^2$
③ $0kN/m^2$ ④ $5kN/m^2$
⑤ $10kN/m^2$

해설

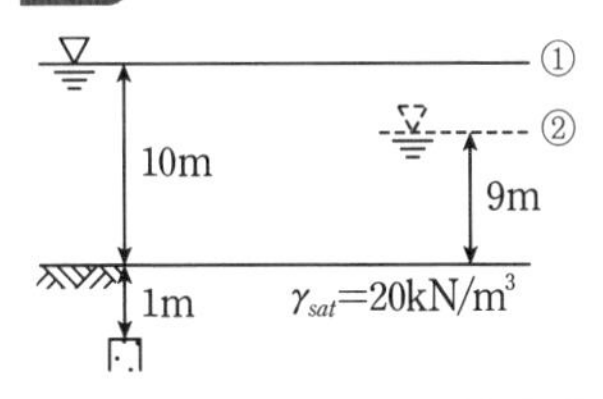

1. $\sigma = 10 \times 10 + 20 \times 1 = 120kN/m^2$
   $u = 10 \times 11 = 110kN/m^2$
   $\bar{\sigma} = 120 - 110 = 10kN/m^2$
2. $\sigma = 10 \times 9 + 20 \times 1 = 110kN/m^2$
   $u = 10 \times 10 = 100kN/m^2$
   $\bar{\sigma} = 110 - 100 = 10kN/m^2$

06 다음 그림에서 관의 단면적은 $3m^2$이고, $\gamma_{sat} = 1.9tf/m^3$이다. 분사현상이 일어나기 위한 수두차 Δh와 이 경우 단위체적당 침투압의 크기는? 2005. 서울시 7급

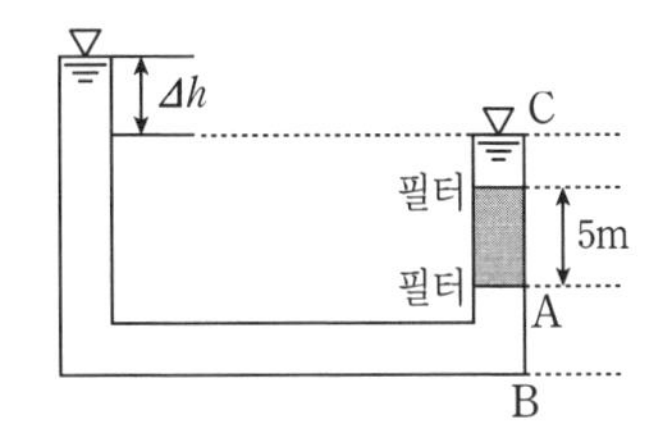

① 4.5m, $1.0tf/m^3$
② 5m, $1.0tf/m^3$
③ 4.5m, $0.9tf/m^3$
④ 5m, $0.9tf/m^3$
⑤ 5m, $2.7tf/m^3$

해설

1. $F_s = \dfrac{i_c}{i} = \dfrac{0.9}{\dfrac{h}{L}} = \dfrac{\dfrac{0.9}{1}}{\dfrac{h}{5}} = \dfrac{4.5}{h} = 1 \quad \therefore h = 4.5m$
2. $F = i\gamma_w = \dfrac{4.5}{5} \times 1 = 0.9t/m^3$

07 흙 속의 지하수면 아래 어떤 점에서의 위치수두(elevation head)가 1.0m, 전수두(total head)가 2.0m였다면 이 점에 가해지는 공극수압(t/m^2)은?

① -1 ② 0.2
③ 1 ④ 2
⑤ 3

해설

1. 압력수두 = 전수두 − 위치수두
   $= 2 - (-1) = 3m$
2. 간극수압 $= 1 \times 3 = 3t/m^2$

04 ④ 05 ③ 06 ③ 07 ⑤ [정답]

08 어떤 모래층에 있어서 수두가 4m이고, 한계 동수구배가 1.0일 때 모래층의 두께가 얼마 이상이면 분사현상이 일어나지 않겠는가?

① 4m 이상　② 2m 이상
③ 1m 이상　④ 5m 이상
⑤ 6m 이상

해설

$F_s = \frac{i_c}{i} = \frac{i_c}{\frac{h}{L}} = \frac{1}{\frac{4}{L}} = \frac{L}{4} = \geq 1$

$\therefore L \geqq 4\text{m}$

09 비중이 2.65인 모래에 공극률이 40%일 때 분사현상을 일으키는 한계동수구배는 어느 것인가?

① 0.12　② 0.34
③ 0.68　④ 0.92
⑤ 0.99

해설

1. $e = \frac{n}{100-n} = \frac{40}{100-40} = 0.67$
2. $i_c = \frac{G_s - 1}{1+e} = \frac{2.65-1}{1+0.67} = 0.99$

10 공극비가 0.68이고, 토립자의 비중이 2.68인 지반에서 분사현상(quick sand)에 대한 안전율을 5라고 할 때 이 지반에 허용되는 최대동수구배는?

① 0.1　② 0.2
③ 0.3　④ 0.4
⑤ 0.5

해설

$F_s = \frac{i_c}{i} = \frac{\frac{G_s - 1}{1+e}}{i}$

$5 = \frac{\frac{2.68-1}{1+0.68}}{i}$　　$\therefore i = 0.2$

11 어떤 제체(提體)에서 동수구배 1.0, 흙의 비중이 2.8, 함수비 40%인 포화토에 있어서 분사현상에 대한 안전율을 구하여라.

① 0.6　② 0.65
③ 0.75　④ 0.8
⑤ 0.85

해설

1. $Se = wG_s$
   $100 \times e = 40 \times 2.8$　　$\therefore e = 1.12$
2. $i_c = \frac{G_s - 1}{1+e} = \frac{2.8-1}{1+1.12} = 0.85$
3. $F_s = \frac{i_c}{i} = \frac{0.85}{1} = 0.85$

08 ① 09 ⑤ 10 ② 11 ⑤ [정답]

지중응력

Chapter 06

지중응력

01 탄성론에 의한 지중응력

지반 내의 응력은 흙자체의 자중과 지표면 또는 지반 내에 작용하는 하중에 의하여 발생한다. 흙자체의 자중으로 발생하는 응력 중 연직응력은 응력을 구하고자 하는 깊이 Z까지의 흙의 단위면적당 무게와 같다.

$\sigma_v = \gamma Z$

지표면 또는 지반 내에 하중이 작용할 경우 이러한 하중에 의한 지중응력은 흙의 자중에 의한 응력에 추가적으로 작용하게 된다.

지표면에 작용하는 하중으로 인하여 지반 내에 생기는 응력의 계산은 탄성론으로 유도된 결과를 이용할 수 있다.

탄성론은 흙을 균질하고 등방성이며 탄성이라고 가정하였으나 실제의 흙은 완전한 소성체도 아니고 탄성체도 아니므로 이 가정과는 많이 다르지만 탄성론으로 얻어진 결과는 실제와 크게 어긋나지 않는다.

1. 집중하중에 의한 지중응력

Boussinesq는 무한히 넓은 지표면상에 작용하는 집중하중으로 유발되는 지중응력의 문제를 해석하였다.

(1) Boussinesq 이론

① A점에서의 법선응력

$$\Delta\sigma_Z = \frac{P}{Z^2} I \quad \cdots\cdots (6-1)$$

지표면에 집중하중이 놓일 때 이로 인한 연직응력의 증가량은 하중의 중심선에서 가장 크며, 깊이가 깊어짐에 따라 감소하여 어느 깊이 이상에서는 지표면에 있는 하중의 영향을 받지 않는다.

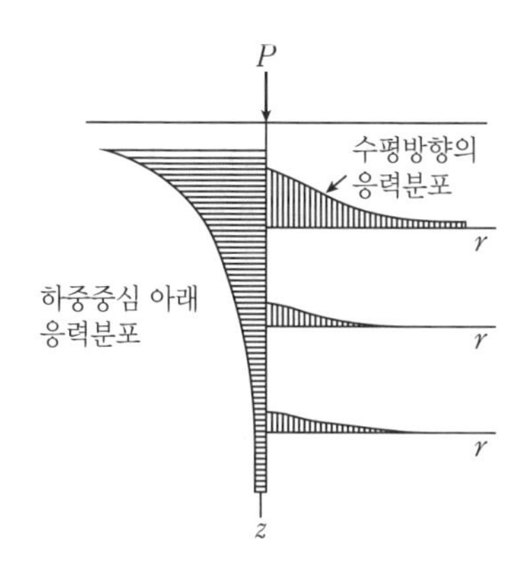

[그림 6-1] 지표면에 집중하중이 놓일 때 지중응력의 분포

② **영향계수**(influence value) : 영향계수 I는 집중하중에 의한 지반중의 연직응력에 대한 영향치로서 하중 작용점과 구하고자 하는 A점간의 기하하적 위치에만 관계되는 무차원의 계수이다.

$$I = \frac{3}{2\pi} \cdot \frac{1}{[(r/Z)^2+1]^{\frac{5}{2}}} = \frac{3Z^5}{2\pi R^5} \quad \cdots\cdots (6-2)$$

여기서, $R=\sqrt{r^2+Z^2}$

하중 작용점 직하에서는 $R=Z$이므로 $I=\frac{3}{2\pi}=0.4775$

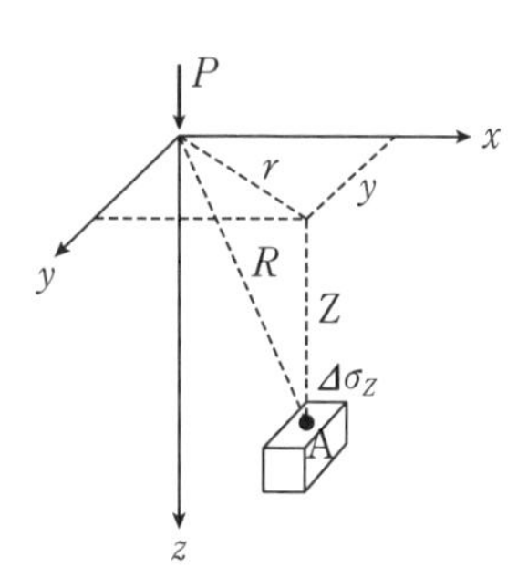

[그림 6-2] 집중하중에 의한 지중응력

(2) 특징

① 지반을 균질, 등방성의 자중이 없는 반무한 탄성체라고 가정하였다.

② 변형계수(E)가 고려되지 않았다.

③ $\Delta\sigma_Z$는 Poisson비 ν에 무관하다. 따라서 측정치와 탄성이론치가 비교적 잘 맞는다.

2. 선하중에 의한 지중응력

반무한 지반 위의 지표면상에 단위 길이당 선하중 L이 무한히 길게 작용하고 있을 때 탄성론에 의해 연직응력의 증가량을 다음과 같이 결정할 수 있다.

(1) 하중 작용점 직하에서의 연직응력 증가량

$$\Delta\sigma_Z = \frac{2L}{\pi Z} \quad \cdots\cdots (6-3)$$

(2) 편심거리 x만큼 떨어진 곳에서의 연직응력 증가량

$$\Delta\sigma_Z = \frac{2LZ^3}{\pi(x^2+Z^2)^2} \quad \cdots\cdots (6-4)$$

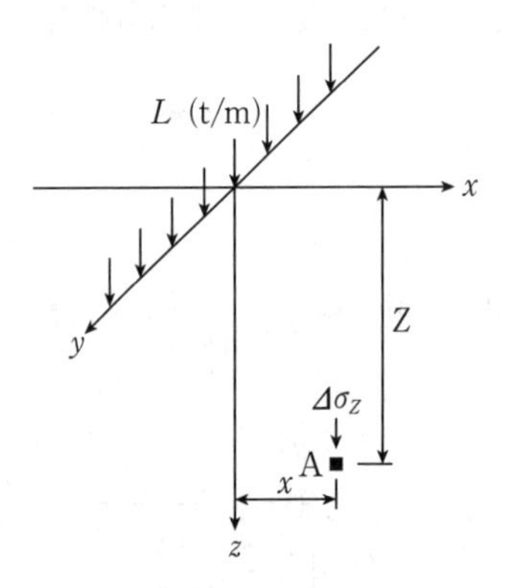

[그림 6-3] 선하중에 의한 연직응력

3. 분포하중에 의한 지중응력

(1) 등분포 대상하중에 의한 지중응력

등분포 대상하중에 의한 지반 내의 응력은 선하중에 대한 결과를 이용하여 구할 수 있다.

$$\Delta\sigma_Z = \frac{q}{\pi}[\beta + \sin\beta \cdot \cos(\beta + 2\delta)] \quad \cdots\cdots (6-5)$$

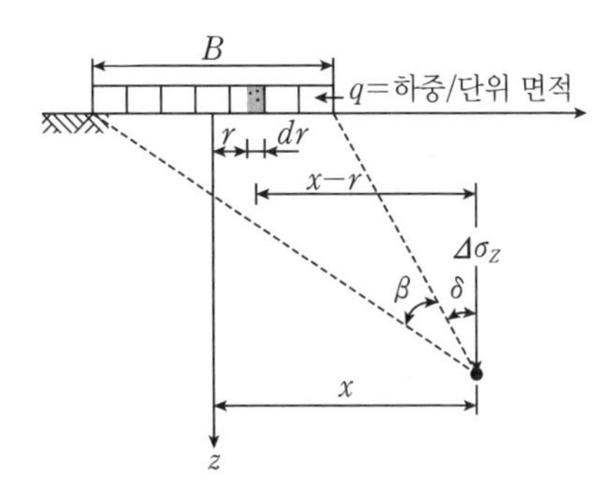

[그림 6-4] 등분포 대상하중에 의한 연직응력

(2) 원형 등분포 하중에 의한 지중응력

원형 등분포하중을 갖는 유연성 원형 기초면 중심 아래의 연직응력 증가는 집중하중에 의한 연직응력 증가량 $\Delta\sigma_Z$에 대한 Boussinesq의 결과를 이용하여 구할 수 있다.

$$\Delta\sigma_Z = q_s\left\{1 - \frac{1}{[(R/Z)^2+1]^{\frac{3}{2}}}\right\} \quad \cdots\cdots (6-6)$$

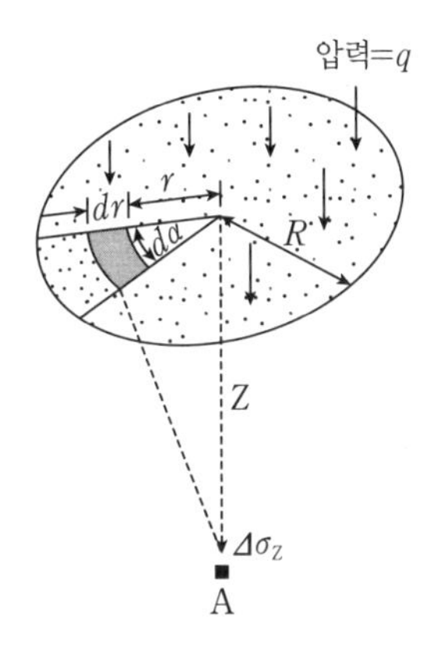

[그림 6-5] 원형 등분포하중에 의한 연직응력

(3) 제상(사다리꼴) 하중에 의한 지중응력

제방, 도로, 축제, Earth Dam과 같은 제상하중에 의한 지중응력의 계산에는 Osterberg 도표를 사용한다.

① 연직응력 증가량

$$\Delta\sigma_Z = I \cdot q \quad \cdots\cdots (6-7)$$

② 영향계수

$$I = \frac{1}{\pi} f\left(\frac{a}{Z}, \frac{b}{Z}\right) \quad \cdots\cdots (6-8)$$

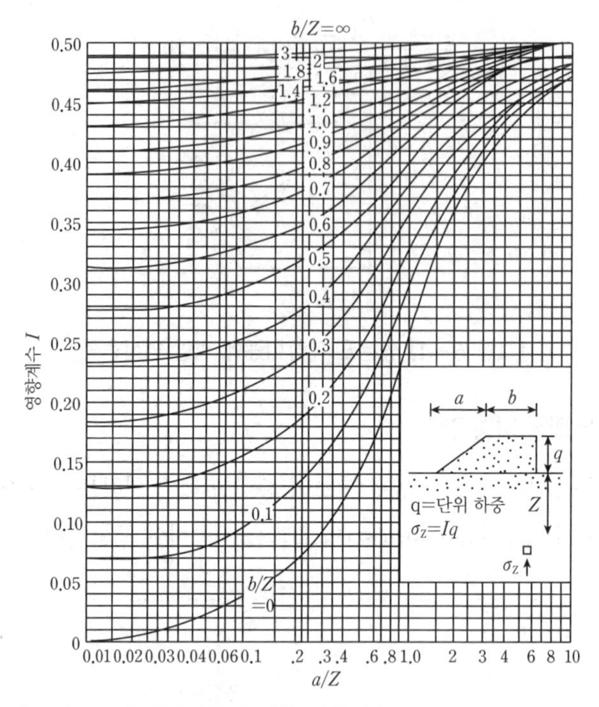

[그림 6-6] 제상하중에 의한 영향계수(Osterberg 도표)

(4) 구형(직사각형) 등분포 하중에 의한 지중응력

길이 L, 폭 B인 구형 등분포 하중이 지표면에 작용할 때에도 Boussinesq의 해로 지반 내의 연직응력 증가를 구할 수 있다.

① 연직응력 증가량

$\Delta\sigma_Z = q_s I$ ·· (6-9)

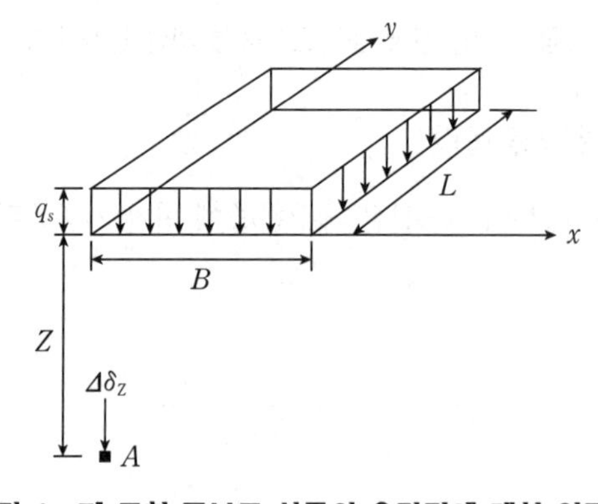

[그림 6-7] 구형 등분포 하중의 우각점에 대한 연직응력

② 영향계수

$$I=f(m,\ n) \quad \cdots\cdots (6-10)$$

여기서, $m=\dfrac{B}{Z}$, $n=\dfrac{L}{Z}$

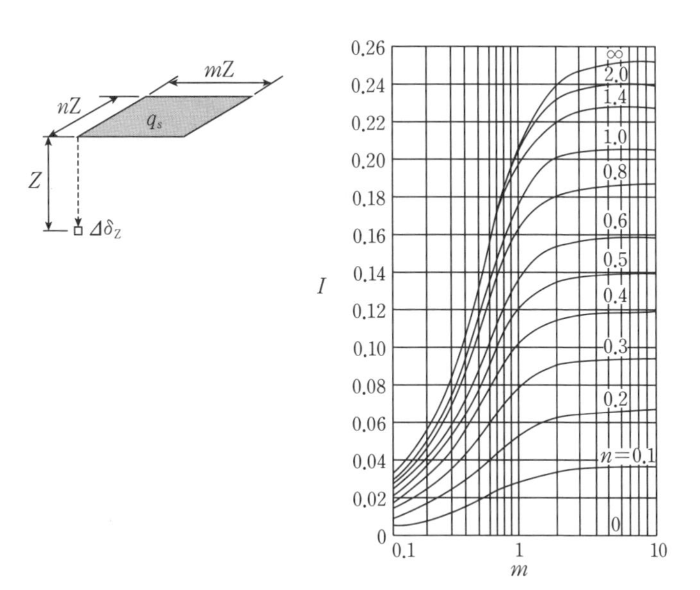

[그림 6-8] 직사각형 등분포 하중이 작용할 때의 영향계수

③ 임의 점 A가 구형 안에 있는 경우[그림 (a)]

$$\Delta\sigma_Z=\sigma_{ZP(\mathrm{aeAh})}+\sigma_{Z(bfAe)}+\sigma_{Z(cgAf)}+\sigma_{Z(dhAg)}$$
$$=q[I(1)+I(2)+I(3)+I(4)]$$

④ 임의 점 A가 구형 밖에 있는 경우[그림 (b)]

$$\Delta\sigma=\sigma_{Z(\mathrm{Aebh})}+\sigma_{Z(\mathrm{Afdg})}-\sigma_{Z(\mathrm{Aeag})}-\sigma_{Z(\mathrm{Afch})}$$

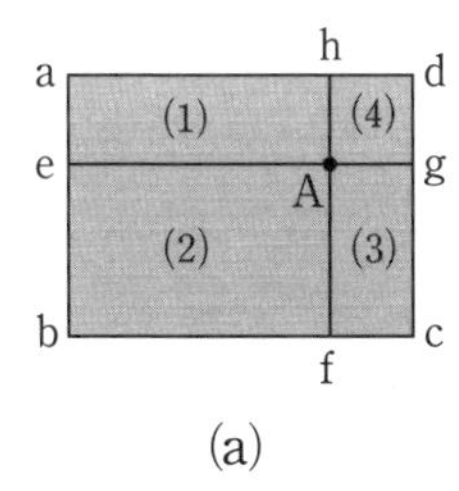

(a)

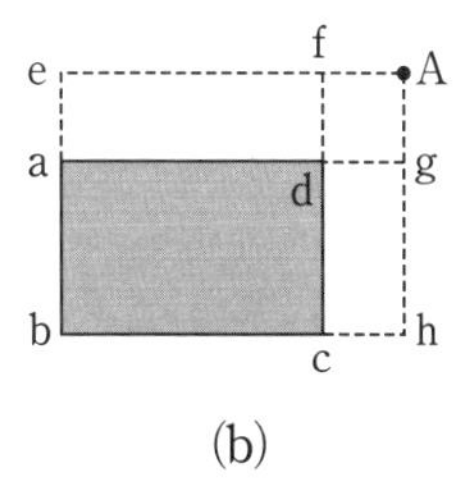

(b)

[그림 6-9] 구형하중에 의한 지중응력의 계산 예

(5) New-mark 영향원법

Newmark는 Boussinesq의 해를 기초로 하여 지표면에 불규칙적인 형상의 등분포하중 q가 작용할 때 지반 내의 어떤 점에서의 연직응력을 구할 수 있는 영향원을 제시하였다. 방사선의 간격 20개, 동심원 10개를 그렸을 때 200개의 망이 생긴다. 이때 영향치는 0.005이다.

$$\Delta\sigma_Z = 0.005nq \quad \cdots\cdots (6-11)$$

여기서, n : 작도된 재하면적 내의 영향원 블록수

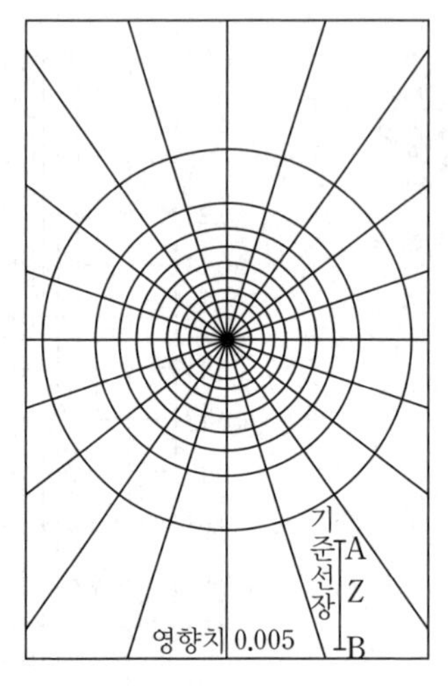

[그림 6-10] 연직 지중응력에 대한 New-mark의 영향도

02 지중응력의 약산법

하중에 의한 지중응력이 수평 1, 연직 2의 비율로 분포된다는 것이며, 또한 임의의 깊이에서 이것이 분포되는 범위까지 동일하다고 가정하여 그 분포 면적으로 하중을 나누어 평균 지중응력을 구하는 방법이다.

$P = q_s BL = \Delta\sigma_z (B+Z)\cdot(L+Z)$

$$\Delta\sigma_Z = \frac{P}{(B+Z)(L+Z)} = \frac{q_s BL}{(B+Z)(L+Z)} \quad \cdots\cdots (6-12)$$

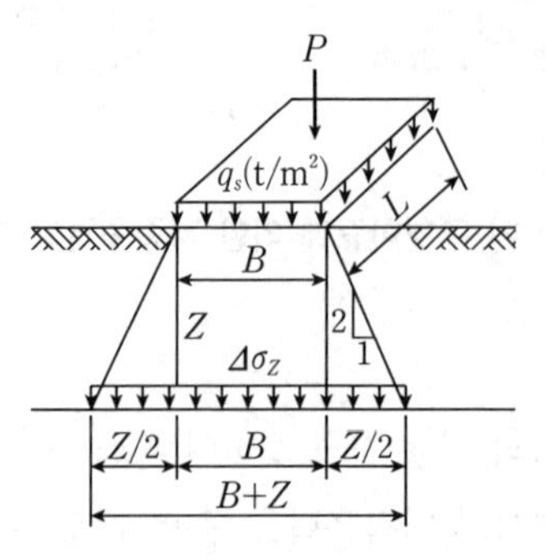

[그림 6-11]

Q 예제

그림과 같이 단위중량이 2t/m³인 2m 두께의 매우 넓은 성토층 위에 설치한 3m×4m 크기의 직사각형 기초가 140t의 하중을 받고 있다. 성토층 아래 지반의 단위중량은 1.68t/m³이다.

(1) 성토하기 전의 깊이에 따른 연직응력의 분포를 구하라.

(2) 성토하중으로 인한 연직응력의 증가량 Δp를 도시하라.

(3) 기초의 바닥이 지표면 아래 1m에 있을 때, 기초하중으로 인한 연직응력의 증가량을 구하라(기초의 자중은 흙의 무게와 같다고 가정).

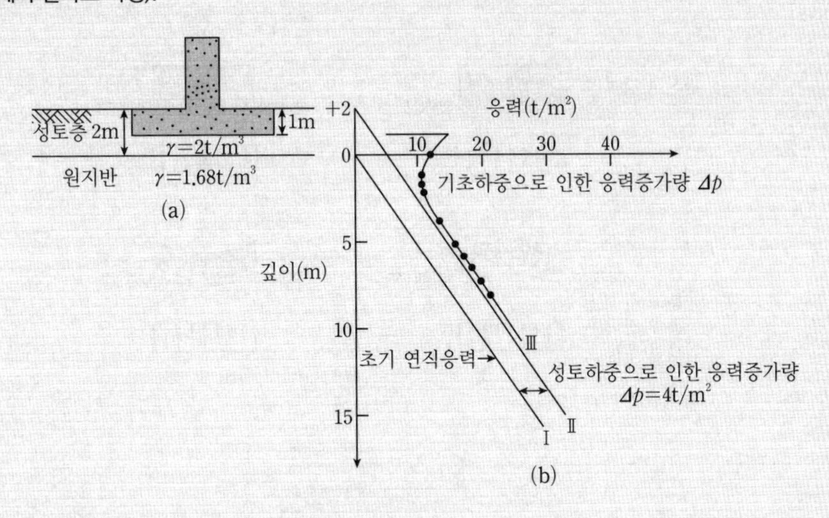

풀이

(1) ① $z=0$에서 $\sigma_v=0$

② $z=20\text{m}$에서 $\sigma_v=\gamma_t h=1.68\times20=33.6\text{t/m}^2$

따라서 그림 Ⅰ과 같이 된다.

(2) $2m$ 두께의 성토층으로 인한 연직응력 증가량은 전깊이에 걸쳐

$\Delta p=2\times2=4\text{t/m}^2$으로 같다. 따라서 그림 Ⅱ와 같다.

(3) ① 기초에 작용하는 압력

$$q=\frac{p}{A}=\frac{140}{3\times4}=11.7\text{t/m}^2$$

② 2 : 1 분포법을 사용했을 때 연직응력 증가량은 그림 Ⅲ과 같다.

z(m)	$B+z$	$L+z$	면적(m²)	Δp(t/m²)
0	3	4	12	11.7
1	4	5	20	7.0
2	5	6	30	4.7
3	6	7	42	3.3
4	7	8	56	2.5
5	8	9	72	1.9
6	9	10	90	1.6
7	10	11	110	1.3
8	11	12	132	1.1
9	12	13	156	0.9
10	13	14	182	0.8

03 기초지반에 대한 접지압 분포

기초판 저면의 지반에 대한 접촉응력을 접지압이라하며 이의 분포상태는 기초판의 강성과 토질에 따라 크게 다르나 실제 설계시의 접지압 분포는 등분포로 가정한다.

기초를 기초판의 강성에 따라 강성기초와 휨성기초로 구분하는데 일반적으로 철근콘크리트의 푸팅기초 등은 강성기초에 속하고 저수조, 수로 등의 저판 슬래브는 휨성기초(요성기초)에 속한다.

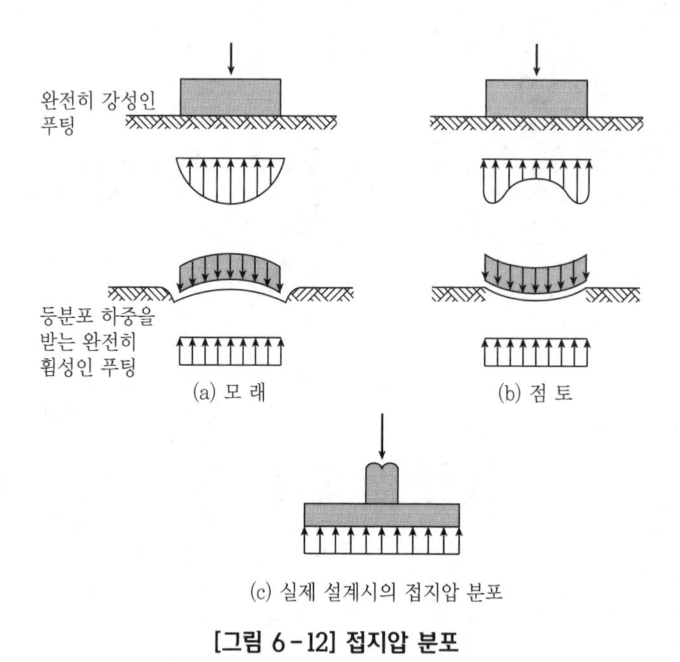

[그림 6-12] 접지압 분포

Chapter 06

지중응력

기출 및 적중예상문제

여기에 수록된 「기출문제」는 수험생들의 기억을 바탕으로 유사한 유형의 문제로 새로이 창작하여 구성하였습니다. 따라서 원안과 동일하지는 않지만 출제 수준과 경향을 파악하는 데 결정적인 도움을 주리라 믿습니다.

01 지표면에 집중하중이 작용할 때 지중 연직응력에 관한 다음 사항 중 옳은 것은? (단, Boussinesq 이론을 사용한다)

① 흙의 영(young)률 E에 무관하다.
② E에 정비례한다.
③ E의 제곱에 정비례한다.
④ E에 반비례한다.

해설

Boussinesq 이론

1. 지반을 균질, 등방성의 자중이 없는 반무한 탄성체라고 가정하였다.
2. 변형계수(E)가 고려되지 않았다.

02 지중응력 분포에 관한 Boussinesq의 식 $\Delta\sigma_{Zr} = \frac{P}{Z^2} I_{\sigma q}$에 관한 사항 중 옳지 않은 것은?

① $\Delta\sigma_{Zr}$은 연직방향의 수직응력의 크기이다.
② $I_{\sigma q}$를 지반 내 응력의 영향치라 한다.
③ $\Delta\sigma_{Zr}$은 접선응력을 나타내는 식이다.
④ $\Delta\sigma_{Zr}$은 연직 집중하중에 의한 연직응력의 크기이다.

해설

$\Delta\sigma_{Zr}$은 연직방향의 집중하중에 대한 연직응력으로써 법선응력이다.

03 집중하중을 지표면에 재하하였을 때 Boussinesq 식에 의한 지중응력의 증가 및 침하에 관한 다음 사항 중 옳지 않은 것은?

① 연직응력의 증가는 변형계수와 관계없다.
② 수평응력의 증가는 푸아송비와 관계있다.
③ 전단응력의 증가는 푸아송비와 관계있다.
④ 즉시침하는 변형계수에 반비례한다.

해설

Boussinesq 이론

1. 연직응력증가($\Delta\sigma_Z$)는 Poisson비와 무관하다.

$$\Delta\sigma_Z = \frac{P}{Z^2} I = \frac{P}{Z^2} \frac{3Z^5}{2\pi R^5}$$

2. 수평응력증가($\Delta\sigma_x$, $\Delta\sigma_y$)는 Poisson비에 의존한다.
3. 전단응력증가($\Delta\tau$)는 Poisson비와 무관하다.

$$\Delta\tau = \frac{3PrZ^2}{2\pi R^5}$$

4. 집중하중에 의한 침하

$$S_e = \frac{P}{\pi Er}(1 - \nu^2)$$

여기서, E : 변형계수$\left(E = \frac{\sigma}{\varepsilon}\right)$

ν : 푸아송비

$r = \sqrt{x^2 + y^2}$

01 ① 02 ③ 03 ③ [정답]

제6장

04 Boussinesq가 제안한 식을 이용하여 집중하중에 의한 지반내 응력 증가량을 구하는 경우에 대한 설명으로 옳은 것은? 2010. 국가직 7급

① 연직응력 증가량은 깊이의 제곱에 비례한다.
② 연직응력 증가량은 하중의 작용점에서 수평방향으로 멀어질수록 증가한다.
③ 수평응력 증가량은 포와송비의 영향을 받지 않는다.
④ 전단응력 증가량은 탄성계수와 관련이 없다.

해설

$\varDelta\sigma_Z = \dfrac{P}{Z^2} I$

05 그림과 같이 지표면에 $P_1 = 100\text{t}$의 집중하중이 작용할 때 지중 0점의 집중하중에 의한 수직응력은 얼마인가? (단, 영향값 $I_\sigma = 0.22$)

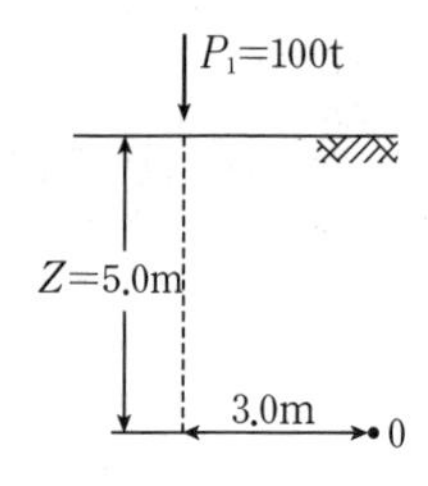

① $\varDelta\sigma_{Zr} = 0.10\text{t/m}^2$
② $\varDelta\sigma_{Zr} = 0.20\text{t/m}^2$
③ $\varDelta\sigma_{Zr} = 0.88\text{t/m}^2$
④ $\varDelta\sigma_{Zr} = 2.00\text{t/m}^2$

해설

$\varDelta\sigma_Z = \dfrac{P}{Z^2} I_\sigma = \dfrac{100}{5^2} \times 0.22 = 0.88\text{t/m}^2$

06 지반내 응력에 대한 내용으로 옳지 않은 것은? 2008. 국가직 7급

① 점하중이 작용할 경우 지반내 응력을 산정하는 Boussinesq해는 탄성이론에 근거한다.
② 탄성지반에서 여러 가지 하중들이 지표에 작용하는 경우 지반 내의 응력은 각 하중에 의한 응력 증가량을 산정하여 더해줌으로써 계산할 수 있다.
③ 외부하중이 작용하지 않고 지표가 수평한 지반에는 전단응력이 0이다.
④ 흙의 압축성은 전응력이 지배하지만 전단특성은 유효응력이 지배한다.

해설

흙의 압축성은 유효응력이 지배하고 전단강도 $\tau = c + \bar{\sigma}\tan\phi$이다.

07 지반 내 응력을 평가하기 위한 방법 중 Boussinesq 이론에 대한 설명으로 옳은 것은? 2015. 국가직

① 탄성론에 근거하고 있으므로 지반 내 깊이에 따른 응력변화는 선형적으로 평가된다.
② 지반응력의 해는 흙의 탄성계수와 무관하다.
③ 탄성론에 근거하고 있으므로, 비균질, 비등방성 지반조건에서 응력을 산정하는 엄밀해로 간주된다.
④ Boussinesq 이론에 의한 수직응력의 산정에는 포아송비가 사용된다.

해설

Boussinesq 이론(1883)

무한히 넓은 지표면상에 작용하는 집중하중으로 발생하는 균질하고 등방성인 탄성지반 내의 한 점에 발생하는 지중응력의 문제를 해석하였다.

1. 변형계수(E)가 고려되지 않았다.
2. $\varDelta\sigma_Z = \dfrac{P}{Z^2} I = \dfrac{P}{Z^2} \dfrac{3Z^5}{2\pi R^5}$

04 ④ 05 ③ 06 ④ 07 ② [정답]

08 그림과 같은 지반에 100t의 집중하중이 지면에 작용하고 있다. 하중 작용점 바로 아래 5m 깊이에서의 유효 연직응력은 얼마인가? (단, $\gamma_{sat} = 1.8t/m^3$이고 영향계수 $I = 0.4775$이다)

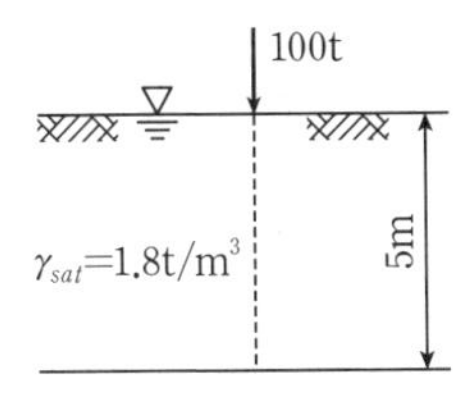

① $1.91t/m^2$
② $5.91t/m^2$
③ $7.91t/m^2$
④ $10.91t/m^2$

해설

1. $\Delta\sigma_v = \frac{P}{Z^2} \cdot I = \frac{100}{5^2} \times 0.4775 = 1.91t/m^2$
2. $\bar{\sigma} = \gamma_{sub} h + \Delta\sigma_v = 0.8 \times 5 + 1.91 = 5.91t/m^2$

09 다음과 같은 구형 단면상에 등분포하중 $q_s = 15t/m^2$가 작용할 때 중심점 아래 깊이 7.5m에서의 연직응력 증가를 구하시오. (단, 영향계수표는 다음과 같으며, 연직응력 증가 $\Delta\sigma_Z = q_s \cdot I_{\sigma(m,\ n)}$이고, $m = \frac{B}{Z}$, $n = \frac{L}{Z}$이다. 여기서, B, L, Z는 폭, 길이, 깊이이다)

m	0.2	0.4	2.5	5.0
n	0.4	0.8	2.5	2.5
I_σ	0.03	0.09	0.22	0.24

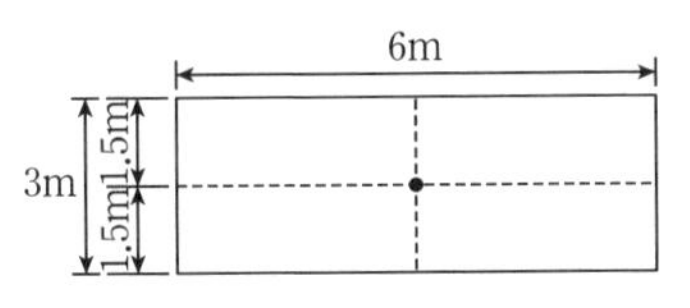

① $0.5t/m^2$ ② $1.3t/m^2$
③ $1.8t/m^2$ ④ $5.2t/m^2$

해설

1. $m = \frac{B}{Z} = \frac{1.5}{7.5} = 0.2,\ n = \frac{L}{Z} = \frac{3}{7.5} = 0.4$ 이므로
   $I_{\sigma(m,\ n)} = 0.03$이다.
2. $\Delta\sigma_Z = q_s \cdot I_{\sigma(m,\ n)} = 15 \times (0.03 \times 4) = 1.8t/m^2$

10 지표면에 10t/m의 선하중이 길게 작용한다. 지표면 아래 깊이 2m 되는 곳의 연직응력을 구한 값은? (단, 흙의 자중은 무시한다)

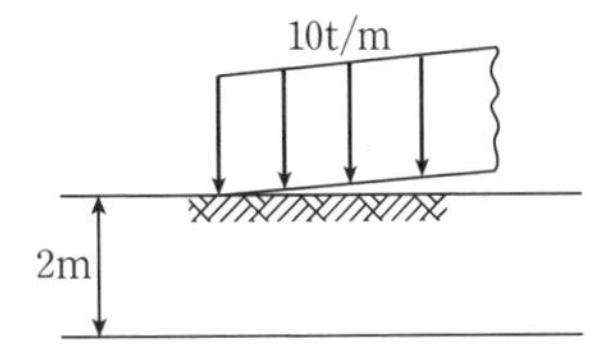

① $5.0t/m^2$ ② $10.0t/m^2$
③ $2.50t/m^2$ ④ $3.18t/m^2$

$\Delta\sigma_Z = \frac{2L}{\pi Z} = \frac{2 \times 10}{\pi \times 2} = 3.18t/m^2$

11 다음 그림과 같이 3m×2m, 직사각형 단면 위에 100t의 집중하중이 균등하게 분포하여 작용하고 있을 때 직사각형의 한 모서리 A점 아래 깊이 5m에서 연직응력의 증가량은 얼마인가? (단, 지중응력의 영향치 $I_\sigma = 0.08$이고, 흙의 단위중량은 $1.9t/m^3$이다)

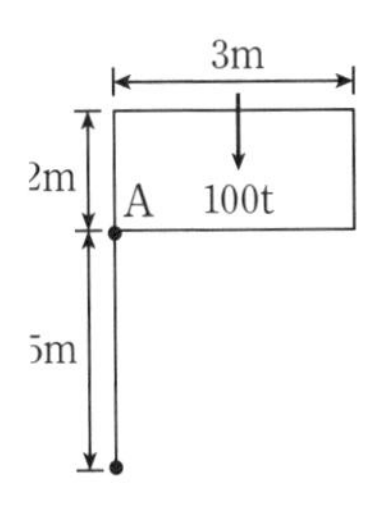

① $\Delta\sigma_v = 1.33t/m^2$ ② $\Delta\sigma_v = 8.00t/m^2$
③ $\Delta\sigma_v = 9.09t/m^2$ ④ $\Delta\sigma_v = 16.67t/m^2$

해설

$\Delta\sigma_v = qI_\sigma = \frac{100}{3 \times 2} \times 0.08 = 1.33t/m^2$

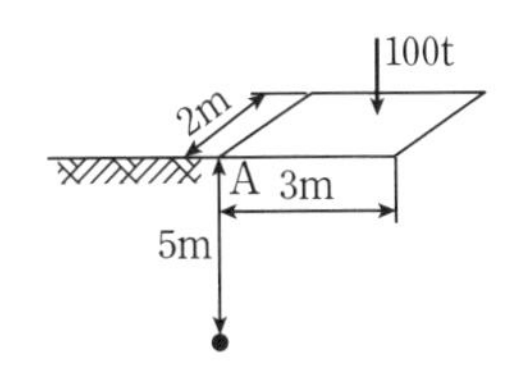

08 ② 09 ③ 10 ④ 11 ① [정답]

12 **지반이 선형응력-변형률 관계를 갖는다고 할 때 지반안정 해석에 있어 3가지 기본정수 E(탄성계수), G(전단탄성계수), ν(푸아송비)가 사용된다. 이들 정수에 대한 기술 중 옳지 않은 것은?**

① 전단탄성계수는 전단응력을 전단변형률로 나누어 얻어지는 값이다.

② 푸아송비는 수평방향의 팽창률을 수직방향의 압축률로 나누어 얻어지는 값이다.

③ 3가지 기본정수 사이에는 $G=E/(1+\nu)$의 관계가 성립한다.

④ 탄성계수에는 할선탄성계수와 접선탄성계수가 있고 선형 탄성재료의 경우 이들 값은 같다.

해설

1. 전단탄성계수 : $G = \dfrac{\tau(\text{전단응력})}{\gamma(\text{전단변형률})}$

2. 푸아송비 : $\nu = \dfrac{1}{m} = \dfrac{\text{횡방향 변형률}}{\text{종방향 변형률}}$

3. $E = 2G(1+\nu)$

13 **10t의 집중하중이 지표면에 작용하고 있다. 이때 하중점 직하 5m 깊이에서 연직응력의 증가량은 얼마인가?**

① $\dfrac{1}{5\pi}$ t/m²
② $\dfrac{3}{5\pi}$ t/m²
③ $\dfrac{5}{3\pi}$ t/m²
④ $\dfrac{5\pi}{3}$ t/m²

해설

$\Delta\sigma_Z = \dfrac{P}{Z^2}\cdot I = \dfrac{10}{5^2}\times\dfrac{3}{2\pi} = \dfrac{3}{5\pi}$

14 **다음 그림과 같은 2m×4m 면적에 10t/m²의 등분포하중이 작용하고 있다. A점 4m 아래의 연직응력 증가량 (t/m²)은?** 2007. 국가직 7급

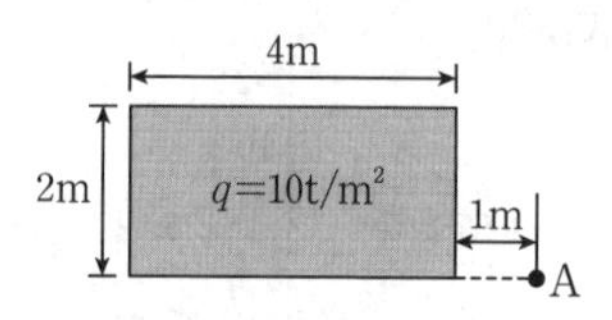

m	0.5	0.5	1.0	1.0
n	0.25	1.25	0.25	1.25
I	0.05	0.119	0.07	0.185

① 0.49
② 0.69
③ 1.15
④ 1.45

해설

$\Delta\sigma_v = I_{(m,n)}\cdot q$

$= 0.119\times 10 - 0.05\times 10$

$= 0.69\text{t/m}^2$

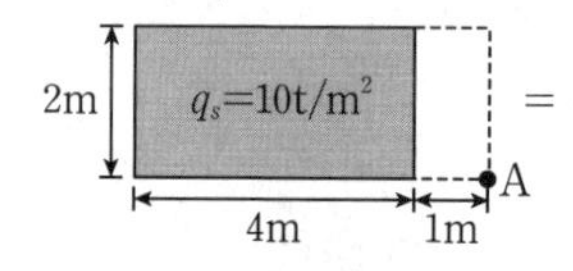

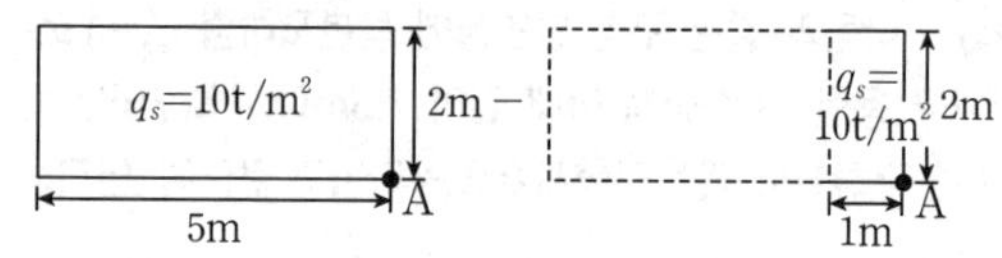

$m = \dfrac{B}{Z} = \dfrac{2}{4} = 0.5$, $n = \dfrac{L}{Z} = \dfrac{5}{4} = 1.25$, $I_{(m,n)} = 0.119$

$m = \dfrac{B}{Z} = \dfrac{2}{4} = 0.5$, $n = \dfrac{L}{Z} = \dfrac{1}{4} = 0.25$, $I_{(m,n)} = 0.05$

12 ③ 13 ② 14 ② [정답]

15 두 변의 길이가 각각 L과 B인 구형 등분포하중의 모서리 직하 깊이 Z 되는 곳의 연직응력은 $\sigma_Z = q \cdot I_{\sigma(m,\ n)}$이다. 중첩의 원리를 써서 다음 그림의 A점 직하 1m 되는 곳의 σ_Z는? (단, q는 하중강도, $I_{\sigma(m,\ n)}$은 응력의 영향값, $m = \dfrac{B}{Z}$, $n = \dfrac{L}{Z}$ 이다)

> $m=1$, $n=1$이면 $I_{\sigma(m,\ n)}=0.175$
> $m=1$, $n=2$이면 $I_{\sigma(m,\ n)}=0.200$
> $m=1$, $n=3$이면 $I_{\sigma(m,\ n)}=0.203$으로 한다.

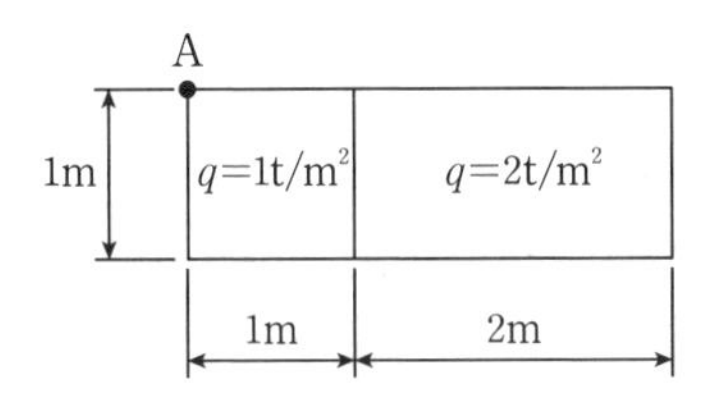

① 0.575t/m² ② 0.403t/m²
③ 0.338t/m² ④ 0.231t/m²

해설

$$\begin{aligned}\Delta\sigma_Z &= q \cdot I_{\sigma(m,\ n)} \\ &= q_1 \cdot I_{\sigma(1,\ 3)} - q_2 \cdot I_{\sigma(1,\ 1)} \\ &= 2 \times 0.203 - 1 \times 0.175 \\ &= 0.231\text{t/m}^2\end{aligned}$$

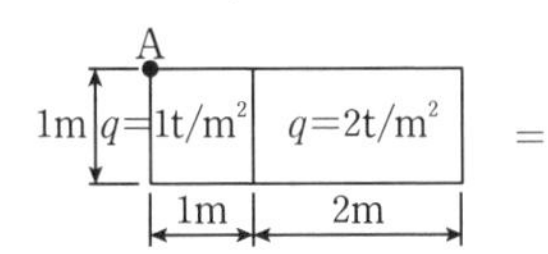

=

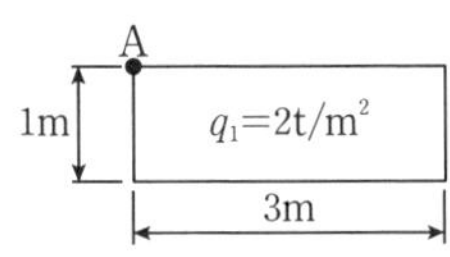

−

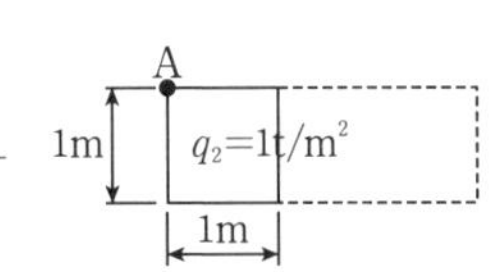

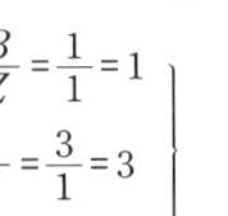

$$\left\{\begin{aligned} m &= \frac{B}{Z} = \frac{1}{1} = 1 \\ n &= \frac{L}{Z} = \frac{3}{1} = 3 \\ \therefore\ I_{\sigma(1,\ 3)} &= 0.203 \end{aligned}\right. \qquad \left\{\begin{aligned} m &= \frac{B}{Z} = \frac{1}{1} = 1 \\ n &= \frac{L}{Z} = \frac{1}{1} = 1 \\ \therefore\ I_{\sigma(1,\ 1)} &= 0.175 \end{aligned}\right.$$

16 지반 내의 응력분포를 알기 위한 영향원에 의한 도식해법에서 영향수를 0.005, 영향원 내의 구역수를 10, 등분포 하중이 3t/m²라 하면 연직응력은?

① 0.15t/m² ② 0.17t/m²
③ 0.35t/m² ④ 0.60t/m²

해설

$\Delta\sigma_Z = 0.005nq = 0.005 \times 10 \times 3 = 0.15t/\text{m}^2$

17 지표에서 1m×1m의 기초에 5t의 하중이 작용하고 있다. 깊이 4m 되는 곳에서의 연직응력을 2 : 1 분포법으로 구한 값은? 2004. 서울시 7급

① 0.2t/m² ② 0.31t/m²
③ 0.45t/m² ④ 1.0t/m²

해설

$$\Delta\sigma_v = \frac{P}{(B+Z)(L+Z)} = \frac{5}{(1+4)^2} = 0.2\text{t/m}^2$$

18 지표면에 설치된 3.0m×3.0m인 기초에 20kN/m²의 등분포하중이 작용한다. 이 하중에 의하여 3.0m 깊이에 생기는 연직응력 증가량은? (단, 지표면 아래 흙의 단위중량은 18kN/m³로 균등하다고 가정한다)

2005, 2016 서울시 7급

① 2.5kPa ② 5kPa
③ 25kPa ④ 50kPa

해설

$$\Delta\sigma_v = \frac{BLq_s}{(B+Z)(L+Z)} = \frac{3 \times 3 \times 20}{(3+3)^2} = 5\text{kPa}$$

15 ④ 16 ① 17 ① 18 ② [정답]

19 지표에서 10m×10m의 기초에 5t/m²의 등분포하중이 작용하고 있을 때, 이 하중으로 인한 하부 5m 깊이의 수평면에 증가하는 연직응력(t/m²)은? (단, 2 : 1 분포법을 이용한다) 2007. 국가직 7급

① 약 1.11 ② 약 2.22
③ 약 3.33 ④ 약 4.44

해설

$\Delta\sigma_v = \frac{BLq_s}{(B+Z)(L+Z)} = \frac{10\times10\times5}{(10+5)^2} = 2.22\text{t/m}^2$

20 그림과 같은 독립기초(폭 2m, 길이 7m)에 작용하는 5,000kN의 하중으로 인해 지표면 아래 5m에 위치한 지중구조물 단면 상부에 야기되는 수직응력〔kN/m²〕은? (단, 2 : 1 분포법을 사용하여 산정한다) 2012. 국가직 7급

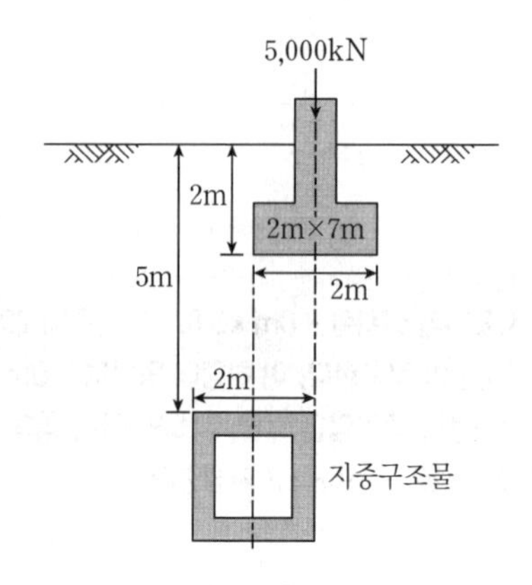

① 50 ② 100
③ 150 ④ 200

해설

$\Delta\sigma_v = \frac{P}{(B+Z)(L+Z)} = \frac{5000}{(2+3)(7+3)} = 100\text{kN/m}^2$

21 2m×4m 크기의 직사각형 기초에 100kN/m²의 등분포하중이 작용할 때, 기초 아래 6m 깊이에서 2 : 1 경사법으로 구한 응력 증가량(kN/m²)은? 2011. 국가직 7급

① 10 ② 15
③ 20 ④ 25

해설

$\Delta\sigma_v = \frac{BLq_s}{(B+Z)(L+Z)} = \frac{2\times4\times100}{(2+6)(4+6)} = 10\text{kN/m}^2$

22 그림과 같이 5m×10m의 직사각형 기초 시공으로 인해 사질토 지반위에 150kN/m²의 응력이 작용하고 있다. 응력 증가량을 2 : 1 방법으로 계산할 때, 기초 중앙하부 5m지점에서의 연직유효응력[kN/m²]은? (단, 지하수위는 지표면에 있고 사질토 지반의 포화단위중량은 20kN/m³이며, 물의 단위중량은 10kN/m³이다) 2015. 국가직

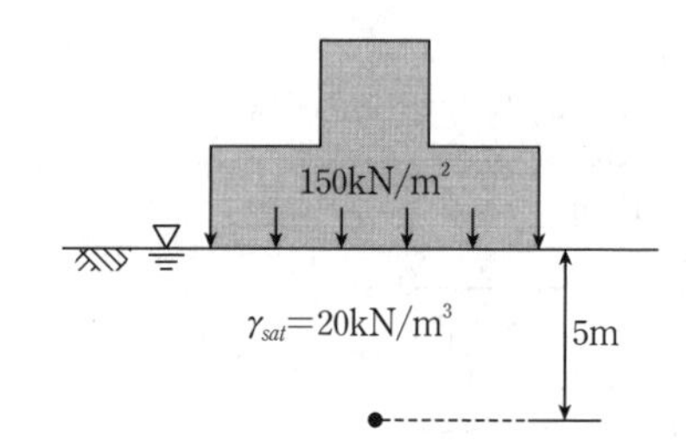

① 40
② 60
③ 80
④ 100

해설

1. $\Delta\sigma_v = \frac{BLq_s}{(B+Z)(L+Z)} = \frac{5\times10\times150}{(5+5)(10+5)} = 50\text{kN/m}^2$

2. $\bar{\sigma} = 10\times5+50 = 100\text{kN/m}^2$

19② 20② 21① 22④ [정답]

23 그림과 같이 단위중량이 2.0tf/m³인 지반의 4m 깊이에 위치한 10m×10m의 전면기초에 Q=2000tf의 활하중과 사하중이 작용한다. 기초 저면 중앙부 아래 10m 깊이 A지점에서 전면기초 작용하중에 의한 연직응력 증가량(tf/m²)은? (단, 지중응력 전달은 2 : 1 응력분포법을 사용한다) 2008. 국가직 7급

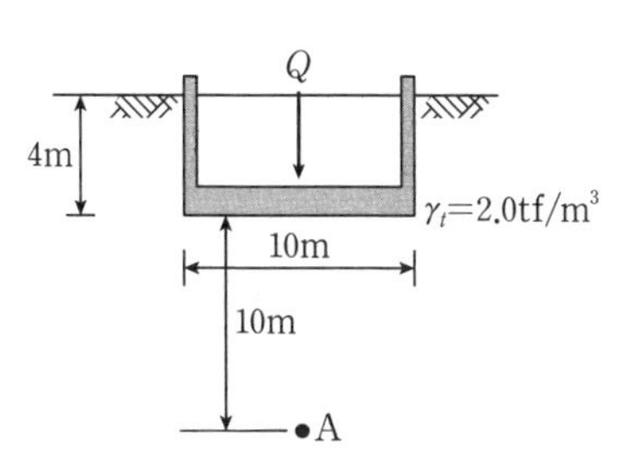

① 2.0 ② 3.0
③ 4.0 ④ 5.0

해설

$$\Delta\sigma_v = \frac{BL(q_s - \gamma D_f)}{(B+Z)(L+Z)} = \frac{2000 - 10\times10\times2\times4}{(10+10)(10+10)} = 3\text{tf/m}^2$$

24 다음 그림과 같이 기초 폭이 2m인 연속기초에서 기초면에 작용하는 합력의 연직성분이 10t 작용하고 편심거리가 20cm일 때 기초지반에 일어나는 최대응력 q_{max}는?

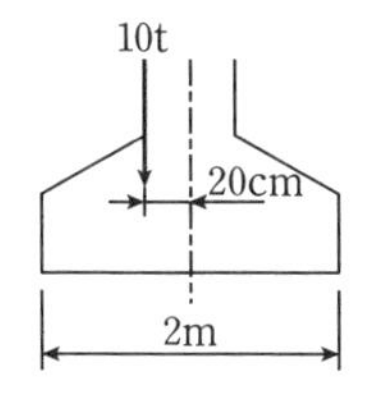

① 2t/m² ② 4t/m²
③ 8t/m² ④ 16t/m²

해설

$$q_{max} = \frac{Q}{BL}\left(1+\frac{6e}{B}\right) = \frac{10}{2\times1}\left(1+\frac{6\times0.2}{2}\right) = 8\text{t/m}^2$$

25 점토지반에 있어서 강성기초의 접지압 분포에 관한 다음 설명 가운데 옳은 것은?

① 기초 모서리부분에서 최대응력이 발생한다.
② 기초의 중앙부분에서 최대응력이 발생한다.
③ 기초 밑면의 응력은 어느 부분이나 동일하다.
④ 기초 밑면에서의 응력은 토질에 관계없이 일정하다.

해설

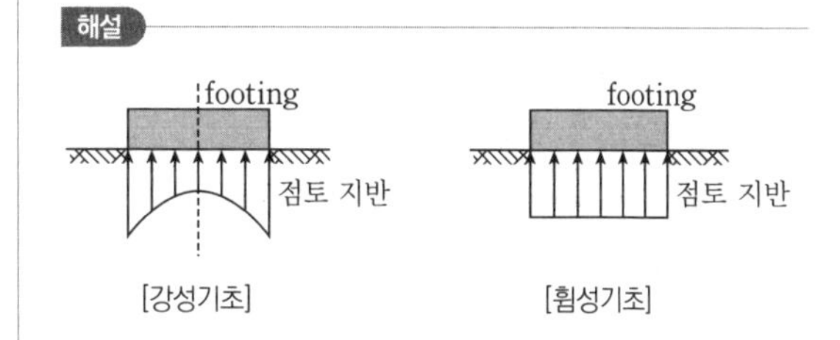

[강성기초] [휨성기초]

26 사질토지반에 있어서 강성기초의 접지압 분포에 관한 다음 설명 중 옳은 것은?

① 기초의 모서리부분에서 최대응력이 발생한다.
② 기초의 중앙부에서 최대응력이 발생한다.
③ 기초의 밑면에서는 어느 부분이나 동일하다.
④ 기초 밑면에서의 응력은 토질에 상관없이 일정하다.

해설

사질토지반에서 강성기초의 접지압 분포

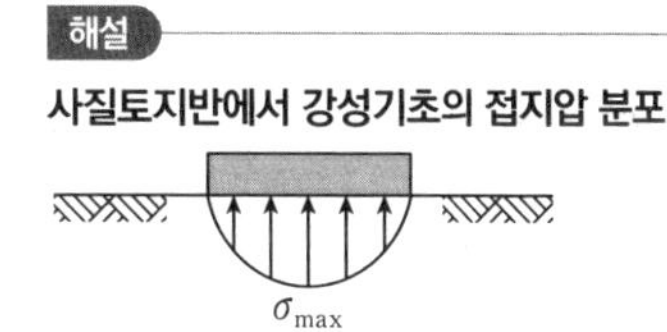

23 ② 24 ③ 25 ① 26 ② [정답]

27 **기초지반의 흙이 탄성적이고 균질하며 등방성이라고 가정할 때, 지표면상에 놓인 기초의 접지압과 침하에 대한 설명으로 옳지 않은 것은?** 2010. 국가직 7급

① 모래지반상의 연성기초에 등분포하중이 작용하면 접지압은 등분포로 작용하고 기초중앙부에서 최소침하가 발생한다.
② 모래지반상의 강성기초에 등분포하중이 작용하면 접지압은 기초 모서리에서 최소가 되며 침하는 균등하게 발생한다.
③ 점토지반상의 연성기초에 등분포하중이 작용하면 접지압은 등분포로 작용하고 기초 모서리에서 최대침하가 발생한다.
④ 점토지반상의 강성기초에 등분포하중이 작용하면 접지압은 기초 모서리에서 최대가 되며 침하는 균등하게 발생한다.

해설

점토지반상의 연성기초에 등분포하중이 작용하면 기초 중앙부에서 최대침하가 발생한다.

28 **그림과 같이 어떤 지반상에 성토되었을 경우 3m 깊이의 A점 및 B점에서의 수직응력은?**

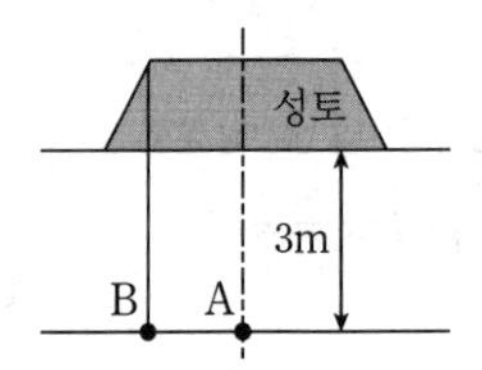

① 서로 같다.
② A점보다 B점이 크다.
③ B점보다 A점이 크다.
④ 같은 경우와 다를 경우가 있다.

해설

수평방향의 지중응력분포도

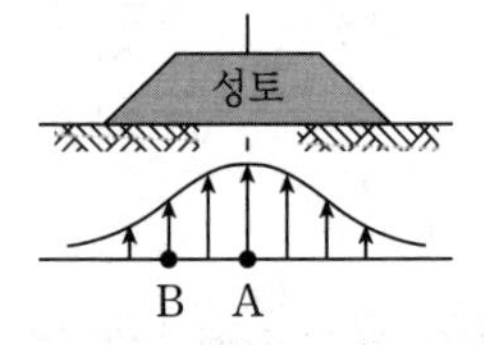

29 **기초의 탄성(즉시)침하와 접지압에 대한 설명으로 옳지 않은 것은?** 2013. 국가직 7급

① 점성토지반 위에 놓이는 연성기초의 최대 침하는 기초 중앙부에서 발생한다.
② 강성기초는 지반조건(사질토 또는 점성토 등)에 따라 침하 형상이 변화한다.
③ 사질토지반 위에 놓이는 강성기초의 최대 접지압은 기초 중앙부에서 발생한다.
④ 점성토지반 위에 놓이는 강성기초의 최대 접지압은 기초 모서리부분에서 발생한다.

해설

강성기초는 지반조건(사질토 또는 점성토 등)에 관계없이 침하 형상이 일정하다.

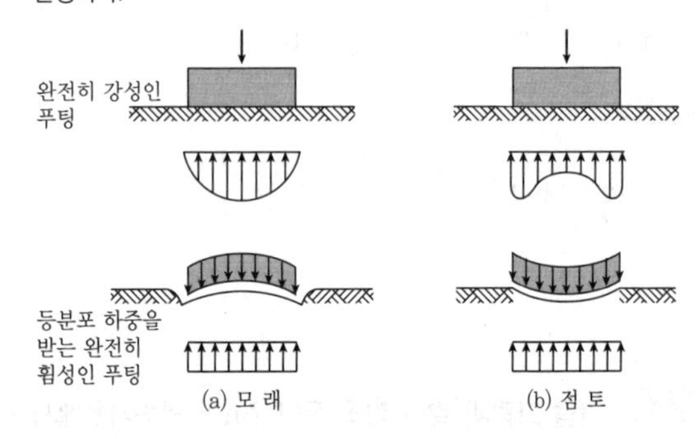

27 ③ 28 ③ 29 ② [정답]

30 **지표면에 도로제방이 놓인다고 할 때 이 무게로 인한 지중응력에 대한 다음 기술 중 옳지 않은 것은?**

① 제방중심 아래로 내려갈수록 지중응력은 감소한다.
② 제방중심과 연단아래 지중응력은 동일하다.
③ 제방중심 아래 지중응력이 연단 아래의 것보다 크다.
④ 지중응력의 계산에 있어서 중첩의 원리가 적용된다.

해설

1. 제방중심 아래로 내려갈수록 지중응력은 감소한다.
2. 제방중심에서 최대응력이 생기고 연단으로 감에 따라 지중응력은 감소한다.

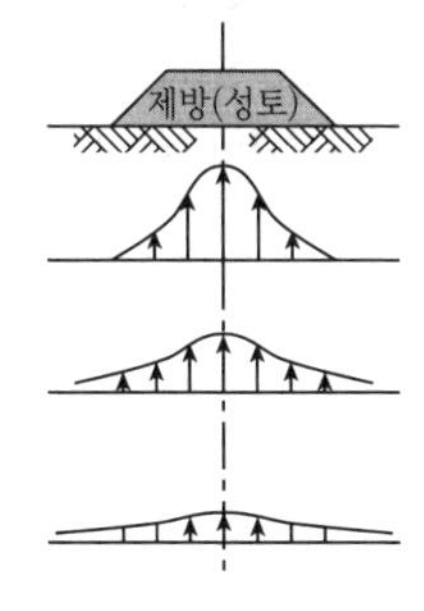

제6장

30 ② [정답]

토목직 공무원·공기업 토질역학

흙의 압축성

Chapter 07 흙의 압축성

01 압밀(consolidation)

흙이 상재하중으로 인하여 오랜 시간동안 간극수가 배출되면서 서서히 압축되는 현상을 **압밀**이라 한다. 압밀은 과잉공극수압이 완전히 소실될 때까지 계속되며 투수성이 낮은 점토지반에서 일어난다.

1. 압밀의 원리

(1) 부분 또는 완전히 포화된 흙에 하중을 가하면 그 하중에 의해 공극수압이 발생한다. 이것을 **과잉공극수압**이라 한다. 이 수압으로 인하여 임의의 두점 사이에 수두차가 생겨서 공극수의 흐름이 발생하게 된다. 공극수의 흐름속도는 투수계수에 의존하므로 투수계수가 작은 점토인 경우 물이 흐르는 속도는 대단히 느리다. 이와같이 오랜시간에 걸쳐 흙 속의 공극을 통하여 물이 흘러나가면서 흙이 천천히 압축되는 현상을 **압밀**이라 한다.

$u_e = \gamma_w h$ ·· (7−1)

여기서, u_e : 과잉공극수압(t/m^2)

h : 피조미터에 나타난 수주의 높이

(2) **압밀의 과정(S_r = 100%)**

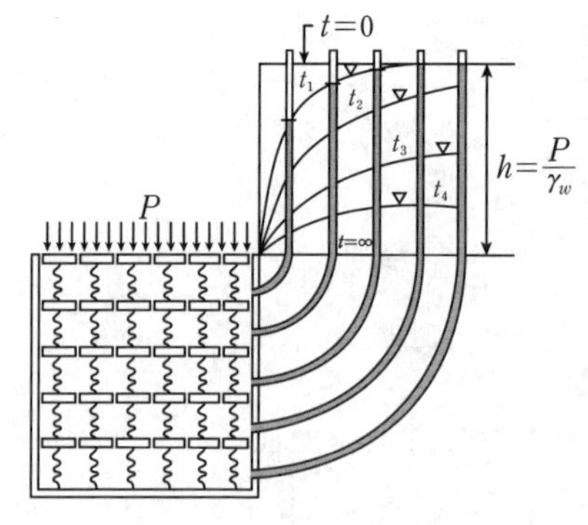

[그림 7-1] Terzaghi의 모델

① 압밀순간($t=0$) : 상단의 구멍을 막으면 스프링은 압축되지 않으므로 모든 하중은 물이 받는다. 이때 초기 과잉공극수압은 $u_e=P=\gamma_w h$이다.

② 압밀진행중($0<t<\infty$) : 상단의 구멍을 개방하면 상단에서는 물이 일부분 빠져나갔기 때문에 스프링은 압축을 받는다.

③ 압밀 후($t=\infty$) : 오랜 시간 경과 후에는 모든 곳에서 과잉공극수압이 0이 된다. 이때 외부에서 가해진 하중은 모두 스프링이 부담하며 스프링은 최대로 압축된다.

[표 7-1] 하중분담

경과시간	과잉공극수압	유효응력	피스톤에 가해진 힘
$t=0$	u_e(최대)	0	$\sigma=u_e$
$0<t<\infty$	u_e	$\bar{\sigma}$	$\sigma=\bar{\sigma}+u_e$
$t=\infty$	0	$\bar{\sigma}$(최대)	$\sigma=\bar{\sigma}$

2. 압밀시험(KS F 2316)

현장에서 채취한 흐트러지지 않은 시료를 압밀링 크기인 지름 60mm, 높이 20mm와 같게 제작하여 넣고 하중을 0.05, 0.1, 0.2, …, 12.8kg/cm^{2}로 하고 각 단계마다 6″, 9″, 15″, 30″, …, 24시간씩 침하량을 측정한다.

그 후 최종단계의 압밀이 끝나면 재하를 푼 후 시료의 무게와 함수비를 측정하고 시험결과를 간극비-하중곡선, 압축량-시간곡선을 그리고 정리한다.

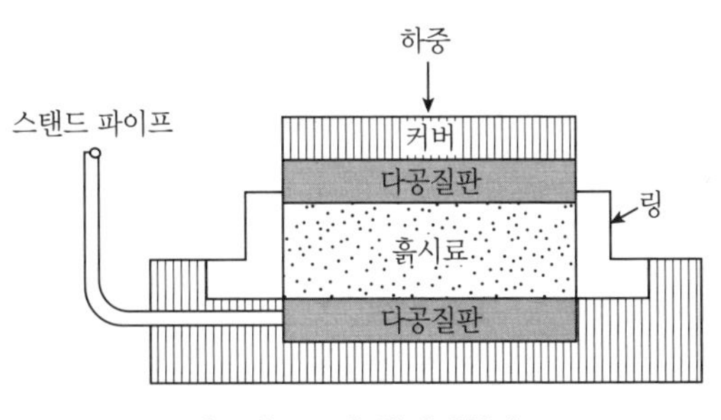

[그림 7-2] 압밀시험기

3. Terzaghi의 1차원 압밀방정식

(1) 1차원 압밀가정

Terzaghi의 1차원 압밀론은 점토층의 두께에 비해 재하면적이 매우 넓은 경우와 같이 흙의 압축과 물의 흐름이 1차원적(연직방향)으로만 발생하는 경우에 적용된다.

Terzaghi의 압밀론은 구조물의 침하해석에 적용할 때, 구조물의 폭이 점토층의 두께에 비해서 상당히 크지 않으면 침하가 2차원, 3차원으로 발생하여 Terzaghi의 이론은 실제의 결과와 잘 일치하지 않는다.

① 흙은 균질하고 완전히 포화되어 있다.

② 토립자와 물은 비압축성이다.

③ 흙의 압축과 물의 투수는 1차원적(수직적)이다.

④ 흙 속의 물의 이동은 Darcy의 법칙이 성립한다.

⑤ 투수계수는 압력의 크기에 관계없이 일정하다.

⑥ 흙의 간극비는 유효응력에 반비례한다.

(2) 압밀방정식

$$\frac{\partial u}{\partial t}=C_v\frac{\partial^2 u}{\partial z^2} \quad \cdots\cdots (7-2)$$

여기서, C_v : 압밀계수($C_v=\frac{k}{\gamma_w m_v}$)

(3) 압밀방정식의 해

$$u=\sum_{m=0}^{m=\infty}\frac{2u_i}{M}\sin\frac{Mz}{H}e^{-M^2T} \quad \cdots\cdots (7-3)$$

여기서, $M=\frac{\pi}{2}(2m+1)$

u : 임의 시간에서의 과잉공극수압

u_i : 초기과잉공극수압

m : 정수

H : 배수길이

z : 점토층 상면으로부터의 연직거리

T : 시간계수$\left(T=\frac{C_v t}{H^2}\right)$

02 침하의 종류

하중에 의한 지반의 변형을 침하라 하며 포화된 토층의 응력이 증가하면 공극수압은 갑자기 증가한다. 사질토는 투수성이 대단히 크기 때문에 간극수압의 증가에 따른 배수가 즉시 발생되어 흙의 체적감소를 가져오며 그 결과 침하가 발생된다. 사질토에서는 간극수의 배수가 빨리 일어나기 때문에 즉시침하 및 압밀침하가 동시에 일어나고 점토에서는 투수계수가 작기 때문에 하중에 의하여 발생한 과잉간극수압이 오랜 시간에 걸쳐 점차적으로 줄기 때문에 압밀은 즉시침하 후 장기간 지속된다.

$$S = S_i + S_c + S_s \quad \cdots\cdots (7-4)$$

여기서, S : 전 침하량

S_i : 즉시침하량

S_c : 압밀침하량

S_s : 2차 압밀침하량

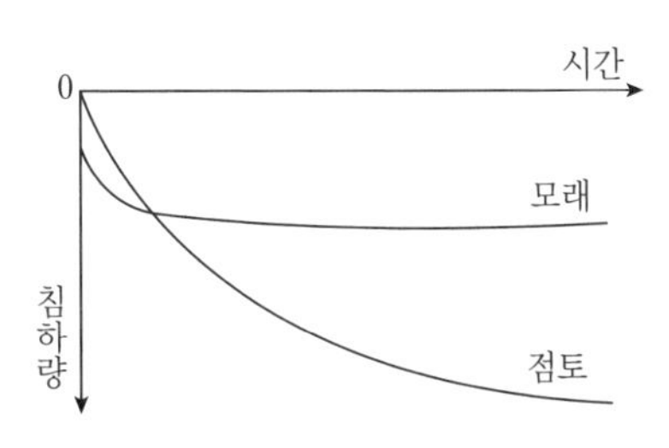

[그림 7-3] 모래와 점토의 압축곡선

1. 즉시침하(탄성침하 : immediate settlement)

하중재하 후 즉시 발생하는 침하로써 함수비의 변화없이 탄성변형에 의해 일어나는 침하를 말하며 주로 사질토 지반에서 일어난다.

2. 압밀침하(consolidation settlement)

(1) 1차 압밀침하

과잉공극수압이 소산되면서 빠져나간 물만큼 흙이 압축되어 발생하는 침하이다.

(2) 2차 압밀침하

과잉공극수압이 모두 소산된 후에 발생하는 침하이다.

① 원인 : creep 변형

② 점토층의 두께가 클수록, 연약한 점토일수록, 소성이 클수록, 유기질이 많이 함유된 흙일수록 2차 압밀침하는 크다.

03 압밀시험 결과의 정리

압밀시험으로 C_c, P_c, M_v, C_v 등의 압밀정수를 구하여 침하량과 침하속도를 해석하는 데 사용한다.

1. $e-\log P$ 곡선

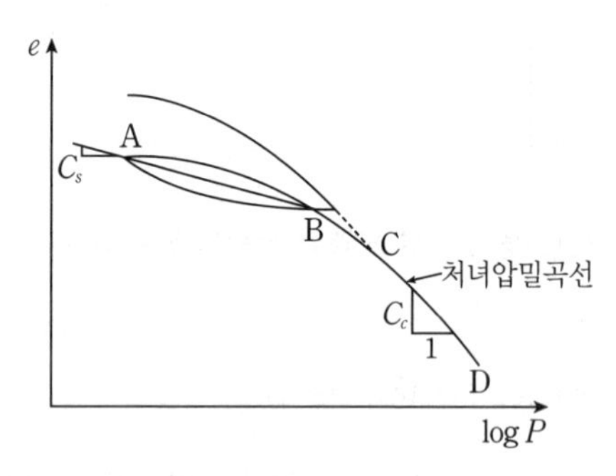

[그림 7-4] $e-\log P$ 곡선

(1) 압축지수(compression index ; C_c)

$e-\log P$ 곡선에서 직선부분의 기울기로서 무차원이다.

① $C_c=\dfrac{e_1-e_2}{\log P_2-\log P_1}$ ······ (7-5)

② C_c값의 추정(Terzaghi와 Peck의 제안식, 1967)

㉠ 교란된 시료

$C_c=0.007(W_L-10)$ ······ (7-6)

㉡ 불교란 시료

$C_c=0.009(W_L-10)$ ······ (7-7)

③ C_c는 일반적으로 0.2~0.9의 범위에 있으며 점토의 함유량이 많을수록 크다. 유기질 점토는 1보다 훨씬 큰 값을 갖는다.

[표 7-2] 여러 가지 점토에 대한 압축지수의 값

흙의 종류	C_c
예민비가 중간 정도인 정규압밀점토	0.2~0.5
Chicago 실트질 점토(CL)	0.15~0.3
Boston 청점토(CL)	0.3~0.5
Vicksburg 점토(CH)	0.5~0.6
Sweden 예민점토(CL-CH)	1~3
Mexico city 점토(MH)	7~10
유기질 점토(OH)	4 이상
이탄(P_t)	10~15

④ 시료의 채취, 운반 및 성형시의 교란으로 인하여 간극비가 작아져서 시료의 압축성을 감소시키므로 교란된 시료의 압밀곡선은 불교란 시료에 비해 그 경사가 완만해져서 압축지수의 값이 작아진다.

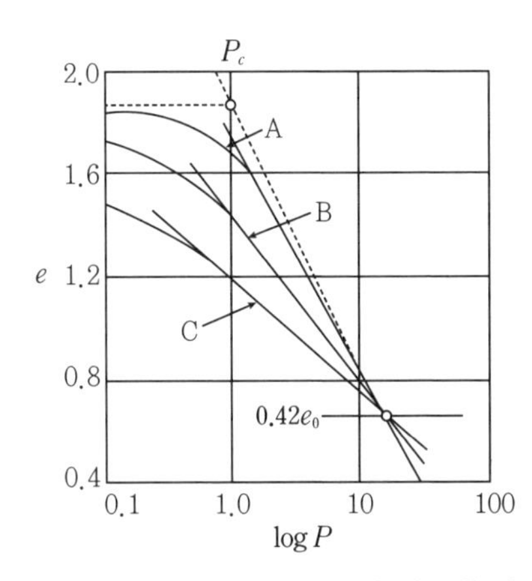

[그림 7-5] 교란의 정도에 따른 압축곡선의 변화

(2) 팽창지수(swelling index ; C_s)

점 A, B를 연결하는 직선의 기울기를 **팽창지수**라 한다.

$$C_s=\left(\frac{1}{5}\sim\frac{1}{10}\right)C_c \quad \cdots\cdots (7-8)$$

(3) 선행압밀하중(pre-consolidation pressure ; P_c)

어떤 점토가 과거에 받았던 최대하중을 **선행압밀하중**이라 한다.

① P_c 결정법

㉠ $e-\log P$ 곡선에서 곡률이 가장 큰 점을 선택한 후 그 점을 통하여 수평선과 접선을 그린다.

㉡ 수평선과 접선의 2등분선을 그린다.

㉢ 2등분한 선과 $e-\log P$ 곡선의 직선부분과 만나는 점의 하중이 선행압밀하중이다.

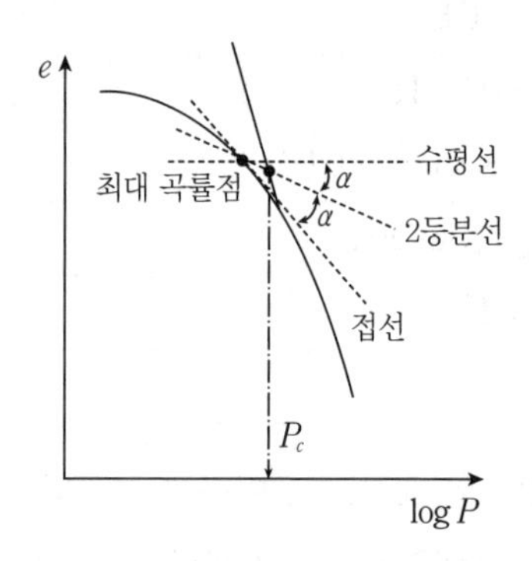

[그림 7-6] 선행압밀하중의 결정

② 결과의 이용

㉠ 과압밀비(OCR)를 구하여 흙의 이력상태를 파악한다.

㉡ 과압밀토의 침하량을 구한다.

③ 과압밀비(over consolidation ratio; OCR)

$$OCR = \frac{P_c}{P_0} \quad \cdots\cdots (7-9)$$

여기서, P_c : 선행압밀하중

P_0 : 유효상재하중(유효연직응력)

㉠ $OCR<1$: 압밀이 진행중인 점토로서 하중을 가하지 않아도 압밀이 진행된다(그림 A점).

㉡ $OCR=1$: 정규압밀점토(그림 B점)

㉢ $OCR>1$: 과압밀점토(과거에 지금보다 더 큰 하중을 받았던 상태)로서 공학적으로 제일 안정된 지반이다(그림 C점).

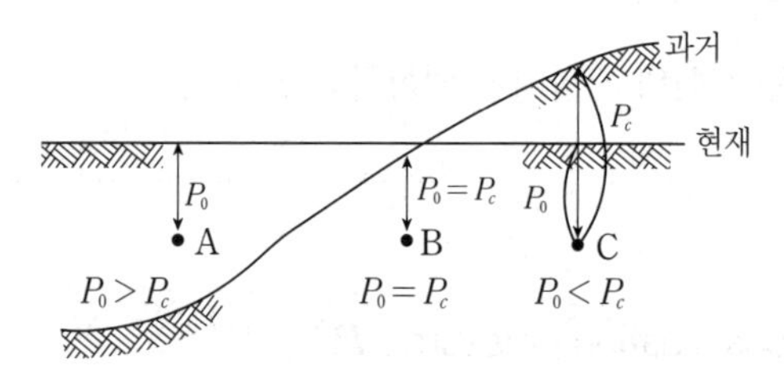

[그림 7-7]

Check Point

과압밀이 발생되는 원인

1. 전응력의 변화
   ① 토피하중의 제거
   ② 구조물의 제거
   ③ 빙하의 후퇴
2. 간극수압의 변화
   ① 지하수위의 변화(하강 → 상승)
   ② 심정에 의한 양수 후 수위회복
   ③ 피압(없다가 발생함)
   ④ 증발산

(4) $e-\log P$ 곡선에 영향을 미치는 요인

① **시료의 교란** : 교란된 시료의 압밀곡선은 불교란시료에 비해 그 경사가 완만하므로 압축지수의 값이 실제보다 더 작게 얻어진다.

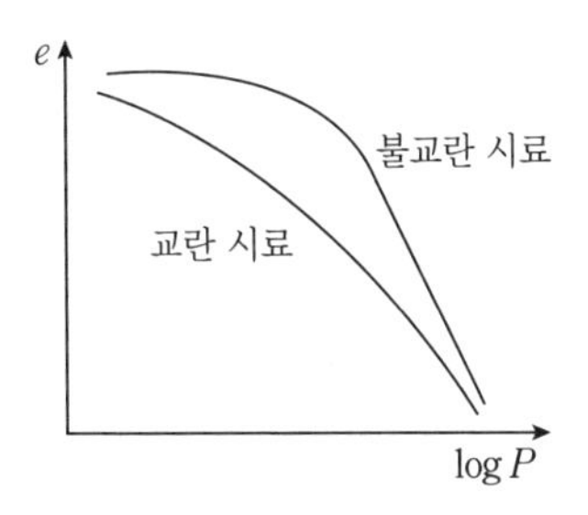

[그림 7-8] 교란시료와 불교란시료에 대한 압밀곡선

② **하중 증가율** : 표준시험에서는 하중 증가율을 1로하고 있으며 하중 증가율을 작게 할 경우 작은 변위량을 나타낸다.

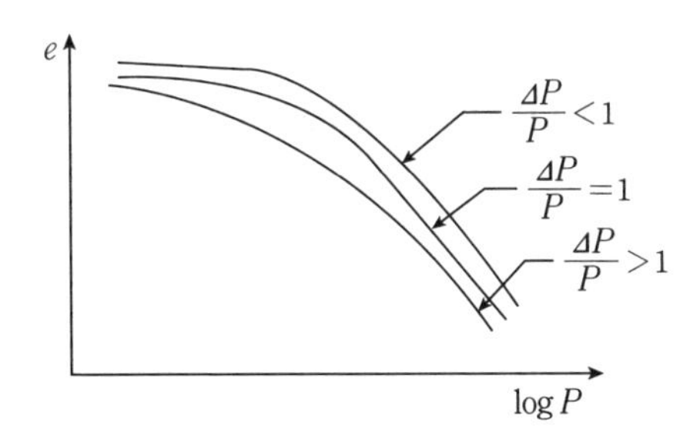

[그림 7-9] 하중 증가율에 대한 압밀곡선

③ **링의 측면마찰** : 링의 측면마찰 때문에 가한 하중보다 작은 하중이 시료에 작용한다.

④ 재하시간의 변화 : 표준시험에서는 각 하중단계를 24시간으로 하고 있으며 24시간이 지난 다음에 다음 하중을 가하면 침하량이 커진다.

(5) 교란시료에 대한 압밀곡선 수정법

시료가 교란될수록 처녀압밀곡선의 기울기가 감소하므로 Schmertmann은 이것을 보정하기 위해 다음과 같은 방법을 제시하였다.

정규압밀 점토인 경우

① P_c에서 연직선을 그린 후 초기공극비(e_0)에서 수평선을 그린 것과의 교점 B를 구한다.

② $0.42e_0$인 점 C를 구한다.

③ B와 C를 직선으로 연결한다. 이 직선이 현장상태의 처녀압밀곡선이다.

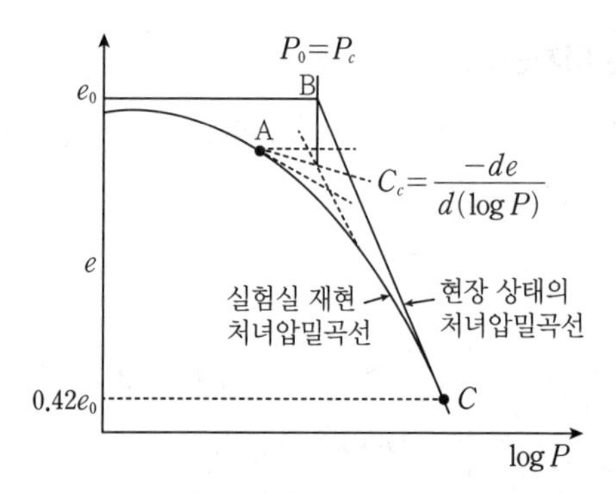

[그림 7-10] 교란된 압밀곡선의 수정방법(정규압밀점토인 경우)

2. 압축계수(coefficient of compressibility ; a_v)

(1) 하중 증가에 대한 간극비의 감소비율을 나타내는 계수로서 $e-p$곡선의 기울기이다.

(2) $a_v=\frac{e_1-e_2}{p_2-p_1}(\text{cm}^2/\text{kg})$ ································ (7-10)

3. 체적변화계수(coefficient of volume change ; m_v)

(1) 하중 증가에 대한 시료체적의 감소비율을 나타내는 계수이다.

(2) $m_v=\frac{a_v}{1+e}(\text{cm}^2/\text{kg})$ ································ (7-11)

4. 압밀계수(coefficient of consolidation ; C_v)

C_v는 압밀진행의 속도를 나타내는 계수로서 시간−침하곡선에서 구하며, 실제 구조물의 침하속도는 작은 시료에 대한 압밀시험에서 구한 압밀계수를 사용하여 예측한 속도보다 빠르다. 그 이유는 점토지반에 층상구조, 실트나 모래층, 균열, 유기질 함유 등 투수성을 크게 하는 요인이 있기 때문이다.

압밀계수는 액성한계가 클수록 감소하며 압밀계수를 구하는 방법에는 $\sqrt{t}$법과 $\log t$법을 많이 사용하는데, 같은 시료에 대하여 두 방법으로 구한 압밀계수가 일치하지는 않으며 일반적으로 $\log t$법으로 구한 압밀계수가 $\sqrt{t}$법으로 구한 값보다 작고 실제와 부합하는 경우가 많다.

(1) $\sqrt{t}$법(Taylor법)

① 압밀계수(C_v)

$C_v=\dfrac{T_v H^2}{t_{90}}$에서 $T_v=0.848$이므로

$$C_v=\frac{0.848H^2}{t_{90}} \quad \cdots\cdots (7-12)$$

여기서, C_v : 압밀계수

T_v : 시간계수(*time factor*)

H : 배수거리$\left(\text{양면 배수시 : }\dfrac{\text{점토층 두께}}{2}\text{, 일면 배수시 : 점토층 두께}\right)$

t_{90} : 압밀 90%될 때까지 걸리는 시간(압밀침하 속도)

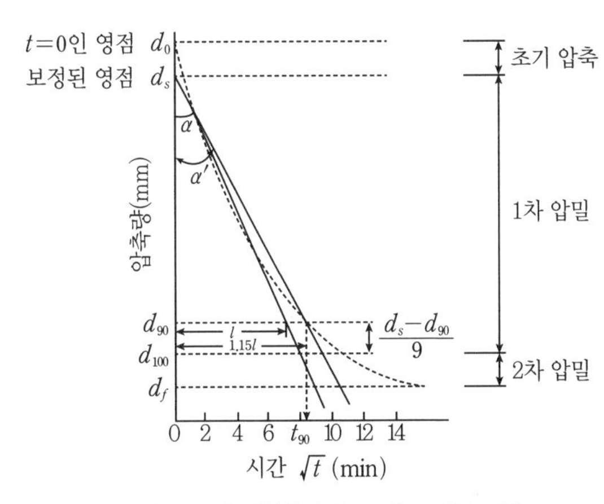

[그림 7-11] $\sqrt{t}$법에서 t_{90}을 구하는 법

② **1차 압밀비** : 1차 압밀량과 전 압밀량과의 비를 1차 압밀비라 한다.

$$\gamma_p=\frac{\frac{10}{9}(d_s-d_{90})}{d_0-d_f} \quad \cdots\cdots (7-13)$$

여기서, d_0 : 시점의 다이얼게이지 읽음.

d_s : 보정한 시점의 다이얼게이지 읽음.

d_f : 최종의 다이얼게이지 읽음.

d_{90} : 90% 압밀일 때의 다이얼게이지 읽음.

Check Point

1. 초기 침하비 $\gamma_0 = \dfrac{d_0 - d_s}{d_0 - d_f}$
2. 2차압밀비 $\gamma_s = 1 - (\gamma_0 + \gamma_p)$

(2) log$t$법(Casagrande법)

① 압밀계수(C_v)

$C_v = \dfrac{T_v H^2}{t_{50}}$에서 $T_v = 0.197$이므로

$$C_v = \frac{0.197H^2}{t_{50}} \quad \cdots\cdots (7-14)$$

여기서, C_v : 압밀계수

H : 배수거리$\left(\text{양면 배수시} : \dfrac{\text{점토층 두께}}{2}, \text{ 일면 배수시} : \text{점토층 두께}\right)$

t_{50} : 압밀 50%될 때까지 걸리는 시간

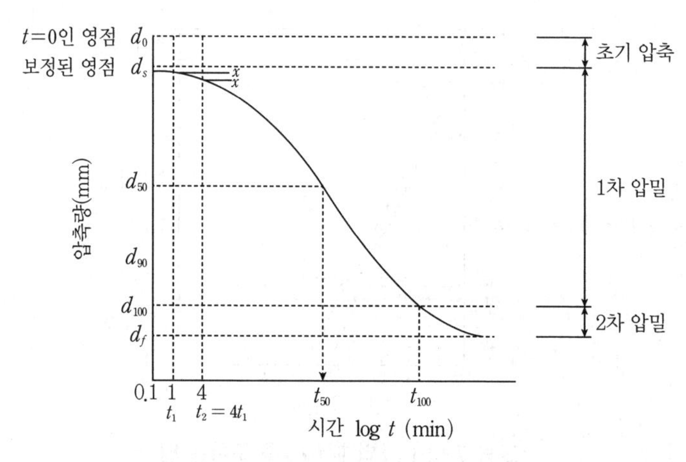

[그림 7-12] log t법에서의 t_{100}을 구하는 법

② 1차 압밀비(γ_p)

$$\gamma_p = \frac{d_s - d_{100}}{d_0 - d_f} \quad \cdots\cdots (7-15)$$

여기서, d_{100}=100% 압밀일 때의 다이얼게이지 읽음.

5. 흙입자의 높이

$$2H_s=\frac{W_s}{G_s A \gamma_w} \quad \cdots\cdots (7-16)$$

여기서, W_s : 시료의 건조중량

G_s : 흙입자의 비중

A : 시료의 단면적

γ_w : 물의 단위중량

6. 초기간극비

$$e_0=\frac{V_v}{V_s}=\frac{H_v A}{H_s A}=\frac{H_v}{H_s} \quad \cdots\cdots (7-17)$$

여기서, $2H_v$: 초기의 공극높이

$2H$: 초기시료의 높이($2H=2H_s+2H_v$)

04 압밀시험 결과의 이용

1. 압밀침하량

(1) 정규압밀 점토

① $\Delta H=m_v \Delta P H \quad \cdots\cdots (7-18)$

$$=\frac{a_v}{1+e_1}\Delta P H \qquad \left(\because m_v=\frac{a_v}{1+e_1}\right) \quad \cdots\cdots (7-19)$$

$$=\frac{e_1-e_2}{1+e_1}H \qquad \left(\because a_v=\frac{e_1-e_2}{P_2-P_1}=\frac{e_1-e_2}{\Delta P}\right) \quad \cdots\cdots (7-20)$$

$$=\frac{C_c}{1+e_1}\log\frac{P_2}{P_1}H \qquad \left(\because C_c=\frac{e_1-e_2}{\log\frac{P_2}{P_1}}\right) \quad \cdots\cdots (7-21)$$

여기서, P_1 : 초기 유효연직응력

P_2 : $P_1+\Delta P$

e_1 : 초기 공극비

H : 점토층의 두께

C_c : 압축지수

② Simpson 법칙을 사용하여 점토층의 중앙에서 평균유효응력 증가량을 구하는 공식

$$\Delta P = \frac{1}{6}(\Delta\sigma_t + 4\Delta\sigma_m + \Delta\sigma_b) \quad \cdots\cdots (7-22)$$

여기서, $\Delta\sigma_t$: 점토층 상층부의 응력증가량

$\Delta\sigma_m$: 점토층 중앙부의 응력증가량

$\Delta\sigma_b$: 점토층 하단부의 응력증가량

(2) 과압밀 점토

① $P_1 < P_c < P_1 + \Delta P$

$$\Delta H = \frac{C_s}{1+e_1}\log\frac{P_c}{P_1}H + \frac{C_c}{1+e_1}\log\frac{P_1+\Delta P}{P_c}H \quad \cdots\cdots (7-23)$$

② $P_1 + \Delta P < P_c$

$$\Delta H = \frac{C_s}{1+e_1}\log\frac{P_1+\Delta P}{P_1}H \quad \cdots\cdots (7-24)$$

Q 예제 1

다음 그림에서 (1) 40t/m²의 무한히 넓은 등분포하중이 작용하는 경우 (2) 1.5m×1.5m의 정사각형 기초에 90t의 하중이 작용하는 경우에 정규압밀점토층의 1차 압밀침하량을 구하라.

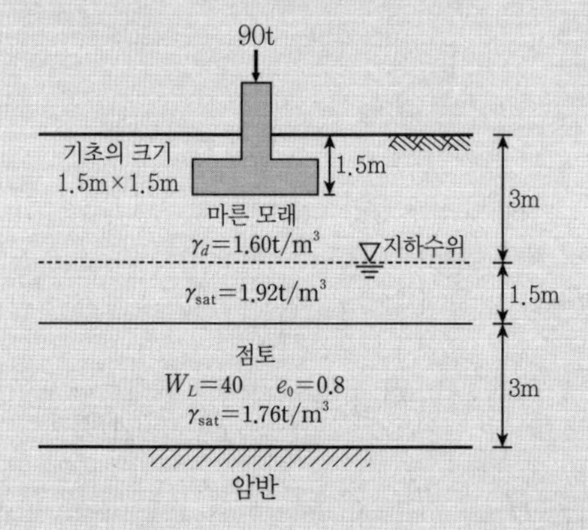

풀이

(1) 1. $C_c = 0.009(W_L - 10) = 0.009(40-10) = 0.27$

2. $P_1 = 1.6\times3 + 0.92\times1.5 + 0.76\times\frac{3}{2} = 7.32\text{t/m}^2$

3. $P_2 = P_1 + \Delta P = 7.32 + 40 = 47.32\text{t/m}^2$

4. $\Delta H = \frac{C_c}{1+e_1}\log\frac{P_2}{P_1}H = \frac{0.27}{1+0.8}\times\log\frac{47.32}{7.32}\times3$

$= 0.3647\text{m} = 36.47\text{cm}$

(2) 1. ΔP

① 점토층 상부

$\Delta P_t = \frac{P}{(B+Z)(L+Z)} = \frac{90}{(1.5+3)(1.5+3)} = 4.44\text{t/m}^2$

② 점토층 중앙

$$\Delta P_m = \frac{P}{(B+Z)(L+Z)} = \frac{90}{(1.5+4.5)(1.5+4.5)} = 2.5\text{t/m}^2$$

③ 점토층 하부

$$\Delta P_b = \frac{P}{(B+Z)(L+Z)} = \frac{90}{(1.5+6)(1.5+6)} = 1.6\text{t/m}^2$$

④ $\Delta P = \frac{1}{6}(\Delta P_t + 4\Delta P_m + \Delta P_b) = \frac{1}{6}(4.44 + 4\times2.5 + 1.6) = 2.67\text{t/m}^2$

2. $\Delta H = \frac{C_c}{1+e_1}\log\frac{P_2}{P_1}H = \frac{0.27}{1+0.8}\times\log\left(\frac{7.32+2.67}{7.32}\right)\times3 = 0.0608\text{m} = 6.08\text{cm}$

2. 소정의 압밀도에 소요되는 압밀 소요시간

$$t = \frac{T_v H^2}{C_v} \quad \cdots\cdots (7-25)$$

3. 투수계수의 산출

$$K = C_v m_v \gamma_w \quad \cdots\cdots (7-26)$$

05 압밀도

1. 압밀도(Degree of consolidation ; U)

어떤 시간 t가 경과한 후의 어떤 지층 내에서의 압밀의 정도를 압밀도라 한다.

$$U_z = \frac{u_i - u}{u_i}\times100(\%) \quad \cdots\cdots (7-27)$$

$$= \frac{P-u}{P}\times100(\%) \quad \cdots\cdots (7-28)$$

여기서, U_z : 점토층의 깊이 z에서의 압밀도

u_i : 초기 과잉간극수압(kg/cm²)

u : 임의 점의 과잉간극수압(kg/cm²)

P : 점토층에 가해진 압력(kg/cm²)

식(7-3)을 식(7-27)에 대입하여 압밀도를 시간계수의 함수로 표시하면

$$U_z = 1 - \sum_{m=0}^{m=\infty}\frac{2}{M}\sin\frac{Mz}{H}e^{-M^2T} \quad \cdots\cdots (7-29)$$

제7장

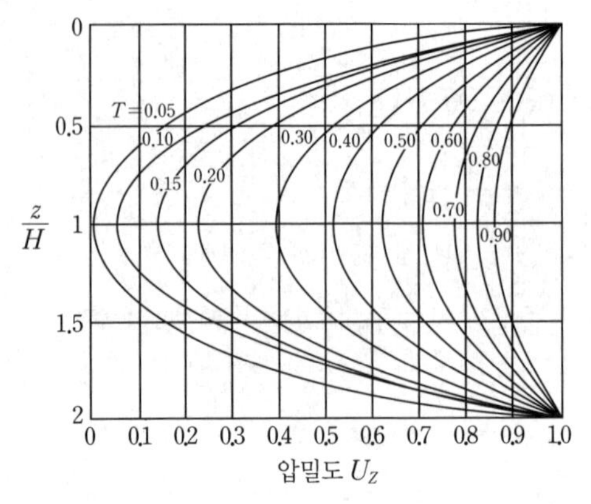

[그림 7-13] 압밀도와 시간계수 및 깊이의 관계

Q 예제 2

그림과 같은 지층의 지표면에 10t/m²의 압력이 작용하였다.

(1) 하중을 가한 직후 피에조미터의 물이 올라가는 높이를 구하라.

(2) h=6m일 때 A점에서의 압밀도를 구하라.

(3) A점에서의 압밀도가 70%일 때 h를 구하라.

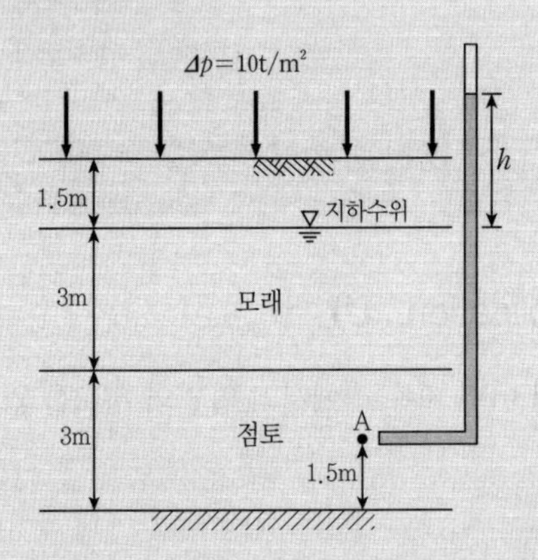

풀이

(1) $\Delta P = 10\text{t/m}^2$ 이므로 $U_i = \gamma_w h$ $10 = 1 \times h$ $\therefore h = 10\text{m}$

(2) $u_A = \dfrac{P-u}{P} \times 100 = \dfrac{10-6}{10} \times 100 = 40\%$

(3) $70 = \dfrac{10-u}{10} \times 100$

$u = 3\text{t/m}^2 = \gamma_w h = 1 \times h$ $\therefore h = 3\text{m}$

Q 예제 3

그림과 같은 12m 두께의 점토층이 양면배수 상태에 있다. 압밀계수 C_v는 $8.0 \times 10^{-8} m^2/s$이다.

(1) 재하 5년 후에 점토층 깊이 0, 3, 6, 9 12m에서의 압밀도를 구하라.

(2) $10t/m^2$의 구조물 하중이 점토층에 작용하고 있다. 5년 후 점토층의 깊이 0, 3, 6, 9, 12m에서의 과잉간극수압을 구하라.

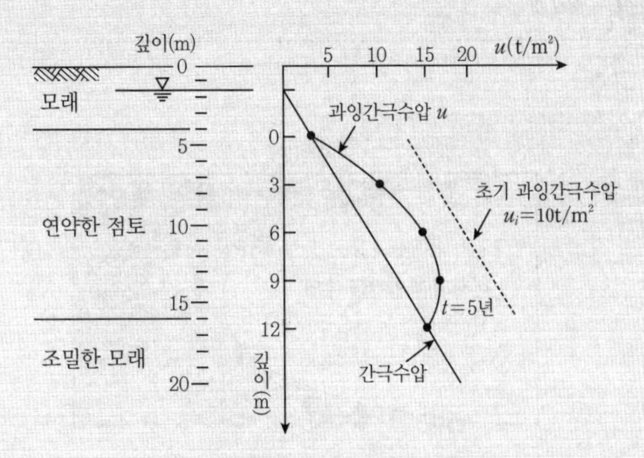

풀이

(1) 1. $t = \dfrac{T_v H^2}{C_v}$

$$5 \times (365 \times 24 \times 60 \times 60) = \frac{T_v \times \left(\frac{12}{2}\right)^2}{8 \times 10^{-8}} \qquad \therefore T_v = 0.35$$

2. 그림 7-13에서 $T_v = 0.35$에 대한 압밀도를 구하면

z	$\frac{z}{H}$	u_z	u
0	0	100%	$100 = \frac{10-u}{10} \times 100 \quad \therefore u = 0$
3m	$\frac{3}{6} = 0.5$	61%	$61 = \frac{10-u}{10} \times 100 \quad \therefore u = 3.9t/m^2$
6m	$\frac{6}{6} = 1$	46%	$46 = \frac{10-u}{10} \times 100 \quad \therefore u = 5.4t/m^2$
9m	$\frac{9}{6} = 1.5$	61%	$61 = \frac{10-u}{10} \times 100 \quad \therefore u = 3.9t/m^2$
12m	$\frac{12}{6} = 2$	100%	$100 = \frac{10-u}{10} \times 100 \quad \therefore u = 0$

(2) $u_i = 10t/m^2$ 이므로 $u_z = \dfrac{u_i - u}{u_i} \times 100$ 에서 u를 구한다.

2. 평균압밀도($\overline{U}$)

점토층 전체의 압밀도를 **평균압밀도**라 한다.

(1) $\overline{U}=\dfrac{\text{면적}(B)}{\text{면적}(A+B)}$ ············ (7−30)

$$=\frac{\int_0^{2H} u_i dz-\int_0^{2H} u dz}{\int_0^{2H} u_i dz} \quad \cdots\cdots (7-31)$$

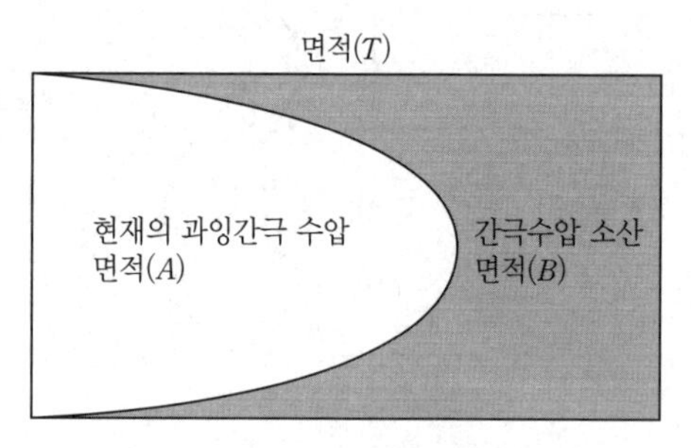

[그림 7-14] 면적에 의한 평균압밀도

(2) 평균압밀도와 시간계수와의 관계(Terzaghi의 근사식)

① $0<\overline{U}\leqq 60\%$: $T_v=\dfrac{\pi}{4}\left(\dfrac{\overline{U}(\%)}{100}\right)^2$ ············ (7−32)

② $60\%<\overline{U}<100\%$: $T_v=1.781-0.933\log[100-\overline{U}(\%)]$ ············ (7−33)

[표 7-3] 평균압밀도 U_{av}와 시간계수 T

$U_{av}(\%)$	T	$U_{av}(\%)$	T
0	0	60	0.287
10	0.008	70	0.403
20	0.031	80	0.567
30	0.071	90	0.848
40	0.126	100	∞
50	0.197		

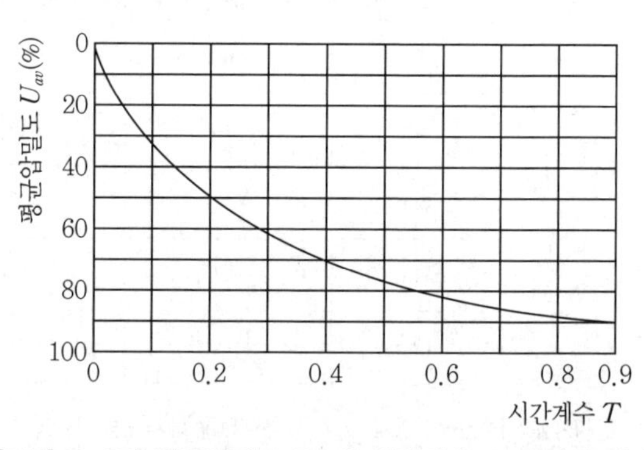

[그림 7-15] 평균압밀도 U_{av}와 시간계수 T 사이의 관계

(3) $\overline{U}=\dfrac{S_{ct}}{S_c}$ ············ (7−34)

여기서, S_{ct} : 임의 시간에서의 압밀침하량

S_c : 전압밀침하량

06 점증하중으로 인한 압밀침하

1. 기본가정

(1) 하중이 증가하는 임의시간에서의 점증하중에 대한 침하량은 순간하중으로 인한 그 시간의 $\frac{1}{2}$에서의 압밀침하량$\times\frac{\text{점증하중}}{\text{최종하중}}$과 같다.

(2) 점증하중이 일정치에 도달했을 시간에서의 압밀침하량은 순간하중으로 인해 생긴 시간의 $\frac{1}{2}$에서의 침하량과 같다.

2. 침하량의 수정방법

(1) 점증하중에 대한 임의시간 t에서의 침하량은 $\frac{t}{2}$에서의 순간하중에 대한 침하량$(KF)\times\frac{t}{t_1}$를 하여 H점을 얻는다.
이러한 방법으로 점을 찍어나간다면 실제 침하량 곡선 OHE가 얻어진다.

(2) 점증하중이 최종치에 도달하는 E점을 넘어서부터의 점증하중에 대한 침하량은 순간하중에 대한 침하량 곡선을 $\frac{t_1}{2}$만큼 오른쪽으로 옮겨서 EJ곡선을 그린다.

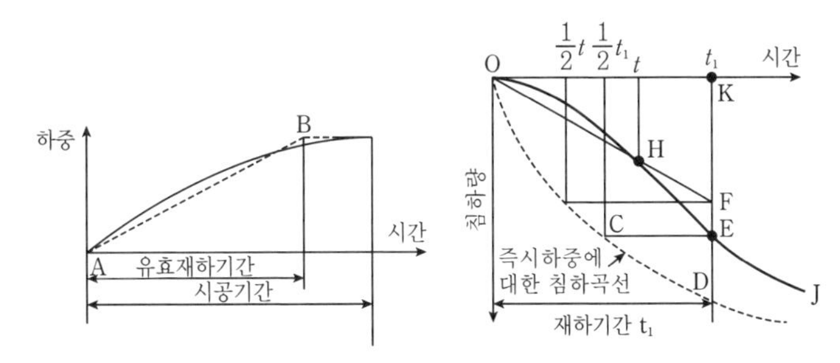

[그림 7-16] 점증하중으로 인한 침하량의 수정

Chapter 07

흙의 압축성

기출 및 적중예상문제 I [4지선다형]

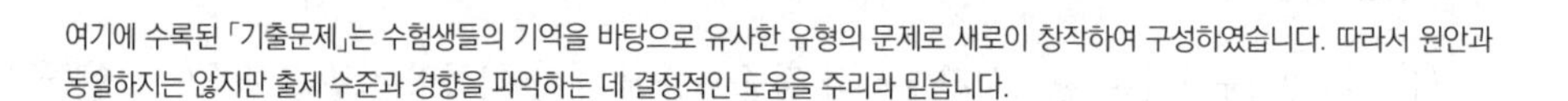

여기에 수록된 「기출문제」는 수험생들의 기억을 바탕으로 유사한 유형의 문제로 새로이 창작하여 구성하였습니다. 따라서 원안과 동일하지는 않지만 출제 수준과 경향을 파악하는 데 결정적인 도움을 주리라 믿습니다.

01 포화된 점토지반에서의 압밀이 진행됨에 따라 전단 응력은?

① 증가한다.
② 감소한다.
③ 일정하다.
④ 증가할 때도 있고 감소할 때도 있다.

해설

흙이 상재하중으로 인하여 오랜시간 동안 간극수가 배출되면서 서서히 압축되는 현상을 압밀이라 한다. 포화된 점토지반에서 압밀이 진행되면 간극수가 배출되면서 압축되기 때문에 전단응력은 증가하게 된다.

02 점토의 압밀에 관한 다음 설명 중 틀린 것은?

① 재하된 순간($t=0$)에서의 과잉공극수압은 재하량과 같다.
② 과잉공극수압은 재하시간이 경과함에 따라 감소해서 시간이 ∞가 될 때 0이 된다.
③ 과잉공극수압이 0이 될 때를 1차 압밀이 100% 진행되었다고 한다.
④ 유효응력은 재하된 순간에 최댓값이 된다.

해설

1. 압밀침하
   ① 1차 압밀침하 : 과잉공극수압이 100~0%일 때 발생하는 침하
   ② 2차 압밀침하 : 과잉공극수압이 완전히 소멸된 후에 발생하는 침하
2. 압밀의 과정(하중분담)

경과시간	과잉공극수압	유효응력
$t=0$	u_e(최대)	0
$0<t<\infty$	u_e	$\bar{\sigma}$
$t=\infty$	0	$\bar{\sigma}$(최대)

03 포화된 점토에 압밀하중 σ(kg/cm^2)을 작용시켰다. 압밀하중이 재하된 순간의 응력상태는? (단, σ'는 유효응력, u는 공극수압이다)

① $\sigma=\sigma'$
② $\sigma=\sigma'+u$
③ $\sigma=u$
④ $\sigma=\sigma'-u$

해설

재하 순간에는 모든 하중을 물이 받으므로 $\sigma=u$이다.

04 그림은 Terzaghi의 압밀작용을 설명한 것이다. 옳지 않은 것은?

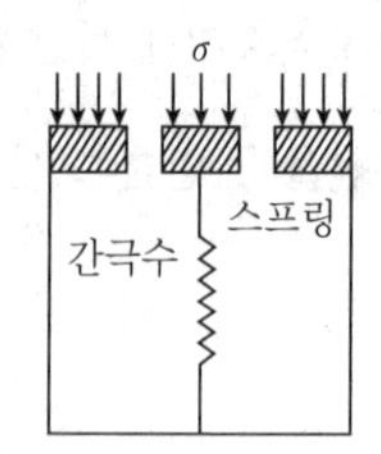

① 응력 σ가 작용한 초기에 σ는 모두 스프링이 받는다.
② 응력 σ가 작용한 초기에 그 응력은 간극수가 받는다 .
③ 간극수가 배출되면 스프링에 가해지는 응력은 증가한다.
④ 간극수가 모두 배출되면 간극수압은 영이다.

해설

1. 압밀 순간에는 모든 하중을 물이 받으므로 스프링은 압축되지 않는다.
2. 압밀 후에는 과잉공극수압이 0이 되므로 외부에서 가해진 하중은 모두 스프링이 받으며 스프링은 최대로 압축된다.

01 ① 02 ④ 03 ③ 04 ① [정답]

05 Terzaghi 1차원 압밀이론을 유도하기 위한 가정으로 옳지 않은 것은?
2016. 국가직 7급

① 흙은 균질하고 포화되어 있다.
② 흙 입자와 물의 압축성을 고려한다.
③ 흙 속에서 물의 흐름은 Darcy 법칙을 따른다.
④ 물은 연직방향으로만 흐른다.

해설

Terzaghi의 1차원 압밀가정

1. 흙은 균질하고 완전히 포화되어 있다.
2. 토립자와 물은 비압축성이다.
3. 압축과 투수는 1차원적(수직적)이다.
4. Darcy의 법칙이 성립한다.
5. 투수계수는 일정하다.

06 Terzaghi는 일차원 압밀이론을 제안하였다. 이때 사용된 가정으로 옳지 않은 것은?
2009. 국가직 7급

① 흙은 균질하고 완전히 포화되어 있으며 흙 입자와 물의 압축성은 무시한다.
② 유효응력이 증가하면 압축토층의 간극비는 반비례하여 감소한다.
③ 물은 연직과 수평방향으로 흐르고 흙의 압축은 연직방향으로만 발생한다.
④ 흙 속의 물의 이동은 Darcy의 법칙을 따르며 투수계수는 압밀 전과정에 걸쳐 일정하다.

해설

흙의 압축과 물의 투수는 연직방향으로만 발생한다.

07 다음 중 Terzaghi의 1차원 압밀론이 적용되는 것은?

① 연약 점토지반에 sand drain을 시공한 예
② 도로, 철도, 제방의 경우
③ 연약 점토층에 고층건물을 구축한 경우
④ 대단위 해안 매립지

해설

1. Terzaghi의 1차원 압밀론은 점토층의 두께에 비해 재하면적이 매우 넓고, 큰 경우와 같이 흙의 압축과 물의 흐름이 1차원적(연직방향)으로만 발생하는 경우에 적용된다.
2. Terzaghi의 압밀이론을 구조물의 침하해석에 적용할 때, 구조물의 폭이 점토층의 두께에 비해 상당히 크지 않으면 침하가 2차원, 3차원으로 발생하여 Terzaghi의 이론은 실제의 결과와 잘 일치하지 않는다.

08 점토지반에 대한 다음과 같은 재하상태 가운데서 현재의 1차원 압밀이론(Terzaghi 압밀이론)에 가장 가까운 재하상태는 어느 것인가?

① 점토층의 두께에 비해 재하면적이 매우 넓고 큰 경우
② 점토층이 두껍고 재하면적은 제방과 같이 좁고 긴 경우
③ 점토층의 두께에 비해 재하면적이 매우 작은 경우
④ 재하면적이 매우 넓고 지반 내에 연직으로 모래 기둥이 많이 박혀있는 경우

해설

점토층의 두께에 비해 재하면적이 매우 넓고 큰 경우에 Terzaghi의 1차원 압밀론이 적용된다.

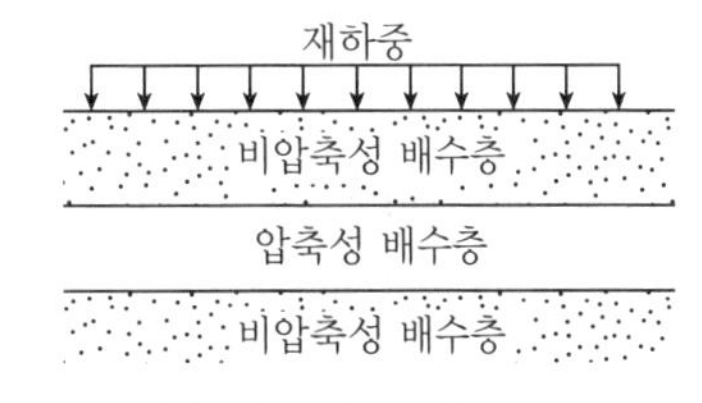

[1차원 압밀에 대한 현장상태]

05 ② 06 ③ 07 ④ 08 ① [정답]

09 1차원 표준압밀시험에 대한 설명으로 옳지 않은 것은?

2013. 국가직 7급

① 응력제어방식을 이용하는 경우, 단계별로 하중을 변화시킨다.
② 단계별 재하하중의 지속시간은 24시간이다.
③ 단계별 재하하중의 크기는 전 단계 재하하중의 2배로 한다.
④ 압밀시험 중 물이 시료 속으로 역침투할 수 있으므로 시험 중에는 시료가 물에 잠기지 않게 한다.

해설

시료는 시험기간 동안 계속 물속에 잠기게 해야 한다.

10 압밀에 관한 다음의 설명 중에서 틀린 것은?

① 유기물이나 섬유질을 많이 함유한 흙은 2차 압밀량이 다른 흙보다 많다.
② 두꺼운 연약지반에 건축구조물을 축조할 경우도 일차원 압밀로 본다.
③ 선행압밀하중 P_c는 공극비－하중관계인 e－log$P$ 곡선에서 구한다.
④ 압축지수 C_c는 점토질 함유량이 많을수록 크다.

해설

1. 구조물의 폭보다 점토층의 두께가 상당히 두꺼우면 침하가 2차원 또는 3차원으로 발생하므로 Terzaghi의 1차원 압밀론은 실제의 결과와 잘 일치하지 않는다.
2. C_c는 점토의 함유량이 많을수록 크다.

11 표준압밀시험에서 재하비(load increment ratio)와 각 단계의 재하시간(load increment duration)은?

① 1.0, 12시간　② 1.5, 12시간
③ 1.0, 24시간　④ 2.0, 24시간

해설

1. 압밀시험에서 재하비 $L_r = \frac{\text{현단계의 하중} - \text{전단계의 하중}}{\text{전단계의 하중}} = 1$이다.
2. 각 단계의 재하시간은 24시간이다.

12 1차 압밀은?

① 과잉공극수압이 0일 때 생긴다.
② 과잉공극수압이 0보다 클 때 생긴다.
③ 과잉공극수압이 0보다 작을 때 생긴다.
④ 과잉공극수압과는 관계가 없다.

해설

침하의 종류

1. 즉시침하(탄성침하)
2. 압밀침하
   ① 1차 압밀침하 : 과잉공극수압이 100~0%일 때 발생하는 침하
   ② 2차 압밀침하 : 과잉공극수압이 완전히 소멸된 후 발생하는 침하

13 점토의 압밀시험 결과 구할 수 없는 것은?

① 공극비　② 투수계수
③ 예민비　④ 선행하중

해설

1. 1축압축시험을 하여 예민비를 구할 수 있다.
2. 예민비 : $S_t = \frac{q_u}{q_{ur}}$

14 지표에 하중을 가하면 침하현상이 일어나고 하중이 제거되면 원상태로 되돌아가는 침하를 무엇이라고 하는가?

① 소성침하　② 압밀침하
③ 압축침하　④ 탄성침하

15 지반에 발생하는 침하의 종류가 아닌 것은?

① 탄성침하　② 압밀침하
③ 소성침하　④ 전단침하

09 ④　10 ②　11 ③　12 ②　13 ③　14 ④　15 ④ [정답]

16 흙의 2차 압밀에 관한 사항 중 옳은 것은?

① 다량의 유기물을 포함하고 있으면 2차 압밀효과가 적게 나타난다.
② 2차 압밀은 실제 이론계산에서 구한 압밀도 100%에 가까운 압밀을 말한다.
③ 이론 계산에서 구한 압밀도 100%를 넘어서도 압밀이 계속되는 부분을 2차 압밀이라 한다.
④ 공극수압이 0이 되면 2차 압밀은 끝난다.

해설

2차 압밀침하

1. 과잉공극수압이 완전히 소멸된 후(압밀도 100% 이후)에 발생하는 침하이다.
2. 원인 : creep 변형
3. 유기질토, 해성점토, 점토층 두께가 두꺼울수록 2차 압밀침하량이 크다.

17 다음은 2차 압밀에 대한 기술이다. 이 가운데 옳지 않은 것은?

① 2차 압밀이란 일정한 압밀압력 아래서 진행되는 점토의 creep적인 변형을 말한다.
② 2차 압밀의 크기는 점토층의 두께나 공시체의 두께가 클수록 커진다.
③ 통상의 표준압밀시험에서는 대략 1시간 이내에서 1차 압밀이 끝나고 1차 후에는 2차 압밀이 진행된다고 보아도 무방하다.
④ 실제 지반에서 점토층이 매우 두꺼운 경우는 2차 압밀은 거의 고려하지 않는다.

해설

점토층의 두께가 두꺼울수록 2차 압밀침하량이 크다.

18 일반적으로 교란된 흙은 자연상태의 흙에 비하여 다음과 같은 특징이 있다. 이 중 옳지 않은 것은?

① 전단강도가 작다. ② 변형계수가 작다.
③ 압밀계수가 크다. ④ 압축지수가 작다.

해설

교란된 시료의 특징

1. 전단강도가 작다(교란된 만큼 압축강도가 작아진다).
2. 변형계수가 작다.
3. C_c, P_c, C_v, e변화가 작다.

19 다음 식은 Terzaghi의 압밀 기본미분방정식을 나타낸 것이다. 이 식에 대한 설명으로 가장 옳지 않은 것은?

2016. 서울시 7급

$$\frac{\partial u}{\partial t}=c_v\frac{\partial^2 u}{\partial z^2}$$

① 이 식은 지반 내 유효응력의 변화가 없고, 지반 내부 흙 요소의 체적 변화도 없다는 가정 하에 유도된 것이다.
② 이 식은 지반압축을 1차원으로, 지반 내 간극수의 흐름도 1차원으로 가정하여 유도된 것이다.
③ 이 식은 임의의 시간, 임의의 위치에서의 간극수압을 나타내고 있다.
④ 식 중에서 c_v는 압밀계수이고, 이 값은 투수계수에 비례한다.

해설

1. 이 식은 지반 내 유효응력의 변화가 있고, 지반 내부 흙 요소의 체적 변화도 있다는 가정하에 유도된 것이다.
2. 임의 시간에서의 과잉공극수압(u)

$$u=\sum_{m=0}^{m=\infty}\frac{2U_i}{M}\sin\frac{Mz}{H}e^{-M^2T}$$

20 압밀시험 결과에서 $e-\log P$ 곡선을 그리는 목적은?

① 압밀시간을 계산하려고
② 압밀침하량을 계산하려고
③ 압밀도를 계산하려고
④ 시간계수를 계산하려고

해설

$e-\log P$ 곡선을 그리는 목적

1. 압축지수 C_c를 구하여 압밀침하량을 계산한다.
2. 선행압밀하중 P_c를 구하여 흙의 이력상태를 파악한다.

16③ 17④ 18③ 19① 20② [정답]

제7장

21 보통 압밀시험 결과는 공극비－압밀하중 곡선($e-\log P$ 곡선)으로 정리되는데 이 곡선으로부터 다음 여러 가지 값을 구할 수 있다. 다음 중 이 곡선으로부터 직접 구할 수 없는 것은?

① 압밀선행하중(선행압축력)
② 압축지수
③ 공극비의 변화
④ 투수계수

해설

1. $e-\log P$ 곡선
   ① C_c와 P_c를 결정할 수 있다.
   ② 그래프의 횡축은 $\log P$, 종축은 e를 표시한다.
2. $K = C_v m_v \gamma_w$

22 압밀시험을 하여 그 결과로부터 얻을 수 없는 것은?

① 압축지수 ② 압밀계수
③ 압밀도 ④ 투수계수

해설

압밀시험으로 C_c, P_c, m_v, C_v 등의 압밀정수를 구하여 압밀침하량, 침하속도, 투수계수 등을 산출할 수 있다.

23 압밀시험을 한 후 $e-\log P$ 곡선은 어떤 방법으로 그리는가?

① 압밀방정식을 풀어서 그린다.
② 압밀시험 결과 하중－변위량으로부터 공극비를 환산해서 그린다.
③ 압밀시험 결과를 $\sqrt{t}$법과 $\log t$법을 이용해서 그린다.
④ 압밀시험에서 얻어지는 선행압밀하중으로부터 그린다.

해설

$e-\log P$ 곡선 작도법

1. 각 하중에 대한 침하량을 측정하여 공극비를 환산한다.
   $e = \dfrac{2H-2H_s}{2H_s} - \dfrac{R}{2H_s}$
2. 각 하중에 대한 공극비를 반대수용지에 표시한 후 각 점을 자유곡선자로 plot한다.

24 점토의 압밀시험에 의하여 구해지는 $e-\log P$ 곡선(e : 간극비, p : 압밀하중)의 직선부분의 경사로서 (㉠)가 구해지는데 이것은 점토층의 (㉡)의 계산에 사용된다. ①, ②에 가장 알맞은 것은?

① ㉠－압축지수 C_c, ㉡－압밀침하량
② ㉠－압축지수 C_c, ㉡－압밀의 소요시간
③ ㉠－압밀계수 C_v, ㉡－압밀침하량
④ ㉠－압밀계수 C_v, ㉡－압밀의 소요시간

해설

$\Delta H = \dfrac{C_c}{1+e_1} \log \dfrac{P_2}{P_1} H$

25 점토의 압밀시험 결과 $e-\log P$ 곡선에서 선행압밀하중을 구하고자 한다. 옳지 않은 것은?

① $e-\log P$ 곡선상에서 곡률반지름이 제일 작은 점에서 접선을 그린다.
② 접선과 수평선과의 이루는 각(a)을 2등분한다.
③ 2등분한 선과 직선부의 연장선이 교차하는 점을 구한다.
④ 초기 직선부분이 1.15배의 구배를 가진 직선을 긋고 2등분선과의 교점을 구한다.

26 선행압밀하중을 결정하기 위해서는 압밀시험을 행한 다음 어느 곡선으로부터 구할 수 있는가?

① 간극비－압력(log 눈금) 곡선
② 압밀계수－압력(log 눈금) 곡선
③ 1차 압밀비－압력(log 눈금) 곡선
④ 2차 압밀계수－압력(log 눈금) 곡선

해설

$e-\log P$ 곡선으로부터 C_c, P_c를 구할 수 있다.

21 ④ 22 ③ 23 ② 24 ① 25 ④ 26 ① [정답]

27 압밀시험에 사용된 시료의 교란으로 인한 영향을 나타낸 것으로 옳은 것은?

① $e-\log P$ 곡선의 기울기가 급해진다.
② $e-\log P$ 곡선의 기울기가 완만해진다.
③ 선행압밀하중의 크기가 증가하게 된다.
④ 선행압밀하중의 크기가 감소하게 된다.

해설

시료가 교란될수록 처녀압밀곡선의 기울기가 감소한다.

28 점토시료를 가지고 압밀시험을 하였다. 다음 설명 중 틀린 것은?

① 압밀하중을 가하면 간극률은 작아진다.
② 과잉간극수압이 소산되면 1차 압밀이 완료된 것이다.
③ 압밀하중을 제거하면 간극률은 커진다.
④ 단단한 점토일수록 압축지수가 크다.

해설

단단한 점토일수록 압축지수가 작다.

29 그림은 비교적 예민하지 않은 점토의 압밀하중-공극비의 관계를 반대수 방안지에 나타낸 것이다. 현장에서 압밀곡선이라 생각되는 것은?

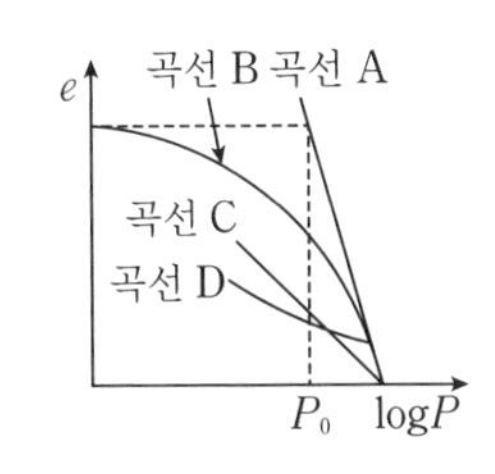

① 곡선 A ② 곡선 B
③ 곡선 C ④ 곡선 D

해설

① 곡선 A : 현장 압밀곡선
② 곡선 B : 실험실 압밀곡선
③ 곡선 C : 재성형한 시료의 압밀곡선
④ 곡선 D : 실험실 하중제거곡선

30 Casagrande의 압밀선행하중은 고정적인 값이 아니고 대략 다음과 같은 조건에서는 그 값이 변한다. 이 가운데 압밀선행하중과 관계 없는 항은 어느 것인가?

① 압밀침하가 클 때
② 압밀하중의 증가율을 변화시킬 때
③ $e-\log P$ 곡선에서 e축의 scale을 바꿀 때
④ 압밀하중의 재하시간을 변화시킬 때

해설

$e-\log P$ 관계에 영향을 미치는 요인

1. 시료의 교란 : 교란의 정도가 클수록 처녀압밀곡선의 기울기가 감소한다.
2. 하중 증가율 : 하중증가율이 작을 때는 변위량도 작다.
3. 재하시간의 변화
4. 링의 측면마찰

31 압밀시험에서 압축지수를 구하는 목적은?

① 압밀침하량을 결정하기 위함이다.
② 압밀속도를 결정하기 위함이다.
③ 투수량을 결정하기 위함이다.
④ 시간계수를 결정하기 위함이다.

해설

압축지수를 구하여 압밀침하량을 계산한다.

32 압축지수와 재압축지수에 대한 설명으로 옳지 않은 것은?

2011. 국가직 7급

① 액성한계가 커질수록 압축지수도 커진다.
② 일반적으로 재압축지수의 크기는 압축지수보다 작다.
③ 불교란 점토의 압축지수가 교란 점토의 압축지수보다 작다.
④ 초기 간극비가 커질수록 압축지수도 커진다.

해설

교란될수록 압축지수는 작아진다.

27 ② 28 ④ 29 ① 30 ③ 31 ① 32 ③ [정답]

33 선행압밀하중(P_0)에 대한 설명 중 옳지 않은 것은?

① 흙이 현재 지반에서 과거에 최대로 받았을 때의 압밀하중을 말한다.
② $e-\log P$ 곡선상에서 구한다.
③ 정규압밀점토와 과압밀점토를 구분할 수 있다.
④ 압밀 소요시간 계산에 이용된다.

해설

1. 선행압밀하중이란 과거에 받았던 최대하중을 말한다.
2. $e-\log P$ 곡선에서 P_c를 구한 후 과압밀비$\left(OCR=\frac{P_c}{P}\right)$를 계산하여 흙의 이력상태를 파악할 수 있다.
3. 압밀계수를 구하여 압밀소요시간을 계산할 수 있다$\left(t=\frac{T_v H^2}{C_v}\right)$.

34 지표면 아래 1m 되는 곳에 점 A가 있다. 본래 이 지층은 건조해 있었으나 댐 건설로 현재는 지표면까지 지하수위가 도달하였다. 다른 요인을 무시할 때 A점의 과압밀비(OCR)는? (단, 흙의 건조단위중량은 1.6t/m³, 포화단위중량은 2.0t/m³)

① 1.00 ② 1.25
③ 1.60 ④ 1.80

해설

$$OCR=\frac{P_c}{P}=\frac{\overline{\sigma}_c}{\overline{\sigma}}=\frac{\gamma_d h}{\gamma_{\text{sub}} h}=\frac{1.6\times 1}{1\times 1}=1.6$$

35 다음은 점토지반이 과압밀상태에 있으리라고 예상되는 경우이다. 이 가운데 부적당한 것은 어느 것인가?

① 점토지반 위에 있었던 상재하중이 경감되었다.
② 점토지반 위에 과거에 큰 빙하가 덮여 있었다.
③ 해성점토(海城粘土 : marine clay)지반에 있어서 바다의 수위가 낮아졌다.
④ 포화점토지반이 과거에 건조된 적이 있었다.

해설

1. 상재하중의 경감으로 인해 과압밀상태가 된다.
2. 빙하의 후퇴로 인해 과압밀상태가 된다.
3. 바다의 수위저하는 유효응력의 변화에 영향을 주지 못하므로 정규압밀상태가 된다.
4. 과거의 건조로 인해 과압밀상태가 된다.

36 다음은 현재 지표면까지 포화되어 있는 점토지반의 과압밀상태를 설명한 것이다. 옳지 않은 것은?

① Casagrande 방법으로 구한 선행압축력이 현재 흙이 받고 있는 압력보다 크다.
② 이 지반은 과거에 침식을 받은 일이 있다.
③ 이 지반은 과거에 지하수면이 일시적으로 내려간 일이 있다.
④ 이 지반은 과거에 한 번도 대기에 접한 적이 없다.

해설

과압밀 점토	정규압밀 점토
1. 전응력의 변화 ① 지표면 토층의 제거 ② 구조물 제거 ③ 빙하의 후퇴 2. 간극수압의 변화 ① 지하수위의 변화(하강 → 상승) ② 심정에 의한 양수 후 수위 회복	1. 수중에서 퇴적되어 형성된 점토층이 퇴적 이후 지층이나 수위의 변화가 없는 경우 2. 과거에 한번도 대기에 접한 일이 없이 자연지층에서 압밀된 점토 3. 자연적으로 퇴적된 지반이 상재토압에 의해 압밀이 완료된 상태를 나타낸다. 4. 우리나라 연약지반 대부분이다.

37 점성토 지반의 압밀에 대한 설명으로 옳지 않은 것은?

2013. 국가직 7급

① 압밀침하는 투수성이 낮은 지반에서 발생한 과잉간극수압이 오랜 시간에 걸쳐 소산되면서 흙이 압축되는 현상이다.
② 정규압밀점토는 현재 받고 있는 유효 상재압력 이상의 하중을 받은 적이 없는 점토를 말한다.
③ 과압밀지반은 상재압력의 추가 또는 지하수위의 급강하로 인해 발생한다.
④ Terzaghi 1차원 압밀이론에서 물의 흐름은 Darcy 법칙이 유효하며 투수계수는 일정한 것으로 가정한다.

해설

과압밀 점토

1. 전응력의 변화
   ① 지표면 토층의 제거
   ② 구조물 제거
   ③ 빙하의 후퇴
2. 간극수압의 변화
   ① 지하수위의 변화(하강 → 상승)
   ② 심정에 의한 양수 후 수위 회복

33 ④ 34 ③ 35 ③ 36 ④ 37 ③ [정답]

38 그림 중 A점에서 자연시료를 채취하여 압밀시험한 결과 선행압축력이 0.81kg/cm²이었다. 이 흙은 무슨 점토인가?

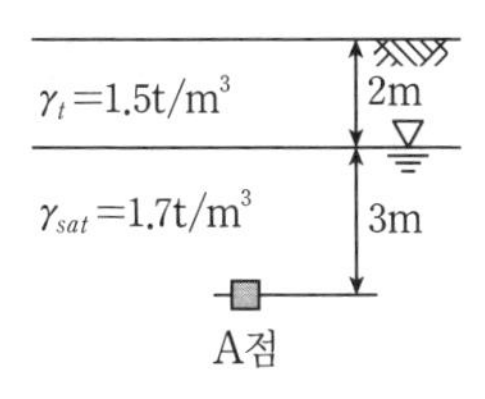

① 압밀진행 중인 점토
② 정규압밀점토
③ 과압밀점토
④ 이것으론 알 수 없다.

해설

1. $P=\bar{\sigma}=1.5\times2+0.7\times3=5.1t/m^2=0.51kg/cm^2$
2. $OCR=\frac{P_c}{P}=\frac{0.81}{0.51}=1.59>1$ 이므로 과압밀점토이다.

39 다음 중 어느 곡선으로부터 과압밀비(OCR)를 계산할 수 있는가?

① $\sqrt{t}-d$
② $\log P-e$ 곡선
③ $P-C_v$ 곡선
④ T_v-u 곡선

해설

$e-\log P$ 곡선에서 선행압밀하중을 구하여 과압밀비를 계산한다.

40 공극비가 3.2인 점토시료를 압밀하여 압밀응력이 6.4kg/cm²에 이르렀다. 그 후 압밀응력을 제거하여 현재 3.2kg/cm²에 이르고 있으며, 이때 공극비는 2.0으로 변했다. 다음 중 옳지 않은 것은?

① 현재 이 점토의 과압밀비(OCR)는 2이다.
② 현재 이 점토의 공극비의 변화는 1.2이다.
③ 이 점토의 압밀선행하중은 3.2kg/cm²이다.
④ 이 흙은 현재 과압밀점토이다.

해설

1. $P_c=6.4kg/cm^2$
2. $OCR=\frac{P_c}{P}=\frac{6.4}{3.2}=2>1$ 이므로 과압밀 점토이다.

41 그림과 같이 상부 모래층을 깊이 10m까지 굴착하여 건물을 축조하고자 한다. 굴착 후 점토층 중앙 A점에서의 과압밀비(OCR)를 구하고, 건물이 완공된 후 발생한 상재하중의 증가량이 $\Delta q=20t/m^2$일 때 점토층 중앙 A점의 최종 현상으로 옳은 것은? (단, 굴착 전의 점토지반은 정규압밀상태이다) 2010. 국가직 7급

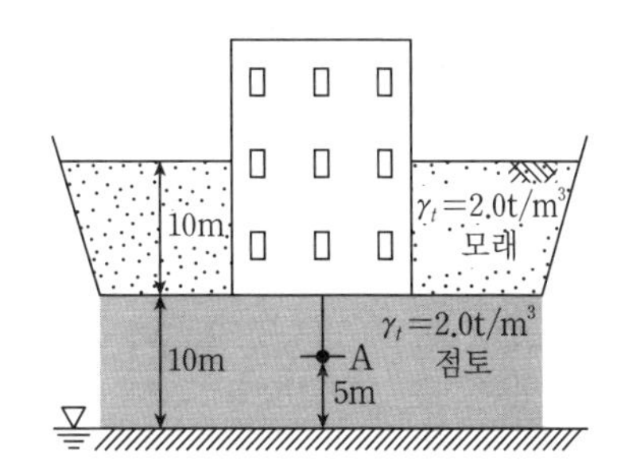

① $OCR=3$, 침하 또는 팽창 없음.
② $OCR=5$, 팽창함.
③ $OCR=3$, 압밀에 의한 침하 발생
④ $OCR=5$, 압밀에 의한 침하 발생

해설

1. 굴착 후

$OCR=\frac{P_c}{P}=\frac{2\times10+2\times5}{2\times5}=\frac{30}{10}=3$

2. 건물 완공 후

$OCR=\frac{30}{10+20}=1$

따라서 침하 또는 팽창 없음

38 ③ 39 ② 40 ③ 41 ① [정답]

42 지표면에 수위가 위치하던 원지반〔그림 (a)〕이 홍수로 인하여 수위가 지표면에서 5m까지 증가〔그림 (b)〕하였다가, 홍수가 끝난 후 5m의 지반침식〔그림 (c)〕이 발견되었다. 침식 후에도 수위가 지표면에 위치한다면, 홍수상태〔그림 (b)〕의 지반요소 A에서의 유효응력은? 또한 원지반〔그림 (a)〕이 침식 후 지반〔그림 (c)〕으로 변화하는 과정에 대한 과압밀비는? (단, 지반의 포화단위 중량은 20kN/m³, 물의 단위중량은 10kN/m³를 사용한다) 2013. 국가직 7급

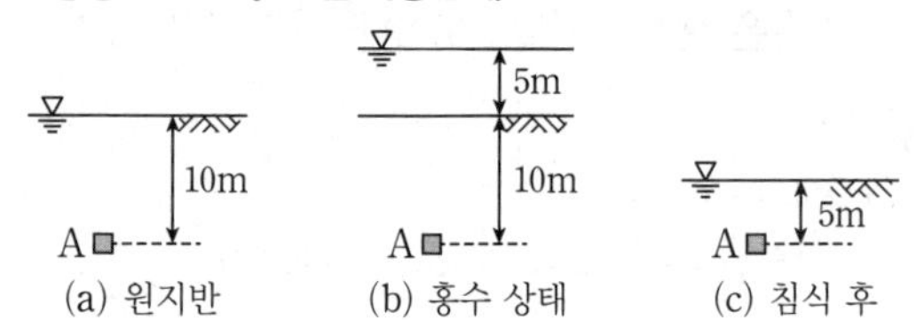

(a) 원지반 (b) 홍수 상태 (c) 침식 후

	유효응력	과압밀비
①	100kN/m²	2
②	100kN/m²	3
③	150kN/m²	2
④	150kN/m²	3

해설

1. 유효응력
   ① 원지반(그림 a)
   $\sigma = 20 \times 10 = 200\text{kN/m}^2$
   $u = 10 \times 10 = 100\text{kN/m}^2$
   $\bar{\sigma} = 100\text{kN/m}^2$
   ② 홍수 상태(그림 b)
   $\sigma = 20 \times 5 + 20 \times 10 = 250\text{kN/m}^2$
   $u = 10 \times 15 = 150\text{kN/m}^2$
   $\bar{\sigma} = 100\text{kN/m}^2$
   ③ 침식 후(그림 c)
   $\sigma = 20 \times 5 = 100\text{kN/m}^2$
   $u = 10 \times 5 = 50\text{kN/m}^2$
   $\bar{\sigma} = 50\text{kN/m}^2$
2. $OCR = \dfrac{P_c}{P} = \dfrac{100}{50} = 2$

43 점토층에서 흙시료를 채취하여 압밀시험한 결과 하중강도가 3.0kg/cm²에서 4.6kg/cm²로 증가했을 때 공극비는 2.7로부터 1.9로 감소하였다. 압축계수는 얼마인가?

① 0.5cm²/kg ② 0.6cm²/kg
③ 0.7cm²/kg ④ 0.8cm²/kg

해설

$a_v = \dfrac{e_1 - e_2}{p_2 - p_1} = \dfrac{2.7 - 1.9}{4.6 - 3.0} = 0.5\text{cm}^2/\text{kg}$

44 압밀시험에 있어 시간-침하곡선으로부터 직접 구할 수 있는 사항은?

① 압밀계수 ② 선행압축력
③ 점성보정계수 ④ 압축지수

해설

1. 시간-침하곡선에서 압밀계수 C_v를 구한다.
2. 시간-침하곡선에서 $\sqrt{t}$법과 $\log t$법이 있다.

45 같은 흙에서 압밀계수(C_v)의 설명 중 틀린 것은?

① C_v는 압축계수가 커지면 커진다.
② C_v는 투수계수가 커지면 커진다.
③ C_v는 공극비가 커지면 커진다.
④ C_v는 물의 단위중량이 커지면 작아진다.

해설

$K = C_v m_v \gamma_w$
$\quad = C_v\left(\dfrac{a_v}{1+e_1}\right)\gamma_w$

46 표준압밀시험에 있어서 각 하중단계별로 구해지는 시간-침하곡선으로부터 다음 사항을 구할 수 있다. 이 중 해당하지 않는 것은?

① 압밀계수$-C_v$
② 1차 압밀비$-\gamma_p$
③ 체적압축계수$-m_v$
④ 압밀선행하중(항복하중)$-P_0$

해설

1. 시간-침하 곡선($\sqrt{t}$법, $\log t$법)으로부터 C_v, γ_p를 구한다.
2. $K = C_v m_v \gamma_w$
3. $e - \log P$ 곡선으로부터 P_c를 구한다.

42 ① 43 ① 44 ① 45 ① 46 ④ [정답]

47 압밀에 관한 다음 사항 중 틀린 것은?

① 선행하중을 구하기 위해서는 $\log P - e$ 곡선이 필요하다.
② 유기물을 많이 함유한 흙은 2차 압밀량이 다른 흙보다 크다.
③ 1차 압밀비란 1차 압밀량과 2차 압밀량과의 비이다.
④ 압밀계수를 구하기 위하여 시간－침하량 곡선을 그린다.

해설

1. $e - \log P$ 곡선에서 P_c를 구한다.
2. 유기질토, 해성점토, 점토층의 두께가 두꺼울수록 2차 압밀침하량이 크다.
3. 1차 압밀비란 1차 압밀량과 전압밀량과의 비이다.
4. 시간－침하곡선에서 C_v를 구한다.

48 그림과 같은 점토층의 최종 1차 압밀침하량이 20cm라면 압밀침하량 18cm가 일어나는데 걸리는 시간은 얼마나 되는가? (단, $C_v = 0.002\text{cm}^2/\text{s}$)

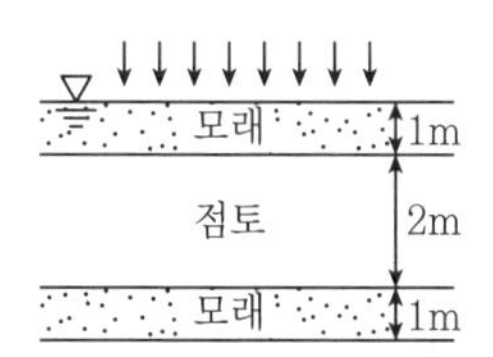

① 9.85×10^5초
② 3.54×10^6초
③ 4.24×10^6초
④ 1.69×10^7초

해설

$$t_{90} = \frac{0.848H^2}{C_v} = \frac{0.848 \times \left(\frac{200}{2}\right)^2}{0.002} = 4.24 \times 10^6\text{초}$$

49 압밀속도를 지배하는 원인이 아닌 것은 어느 것인가?

① 입자와 물의 비압축성 조건
② 배수거리 및 배수의 경계조건
③ 흙의 압밀계수 및 투수계수
④ 토층의 두께 방향의 유효압력 분포

해설

압밀속도의 지배요인

1. 배수거리
2. 배수의 경계조건
3. 흙의 압밀계수
4. 흙의 투수계수
5. 토층 두께 방향에 대한 유효응력의 분포

50 시추조사결과 A와 B의 지반조건이 그림과 같이 최하단의 지반조건만 다르게 나타났다. 동일한 구조물을 각각의 지반 위에 건설할 경우, A지반에서 50% 압밀에 소요되는 시간(t_A)과 B지반에서 90% 압밀에 소요되는 시간(t_B)의 비(t_B/t_A)는? (단, 시간계수 $T_{v,50\%} = 0.2$, $T_{v,90\%} = 0.8$로 가정한다)

2016. 국가직 7급

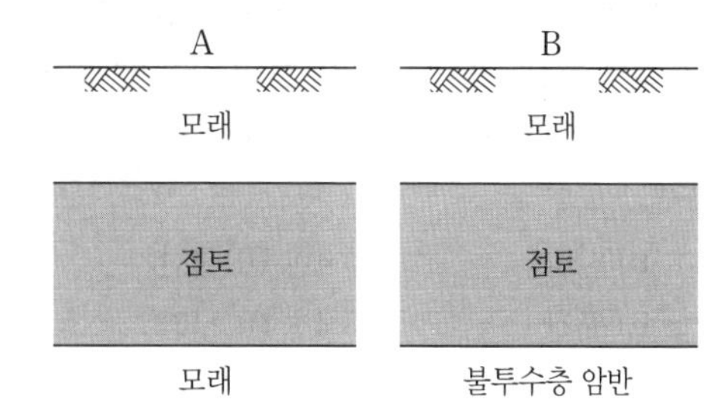

① 4 ② 8
③ 16 ④ 32

해설

$$t_{50A} = \frac{0.2 \times \left(\frac{H}{2}\right)^2}{C_v} = 0.05\frac{H^2}{C_v}$$

$$t_{90B} = \frac{0.8H^2}{C_v}$$

$$\therefore \frac{t_{50B}}{t_{50A}} = \frac{0.8}{0.05} = 16$$

47 ③ 48 ③ 49 ① 50 ③ [정답]

제7장

51 두께 2cm인 점토시료에 대한 압밀시험(양면배수) 결과, 평균압밀도 50%의 압밀이 진행되는데 10분(min)이 걸렸다. 동일한 점토층이 자갈층 위에 두께 2m로 놓여있다면(양면배수) 평균압밀도 70%의 압밀이 진행되는데 걸리는 시간[min]은? (단, 현장에서의 초기과잉간극수압 분포는 실내시험과 동일한 것으로 가정하고 평균압밀도 50%와 70%에 해당하는 시간계수는 각각 $T_{50}=0.2$, $T_{70}=0.4$로 가정한다) 2015. 국가직 7급

① 50,000 ② 100,000
③ 200,000 ④ 800,000

해설

1. $t_{50}=\dfrac{0.2H^2}{C_v}=\dfrac{0.2\left(\frac{2}{2}\right)^2}{C_v}=10$

$\therefore C_v=0.02\text{cm}^2/\text{min}$

2. $t_{70}=\dfrac{0.4H^2}{C_v}=\dfrac{0.4\left(\frac{200}{2}\right)^2}{0.02}=200{,}000$분

52 연약점성토 층의 압밀특성을 파악하기 위해 시료를 채취하여 압밀시험을 실시하였다. 두께 2cm의 양면배수 시료가 50% 압밀되는 데 1시간이 걸렸다면 일면배수조건의 두께 2m인 연약점성토층이 50% 압밀되는 데 걸리는 시간은? 2007. 국가직 7급

① 2×10^4시간 ② 4×10^4시간
③ 2×10^5시간 ④ 4×10^5시간

해설

1. $t_{50}=\dfrac{T_vH^2}{C_v}$

$1=\dfrac{T_v\left(\frac{2}{2}\right)^2}{C_v}$ $\therefore \dfrac{T_v}{C_v}=1\text{hr/cm}^2$

2. $t_{50}=\dfrac{T_vH^2}{C_v}=1\times200^2=40000$시간

53 두께 H(m)되는 점토층에서 압밀하중을 가하여 90% 압밀이 일어나는 데 848일이 소요되었다. 같은 조건하에서 50%에 달하는 데 며칠이 걸리겠는가?

① 260일 ② 212일
③ 197일 ④ 98.5일

해설

1. $t_{90}=\dfrac{0.848H^2}{C_v}$

$848=\dfrac{0.848H^2}{C_v}$ $\therefore \dfrac{H^2}{C_v}=1000$

2. $t_{50}=\dfrac{0.197H^2}{C_v}=0.197\times1000=197$일

54 10m 두께의 점토층에서 채취한 점토시료를 사용하여 압밀시험(양면배수조건, 시료의 지름 75mm와 높이 20mm)을 수행한 결과 50% 압밀시키는 데 12분이 걸렸다. 만약 이 현장의 배수조건이 실험실 배수조건과 같다면 10m 두께의 점토층이 50% 압밀에 도달하는 데 걸리는 시간[년]은? 2014. 국가직 7급

① 5.23 ② 5.71
③ 6.18 ④ 6.66

해설

1. $t_{50}=\dfrac{T_vH^2}{C_v}$ $12=\dfrac{T_v\left(\frac{2}{2}\right)^2}{C_v}$

$\therefore \dfrac{T_v}{C_v}=12$분$/\text{cm}^2$

2. $t_{50}=\dfrac{T_v\left(\frac{1000}{2}\right)^2}{C_v}=12\times500^2$분$=5.71$년

51 ③ 52 ② 53 ③ 54 ② [정답]

55 압밀시험결과를 이용하여 점성토의 압밀계수(C_v)는 1.5×10^{-4}cm²/sec, 압축계수(a_v)는 3.0×10^{-2}cm²/g으로 산정되었다. 이 점성토의 초기 간극비(e_0)가 1인 경우, 투수계수[cm/sec]는? (단, γ_w = 1g/cm³이다)

2013. 국가직 7급

① 1.00×10^{-2} ② 2.25×10^{-6}
③ 4.50×10^{-6} ④ 5.00×10^{-3}

해설

$K = C_v m_v \gamma_w$

$= C_v \cdot \frac{a_v}{1+e_1} \cdot \gamma_w$

$= (1.5 \times 10^{-4}) \times \frac{3 \times 10^{-2}}{1+1} \times 1$

$= 2.25 \times 10^{-6}$cm/sec

56 지층의 두께가 각각 3m인 모래와 점토가 있다. 임의의 시간에 있어서 모래의 압축성은 점토의 1/5배이고, 모래의 투수계수는 점토의 10000배라고 할 때, 점토의 압밀시간은 모래의 압밀시간의 몇 배인가?

① 50000배 ② 10000배
③ 6000배 ④ 2000배

해설

1. $K = C_v m_v \gamma_w = C_v \cdot \frac{a_v}{1+e_1} \cdot \gamma_w$ 이므로 C_v는 a_v에 반비례하고 K에 비례한다.

2. $t = \frac{T_v H^2}{C_v}$ 이므로

$t_{(점토)} \propto \frac{1}{C_v} = \frac{1}{\frac{1}{5} \times \frac{1}{10000}} = 50000$배

57 상부 모래층과 하부 암반층 사이에 위치하는 점토층의 압밀속도를 계산한 결과, 90% 압밀에 소요되는 시간이 5년이었다. 만일 하부에 암반층 대신 모래층이 존재한다면 90% 압밀에 소요되는 시간은?

2012. 국가직 7급

① 1.25년 ② 1.5년
③ 2.5년 ④ 5년

해설

$t_{단면} : t_{양면} = H^2 : \left(\frac{H}{2}\right)^2$

$\therefore t_{양면} = \frac{t_{단면}}{4} = \frac{5}{4} = 1.25$년

58 동일한 점토층에 대해 양면배수상태로 압밀시키는 경우가 일면배수상태로 압밀시키는 경우보다 몇 배의 압밀시간이 소요되는가?

2014. 국가직 7급

① 2 ② $\frac{1}{2}$
③ 4 ④ $\frac{1}{4}$

해설

$t_{단면} : t_{양면} = H^2 : \left(\frac{H}{2}\right)^2$

$\therefore t_{양면} = \frac{t_{단면}}{4}$

59 상하층이 모래로 되어 있는 두께 2m의 점토층이 어떤 하중을 받고 있다. 이 점토층의 투수계수(K)가 5×10^{-7}cm/s, 체적변화계수(m_v)가 0.05cm²/kg일 때 90% 압밀에 요구되는 시간을 구하면? (단, T_{90} = 0.848)

① 5.6일 ② 9.8일
③ 15.2일 ④ 47.2일

해설

1. $K = C_v m_v \gamma_w$

$5 \times 10^{-7} = C_v \times (0.05 \times 10^{-3}) \times 1$

$\therefore C_v = 0.01$cm²/s

2. $t_{90} = \frac{0.848 H^2}{C_v}$

$= \frac{0.848\left(\frac{200}{2}\right)^2}{0.01}$

$= 848000$초 $= 9.81$일

55 ② 56 ① 57 ① 58 ④ 59 ② [정답]

제7장

60 그림에 표시된 하중 q에 의한 최종 압밀침하량은 7.5cm로 예상되어진다. 예상되는 최종 압밀침하량의 80%가 일어나는 데 걸리는 시간은? (단, C_v=5.67cm²/day)

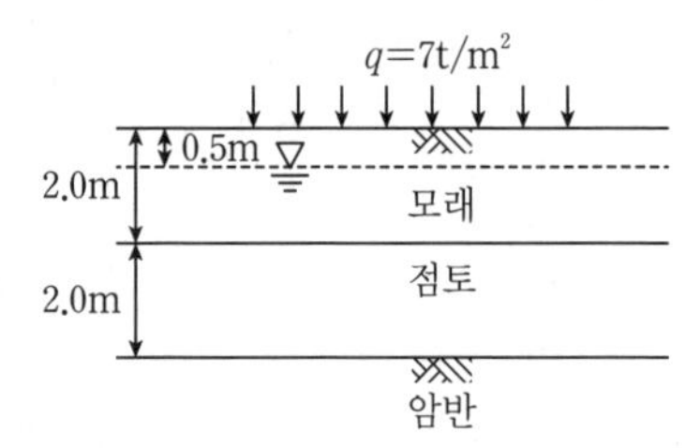

① 567일 ② 2835일
③ 4000일 ④ 5670일

해설

$$t_{80} = \frac{0.567H^2}{C_v} = \frac{0.567 \times 200^2}{5.67} = 4000\text{일}$$

61 두께 2cm의 점토시료에 대한 압밀시험에서 전압밀에 소요되는 시간이 2시간이었다. 같은 시료조건에서 5m 두께의 지층이 전압밀에 소요되는 기간은 약 몇 년인가? (단, 기간은 소수 2째자리에서 반올림한다)

① 9.3년 ② 12.3년
③ 14.3년 ④ 16.3년

해설

1. $t = \frac{T_v H^2}{C_v}$ 에서 $2 = \frac{T_v \times 2^2}{C_v}$

$\therefore \frac{T_v}{C_v} = 0.5\text{hr/cm}^2$

2. $t = \frac{T_v H^2}{C_v} = 0.5 \times 500^2 = 125000\text{시간}$

$= 14.3\text{년}$

62 두께가 16mm이고, 양면배수상태 시료에 대한 압밀실험에서 압밀도 50%에 이르는 시간이 8분이다. 현장에서 불투수층 암반 위에 놓인 두께 4m인 동일 시료의 점토층이 압밀도 90%에 도달하는 시간(분)은? (단, T_{50}=0.2, T_{90}=0.85로 가정한다) 2011. 지방직 7급

① 4.25×10^6 ② 8.50×10^6
③ 17.00×10^6 ④ 34.00×10^6

해설

1. $t_{50} = \frac{0.2\left(\frac{H}{2}\right)^2}{C_v} = \frac{0.2\left(\frac{1.6}{2}\right)^2}{C_v} = 8$

$\therefore C_v = 0.016\text{cm}^2/\text{분}$

2. $t_{90} = \frac{0.85H^2}{C_v} = \frac{0.85 \times 400^2}{0.016} = 8.5 \times 10^6\text{분}$

63 10m 두께의 점토층이 모래층 사이에 분포하는 지반 위에 산업단지가 조성되었다. 조성 후 5년 간 계측한 결과 12cm의 침하가 발생하였고, 이 때 평균 압밀도는 80%로 나타났다. 이 지반의 최종 압밀침하량[cm]은? (단, 모래의 침하는 없는 것으로 가정한다) 2012. 지방직 7급

① 13.5 ② 15.0
③ 17.5 ④ 20.0

해설

$\overline{U} = \frac{S_{ct}}{S_c}$

$0.8 = \frac{12}{S_c}$

$\therefore S_c = 15\text{cm}$

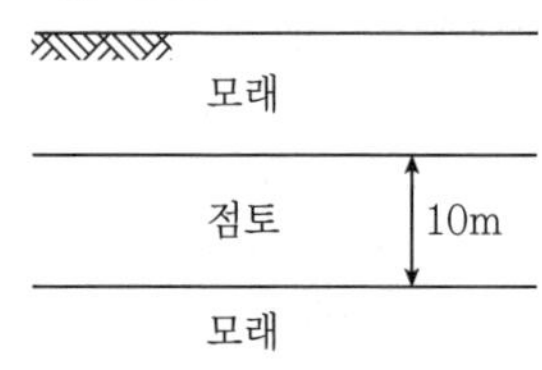

60 ③ 61 ③ 62 ② 63 ② [정답]

64 양면배수조건에 있는 10m 두께의 점토층이 최종적으로 50cm 침하할 것으로 예상된다. 만약, 5년 경과 후 점토층이 25cm 침하되었다면, 45cm의 침하가 발생하기 위해 필요한 시간(년)은? (단, 점토층의 평균압밀도가 50%와 90%일 때 시간계수는 각각 0.2와 0.85로 한다)

2010. 지방직 7급

① 5.25 ② 17.25
③ 21.25 ④ 25.25

해설

1. $\overline{U}_{av}=\dfrac{S_{ct}}{S_c}=\dfrac{25}{50}=0.5=50\%$

$t_{50}=\dfrac{0.2H^2}{C_v}$

$5=\dfrac{0.2\times\left(\dfrac{10}{2}\right)^2}{C_v}$ $\quad\therefore C_v=1\text{m}^2/\text{yr}$

2. $\overline{U}_{av}=\dfrac{S_{ct}}{S_c}=\dfrac{45}{50}=0.9=90\%$

$t_{90}=\dfrac{0.85H^2}{C_v}=\dfrac{0.85\times\left(\dfrac{10}{2}\right)^2}{1}=21.25$년

65 그림과 같은 지층분포를 가진 두 지반의 지표면에 크기가 다른 등분포하중이 무한히 넓은 면적에 작용하였다. 계측 결과 두 지반의 시간에 따른 압밀도가 동일할 경우 압밀계수 C_{v1}과 C_{v2}의 관계는? (단, 압밀진행 동안 압밀계수는 일정하며, 얇은 모래층(sand seam)은 배수가 충분히 발생할 수 있다고 가정한다)

2009. 국가직 7급

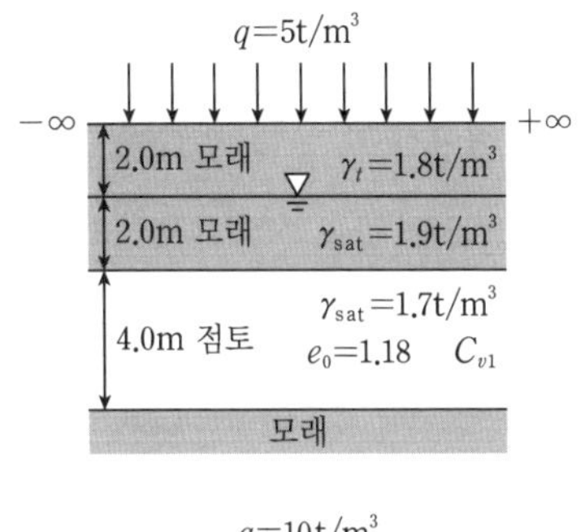

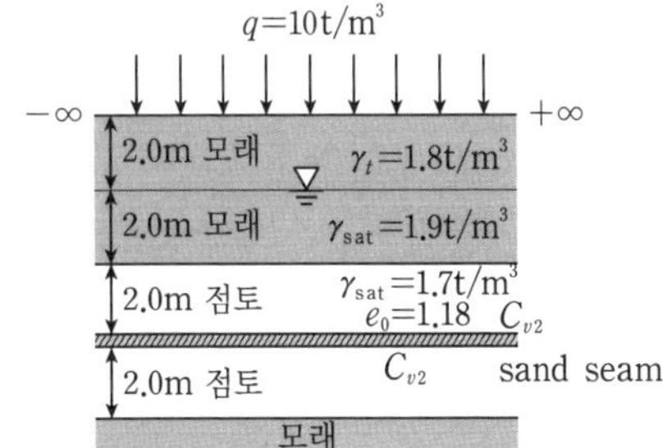

① $C_{v1}=0.5C_{v2}$ ② $C_{v1}=C_{v2}$
③ $C_{v1}=2C_{v2}$ ④ $C_{v1}=4C_{v2}$

해설

$t=\dfrac{T_vH^2}{C_v}$ 에서 $C_v=\dfrac{T_vH^2}{t}$

$C_{v1}=\dfrac{T_v\left(\dfrac{4}{2}\right)^2}{t}=\dfrac{4T_v}{t}$ $\qquad C_{v2}=\dfrac{T_v\left(\dfrac{2}{2}\right)^2}{t}=\dfrac{T_v}{t}$

$\therefore C_{v1}=4C_{v2}$

64 ③ 65 ④ [정답]

제7장

66 양면배수조건으로 가정한 경우, 점토층의 3년 후 압밀침하량과 최종 압밀침하량이 각각 45cm, 50cm로 예측되었다. 같은 지반에서 배수조건을 일면배수조건으로 가정한다면, 예측되는 3년 후 압밀침하량[cm]과 최종 압밀침하량[cm]은? (단, 평균압밀도 50%, 70%, 82%, 90%에 해당되는 시간계수는 배수조건에 무관하게 각각 $T_{50}=0.2$, $T_{70}=0.4$, $T_{82}=0.6$, $T_{90}=0.8$로 가정한다)

2015. 국가직 7급

	3년 후 압밀침하량	최종 압밀침하량
①	6.3	25
②	12.5	25
③	12.5	50
④	25.0	50

해설

1. 양면배수조건일 때
   ① $\overline{U}_{av}=\dfrac{S_{ct}}{S_c}=\dfrac{45}{50}=0.9=90\%$
   ② $t_{90}=\dfrac{0.8\left(\dfrac{H}{2}\right)^2}{C_v}=3$
   $\therefore \dfrac{H^2}{C_v}=15$
2. 일면배수조건일 때
   ① $t=\dfrac{T_vH^2}{C_v}=3$
   $\therefore T_v=\dfrac{3}{15}=0.2$ 이므로 $\overline{U}=50\%$ 이다
   ② $\overline{U}_{av}=\dfrac{S_{ct}}{S_c}$ $\quad 0.5=\dfrac{S_{ct}}{50}$
   $\therefore S_{ct}=25\text{cm}$

67 흙이 정규압밀상태에 있다면 그 흙이 받는 수평방향 토압은?

① 연직방향 토압과 같다.
② 연직방향 토압보다 크다.
③ 연직방향 토압보다 작다.
④ 연직방향 토압보다 클 수도 있고 작을 수도 있다.

해설

정규압밀상태에서는 $\sigma_v>\sigma_h$ 이다. 사질토에서 $K_0=0.4\sim0.5$ 이므로

$K_0=\dfrac{\sigma_h}{\sigma_v}=0.4\sim0.50 \qquad \therefore \sigma_h=(0.4\sim0.5)\sigma_v$

68 압밀침하량을 산정하는데 있어서 다음 값 중 사용되지 않는 것은?

① 최초 공극비 ② 압밀계수
③ 압축계수 ④ 지중응력의 증가량

해설

$$\Delta H=m_v\cdot\Delta P\cdot H=\frac{a_v}{1+e_1}\cdot\Delta P\cdot H=\frac{e_1-e_2}{1+e_1}\cdot H=\frac{C_c}{1+e_1}+\log\frac{P_2}{P_1}\cdot H$$

69 압밀을 일으키는 토층의 두께가 3m이다. 이 토층의 시료는 구조물 축조 전의 공극비(void ratio)가 0.8이고 축조 후의 공극비가 0.5이다. 이 흙의 전압밀침하량은 몇 cm인가?

① 35cm ② 40cm
③ 50cm ④ 65cm

해설

$\Delta H=\dfrac{e_1-e_2}{1+e_1}H=\dfrac{0.8-0.5}{1+0.8}\times3=0.5\text{m}$

70 두께가 5m인 점토층에서 시료를 채취하여 압밀시험을 한 결과, 하중강도가 2kg/cm^{2}에서 4kg/cm^{2}로 증가될 때 간극비는 2.0에서 1.7로 감소하였다. 이 5m 점토층에서 최종 압밀침하량의 50% 압밀에 해당하는 침하량은?

① 16.5cm ② 25cm
③ 36.5cm ④ 41cm

해설

1. $\Delta H=\dfrac{e_1-e_2}{1+e_1}H=\dfrac{2-1.7}{1+2}\times5=0.5\text{m}$
2. 50% 압밀에 해당하는 침하량 $\Delta H'=0.5\times0.5=0.25\text{m}$

66 ④ 67 ③ 68 ② 69 ③ 70 ② [정답]

71 두께가 7m인 연약점토층의 초기간극비가 1.0이다. 5m의 높이로 성토 후 기존 점토층의 간극비가 0.7로 감소한다면 성토로 인한 연약점토층의 압밀침하량[m]은?

2014. 국가직 7급

① 0.75
② 1.05
③ 1.36
④ 1.91

해설

$$\Delta H = \frac{e_1 - e_2}{1 + e_1} H = \frac{1 - 0.7}{1 + 1} \times 7 = 1.05\text{m}$$

72 그림과 같은 지반에서 지표면에 100kN/m^{2}의 상재하중에 의한 점토층의 1차압밀 침하량이 20cm일 때, 점토층의 1차압밀 완료 후 간극비는? (단, 점토층의 초기간극비 e_0는 1.0이며, Terzaghi의 1차원 압밀이론을 적용한다)

2015. 국가직 7급

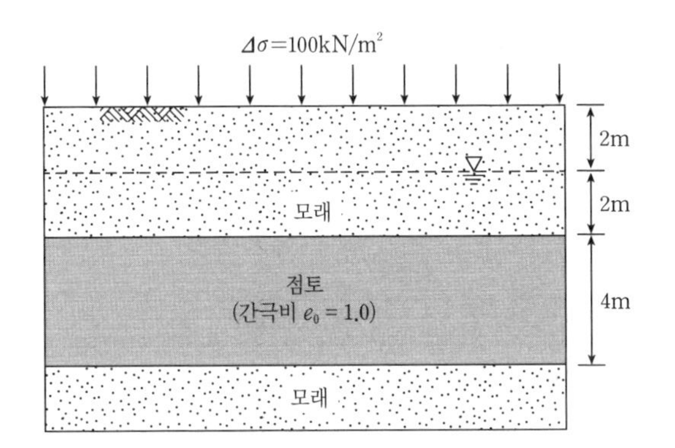

① 0.6
② 0.7
③ 0.8
④ 0.9

해설

$$\Delta H = \frac{e_1 - e_2}{1 + e_1} H$$

$$0.2 = \frac{1 - e_2}{1 + 1} \times 4 \qquad \therefore e_2 = 0.9$$

73 그림과 같이 포화된 점토층의 표면 a-b 위에 추가로 동일한 압력을 가하는 경우 (A)에는 물을, (B)에는 모래를 사용하였다. 점토의 침하량을 비교할 때 다음 중 옳은 것은?

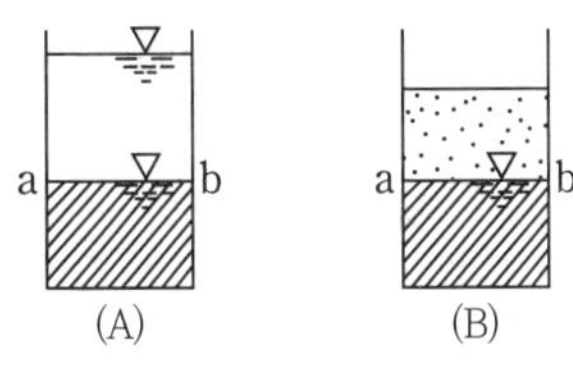

① 시간에 따라 다르다.
② A=B
③ A<B
④ A>B

해설

1. 그림 A : 유효응력에는 변화가 없으므로 압밀침하가 발생하지 않는다.
2. 그림 B : 유효응력의 증가가 일어났으므로 압밀침하가 발생한다.

74 두께 6m 되는 점토층이 있다. 액성한계가 70%이고, 압밀하중을 2kg에서 4kg으로 증가시키려고 한다. 예상되는 압밀침하량은 얼마인가? (단, $e = 2$, $\log 2 = 0.3$이다)

① 0.15m
② 0.32m
③ 1.53m
④ 3.25m

해설

1. $C_c = 0.009(W_L - 10) = 0.009 \times (70 - 10) = 0.54$
2. $\Delta H = \dfrac{C_c}{1+e} \log \dfrac{P_2}{P_1} H$
$= \dfrac{0.54}{1+2} \times \log \dfrac{4}{2} \times 6 = 0.32\text{m}$

71 ② 72 ④ 73 ③ 74 ② [정답]

제7장

75 그림과 같은 지반의 지표면에 11t/m²의 등분포하중이 무한히 넓은 면적에 작용할 때, 점토층의 1차 압밀침하량(cm)은? (단, 점토층은 정규압밀점토이며, log2≒0.3, log3≒0.5, log5≒0.7로 간주한다) 2009. 국가직 7급

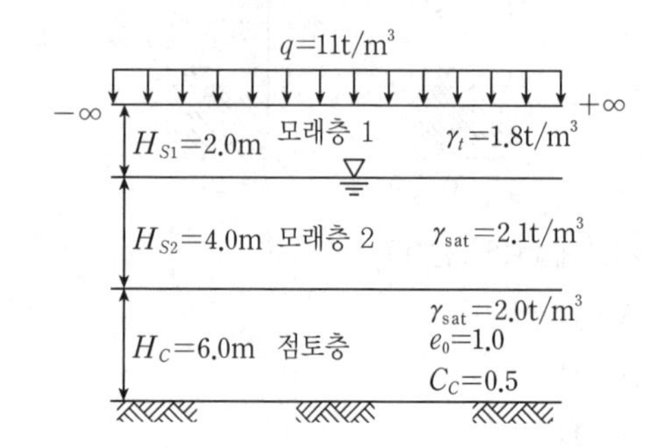

① 30 ② 35
③ 40 ④ 45

해설

1. $P_1 = 1.8 \times 2 + 1.1 \times 4 + 1 \times 3 = 11\text{t/m}^2$
2. $P_2 = P_1 + \Delta P = 11 + 11 = 22\text{t/m}^2$
3. $\Delta H = \dfrac{C_c}{1+e_1} \log \dfrac{P_2}{P_1} H$

$= \dfrac{0.5}{1+1} \log \dfrac{22}{11} \times 6 = 0.45\text{m}$

76 다음 그림은 두께 H=2m, 초기간극비 e_0=1.0, 압축지수 C_c=0.5인 점토층 위에 5m의 모래를 성토하였을 때의 유효연직응력의 분포도를 보인 것이다. 점토층 중앙에서의 평균침하량을 구하시오.

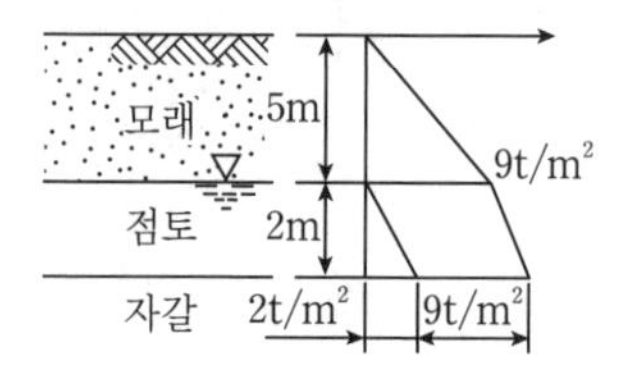

① 0.19m ② 0.25m
③ 0.35m ④ 0.50m

해설

$\Delta H = m_v \Delta P H$

$= \dfrac{C_c}{1+e_1} \log \dfrac{P_2}{P_1} H$

$P_1 = 1\text{t/m}^2$, $P_2 = 10\text{t/m}^2$ 이므로

$\Delta H = \dfrac{0.5}{1+1} \times \log \dfrac{10}{1} \times 2$

$= 0.5\text{m}$

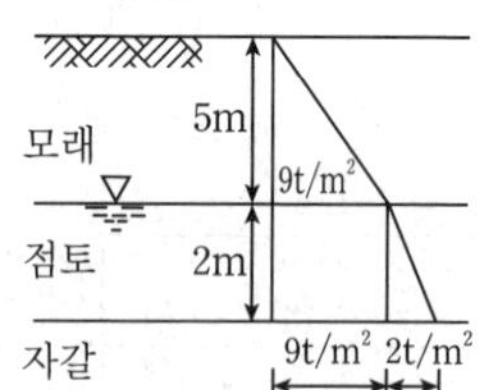

77 어느 점토의 압밀계수 $C_v = 2.0 \times 10^{-4}\text{cm}^2/\text{s}$, 압축계수 $a_v = 2.820 \times 10^{-2}\text{cm}^2/\text{kg}$이다. 이 점토의 투수계수는? (단, 공극비 e=1.0)

① 1.41×10^{-6}cm/s ② 2.82×10^{-6}cm/s
③ 2.82×10^{-9}cm/s ④ 5.64×10^{-9}cm/s

해설

$K = C_v m_v \gamma_w = C_v \cdot \dfrac{a_v}{1+e} \cdot \gamma_w$

$= 2 \times 10^{-4} \times \dfrac{2.82 \times 10^{-5}}{1+1} \times 1$

$= 2.82 \times 10^{-9}\text{cm/s}$

75 ④ 76 ④ 77 ③ [정답]

78 실내 압밀시험(oedometer test)에서 압밀링에 담겨진 시료의 단면적이 30cm²이고 높이가 3cm, 그리고 시료의 비중은 2.5이며 건조중량은 150g이었다. 이 시료에 2kg/cm²의 압밀압력을 가했을 때, 0.3cm의 최종 압밀침하가 발생하였다면 압밀이 완료된 후에 시료의 간극비는?

2007. 국가직 7급

① 0.25 ② 0.3
③ 0.35 ④ 0.4

해설

1. $\gamma_d = \dfrac{G_s}{1+e}\gamma_w$

$\dfrac{150}{30\times 3} = \dfrac{2.5}{1+e}\times 1 \qquad \therefore e = 0.5$

2. $\Delta H = \dfrac{e_1 - e_2}{1+e_1}H$

$0.3 = \dfrac{0.5 - e_2}{1+0.5}\times 3 \qquad \therefore e = 0.35$

79 점토층의 두께 5m, 간극비 1.4, 액성한계 50%이고 점토층 위의 유효상재압력이 10t/m²에서 14t/m²로 증가할 때의 침하량은? (단, 압축지수는 흐트러지지 않은 시료에 대한 Terzaghi & Peck의 경험식을 사용하여 구하며 log1.4 = 0.15이다)

① 8cm ② 11cm
③ 24cm ④ 36cm

해설

1. $C_c = 0.009(W_L - 10) = 0.009(50 - 10) = 0.36$
2. $\Delta H = \dfrac{C_c}{1+e_1}\log\dfrac{P_2}{P_1}H$

$= \dfrac{0.36}{1+1.4}\times 0.15\times 5 = 0.11\text{m}$

80 지하수 아래 위치한 두께가 4.0m인 점토층 위에 등분포 상재하중이 작용하여 점토층에 연직응력이 400kN/m²만큼 증가하였다. 상재하중이 놓이기 전에 점토층 중간점의 초기 유효연직응력이 200kN/m²일 경우, 점토층의 최종 압밀침하량(cm)은? (단, 점토층의 선행압밀응력은 800kN/m², 압축지수는 0.3, 팽창지수 또는 재압축지수는 0.05, 초기간극비는 1.0, log1.5 = 0.18, log2 = 0.3, log3 = 0.48, log4 = 0.60이다)

2011. 지방직 7급

① 4.8 ② 6.0
③ 10.8 ④ 28.8

해설

1. $P_1 = 200\text{kN/m}^2$

$P_2 = P_1 + \Delta P = 200 + 400 = 600\text{kN/m}^2$

$P_c = 800\text{kN/m}^2$ 이므로 $P_1 < P_2 < P_c$ 인 과압밀점토이다.

2. $\Delta H = \dfrac{C_s}{1+e_1}\log\dfrac{P_2}{P_1}H$

$= \dfrac{0.05}{1+1}\log\dfrac{600}{200}\times 4 = 0.048\text{m} = 4.8\text{cn}$

78 ③ 79 ② 80 ① [정답]

81 다음과 같이 8m 두께의 포화점토 지반에 80kN/m² 의 무한 등분포하중이 작용한다. 1년 경과 후 60cm의 침하량이 발생하였다면 압밀도(%)는? (단, 점토지반은 정규 압밀점토이고, 압축지수 C_c는 0.5, 간극비(e_0)는 1.0, 물의 단위중량 γ_w은 10kN/m³이며, 지하수위는 지표면에 위치한다. 또한, 침하량 계산시 단일층으로 가정하고, log2 = 0.3, log3 = 0.5이다) 2011. 국가직 7급

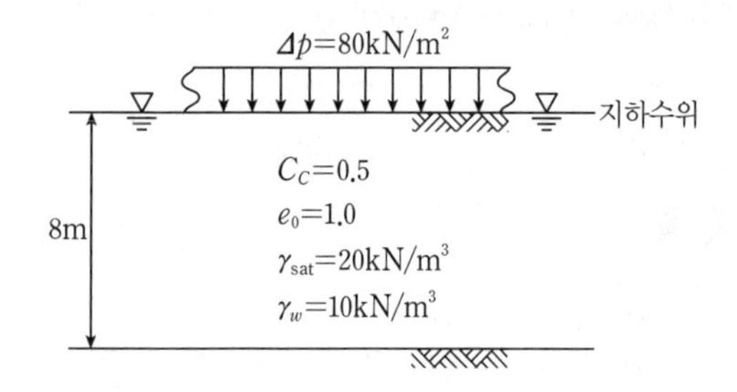

① 30 ② 50
③ 60 ④ 100

해설

1. $P_1 = 10 \times 4 = 40\text{kN/m}^2$
   $P_2 = P_1 + \Delta P = 40 + 80 = 120\text{kN/m}^2$
2. $\Delta H = \dfrac{C_c}{1+e_1}\log\dfrac{P_2}{P_1}H$
   $= \dfrac{0.5}{1+1}\log\dfrac{120}{40} \times 8 = 1\text{m}$
3. $\overline{U} = \dfrac{S_{ct}}{S_c} = \dfrac{0.6}{1} \times 100 = 60\%$

82 상대밀도가 50%이고 두께가 3.4m인 느슨한 모래층의 최소 간극비와 최대 간극비는 각각 0.5와 0.9이다. 이 모래층을 상대밀도가 75%가 되도록 다질 경우 모래층의 두께(m)는? 2010. 지방직 7급

① 1.7 ② 2.7
③ 2.8 ④ 3.2

해설

1. $D_r = \dfrac{e_{max} - e_1}{e_{max} - e_{min}} \times 100$ 에서
   $50 = \dfrac{0.9 - e_1}{0.9 - 0.5} \times 100 \quad \therefore e_1 = 0.7$
   $75 = \dfrac{0.9 - e_2}{0.9 - 0.5} \times 100 \quad \therefore e_2 = 0.6$
2. $\Delta H = \dfrac{e_1 - e_2}{1+e_1}H = \dfrac{0.7 - 0.6}{1+0.7} \times 3.4 = 0.2\text{m}$
3. $H' = 3.4 - 0.2 = 3.2\text{m}$

83 다짐되지 않은 두께 2m, 상대밀도 45%의 느슨한 사질토지반이 있다. 실내시험결과 최대 및 최소간극비가 0.8, 0.4로 각각 산출되었다. 이 사질토를 상대밀도 70%까지 다짐할 때 두께의 감소는 얼마나 되겠는가?

① 12.3cm ② 15.5cm
③ 17.0cm ④ 19.0cm

해설

1. $D_r = \dfrac{e_{max} - e}{e_{max} - e_{min}} \times 100$ 에서
   $45 = \dfrac{0.8 - e}{0.8 - 0.4} \times 100 \quad \therefore e = 0.62$
   $70 = \dfrac{0.8 - e}{0.8 - 0.4} \times 100 \quad \therefore e = 0.52$
2. $\Delta H = \dfrac{e_1 - e_2}{1+e_1}H$
   $= \dfrac{0.62 - 0.52}{1+0.62} \times 200$
   $= 12.35\text{cm}$

84 비중 2.6, 함수비 35%이며, 두께 10m인 포화점토층이 압밀 후에 함수비가 25%로 되었다면, 이 토층높이의 변화량은 얼마인가?

① 112cm ② 128cm
③ 136cm ④ 155cm

해설

1. $S_r e = wG_s$ 에서
   $100 \times e_1 = 35 \times 2.6 \quad \therefore e_1 = 0.91$
   $100 \times e_2 = 25 \times 2.6 \quad \therefore e_1 = 0.65$
2. $\Delta H = \dfrac{e_1 - e_2}{1+e_1}H$
   $= \dfrac{0.91 - 0.65}{1+0.91} \times 1000 = 136.12\text{cm}$

81 ③ 82 ④ 83 ① 84 ③ [정답]

85 비중 2.6, 함수비 50%, 두께 4.6m인 포화점토층이 압밀 후 0.4m만큼 침하되었다면 압밀 후 점토층의 함수비(%)는? 2009. 지방직 7급

① 약 32 ② 약 38
③ 약 42 ④ 약 46

해설

1. $Se = wG_s$

$100 \times e = 50 \times 2.6 \quad \therefore e = 1.3$

2. $\Delta H = \frac{e_1 - e_2}{1 + e_1} H$

$0.4 = \frac{1.3 - e_2}{1 + 1.3} \times 4.6 \quad \therefore e_2 = 1.1$

3. $Se = wG_s$

$100 \times 1.1 = w \times 2.6 \quad \therefore w = 42.31\%$

86 동일한 점토층이 그림과 같이 다른 지반조건에 위치하고 있다. 두께가 H인 점토층의 최종 압밀침하량은 어느 지반조건에서 더 큰가? (단, 두 지반조건에서 모래 및 점토가 가지는 모든 지반정수는 동일하다) 2010. 지방직 7급

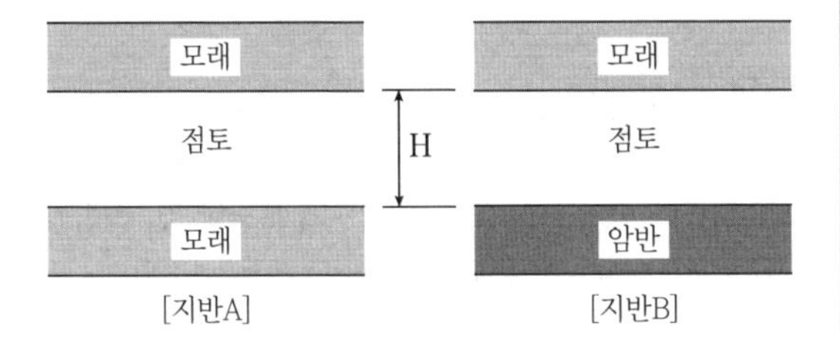

① A, B 서로 같다. ② A가 더 크다.
③ B가 더 크다. ④ 알 수 없다.

87 단면적 20cm², 높이 2cm인 점토시료를 사용하여 압밀시험을 실시하였다. 임의 하중으로 압밀이 완료된 상태에서 시료의 높이가 1.2cm로 되었다면, 초기간극비(e_0)와 압밀이 완료된 후의 간극비(e_1)는 각각 얼마인가? (단, 시료의 건조중량은 54g, 비중은 2.7이다) 2009. 지방직 7급

① $e_0=1.0,\ e_1=0.2$ ② $e_0=0.8,\ e_1=0.3$
③ $e_0=1.2,\ e_1=0.5$ ④ $e_0=1.3,\ e_1=0.6$

해설

1. $2H_s = \frac{W_s}{G_s A \gamma_w} = \frac{54}{2.7 \times 20 \times 1} = 1\text{cm}$

2. $e_1 = \frac{2H - 2H_s}{2H_s} = \frac{2-1}{1} = 1$

3. $\Delta H = \frac{e_1 - e_2}{1 + e_1} H$

$0.8 = \frac{1 - e_2}{1+1} \times 2 \quad \therefore e_2 = 0.2$

88 10m 두께의 점토지반에서 시료를 채취하여 압밀시험을 수행한 결과, 하중강도와 간극비 관계가 다음과 같이 나타났다.

하중강도(kN/m²)	100	200	300
간극비	1.00	0.72	0.60

이 점토지반의 초기 평균 유효연직응력이 100kN/m²인 상황에서 지표면에 200kN/m²의 등분포하중이 충분히 넓게 재하되었다면, 점토지반에 발생하는 최종 압밀침하량[m]은? 2012. 국가직 7급

① 1.4 ② 1.6
③ 1.8 ④ 2.0

해설

$\Delta H = \frac{e_1 - e_2}{1 + e_1} H = \frac{1 - 0.6}{1+1} \times 10 = 2\text{m}$

85 ③ 86 ① 87 ① 88 ④ [정답]

제7장

89 압밀시험용 시료의 시험 전 초기 높이는 18mm, 시험 후의 건조중량은 81g이었다. 이 시료의 초기 간극비는? (단, 흙의 비중은 2.70, 시료 단면적은 30cm²이다)

2010. 국가직 7급

① 0.75 ② 0.80
③ 0.85 ④ 0.90

해설

1. $2H_s = \frac{W_s}{G_s A \gamma_w} = \frac{81}{2.7} \times 30 \times 1 = 1\text{cm}$
2. $e = \frac{H_v}{H_s} = \frac{2H - 2H_s}{2H_s} = \frac{1.8 - 1}{1} = 0.8$

90 압밀시험 공시체의 단면적은 A이고 초기높이는 H이다. 1차원 압밀시험 완료 후 측정한 시료의 건조무게는 W_s, 비중은 G_s일 때 시료의 초기간극비(e_0)는? (단, 물의 단위중량은 γ_w이다)

2010. 지방직 7급

① $\frac{HAG_S\gamma_w}{W_s} - 1$ ② $1 - \frac{HAG_S\gamma_w}{W_s}$
③ $1 - \frac{AG_S\gamma_w}{HW_s}$ ④ $\frac{AG_S\gamma_w}{HW_s} - 1$

해설

$$e = \frac{H - H_s}{H_s} = \frac{H}{H_s} - 1$$
$$= \frac{H}{\frac{W_s}{G_s A \gamma_w}} - 1 = \frac{HG_s A \gamma_w}{W_s} - 1 \quad \left(\because H_s = \frac{W_s}{G_s A \gamma_w}\right)$$

91 압밀시편 두께가 25mm인 점토에 연직응력(σ_0)을 25kPa 작용시켰을 때 간극비(e_0)는 1.5이었다. 이 시편에 25kPa의 응력을 증가시켜 연직응력(σ_1)이 50kPa이 되었을 때 5mm의 침하가 발생하였다. 이때 점토의 간극비(e_1)와 압축지수(C_c)는? (단, log2 = 0.3, log3 = 0.5이다)

2011. 국가직 7급

① $e_1 = 0.5$, $C_c = 1.7$
② $e_1 = 0.5$, $C_c = 2.0$
③ $e_1 = 1.0$, $C_c = 2.0$
④ $e_1 = 1.0$, $C_c = 1.7$

해설

1. $e = \frac{2H - 2H_s}{2H_s} - \frac{R}{2H_s}$

$e_1 = \frac{2.5 - 2H_s}{2H_s} - 0 = 1.5$

$\therefore H_s = 0.5\text{cm}$

2. $e_2 = \frac{2H - 2H_s}{2H_s} - \frac{R}{2H_s} = \frac{2.5 - 1}{1} - \frac{0.5}{1} = 1$
3. $C_c = \frac{e_1 - e_2}{\log P_2 - \log P_1} = \frac{1.5 - 1}{\log 50 - \log 25} = \frac{0.5}{\log 2} = 1.67$

92 일면배수 상태인 10m 두께의 점토층이 지표면에서 무한히 넓게 등분포 상재하중을 받아 1년 동안 12cm 침하하였다. 점토층이 90% 압밀도에 도달할 때, 침하량(cm)은? (단, 점토층의 압밀계수는 19.7m²/yr이다)

2008. 국가직 7급

① 12.3 ② 13.7
③ 21.6 ④ 24.5

해설

1. $t = \frac{T_v H^2}{C_v}$

$1 = \frac{T_v \times 10^2}{19.7}$ $\therefore T_v = 0.197$ 이므로 $\overline{U} = 50\%$ 이다.

2. $\varDelta H_t = U \varDelta H$

$12 = 0.5 \times \varDelta H$ $\therefore \varDelta H = 24\text{cm}$

3. $\varDelta H_t = 0.9 \times 24 = 21.6\text{cm}$

89 ② 90 ① 91 ④ 92 ③ [정답]

93 다음 압밀도에 관한 설명 중 틀린 것은?

① 압밀도는 압밀계수에 비례한다.
② 압밀도는 압밀을 일으키는 데 요하는 시간에 비례한다.
③ 압밀도는 배수거리에 비례한다.
④ 압밀도는 배수거리의 제곱에 반비례한다.

해설

$\bar{u} = f(T_v) \propto \frac{t \cdot C_v}{H^2}$

94 그림과 같은 지반에 피조미터를 설치하고 성토한 순간에 수주가 지표면으로부터 4m이었다. 4개월 후에 수주가 3m 되었다면 지하 6m 되는 곳의 압밀도와 과잉공극수압은?

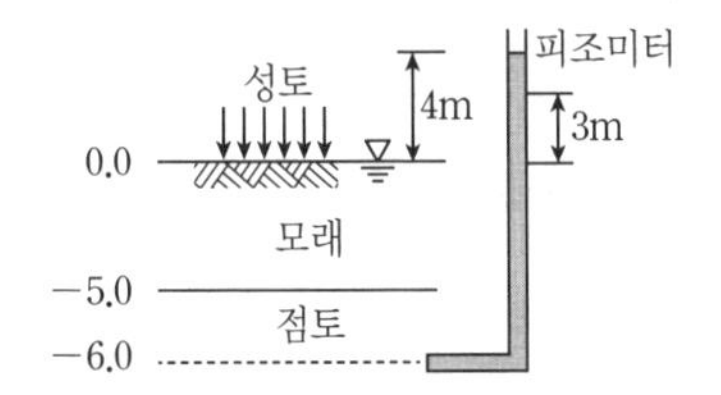

	압밀도	과잉공극수압
①	0.10	9t/m^2
②	0.25	3t/m^2
③	0.75	6t/m^2
④	0.9	5t/m^2

해설

1. $u_i = \gamma_w \cdot h = 1 \times 4 = 4\text{t/m}^2$
2. $u = \gamma_w \cdot h = 1 \times 3 = 3\text{t/m}^2$
3. $U_z = \frac{u_i - u}{u_i} = \frac{4-3}{4} = 0.25$

95 성토 직후 점토지반 중의 한 점 A의 공극수압을 측정한 결과 그림과 같았다. 압밀도 80%로 진행되면 h는?

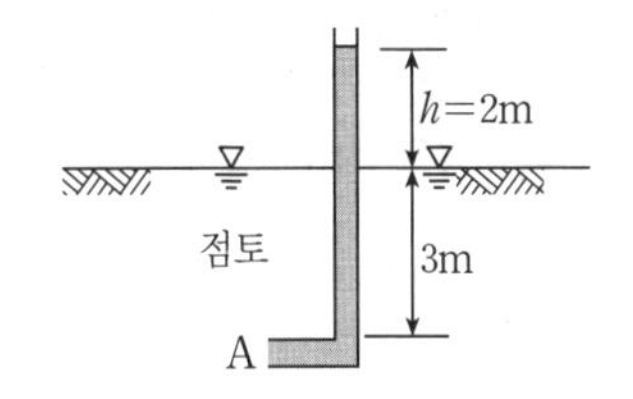

① 0.1m ② 0.2m
③ 0.4m ④ 1.0m

해설

1. $u_i = \gamma_w h = 1 \times 2 = 2\text{t/m}^2$
2. $\bar{u} = \frac{u_i - u}{u_i} \times 100$

   $80 = \frac{2-u}{2} \times 100 \quad \therefore u = 0.4\text{t/m}^2$
3. $u = \gamma_w h$

   $0.4 = 1 \times h \quad \therefore h = 0.4\text{m}$

96 다음 그림과 같은 지반의 지표면에 4t/m^{2}의 성토를 시행하였다. 압밀이 60% 진행되었다고 할 때 지표면으로부터 3m 아래에 있는 A점의 과잉공극수압을 구하여라. (단, 지하수위는 지표면에 있다고 한다)

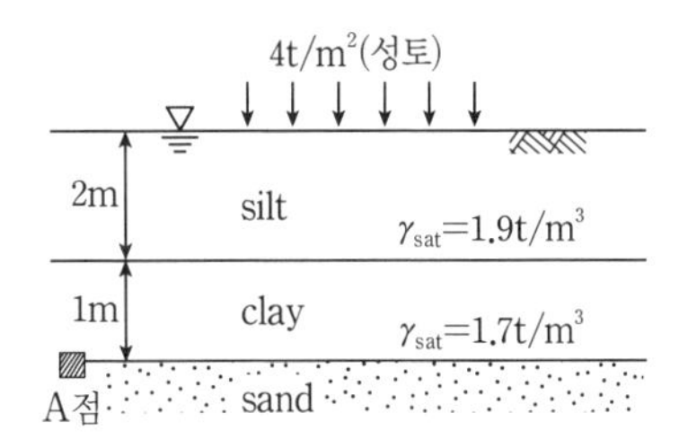

① 1.2t/m^2 ② 1.5t/m^2
③ 1.6t/m^2 ④ 1.8t/m^2

해설

$U_z = \frac{P-u}{P} \times 100$

$60 = \frac{4-u}{4} \times 100 \quad \therefore u = 1.6\text{t/m}^2$

93 ③ 94 ② 95 ③ 96 ③ [정답]

97 지하수면이 지표면에 위치한 점토지반의 넓은 면적에 50kPa의 등분포하중이 재하되었다. 하중재하 6개월 후 점토지반 임의의 지점에서 물기둥은 지하수면 위 2m 높이에 위치한다. 이때 이 임의의 지점에서의 압밀도는 얼마인가? (단, 물의 단위중량은 10kN/m^{3}로 가정한다)

2016. 서울시 7급

① 20% ② 30%
③ 40% ④ 60%

해설

$U_z = \frac{u_i - u}{u_i} \times 100 = \frac{50 - 10 \times 2}{50} \times 100 = 60\%$

98 점토층의 A점에 stand pipe를 꽂은 결과 다음 그림과 같았다. A점에서의 과잉공극수압은 다음 중 어느 것인가?

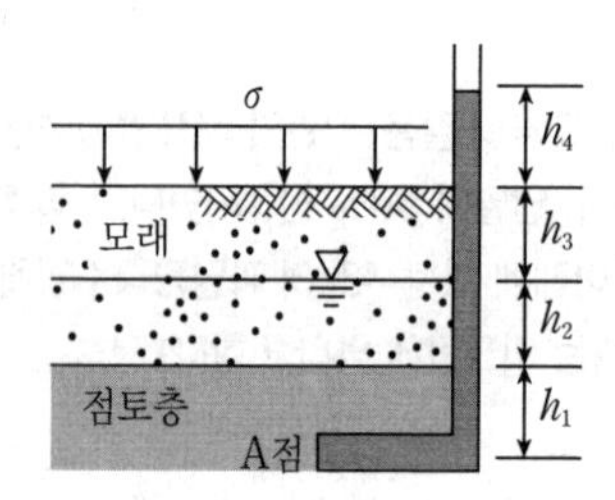

① $(h_1+h_2+h_3+h_4)\gamma_w$ ② $(h_2+h_3+h_4)\gamma_w$
③ $(h_3+h_4)\gamma_w$ ④ $h_4\gamma_w$

해설

$u = \gamma_w h = \gamma_w(h_3 + h_4)$

99 그림과 같은 지반에 4t/m^{2}의 순간하중이 재하된 후 25%의 압밀이 일어났다면 A점에서의 전체 공극수압은 얼마이겠는가?

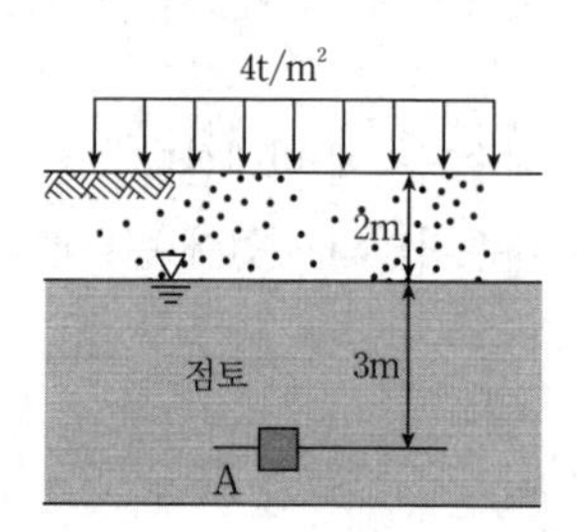

① 4t/m^2 ② 5t/m^2
③ 6t/m^2 ④ 7t/m^2

해설

1. 순간하중이 재하되기 이전의 공극수압
$u = \gamma_w h = 1 \times 3 = 3\text{t/m}^2$
2. 25% 압밀이 일어났을 때의 공극수압
$U_z = \frac{P - u}{P} \times 100$
$25 = \frac{4 - u}{4} \times 100$ 에서 $u = 3\text{t/m}^2$
3. 전체 공극수압 $= 3 + 3 = 6\text{t/m}^2$

97 ④ 98 ③ 99 ③ [정답]

100 다음과 같은 지층에 성토하중 40kN/m²이 작용할 때, 지표면에서 4.5m 되는 지점 A의 총 유효연직응력(kN/m²)은? (단, 지하수위는 지표면과 일치하고, 물의 단위중량은 10kN/m³, A점의 압밀도는 40%이다)

2011. 지방직 7급

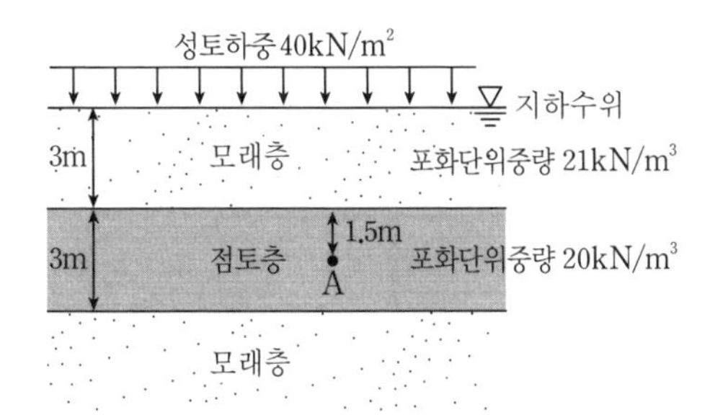

① 24 ② 64

③ 88 ④ 109

해설

1. $u = \frac{u_i - u}{u_i} \times 100$

$40 = \frac{40 - u}{40} \times 100 \quad \therefore u = 24\text{kN/m}^2$

2. $\sigma = 21 \times 3 + 20 \times 1.5 + 40 = 133\text{kN/m}^2$

$u = 10 \times (3 + 1.5) + 24 = 69\text{kN/m}^2$

$\bar{\sigma} = 133 - 69 = 64\text{kN/m}^2$

101 그림과 같이 정규압밀된 점토층 상부에 무한 등분포하중(q = 20kN/m³)을 재하하고, 5년 후 A점과 B점의 과잉간극수압은 5kN/m²로 관측되었다. 재하 직후 A점과 B점의 과잉간극수압과 5년 후 압밀도는? (단, 지반은 포화되었으며 지하수위는 지표면과 일치하고 점토의 포화단위중량은 20kN/m³이다)

2016. 국가직 7급

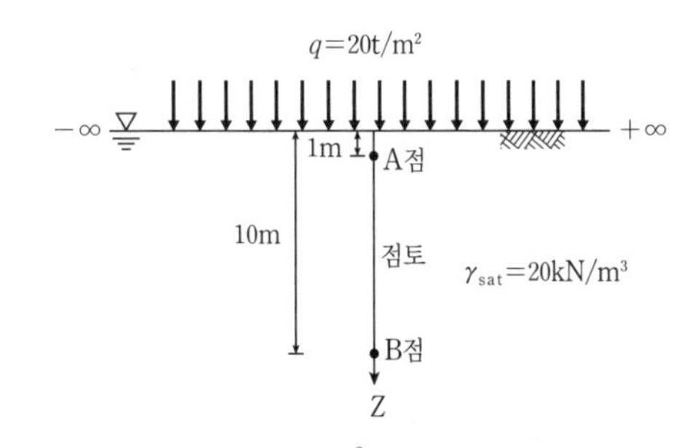

	과잉간극수압[kN/m²]		압밀도[%]	
	A점	B점	A점	B점
①	20	20	25	25
②	20	20	75	75
③	10	100	25	25
④	10	100	75	75

해설

1. 재하직후

$U_A = U_B = 20\text{kN/m}^2$

2. 5년 후 압밀도(A, B 점)

$U_Z = \frac{u_i - u}{u_i} \times 100 = \frac{20 - 5}{20} \times 100 = 75\%$

100 ② 101 ② [정답]

제7장

102 그림과 같은 상태에서 지반이 완전히 포화되었다고 가정할 때 수위 H를 증가시키면 이 지반은?

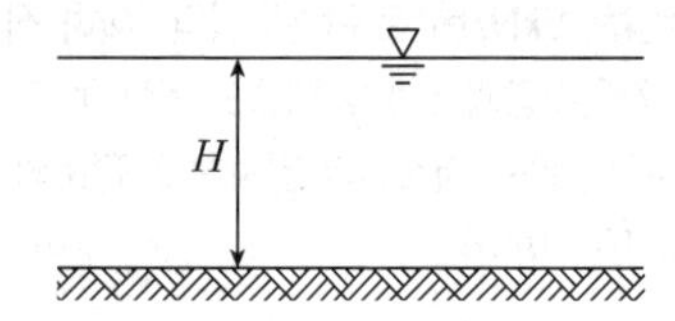

① 침하가 일어난다.
② 위로 부풀어 오른다.
③ 지반의 이동은 없다.
④ 수위의 증가량에 따라 다르다.

해설

수위 H의 증·감이 있어도 지반의 유효응력에는 변화가 없으므로 압밀침하가 발생하지 않는다.

103 그림과 같이 압밀이 진행 중인 지반에서 A, B, C 점에서의 압밀도(U) 크기를 순서대로 나타낸 것은?

2010. 국가직 7급

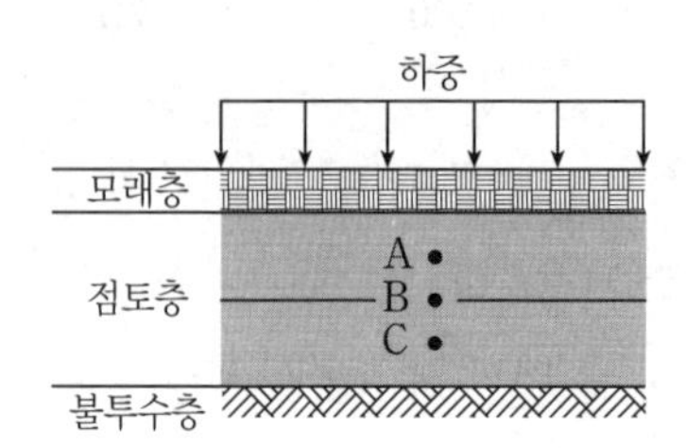

① $U_A < U_B < U_C$ ② $U_A = U_B = U_C$
③ $U_A > U_B > U_C$ ④ $U_A = U_C > U_B$

해설

일면배수이므로 C점에서의 과잉간극수압이 가장 크므로 압밀현상이 가장 늦게 일어난다.

$\therefore U_A > U_B > U_C$

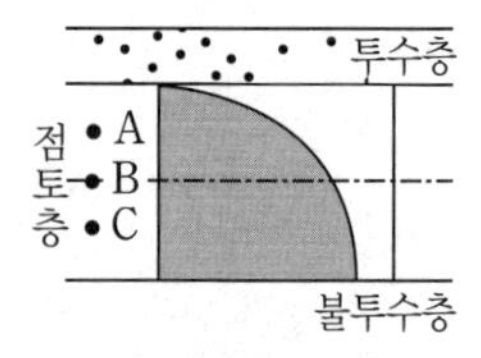

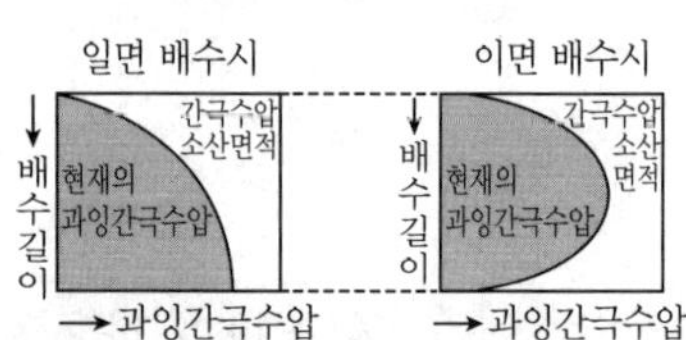

104 그림과 같은 지반이 있다. 압밀도가 50%일 때 점토 깊이에 따른 과잉공극수압의 분포도는 이론상 어느 것인가?

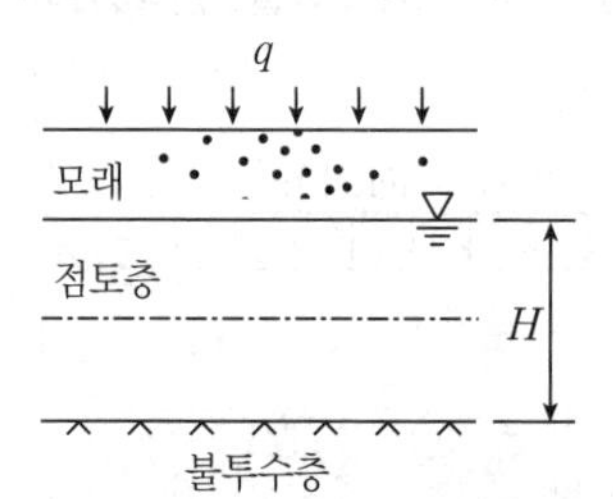

①
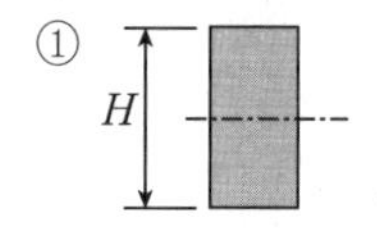

②
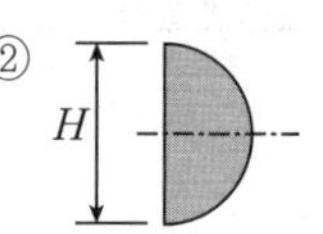

③
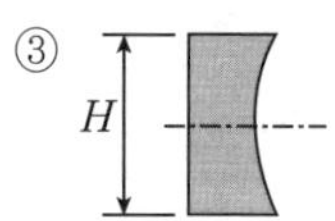

④
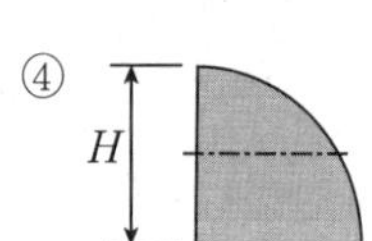

105 그림과 같이 일면배수상태의 점토지반에서 실제로 압밀현상이 가장 늦게 일어나는 곳은 어디인가?

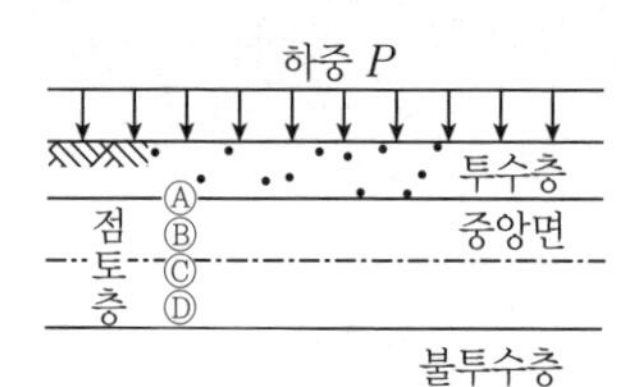

① Ⓐ ② Ⓑ
③ Ⓒ ④ Ⓓ

102 ③ 103 ③ 104 ④ 105 ④ [정답]

106 다음 그림은 어느 시간에 있어서 점토 깊이(H)에 따른 과잉공극수압(B)과 유효응력 분포도(A)를 그린 것이다. 평균압밀도란 다음 중 어느 것인가?

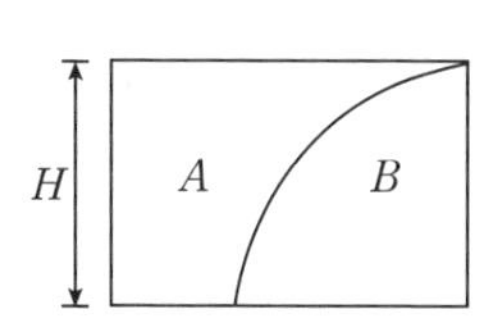

① $\dfrac{B}{A}$　　② $\dfrac{A}{B}$

③ $\dfrac{A}{A+B}$　　④ $\dfrac{B}{A+B}$

해설

일면배수인 토층의 압밀도

$\overline{U} = \dfrac{u_i - u}{u_i} = \dfrac{A}{A+B}$

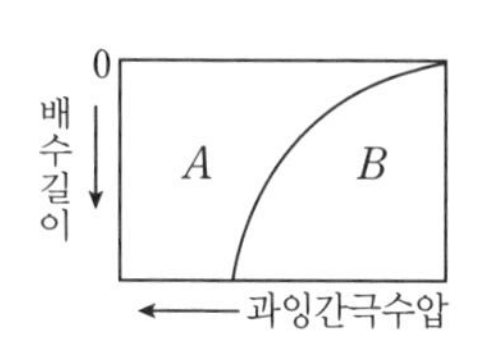

107 다음 그림 중 압밀이 진행되고 있는 점토층의 간극수압분포가 옳은 것은? (단, 그림의 점선은 정수압분포를 도시한 것이며 피압대수층은 없는 것으로 가정한다)

2008. 국가직 7급

①
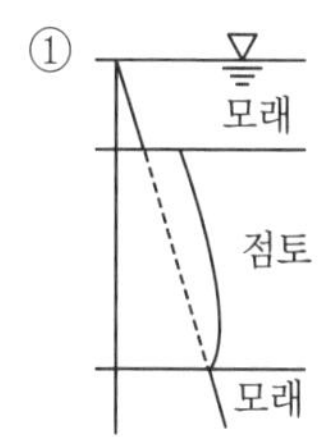

②
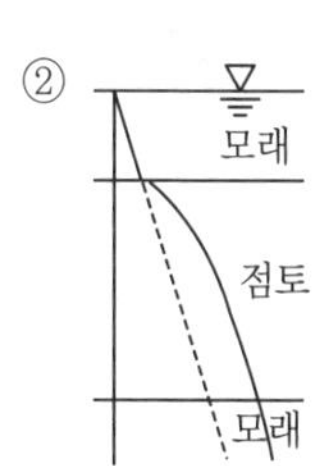

③
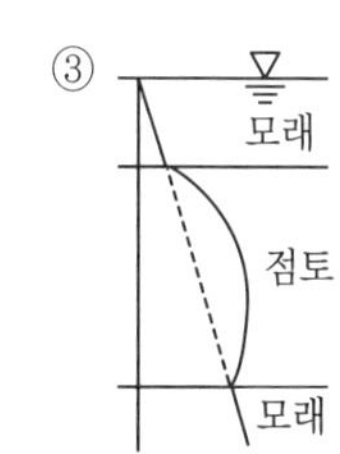

④
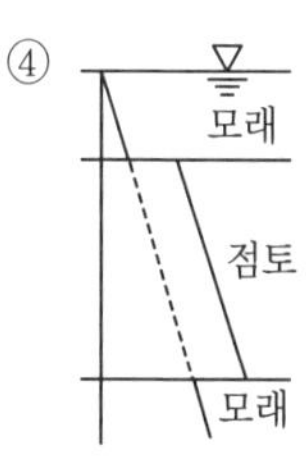

108 그림과 같은 지층의 지표면에 5tf/m²의 상재하중이 무한히 넓게 작용한다. 점토층 내 A점에서 상재하중 재하 후 피에조미터 내 수위 상승고가 그림과 같이 2.5m일 때, 다음 내용 중 옳지 않은 것은? (단, GWT는 지하수위를 의미한다)

2008. 국가직 7급

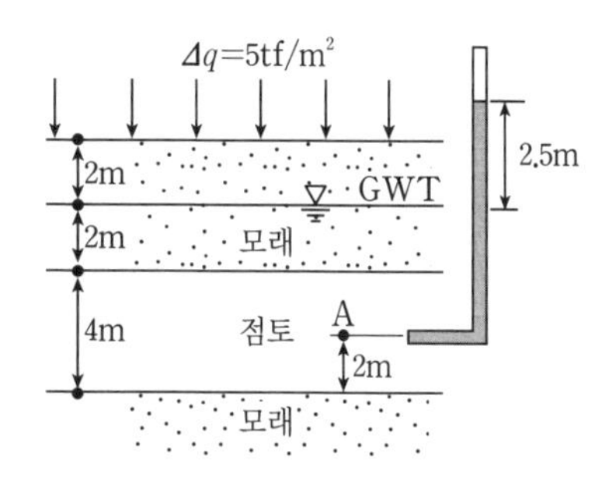

① A점에서 압밀도는 50%이다.

② 점토층의 평균압밀도는 50%보다 크다.

③ A점에서 상재하중에 의하여 증가된 연직 유효응력은 2.5tf/m²이다.

④ 점토층에서 현재까지 발생된 침하량은 최종 1차 압밀침하량의 50%이다.

해설

1. $u_i = 5\text{tf/m}^2$, $u = \gamma_w h = 1 \times 2.5 = 2.5\text{tf/m}^2$
2. $U_A = \dfrac{u_i - u}{u_i} \times 100 = \dfrac{5-2.5}{5} \times 100 = 50\%$
3. A점에서 $U_A = 2.5\text{tf/m}^2$, $U_i = 5\text{tf/m}^2$ 이므로 점토층의 평균압밀도는 50%보다 크다.

109 어느 공사의 유효 상재하중을 올리는 시공기간이 8개월이다. 이 공사를 점증하중으로 생각할 때 12개월의 실제 침하량은 순간하중으로 구한 침하량의 몇 개월에 해당되는 침하량인가?

① 4개월　　② 6개월

③ 8개월　　④ 10개월

해설

순간하중 $= \dfrac{8}{2} + 4 = 8$개월

106 ③ 107 ③ 108 ④ 109 ③ [정답]

제7장

Chapter 07

흙의 압축성

기출 및 적중예상문제 II [5지선다형]

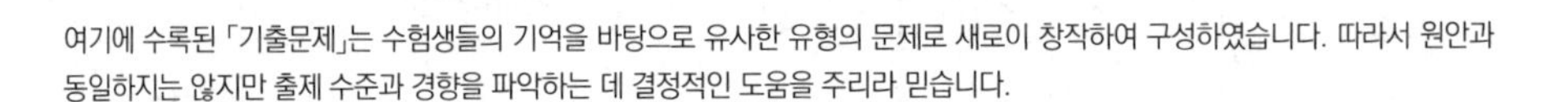
여기에 수록된 「기출문제」는 수험생들의 기억을 바탕으로 유사한 유형의 문제로 새로이 창작하여 구성하였습니다. 따라서 원안과 동일하지는 않지만 출제 수준과 경향을 파악하는 데 결정적인 도움을 주리라 믿습니다.

01 다음 중 압밀침하가 가장 크게 문제되는 흙은 어느 것인가?

① SP ② 모래질 Loam
③ 모래질 점토 ④ 모 래
⑤ 점 토

해설

압밀은 과잉공극수압이 완전히 소산될 때까지 계속되며 투수성이 낮은 점토지반에서 일어난다.

02 압밀에 있어서 압력을 P, 유효압력을 p, 공극수압을 u, 압밀시간을 t라고 할 때 다음 중 틀린 것은 어느 것인가?

① $t=\infty$일 때 $P=p$, $u=0$
② $t=0$일 때 $u=P$, $p=0$
③ $0<t<\infty$일 때 $P=u\cdot p$
④ $0<t<\infty$일 때 $P=u+p$
⑤ 일반적으로 $P=u+p$

해설

하중분담

경과시간	과잉공극수압	유효응력	피스톤에 가해진 힘
$t=0$	u(최대)	0	$p=u$
$0<t<\infty$	u	p	$P=p+u$
$t=\infty$	0	p(최대)	$P=p$

03 지표에 하중을 가하면 침하현상이 일어나고 하중을 제거하면 원상태로 돌아가는 침하는?

① 소성침하(塑性沈下)
② 압밀침하(壓密沈下)
③ 파괴침하(破壞沈下)
④ 탄성침하(彈性沈下)
⑤ 압축침하(壓縮沈下)

해설

탄성침하(즉시침하)는 하중재하 후 즉시 발생하는 침하로써 함수비의 변화없이 탄성변형에 의해 일어나는 침하를 말하며 주로 사질토지반에서 일어난다.

04 압밀시험 결과에서 $e-\log P$ 곡선을 그리는 목적은 무엇인가?

① 압밀시간을 계산하려고
② 압밀 침하량을 계산하려고
③ 압밀도를 계산하려고
④ 시간계수를 계산하려고
⑤ 압밀계수를 계산하려고

해설

$e-\log P$ 곡선

1. $C_c \rightarrow \Delta H = \dfrac{C_c}{1+e_1}\log\dfrac{P_2}{P_1}H$
2. $P_c \rightarrow$ OCR

01 ⑤ 02 ③ 03 ④ 04 ② [정답]

05 Terzaghi의 압밀이론 가정 중 옳지 못한 것은 어느 것인가?

① 흙은 전부 균질의 것이다.
② 흙의 압축은 3축방향으로 행해진다.
③ 흙 중의 수분은 일축적으로 배수되며 Darcy의 법칙이 성립된다.
④ 압력－공극비의 관계는 이상적으로 직선화된다.
⑤ 흙 속의 공극은 항상 완전히 포화되어 있다.

해설

Terzaghi의 1차원 압밀가정

1. 흙은 균질하고 완전히 포화되어 있다.
2. 토립자와 물은 비압축성이다.
3. 압축과 투수는 1차원적(수직적)이다.
4. Darcy의 법칙이 성립한다.
5. 투수계수는 일정하다.

06 두께 20mm의 점토시료를 압밀시험한 결과 전압밀량의 절반에 달하는 데 소요되는 시간이 40분이었다. 동일한(압밀조건, 점토) 조건 하에서 두께 8m의 층상에 구조물을 축조한 경우 점토층의 최종침하량이 절반에 도달할 때까지는 어느 정도의 시간을 요하는가?

① 5.7년 ② 8.2년
③ 10.4년 ④ 12.2년
⑤ 13.5년

해설

$t_1 : t_2 = H_1^2 : H_2^2$

$40 : t_2 = \left(\frac{2}{2}\right)^2 : \left(\frac{800}{2}\right)^2$

$\therefore t_2 = 64 \times 10^5$분 $= 12.18$년

07 두께 6m 점토층이 양면배수되는 경우에 90% 압밀 소요시간은 얼마인가? (단, $C_v = 0.005\text{cm}^2/\text{s}$)

2005. 서울시 7급

① 41일 ② 164일
③ 177일 ④ 354일
⑤ 708일

해설

$t_{90} = \frac{0.848H^2}{C_v} = \frac{0.848 \times \left(\frac{600}{2}\right)^2}{0.005} = 15264000$초

$= 176.67$일

08 상하가 모래로 되어 있는 2m 깊이의 점토층이 20%의 압밀이 일어나는 데 2개월이 걸렸다. 이 점토층이 40%의 압밀이 일어나는 데는 몇 개월이 걸리겠는가?

① 2개월 ② 4개월
③ 6개월 ④ 8개월
⑤ 10개월

해설

1. $t_{20} = \frac{0.031H^2}{C_v}$

$2 = \frac{0.031 \times \left(\frac{200}{2}\right)^2}{C_v}$ $\therefore C_v = 155\text{cm}^2/$개월

2. $t_{40} = \frac{0.126H^2}{C_v} = \frac{0.126 \times \left(\frac{200}{2}\right)^2}{155} = 8.13$개월

09 어느 점토지반에서 50%의 압밀을 일으키는 데 197일이 소요되었다. 이 지반이 90%의 압밀이 일어나는 데는 며칠이 소요되겠는가?

① 254일 ② 384일
③ 424일 ④ 508일
⑤ 848일

해설

1. $t_{50} = \frac{0.197H^2}{C_v}$

$197 = \frac{0.197H^2}{C_v}$ $\therefore \frac{H^2}{C_v} = 1000$

2. $t_{90} = \frac{0.848H^2}{C_v} = 0.848 \times 1000 = 848$일

05 ② 06 ④ 07 ③ 08 ④ 09 ⑤ [정답]

제7장

10 두께 20mm, 공극비 1.2인 점토시료를 압밀시험한 결과 시료두께가 16.0mm로 되었다. 압밀 후의 공극비는 얼마인가?

① 0.92 ② 0.48
③ 0.76 ④ 0.56
⑤ 0.84

해설

$\Delta H = \frac{e_1 - e_2}{1+e_1} H$

$0.4 = \frac{1.2 - e_2}{1+1.2} \times 2 \quad \therefore e_2 = 0.76$

11 두께 H(m)되는 점토층에서 어떤 하중이 재하될 때 최종침하량이 4.5cm가 된다고 하면 20% 압밀일 때의 침하량은 얼마나 되겠는가?

① 2.3cm ② 1.2cm
③ 0.45cm ④ 0.9cm
⑤ 1.84cm

해설

$\Delta H_t = u \cdot \Delta t = 0.2 \times 4.5 = 0.9\text{cm}$

12 비교란시료(undisturbed sample)가 교란(disturbrance)되므로 다음과 같은 문제점이 생긴다. 시료의 교란과는 상관없는 것은 어느 것인가?

① 일축압축강도가 낮다.
② $e-\log P$ 곡선이 달라진다.
③ 교란시료로 하는 시험은 에터버그한계 시험이다.
④ 압축시험에 있어서 파괴에 이르기까지의 변형률이 크다.
⑤ 액성한계나 비중의 측정에 차이가 생긴다.

해설

액성한계, 비중시험은 교란된 시료를 사용한다.

13 두께 2cm의 점토시료에 대한 압밀시험의 결과 50%에 도달하는 데 1시간이 걸렸다. 같은 압밀조건 하에서 두께 1m의 동일 점토층이 최종압밀침하량의 $\frac{1}{2}$에 도달하는 데 걸리는 시간은?

① 5시간 ② 50시간
③ 250시간 ④ 500시간
⑤ 2500시간

해설

$t_1 : t_2 = H_1^2 : H_2^2$

$1 : t_2 = \left(\frac{2}{2}\right)^2 : \left(\frac{100}{2}\right)^2$

$\therefore t_2 = 2500$시간

14 압밀에 관한 다음 설명 중 틀린 것은 어느 것인가?

① 선행하중을 구하기 위해서는 $e-\log P$ 곡선이 필요하다.
② 유기물을 많이 함유한 흙은 2차 압밀량이 다른 흙보다 크다.
③ 1차 압밀비란 1차 압밀량과 2차 압밀량과의 비이다.
④ 압밀계수를 구하기 위하여 시간－침하량곡선을 그린다.
⑤ 압밀계수의 단위는 cm^2/s이다.

해설

1차 압밀비란 1차 압밀량과 전 압밀량과의 비를 말한다.

1. $\sqrt{t}$법 : $\gamma_p = \frac{\frac{10}{9}(d_s - d_{90})}{d_0 - d_f}$

2. $\log t$법 : $\gamma_p = \frac{d_s - d_{100}}{d_0 - d_f}$

10 ③ 11 ④ 12 ⑤ 13 ⑤ 14 ③ [정답]

15 다음 중 압밀속도에 영향을 주지 않는 것은 어느 것인가?

① 배수거리
② 흙의 압밀계수
③ 배수의 경계조건
④ 토립자의 광물성분
⑤ 흙의 투수계수

해설

$t = \frac{T_v H^2}{C_v}$, $K = C_v m_v \gamma_w$

16 도시에 침하량이 많은 원인이 아닌 것은 어느 것인가?

① 건축물의 무게 증가
② 중(重)차량의 통행으로 인한 진동수축
③ 수도공사로 지하수 흡상(吸上) pump 사용 감소
④ 지표면의 포장으로 지하수의 보급 저하
⑤ 침적토의 자중에 의한 수성암화

해설

펌프사용이 감소하면 유효응력의 증가량도 감소하기 때문에 침하량도 감소한다.

17 다음 중 틀린 것은?

① 모래는 점토에 비하여 점착력이 작은 것으로 깨끗한 상태에서는 점착력을 무시한다.
② 모래는 점토보다 내부마찰각이 크다.
③ 모래는 일반적으로 점토보다 공극비가 작다.
④ 점토의 점착력은 함수량이 증가하면 감소한다.
⑤ 모래는 공극이 커서 압축이 오랫동안 계속되나 점토는 압축이 재하와 동시에 끝난다.

해설

사질토에서는 간극수의 배출이 빨리 일어나기 때문에 즉시침하와 압밀침하가 동시에 일어나고, 점성토에서는 투수계수가 작기 때문에 하중에 의해 발생된 과잉공극수압이 오랜 시간에 걸쳐 점차적으로 줄기 때문에 압밀은 즉시침하 후 장기적으로 지속된다.

18 다음 중 압밀속도의 직접적인 지배요소가 아닌 것은?

① 배수거리　② 배수의 경계조건
③ 흙의 압밀계수　④ 흙의 투수계수
⑤ 흙의 압축계수

해설

1. $t = \frac{T_v H^2}{C_v}$
2. $\Delta H = \frac{C_c}{1+e_1} \log \frac{P_2}{P_1} H$

19 압밀도에 관한 다음 설명 중 틀린 것은 어느 것인가?

① 압밀도는 배수거리의 제곱에 반비례한다.
② 압밀도는 압밀계수에 반비례한다.
③ 압밀도는 시간계수에 비례한다.
④ 압밀도는 압밀에 요하는 시간에 비례한다.
⑤ 압밀도는 토층에 가해진 압력에 비례한다.

해설

1. $U = f(T_v) \propto \frac{C_v t}{H^2}$
2. $U = \frac{u_i - u}{u_i} \times 100 = \frac{P - u}{P} \times 100$

15 ④　16 ③　17 ⑤　18 ⑤　19 ② [정답]

제7장

토목직 공무원·공기업 토질역학

흙의 전단강도

Chapter 08

흙의 전단강도

01 Mohr - Coulomb의 파괴이론

1. 전단강도(shearing strength)

전단저항의 최대치로서 활동면에서 전단에 의해 발생하는 최대저항력을 **전단강도**라 한다.

(1) $\tau_f = c + \bar{\sigma}\tan\phi$ ······ (8−1)

여기서, τ_f : 전단강도

c : 흙의 점착력(cohesion of soil)

$\bar{\sigma}$: 유효수직응력

ϕ : 흙의 내부마찰각(angle of internal friction)

(2) 흙의 전단강도는 점착력과 내부마찰각으로 나타내진다.

① 점착력은 σ의 크기에 관계가 없고 주어진 흙에 대해서는 일정한 값을 갖는다.

② 내부마찰각은 흙의 특성과 상태가 정해지면 일정한 값을 갖는다.

※ c, ϕ값은 흙에 따라 고유한 값이 아니고 전단하는 방법과 배수조건에 따라 크게 달라진다.

2. Mohr - Coulomb의 파괴포락선

(1) **A점** : 전단파괴가 일어나지 않는다.

(2) **B점** : 전단파괴가 일어난다.

(3) **C점** : 전단파괴가 일어난 이후로서 이러한 경우는 존재할 수 없다.

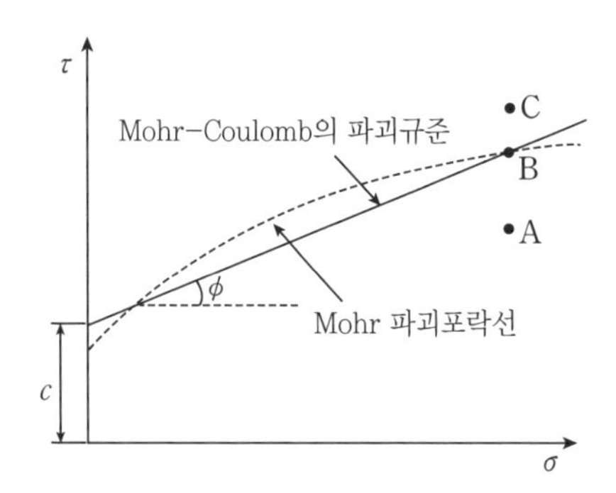

[그림 8-1] Mohr의 파괴포락선과 Mohr-Coulomb 파괴규준

3. 흙의 종류에 따른 Mohr-Coulomb의 파괴포락선

(1) 일반흙(직선 A)

$c \neq 0$, $\phi \neq 0$이므로 $\tau = c + \bar{\sigma} \tan\phi$ ······ (8−2)

(2) 모래(직선 B)

$c = 0$, $\phi \neq 0$이므로 $\tau = \bar{\sigma} \tan\phi$ ······ (8−3)

(3) 점토(직선 C)

$c \neq 0$, $\phi = 0$이므로 $\tau = c$ ······ (8−4)

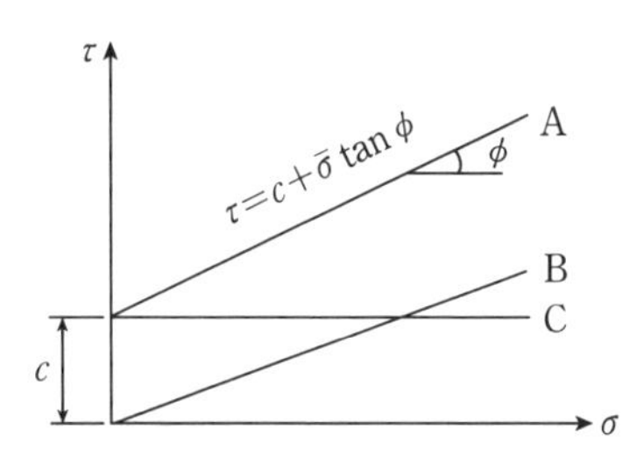

[그림 8-2] 흙의 종류에 따른 파괴포락선

02 Mohr 응력원

1. 주응력면과 주응력

(1) 주응력면(principal planes)

지반내 임의의 한 점에 대하여 수직응력만 작용하고 전단응력이 0이 되는 2개의 직교하는 면이 있는데 이러한 면들을 **주응력면**이라 한다.

(2) 주응력(principal stress)

주응력면에 작용하는 법선방향의 응력을 주응력이라 하고 이때 그 값이 최대인 것을 **최대주응력**(σ_1), 최소인 것을 **최소주응력**(σ_3)이라 한다.

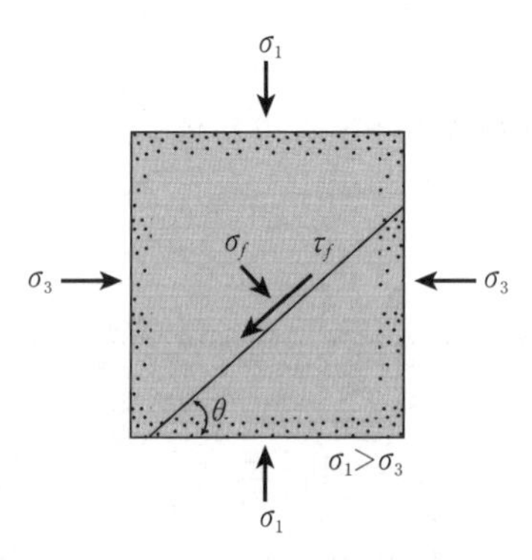

[그림 8-3] 주응력면과 파괴면

2. 파괴면에 작용하는 수직응력과 전단응력

임의의 면에 직각방향으로 작용하는 응력을 **수직응력**이라 하며, 평행한 방향으로 작용하는 응력을 전단응력이라 한다.

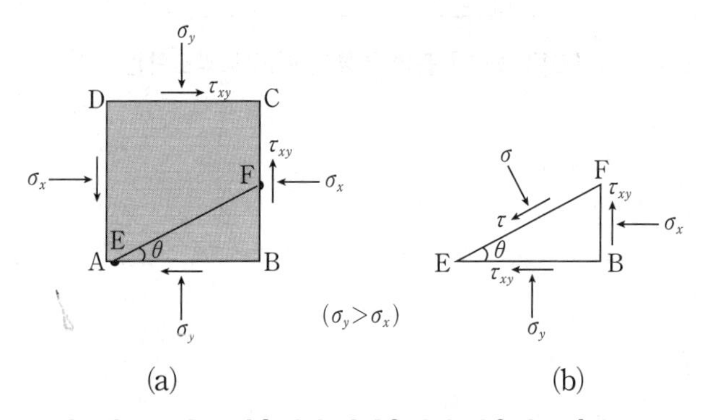

[그림 8-4] 수직응력과 전단응력이 작용하는 흙요소

(1) 수직응력과 전단응력

① $\sigma=\frac{\sigma_y+\sigma_x}{2}+\frac{\sigma_y-\sigma_x}{2}\cos 2\theta+\tau_{xy}\sin 2\theta$ ············ (8-5)

② $\tau=\frac{\sigma_y-\sigma_x}{2}\sin 2\theta-\tau_{xy}\cos 2\theta$ ············ (8-6)

면 AB와 AD가 주응력이라면, 즉 그 면에 작용하는 전단응력이 0이라면 면 EF 상의 수직응력과 전단응력은 $\tau_{xy}=0$, $\sigma_y=\sigma_1$, $\sigma_x=\sigma_3$를 대입하여 다음과 같이 구할 수 있다.

③ $\sigma=\frac{\sigma_1+\sigma_3}{2}+\frac{\sigma_1-\sigma_3}{2}\cos 2\theta$ ············ (8-7)

④ $\tau=\frac{\sigma_1-\sigma_3}{2}\sin 2\theta$ ············ (8-8)

(2) 전단응력이 0이 되는 면의 경사 θ

식 8-6에서 $\tau=0$으로 하면

$\tan 2\theta=\frac{2\tau_{xy}}{\sigma_y-\sigma_x}$ ············ (8-9)

여기서, 전단응력이 0이 되는 θ는 2개이며, 서로 직각을 이루는 두 개의 평면을 의미한다.

(3) 최대주응력과 최소주응력

① $\sigma_1=\frac{\sigma_y+\sigma_x}{2}+\sqrt{\left(\frac{\sigma_y-\sigma_x}{2}\right)^2+\tau_{xy}{}^2}$ ············ (8-10)

② $\sigma_3=\frac{\sigma_y+\sigma_x}{2}-\sqrt{\left(\frac{\sigma_y-\sigma_x}{2}\right)^2+\tau_{xy}{}^2}$ ············ (8-11)

Q 예제 1

그림에서 $\sigma_y=20\text{t/m}^2$, $\sigma_x=10\text{t/m}^2$, $\tau_{xy}=5\text{t/m}^2$, $\theta=30°$일 때 면 EF에 작용하는 수직응력과 전단응력을 구하라. 또 전단응력이 0이 되는 면의 경사와 최대주응력 및 최소주응력을 구하라.

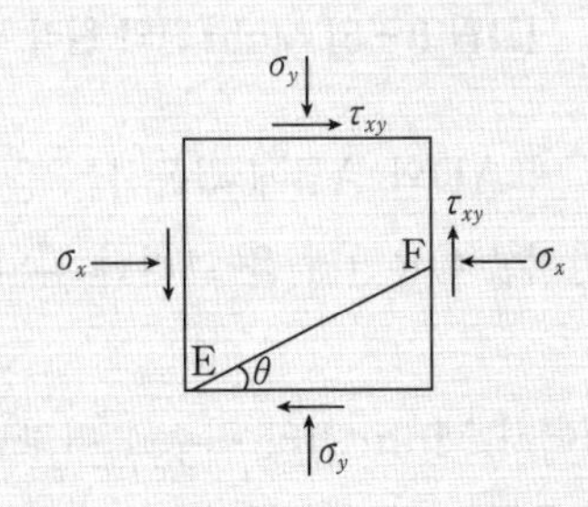

제8장

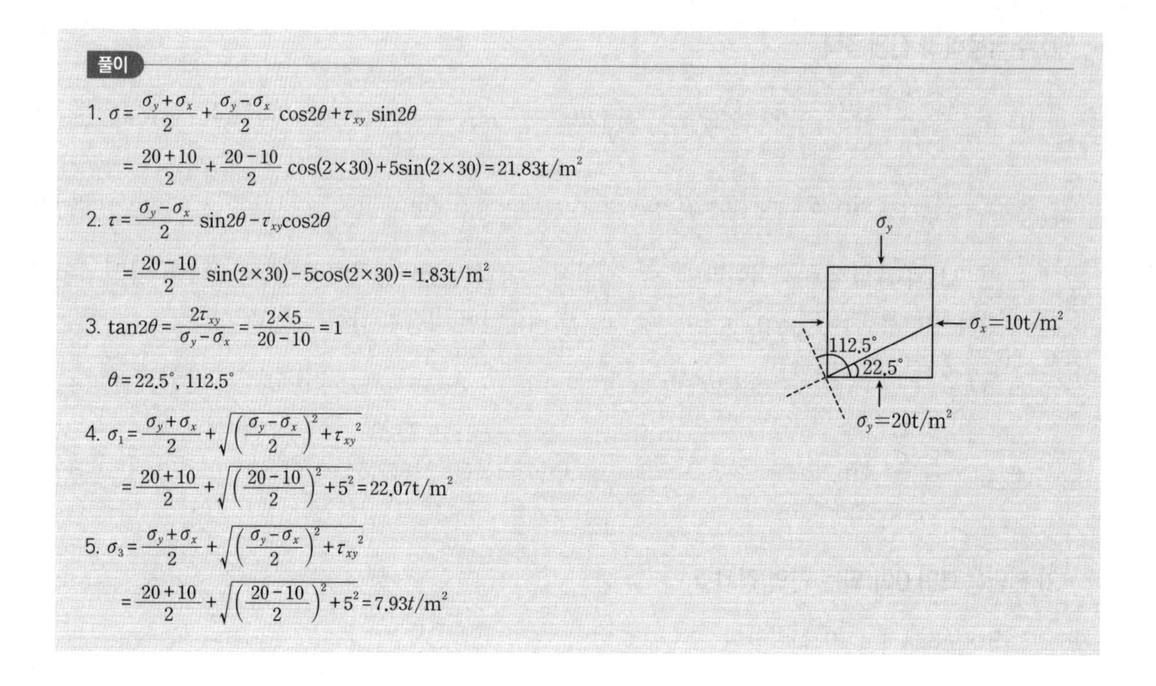

풀이

1. $\sigma = \frac{\sigma_y + \sigma_x}{2} + \frac{\sigma_y - \sigma_x}{2}\cos 2\theta + \tau_{xy}\sin 2\theta$

$= \frac{20+10}{2} + \frac{20-10}{2}\cos(2\times 30) + 5\sin(2\times 30) = 21.83\text{t/m}^2$

2. $\tau = \frac{\sigma_y - \sigma_x}{2}\sin 2\theta - \tau_{xy}\cos 2\theta$

$= \frac{20-10}{2}\sin(2\times 30) - 5\cos(2\times 30) = 1.83\text{t/m}^2$

3. $\tan 2\theta = \frac{2\tau_{xy}}{\sigma_y - \sigma_x} = \frac{2\times 5}{20-10} = 1$

$\theta = 22.5°,\ 112.5°$

4. $\sigma_1 = \frac{\sigma_y + \sigma_x}{2} + \sqrt{\left(\frac{\sigma_y - \sigma_x}{2}\right)^2 + \tau_{xy}{}^2}$

$= \frac{20+10}{2} + \sqrt{\left(\frac{20-10}{2}\right)^2 + 5^2} = 22.07\text{t/m}^2$

5. $\sigma_3 = \frac{\sigma_y + \sigma_x}{2} + \sqrt{\left(\frac{\sigma_y - \sigma_x}{2}\right)^2 + \tau_{xy}{}^2}$

$= \frac{20+10}{2} + \sqrt{\left(\frac{20-10}{2}\right)^2 + 5^2} = 7.93t/\text{m}^2$

3. Mohr원

(1) 식 8−5, 8−6으로 표현되는 수직응력과 전단응력을 $\sigma-\tau$평면 상에 나타내면 다음 그림과 같이 나타낼 수 있다.

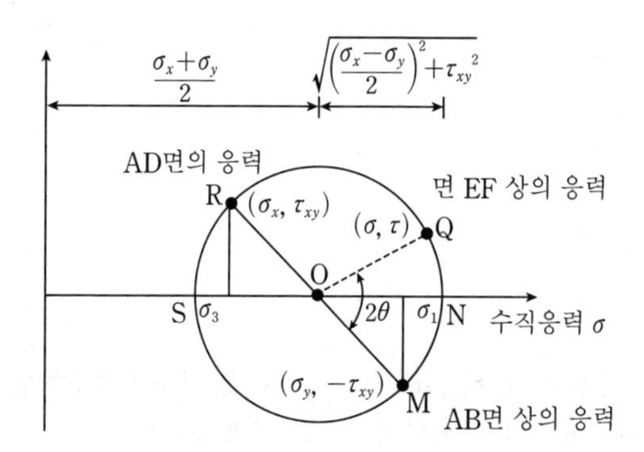

[그림 8-5] Mohr원의 원리

① 점 R과 M은 그림 8−4의 면 AD와 AB에 작용하는 응력을 나타낸다. 수직응력축과 RM의 교점인 O점을 중심으로 반지름 OR인 원을 그리면 임의면에 작용하는 응력상태를 나타내는 Mohr원이 된다.

② 면 EF 상의 응력은 점 M에서 Mohr원의 원수를 따라 2θ만큼 반시계방향으로 회전하여 얻은 점 Q를 취하면 된다. 점 Q의 횡좌표와 종좌표는 각각 면 EF 상에 작용하는 σ와 τ가 된다.

(2) 식 8-7, 8-8로 표현되는 응력상태에 대한 Mohr원은 다음 그림과 같다.

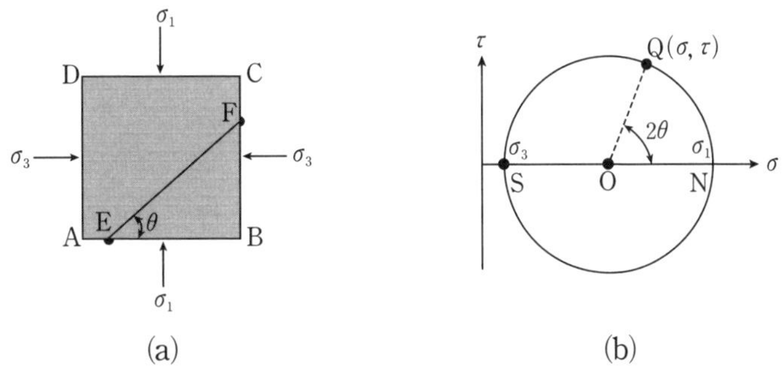

[그림 8-6] 주응력과 Mohr원

점 Q의 횡좌표와 종좌표가 각각 EF 상의 σ와 τ이다.

4. 도해법

(1) 그림 8-6의 Mohr원

① 최대주응력면의 응력을 나타내는 N점에서 최대주응력면과 평행한 선을 그어서 Mohr원과 만나는 S점이 평면기점(origin of plane;Op)이다.

② 평면기점에서 면 EF에 평행하게 직선을 그어 Mohr원과 만나는 Q점이 구점(σ, τ)이다.

(2) 그림 8-7의 Mohr원

① 면 AB의 응력상태를 나타내는 M점에서 면 AB와 평행한 선을 그어서 Mohr원과 만나는 P점이 평면기점이다.

② 평면기점에서 면 EF에 평행하게 직선을 그어 Mohr원과 만나는 Q점이 구점(σ, τ)이다.

※ 그림에서 ∠QOM은 ∠QPM의 2배이다.

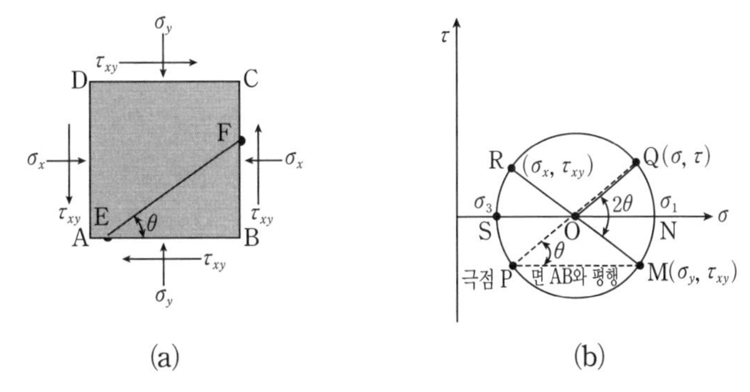

[그림 8-7] 극점

5. Mohr원과 파괴포락선

(1) 파괴포락선과 Mohr원이 X점에서 접한다.

(2) A와 X를 잇는 선이 파괴면이다.

(3) 파괴면과 최대주응력면이 이루는 각은 θ이다.

$$\theta = 45° + \frac{\phi}{2} \quad \cdots\cdots (8-12)$$

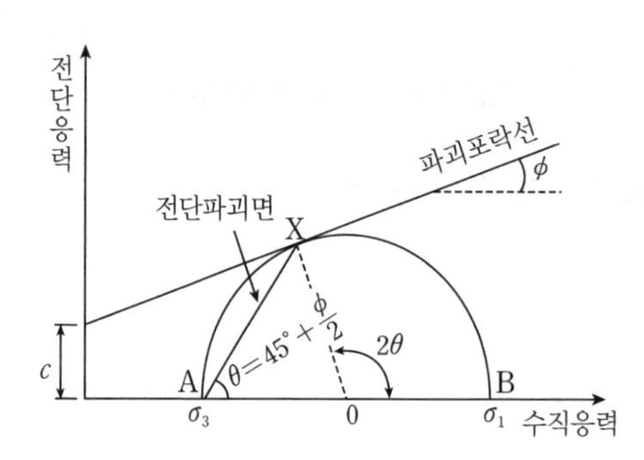

[그림 8-8] Mohr원과 파괴포락선

03 실내시험에 의한 전단강도정수의 측정

전단강도정수를 결정하기 위해 보편적으로 사용되는 실내시험방법은 직접전단시험, 1축압축시험, 3축압축시험 등이 있으며 전단력을 가하는 방법에 따라 응력제어식과 변형률제어식으로 구분할 수 있다.

응력제어식은 시료에 주는 응력을 단계적으로 일정한 속도로 증가시키면서 변형과 응력의 관계를 구하는 방식이며 **변형률제어식**은 시료에 주는 변형속도를 일정하게 하여 변형과 응력의 관계를 구하는 방식으로 주로 이 방식을 사용하고 있다.

1. 직접전단시험(direct shear test)

이 시험은 간단하고 빨리 시험결과를 얻을 수 있기 때문에 사질토에 대한 전단시험으로 많이 사용되고 있지만 몇 가지 단점이 있다. 이 시험에서는 흙이 가장 약한 면을 따라서 전단이 일어나는 것이 아니고, 전단상자의 분리면을 따라서 강제로 전단이 되며, 전단응력이 전단면에 고루 분포되지 않는다.

(1) 개 요

수평으로 분할된 전단상자에 시료를 넣고 수직응력을 증가시켜가면서 파괴시의 최대전단응력을 구한 후 파괴포락선을 그려 전단강도정수(c, ϕ)를 구한다.

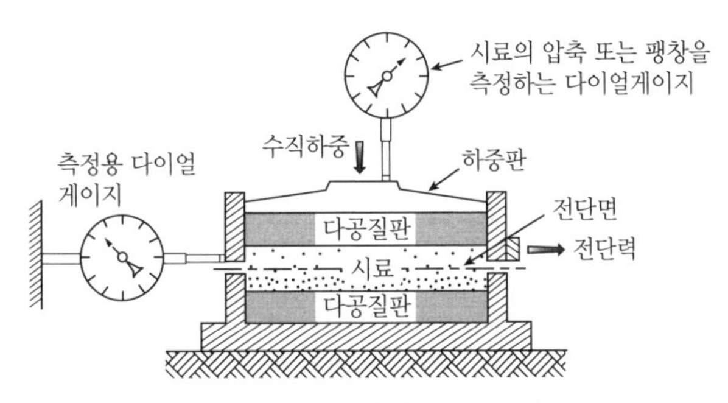

[그림 8-9] 직접전단 시험기

(2) 전단응력의 계산

① 1면 전단

$$\tau = \frac{S}{A} \qquad (8-13)$$

② 2면 전단

$$\tau = \frac{S}{2A} \qquad (8-14)$$

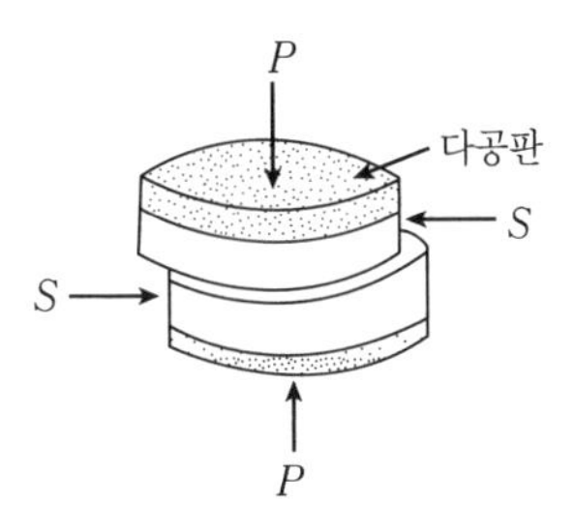

[그림 8-10] 1면 전단시험

(3) 시험 결과의 정리

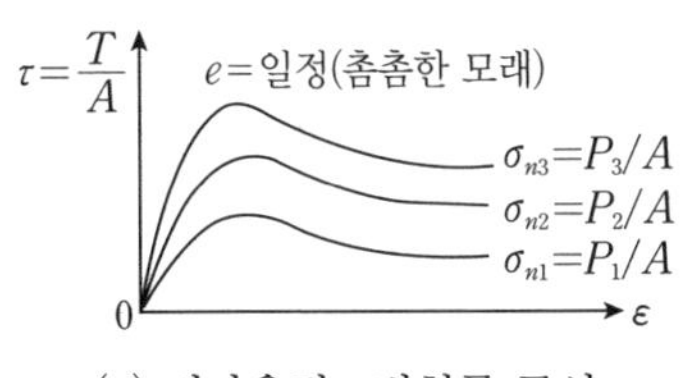

(a) 전단응력-변형률 곡선

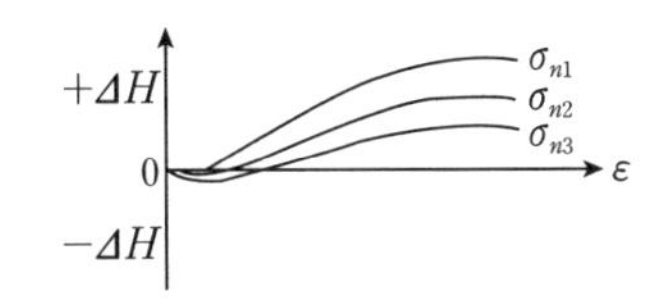

(b) 수직변위-전단변형 곡선

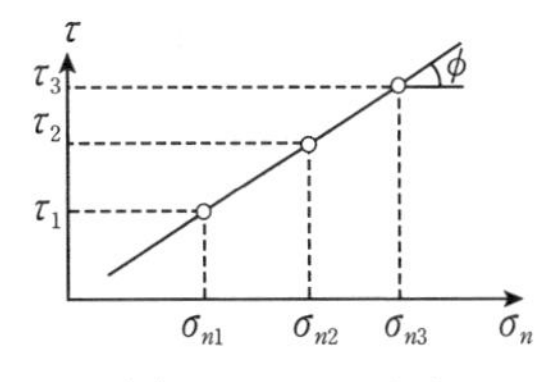

(c) Mohr 포락선

[그림 8-11] 직접전단시험

(4) 결과의 이용

① 토압계산
② 사면의 안정계산
③ 구조물 기초의 지지력 계산

2. 일축압축시험(unconfined compression test)

일축압축시험은 점성토의 일축압축강도와 예민비를 구하기 위해 행한다.

(1) 특 징

① $\sigma_3=0$인 상태의 삼축압축시험이다.
② ϕ가 작은 점성토에서만 시험이 가능하다.
③ UU-test
④ Mohr원이 하나밖에 그려지지 않는다.

(2) 일축압축강도

$\sigma_3=0$인 상태의 공시체가 파괴될 때의 축방향 압축응력 또는 응력-변형곡선에서 압축변형이 15%일 때의 압축응력을 일축압축강도라 한다.

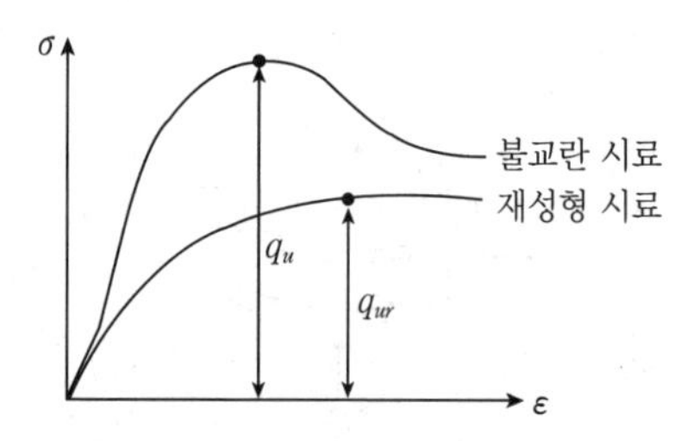

[그림 8-12] 불교란 점토와 교란 점토의 일축압축강도

① 일축압축시험시의 압축응력

$$\sigma=\frac{P}{A_0}=\frac{P}{\frac{A}{1-\varepsilon}}=\frac{P(1-\varepsilon)}{A} \quad \cdots\cdots (8-15)$$

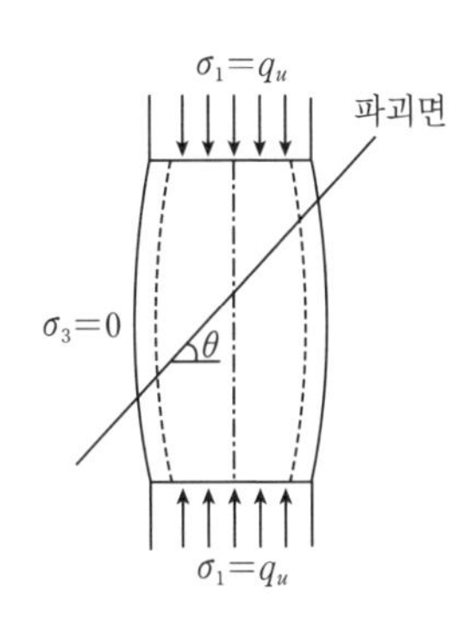

[그림 8-13] 일축압축시험 파괴모형

② 일축압축강도

그림 8−11 △abc에서

$$\sin\phi=\frac{\frac{\sigma_1}{2}}{c\cot\phi-\frac{\sigma_1}{2}}=\frac{\sigma_1}{2c\cot\phi+\sigma_1}$$

$$c=\frac{\sigma_1(1-\sin\phi)}{2\cos\phi}=\frac{\sigma_1}{2\tan\left(45^\circ+\frac{\phi}{2}\right)}=\frac{q_u}{2\tan\left(45^\circ+\frac{\phi}{2}\right)}$$

$$\therefore\ q_u=2c\tan\left(45^\circ+\frac{\phi}{2}\right) \quad \cdots\cdots (8-16)$$

$\phi=0$인 점토의 일축압축강도는

$$q_u=2c \quad \cdots\cdots (8-17)$$

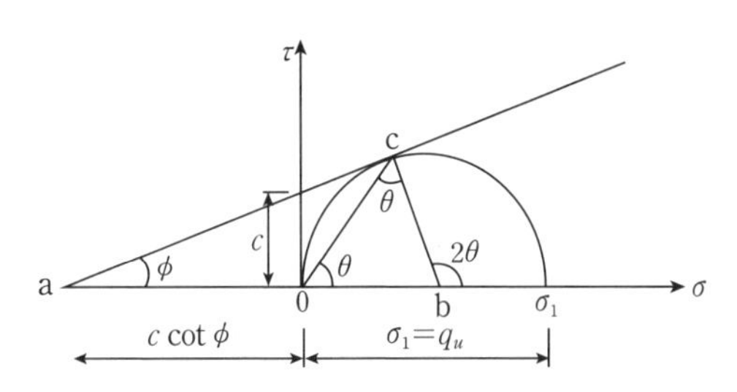

[그림 8-14] 일축압축시험 결과

(3) 결과의 이용

① 예민비(sensitivity) : 예민비가 클수록 점토의 강도변화가 크므로 공학적 성질이 나쁘다.

㉠ $S_t=\frac{q_u}{q_{ur}}$ ······ (8−18)

여기서, q_u : 자연상태의 일축압축강도

q_{ur} : 흐트러진 상태의 일축압축강도

㉡ 예민비가 클수록 점토의 강도변화가 크므로 공학적 성질이 나쁘다.

㉢ 대부분의 점토는 $S_t=1\sim8$이다.

[표 8-1] 예민비에 따른 점토의 분류

S_t	분 류
≒1	비예민성 점토
1~8	예민성 점토
8~64	초예민성 점토(quick clay)
>64	엑스트라 퀵 점토(extra quick clay)

② 점토의 consistency를 추정한다.

[표 8-2] consistency, N치, q_u와의 관계

consistency	N치	일축압축강도(q_u : kg/cm²)
대단히 연약	$N<2$	$q_u<0.25$
연 약	2~4	0.25~0.5
중 간	4~8	0.5~1.0
견 고	8~15	1.0~2.0
대단히 견고	15~30	2.0~4.0
고 결	$N>30$	$q_u>4.0$

③ N치를 추정한다.

$$q_u=\frac{N}{8}(\text{kg/cm}^2) \quad \cdots\cdots (8-19)$$

④ 변형계수(E_{50})를 계산한다.

$$E_{50}=\frac{q_u/2}{\varepsilon_{50}}=\frac{q_u}{2\varepsilon_{50}} \quad \cdots\cdots (8-20)$$

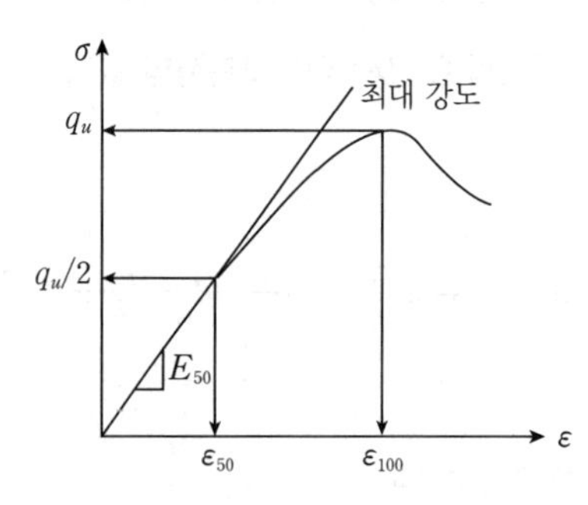

[그림 8-15] 변형계수의 계산

3. 삼축압축시험(triaxial compression test)

삼축압축시험은 강도정수를 구하는데 가장 유용하게 사용되는 신뢰성이 높은 시험이다.

(1) 개 요

측압(σ_3)에 대한 파괴시의 최대주응력(σ_1)을 측정하고 측압을 증가시켜가면서 그때마다 σ_1을 Mohr 응력원에 작성하고 파괴포락선을 그려 강도정수를 구한다.

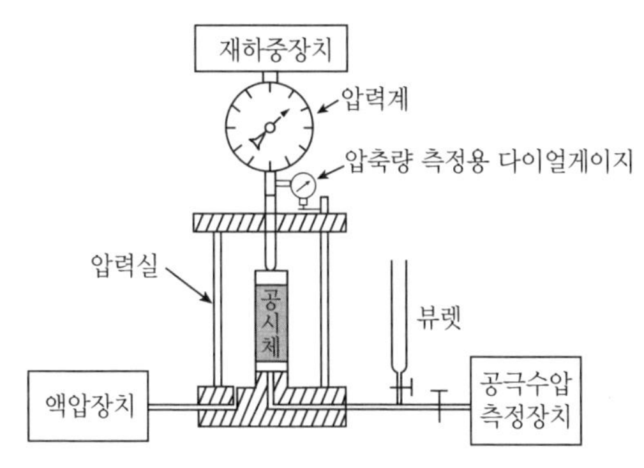

[그림 8-16] 삼축압축시험기

(2) 삼축압축시험의 특징

① 직접전단시험과는 달리 삼축압축시험에서는 시료의 전단파괴면이 미리 정해지지 않는다.

② 삼축압축시험은 직접전단시험에 비해서 어렵고 비용이 많이 든다.

③ 삼축압축시험에서는 시료의 응력조건을 파악하거나 조절하는 것이 가능하다.

④ 삼축압축시험에서는 시험 중에 발생한 간극수압에 따라 흙의 전단강도가 다르다. 간극수압은 배수와 함께 소산되므로, 현장에서 흙의 전단강도는 재하속도와 배수조건에 따라 달라진다.

(3) 축차응력 및 최대주응력의 계산

① 축차응력(deviator stress)

$$(\sigma_1-\sigma_3)=\frac{P}{A_0}=\frac{P}{\dfrac{A}{1-\varepsilon}}$$

$$=\frac{P(1-\varepsilon)}{A} \quad \cdots\cdots (8-21)$$

여기서, $\sigma_1-\sigma_3$: 축차응력(주응력차)

P : 환산하중(kg)(P=proving ring 계수(교정계수)×다이얼게이지 읽음)

A_0 : 환산단면적(cm^2)$\left(A_0=\dfrac{A}{1-\varepsilon}\right)$

A : 시료의 단면적(cm^2)

ε : 변형률$\left(\frac{\Delta l}{l}\right)$

l : 시료의 최초 높이

② 최대주응력(σ_1)

$\sigma_1 = \sigma + \sigma_3$

$= (\sigma_1 - \sigma_3) + \sigma_3$ ·· (8−22)

(4) 배수조건에 따른 분류

① 비압밀 비배수시험(Unconsolidated Undrain test ; UU) : 시료 내의 공극수가 빠져나가지 못하도록 한 상태에서 구속압력을 가한 다음 비배수 상태로 축차응력을 가해 시료를 전단파괴시키는 시험이며, 여기서 구한 강도정수는 c_u 및 ϕ_u로 표시된다.

② 압밀 비배수시험(Consolidated Undrain test ; CU 또는 $\overline{\text{CU}}$) : 포화시료에 구속응력을 가해 공극수압이 0이 될 때까지 압밀시킨 다음 비배수 상태로 축차응력을 가해 시료를 전단파괴시키는 시험이다.

전단시 공극수압계를 이용하여 공극수압의 변화를 측정할 수 있는데, 이때 전응력으로 강도정수를 결정하면 CU시험이라 하고 유효응력으로 강도정수를 결정하면 $\overline{\text{CU}}$시험이라 한다. CU 시험에서 구한 강도정수는 c_{cu} 및 ϕ_{cu}로 표시되며, $\overline{\text{CU}}$시험에서 구한 강도정수는 $'c$ 및 $'\phi$로 표시된다.

③ 압밀 배수시험(Consolidated Drain test ; CD) : 포화시료에 구속응력을 가해 압밀시킨 다음 배수가 허용되도록 밸브를 열어 놓고 공극수압이 발생하지 않도록 천천히 축차응력을 가해 시료를 전단파괴시키는 시험이며, 여기서 구한 강도정수는 c_d 및 ϕ_d로 표시된다.

(5) 점성토의 배수조건에 따른 강도정수(전단특성)

① UU−test

㉠ 완전히 포화된 시료의 경우 구속응력을 증가시켜도 증가량만큼 간극수압이 증가하기 때문에 축차응력은 일정한 값이 되어 똑같은 직경의 Mohr원이 그려진다.

㉡ 또한, 간극수압을 측정하여 유효응력으로 Mohr원을 그리면 1개만 그려진다.

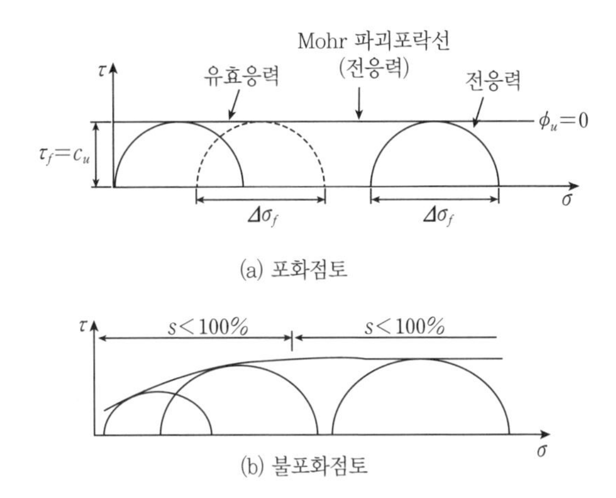

[그림 8-17] UU시험으로 얻은 Mohr 포락선

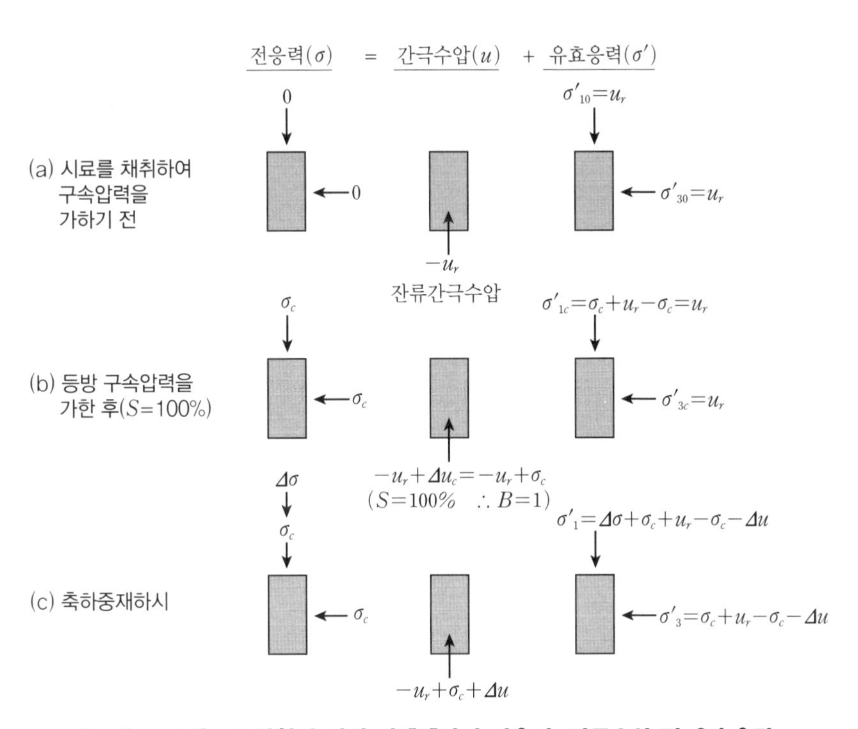

[그림 8-18] UU시험의 여러 단계에서의 전응력, 간극수압 및 유효응력

제8장

② CU-test

㉠ 모래와 정규압밀점토에서는 파괴포락선이 근사적으로 원점을 통과하는 직선이므로 $c_{cu}='c=0$이고 ϕ는 전응력과 유효응력으로 각각 구할 수 있으며 유효응력으로 표시한 Mohr원이 간극수압만큼 왼쪽에 그려지므로 'ϕ의 값이 ϕ_{cu}값보다 크게 나타난다.

㉡ 과압밀점토에서는 파괴포락선이 원점을 통과하지 않고 다소 굽은곡선으로서 점착력과 전단저항각이 모두 얻어지며 전단될 때에는 부의 간극수압이 나타나므로 전응력으로 표시한 Mohr원이 왼쪽에 그려진다.

㉢ 과압밀점토의 CU시험시 압밀압력을 선행압밀압력 이상으로 가했다면 Mohr원은 정규압밀점토와 같게 그려진다.

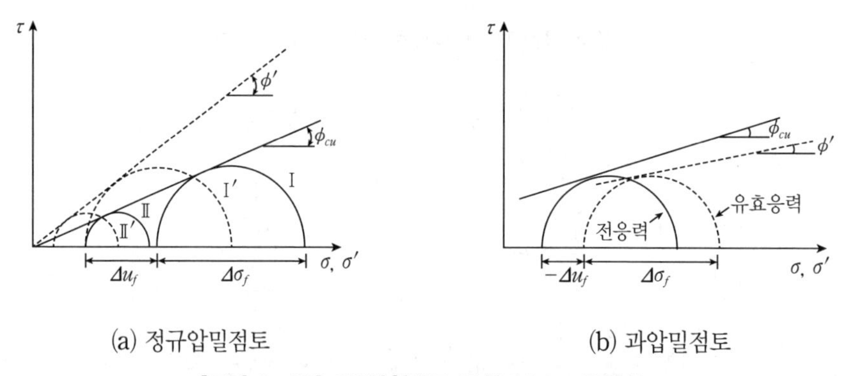

(a) 정규압밀점토 (b) 과압밀점토

[그림 8-19] CU시험으로 구한 Mohr 포락선

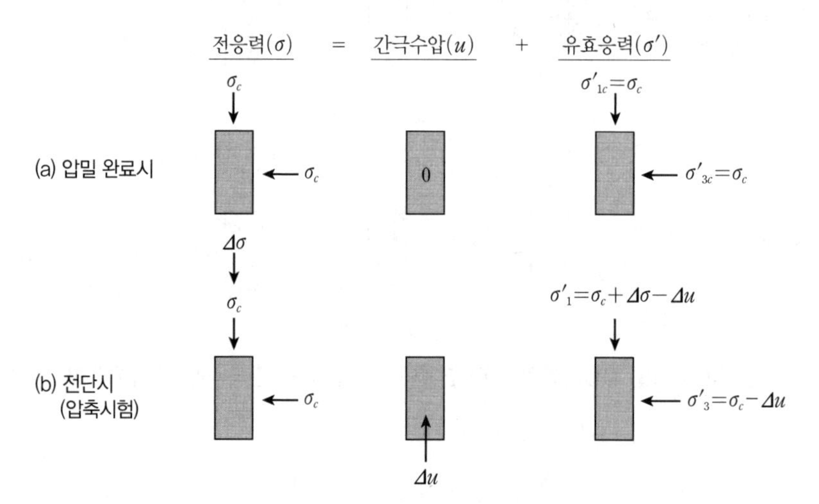

[그림 8-20] CU시험의 압밀단계와 전단단계에서의 전응력, 간극수압 및 유효응력

③ CD-test

㉠ Mohr원은 유효응력으로만 나타난다.

㉡ 정규압밀점토에서 파괴포락선이 원점을 통과한다.

㉢ 과압밀점토에서 파괴포락선이 원점을 통과하지 않고 곡선이 되므로 압력의 범위를 정하여 직선으로 가정하여 c_d, ϕ_d를 결정한다.

㉣ CD시험은 전단 중에 간극수압의 발생이 전혀 없어야 하므로 전단시험을 하는데 며칠 또는 몇 주일이 걸릴 수 있다. 따라서 $\overline{\text{CU}}$시험으로 얻는 강도정수와 동일하므로 간극수압을 측정하는 $\overline{\text{CU}}$시험으로 대체하는 것이 보통이다.

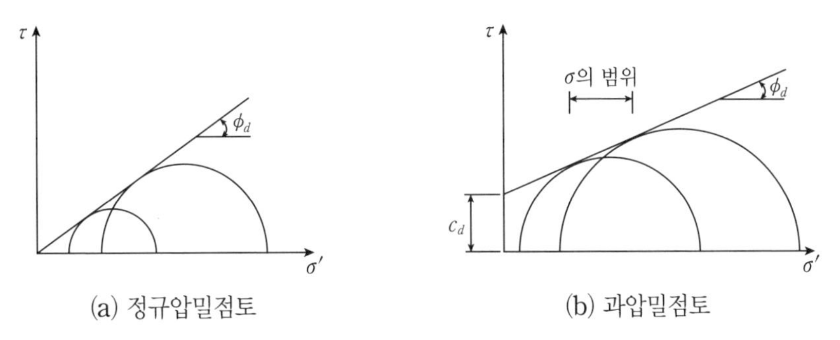

(a) 정규압밀점토 (b) 과압밀점토

[그림 8-21] CD시험으로 구한 Mohr 포락선

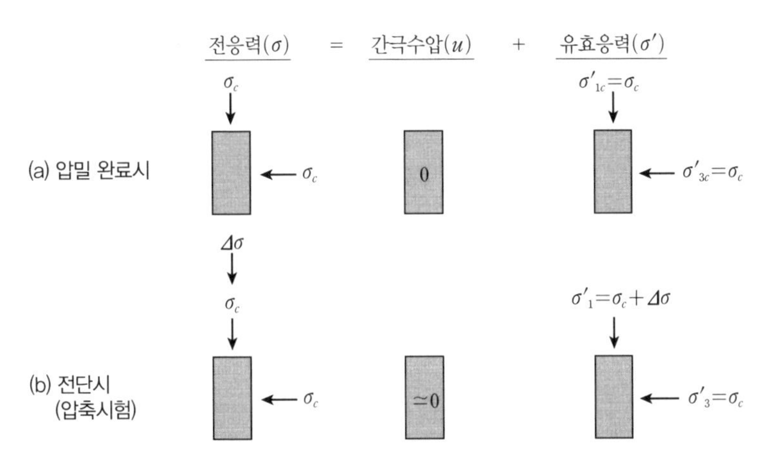

[그림 8-22] CD시험의 각 응력상태에서의 전응력, 간극수압 및 유효응력

(6) 정규압밀점토와 과압밀점토의 전단특성

① $\overline{\mathrm{CU}}$-test 전단특성

㉠ 압밀압력 P에 대한 관계곡선

ⓐ 과압밀점토가 정규압밀점토보다 전단강도가 크게 나타나는 이유는 밀도의 증가에 따른 효과와 시료가 팽창할 때 생기는 (−)간극수압 때문이다.

ⓑ 정규압밀점토는 파괴포락선이 원점을 통과하며 전단강도는 직선적으로 증가하나 과압밀점토는 파괴포락선이 원점을 통과하지 않으며 전단강도는 직선적으로 증가하지 않는다.

ⓒ 정규압밀점토에서 간극수압계수는 $A=0.5\sim1$이나 과압밀점토에서는 과압밀비가 클수록 A는 감소하며 과압밀비가 어느 이상이 되면 (−)간극수압이 발생하여 (−)A값을 나타낸다.

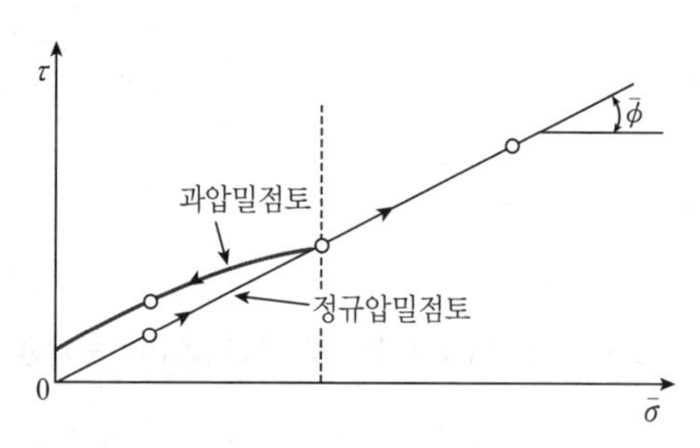

[그림 8-23] 정규압밀점토 및 과압밀점토에 대한 Mohr 포락선($\overline{\mathrm{CU}}$-시험결과)

㉡ 축방향변형 ε에 대한 관계곡선

ⓐ 정규압밀점토는 느슨한 모래에 대한 것처럼 시료가 파괴될 때까지 큰 변형이 생기고 과압밀점토는 촘촘한 모래에 대한 것처럼 작은 변형율에서 정점(peak)을 보인다.

ⓑ 정규압밀점토는 전단변형이 진행되는 동안 과잉간극수압이 계속 증가하며 구속하중에 의하여 시료가 압축되어 (+)간극수압이 발생하나 과압밀점토는 초기에는 (+)간극수압이 증가하다가 시간이 지남에 따라 시료가 팽창하려는 성향으로 인하여 (−)간극수압이 발생한다.

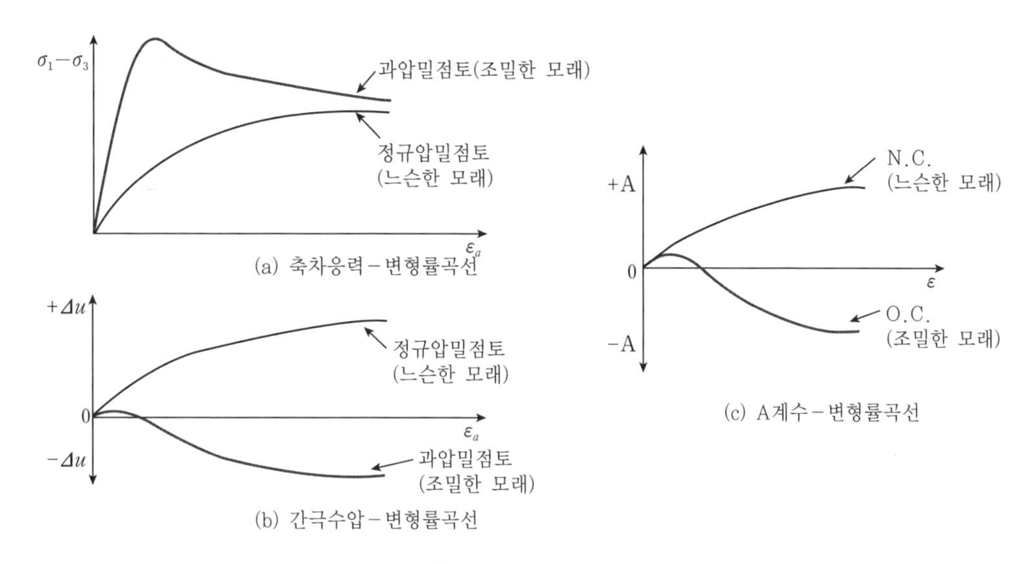

[그림 8-24] $\overline{CU}$시험에서 얻은 대표적인 실험곡선

② CD-test 전단특성

㉠ 압밀과 전단시에 배수를 허용하므로 정규압밀점토나 과압밀점토에서 간극수압은 항상 0이다.

㉡ 전단시에 정규압밀점토는 체적이 감소하나 과압밀점토는 초기에 체적이 감소하다가 그 다음에 체적이 증가한다.

㉢ $u=0$이므로 A계수는 0이다.

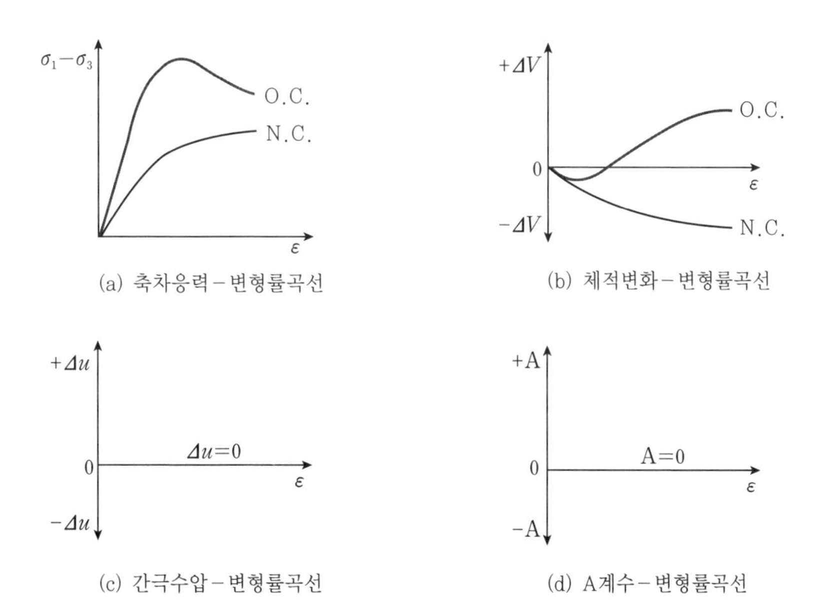

[그림 8-25] CD시험에서 얻은 대표적인 실험곡선

③ UU-test 전단특성

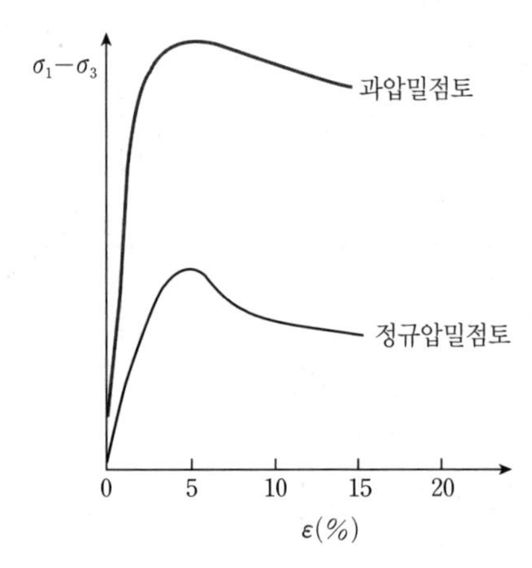

[그림 8-26] UU시험에서 축차응력-변형률곡선

Q 예제 2

포화된 모래시료를 구속압력 4.2kg/cm²으로 압밀하였다. 그 후 배수를 허용하지 않으면서 축차응력을 증가시켜 축차응력이 3.5kg/cm²에 도달하였을 때 시료가 파괴되었다. 이때의 간극수압은 2.9kg/cm²이다. (1) 압밀비배수 마찰각 ϕ_{cu}와 (2) 배수 마찰각 ϕ'를 구하라.

풀이

(1) 1. $\sigma_3 = 4.2\text{kg/cm}^2$, $\sigma_1 = \sigma + \sigma_3 = 3.5 + 4.2 = 7.7\text{kg/cm}^2$

2. $\sin\phi_{cu} = \dfrac{\sigma_1 - \sigma_3}{\sigma_1 + \sigma_3} = \dfrac{7.7 - 4.2}{7.7 + 4.2} = 0.29$

$\therefore \phi_{cu} = 16.86°$

(2) 1. $\sigma_3' = \sigma_3 - u = 4.2 - 2.9 = 1.3\text{kg/cm}^2$

2. $\sigma_1' = \sigma_1 - u = 7.7 - 2.9 = 4.8\text{kg/cm}^2$

3. $\sin\phi' = \dfrac{\sigma_1' - \sigma_3'}{\sigma_1' + \sigma_3'} = \dfrac{4.8 - 1.3}{4.8 + 1.3} = 0.57$

$\therefore \phi' = 34.75°$

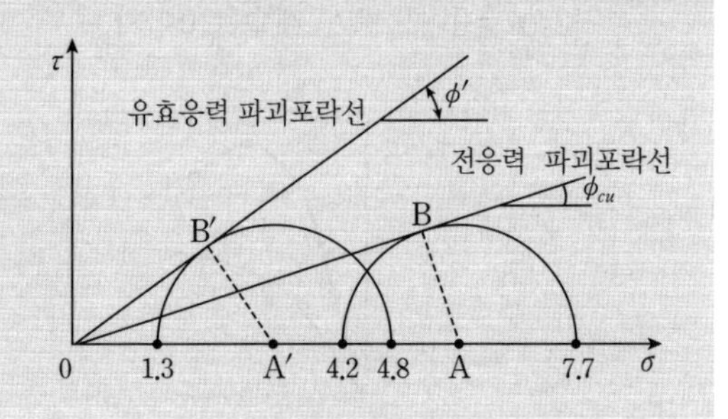

(7) 현장조건에 따른 시험결과의 적용(강도정수의 적용)

① UU-test

재하속도가 과잉간극수압이 소산되는 속도보다 빠를 때 적용한다.

㉠ 정규압밀점토지반에 급속성토시 시공 직후의 안정해석에 사용

㉡ 성토 직후에 급속한 파괴가 예상되는 경우

㉢ 점토지반에 제방을 쌓거나 기초를 설치할 때 등 급격한 재하가 된 경우에 초기 안정해석에 사용

㉣ 시공 중 압밀이나 함수비의 변화가 없는 경우에 사용

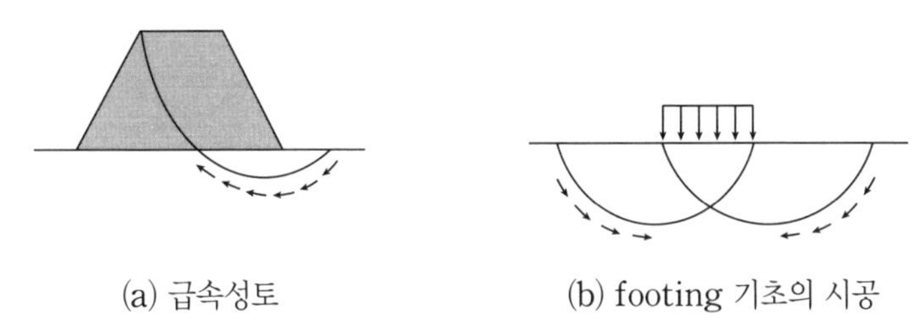

(a) 급속성토 (b) footing 기초의 시공

[그림 8-27] UU해석의 예

② CU-test 또는 $\overline{CU}$-test

㉠ pre-loading 공법으로 압밀된 후 급격한 재하시의 안정해석에 사용

㉡ 성토하중에 의해 어느 정도 압밀된 후에 갑자기 파괴가 예상되는 경우

㉢ 제방, 흙댐에서 수위 급강하시의 안정해석에 사용($\overline{CU}$-test 적용)

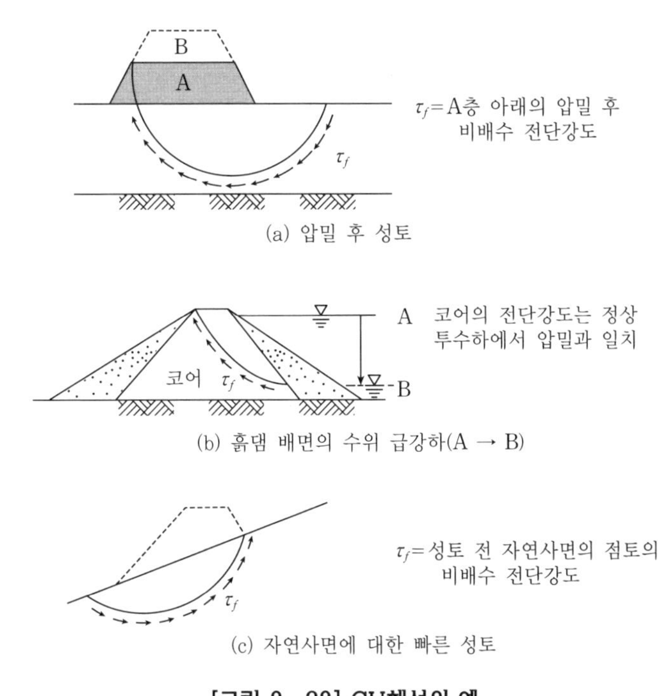

(a) 압밀 후 성토

(b) 흙댐 배면의 수위 급강하(A → B)

(c) 자연사면에 대한 빠른 성토

[그림 8-28] CU해석의 예

③ CD-test : CD-test에서 점토를 배수조건으로 시험하기 위해서는 시간이 너무 많이 소요되므로 결과가 거의 비슷한 CU-test로 대치하는 것이 보통이다.

㉠ 연약한 점토지반 위에 완속성토를 하는 경우

㉡ 흙댐에서 정상침투시 안정해석에 사용

㉢ 과압밀점토의 굴착이나 자연사면의 장기 안정해석에 사용

㉣ 투수계수가 큰 사질토지반의 사면안정해석에 사용

㉤ 간극수압의 측정이 곤란할 때 사용

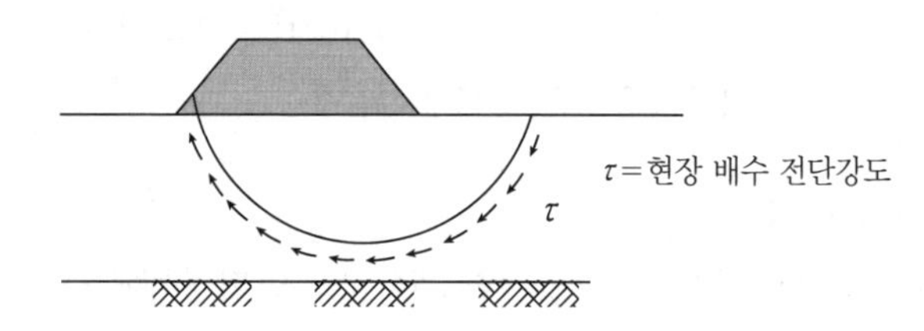

(a) 연약점토층 위에 단계적으로 축조된 제방

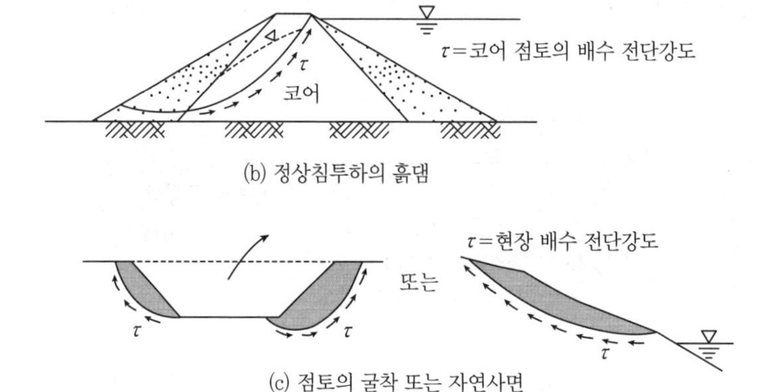

(b) 정상침투하의 흙댐

(c) 점토의 굴착 또는 자연사면

[그림 8-29] CD해석의 예

Check Point

조립토에서는 재하속도가 빠르더라도 배수가 잘 일어나므로 배수시험에서 구한 배수전단강도정수를 사용해야 한다. 그러나 정규압밀점토에서는 과잉공극수압이 소산되는 시간이 매우 길고 시공 중이나 직후에 비배수 상태인 경우가 많으므로 비압밀 비배수 시험에서 구한 비배수 전단강도정수를 사용하는 것이 좋다.

04 현장에서의 전단강도정수 측정

1. 표준관입시험(standard penetration test ; SPT)

(1) N치

지름 5.1cm, 길이 81cm의 중공식 샘플러를 보링로드에 연결시켜 시추공 속에 넣고 처음 15cm는 교란되지 않은 원지반에 도달하도록 관입시킨 후 (63.5±0.5)kg의 해머를 (76±1)cm의 높이에서 자유낙하시켜 지반에 sampler를 30cm 관입시키는 데 필요한 타격횟수 N치를 구한다.

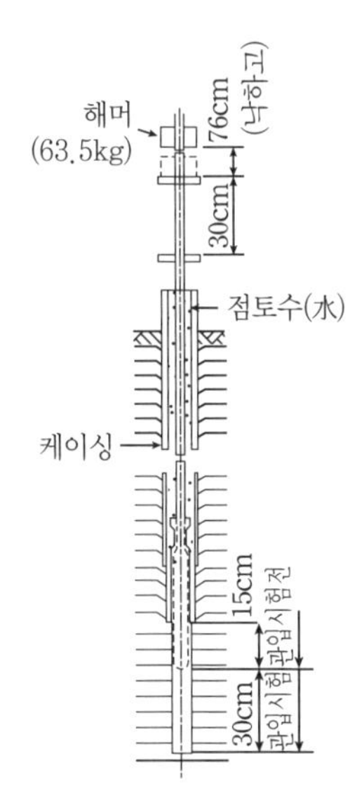

[그림 8-30] 표준관입시험

(2) 특징

장 점	단 점	적용범위
① 시료를 육안으로 볼 수 있다. ② 시험시 관입저항치를 측정함과 동시에 시료를 채취할 수 있다.	① 채취된 시료는 교란시료이다. ② 점토에는 신뢰도가 낮다.	① $N<50$인 큰 자갈을 제외한 모든 흙에 적용된다. ② 지름 1cm 이상의 자갈층에는 곤란하다. ③ 특히 연약한 점토나 peat에서는 곤란하다.

Check Point

SPT

① 사질토에 가장 적합하고 점성토에도 시험이 가능하다.
② 점성토 특히 연약한 점성토에서는 SPT의 신뢰성이 매우 낮기 때문에 N값을 가지고 점성토의 역학적 특성을 추정하는 것은 좋지 않다.

(3) N치의 수정

① Rod 길이에 대한 수정

$$N_1 = N'\left(1 - \frac{x}{200}\right) \quad \cdots\cdots (8-23)$$

여기서, N' : 실측 N값, x : rod 길이(m)

② 토질에 의한 수정

$$N_2 = 15 + \frac{1}{2}(N_1 - 15) \quad \cdots\cdots (8-24)$$

단, $N_1 > 15$일 때 토질에 의한 수정을 한다.

③ 상재압에 의한 수정

$$N = N'\left(\frac{5}{1.4P+1}\right)(\text{kg/cm}^2) \quad \cdots\cdots (8-25)$$

여기서, P : 유효상재하중$(\text{kg/cm}^2) \leqq 2.8\text{kg/cm}^2$

(4) N, ϕ의 관계(Dunham 공식)

① 토립자가 모나고 입도가 양호

$$\phi = \sqrt{12N} + 25 \quad \cdots\cdots (8-26)$$

② 토립자가 모나고 입도가 불량, 토립자가 둥글고 입도가 양호

$$\phi = \sqrt{12N} + 20 \quad \cdots\cdots (8-27)$$

③ 토립자가 둥글고 입도가 불량

$$\phi = \sqrt{12N} + 15 \quad \cdots\cdots (8-28)$$

(5) N, q_u의 관계

$$q_u = \frac{N}{8}(\text{kg/cm}^2) \quad \cdots\cdots (8-29)$$

$\phi = 0$이면 $c = \frac{N}{16}$ ($\because q_u = 2c$)

(6) 면적비(area ratio)

일반적으로 면적비가 10% 이하면 샘플러 속의 시료를 불교란 시료로 취급한다.

$$A_r = \frac{D_w^2 - D_e^2}{D_e^2} \times 100 \quad \cdots\cdots (8-30)$$

여기서, D_w : 샘플러의 외경, D_e : 샘플러의 내경

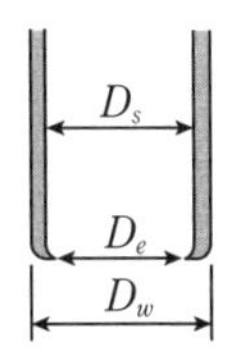

[그림 8-31] Sampler

(7) 표준관입시험 결과의 이용

구 분		판정, 추정사항
조사결과로 파악		① 지반 내 토층의 분포 및 토층의 종류 ② 지지층 분포의 심도
N치로 추정	사질토	D_r, ϕ
	점성토	q_u, C_u

[표 8-3] N치와 모래의 상대밀도의 관계

N	상대밀도(%)
0~4	대단히 느슨(0~15)
4~10	느슨(15~50)
10~30	중간(50~70)
30~50	조밀(70~85)
50 이상	대단히 조밀(85~100)

[표 8-4] N치와 일축압축강도와의 관계

컨시스턴시	N치	일축압축강도, q_u(kg/cm^2)
대단히 연약	<2	<0.25
연 약	2~4	0.25~0.5
중 간	4~8	0.5~1.0
견 고	8~15	1.0~2.0
대단히 견고	15~30	2.0~4.0
고 결	>30	>4.0

2. 베인시험(vane test)

(1) 개 요

극히 연약한 점토층에서 점토의 전단강도를 측정하는 시험으로 지반에서 시료를 채취하지 않고 원위치에서 전단강도를 측정하기 때문에 성과는 비교적 정확하다. 베인은 4개의 날개로 이루어져 있으며 베인의 높이는 지름의 2배가 된다.

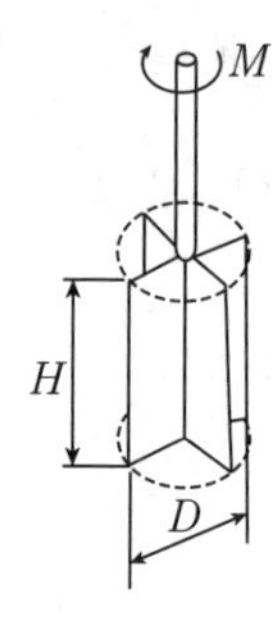

[그림 8-32] 베인시험기

(2) 전단강도

① $C_u = \dfrac{M_{max}}{\pi D^2\left(\dfrac{H}{2}+\dfrac{D}{6}\right)}$ ············ (8-31)

여기서, C_u : 점토의 점착력(kg/cm²)

M_{max} : 최대회전모멘트(kg·cm)

H : 베인의 높이(cm)

D : 베인의 폭(cm)

② **수정전단강도** : 일반적으로 베인전단시험으로 구한 비배수전단강도는 그 값이 너무 커서 다음과 같이 수정전단 강도를 구하여 설계에 사용해야 한다.

$C_u' = \mu C_{u(베인)}$ ············ (8-32)

여기서, μ : 수정계수($\mu = 1.7 - 0.54\log PI$)

05 사질토의 전단특성

1. 전단시 모래의 거동

(1) 동일한 사질토의 극한전단응력은 다져진 상태와 관계없이 거의 일정한 값이 된다.

(2) 느슨한 모래는 전단될 때 체적이 감소하고 조밀한 모래는 체적이 증가하며 마지막에는 일정하게 된다. 이 때의 간극비를 **한계간극비**(critical void ratio)라고 한다.

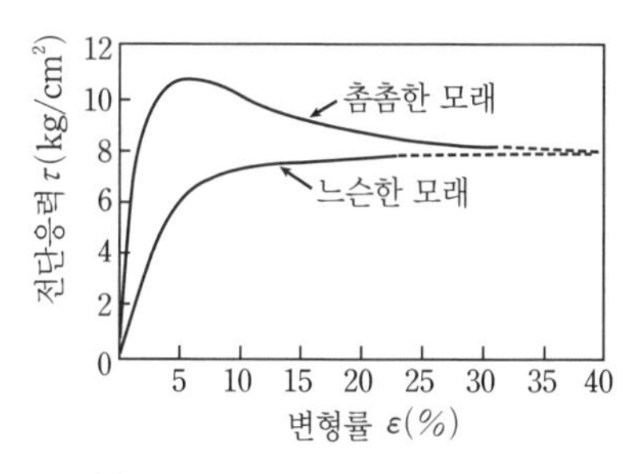

(a) 전단응력과 변형률과의 관계

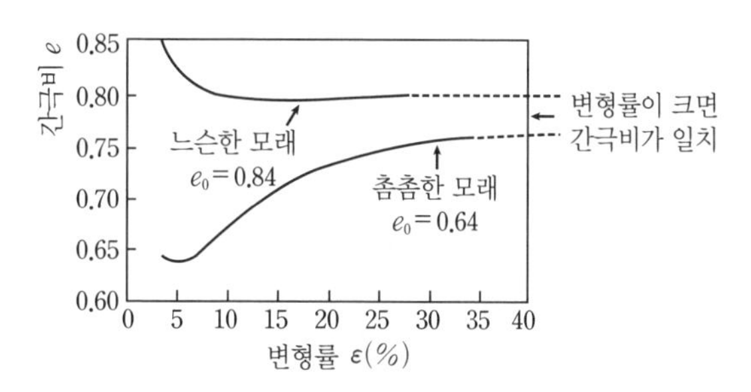

(b) 간극비와 변형률과의 관계

[그림 8-33] 모래에 대한 전단시험

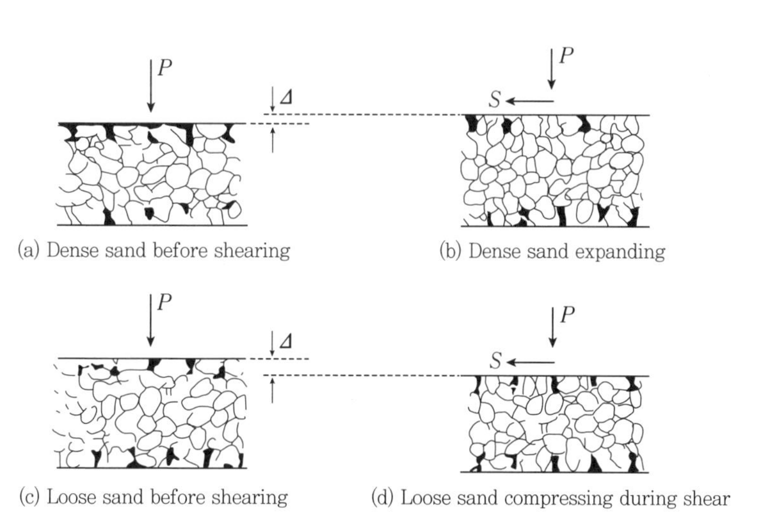

[그림 8-34] 사질토의 전단시 체적변화

2. Dilatancy 현상

(1) 정 의

전단상자 속의 시료가 조밀한 경우에는 체적이 증가하나 느슨한 경우에는 체적이 감소한다. 이와 같은 전단변형에 따른 용적변화를 Dilatancy라고 한다.

① 체적이 증가 → (+) Dilatancy, (−) 간극수압

② 체적이 감소 → (−) Dilatancy, (+) 간극수압

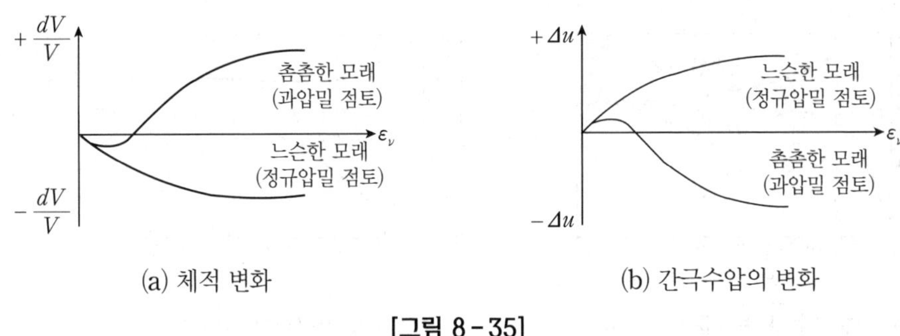

(a) 체적 변화 (b) 간극수압의 변화

[그림 8-35]

(2) Dilatancy 효과가 제거된 응력

일면전단시험에서 딜리턴시에 의한 전단응력의 소모량 τ_d가 하는 일량은 $\tau_d \cdot ds$가 되며 이때의 체적변화는 연직응력 σ의 작용하에서 일어나므로 토립자의 팽창(또는 수축)으로 인한 일량은 $\sigma \cdot d\Delta$이다. 그리고 이들의 일량은 서로 같으므로

$$\tau_d = \tau_f - \tau_{rf}$$

$$\tau_d \cdot ds = \sigma \cdot d\Delta$$

$$\therefore \tau_d = \sigma \cdot \frac{d\Delta}{ds} \quad \cdots\cdots (8-33)$$

$$\tau_{rf} = \tau_f - \sigma \frac{d\Delta}{ds} \quad \cdots\cdots (8-34)$$

여기서, τ_d : 딜리턴시에 의한 전단응력의 소모량

τ_f : 시험에서 측정된 최대전단저항

τ_{rf} : 딜리턴시효과를 제거한 최대전단저항

ds : 수평방향의 미소전단변위량

$d\Delta$: 공시체 두께의 미소변화량

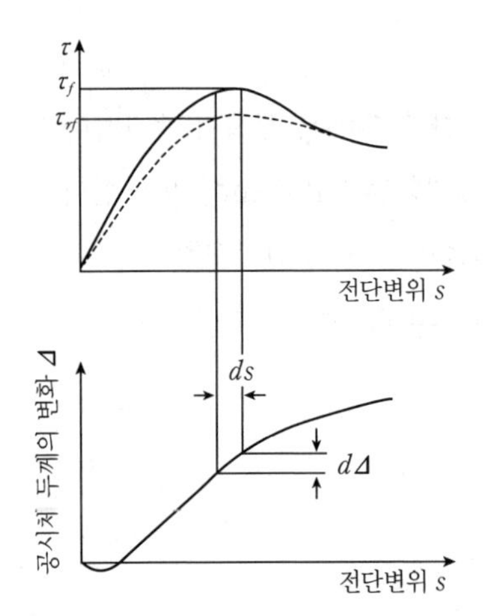

[그림 8-36] 일면전단 배수시험에서 딜리턴시에 의하여 소모된 전단응력

3. 액화현상(liquifaction)

느슨하고 포화된 모래지반에 지진, 발파 등의 충격하중이 작용하면 체적이 수축함에 따라 공극수압이 증가하여 유효응력이 감소되기 때문에 전단강도가 작아지는 현상

$\tau = c + \bar{\sigma}\tan\phi$

4. 사질토의 전단강도

(1) 사질토의 전단저항 원리

모래의 전단강도는 입자간의 마찰저항(회전마찰, 활동마찰)과 엇물림으로 이루어지며 이의 크기는 전단저항각의 함수로 표시된다.

① 느슨한 모래 : 활동저항

② 조밀한 모래 : 활동저항, 회전저항, 엇물림

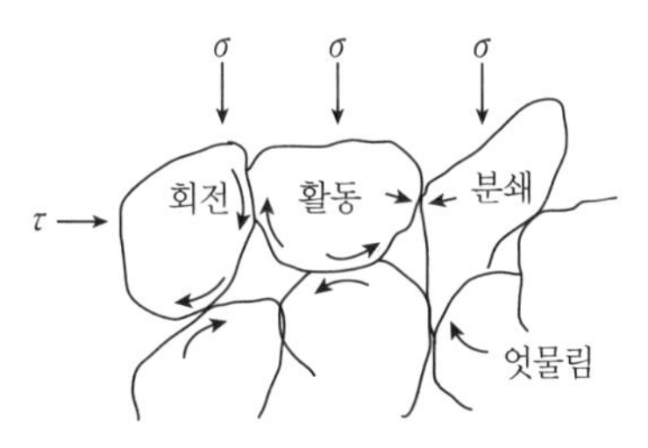

[그림 8-37] 전단에 대한 마찰저항 및 구조적 저항

(2) 사질토의 전단저항각에 영향을 미치는 요소

① 상대밀도 : 상대밀도가 크거나 간극비가 작으면 전단저항각은 커진다.

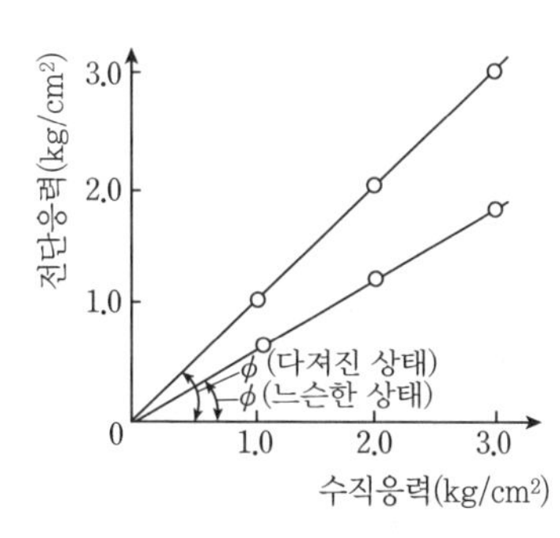

[그림 8-38] 느슨한 모래와 촘촘한 모래의 전단저항각

② 입자의 형상과 입도분포

㉠ 입자가 모가 날수록 전단저항각은 커진다.

㉡ 입도분포가 좋은 흙은 입경이 균등한 흙보다 전단저항각이 크다.

③ 입자의 크기 : 공극비가 일정하다면 입자의 크기는 별로 영향을 끼치지 않는다.

④ 물의 영향 : 물은 윤활효과는 있지만 유효응력으로 표시되는 전단저항각에는 거의 영향을 끼치지 않는다.

⑤ 구속압력의 영향 : 구속압력이 커지면 전단저항각은 일정하게 되지 않고 점점 작아진다.

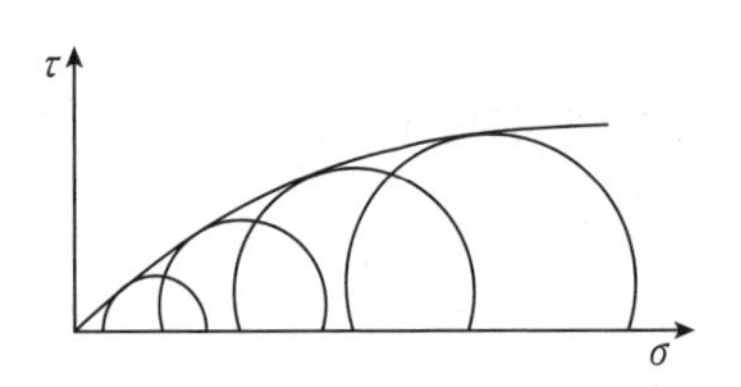

[그림 8-39] 구속압력의 영향

06 점성토의 전단특성

점토는 함수비에 의해, 사질토는 상대밀도에 의해 전단특성이 지배된다.

1. 점성토의 전단강도(강도정수)에 영향을 미치는 요소

① 함수비 : 함수비가 감소함에 따라 흙의 consistency가 액체 → 소성 → 반고체 → 고체상태로 되어 전단강도가 증가한다(모래는 영향이 적다).

② 압밀응력 : CU시험에서 압밀응력이 증가함에 따라 함수비 감소로 전단강도가 증가한다.

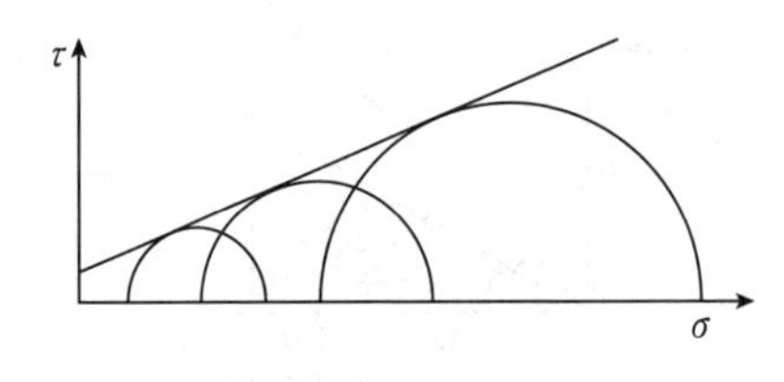

[그림 8-40] $\sigma-\tau$ 관계

③ 선행압밀하중(P_c)

㉠ P_c 이전에서는 과압밀 점토가 정규압밀점토보다 전단강도가 크다.

㉡ P_c 이후에는 같은 값으로 압밀응력에 따라 증가한다.

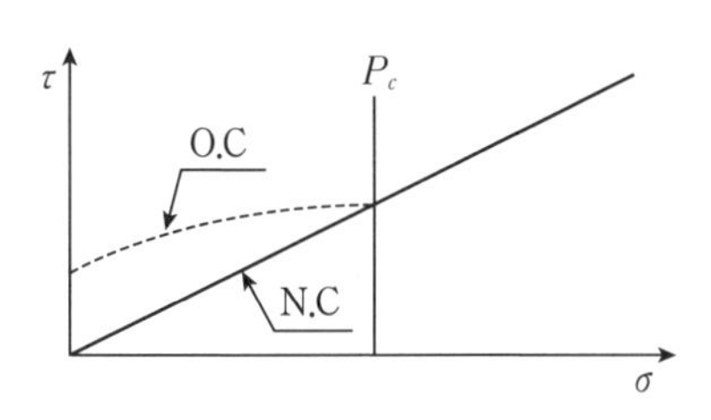

[그림 8-41] 전단강도-압밀압력곡선

④ **압밀시간** : 압밀시간이 길수록 과잉공극수압이 적어져 전단강도가 증가한다.

⑤ **전단속도** : 전단속도의 증가에 따라 전단강도가 1~2배 증가한다(모래는 영향이 적다).

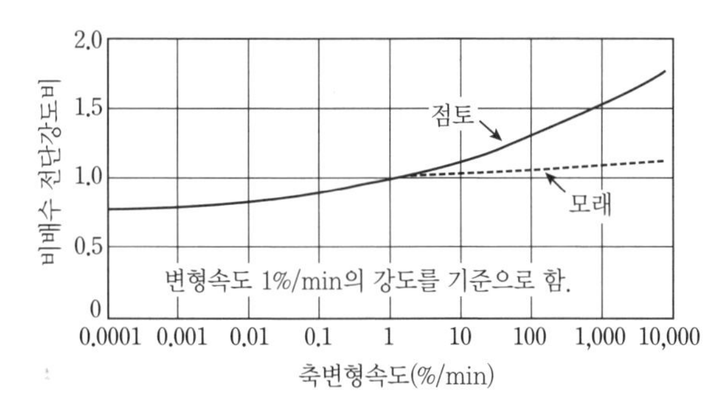

[그림 8-42] 변형속도와 비배수전단강도의 관계

2. 점성토의 성질

(1) 딕소트로피(thixotropy)

Remolding한 시료를 함수비의 변화없이 그대로 방치하여 두면 시간이 경과되면서 강도가 회복되는 현상

(2) 리칭(leaching) 현상

해수에 퇴적된 점토가 담수에 의해 오랜 시간에 걸쳐 염분이 빠져나가 강도가 저하되는 현상

07 간극수압계수

점토에 압력이 가해지면 과잉간극수압이 발생하는데 이때 전응력의 증가량에 대한 간극수압의 변화량의 비를 간극수압계수라고 한다.

$$\text{간극수압계수} = \frac{\Delta U}{\Delta \sigma} \quad \cdots\cdots (8-35)$$

1. 간극수압계수(pore pressure parameter)

(1) B계수(등방압축시의 간극수압계수)

CU시험시 등방압축 때의 σ_3 증가량에 대한 U의 변화량의 비

$$B = \frac{\Delta U}{\Delta \sigma_3} \quad \cdots\cdots (8-36)$$

① $S_r = 100\%$이면 $B = 1$이다.

② $S_r = 0$이면 $B = 0$이다.

(2) D계수(일축압축시의 간극수압계수)

일축압축시험에서 $(\Delta\sigma_1 - \Delta\sigma_3)$의 증가량에 대한 U의 변화량의 비

$$D = \frac{\Delta U}{\Delta \sigma_1 - \Delta \sigma_3} \quad \cdots\cdots (8-37)$$

(3) A계수(삼축압축시의 간극수압계수)

$$\Delta U = B\Delta\sigma_3 + D(\Delta\sigma_1 - \Delta\sigma_3)$$

$$= B[\Delta\sigma_3 + A(\Delta\sigma_1 - \Delta\sigma_3)] \quad \cdots\cdots (8-38)$$

$$A = \frac{D}{B}$$

① 포화된 흙에서는 $B = 1$이므로

$$A = \frac{\Delta U - \Delta\sigma_3}{\Delta\sigma_1 - \Delta\sigma_3} \quad \cdots\cdots (8-39)$$

② 구속응력을 일정($\Delta\sigma_3 = 0$)하게 하고 간극수압을 측정하면

$$A = \frac{\Delta U}{\Delta \sigma_1} \quad \cdots\cdots (8-40)$$

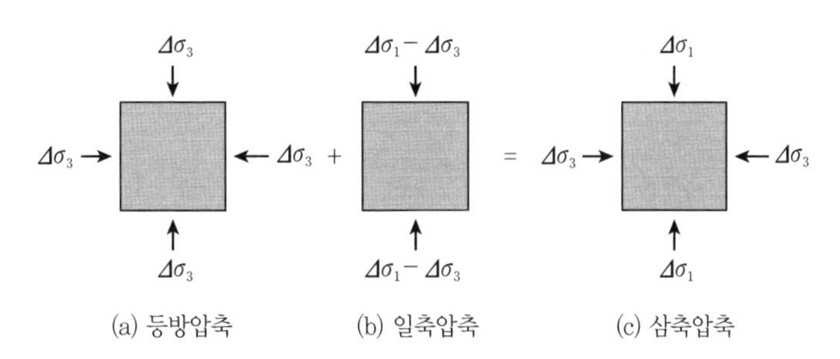

[그림 8 - 43] 삼축압축시의 응력상태

Q 예제 3

200kN/m^{2}의 구속압력을 가하여 시표를 완전히 압밀시킨 다음 비배수 상태로 구속압력을 350kN/m^{2}으로 증가할 때 간극수압이 144kN/m^{2}이고, 축응력을 가하여 비배수 상태로 전단시켜 다음과 같은 결과를 얻었다. 다음 물음에 답하시오.

(1) 간극수압계수 B를 구하시오.

(2) 변형에 따른 간극수압 A를 구하시오.

축변형률(%)	축차응력(kN/m^2)	간극수압(kN/m^2)
0	0	144
1	201	244
3	252	240

풀이

(1) $B = \dfrac{\Delta u}{\Delta\sigma_3} = \dfrac{144}{350-200} = 0.96$

(2) $\Delta u = B[\Delta\sigma_3 + A(\Delta\sigma_1 - \Delta\sigma_3)]$

축변형률(%)	A
0	−
1	$244 = 0.96(150 + A \times 201)$ $\therefore A = 0.52$
3	$240 = 0.96(150 + A \times 252)$ $\therefore A = 0.4$

2. 간극수압계수의 결과의 이용

(1) 압밀침하량의 산정

$$\Delta H = \frac{C_c}{1+e}\log\frac{P_2}{P_1}H$$

$$= \frac{C_c}{1+e}\log\frac{P_1+\Delta U}{P_1}H \quad \cdots\cdots (8-41)$$

(2) 압밀상태의 판단

[표 8-5] A계수의 대표값

흙의 종류(S_r=100%)	A의 대표치(파괴시)
매우 과압밀된 점토	−0.5~0
약간 과압밀된 점토	0~0.5
정규압밀점토	0.5~1
예민한 점토	1.5~2.5

08 응력경로(stress path)

1. 정 의

응력경로는 지반 내 임의의 요소에 작용되어 온 하중의 변화과정을 응력평면 위에 나타낸 것이다. 흙의 한 요소가 받는 응력상태는 Mohr원으로 나타낼 수 있는데 최대전단응력을 나타내는 Mohr원 정점의 좌표인 (p, q)점의 궤적을 **응력경로**라 한다.

응력경로는 전응력으로 표시하는 **전응력경로**(Total Stress Path ; TSP)와 유효응력으로 표시하는 **유효응력경로**(Effective Stress Path;ESP)로 구분된다.

(1) $p=\frac{\sigma_1+\sigma_3}{2},\ q=\frac{\sigma_1-\sigma_3}{2}$ ⋯⋯ (8−42)

$p'=\frac{\sigma_1'+\sigma_3'}{2},\ q=\frac{\sigma_1'-\sigma_3'}{2}$ ⋯⋯ (8−43)

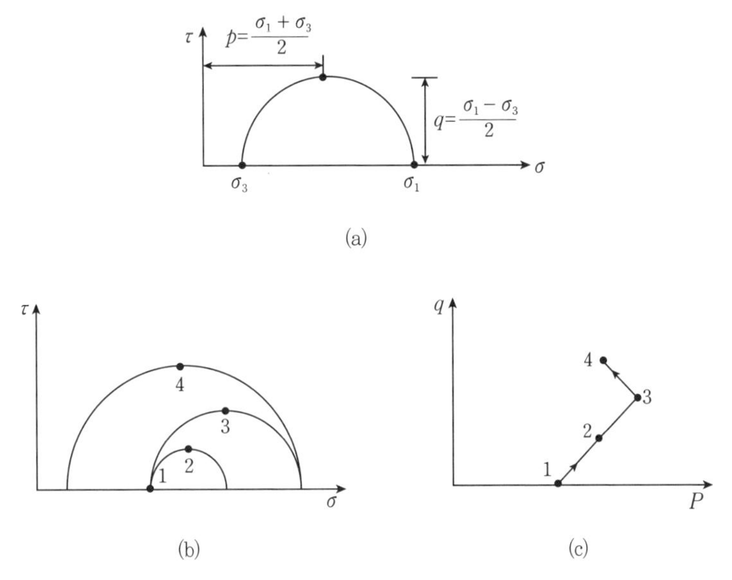

[그림 8-44] 응력상태를 표시하는 데 있어서의 Mohr원과 응력경로의 비교

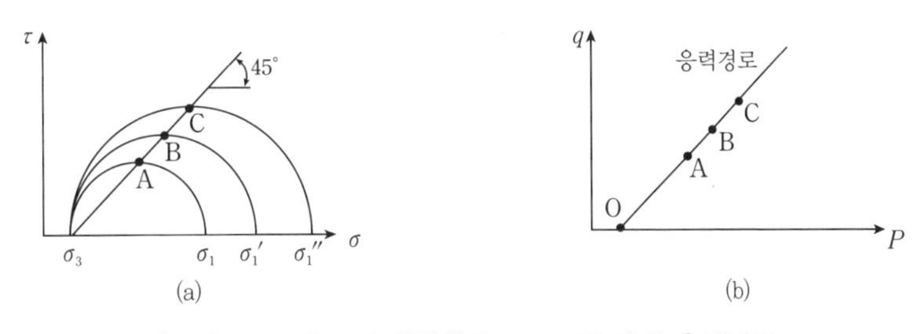

[그림 8-45] σ_3가 일정하고 $\sigma_1 > \sigma_3$일 때의 응력경로

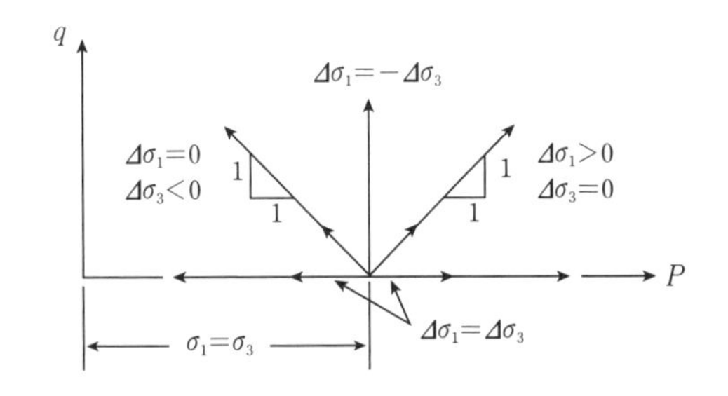

[그림 8-46] $\sigma_1=\sigma_3$인 점에서 시작하는 여러 응력경로

(2) 비배수시험에서 전응력경로는 모두 오른쪽으로 그려지고 45° 경사의 동일한 직선이지만 유효응력경로는 정규압밀점토에 있어서는 왼쪽 상향으로 휘어지나, 과압밀점토에서는 오른쪽 상향으로 휘어진다.

(3) 배수시험에서 간극수압은 항상 0이므로 전응력경로와 유효응력경로는 45° 경사의 직선으로 일치한다.

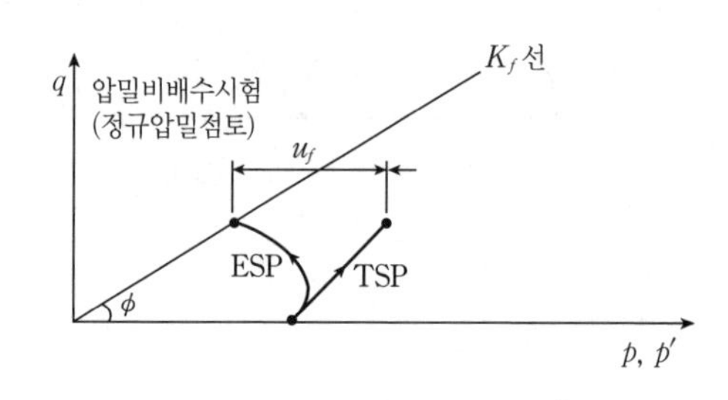

(a) 정규압밀점토에 대한 CU시험

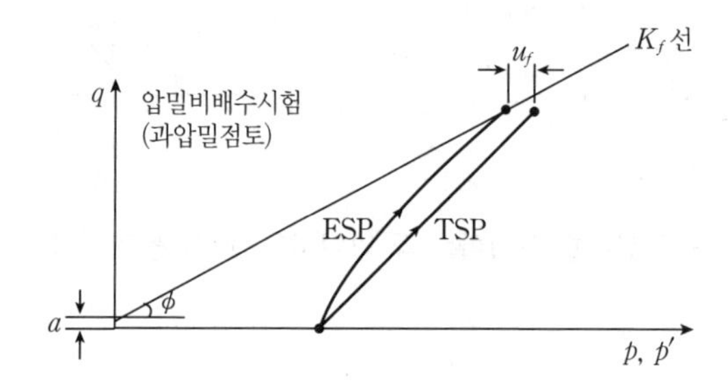

(b) 과압밀점토에 대한 CU시험

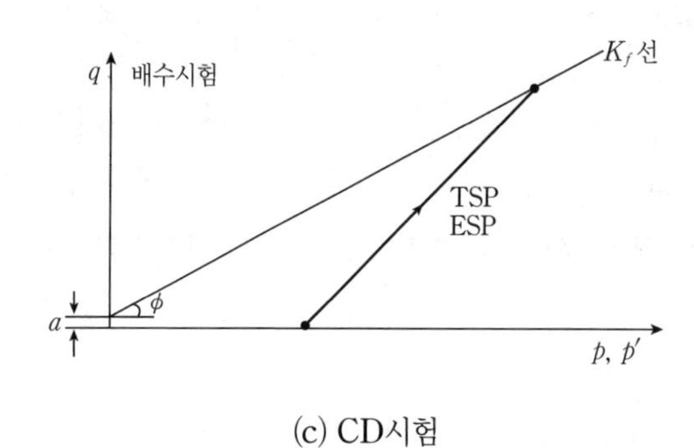

(c) CD시험

[그림 8-47] 표준삼축압축시험에 대한 응력경로

2. K_f선과 ϕ선과의 관계

(1) $\sin\phi = \tan\alpha$ ·· (8-44)

(2) $c\cot\phi = a\cot\alpha$

$$\frac{c}{\tan\phi} = \frac{a}{\tan\alpha} = \frac{a}{\sin\phi}$$

$$a\tan\phi = c\sin\phi$$

$$a\frac{\sin\phi}{\cos\phi}=c\sin\phi$$

$$\therefore\ a=c\cos\phi \quad \cdots\cdots (8-45)$$

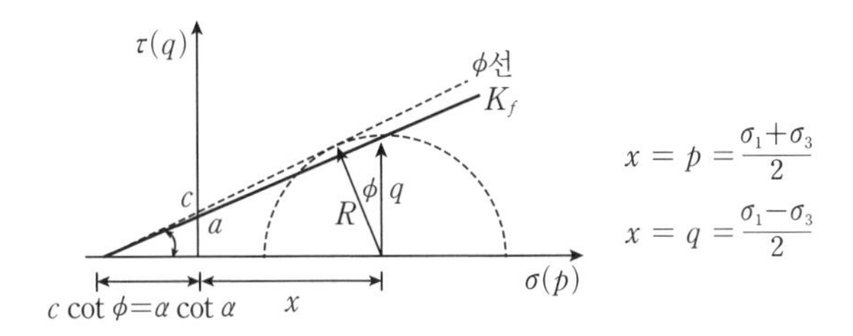

[그림 8-48] K_f선과 강도정수와의 관계

3. 응력비(stress ratio)

$$K_f=\frac{\sigma_{hf}'}{\sigma_{vf}'} \quad \cdots\cdots (8-46)$$

여기서, σ_{hf}' : 파괴상태에서의 수평방향 유효응력

σ_{vf}' : 파괴상태에서의 수직방향 유효응력

(1) 응력비가 일정하면 응력경로가 직선이다.

(2) $\frac{q}{p}=\tan\alpha=\frac{1-K}{1+K}$

$$\therefore\ K=\frac{1-\tan\alpha}{1+\tan\alpha} \quad \cdots\cdots (8-47)$$

09 전단강도의 증가 및 증가량 추정법

1. 압밀에 의한 전단강도의 증가

(1) 점토지반에 pre-loading, 단계완속성토 등의 하중에 의해 압밀이 진행되면 처음의 상재하중은 간극 중의 간극수가 부담하다가 시간이 경과됨에 따라 간극수가 배출되어 압밀응력을 점차 흙입자가 부담하게 되어 유효응력이 증가하여 결국 전단강도가 증가하게 된다.

(2) 이와 같이 점성토는 재하중에 의해서 전단강도가 증가하는데, 포화점토의 압밀에 의한 지반개량 공사에서 개량지반의 전단강도의 증가에 대한 추정에는 통상 압밀비배수전단강도(C_u)와 압밀에 유효한 수직응력(증가된 유효상재압) p'와의 비인 $\frac{C_u}{p'}$ 값을 이용하여 계산한다.

(3) 일반적으로 vertical drain 공법이나 pre-loading 공법으로 지반개량을 할 경우 정규압밀점토의 강도증가율$\left(\frac{C_u}{p'}\right)$은 보통 0.25~0.35 정도이다.

2. 강도증가율 추정법

(1) 소성지수로 추정하는 방법

① 정규압밀점토에서 비배수전단강도는 깊이에 따라 증가한다. 즉, 비배수점착력 C_u는 유효상재압력 p'에 따라서 증가한다. Skempton은 다음과 같은 관계식을 제시하였다.

$$\alpha=\frac{C_u}{p'}=0.11+0.0037I_p \quad \cdots\cdots (8-48)$$

② Ladd는 과압밀점토의 비배수점착력을 구하는 관계식을 제시하였다.

$$\alpha=\frac{C_u}{p'}=(0.11+0.0037I_p)OCR^{0.8} \quad \cdots\cdots (8-49)$$

과압밀점토는 깊이에 따른 비배수전단강도가 크지 않다.

(2) 액성한계에 의한 방법

Hansbo는 다음과 같은 식을 제시하였다.

$$\alpha=\frac{C_u}{p'}=0.45W_L \quad \cdots\cdots (8-50)$$

(3) $\overline{\text{CU}}$시험에 의한 방법

$$\alpha=\frac{C_u}{p'}=\frac{\sin\phi'}{1+\sin\phi'} \quad \cdots\cdots (8-51)$$

(4) CU시험에 의한 방법

$$\alpha=\frac{C_u}{p'}=\tan\phi_{cu} \quad \cdots\cdots (8-52)$$

3. 평 가

(1) 소성지수로 추정하는 방법은 일반적으로 원위치시험의 값과 근사적으로 일치한다.

(2) CU시험에 의한 방법은 삼축실에서 입밀하기 때문에 시료의 교란으로 인한 영향이 거의 소멸되고, 실제 지반은 이방압밀이나 실험실에서는 등방압밀을 시키므로 원위치시험의 결과보다 강도증가율이 과대하게 나타나기 때문에 이 값을 사용하면 위험측이 된다.

(3) 강도증가율의 적용

① 정규압밀점토

$C_u = C_0 + \Delta C = C_0 + \alpha \Delta p u$ ································ (8－53)

② 과압밀점토

$C_u = C_0$ ································ (8－54)

여기서, C_u : 증가된 점착력

C_0 : 초기 점착력

ΔC : 점착력 증가분

α : 강도증가율

Δp : 증가응력

u : 압밀도

Q 예제 4

그림과 같이 정규압밀점토층의 두께가 15m이고 소성지수는 40%이다. (1) 점토층 상부, 하부에서의 비배수 점착력과 (2) 점토가 과압밀비 3인 과압밀점토일 때의 비배수 점착력을 구하라.

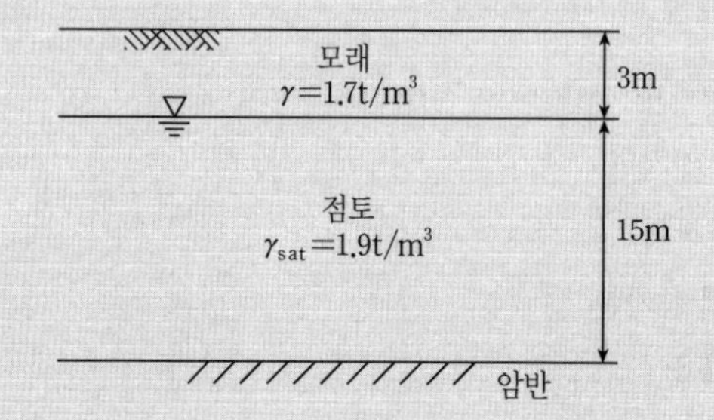

풀이

(1) 정규압밀점토

1. 상 부

① $p'=1.7\times3=5.1\text{t/m}^2$

② $\dfrac{C_u}{p'}=0.11+0.0037I_p$

$\dfrac{C_u}{5.1}=0.11+0.0037\times40$

$\therefore C_u=1.32\text{t/m}^2$

2. 하 부

① $p'=1.7\times3+0.9\times15=18.6\text{t/m}^2$

② $\dfrac{C_u}{p'}=0.11+0.0037I_p$

$\dfrac{C_u}{18.6}=0.11+0.0037\times40$

$\therefore C_u=4.8\text{t/m}^2$

(2) 과압밀점토

1. 상 부

$\dfrac{C_u}{p'}=(0.11+0.0037I_p)OCR^{0.8}$

$\dfrac{C_u}{5.1}=(0.11+0.0037\times40)\times3^{0.8}$

$\therefore C_u=3.17\text{t/m}^2$

2. 하 부

$\dfrac{C_u}{p'}=(0.11+0.0037I_p)OCR^{0.8}$

$\dfrac{C_u}{18.6}=(0.11+0.0037\times40)\times3^{0.8}$

$\therefore C_u=11.56\text{t/m}^2$

흙의 전단강도

기출 및 적중예상문제 I [4지선다형]

여기에 수록된 「기출문제」는 수험생들의 기억을 바탕으로 유사한 유형의 문제로 새로이 창작하여 구성하였습니다. 따라서 원안과 동일하지는 않지만 출제 수준과 경향을 파악하는 데 결정적인 도움을 주리라 믿습니다.

01 다음 중에서 가장 강도가 작은 것은 어느 것인가?

① 돌 ② 모래
③ 점토 ④ 콘크리트

02 흙에 발생하는 응력이 아닌 것은?

① 수직응력 ② 수평응력
③ 전단응력 ④ 인장응력

03 다음 설명 중 잘못된 것은?

① 전단응력이 전단강도를 넘으면 흙 내부에서 파괴가 일어난다.
② 전단강도는 점착력과 내부마찰각의 크기로서 나타낸다.
③ 점착력은 파괴면에 작용하는 수직응력의 크기와는 무관하고 주어진 흙에 대해서는 일정하다.
④ 내부마찰각은 수직응력에 비례한다.

해설

1. 점착력은 $\bar{\sigma}$의 크기에는 관계가 없고 주어진 흙에 대해서는 일정한 값을 갖는다.
2. 내부마찰각은 흙의 특성과 상태가 정해지면 일정한 값을 갖는다.

04 흙의 전단강도에 대한 다음 설명 중 옳지 않은 것은?

① 흙의 전단강도는 압축강도의 크기와 관계가 깊다.
② 외력이 가해지면 전단응력이 발생하고 어느 면에 전단응력이 전단강도를 초과하면 그 면에 따라 활동이 일어나서 파괴된다.
③ 조밀한 모래는 전단 중에 팽창하고 느슨한 모래는 수축한다.
④ 점착력과 내부마찰각은 파괴면에 작용하는 수직응력의 크기에 비례한다.

해설

$\tau = c + \bar{\sigma}\tan\phi$

05 흙의 전단강도에 대한 설명 중 옳지 못한 것은?

① 흙의 전단강도와 압축강도는 밀접한 관계가 있다.
② 흙의 전단강도는 입자간 내부마찰각과 점착력으로부터 얻어진다.
③ 일반적인 흙의 전단강도는 내부마찰력에 의한 것보다 점착력에 의한 것이 더 크다.
④ 외력이 증가하면 전단응력에 의해 내부 어느 면을 따라 활동이 일어나 파괴된다.

해설

일반적으로 흙의 전단강도는 점착력에 의한 것보다는 내부마찰각에 의한 것이 더 크다.

01 ③ 02 ④ 03 ④ 04 ④ 05 ③ [정답]

06 흙의 전단강도에 대한 다음 설명 중 옳지 않은 것은?

① 자연상태의 점토가 교란되면 전단강도가 감소한다.
② 외력이 가해지면 전단응력이 발생하고 어느 면에 전단응력이 전단강도를 초과하면 그 면에 따라 활동이 일어나서 파괴된다.
③ 조밀한 모래는 전단 중에 팽창하고 느슨한 모래는 수축한다.
④ 사질토는 점착력이 크고 점성토는 점착력이 작은 것이 보통이다.

해설

1. 사질토 : $c=0,\ \phi\neq0$
2. 점성토 : $c\neq0,\ \phi=0$

07 흙의 전단강도에 대한 설명으로 틀린 것은?

① 조밀한 모래는 전단변형이 작을 때 전단파괴에 이른다.
② 조밀한 모래는 (+)Dilatancy, 느슨한 모래는 (−)Dilatancy가 발생한다.
③ 점착력과 내부마찰각은 파괴면에 작용하는 수직응력의 크기에 비례한다.
④ 전단응력이 전단강도를 넘으면 흙의 내부에 파괴가 일어난다.

해설

1. 점착력은 수직응력의 크기에는 관계가 없으며 주어진 흙에 대해서 일정한 값을 갖는다.
2. 내부마찰각은 수직응력과 $\tau=\bar{\sigma}\tan\phi$ 관계가 있으며 흙의 특성과 상태가 정해지면 일정한 값을 갖는다.

08 흙의 전단강도에 대한 다른 설명 중 옳지 않은 것은?

① 전단강도는 토립자 사이에 작용하는 점착력과 내부마찰각으로 이루어진다.
② 전단강도는 토립자간에 작용하는 유효수직압력과는 무관하다.
③ 점성이 큰 흙의 전단강도는 대부분이 점착력에 의해 지배된다.
④ 조립토인 경우의 전단강도는 입자간의 마찰각에 의하여 좌우된다.

해설

전단강도

1. $\tau=c+\bar{\sigma}\tan\phi$
2. 점토($c\neq0,\ \phi=0$) 일 때 $\tau=c$ 이므로 점착력에 의해 지배된다.
3. 사질토($c=0,\ \phi\neq0$) 일 때 $\tau=\bar{\sigma}\tan\phi$ 이므로 내부마찰각에 의해 지배된다.

09 토질의 전단특성을 설명한 것 중 틀린 것은?

① 전단강도란 흙이 외부하중으로부터 전단파괴되지 않으려는 최대저항력을 말한다.
② 전단강도는 토질의 점착력과 내부마찰각으로 나타낸다.
③ 토질의 전단응력과 전단변형의 관계를 나타낸 것이 전단계수이다.
④ 최대전단응력은 전응력으로 해석하는 경우가 유효응력으로 해석하는 경우보다 적다.

해설

1. 전단강도는 증대할 수 없는 전단저항의 최대치이다.
2. 전단변형계수(G) : $G=\dfrac{\tau(\text{전단응력})}{\gamma(\text{전단변형률})}$
3. 정규압밀점토에서 최대전단응력은 전응력으로 해석하는 경우가 유효응력으로 해석하는 경우보다 크다.

06 ④ 07 ③ 08 ② 09 ④ [정답]

10 다음 설명 중 틀린 것은?

① Mohr원이 파괴포락선 아래에 존재한다면 그 흙은 불안정하다.
② Mohr원이 파괴포락선에 접하는 경우 그 흙은 파괴에 도달했음을 의미한다.
③ Mohr원과 파괴포락선이 교차하게 되는 응력상태는 존재하지 않는다.
④ 포화점토의 비배수 전단강도는 Mohr원의 반지름과 같다.

해설

1. Mohr원이 파괴포락선 아래에 있을 때 : 흙이 파괴되기 이전의 상태이다.
2. Mohr원이 파괴포락선에 접할 때 : 흙이 파괴에 도달한 상태이다.
3. Mohr원이 파괴포락선 위에 있을 때 : 흙이 파괴된 이후의 상태이나 이런 응력상태는 존재하지 않는다.

11 다음 그림에서 소성평형상태의 Mohr의 응력원은 어느 것인가?

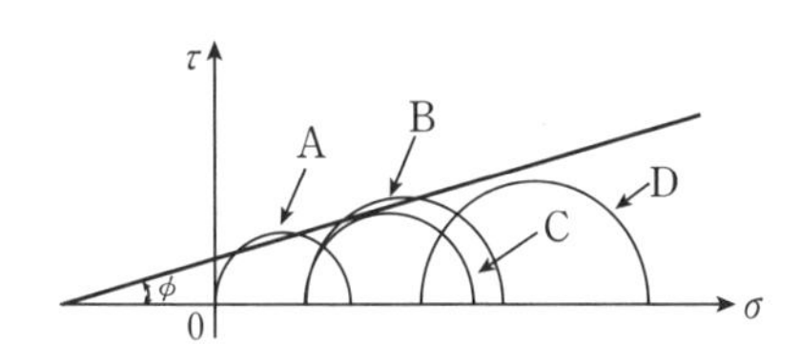

① A　　② B
③ C　　④ D

해설

σ_3을 일정하게 하고 σ_1을 점점 크게 하면서 Mohr 응력원(그림 B, C)을 그린다. 파괴포락선과 접하는 Mohr 응력원 그림 C는 흙덩이 내의 모든 점이 파괴되는 상태를 말하는 소성평형 상태를 나타내고 Mohr 응력원 그림 B는 파괴가 일어난 이후의 흙의 상태를 나타내는데 현실적으로는 불가능하다.

12 다음은 흙의 전단시험을 기술한 것이다. 이 중에서 전단과 직접 관계가 없는 시험방법은?

① 압밀시험법　　② 삼축압축시험법
③ 직접전단시험법　　④ 일축압축시험법

13 다음 중 흙에 관한 전단시험의 종류가 아닌 것은?

① CBR시험　　② 삼축압축시험
② 일축압축시험　　④ vane전단시험

해설

전단시험의 종류

실내시험	현장시험
① 직접전단시험	① 베인전단시험
② 일축압축시험	② 원추관입시험
③ 삼축압축시험	③ 표준관입시험(SPT)

14 연약한 점토나 예민한 점토지반의 전단강도를 구하는 현장시험 방법은?

① 현장 CBR시험　　② static cone test
③ 직접전단시험　　④ 현장재하시험

해설

전단시험의 종류(현장시험)

1. 베인전단시험(vane shear test)
2. 표준관입시험(SPT)
3. 화란식 원추관입시험(dutch cone penetration test)
   ① 장치형식 : 2중관
   ② 적용 토질 : 큰 자갈이 없는 보통 흙에 가능하다.
4. 정적관입시험(static cone test)
   ① 장치 형식 : 단관
   ② 적용 토질 : 보통 연약점토 지반에 간단히 쓰인다.
   ③ $c = \frac{q_c}{10} = \frac{N}{16}(\text{kg/cm}^2)$

15 점성토의 강도와 압축성을 추정하는 자료로 쓰기 위한 시험은?

① 자연함수비시험　　② 다짐시험
③ 일축압축강도시험　　④ 비중시험

10 ①　11 ③　12 ①　13 ①　14 ②　15 ③ [정답]

16 다음 중 흙의 강도정수 c를 구하는 일반적인 시험 방법이 아닌 것은?

① 직접전단시험 ② 삼축압축시험
③ 베인(vane)시험 ④ 평판재하시험

해설

평판재하시험(PBT) : 현장에서 재하판을 사용하여 하중을 가하여 하중과 변위와의 관계에서 기초지반의 지내력 및 노상, 노반의 지반반력계수를 구하기 위해 행하는 시험이다.

17 다음 중 흙의 지지력과 관계 없는 시험은?

① 평판재하시험 ② CBR시험
③ 표준관입시험 ④ 변수위 투수시험

해설

투수계수 측정시험법

1. 정수위 투수시험
2. 변수위 투수시험
3. 압밀시험

18 교란된 시료로 실내 토질시험을 하면 시험 결과가 불교란시료에 대한 시험에 비해 현저한 차이를 가져온다. 차이가 나지 않는 것은?

① 전단강도 ② 압밀곡선
③ 흙의 구조 ④ 액성한계

해설

액성한계 시험은 0.425mm(No.40)체를 통과한 교란된 시료를 사용하기 때문에 액성한계 시험에서 교란된 시료를 사용하든지 불교란 시료를 사용하든지 시험결과에 차이가 나지 않는다.

19 다음 시험 중 흐트러진 시료로서 하는 시험은?

① 전단강도시험 ② 압밀시험
③ 투수시험 ④ 에터버그한계시험

해설

액성한계, 소성한계, 수축한계 시험은 0.425mm(No.40)체를 통과한 흐트러진 시료로 시험을 한다.

20 다음 흙의 전단강도에 관한 설명 중 옳지 않은 것은?

① 최대주응력면과 최소주응력면은 직교한다.
② 주응력면에서 전단응력은 0이다.
③ 최소주응력면은 전단응력축(2축)과 직교한다.
④ 최대주응력과 최소주응력의 차를 deviator stress라고 한다.

해설

1. 주응력(principal stress) : 주응력면에 작용하는 법선응력을 주응력이라 하며 주응력 중에서 최대인 것을 최대주응력(σ_1), 최소인 것을 최소주응력(σ_3)이라고 한다.
2. 주응력면(principal planes) : 주응력이 작용하는 면으로서 전단응력(tangential stress)이 0인 면을 주응력면이라 하며 최대주응력면과 최소주응력면은 직교한다.
3. $\sigma_1 - \sigma_3$를 축차응력(deviator stress)이라 한다.

21 다음 설명 중 옳지 않은 것은?

① 최대주응력면이라 함은 발생하는 전단응력이 최대가 되는 면을 말한다.
② 최대주응력면과 최소주응력면은 항상 직교한다.
③ 주응력은 주응력면에 항상 수직으로 작용한다.
④ Mohr원은 임의 평면의 응력상태를 알아내는데 유용하게 쓰인다.

해설

1. 수직응력만 작용하고 전단응력이 0인 면을 주응력면이라 한다. 이 주응력면은 두 단면이 존재하는데 최대주응력(σ_1)이 작용하는 면을 최대주응력면이라 하고, 최소주응력(σ_3)이 작용하는 면을 최소주응력면이라 한다.
2. 최대주응력면과 최소주응력면은 직교한다.
3. 주응력이란 주응력면 위에 작용하는 법선응력을 말한다. 따라서 주응력은 주응력면과 수직으로 작용한다.

16 ④ 17 ④ 18 ④ 19 ④ 20 ③ 21 ① [정답]

22 흙의 전단에 대한 설명으로 옳지 않은 것은?

2011. 국가직 7급

① 비압밀비배수(UU) 삼축압축시험의 경우, 파괴 시 축차응력의 크기는 구속응력의 크기와 무관하게 일정하다.
② 흙의 전단파괴는 전단응력이 최대인 면을 따라 발생한다.
③ 균등계수(C_u)가 작을수록 모래질 흙의 전단강도는 작아진다.
④ 시공 중 혹은 직후의 기초지반에 대한 단기 안정성을 평가하기 위해서는 비배수전단시험을 수행한다.

해설

전단파괴면은 최대주응력면과 $45° + \frac{\phi}{2}$의 각도를 이룬다.

23 일축압축시험에서 파괴면이 수평면과 이루는 각도가 60°였다. 이 흙의 내부마찰각은?

① 15° ② 20°
③ 30° ④ 45°

해설

$\theta = 45° + \frac{\phi}{2}$, $60° = 45° + \frac{\phi}{2}$

$\therefore \phi = 30°$

24 내부마찰각이 26°인 어떤 흙을 삼축압축시험을 했을 때 최소주응력면과 파괴면이 이루는 각은?

① 32° ② 19°
③ 16° ④ 8°

해설

$\theta = 45° - \frac{\phi}{2} = 45° - \frac{26°}{2} = 32°$

25 흙 중의 한 점에서 최대 및 최소주응력이 각각 1kg/cm² 및 0.6kg/cm²일 때, 이 점을 지나 최소주응력면과 60°를 이루는 면상의 전단응력은?

① 0.10kg/cm² ② 0.17kg/cm²
③ 0.40kg/cm² ④ 0.69kg/cm²

해설

1. $\theta + \theta' = 90°$, $\theta + 60° = 90°$ $\therefore \theta = 30°$
2. $\tau = \frac{\sigma_1 - \sigma_3}{2}\sin 2\theta = \frac{1-0.6}{2} \times \sin(2\times 30°)$
$= 0.17\text{kg/cm}^2$

26 흙 중의 한 점에서 최대 및 최소주응력이 각각 1kg/cm² 및 0.6kg/cm²일 때, 이 점을 지나 최소주응력면과 75°를 이루는 면상의 전단응력은?

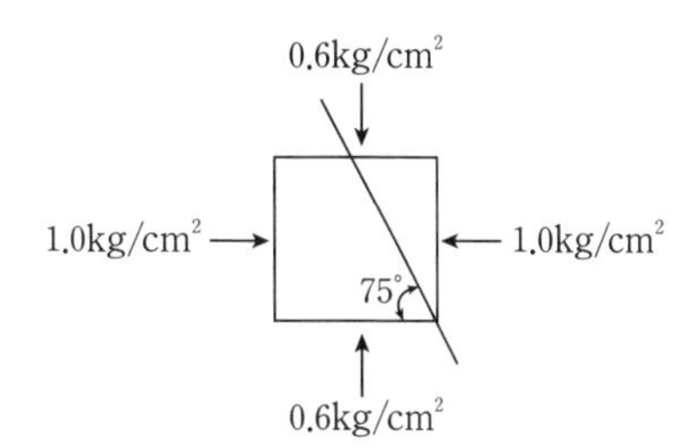

① 0.1kg/cm²
② 0.2kg/cm²
③ 0.3kg/cm²
④ 0.4kg/cm²

해설

$\tau = \frac{\sigma_1 - \sigma_3}{2}\sin 2\theta$
$= \frac{1-0.6}{2} \times \sin(2\times 15°)$
$= 0.1\text{kg/cm}^2$

22 ② 23 ③ 24 ① 25 ② 26 ① [정답]

제8장

27 한 요소에 작용하는 응력의 상태가 그림과 같을 때 m – m면에 작용하는 수직응력은?

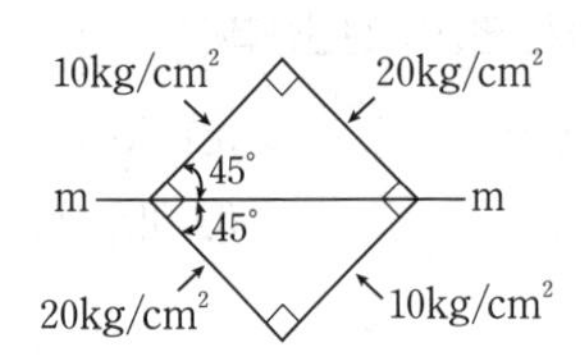

① $15kg/cm^2$

② $\frac{5}{2}\sqrt{2}kg/cm^2$

③ $10kg/cm^2$

④ $\frac{5}{2}\sqrt{3}kg/cm^2$

해설

$\sigma = \frac{\sigma_1+\sigma_3}{2} + \frac{\sigma_1-\sigma_3}{2}\cos 2\theta$

$= \frac{20+10}{2} + \frac{20-10}{2}\cos(2\times45°)$

$= 15kg/cm^2$

28 아래 그림은 일축압축시험 결과를 나타낸 Mohr원이다. 그림에서 평면기점(origin of plane : O_p은 다음 중 어느 것인가?

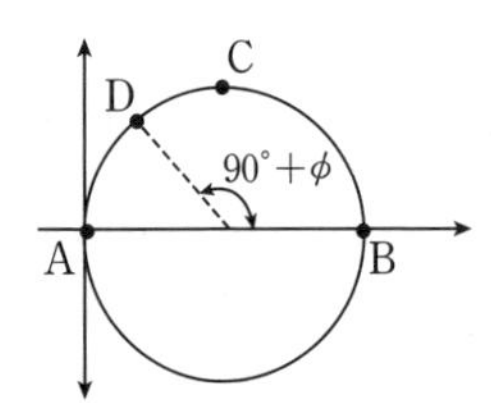

① A　　② B

③ C　　④ D

해설

1. ab면상에 작용하는 응력을 Mohr원에 표시한다(B점)
2. B점에서 ab면과 평행하게 선을 그려 Mohr원과 만나는 평면기점 A를 얻는다.

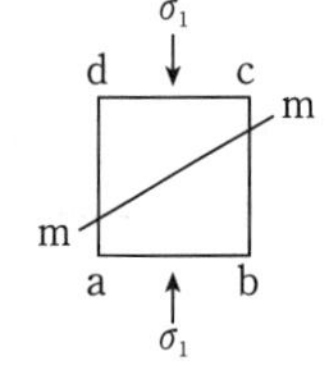

29 다음은 Mohr원에 관한 사항이다. 틀린 것은?

① σ_1과 σ_3의 차의 벡터를 반지름으로 해서 그린 원이다.

② 평면기점(O_p)은 최소주응력을 나타내는 원호상에서 최소주응력면과 평행선이 만나는 점을 말한다.

③ σ_2를 무시한 2차원 해석이다.

④ 임의 평면의 응력상태를 알아내는 데 유용하다.

해설

1. Mohr원은 $\frac{\sigma_1-\sigma_3}{2}$를 반지름으로 해서 그린 원이다.
2. Mohr원은 σ_2를 무시한 2차원 해석이다.

30 어떤 지반 내 요소 P에 작용하는 2차원상의 응력상태가 다음 그림과 같을 때, AB면에 작용하는 수직응력(t/m²)과 전단응력(t/m²)은? 2009. 지방직 7급

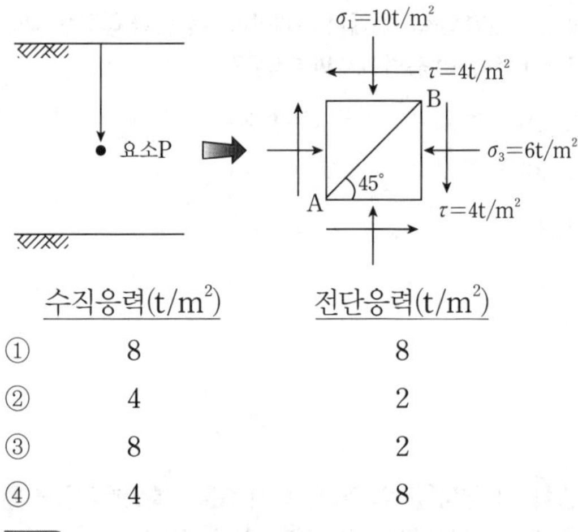

	수직응력(t/m²)	전단응력(t/m²)
①	8	8
②	4	2
③	8	2
④	4	8

해설

1. $\sigma = \frac{\sigma_1+\sigma_3}{2} + \frac{\sigma_1-\sigma_3}{2}\cos 2\theta + \tau\sin 2\theta$

$= \frac{10+6}{2} + \frac{10-6}{2}\cos(2\times45°) - 4\times\sin(2\times45°) = 4t/m^2$

2. $\tau = \frac{\sigma_1-\sigma_3}{2}\sin 2\theta - \tau\cos 2\theta$

$= \frac{10-6}{2}\sin(2\times45°) + 4\times\cos(2\times45°) = 2t/m^2$

27 ① 28 ① 29 ① 30 ② [정답]

31 다음 그림은 최대주응력 σ_1, 최소주응력 σ_3를 받고 있는 흙의 한 요소를 나타낸 것인데 흙의 요소 내에 각 α를 이루고 있는 단면상의 수직응력과 전단응력을 구하기 위해 Mohr원의 평면기점을 이용하고자 한다. 적당한 것은?

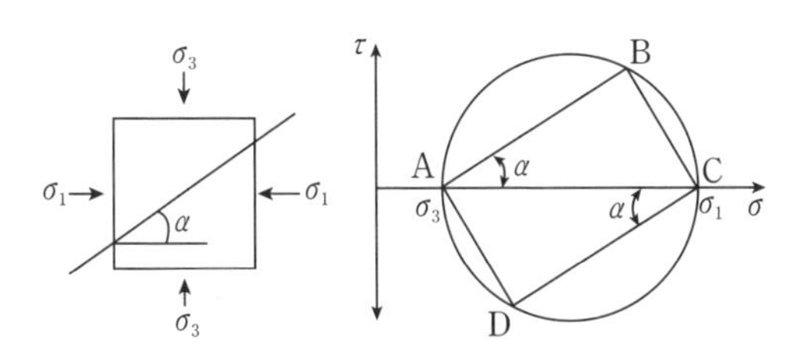

	평면기점	구하는 점의 좌표
①	A	B
②	B	C
③	C	D
④	D	A

해설

극점법에 의한 평면상의 응력

1. ab면상에 작용하는 응력을 Mohr원에 표시한다(A점).
2. 시점에서 ab면과 평행하게 선을 그려 Mohr원과 만나는 평면기점 C를 얻는다.
3. 점 C에서 mm과 평행하게 선을 그려 Mohr원과 만나는 점 D를 얻는다. 이 D점의 좌표가 mm면에 작용하는 응력(σ, τ)을 나타낸다.

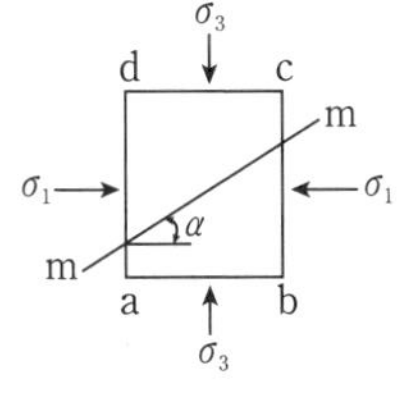

32 왼쪽 그림의 D-D면에 작용하는 수직응력과 전단응력을 구하기 위해 오른쪽 그림과 같이 Mohr원을 작도하였다. 오른쪽 그림에서 평면기점(O_p)을 표시하면 어디인가?

2016. 서울시 7급

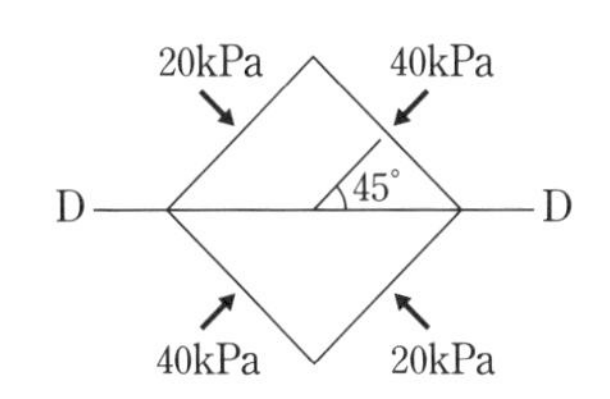

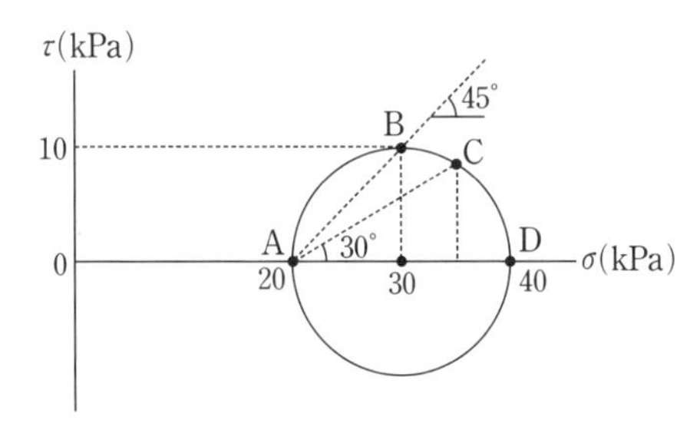

① A　② B
③ C　④ D

33 그림과 같은 일축압축시험의 Mohr 응력원에서 파괴면과 최대주응력면이 이루는 각도는 다음 중 어느 것인가?

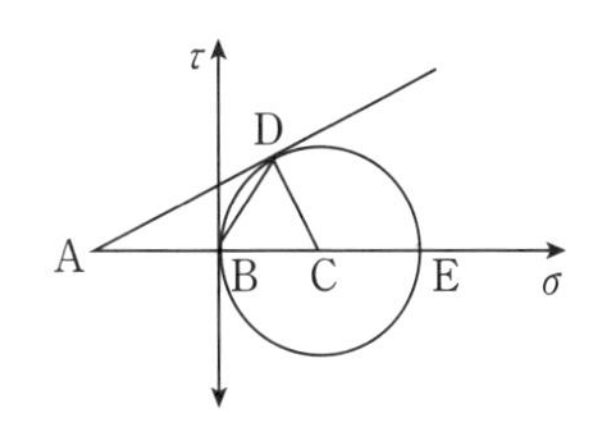

① A　② B
③ C　④ D

해설

1. BD : 파괴면
2. BE : 주응력면
3. 파괴면과 주응력면이 이루는 각 θ는 $\angle$DBC이다.

31 ③ 32 ② 33 ② [정답]

제8장

34 어떤 흙의 유효응력으로 나타낸 강도정수가 $c'=3.0\text{t/m}^2$, $\phi'=45°$이다. 이 흙으로 구성된 지반 내 한 요소의 수평면에 작용하는 전연직응력이 10.0t/m^2이고 간극수압이 3.0t/m^2일 때, 그 면에서 발휘될 수 있는 최대 전단저항력(t/m^2)은?

2009. 국가직 7급

① 2.0 ② 5.0
③ 7.0 ④ 10.0

해설

$\tau = c + (\sigma - u)\tan\phi$
$= 3 + (10-3)\tan 45° = 10\text{t/m}^2$

35 직접전단시험을 한 결과 수직응력이 12kg/cm^2일 때 전단저항이 5kg/cm^2이었고, 또 수직응력이 24kg/cm^2일 때 전단저항이 7kg/cm^2이었다. 수직응력이 30kg/cm^2일 때의 전단저항으로 옳은 것은?

① 6kg/cm^2 ② 8kg/cm^2
③ 10kg/cm^2 ④ 12kg/cm^2

해설

1. $\tau = c + \bar{\sigma}\tan\phi$
   $5 = c + 12\tan\phi$ ………………… ①
   $7 = c + 24\tan\phi$ ………………… ②
   ①, ② 식을 풀면 $c = 3\text{kg/cm}^2$, $\tan\phi = \dfrac{1}{6}$
2. $\tau = 3 + 30 \times \dfrac{1}{6} = 8\text{kg/cm}^2$

36 건조한 모래에 대해서 직접전단시험을 행하여 수직응력 4.5kg/cm^2일 때 3.0kg/cm^2의 전단저항을 얻었다. 수직응력 6.0kg/cm^2일 때의 전단저항을 구한 값은 얼마인가?

① 2kg/cm^2 ② 3kg/cm^2
③ 4kg/cm^2 ④ 4.5kg/cm^2

해설

1. $\tau = c + \bar{\sigma}\tan\phi$
   $3 = 0 + 4.5\tan\phi$ $\therefore \tan\phi = \dfrac{3}{4.5} = \dfrac{1}{1.5}$
2. $\tau = c + \bar{\sigma}\tan\phi$
   $= 0 + 6 \times \dfrac{1}{1.5} = 4\text{kg/cm}^2$

37 어느 모래에 대하여 직접전단시험을 한 결과 5.0kg/cm^2의 수직하중강도에서 전단저항력이 3.5kg/cm^2이었다. 수직하중강도가 10kg/cm^2인 경우의 전단저항력을 구한 값은?

① 4.5kg/cm^2 ② 5.5kg/cm^2
③ 6.0kg/cm^2 ④ 7.0kg/cm^2

해설

1. $\tau = c + \bar{\sigma}\tan\phi$
   $3.5 = 0 + 5\tan\phi$
   $\therefore \tan\phi = \dfrac{3.5}{5} = 0.7$
2. $\tau = 0 + 10 \times 0.7 = 7\text{kg/cm}^2$

38 흙에 대한 직접전단시험 결과가 그림과 같을 때 점착력과 내부마찰각은? (단, $\tan 25° = 0.47$, $\tan 27° = 0.5$로 가정한다)

2016. 국가직 7급

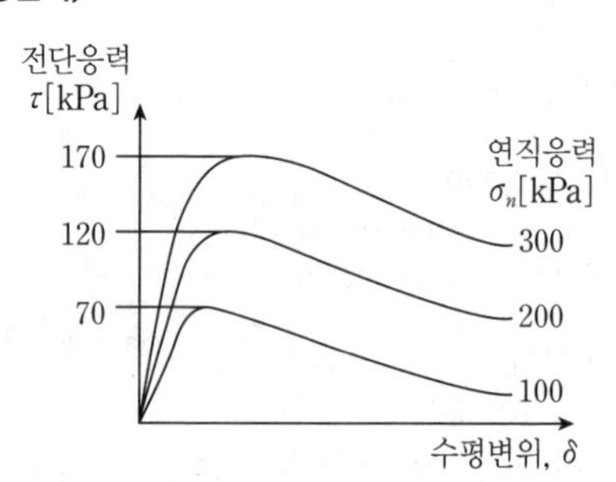

	점착력[kPa]	내부마찰각
①	20	25°
②	100	25°
③	20	27°
④	100	27°

해설

$\tau = c + \bar{\sigma}\tan\phi$에서
$120 = c + 200\tan\phi$ ………………… ①
$70 = c + 100\tan\phi$ ………………… ②
①, ②식을 풀면 $c = 20\text{kPa}$, $\phi = 27°$

34 ④ 35 ② 36 ③ 37 ④ 38 ③ [정답]

39 내부마찰각 $\phi=30°$, 점착력 $c=0$인 그림과 같은 모래지반이 있다. 지표에서 6m 아래 지반의 전단강도는? (단, tan30° = 0.580이다)

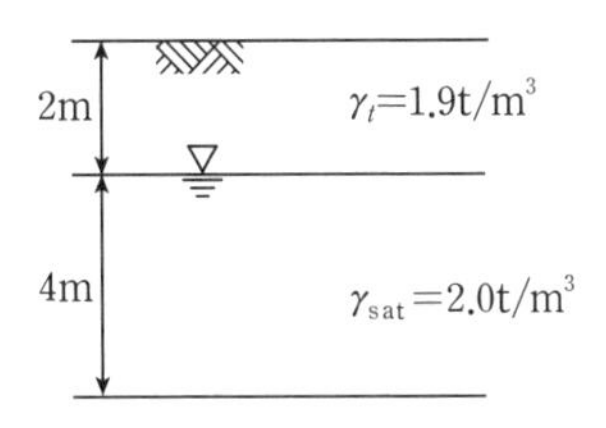

① 9.8t/m² ② 7.8t/m²
③ 6.5t/m² ④ 4.5t/m²

해설

1. $\sigma=1.9\times2+2\times4=11.8\text{t/m}^2$
   $u=1\times4=4\text{t/m}^2$
   $\bar{\sigma}=\sigma-u=11.8-4=7.8\text{t/m}^2$
2. $\tau=c+\bar{\sigma}\tan\phi=0+7.8\tan30°=4.5\text{t/m}^2$

40 그림과 같이 A점에서 설치한 피에조미터(piezometer) 내의 수위가 지표면보다 0.8m 위에 위치할 때 A점에서 흙의 전단강도(t/m²)는? 2010. 지방직 7급

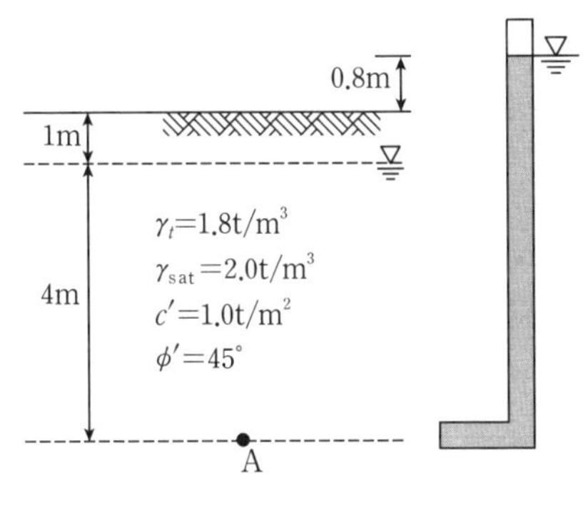

① 3.0 ② 4.0
③ 5.0 ④ 6.0

해설

1. $\sigma=1.8\times1+2\times4=9.8\text{t/m}^2$
   $u=1\times(5+0.8)=5.8\text{t/m}^2$
   $\bar{\sigma}=9.8-5.8=4\text{t/m}^2$
2. $\tau=c+\bar{\sigma}\tan\phi$
   $=1+4\times\tan45°=5\text{t/m}^2$

41 진행성 파괴(progressive failure)에 관한 것 중 틀린 것은?

① 첨두강도(peak strength)와 잔류강도(residual strength)의 차이가 클 때 일어난다.
② 안정해석을 위해서는 잔류강도정수(residual strength parameter)를 써야한다.
③ 과압밀점토에 잘 일어난다.
④ 축조 직후에 보통 일어난다.

해설

직접전단시험에서 전단면이 파괴될 때는 첨두강도에서 파괴되는 것이 이상적이다(그림 (b)). 그러나 굳은 점토(과압밀 점토)에서는 전단 초기에 첨두강도에 도달하지만 변형됨에 따라 강도가 작아져 잔류강도에 도달될 때 파괴가 일어난다. 이러한 파괴를 진행성 파괴(그림 (c))라 한다. 진행성 파괴가 일어날 때는 비교적 작은 전단응력에서 파괴가 일어난다.

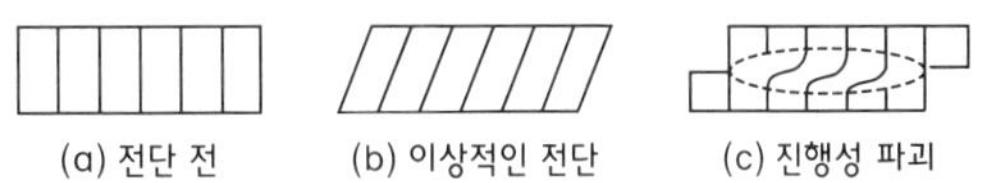

(a) 전단 전 (b) 이상적인 전단 (c) 진행성 파괴

42 직접전단시험과 관련된 내용으로 옳지 않은 것은? 2008. 국가직 7급

① 진행성 파괴가 일어난다.
② 배수조절과 간극수압 측정이 어렵다.
③ 전단응력이 파괴면에 균등하게 분포한다.
④ 전단시에 주응력방향이 회전한다.

해설

직접전단시험

1. 응력집중이 발생하여 응력이 전단면에 골고루 분포되지 않는다.
2. 전단면의 중앙보다 모서리 부분에 응력이 집중되어 진행성 파괴가 일어난다.

39 ④ 40 ③ 41 ④ 42 ③ [정답]

제8장

43 흙의 실내 전단시험에 대한 다음 설명 중 옳은 것을 모두 고르면? 2016. 서울시 7급

㉠ 압밀배수 삼축압축시험 결과는 전응력 경로와 유효응력 경로가 같다.
㉡ 포화점토의 경우 비압밀비배수 삼축압축시험을 실시하면 $\phi=0$의 결과를 얻는다.
㉢ 일축압축시험 결과를 Mohr원으로 나타내면 $\sigma_3=0$이다.
㉣ 직접전단시험은 배수조건 조절이 쉬워 점성토지반에 적합한 시험방법이다.
㉤ 베인전단시험은 사질토지반의 전단강도를 측정하는 데 적합하다.

① ㉠, ㉡, ㉢ ② ㉠, ㉡, ㉣
③ ㉠, ㉢, ㉤ ④ ㉢, ㉣, ㉤

해설

1. 직접전단시험은 배수조절이 곤란하여 사질토지반에 적합한 시험방법이다.
2. 베인전단시험은 연약한 점토지반의 전단강도(c)를 추정하는데 적합하다.

44 다음은 흙의 강도에 관한 설명이다. 다음 중 옳지 않은 것은?

① 모래는 점토보다 내부마찰각이 크다.
② 일축압축시험 방법은 모래에 적합한 방법이다.
③ 연약점토지반의 현장시험에는 vane 전단시험이 많이 이용된다.
④ 예민비란 교란되지 않은 공시체의 일축압축강도와 다시 반죽한 공시체의 일축압축강도의 비를 말한다.

해설

일축압축시험은 ϕ가 작은 점성토에서만 시험이 가능하다.

45 다음 Mohr의 응력원 중 일축압축시험일 때 옳은 그림은? (단, σ_1 : 최대주응력, σ_3 : 최소주응력)

①
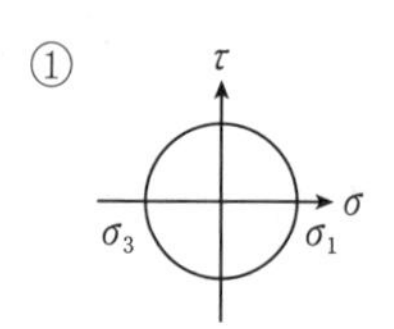

②
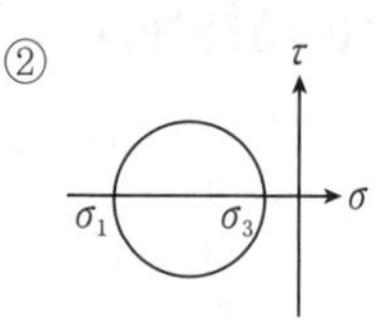

③
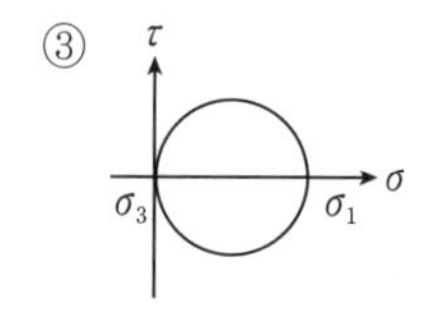

④
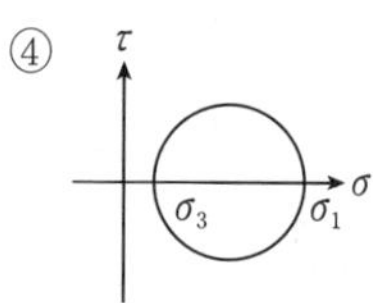

해설

일축압축시험은 $\sigma_3=0$인 상태의 삼축압축시험과 같다.

46 일축압축강도시험에 관한 설명 중 옳지 않은 것은?

① Mohr원이 하나밖에 그려지지 않는다.
② 시료 자체가 서 있어야 하므로 점성토에 대해서만 시험이 가능하다.
③ 배수조건에서의 시험결과밖에 얻지 못한다.
④ 예민비가 큰 흙을 quick clay라고 한다.

해설

1. 일축압축시험은 ϕ가 작은 점성토에서만 시험이 가능하며 비압밀비배수(UU)에서 $\sigma_3=0$인 상태의 삼축압축시험과 같다.
2. 예민비 : $S_t=\dfrac{q_u}{q_{ur}}$

예민비의 분류

Rosenqvist(1953)
≒1.0 : 비예민성 점토(강점토)
1~8 : 예민성 점토
8~64 : 퀵점토
>64 : 엑스트라 퀵점토

43 ① 44 ② 45 ③ 46 ③ [정답]

47 **포화 점토시료(ϕ = 0)의 일축압축시험에 대한 설명으로 옳지 않은 것은?** 2016. 국가직 7급

① 최대 주응력 면과 파괴면이 이루는 각도는 45°이다.

② 최대 주응력의 크기는 일축압축강도의 $\frac{1}{2}$이다.

③ Mohr 응력원을 작도하였을 때, Mohr 응력원의 반경은 점착력의 크기와 같다.

④ 일축압축시험은 구속압력(σ_3)이 0인 비압밀 비배수(UU) 시험결과와 동일하다.

해설

$q_u = 2c \quad \therefore c = \frac{q_u}{2}$

$\sigma_1 = 2c = q_u$

48 **내부마찰각 ϕ = 0인 점토로 일축압축시험을 시행하였다. 다음 설명 중 옳지 않은 것은?**

① 전단강도의 크기는 일축압축강도의 1/2이다.

② 전단강도의 크기는 점착력 크기의 1/2이다.

③ 파괴면이 주응력면과 이루는 각은 45°이다.

④ Mohr의 응력원을 그리면 그 반지름이 점착력의 크기와 같다.

해설

ϕ = 0일 때

1. $\tau = c + \bar{\sigma}\tan\phi = c$

   $q_u = 2c\tan\left(45° + \frac{\phi}{2}\right) = 2c$ 이므로

   $\therefore \tau = c = \frac{q_u}{2}$

2. 최대주응력면과 파괴면이 이루는 각

   $\theta = 45° + \frac{\phi}{2} = 45° + \frac{0}{2} = 45°$

3. Mohr 응력원의 반지름이 점착력의 크기와 같다.

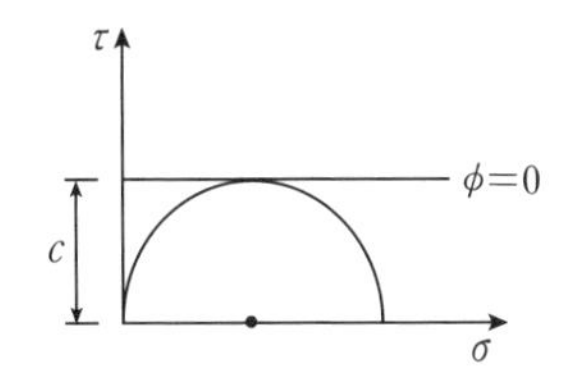

49 **다음은 일축압축시험에 대한 설명이다. 잘못된 것은?**

① 흙의 내부마찰각이 0일 때 점착력은 일축압축강도의 $\frac{1}{2}$이다.

② 일반적으로 최대주응력면과 파괴면과의 경사각은 45°보다 작다.

③ 일축압축시험은 사질토보다 점성토에서 많이 사용된다.

④ 흙의 내부마찰각이 0일 때 최대주응력면과 파괴면의 경사각은 이론적으로 45°이어야 한다.

해설

1. $q_u = 2c\tan\left(45° + \frac{\phi}{2}\right)$ 에서 $\phi = 0$ 이면 $q_u = 2c$ 이므로 $c = \frac{q_u}{2}$
2. 최대주응력면과 파괴면이 이루는 각 $\theta = 45° + \frac{\phi}{2}$ 이므로 θ는 45°보다 크다.
3. 일축압축시험은 ϕ가 작은 점성토에 사용된다.
4. $\theta = 45° + \frac{\phi}{2}$ 에서 $\phi = 0$ 이면 $\theta = 45°$이다.

50 **일축압축강도시험 결과 점착력(c)을 구하는 식으로 맞는 것은? (단, σ_1은 압축강도, ϕ는 내부마찰각)**

① $c = \frac{\sigma_1(1+\sin\phi)}{\cos\phi}$ ② $c = \frac{\sigma_1(1-\sin\phi)}{2\cos\phi}$

③ $c = \frac{\sigma_1(1+\sin\phi)}{2\cos\phi}$ ④ $c = \frac{\sigma_1(1-\sin\phi)}{\cos\phi}$

해설

$c = \frac{\sigma_1(1-\sin\phi)}{2\cos\phi} = \frac{\sigma_1}{2\tan\left(45° + \frac{\phi}{2}\right)}$

47 ② 48 ② 49 ② 50 ② [정답]

제8장

51 다음 실험에 관한 설명 중 잘못된 것은?

① 시방서의 규정이 없을 때 일반적으로 사용하는 표준다짐실험 방법은 A이다.
② 흙의 물리적 성질 실험용 시료는 0.425mm (No.40)체 통과한 시료를 사용한다.
③ 유동곡선에서 타격횟수 25회에 해당하는 함수비를 액성한계라 한다.
④ 예민비를 결정하는 데 사용되는 실험은 다짐실험이다.

해설

예민비를 결정하는 데 사용되는 실험은 일축압축강도 실험이다.

52 점토의 강도에 관한 다음 설명 중 옳지 않은 것은?

① 내부마찰각이 0인 포화점토의 전단응력은 수직응력의 증가에 따라 거의 변하지 않는다.
② 다시 이긴 점토에 대한 일축압축시험 결과 응력－변형도 곡선이 peak를 이루지 않는 경우는 점토의 예민비를 결정할 수 없다.
③ 점토지반의 강도는 베인시험 등에 의하여 측정할 수 있다.
④ 과압밀점토의 전단강도는 정규압밀점토에 대한 것보다 약간 더 커진다.

해설

1. $\phi = 0$ 일 때 $\tau = c$ 이므로 전단강도는 수직응력과 무관하다.
2. 응력－변형곡선이 peak를 이루지 않는 다시 이긴 점토에서는 변형률 15%에 해당하는 응력을 일축압축강도(q_{ur})로 보며 q_{ur}을 이용하여 예민비를 구할 수 있다.

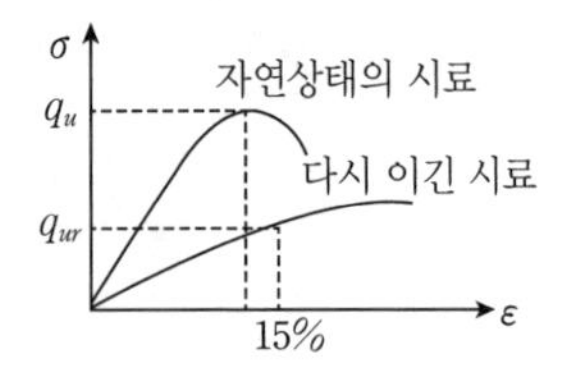

53 다음의 시험 중 최소주응력이 0인 상태에서 행해지는 시험은?

① 일축압축시험 ② 삼축압축시험
③ 직접전단시험 ④ 압밀시험

해설

최소주응력이 0인 상태에서 행해지는 시험은 일축압축시험이다.

54 단면적 7.2cm²의 점토시료 공시체를 2.4kg의 수직하중을 작용시킨 결과 변형도가 0.1이었다. 이때, 이 공시체의 수직응력은?

① 0.2kg/cm² ② 0.24kg/cm²
③ 0.3kg/cm² ④ 0.33kg/cm²

해설

1. $A_0 = \dfrac{A}{1-\varepsilon} = \dfrac{7.2}{1-0.1} = 8\text{cm}^2$
2. $\sigma = \dfrac{P}{A_0} = \dfrac{2.4}{8} = 0.3\text{kg/cm}^2$

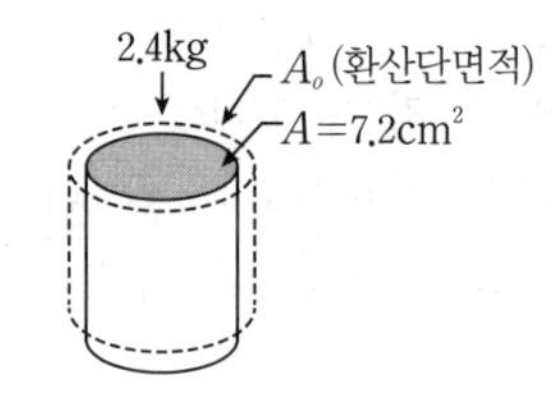

55 단면적 8cm²의 점토시료 공시체에 2.4kg의 수직하중을 작용시킨 결과 변형도가 0.2이었다. 이때 이 공시체의 수직응력은 얼마인가?

① 0.24kg/cm² ② 0.30kg/cm²
③ 0.53kg/cm² ④ 1.20kg/cm²

해설

1. $A_0 = \dfrac{A}{1-\varepsilon} = \dfrac{8}{1-0.2} = 10\text{cm}^2$
2. $\sigma = \dfrac{P}{A_0} = \dfrac{2.4}{10} = 0.24\text{kg/cm}^2$

51 ④ 52 ② 53 ① 54 ③ 55 ① [정답]

56 어떤 시료에 대한 일축압축시험의 결과 파괴 압축강도가 3kg/cm²일 때 수평면과 45°를 이루는 파괴면이 생겼다면 내부마찰각 ϕ와 점착력 c는?

① $\phi=0$, $c=1.5\text{kg/cm}^2$
② $\phi=0$, $c=3\text{kg/cm}^2$
③ $\phi=90°$, $c=1.5\text{kg/cm}^2$
④ $\phi=45°$, $c=0$

해설

1. $\theta=45°+\frac{\phi}{2}$ 에서 $45°=45°+\frac{\phi}{2}$
$\therefore \phi=0$
2. $q_u=2c\tan\left(45°+\frac{\phi}{2}\right)=2c$
$3=2c \quad \therefore c=1.5\text{kg/cm}^2$

57 어떤 흙에 대한 일축압축강도가 1.2kg/cm²이었고, 파괴면과 최대주응력면이 이루는 각을 측정하였더니 45°였다. 이 흙의 전단강도는?

① 0.25kg/cm^2 ② 0.6kg/cm^2
③ 3.5kg/cm^2 ④ 0.35kg/cm^2

해설

1. $\theta=45°+\frac{\phi}{2}=45°$ 이므로 $\phi=0$
2. $q_u=2c\tan\left(45°+\frac{\phi}{2}\right)=2c$
$1.2=2c \quad \therefore c=0.6\text{kg/cm}^2$
3. $\tau=c+\bar{\sigma}\tan\phi=c=0.6\text{kg/cm}^2$

58 점성토의 강도와 압축성을 추정하는 자료로 쓰기 위한 시험은?

① 자연함수비시험 ② 다짐시험
③ 일축압축강도시험 ④ 비중시험

해설

일축압축시험은 점성토의 일축압축강도와 예민비를 구하기 위해 행한다.

59 자연시료에 대한 일축압축시험 결과 $q_u=4.0\text{kN/m}^2$를 얻었다. 이 시료를 교란시킨 후 재성형된 공시체로 다시 일축압축시험을 실시하여 $q_u=1.5\text{kN/m}^2$를 얻었을 때, 이 시료의 예민비는? 2014. 국가직

① 0.375 ② 1.33
③ 2.15 ④ 2.67

해설

$S_t=\frac{q_u}{q_{ur}}=\frac{4}{1.5}=2.67$

60 교란되지 않은 연약 점토시료($\phi=0°$)에 대한 시험 결과, 일축압축강도 4.8kg/cm²를 얻었다. 같은 시료를 되비빔하여 시험한 결과 일축압축강도 2.4kg/cm²를 얻었다. 교란되지 않은 이 점토의 점착력(c) 및 예민비(S_t)를 계산한 값은?

① $c=1.2\text{kg/cm}^2$, $S_t=2.0$
② $c=2.4\text{kg/cm}^2$, $S_t=2.0$
③ $c=4.8\text{kg/cm}^2$, $S_t=1.5$
④ $c=7.2\text{kg/cm}^2$, $S_t=2.5$

해설

1. $S_t=\frac{q_u}{q_{ur}}=\frac{4.8}{2.4}=2$
2. $q_u=2c\tan\left(45°+\frac{\phi}{2}\right)=2c$
$4.8=2c$
$\therefore c=2.4\text{kg/cm}^2$

61 다음의 예민비에 관한 설명 중 틀린 것은?

① 예민비 $S_t=\frac{q_u}{q_{ur}}$는 Terzaghi가 제안한 방법이다.
② 예민비는 사질토 및 점성토에 모두 이용된다.
③ 예민비가 클수록 공학적 성질이 나쁘다.
④ 예민비는 보통 일축압축시험으로 구한다.

해설

1. 예민비는 점성토에 이용된다.
2. 예민비는 일축압축시험에 의해 구해진다.

56 ① 57 ② 58 ③ 59 ④ 60 ② 61 ② [정답]

제8장

62 토질시험에 관한 다음 설명 중 잘못된 것은?

① 원추관입시험의 결과는 cone지수로 나타낸다.
② 유동곡선에서 타격횟수 25회에 해당하는 함수비를 액성한계라 한다.
③ 예민비를 결정하는 데 사용되는 실험은 일축압축시험이다.
④ 예민비를 결정하는 데 사용되는 실험은 다짐시험이다.

63 예민비에 관한 설명 중 옳지 못한 것은?

① 예민비는 값이 높을수록 안전율을 크게 잡아야 한다.
② 예민비가 1보다 작으면 비예민점토라 한다.
③ 예민비는 구조물의 설계를 위한 안전율을 고려하는데 사용된다.
④ 예민비의 값이 낮을수록 안전율은 크게 잡아야 한다.

해설

1. 예민비가 클수록 공학적 성질이 나쁘기 때문에 안전율을 크게 한다.
2. $S_t \fallingdotseq 1.0$ 이면 비예민성 점토이다.

64 점토는 흐트러지면 같은 함수비에서 전단강도는 일반적으로 감소되는데, 이러한 성질은 이 점토의 (　)가 크면 클수록 심하다. (　)에 알맞은 말은 어느 것인가?

① 점성도　　② 예민비
③ 과압밀비　　④ 압밀도

65 어떤 점토지반의 표준관입시험치 N이 8이다. 이 점토의 일축압축강도 q_u는 얼마로 추정되는가?

① 0.5kg/cm^2　　② 1kg/cm^2
③ 1.5kg/cm^2　　④ 2kg/cm^2

해설

$q_u = \frac{N}{8} = \frac{8}{8} = 1\text{kg/cm}^2$

66 점성토의 예민비에 대한 설명 중 옳지 않은 것은?

① 예민비는 불교란시료와 교란시료와의 강도 차이를 알 수 있는 재성형 효과를 말한다.
② 예민비의 측정은 보통 일축압축시험으로 한다.
③ 예민비가 크다는 것은 점토가 교란의 영향을 크게 받지 않는 양호한 점토지반을 말한다.
④ Tschebotarioff는 예민비를 등변형 상태에 있어서의 강도비로 정의하였다.

해설

1. Terzaghi : $S_t = \frac{q_u}{q_{ur}}$
2. Tschebotarioff : $S_t = \frac{q_u}{q'_{ur}}$

여기서, q_{ur} : 재성형한 시료의 일축압축강도
q_{ur}' : q_u의 변형률에 대한 재성형한 시료의 일축압축강도

67 일축압축시험 결과 응력－변형률 곡선이 그림과 같이 되었을 때 이 점토의 변형계수 E_{50}의 값은 얼마인가?

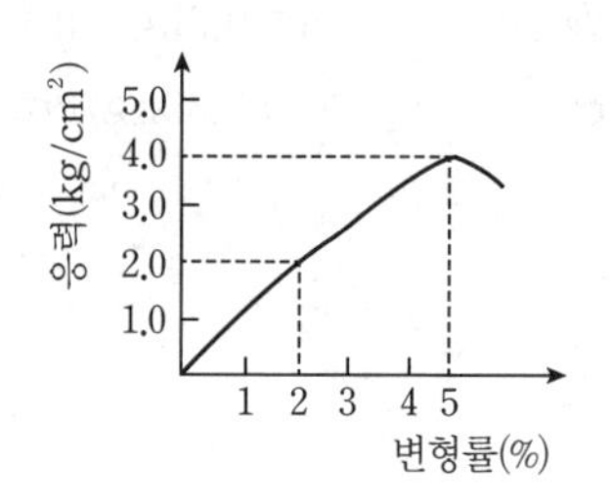

① 1.0kg/cm^2　　② 10kg/cm^2
③ 100kg/cm^2　　④ 200kg/cm^2

해설

$E_{50} = \frac{\frac{\sigma}{2}}{\varepsilon_{50}} = \frac{\frac{4}{2}}{0.02} = 100\text{kg/cm}^2$

62 ④ 63 ④ 64 ② 65 ② 66 ③ 67 ③ [정답]

68 다음의 시험법 중 측압을 받는 지반의 전단강도를 구하는 데 가장 좋은 시험법은?

① 일축압축시험　② 표준관입시험
③ 콘관입시험　④ 삼축압축시험

해설

삼축압축시험(triaxial shear test) : 최소한 3~4개의 공시체에 대하여 측압(σ_3)에 대한 파괴시의 최대주응력(σ_1)을 구한 후 축차응력을 지름으로 하는 Mohr 응력원을 작성하고 파괴포락선을 그려 전단강도정수(c, ϕ)를 구한다.

69 다음 중 현장조건과 가장 유사하게 할 수 있는 실내시험은 어느 것인가?

① vane 시험　② 일축압축시험
③ 직접전단시험　④ 삼축압축시험

해설

1. vane 시험은 연약한 점토지반의 전단강도를 현장에서 측정하는 시험으로 현장시험 중 가장 정확하다.
2. 삼축압축시험은 현장조건과 가장 유사하게 실험할 수 있고 가장 유용하게 쓰이고 있으며 실내시험법 중 신뢰성이 가장 높다.

70 그림과 같은 굴착현장에서 굴착면 하부지반 A의 거동을 평가하고자 한다. 이 때 현장상태를 가장 잘 반영할 수 있는 실내시험방법은? 2012. 국가직

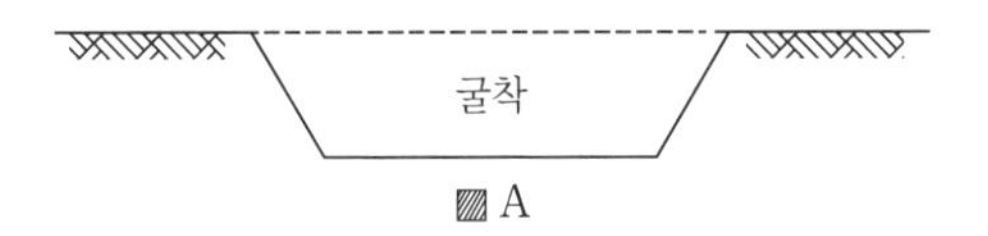

① 삼축압축시험(triaxial compression test)
② 삼축인장시험(triaxial extension test)
③ 직접전단시험(direct shear test)
④ 일축압축시험(unconfined compression test)

71 흙의 삼축압축시험에서 vertical compression test의 unloading을 설명한 것은?

① σ_1은 일정, σ_3 감소
② σ_1는 일정, σ_3 증가
③ σ_3은 일정, σ_1 증가
④ σ_3는 일정, σ_1 감소

72 흙의 전단시험에서 배수조건이 아닌 것은?

① 비압밀 비배수　② 압밀 비배수
③ 비압밀 배수　④ 압밀 배수

해설

삼축압축시험의 배수방법에 따른 분류

1. 비압밀 비배수 전단시험(UU-test)
2. 압밀 비배수 전단시험(CU-test)
3. 압밀 배수 전단시험(CD-test)

73 어떤 시료에 대해 액압 1.0kg/cm²를 가해 다음 표와 같은 결과를 얻었다. 파괴시의 축차응력은? (단, 피스톤의 지름과 시료의 지름은 같다고 보며 시료의 단면적 A_0 = 18cm², 길이 L = 12cm이다)

ΔL(1/100mm)	0	1000	1100	1200	1300	1400
P(kg)	0	54.0	58.0	60.0	59.0	58.0

① 3.0kg/cm²　② 2.5kg/cm²
③ 2.0kg/cm²　④ 1.5kg/cm²

해설

1. $A = \frac{A_0}{1-\varepsilon} = \frac{18}{1-\frac{1.2}{12}} = 20\text{cm}^2$
2. $\sigma_1 - \sigma_3 = \frac{P}{A} = \frac{60}{20} = 3\text{kg/cm}^2$

68 ④ 69 ④ 70 ② 71 ④ 72 ③ 73 ① [정답]

제8장

74 부피 $V=200cm^3$인 등방 균질한 점토시료에 대하여 삼축배수전단시험(CD)을 실시한 결과, 파괴시의 체적감소(ΔV)가 $5.0cm^3$, 축방향 변형률(ε_1)이 4.5%로 측정되었다면, 횡방향 변형률(ε_3[%])은? 2008. 국가직 7급

① 0.5(팽창) ② 1.0(팽창)
③ 1.5(팽창) ④ 2.0(팽창)

해설

1. $A_0 = A \cdot \dfrac{1-\dfrac{\Delta V}{V}}{1-\varepsilon}$

$\dfrac{A_0}{A} = \dfrac{1-\dfrac{\Delta V}{V}}{1-0.045} = \dfrac{1-\dfrac{5}{200}}{1-\varepsilon} = 1.02 \quad \therefore A_0 = 1.02A$

2. $d_0 = \sqrt{1.02}d = 1.01d$

75 다음은 정규압밀점토의 삼축압축시험 결과를 나타낸 것이다. 파괴시의 수직응력 σ를 구하면? (단, cos120° = −0.5이다)

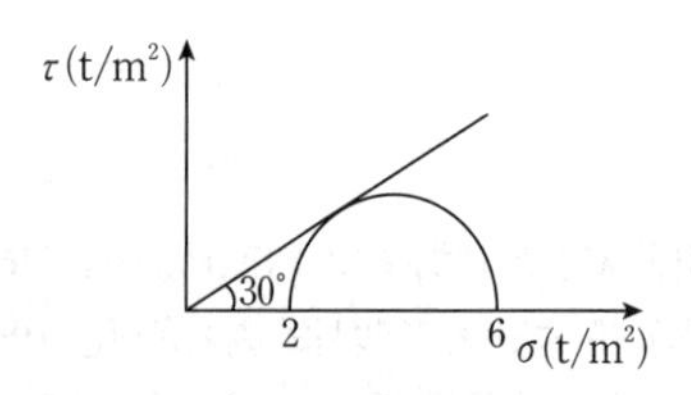

① $2.0t/m^2$ ② $3.0t/m^2$
③ $4.0t/m^2$ ④ $6.0t/m^2$

해설

Mohr원에서 $\sigma_3 = 2t/m^2$, $c=0$, $\phi=30°$이다.

1. $\theta = 45° + \dfrac{\phi}{2} = 45° + \dfrac{30°}{2} = 60°$

2. $\sigma = \dfrac{\sigma_1+\sigma_3}{2} + \dfrac{\sigma_1-\sigma_3}{2}\cos 2\theta$

$= \dfrac{6+2}{2} + \dfrac{6-2}{2}\cos(2\times 60°) = 3t/m^2$

76 포화된 흙으로 비압밀 비배수 시험(UU-test)을 행하였다. 다음 중 틀린 것은? (단, 비배수 시험 중 간극수압을 측정하였다)

① 이때 내부마찰각 ϕ는 흙의 종류에 관계없이 항상 0이다.
② 이때 전단강도는 Mohr 파괴원의 지름과 같다.
③ 유효응력에 대한 Mohr 파괴원은 단 하나만 얻어진다.
④ 전응력에 대한 Mohr 파괴원은 지름이 같게 된다.

해설

UU-test(S_r=100%인 경우)

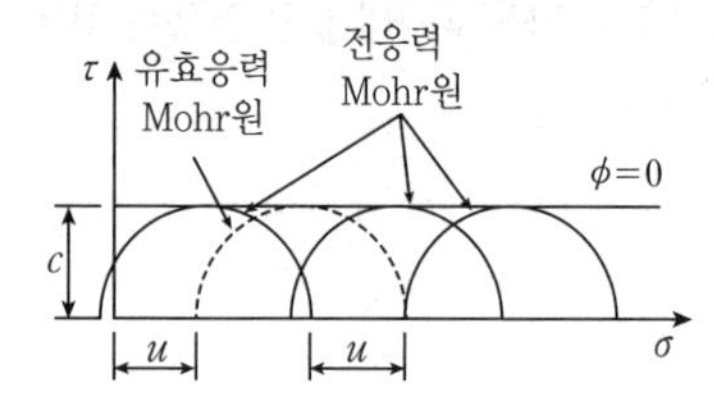

1. $\phi = 0$
2. $\tau = c = \dfrac{\sigma_1' - \sigma_3'}{2}$ = Mohr원의 반지름
3. 유효응력에 대한 Mohr원은 하나만 얻어진다.
4. 전응력에 대한 축차응력($\sigma_1 - \sigma_3$)이 일정하므로 Mohr원의 지름이 서로 같다.

77 다음 그림의 파괴포락선 중에서 완전포화된 점성토를 UU(비압밀비배수)시험을 했을 때 생기는 파괴포락선은 어느 것인가?

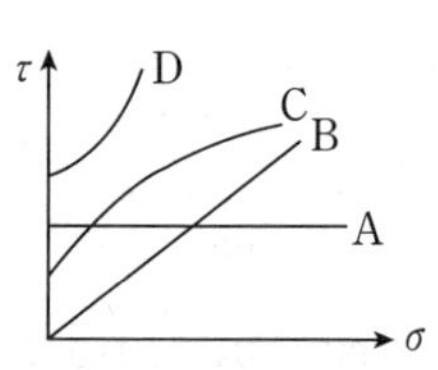

① A ② B
③ C ④ D

해설

UU-test(S_r=100%인 경우)

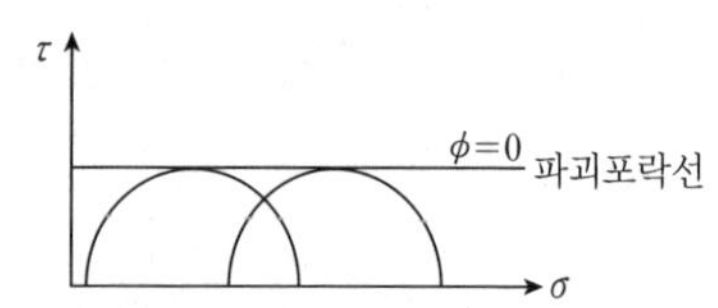

74 ② 75 ② 76 ② 77 ① [정답]

78 다음 설명 중 옳지 않은 것은? 2009. 국가직 7급

① 전단강도란 파괴가능면에서 전단에 저항할 수 있는 최대 저항력이다.

② $\overline{CU}$시험에서 얻어진 모어-쿨롱 파괴포락선은 모어원의 최대 전단응력점에 접한다.

③ 전단파괴면은 최대 주응력면과 $45° + \dfrac{\phi}{2}$의 각도를 이룬다.

④ 일반적으로 직접전단시험에서 얻어진 전단강도는 삼축압축시험에서 얻어진 값보다 크다.

해설

UU시험에서 파괴포락선이 모아원의 최대전단응력점에 접한다.

79 삼축압축시험시 배압(back pressure)을 가하게 된다. 배압에 관한 설명으로 옳지 않은 것은? 2007. 국가직 7급

① 지하수위 아래 흙의 시료채취시 기포가 형성되면서 포화도가 100%보다 작아지게 되는데 생성된 기포를 원상태로 용해시키기 위해서 사용된다.

② 배압은 시료의 포화도에 따라 정해지며 포화도가 낮으면 큰 배압이 필요하다.

③ 배압의 크기는 구속압력보다 35~70kPa 정도 크게 가해주는 것이 좋다.

④ 배압은 여러 단계로 나누어 천천히 충분한 시간을 두고 가해주어야 한다.

80 포화된 점토시료에 대해 비압밀 비배수 삼축압축시험을 실시하여 얻어진 비배수 전단강도는 180kg/cm²이었다(이 시험에서 가한 구속응력은 240kg/cm²이었다). 만약, 동일한 점토시료에 대해 또 한번의 비압밀 비배수 삼축압축시험을 실시할 경우(단, 이번 시험에서 가해질 구속응력의 크기는 400kg/cm²), 전단파괴시에 예상되는 축차응력의 크기는?

① 90kg/cm² ② 180kg/cm²

③ 360kg/cm² ④ 540kg/cm²

$\tau = c = \dfrac{\sigma_1 - \sigma_3}{2} = 180\text{kg/cm}^2$ 이므로 $(\sigma_1 - \sigma_3) = 360\text{kg/cm}^2$

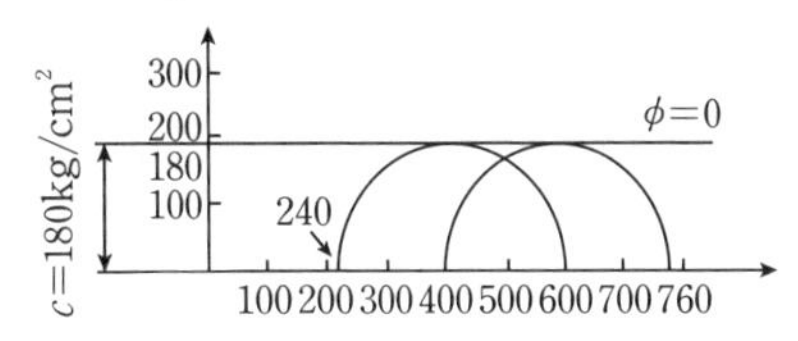

81 UU(Unconsolidated Undrained) 삼축압축시험 방법을 사용하여 포화된 점토시료를 전단파괴시켰다. 구속압은 300kPa이고 파괴시 축차응력은 340kPa이었다. 이때 비배수 전단강도(S_u[kPa])를 구하고, 하나 더 준비된 동일 시료를 사용하여 구속압을 400kPa로 증가시켜 파괴시켰을 때 축차응력($\Delta\sigma_d$[kPa])은? 2007. 국가직 7급

	전단강도(S_u[kPa])	축차응력($\Delta\sigma_d$[kPa])
①	150	340
②	170	570
③	170	340
④	150	570

해설

UU-test(S_r=100인 경우)

1. $\tau = c = \dfrac{\sigma_1 - \sigma_3}{2} = \dfrac{340}{2} = 170\text{kPa}$

2. $\sigma_1 - \sigma_3 = 340\text{kPa}$

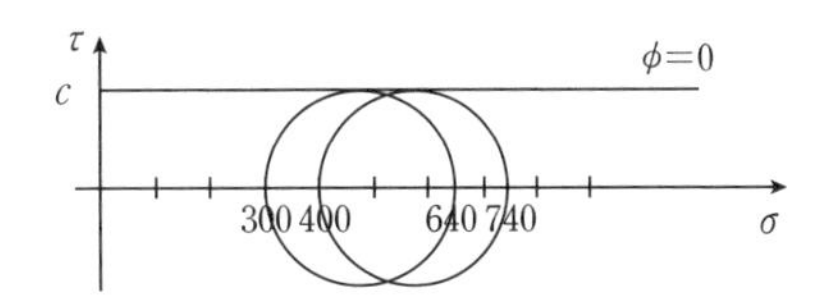

78 ② 79 ③ 80 ③ 81 ③ [정답]

82 포화된 모래에 대하여 비압밀 비배수 시험을 하였을 때의 결과에 대한 설명 중 옳은 것은? (단, ϕ : 마찰각, c : 점착력)

① ϕ와 c가 나타나지 않는다.
② ϕ는 '0'이 아니지만 c는 '0'이다.
③ ϕ와 c가 모두 '0'이 아니다.
④ ϕ는 '0'이고 c는 '0'이 아니다.

83 포화된 점토시료에 대하여 비압밀비배수상태(UU)의 삼축압축시험을 실시하였다. 시료를 셀 내부에 거치한 후 간극수압을 측정해 보니 0kN/m²이었고, 이후 축차응력을 가하기 전 구속압력을 20kN/m²까지 적용하였다. 이때의 간극수압[kN/m²]은? 2014. 국가직

① 0 ② 10
③ −20 ④ 20

해설

UU-test(S_r=100%)에서 시료에 압력을 가한 양만큼 간극수압이 발생한다.

84 포화점토를 가지고 비압밀 비배수(UU) 삼축압축시험을 한 결과 액압 1.0kg/cm²에서 피스톤에 의한 축차압력 1.5kg/cm²에서 파괴되었고 이때의 공극수압이 0.5kg/cm²만큼 발생되었다. 액압을 2.0kg/cm²로 올린다면 피스톤에 의한 축차압력은 얼마에서 파괴가 되리라 예상하는가?

① 1.5kg/cm² ② 2.0kg/cm²
③ 2.5kg/cm² ④ 3.0kg/cm²

해설

UU-test(S_r=100%인 경우)에서는 σ_3에 관계없이 축차응력($\sigma_1-\sigma_3$)이 일정하다.

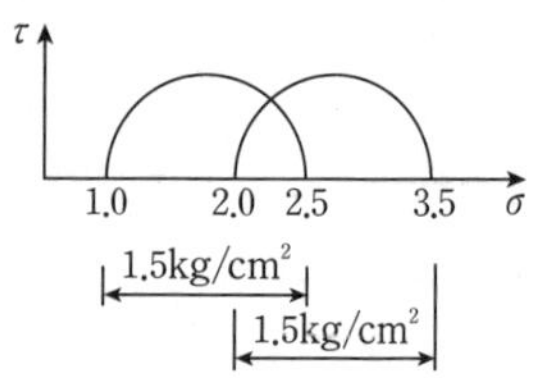

85 모래시료에 대하여 압밀배수 삼축압축시험을 실시하였다. 시험결과 파괴시 구속압력 σ_3=20t/m², 축차응력 $\Delta\sigma_d$=40t/m²일 때, 모래시료의 내부마찰각은? 2007. 국가직 7급

① 20° ② 25°
③ 30° ④ 35°

해설

1. $\sigma_1=(\sigma_1-\sigma_3)+\sigma_3=40+20=60\text{t/m}^2$
2. $\sin\phi=\dfrac{\sigma_1-\sigma_3}{\sigma_1+\sigma_3}=\dfrac{60-20}{60+20}=0.5$

$\therefore \phi=30°$

86 구속압력 40kPa로 포화점토의 비압밀 비배수 삼축압축시험을 수행하는데 축차응력이 66kPa일 때 시편이 파괴되었다. 비배수 전단강도는? 만약 동일한 흙을 사용하여 비배수 상태로 일축압축강도 시험을 수행한다면, 축하중이 얼마일 때 시료가 파괴되는가? (단, 시료에 실크랙이 없다고 가정한다) 2013. 국가직

	비배수 전단강도[kPa]	축하중[kPa]
①	33	66
②	33	106
③	66	66
④	66	106

해설

1. $\sigma_1-\sigma_3=66\text{kPa}$
2. $\tau=c=\dfrac{\sigma_1-\sigma_3}{2}=\dfrac{66}{2}=33\text{kPa}$

82 ④ 83 ④ 84 ① 85 ③ 86 ① [정답]

87 두 개의 같은 정규압밀 점토시료에 대하여 삼축시험에 대해 250kN/m²의 구속응력으로 압밀시킨 후 한 시료는 배수상태로 삼축압축실험을 행한 결과 파괴시$(\sigma_1 - \sigma_3)_f = 500kN/m^2$였고, 다른 한 시료에 대하여는 비배수상태로 삼축압축실험을 행한 결과 파괴시$(\sigma_1 - \sigma_3)_f = 300kN/m^2$였다. 비배수 실험 시료의 파괴시 과잉간극수압은 약 몇 kN/m^2인가?

① $50kN/m^2$
② $100kN/m^2$
③ $150kN/m^2$
④ $200kN/m^2$

해설

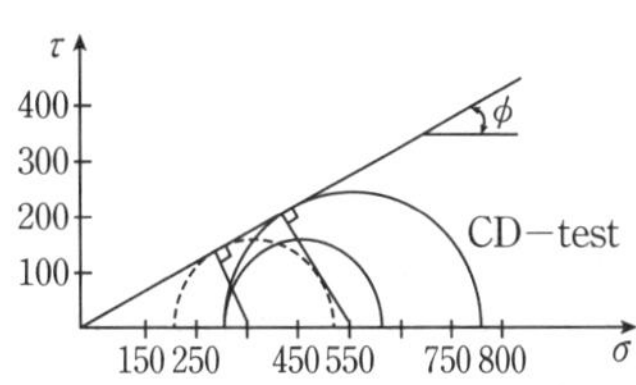

1. CD - test 에서 $\sigma_3 = 250kN/m^2$, $\sigma_1 = 750kN/m^2$,

$$\sin\phi = \frac{750-250}{750+250} = \frac{1}{2}$$

$\therefore \phi = 30°$

2. CD - test는 $\overline{CU}$ - test와 그 결과가 동일하므로

$\therefore u = 100kN/m^2$

88 $\phi = 30°$인 모래를 사용해서 삼축압축시험을 수행하였다. 구속응력이 $\sigma_1 = \sigma_3 = 10.0t/m^2$일 때 최대로 가할 수 있는 축차응력$(t/m^2)$은? 2009. 국가직 7급

① 10 ② 15
③ 20 ④ 25

해설

$$\sin\phi = \frac{\sigma_1 - \sigma_3}{\sigma_1 + \sigma_3}$$

$$\sin 30° = \frac{\sigma_1 - 10}{\sigma_1 + 10} = \frac{1}{2}$$

$\sigma_1 = 30t/m^2$ 이므로 $\sigma_1 - \sigma_3 = 20t/m^2$

89 점착력 = 0, 내부마찰각 = 30°인 모래질 흙에 대해 구속압 50kPa의 조건에서 배수 삼축압축시험(CD시험)을 실시할 경우, 전단파괴 시 전단파괴면 상의 전단응력[kPa]은? (단, Mohr - Coulomb의 파괴이론을 적용한다) 2015. 국가직

① 25 ② $25\sqrt{3}$
③ 50 ④ $50\sqrt{3}$

해설

1. $\sin\phi = \dfrac{\sigma_1 - \sigma_3}{\sigma_1 + \sigma_3}$ $\sin 30° = \dfrac{\sigma_1 - 50}{\sigma_1 + 50}$

$\therefore \sigma_1 = 150kPa$

2. $\theta = 45° + \dfrac{\phi}{2} = 45° + \dfrac{30°}{2} = 60°$

3. $\tau = \dfrac{\sigma_1 - \sigma_3}{2}\sin 2\theta = \dfrac{150-50}{2}\sin(2\times 60°) = 25\sqrt{3}$

90 압밀 - 배수조건에서 삼축압축시험을 수행한 결과 사질토의 내부마찰각이 30°로 산정되었다. 동일한 시험조건에서 구속압이 1.4kg/cm²였다면 시료가 파괴될 때 가해진 축차응력(kg/cm²)은? 2010. 지방직 7급

① 2.1 ② 2.8
③ 3.5 ④ 4.2

해설

1. $\sin\phi = \dfrac{\sigma_1 - \sigma_3}{\sigma_1 + \sigma_3}$

$\sin 30° = \dfrac{\sigma_1 - 1.4}{\sigma_1 + 1.4}$ $\therefore \sigma_1 = 4.2kg/cm^2$

2. $\sigma_1 - \sigma_3 = 4.2 - 1.4 = 2.8kg/cm^2$

87 ② 88 ③ 89 ② 90 ② [정답]

91 정규압밀점토에 대한 압밀배수(CD) 삼축압축실험을 실시하였다. 초기 단계에서 구속응력은 100kPa이고, 전단파괴 시 축차응력은 200kPa이었다. 이때, 파괴면에 작용하는 전단응력의 크기[kPa]는 얼마인가?

2016. 서울시 7급

① 50　　② $50\sqrt{3}$
③ 100　　④ $100\sqrt{3}$

해설

1. $\sigma_1 = \sigma + \sigma_3 = 200 + 100 = 300\text{kPa}$
2. $\sin\phi = \frac{\sigma_1 - \sigma_3}{\sigma_1 + \sigma_3} = \frac{300-100}{300+100} = \frac{1}{2}$
   $\therefore \phi = 30°,\quad \theta = 45° + \frac{30°}{2} = 60°$
3. $\tau = \frac{\sigma_1 - \sigma_3}{2}\sin 2\theta$
   $= \frac{300-100}{2} \times \sin(2 \times 60°) = 50\sqrt{3}\,\text{kPa}$

92 사질토($c=0$)의 배수상태 삼축압축시험 결과가 다음과 같을 때, 전단파괴면이 최대 주응력면과 이루는 각 θ는?

2010. 국가직 7급

- 구속응력 10.0t/m^2
- 파괴시 축차응력 20.0t/m^2

① 50°　　② 55°
③ 60°　　④ 65°

해설

1. $\sigma_1 = \sigma + \sigma_3 = 20 + 10 = 30\text{t/m}^2$
2. $\sin\phi = \frac{\sigma_1 - \sigma_3}{\sigma_1 + \sigma_3} = \frac{30-10}{30+10} = \frac{1}{2}$
   $\therefore \phi = 30°$
3. $\theta = 45° + \frac{\phi}{2} = 45° + \frac{30°}{2} = 60°$

93 정규압밀점토를 사용한 전단시험결과 파괴각(θ)이 60°이다. 만약 이 흙을 사용하여 구속응력 6.0t/m^2을 적용한 압밀배수삼축압축시험(CD－test)을 실시하였다면, 파괴시의 축차응력(t/m^2)은?

2009. 지방직 7급

① 4.4　　② 12.0
③ 16.4　　④ 24.0

해설

1. $\theta = 45° + \frac{\phi}{2} = 60° \qquad \therefore \phi = 30°$
2. $\sin\theta = \frac{\sigma_1 - \sigma_3}{\sigma_1 + \sigma_3}$
   $\sin 30° = \frac{\sigma_1 - 6}{\sigma_1 + 6} \qquad \therefore \sigma_1 = 18\text{t/m}^2$
3. $\sigma_1 - \sigma_3 = 18 - 6 = 12\text{t/m}^2$

94 어떤 느슨한 모래시료에 대한 파괴포락선의 식이 $\tau_f = \sigma'\tan 30°$였다. 같은 시료에 대하여 구속압력 100kN/m^2를 가하여 압밀배수 시험을 실시하였을 때, 이 시료의 파괴 시 축차응력$[\text{kN/m}^2]$은?

2012. 국가직

① 200　　② 220
③ 240　　④ 260

해설

1. $\sin\phi = \frac{\sigma_1 - \sigma_3}{\sigma_1 + \sigma_3}$
   $\sin 30° = \frac{\sigma_1 - 100}{\sigma_1 + 100} = \frac{1}{2}$
   $\therefore \sigma_1 = 300\text{kN/m}^2$
2. $\sigma_1 - \sigma_3 = 300 - 100 = 200\text{kN/m}^2$

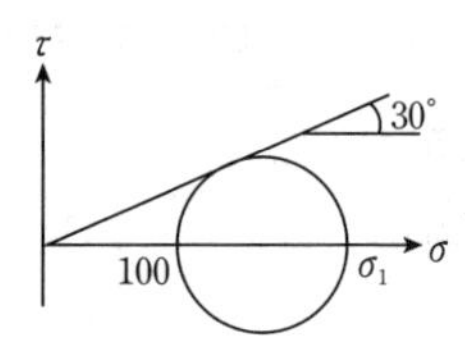

91 ② 92 ③ 93 ② 94 ① [정답]

95 모래질흙 시료를 사용하여 구속응력이 10.0t/m² 으로 압밀배수삼축압축시험(CD－test) 결과, 파괴시 축차응력이 20.0t/m²이었다면, 축차응력 작용방향을 기준하였을 때 파괴면의 각도는? 2009. 지방직 7급

① 15°　② 30°
③ 45°　④ 60°

해설

1. $\sigma_1 = \sigma + \sigma_3 = 20 + 10 = 30\text{t/m}^2$
2. $\sin\phi = \dfrac{\sigma_1 - \sigma_3}{\sigma_1 + \sigma_3} = \dfrac{30-10}{30+10} = \dfrac{1}{2}$

   $\therefore \phi = 30°$
3. $\theta' = 45° - \dfrac{30°}{2} = 30°$

96 다음 표는 100% 포화된 모래질흙에 대한 압밀비배수 삼축압축시험(CU－test) 결과이다.

구속응력	파괴시 축차응력	파괴시 간극수압
15.0t/m^2	10.0t/m^2	5.0t/m^2

위 시험에 사용된 시료와 구속응력(15.0t/m²)을 적용하여 압밀배수삼축압축시험(CD－test)을 수행할 경우, 파괴시 축차응력(t/m²)은? 2009. 지방직 7급

① 5.0
② 10.0
③ 15.0
④ 20.0

해설

1. $\sigma_3' = 15 - 5 = 10\text{t/m}^2$

   $\sigma_1' = \sigma + \sigma_3 - u = 10 + 15 - 5 = 20\text{t/m}^2$

   $\sin\phi' = \dfrac{\sigma_1' - \sigma_3'}{\sigma_1' + \sigma_3'} = \dfrac{20-10}{20+10} = \dfrac{1}{3}$
2. $\sin\phi = \dfrac{\sigma_1 - \sigma_3}{\sigma_1 + \sigma_3} = \dfrac{\sigma_1 - 15}{\sigma_1 + 15} = \dfrac{1}{3}$

   $\therefore \sigma_1 = 30\text{t/m}^2$

   따라서 $\sigma_1 - \sigma_3 = 30 - 15 = 15\text{t/m}^2$

97 정규압밀점토에 대하여 압밀비배수(CU) 삼축압축시험을 실시한 결과 유효응력에 대한 내부마찰각(ϕ')이 30°이다. 이 시료의 구속응력(σ_3)이 70kN/m²일 때, 파괴 시 최대 주응력(σ_1)〔kN/m²〕은? (단, 파괴 시 간극수압 Δu는 20kN/m²이다) 2011. 지방직 7급

① 100　② 150　③ 170　④ 190

해설

1. $\sin\phi' = \dfrac{\sigma_1' - \sigma_3'}{\sigma_1' + \sigma_3'}$

   $\sin 30° = \dfrac{\sigma_1' - 50}{\sigma_1' + 50}$　　$\therefore \sigma_1' = 150\text{kN/m}^2$
2. $\sigma_1 = \sigma_1' + u = 150 + 20 = 170\text{kN/m}^2$

98 포화점토 시료에 대해 비압밀비배수(UU) 시험을 실시하였다. 구속압력 σ_3을 100kPa로 작용하였더니 파괴시 간극수압이 20kPa이었다. 이 포화점토에 구속압력 σ_3을 200kPa로 작용시켰다면 파괴시 간극수압(kPa)은? 2011. 국가직 7급

① 40　② 80　③ 120　④ 140

해설

$u = 20 + 100 = 120\text{kPa}$

99 점토의 삼축압축시험에서 전단특성을 설명한 것 중 옳지 않은 것은?

① 전응력에 의한 내부마찰각이 유효응력에 의한 내부마찰각보다 작다.
② 정규압밀점토의 압밀 배수시험에서 파괴포락선은 좌표축 원점을 지나지 않는다.
③ 과압밀점토의 압밀 비배수시험에서 파괴포락선은 좌표축 원점을 지나지 않는다.
④ 정규압밀 포화점토의 비압밀 비배수시험에서 점토의 내부마찰각은 0이다.

해설

1. 전응력에 의한 전단강도정수(ϕ)가 유효응력에 의한 전단강도정수(ϕ')보다 작다.
2. CU, CD－test의 파괴포락선
   ① 정규압밀점토의 파괴포락선은 좌표축 원점을 지난다.
   ② 과압밀점토의 파괴포락선은 좌표축 원점을 지나지 않는다.

95 ② 96 ③ 97 ③ 98 ③ 99 ② [정답]

100 국내 남해안에 있는 한 점토층에서 지반조사를 수행하여 베인시험과 UU시험을 통하여 비배수 전단강도(S_u)를 구하였다. 그리고 압밀시험에서 구한 선행압밀하중(p_c')이 그림과 같이 나타났다. 이에 대한 설명으로 옳지 않은 것은?

2007. 국가직 7급

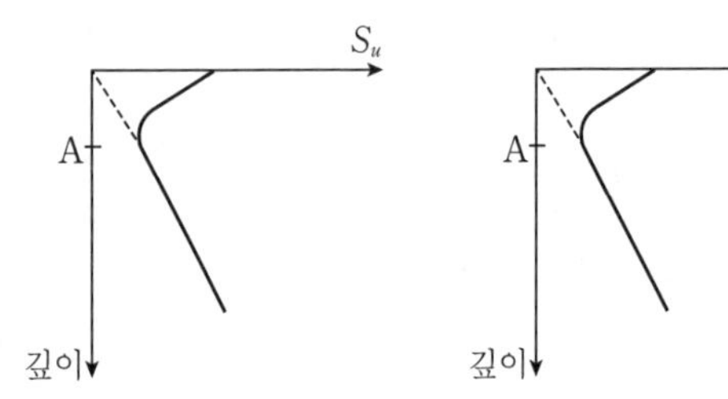

① 깊이 A점 하부는 정규압밀점토로 여겨지며 침식에 따른 응력이력의 영향이 크지 않은 것으로 보인다.
② 지표부근의 지층은 퇴적과 침식의 응력이력과 환경인자의 영향을 받았으며 과압밀상태에 있다.
③ 정지토압계수는 깊이 A점 하부에서는 일정한 값을 가지며, A점으로부터 지표에 도달할수록 증가할 것으로 보인다.
④ 수평응력은 지표면에서부터 깊이 A점까지는 깊이가 깊어질수록 증가하는 경향을 나타낸다.

해설

A점 상부는 과압밀점토이고 하부는 정규압밀점토이다.

101 다음 그림의 파괴포락선에서 과압밀점토를 나타낸 것은?

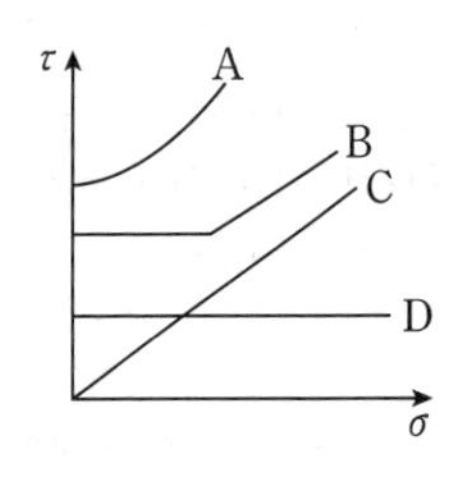

① D ② C ③ B ④ A

해설

CU－test, CD－test

1. 모래와 정규압밀점토에서의 파괴포락선은 원점을 통과하는 직선이 그려진다.
2. 과압밀점토에서는 파괴포락선이 원점을 통과하지 않으며 점착력과 전단저항각이 모두 얻어진다.

102 다음 그림 중 정규압밀점토의 유효응력에 의한 파괴포락선은?

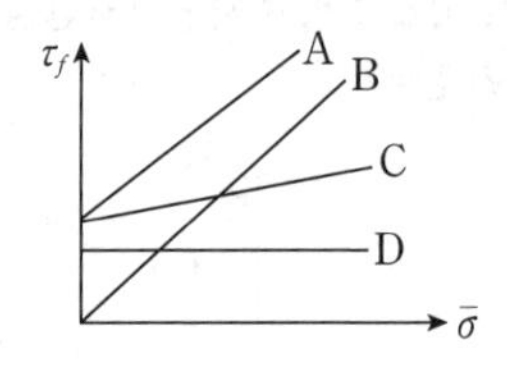

① A ② B
③ C ④ D

해설

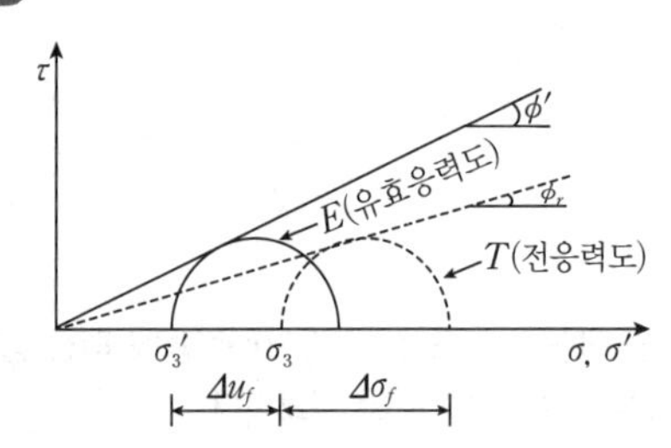

(a) 정규압밀점토의 파괴포락선

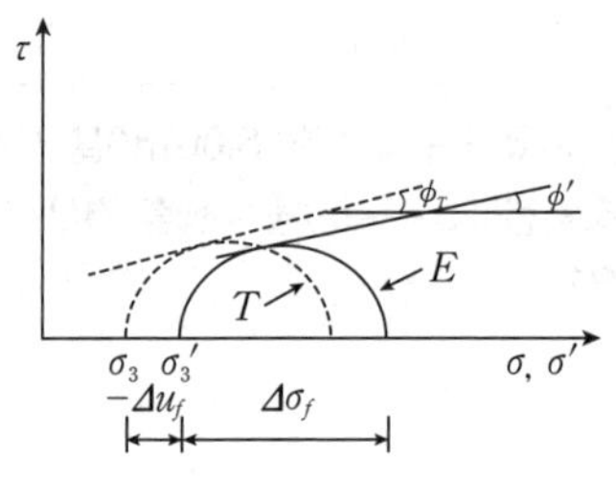

(b) 과압밀점토의 파괴포락선

100 ④ 101 ④ 102 ② [정답]

103 다음은 흙의 전단강도에 관련된 사항이다. 이 가운데에서 틀린 것은?

① 일축압축시험으로부터 구한 점착력 C_u는 $C_u = \frac{1}{2}q_u \tan^2\left(45° - \frac{\phi}{2}\right)$이다.
② 흙댐에 있어서 수위 급강하시의 안정문제는 $\bar{c}$ 및 $\bar{\phi}$를 사용해야 한다.
③ 예민비가 큰 흙을 quick clay라고 한다.
④ Mohr－Coulomb의 파괴기준에 의하면 포화점토의 비압밀 비배수상태의 내부마찰각은 "0"이다.

해설

1. $q_u = 2c\tan\left(45° + \frac{\phi}{2}\right)$

$\therefore c = \dfrac{q_u}{2\tan\left(45° + \frac{\phi}{2}\right)} = \frac{1}{2} q_u \tan\left(45° - \frac{\phi}{2}\right)$

2. 흙댐의 안정계산
① 수위 급강하시 : 간극수압이 소산될 만한 시간적 여유가 없으므로 비배수조건이 되므로 $\overline{CU}$ - test에 의한 $\bar{c}$, $\bar{\phi}$를 구하여 유효응력으로 해석한다.
② 정상 침투시 : 배수조건이 되므로 CD - test에 의한 간극수압을 고려한 c_d, ϕ_d를 구하여 유효응력으로 해석한다.

3. 예민비의 분류

Rosenqvist(1953)
≒1.0 : 비예민성 점토(강점토)
1~8 : 예민성 점토
8~64 : 퀵점토(quick clay)
>64 : 엑스트라 퀵점토(extra quick clay)

4. UU - test에서 $S_r = 100\%$일 때 $\phi = 0$이다.

104 포화된 점토지반 위에 급속하게 성토하는 제방의 안정성을 검토할 때 이용해야 할 강도정수를 구하는 시험은?

① UU－test ② CU－test
③ CD－test ④ $\overline{CU}$－test

해설

UU - test를 사용하는 경우

1. 포화된 점토지반 위에 급속 성토시의 시공 직후의 안정검토
2. 시공 중 압밀이나 함수비의 변화가 없다고 예상되는 경우
3. 점토지반에 footing 기초 및 소규모 제방을 축조하는 경우

105 포화점토의 강도정수를 비압밀 비배수시험(UU - test), 압밀 비배수시험(CU - test) 및 압밀배수시험(CD - test)으로 구하였을 때 최소의 내부마찰각은?

① UU－test에서 얻어진다.
② CU－test에서 얻어진다.
③ CD－test에서 얻어진다.
④ 모든 시험이 소요되는 시간은 다르나 같은 내부마찰각이 얻어진다.

해설

UU - test($S_r = 100\%$일 때)에서 $\phi = 0$이므로 최소 내부마찰각이 얻어진다.

106 점토층 지반 위에 성토를 급속히 하려 한다. 성토 직후에 있어서 이 점토의 안정성을 검토하는 데 필요한 강도정수를 구하는 합리적인 시험은?

① 비압밀 비배수시험(UU－test)
② 압밀 비배수시험(CU－test)
③ 압밀 배수시험(CD－test)
④ 투수시험

해설

비압밀 비배수 전단시험(UU - test)를 사용하는 경우

1. 시공 중 즉각적인 함수비의 변화가 없고 체적의 변화가 없는 경우
2. 포화점토지반에 성토 등 하중을 너무 급히 재하하여 간극수압이 소산될 시간적 여유가 없는 경우
3. 기초 등 구조물을 설치하는 동안 압밀이 일어나지 않는 경우
4. 포화점토가 성토 직후에 급속한 파괴가 예상되는 경우
5. 점토의 초기 안정해석에 적용

103 ① 104 ① 105 ① 106 ① [정답]

107 다음의 경우 강도정수 결정에 적합한 삼축압축 시험의 종류는?

> 최근에 매립된 지반 위에 구조물을 시공한 직후의 초기 안정검토에 필요한 지반 강도정수 결정

① 비압밀 비배수시험
② 압밀 비배수시험
③ 압밀 배수시험
④ 어떤 시험이든 상관 없다.

108 다음 설명 가운데 옳지 않은 것은?

① 포화점토지반이 성토 직후 급속히 파괴가 예상되는 경우 UU-test를 한다.
② UU-test는 전단시 공극수의 출입을 허용하지 않는다.
③ CD-test는 전단 전에 압밀시킨 후 전단시 배수를 허용한다.
④ 포화점토지반이 시공 중 함수비의 변화가 없을 것으로 예상될 때 CU-test를 한다.

해설

포화점토지반이 시공 중 함수비의 변화가 없을 것으로 예상될 때 UU-test를 한다.

109 점토지반을 프리로딩(pre-loading) 공법 등으로 미리 압밀시킨 후에 급격히 재하할 때의 안정을 검토하는 경우에 적당한 전단시험은?

① 비압밀 비배수 전단시험
② 압밀 비배수 전단시험
③ 압밀 배수 전단시험
④ 압밀 완속 전단시험

해설

CU-test 또는 $\overline{CU}$-test의 적용

1. Pre-loading 공법으로 압밀된 후 급격한 재하시의 안정해석에 사용
2. 성토하중에 의해 어느 정도 압밀된 후에 갑자기 파괴가 예상되는 경우
3. 제방, 흙댐에서 수위 급강하시의 안정해석에 사용($\overline{CU}$-test의 적용)

110 유효응력의 항으로 나타낸 점착력(c)이나 전단저항각(ϕ)의 값을 얻기 위한 압축시험은?

① 일축압축시험
② 비압밀 비배수 삼축압축시험
③ 직접전단시험
④ 간극수압을 측정한 압밀 비배수 삼축압축시험

해설

유효응력으로 해석하려면 간극수압을 측정해야하므로 삼축압축시험 중에서 $\overline{CU}$-test, CD-test를 해야 한다.

111 다음은 실제의 점토지반이 받게 될 응력조건에 대응하는 삼축압축시험법을 나타낸 것이다. 이 중 옳지 않은 것은?

① 포화점토지반이 성토 직후에 급속히 파괴될 것이 예상되는 경우 : UU-test
② 포화점토지반이 시공 중 압밀이나 함수비의 변화가 없을 것으로 예상되는 경우 : CU-test
③ 점토지반에 사전재하(preloading)를 시행하여 어느 정도 압밀이 진행된 후 급격한 파괴가 예상되는 경우 : CU-test
④ 성토에 의해 지반의 함수비가 서서히 변화하면서 파괴에 이르리라고 예상되는 경우 : CD-test

해설

점토지반이 시공 중 압밀이나 함수비의 변화가 없을 때 UU-test를 한다.

107 ① 108 ④ 109 ② 110 ④ 111 ② [정답]

112 성토된 하중에 의해 서서히 압밀이 되고 파괴도 완만하게 일어나 간극수압이 발생되지 않거나 측정이 곤란한 경우 실시하는 시험은?

① 압밀 배수 전단시험(CD 시험)
② 비압밀 비배수 전단시험(UU 시험)
③ 압밀 비배수 전단시험(CU 시험)
④ 급속 전단시험

해설

압밀 배수 전단시험(CD-test)을 사용하는 경우

1. 심한 과압밀 지반에 재하하는 경우 등과 같이 성토하중에 의해 압밀이 서서히 진행되고 파괴도 극히 완만하게 진행되는 경우
2. 점토지반의 장기 안정해석
3. 흙댐에서 정상침투시의 안정해석
4. 투수계수가 큰 사질토지반의 사면안정해석
5. 간극수압의 측정이 곤란할 때

113 아래 내용은 흙 구조물의 안정해석을 위한 강도정수의 취득을 위하여 현장조건을 고려한 삼축압축 시험 방법을 나타낸 것이다. 이 중 가장 적절한 것은? 2016. 서울시 7급

① 모래지반에서의 장기 안정해석 : CU－시험
② 다단계 재하 시의 안정해석 : CU－시험
③ 포화점토지반 위에 성토를 빠른 속도로 진행할 경우의 안정해석 : CU－시험
④ 흙 댐에서 수위 급강하 직후의 안정해석 : UU－시험

해설

CU-test를 사용하는 경우

1. pre－loading공법으로 압밀된 후 급격한 재하시의 안정해석
2. 다단계 재하시의 안정해석
3. 제방, 흙댐에서 수위 급강하시의 안정해석($\overline{\text{cu}}$－test)

114 다음 전단시험법 가운데 공극수압을 측정하여 유효응력으로 정리하면 압밀 배수시험(CD-test)과 거의 같은 전단상수를 얻을 수 있는 시험법은?

① 비압밀 비배수시험(UU－test)
② 압밀 비배수시험($\overline{\text{CU}}$－test)
③ 직접전단시험
④ 일축압축시험(q_u－test)

해설

CD-test는 $\overline{\text{CU}}$-test와 시험결과가 거의 동일하므로 $\overline{\text{CU}}$-test로 대치할 수 있으며, 대치하는 것이 실용적이다.

115 다음 설명 중에서 틀린 것은?

① 댐, 제방에 있어서 수위가 갑자기 내려갈 때의 안정해석을 위해서 CD(배수)실험을 해야 한다.
② 포화된 점토지반 위에 급속하게 성토해야 할 경우의 안정해석을 위해서는 UU(비압밀 비배수) 실험을 해야 한다.
③ 전단시험은 변형제어형과 응력제어형이 있는데 주로 변형제어형이 많이 사용된다.
④ 삼축압축실험시 간극수압을 측정하면 유효응력법으로 할 수 있다.

해설

1. 수위가 갑자기 내려갈 때는 비배수 실험을 한다.
2. 전단력을 가하는 방법에 의한 분류
   ① 응력제어식
   ② 변형제어식 : 주로 이 방법을 사용한다.
3. 삼축압축실험시 간극수압을 측정하여 유효응력법으로 강도정수($\overline{c}$, $\overline{\phi}$)를 구할 수 있다.

116 (A)에서 투수성이 크므로 충격에 의한 재하를 제외하면 거의 (B)전단으로 볼 수 있는데 반하여 (C)에서는 전단시험시의 배수조건에 따라 전단강도가 크게 달라진다. A, B, C에 적당한 것은?

① A : 사질토, B : 배수, C : 점성토
② A : 점성토, B : 배수, C : 사질토
③ A : 사질토, B : 비배수, C : 점성토
④ A : 점성토, B : 비배수, C : 사질토

112 ① 113 ② 114 ② 115 ① 116 ① [정답]

제8장

117 다음은 흙시료 채취에 대한 설명이다. 틀린 것은?

① 교란의 효과는 소성이 낮은 흙이 소성이 높은 흙보다 크다.
② 교란된 흙은 자연상태의 흙보다 압축강도가 작다.
③ 교란된 흙은 자연상태의 흙보다 전단강도가 작다.
④ 흙시료 채취 직후에 비교적 교란되지 않은 코어(core)의 과잉간극수압은 부(負)이다.

해설

교란의 효과

1축 압축시험	3축 압축시험
① 교란된 만큼 압축강도가 작아진다. ② 교란된 만큼 파괴변형률이 커진다. ③ 교란된 만큼 변형계수가 작아진다.	교란될수록 흙입자 배열과 흙구조가 흐트러져서 교란된 만큼 내부마찰각이 작아진다.

118 다음 그림은 흙의 종류에 따른 전단강도를 $\tau-\sigma$ 평면에 도시한 것이다. 설명이 잘못된 것은?

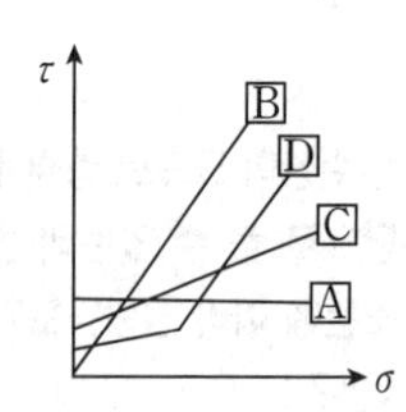

① A는 포화된 점성토지반의 전단강도를 나타낸 것이다.
② B는 모래 등 사질토에 대한 전단강도를 나타낸 것이다.
③ C는 일반적인 흙의 전단강도를 도시한 것이다.
④ D는 정규압밀된 흙의 전단강도를 나타낸 것이다.

해설

D는 과압밀된 흙의 전단강도를 나타낸 것이다.

119 표준관입시험에서 N치에 대한 설명으로 옳은 것은?

① 스플릿 스푼 샘플러를 주어진 에너지로 타격할 때 20cm 관입하는 데 소요되는 타격횟수이다.
② 스플릿 스푼 샘플러를 주어진 에너지로 타격할 때 30cm 관입하는 데 소요되는 타격횟수이다.
③ 스플릿 스푼 샘플러를 주어진 에너지로 타격할 때 20cm 관입하는 데 소요되는 타격당침하량이다.
④ 스플릿 스푼 샘플러를 주어진 에너지로 타격할 때 30cm 관입하는 데 소요되는 타격당침하량이다.

해설

표준관입시험은 split spoon sampler를 boring rod 끝에 붙여서 63.5kg의 해머로 76cm 높이에서 때려 sampler를 30cm 관입시킬 때의 타격횟수 N치를 측정하는 시험이다.

120 표준관입시험(SPT)을 할 때 처음 15cm 관입에 요하는 N값은 제외하고 그 후 30cm 관입에 요하는 타격수로 N값을 구한다. 그 이유 중 가장 적당하다고 생각되는 것은?

① 정확히 30cm를 관입시키기가 어려워서 15cm 관입에 요하는 N값을 제외한다.
② 보링구멍 밑면 흙이 보링에 의하여 흐트러져 15cm 관입 후부터 N값을 측정한다.
③ 관입봉의 길이가 정확히 45cm이므로 이에 맞도록 관입시키기 위함이다.
④ 흙은 보통 15cm 밑부터 그 흙의 성질을 가장 잘 나타낸다.

해설

SPT - test

1. 소정의 깊이를 확인한 후 샘플러를 교란되지 않은 원지반에 도달시키기 위하여 낙하고를 작게 하여 15cm쳐 관입시킨다(예비타격 15cm).
2. 낙하고 76cm를 유지하여 해머를 자유낙하시켜 30cm 관입이 요하는 타격횟수 N을 측정한다(본타격 30cm).

117 ① 118 ④ 119 ② 120 ② [정답]

121 다음은 표준관입시험에 관한 설명이다. 틀린 것은?

① 표준관입시험에서 구한 N값은 로드(rod)의 길이에 대한 수정을 해야 한다.
② 표준관입시험에서 구한 모래의 N값은 토질에 대한 수정을 하여야 한다.
③ 표준관입시험에서 구한 N값은 상재압(over burden load)에 대한 수정을 해야 한다.
④ 표준관입시험은 스플릿 스푼 샘플러(split spoon sampler)를 보링로드 끝에 붙이고 75kg의 해머로 63.5cm 높이에서 낙하시켜 30cm 관입되는 타격횟수를 말한다.

해설

SPT－test

1. 시험법 : 외경5.1cm, 내경 3.5cm, 길이 81.0cm의 중공의 split spoon sampler를 boring rod 끝에 붙여서 63.5kg의 해머로 76cm 높이에서 때려 split spoon sampler를 boring 구멍밑의 교란되지 않은 흙속에 30cm 관입시킬 때의 타격 수 N을 측정한다.
2. N값의 수정
   ① 로드 길이에 대한 수정 : $N_1 = N'\left(1 - \frac{x}{200}\right)$
   ② 토질에 의한 수정 : $N_2 = 15 + \frac{1}{2}(N_1 - 15)$
   ③ 상재압에 의한 수정 : $N = N'\left(\frac{5}{1.4P+1}\right)$
   여기서, P : 유효상재하중$(kg/cm^2) \leq 2.8kg/cm^2$

122 표준관입시험에 관한 설명으로 옳지 않은 것은?

① 시험결과 N값을 얻는다.
② 63.5kg 해머를 76cm 낙하시켜 split spoon sampler를 30cm 관입시킨다.
③ 시험결과로부터 흙의 내부마찰각 등의 공학적 성질(계수)을 추정할 수 있다.
④ 따라서 이 시험은 사질토에서보다 점성토에서 더 유리하게 이용된다.

해설

표준관입시험(SPT)은 사질토에 가장 적합하며 점성토에서도 이용할 수 있다.

123 어떤 점토지반의 표준관입실험 결과 N=2~4이었다. 이 점토의 consistency는?

① 대단히 견고　② 연약
③ 견고　④ 대단히 연약

해설

N치	<2	2~4	4~8	8~15	15~30	>30
컨시스턴시	대단히 연약	연약	중간	견고	대단히 견고	고결

124 물로 포화된 실트질 세사의 N값을 측정한 결과 N=35가 되었다고 할 때 수정 N값은? (단, 측정지점까지의 로드 길이는 40m라 한다)

① 43　② 35
③ 22　④ 18

해설

1. 로드 길이에 대한 수정
   $N_1 = N\left(1 - \frac{x}{200}\right) = 35\left(1 - \frac{40}{200}\right) = 28$
2. 토질에 대한 수정
   $N_2 = 15 + \frac{1}{2}(N_1 - 15) = 15 + \frac{1}{2}(28 - 15) = 21.5 = 22$

125 포화된 실트질 모래지반에 표준관입시험 결과 표준관입저항치 N=25이었다. 수정 표준관입저항치는?

① 23　② 20
③ 18　④ 16

해설

$N_1 = 15 + \frac{1}{2}(N - 15)$
$= 15 + \frac{1}{2}(25 - 15) = 20$

121 ④　122 ④　123 ②　124 ③　125 ② [정답]

제8장

126 지하수위 아래에 존재하는 가는 모래층에 대해 표준관입시험(SPT)을 행한 결과 N치가 20이었다. 이 N치를 수정하여 사용할 때 수정 N치는 얼마인가?

① 12　　② 14
③ 16　　④ 18

해설

$N = 15 + \frac{1}{2}(N_1 - 15) = 15 + \frac{1}{2}(20 - 15) = 17.5 = 18$

127 어떤 지반에 대한 흙의 입도분석 결과 곡률계수(C_g)는 1.5, 균등계수(C_u)는 15이고 입자는 모가 나 있었다. Dunham의 공식에 의한 내부마찰각 ϕ의 추정치는? (단, 표준관입시험 결과 N치는 12이었다)

① 27°　　② 32°
③ 37°　　④ 40°

해설

Dunham 공식(토립자가 모나고 입도가 양호한 경우)
$\phi = \sqrt{12N} + 25 = \sqrt{12 \times 12} + 25 = 37°$

128 토립자가 둥글고 입도분포가 나쁜 모래지반에서 N값을 측정한 결과 N=20이 되었을 경우 던함(Dunham)의 공식에 의한 이 모래의 내부마찰각 ϕ는 얼마인가?

① 10°　　② 20°
③ 30°　　④ 40°

해설

$\phi = \sqrt{12N} + 15 = \sqrt{12 \times 20} + 15 = 30.49°$

129 표준관입시험에 관한 설명 중 틀린 것은 어느 것인가? (단, c : 형상에 따른 상수)

① N치란 관입시험기를 30cm 관입시키는데 요하는 타격횟수이다.
② 점토의 일축압축강도 $q_u = \frac{N}{8}(\text{kg/cm}^2)$이다.
③ 모래의 내부마찰각 ϕ와 N치와의 관계는 $\phi = \sqrt{12N + c}$이다.
④ 점착력 $c = 0.0625N$의 관계가 점토질 지반에서 성립한다는 Terzaghi식이 있다.

해설

1. Dunham 공식은 $\phi = \sqrt{12N} + c$ 이다.
2. $q_u = 2c = \frac{N}{8}$　$\therefore c = \frac{N}{16} = 0.0625N$

130 자연지반에서 모래층의 내부마찰각을 알아보는 가장 적당한 시험은 어느 것인가?

① 지지력시험
② 표준관입시험
③ 말뚝재하시험
④ 평판재하시험

해설

N, ϕ의 관계
1. Dunham 공식 : $\phi = \sqrt{12N} + (15 \sim 25)$
2. Peck 공식 : $\phi = 0.3N + 27$

131 모래지반의 상대밀도를 추정하는 데 많이 이용하는 시험방법은?

① 원추관입시험　　② 평판재하시험
③ 표준관입시험　　④ 베인전단시험

해설

표준관입시험의 N치를 이용하여 모래지반의 상대밀도를 추정할 수 있다.

126 ④　127 ③　128 ③　129 ③　130 ②　131 ③ [정답]

132 어떤 모래지반의 표준관입시험에서 N값이 40을 얻었다. 이 지반의 상태는?

① 대단히 조밀한 상태
② 조밀한 상태
③ 중간 상태
④ 느슨한 상태

해설

N치	흙의 상태
0~4	대단히 느슨
4~10	느슨
10~30	중간
30~50	조밀
50 이상	대단히 조밀

133 불교란 시료 채취시 샘플러(sampler)의 두께를 얇게 하기 위하여 면적비를 10% 미만으로 하는데 가장 큰 이유는 다음 중 어느 것인가?

① 샘플러의 중량을 가볍게 하기 위하여
② 샘플러 주위의 여잉토의 혼입을 막기 위하여
③ 샘플러 내벽에서의 마찰을 피하기 위하여
④ 샘플러를 떠올릴 때 교란을 막기 위하여

해설

1. 샘플러 주위의 여잉토의 혼입을 방지하기 위해 면적비를 10%미만으로 한다.
2. 면적비 : $A_r = \frac{D_w^2 - D_e^2}{D_e^2} \times 100$

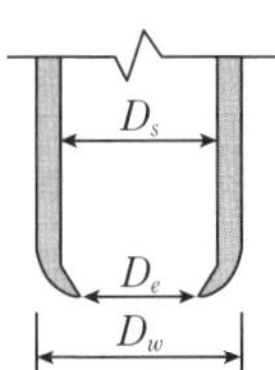

134 채취된 시료의 교란정도는 면적비를 계산하여 통상 면적비가 몇 % 이하이면 잉여토의 혼입이 불가능한 것으로 보고 불교란 시료로 간주하는가?

① 5% ② 7%
③ 10% ④ 15%

해설

면적비 $C_a < 10\%$ 이면 샘플러 속의 시료를 불교란 시료로 취급한다.

135 현장에서 채취한 흙시료의 교란된 정도를 알기 위하여 시료 채취에 사용한 원통형 튜브(tube)의 규격을 조사한 결과 튜브의 외경이 5cm이고 절단면의 내경은 4.8cm였다. 면적비(A_r)는 얼마인가?

① 20% ② 15%
③ 8.5% ④ 5.6%

해설

$$A_r = \frac{D_w^2 - D_e^2}{D_e^2} \times 100 = \frac{5^2 - 4.8^2}{4.8^2} \times 100 = 8.51\%$$

136 표준관입시험(SPT)에 대하여 옳지 않은 것은?

① 지하수위를 알아내기 위하여 하는 현장시험의 일종이다.
② N값이 클수록 지반의 강도는 크고, 침하 가능성은 적다.
③ 흐트러지지 않은 시료는 얻을 수 없다.
④ 모래지반의 상대밀도, 점토의 컨시스턴시(consistency)의 개략적 추정이 가능하다.

해설

1. 보링의 목적
 ① 지반의 토질조사
 ② 지하수위의 파악
 ③ 실내 토질시험을 위한 불교란 시료의 채취
2. 표준관입시험(SPT)은 동적인 사운딩으로 교란된 시료가 얻어진다.
3. N값의 이용
 ① 모래의 상대밀도와 N값과의 관계

N값	흙의 상태
0~4	대단히 느슨(very loose)
4~10	느슨(loose)
10~30	중간(medium)
30~50	조밀(dense)
50 이상	대단히 조밀(very dense)

 ② 점토의 consistency와 N값과의 관계

N값	점토의 컨시스턴시
<4	대단히 연약(very soft)
2~4	연약(soft)
4~8	중간(medium)
8~15	견고(stiff)
15~30	대단히 견고(very stiff)
>30	고결(hard)

132 ② 133 ② 134 ③ 135 ③ 136 ① [정답]

137 표준관입시험에 관한 설명 중 옳지 않은 것은?

① 표준관입시험의 N값으로 모래지반의 상대밀도를 추정할 수 있다.
② N값으로 점토지반의 연경도에 관한 추정이 가능하다.
③ 지층의 변화를 판단할 수 있는 시료를 얻을 수 있다.
④ 모래지반에 대해서도 흐트러지지 않은 시료를 얻을 수 있다.

해설

1. 표준관입시험은 교란된 시료가 얻어지는 동적인 sounding이다.
2. N값을 구하여 모래의 상대밀도, 점토의 연경(consistency)를 추정할 수 있다.

138 표준관입시험(SPT)에서 추정할 수 없는 것은?

① 모래지반의 상대밀도
② 점토지반의 컨시스턴시(consistency)
③ 토층의 변화
④ 불교란시료의 채취

139 어떤 모래층의 N치를 측정한 결과 $N=20$이 되었다고 하면 이 모래층의 상태는?

① 대단히 느슨한(very loose) 상태
② 느슨한(loose) 상태
③ 중간(medium) 상태
④ 조밀한(dense) 상태

해설

모래의 상대밀도와 N치와의 관계

N치	흙의 상태
0~4	대단히 느슨
4~10	느슨
10~30	중간
30~50	조밀
50 이상	대단히 조밀

140 베인 시험(vane test)에 관하여 잘못된 것은?

① 연약 점토의 강도 측정
② 비배수 조건하의 사면안정해석에 이용된다.
③ 베인전단시험에서 내부마찰각을 측정할 수 있다.
④ 회전모멘트에 의하여 강도를 구할 수 있다.

141 어떤 점토지반에서 베인(vane)시험을 지반깊이 3m 지점에서 실시하였다. 최대회전모멘트가 120kg · cm이면 이 점토의 점착력 C는 얼마인가? (단, 베인의 지름과 높이의 비는 1 : 2인데 지름은 5cm였다)

① 0.65kg/cm^2
② 1.25kg/cm^2
③ 0.26kg/cm^2
④ 0.86kg/cm^2

해설

$$C=\frac{M_{\max}}{\pi D^2\left(\frac{H}{2}+\frac{D}{6}\right)}=\frac{120}{\pi\times 5^2\times\left(\frac{10}{2}+\frac{5}{6}\right)}=0.26\text{kg/cm}^2$$

142 예민비가 매우 큰 연약 점토지반에 대해서 전단강도를 측정하려면 다음 시험법 중 어느 것이 가장 적합하겠는가?

① 표준관입시험
② 베인시험(vane test)
③ 압밀 비배수시험
④ 직접전단시험

해설

Vane tset는 연약한 점토지반의 전단저항(점착력)을 지반 내에서 직접 측정하는 실험이다.

137 ④ 138 ④ 139 ③ 140 ③ 141 ③ 142 ② [정답]

143 사질토의 전단거동 특성에 대한 설명으로 옳지 않은 것은?

2010. 국가직 7급

① 느슨한 시료에서 전단변형이 일어나면 간극이 줄어들고 압축되면서 전체 부피가 감소하고 전단저항이 증가한다.

② 느슨한 시료는 최대강도와 잔류강도의 차이가 크지 않다.

③ 시험과정에서 나타나는 시료의 부피변화는 입자 간의 상대운동에 의한 것이 대부분이다.

④ 조밀한 시료는 잔류강도가 발현될 때까지 부피가 점점 감소한다.

해설

조밀한 시료는 잔류강도가 발현될 때까지 부피가 점점 증가한다.

144 점성토의 전단특성에 관한 설명 중 옳지 않은 것은 어느 것인가?

① 일축압축시험시 peak점이 생기지 않을 경우는 변형률 15%일 때를 기준으로 한다.

② 재성형한 시료를 함수비의 변화없이 그대로 방치하면 시간이 경과되면서 강도가 일부 회복하는 현상을 액상화현상이라 한다.

③ 전단조건(압밀상태, 배수조건 등)에 따라 강도정수가 달라진다.

④ 포화점토에 있어서 비압밀 비배수 시험의 결과 전단강도는 구속압력의 크기에 관계없이 일정하다.

해설

1. 딕소트로피 현상 : 리몰딩한 시료를 함수비의 변화없이 그대로 방치하여 두면 시간이 경과되면서 강도가 회복하는 현상
2. 액화현상 : 느슨하고 포화된 모래지반에 지진 등의 충격하중이 작용하면 체적이 수축함에 따라 공극수압이 증가하여 유효응력이 감소되기 때문에 전단강도가 작아지는 현상

145 모래의 밀도에 따라 일어나는 전단특성에 대한 다음 설명 중 옳지 않은 것은?

① 다시 성형한 시료의 강도는 작아지지만 조밀한 모래에서는 시간이 경과됨에 따라 강도가 회복된다.

② 전단저항각[내부마찰각(ϕ)]은 조밀한 모래일수록 크다.

③ 직접전단시험에 있어서 전단응력과 수평변위 곡선은 조밀한 모래에서는 peak가 생긴다.

④ 직접전단시험에 있어 수평변위－수직변위 곡선은 조밀한 모래에서는 전단이 진행됨에 따라 체적이 증가한다.

해설

1. 재성형한 점토시료를 함수비의 변화없이 그대로 방치하여 두면 시간이 지남에 따라 전기화학적 또는 colloid 화학적 성질에 의해 입자 접촉면에 흡착력이 작용하여 새로운 부착력이 생겨서 강도의 일부가 회복되는 현상을 thixotropy라 한다.
2. 직접전단시험에 의한 시험성과(촘촘한 모래와 느슨한 모래의 경우)

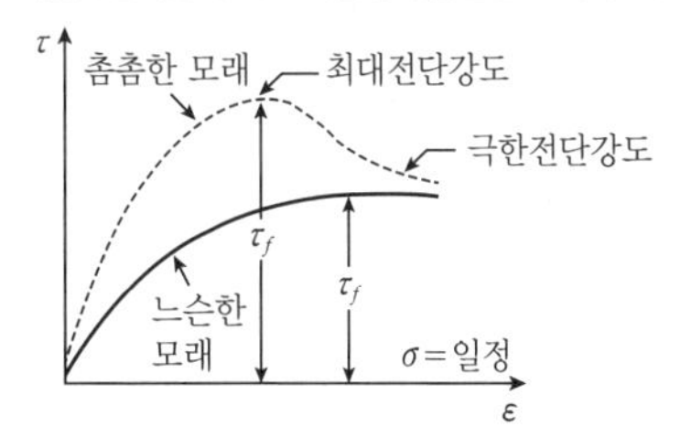

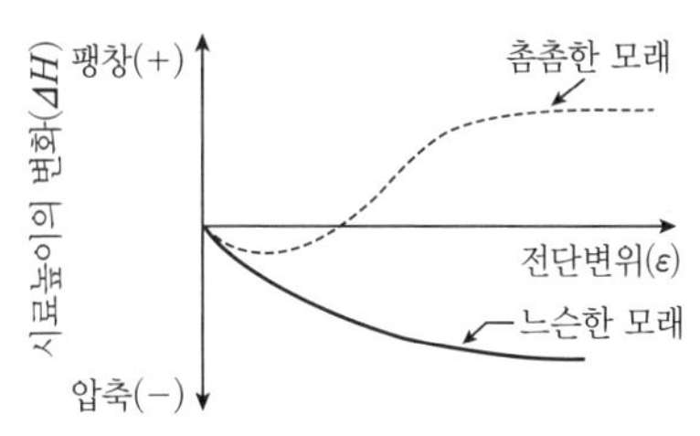

143 ④ 144 ② 145 ① [정답]

제8장

146 정규압밀상태의 연약점토층 위에 성토되는 경우에 있어 사면안정 측면에서의 안전율에 관한 설명으로 옳지 않은 것은? 2007. 국가직 7급

① 안전율은 시공 직후에 가장 작다.
② 연약점토층의 전단강도는 시간이 경과함에 따라 감소한다.
③ 가장 위험한 단계에서의 안전율을 산정하기 위한 연약점토층의 강도정수는 비압밀 비배수 삼축압축시험으로부터 구한다.
④ 성토속도를 느리게 할 경우 성토높이를 증가시킬 수 있다.

147 흙의 전단거동 특성에 대한 설명으로 옳지 않은 것은? 2015. 국가직

① 일반적으로 느슨한 사질토는 배수 삼축압축시험(CD시험) 중 체적이 지속적으로 감소한다.
② 조밀한 사질토는 압밀 비배수 삼축압축시험(CU시험) 중 간극수압이 감소할 수 있다.
③ 압밀 비배수 삼축압축시험(CU시험) 시 과압밀점토의 거동은 느슨한 사질토의 거동과 유사하다.
④ 상대밀도만 서로 다른 두 사질토 시편에 대해 동일한 구속압 조건의 배수 삼축압축시험(CD시험)을 수행하는 경우, 전단변형이 파괴 이후까지 충분히 커지면 두 시편의 간극비는 거의 같은 값으로 수렴한다.

해설

CU시험시 과압밀점토의 거동은 조밀한 사질토의 거동과 유사하다.
정규압밀점토는 시료가 파괴될 때까지 큰 변형이 생기고 과압밀점토는 작은 변형율에서 정점(peak)이 나타난다.

148 다음 그림은 점성이 없는 흙의 전단강도 특성을 도시한 것이다. 그림 (a)는 전단응력–변형률 관계를 도시한 것이고, 그림 (b)는 축변형률과 간극비와의 관계를 도시한 것이다. 그림의 설명이 잘못된 것은?

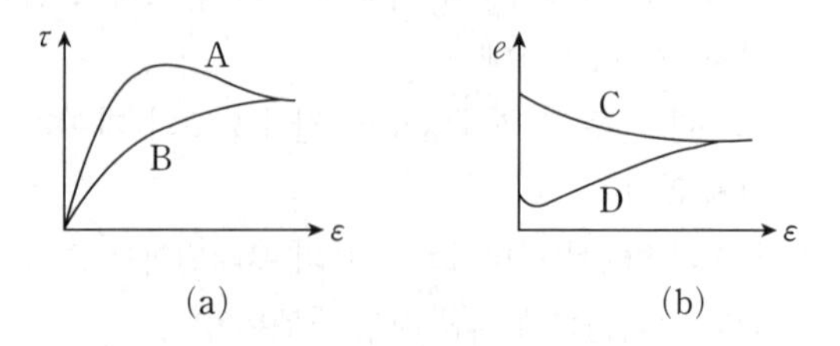

(a) (b)

① A는 변형의 증가에 따라 최대응력을 보인 후, 서서히 감소하는 것으로 보아 조밀한 모래의 전단특성이다.
② B는 변형의 증가에 따라 응력이 계속 증가하는 것으로 보아 느슨한 모래의 전단특성이다.
③ C와 D는 변형의 증가에 따라 간극비가 일정하게 되는데 이 때의 간극비를 한계간극비라고 한다.
④ D는 변형에 따라 간극비가 감소하다가 증가하는 것으로 보아 느슨한 모래의 전단과정에서 발생한다.

해설

1. 전단응력과 변형률의 관계

곡선 A	조밀한 모래
곡선 B	느슨한 모래

2. 간극비와 변형률과의 관계

곡선 C	느슨한 모래
곡선 D	조밀한 모래

146 ② 147 ③ 148 ④ [정답]

149 지반재료의 강성(stiffness)의 특성으로 옳지 않은 것은? 2015. 국가직

① 모든 지반재료의 강성은 응력경로에 무관하다.
② 사질토에서 구속응력의 증가는 지반 강성을 증가 시킨다.
③ 정규압밀점토의 강성은 변형률 증가와 함께 감소한다.
④ 수평퇴적지층의 경우 대체로 퇴적방향에 따라 강성이 달라지는 이방성특성을 나타낸다.

해설

강성(stiffness)
외력에 의해 변형되지 않으려는 성질을 강성이라한다. 즉, 강성이 좋으면 외력에 대하여 변형, 처짐이 작다.

150 흙의 전단강도에 대한 설명으로 틀린 것은?

① 조밀한 모래는 전단변형이 작을 때 전단파괴에 이른다.
② 조밀한 모래는 (+)dilatancy, 느슨한 모래는 (−)dilatancy가 발생한다.
③ 점착력과 내부마찰각은 파괴면에 작용하는 수직응력의 크기에 비례한다.
④ 전단응력이 전단강도를 넘으면 흙의 내부에 파괴가 일어난다.

해설

점착력은 수직응력의 크기에 관계가 없고 흙의 특성과 상태가 정해지면 일정한 값을 갖는다.

151 토질의 dilatancy현상에 대한 설명 중 틀린 것은?

① 전단응력에 의하여 토질의 체적이 증가하는 현상을 dilatancy라 한다.
② Dilatancy현상은 조밀한 모래의 경우 발생한다.
③ Dilatancy현상이 일어나기 시작할 때의 모래의 간극비를 한계간극비라 한다.
④ 점토에서는 dilatancy현상이 발생하지 않는다.

해설

1. Dilatancy현상
   ① 조밀한 모래(과압밀점토) : (+) dilatancy, (−) 공극수압이 발생한다.
   ② 느슨한 모래(정규압밀점토) : (−) dilatancy, (+) 공극수압이 발생한다.
2. 조밀한 모래와 느슨한 모래가 일정한 하나의 간극비가 될 때의 간극비를 한계간극비라 한다.

152 그림은 삼축압축시험의 결과 변형(ε%)과 체적변화$\left(\frac{\Delta V}{V}\right)$를 나타낸 것이다. 옳지 않은 것은?

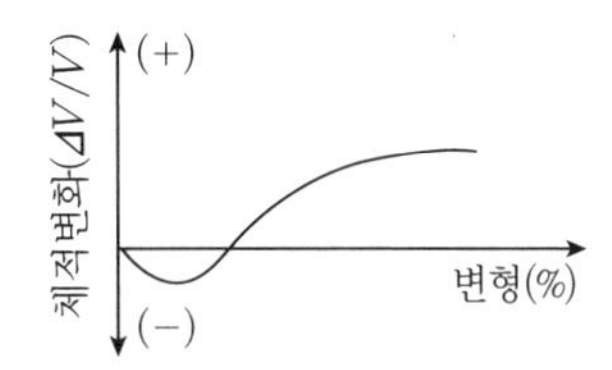

① 조밀한 모래의 시험결과이다.
② 느슨한 모래의 시험결과이다.
③ 과압밀점토의 시험결과이다.
④ 이러한 현상을 dilatancy현상이라 한다.

해설

문제의 그림에서 변형됨에 따라 체적이 팽창하고 있으므로
1. 사용되는 시료는 조밀한 모래 혹은 과압밀점토이다.
2. (−) dilatancy, (+) 공극수압이 발생한다.

149 ① 150 ③ 151 ③ 152 ② [정답]

153 조밀한 흙과 느슨한 흙을 비교한 다음 그림 중 틀린 것은 어느 것인가?

①
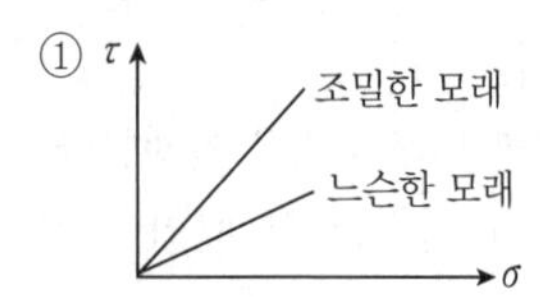

②
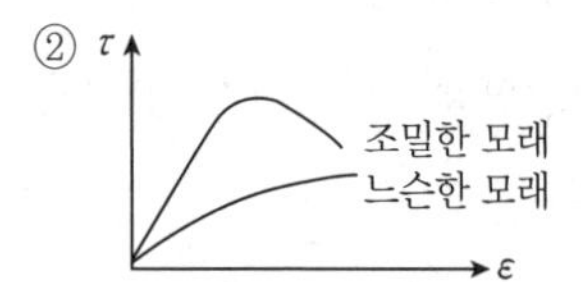

③
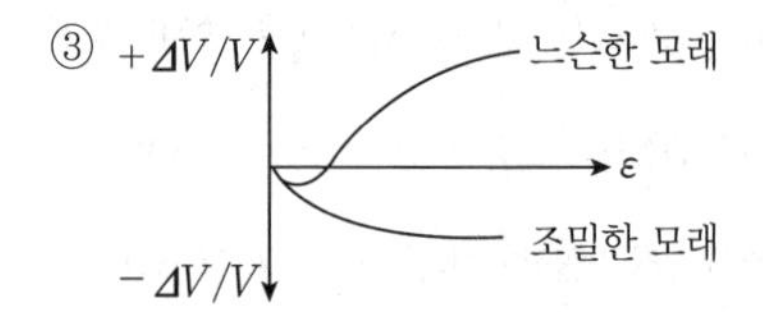

④
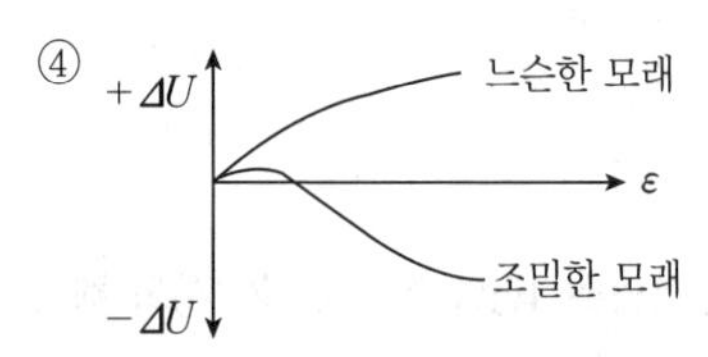

해설

직접전단시험의 결과

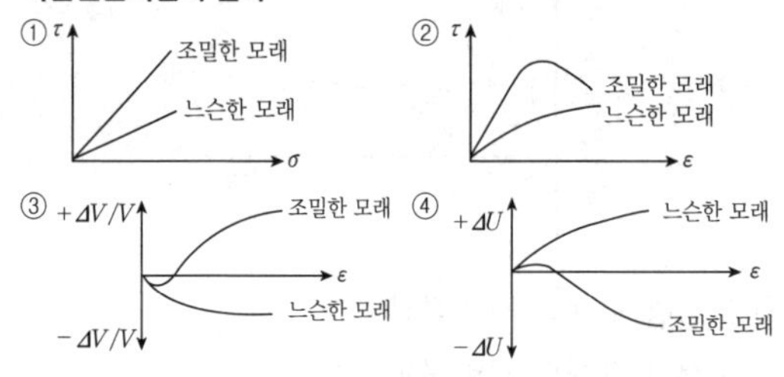

154 액상화(liquefaction)를 방지하기 위한 공법으로 거리가 먼 것은?

① 바이브로컴포저(vibro-compozer)공법
② 웰포인트(well-point)공법
③ 샌드컴팩션파일(sand compaction pile)공법
④ 샌드드레인(sand drain)공법

해설

액화현상 방지대책 공법

1. 간극수압 제거 : vertical drain공법, gravel drain공법
2. 지하수위 저하 : well-point공법, deep well공법
3. 밀도 증가 : vibro-flotation공법, sand-compaction pile공법

155 다음은 흙시료의 전단시험 중 일어나는 dilatancy 현상에 대해서 기술한 것이다. 이 가운데 틀린 것은?

① 전단 중에 시료의 체적이 변하는 현상을 통틀어서 dilatancy라 부른다.
② 사질토 시료는 전단 중 dilatancy가 일어나지 않는 한계의 간극비가 존재한다.
③ 정규압밀점토의 경우 정(+)의 dilatancy가 일어난다.
④ 느슨한 모래는 보통 부(−)의 dilatancy가 일어난다.

해설

느슨한 모래 혹은 정규압밀점토의 경우 (−) dilatancy, (+) 공극수압이 발생한다.

156 다음 중 느슨한 모래의 전단변위와 응력의 관계 곡선으로 옳은 것은? (단, 그래프 가로축은 전단변위, 세로축은 전단응력을 나타낸다)

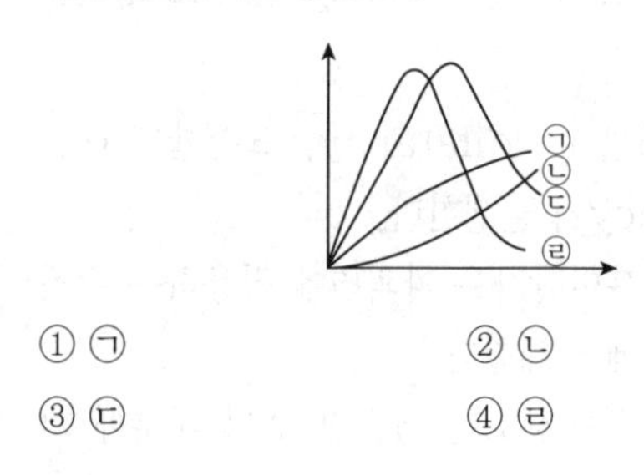

① ㉠ ② ㉡
③ ㉢ ④ ㉣

해설

전단응력과 변형률과의 관계

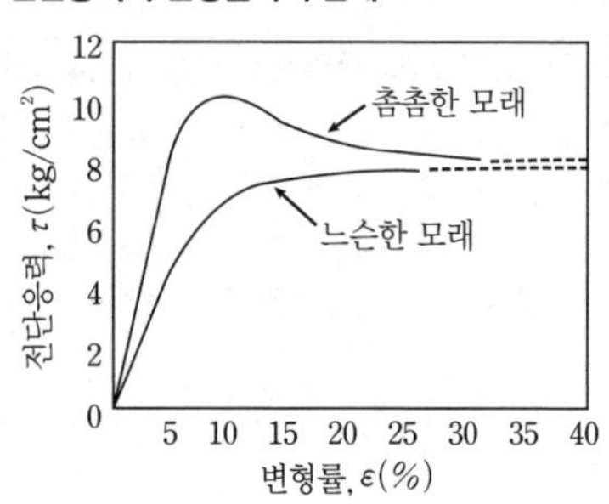

153 ③ 154 ④ 155 ③ 156 ① [정답]

157 액화현상(liquefaction)에 대한 설명으로 틀린 것은?

① 포화된 느슨한 모래에서 흔히 일어난다.
② 간극수가 배출되지 못할 때 일어나게 된다.
③ 한계간극비에 크게 관련된다.
④ 과잉간극수압은 갑자기 크게 감소한다.

해설

액화현상 : 느슨하고 포화된 모래지반에 지진, 발파 등의 충격하중이 작용하면 체적이 수축함에 따라 공극수압이 증가하여 유효응력이 감소되기 때문에 전단강도가 작아지는 현상이다.

158 다음 그림에서 τ_f가 측정될 때의 체적변화율은 $d\Delta/d\varepsilon$, 수직응력은 σ라 하면 단위면적당 흙이 팽창할 때 행해지는 일(work)은 (A)이며, 이 일(work) 때문에 소비되는 전단응력의 부호를 τ_d하면 외부에서 가해지는 일은 (B)이다. 두 일은 같으므로 등식으로 놓아 구한 τ_d가 바로 dilatancy이다. A, B는 얼마인가?

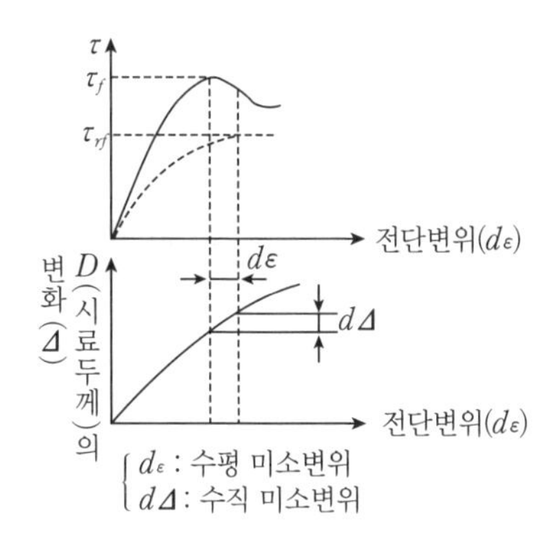

	(A)	(B)
①	$\tau_d \cdot d\Delta$	$\sigma \cdot d\varepsilon$
②	$\sigma \cdot d\varepsilon$	$\tau_d \cdot d\Delta$
③	$\tau_d \cdot d\varepsilon$	$\sigma \cdot d\Delta$
④	$\sigma \cdot d\Delta$	$\tau_d \cdot d\varepsilon$

159 액상화에 대한 설명으로 옳지 않은 것은?

2016. 국가직 7급

① 느슨한 포화사질토 지반에 지진과 같은 동적하중이 작용할 때 발생한다.
② 지반 내 과잉간극수압이 증가하여 유효응력이 감소한다.
③ 진동삼축시험으로 액상화를 검토할 수 있다.
④ 진동으로 인해 체적이 팽창하여 배수가 촉진되는 현상이다.

해설

액상화현상은 진동으로 인해 체적이 수축하여 과잉간극수압이 증가하며 이 과잉간극수압의 배수가 촉진되는 현상이다.

160 점성토시료를 교란시켜 재성형을 한 경우 시간이 지남에 따라 강도가 증가하는 현상을 나타내는 용어는?

① 크리프(creep)
② 딕소트로피(thixotropy)
③ 이방성(anisotropy)
④ 아이소크론(isochrone)

해설

재성형한 시료를 함수비의 변화없이 그대로 방치하여 두면 시간이 경과되면서 강도가 회복되는 현상을 딕소트로피(thixotropy) 현상이라 한다.

161 연약점토지반에 말뚝재하시험을 하는 경우, 말뚝타입 후 며칠이 지난 후 시험을 행하는데, 이는 점토의 어느 성질 때문인가?

2007. 국가직 7급

① 모세관 현상
② 팽창작용
③ 딕소트로피(Thixotropy)
④ 슬레이킹(Slaking)

해설

말뚝타입시 말뚝주위의 점토지반이 교란되어 강도가 작아지게 된다. 그러나 점토는 thixotropy현상이 생겨서 강도가 되살아나기 때문에 말뚝재하시험은 말뚝타입 후 며칠이 지난 후 행한다.

157 ④ 158 ④ 159 ④ 160 ② 161 ③ [정답]

162 말뚝재하시험시 연약 점토지반인 경우는 pile의 타입 후 20여 일이 지난 다음 말뚝재하시험을 한다. 그 이유는?

① 주면마찰력이 너무 크게 작용하기 때문에
② 부마찰력이 생겼기 때문에
③ 타입시 주변이 교란되었기 때문에
④ 주위가 압축되었기 때문에

163 다음 흙의 전단강도가 대단히 적어지는 경우를 열거한 것 중 옳지 않은 것은?

① 포화된 가늘고 느슨한 모래층에 지진 등 충격이 가해졌을 때
② 해성점토(marine clay)가 민물에 씻기어 소금 성분을 잃었을 때
③ 가늘고 느슨한 모래층에서 동수경사가 한계동수 경사보다 클 때
④ 실트지반에 모관현상이 활발할 때

해설

1. 액화현상이 발생하면 전단강도가 적어진다.
2. Leaching현성이 발생하면 전단강도가 적어진다.
3. 분사현상이 발생하면 전단강도가 적어진다.
4. 모세관현상이 발생하면 유효응력이 증가하므로 전단강도가 증가한다.

164 다음은 어떤 현상에 대한 원인이나 설명이다. 연결이 잘못된 것은?

① slaking현상 – 포화된 가늘고 느슨한 모래층에 지진 등 충격이 가해졌을 때
② leaching현상 – 해성점토가 민물에 씻기어 소금 성분을 잃었을 때
③ thixotropy현상 – 교란된 흙이 시간이 지남에 따라 손실된 강도를 약간 회복하는 것
④ dilatancy현상 – 시료의 전단시 체적의 증감현상

해설

비화작용(slaking)이란 점토가 물을 흡수하여 고체 → 반고체 → 소성 → 액성의 단계를 거치지 않고 갑자기 붕괴되는 현상을 말한다.

165 다음 흙의 전단특성에 관한 것 중 모래에 대한 것이 아닌 것은?

① 다이래턴시(dilatancy)
② 예민비
③ 한계공극비
④ 점착력 $C=0$

166 입상토(粒狀土)의 전단저항각(내부마찰각)에 영향을 미치지 않는 것은?

① 흙의 다져진 상태　　② 흙입자의 형상
③ 입도분포　　④ 비중

해설

모래의 전단저항각에 영향을 미치는 요소

1. 상대밀도
2. 입자의 형상과 입도분포
3. 구속압력의 영향

167 모래의 내부마찰각을 증가시키는 인자로 옳지 않은 것은? 2010. 지방직 7급

① 상대밀도 증가
② 입자의 모난 정도 증가
③ 균등계수 증가
④ 구속응력 증가

해설

구속응력이 커지면 ϕ는 작아진다.

162 ③ 163 ④ 164 ① 165 ② 166 ④ 167 ④ [정답]

168 등방압밀인 경우 공극압 ΔU와 등방압 $\Delta\sigma$사이에는 $\Delta U = B\Delta\sigma$의 관계가 있다. 다음 설명 중 옳은 것은?

① 포화된 점토에 있어 $B=1$이 되는데 B를 공극수압계수라 한다.
② 포화된 점토에 있어 $B>1$이 되는데 B를 공극수압계수라 한다.
③ 포화된 점토에 있어 $B<1$이 되는데 B를 체적변화계수라 한다.
④ 포화되었거나 비포화되었거나 $B=1$이 되는데 B를 체적변화계수라 한다.

해설

B계수(등방압축시의 간극수압계수)

1. $B = \dfrac{\Delta U}{\Delta\sigma_3}$
2. $S_r = 100\%$일 때 $B = 1$, $S_r = 0$일 때 $B = 0$이다.

169 다음은 삼축압축시험에 있어서 공극수압을 측정하여 공극수압계수 A를 계산하는 식이다. 여기에 대한 설명 중 틀린 것은?

$$\Delta U = B[\Delta\sigma_3 + A(\Delta\sigma_1 - \Delta\sigma_3)]$$

① 포화된 흙에서는 윗식에서 $B=1$로 보아도 좋다.
② 정규압밀점토에서는 A값이 파괴시에는 1 내외의 값을 나타낸다.
③ 포화점토에서는 간극수압의 측정값과 축차응력을 알면 된다.
④ 심히 과압밀 된 점토의 A값은 언제나 +값을 갖는다.

해설

A계수(삼축압축시의 간극수압계수) : $\Delta U = B[\Delta\sigma_3 + A(\Delta\sigma_1 - \Delta\sigma_3)]$

1. $S_r = 100\%$일 때 $B = 1$ 이므로 $A = \dfrac{\Delta U - \Delta\sigma_3}{\Delta\sigma_1 - \Delta\sigma_3}$
2. A계수의 대표값

흙의 종류($S_r = 100\%$)	A의 대표치(파괴시)
정규압밀점토	0.5~1.0
과압밀점토	-0.5~0

170 다음 설명 중 틀린 것은?

① 일반적으로 조밀한 모래의 경우 주어진 구속응력에 관계없이 전단시 체적이 증가한다.
② 정규압밀점토의 경우 배수상태로 전단시험을 하는 경우 점착력은 거의 나타나지 않는다.
③ 간극수압계수 B는 시료의 포화상태를 점검하는데 유용하게 사용된다.
④ 간극수압계수 A는 시료의 과압밀상태로 구분하는데 유용하게 사용된다.

해설

1. 배수 삼축압축시험시 체적변화
   ① 느슨한 모래 : 구속응력이 클수록 전단되는 동안에 체적이 감소하는 것이 일반적이나 σ_3가 아주 작을 때에는 체적이 팽창된다.
   ② 조밀한 모래 : 구속응력이 클수록 전단되는 동안에 체적이 증가하는 것이 일반적이나 σ_3가 아주 클 때에는 체적이 감소된다.
2. B계수 : $B = \dfrac{\Delta U}{\Delta\sigma_3}$
   ① $S_r = 100\%$일 때 $B = 1$, $S_r = 0$일 때 $B = 0$, 불포화일 때 $B = 0$~1이다.
   ② 시료의 포화상태를 알 수 있다.
3. A계수
   ① $\Delta U = B[\Delta\sigma_3 + A(\Delta\sigma_1 - \Delta\sigma_3)]$에서 포화점토로 가정하면 $B = 1$이므로
   $\therefore A = \dfrac{\Delta U - \Delta\sigma_3}{\Delta\sigma_1 - \Delta\sigma_3}$
   ② 파괴시 A계수의 일반적인 범위

점토의 종류	A계수
정규압밀점토	0.5~1
과압밀점토	-0.5~0

168 ① 169 ④ 170 ① [정답]

제8장

171 간극수압계수 A와 B에 대한 설명으로 옳지 않은 것은? 2011. 국가직 7급

① 완전히 포화된 점토의 B 값은 1.0이다.
② 일반적으로 포화도가 커질수록 B 값도 커진다.
③ 일반적으로 정규압밀점토의 A 값은 과압밀점토의 A 값보다 작다.
④ 압밀비배수(CU) 시험에서 A 값을 구할 수 있다.

해설

A계수의 대표값

흙의 종류(S_r=100%)	A의 대표치(파괴시)
정규압밀점토	0.5~1.0
과압밀점토	−0.5~0

172 사질토의 전단강도에 영향을 미치는 요소로서 가장 관계가 적은 것은?

① 투수계수
② 입자의 조밀상태
③ 응력이력(OCR)
④ 시간에 대한 변형률

173 그림과 같은 지반에서 하중으로 인하여 수직응력($\Delta\sigma_1$)이 1.0kg/cm^2 증가되고 수평응력($\Delta\sigma_3$)이 0.5kg/cm^2 증가되었다면 간극수압은 얼마가 증가되었는가? (단, 간극수압 계수 A=0.5이고, B=1이다)

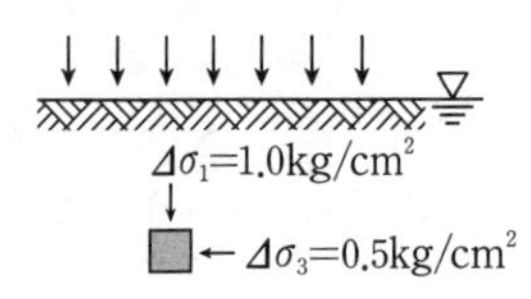

① 0.50kg/cm^2
② 0.75kg/cm^2
③ 1.00kg/cm^2
④ 1.25kg/cm^2

해설

$\Delta U = B[\Delta\sigma_3 + A(\Delta\sigma_1 - \Delta\sigma_3)]$
$= 1\times[0.5+0.5(1.0-0.5)] = 0.75\text{kg/cm}^2$

174 포화된 점토시료를 30.0t/m^{2}의 구속응력(σ_3)으로 압밀시킨 후, 비배수 조건에서 축차응력($\sigma_1-\sigma_3$)을 20.0t/m^2 증가시켰을 때 발생되는 과잉간극수압(u[t/m^2])은? (단, Skempton의 간극수압계수 A=0.7, B=1.0이다) 2007. 국가직 7급

① 35.0 ② 25.0
③ 21.0 ④ 14.0

해설

$\Delta U = B[\Delta\sigma_3 + A(\Delta\sigma_1 - \Delta\sigma_3)]$
$= 1\times[0+0.7\times 20]$
$= 14\text{t/m}^2$

175 삼축압축시험에서 흙 시료를 비배수 상태에서 등방응력 400kN/m^{2}을 가한 수 시료의 과잉간극수압을 측정하니 400kN/m^{2}이었다. 이러한 시료에 등방응력이 400kN/m^{2}인 상태에서 축차응력 600kN/m^{2}을 가했더니 과잉간극수압이 700kN/m^{2}으로 증가하였다. Skempton의 과잉간극수압계수 A 및 B는? 2013. 국가직

	A	B
①	0.5	1.0
②	0.75	1.0
③	0.5	0.75
④	0.75	0.75

해설

1. B계수 $= \dfrac{\Delta U}{\Delta\sigma_3} = \dfrac{400}{400} = 1$
2. $\Delta U = B[\Delta\sigma_3 + A(\Delta\sigma_1 - \Delta\sigma_3)]$
$700 = 1[400 + A\times 600]$
$\therefore A = 0.5$

171 ③ 172 ① 173 ② 174 ④ 175 ① [정답]

176 삼축압축시험 결과 간극수압 계수가 A = 0.5, B = 0.8인 지반 위에 3m 높이의 제방이 기 축조되어 있다. 이 제방 위에 단위중량(γ_t)이 2.0t/m³인 흙으로 제방 높이를 3m에서 6m로 올린 직후의 간극수압 증가량(t/m²)은? (단, 제방을 시공하는 동안에 발생되는 간극수압의 손실은 무시하고, 수평방향 토압은 연직방향 토압의 1/2로 가정한다)

2009. 지방직 7급

① 2.6 ② 3.6
③ 4.6 ④ 5.6

해설

$\varDelta U = B[\varDelta\sigma_3 + A(\varDelta\sigma_1 - \varDelta\sigma_3)]$
$= 0.8[3 + 0.5(6-3)]$
$= 3.6\text{t/m}^2$

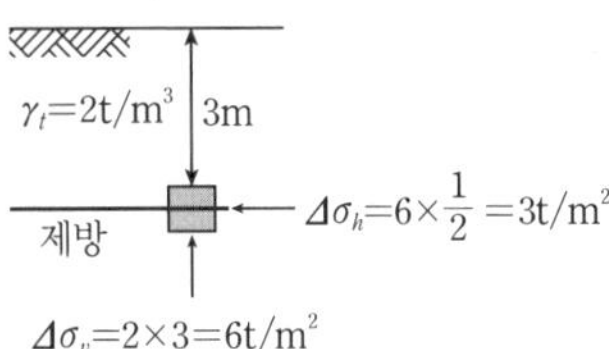

177 점토지반 위에 단위중량이 20kN/m³인 흙을 5m 성토할 때, 점토지반에 발생된 과잉간극수압이 60kN/m²일 경우 간극수압계수 A는? (단, 지하수위는 지표면에 있으며, 간극수압계수 B는 1, 횡방향 토압계수는 0.5이다)

2011. 지방직 7급

① 0.2 ② 0.3
③ 0.4 ④ 0.5

해설

$\varDelta U = B[\varDelta\sigma_3 + A(\varDelta\sigma_1 - \varDelta\sigma_3)]$
$60 = 1\times[50 + A(100-50)]$
$\therefore A = 0.2$

178 그림과 같이 지하수위가 지표와 일치한 연약점토지반 위에 양질의 흙으로 매립 성토할 때 매립이 끝난 후 매립 지표로부터 5m 깊이에서의 과잉공극수압은 약 얼마인가?

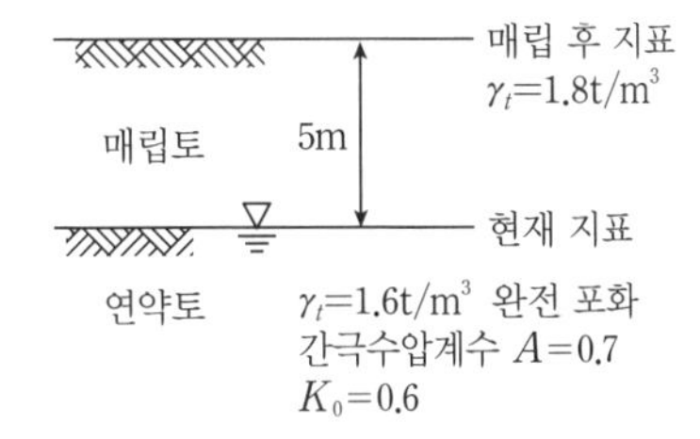

① 9.0t/m²
② 7.9t/m²
③ 5.4t/m²
④ 3.4t/m²

해설

1. $\sigma_v = \gamma_t h = 1.8\times5 = 9\text{t/m}^2$
2. $\sigma_h = \sigma_v K_0 = 9\times0.6 = 5.4\text{t/m}^2$
3. $\varDelta U = B[\varDelta\sigma_3 + A(\varDelta\sigma_1 - \varDelta\sigma_3)]$
$= 5.4 + 0.7(9-5.4) = 7.92\text{t/m}^2$

179 연약한 점토지반 위에 5m 높이의 제방을 축조하려고 한다. 이때 사용된 흙의 단위중량은 2.0t/m³이다. 지하수위는 지표면과 일치하며 Skempton의 간극수압계수 A = 0.8이고, B = 1.00이다. 제방의 축조가 완료된 직후 제방 중앙 바닥면에서 발생되는 과잉간극수압(t/m²)은? (단, 횡방향 토압은 연직토압의 1/2로 가정한다)

2010. 국가직 7급

① 7.0 ② 9.0
③ 11.0 ④ 13.0

해설

1. $\sigma_v = \gamma_t h = 2\times5 = 10\text{t/m}^2$
$\sigma_h = \sigma_v K_0 = 10\times\frac{1}{2} = 5\text{t/m}^2$
2. $\varDelta U = B[\varDelta\sigma_3 + A(\varDelta\sigma_1 - \varDelta\sigma_3)]$
$= 1\times[5 + 0.8(10-5)]$
$= 9\text{t/m}^2$

176 ② 177 ① 178 ② 179 ② [정답]

제8장

180 다음의 stress path(응력경로)는 어떤 시험일 때인가?

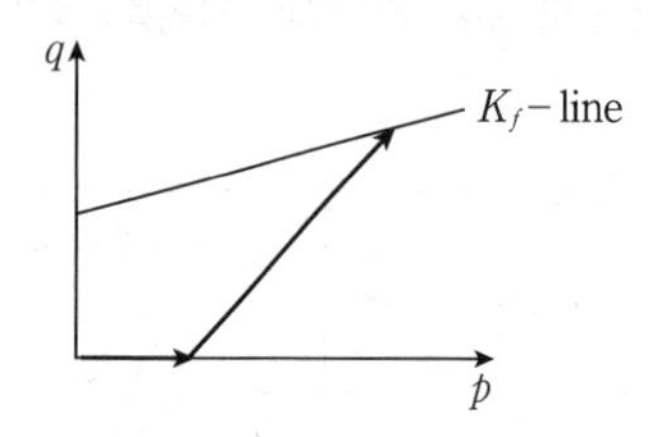

① 직접전단압축일 때
② 표준삼축압축일 때
③ 압밀시험일 때
④ 등방압축시험일 때

181 다음은 응력경로(stress path)를 설명한 것이다. 이 가운데 틀린 것은? (단, 여기서 Mohr원의 중심위치는 $p=\dfrac{\sigma_1+\sigma_3}{2}$, 반경의 크기는 $q=\dfrac{\sigma_1-\sigma_3}{2}$ 이다)

① 응력경로는 각 Mohr원의 중심위치 p와 반지름의 크기 q를 연결하는 선을 말한다.
② 응력경로는 시료가 받는 응력의 변화과정을 연속적으로 살필 수 있는 표현방법이다.
③ 액압 σ_3를 고정하고 측압 σ_1을 연속적으로 증가시키는 경우의 응력경로는 σ_3와 각 Mohr원의 꼭짓점을 연결하는 직선이다.
④ 응력경로는 그 성격상 전응력에 대해서만 그릴 수 있다.

해설

응력경로(stress path)

1. 최대전단응력을 나타내는 Mohr의 한 점에 대해 응력이 변화하는 동안 각 응력상태에 대한 Mohr원점들을 연속적으로 표시한 선이다.
2. 응력경로는 전응력경로와 유효응력경로로 표시할 수 있다.

182 다음의 응력경로(stress path)는 어떤 상태를 나타내는가?

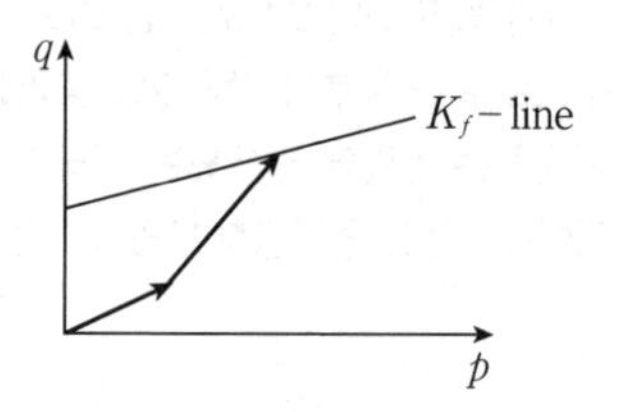

① 등방압축 ② 표준삼축압축
③ 직접전단 ④ 압밀시험

183 다음 그림의 응력경로에 대한 설명으로 옳지 않은 것은? 2012. 국가직

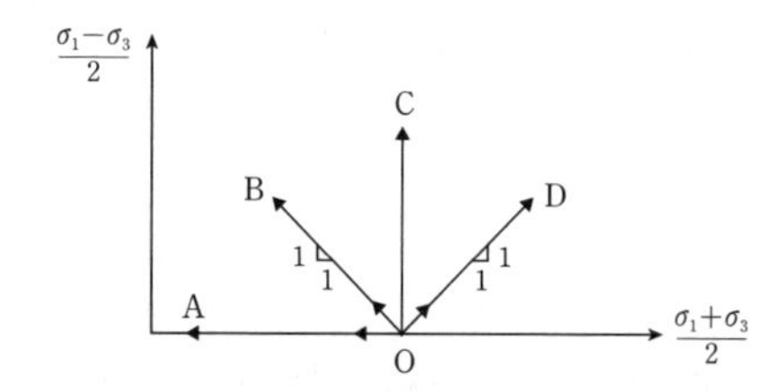

① OA 경로에서 σ_1, σ_3 각각의 응력변화량의 절댓값은 같다.
② OB는 수평방향 인장시험의 응력경로를 의미한다.
③ OC 경로에서 σ_1, σ_3 각각의 응력변화량의 절댓값은 다르다.
④ OD는 수직방향 압축시험의 응력경로를 의미한다.

해설

OC의 경로

$\Delta\sigma_1 = -\Delta\sigma_3$로서 σ_1, σ_3 각각의 응력변화량의 절댓값은 같다.

180 ② 181 ④ 182 ③ 183 ③ [정답]

184 다음은 응력경로를 p-q Diagram으로 나타낸 것이다. 다음 설명 중 옳지 않은 것은?

2010. 국가직 7급

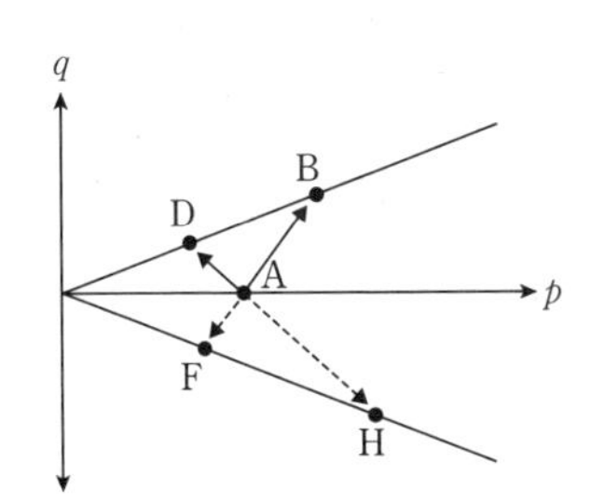

① AB : 축방향 압축상태로 σ_h는 감소하며, σ_v는 증가하는 상태
② AF : 축방향 인장상태로 σ_h는 일정하고, σ_v는 감소하는 상태
③ AH : 횡방향 압축상태로 σ_h는 증가하며, σ_v는 일정한 상태
④ AD : 횡방향 인장상태로 σ_h는 감소하며, σ_v는 일정한 상태

해설

AB의 경로

$p=\frac{\sigma_v+\sigma_h}{2}>0$, $q=\frac{\sigma_v-\sigma_h}{2}>0$ 이므로 $\Delta\sigma_v>\Delta\sigma_h>0$ 인 축방향 압축상태이다.

185 지하구조물 설치를 위해 다음 그림과 같이 지반을 굴착하였을 때 굴착부 측면 A지점과 하부 B지점 각각에 대한 흙의 응력경로를 p-q도상에 옳게 표시한 것은?

2014. 국가직

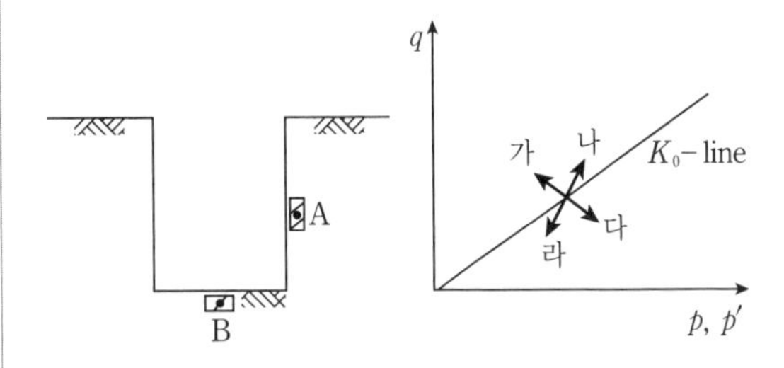

	A지점	B지점
①	가	라
②	나	라
③	가	다
④	나	다

해설

1. A지점에서 σ_v 일정, σ_h 감소하므로
$p=\frac{\sigma_v+\sigma_h}{2}<0$, $q=\frac{\sigma_v-\sigma_h}{2}>0$
2. B지점에서 σ_v 감소, σ_h 일정하므로
$p=\frac{\sigma_v+\sigma_h}{2}<0$, $q=\frac{\sigma_v-\sigma_h}{2}<0$

184 ① 185 ① [정답]

186 그림과 같이 심도 10m에서 채취한 시료를 대상으로 K_0 압밀 배수 삼축압축(CD)시험을 수행하여 내부마찰각 30°, 점착력 0의 결과를 얻었다. $p'-q$상에서 현장상태(K_0 압밀)를 나타내는 A점과 파괴상태를 나타내는 B점의 좌표(p', q)는? (단, $p'=\frac{\sigma'_1+\sigma'_3}{2}$, $q=\frac{\sigma'_1-\sigma'_3}{2}$, $K_0=1-\sin\phi'$, 흙의 단위중량은 20kN/m³, 현장에서 지하수위는 발견되지 않았다)

2016. 국가직 7급

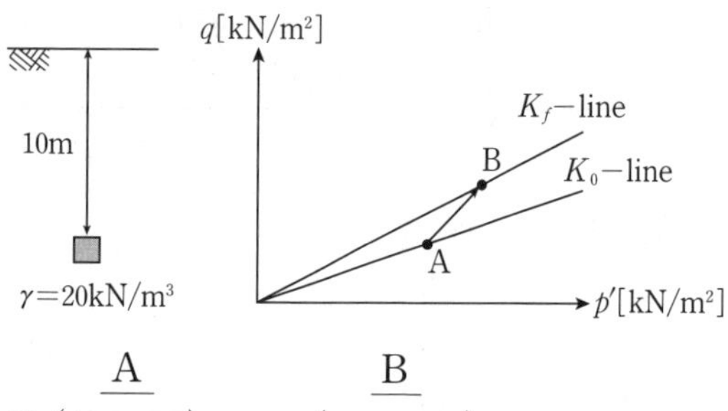

	A	B
①	(150, 50)	(200, 100)
②	(150, 50)	(300, 150)
③	(200, 50)	(300, 100)
④	(200, 50)	(300, 150)

해설

1. A점(K_o시)

① $\sigma_v=20\times10=200\text{kN/m}^2$

$\sigma_h=\sigma_v K_o=200(1-\sin30°)=100\text{kN/m}^2$

② $p=\frac{\sigma_v+\sigma_h}{2}=\frac{200+100}{2}=150\text{kN/m}^2$

$q=\frac{\sigma_v-\sigma_h}{2}=\frac{200-100}{2}=50\text{kN/m}^2$

2. B점(파괴시)

① $\sin\phi=\frac{\sigma_1-\sigma_3}{\sigma_1+\sigma_3}$에서 $\frac{1}{2}=\frac{\sigma_1-100}{\sigma_1+100}$ $\therefore \sigma_1=300\text{kN/m}^2$

② $p=\frac{\sigma_v+\sigma_h}{2}=\frac{300+100}{2}=200\text{kN/m}^2$

$q=\frac{300-100}{2}=100\text{kN/m}^2$

187 임의의 지반에서 응력상태를 p－q도상에 표시하면 그림과 같이 K_0－line에 위치하게 된다. 이때 지표면으로부터 깊이 5m에서 채취한 시료의 원위치수평응력[kN/m²]은? (단, K_0－line 기울기를 β라 할 때, $\tan\beta=\frac{1}{3}$, 지반의 단위중량은 18kN/m²이다)

2014. 국가직

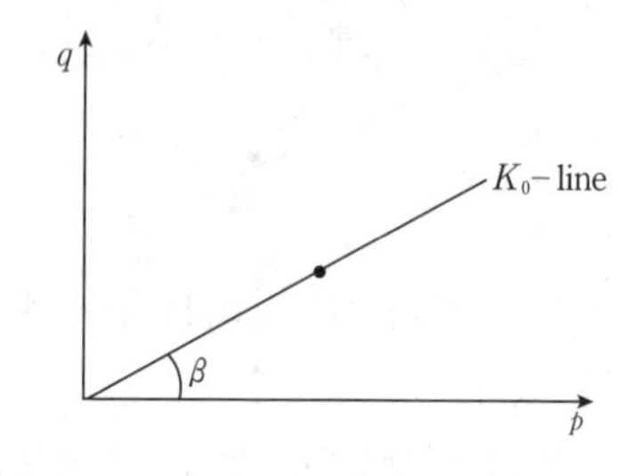

① 22.5 ② 45
③ 90 ④ 180

해설

1. $K_0=\frac{1-\tan\alpha}{1+\tan\alpha}=\frac{1-\frac{1}{3}}{1+\frac{1}{3}}=\frac{1}{2}$

2. $\sigma_h=\sigma_v K_0=(18\times5)\times\frac{1}{2}=45\text{kN/m}^2$

188 과압밀 점토시료를 사용하여 압밀 비배수 삼축압축시험을 수행하였다. 시험 결과에 가장 부합하는 유효응력경로는? (단, $p=\frac{\sigma_1+\sigma_3}{2}$, $p'=\frac{\sigma_1'+\sigma_3'}{2}$, $q=\frac{\sigma_1-\sigma_3}{2}$, $q'=\frac{\sigma_1'-\sigma_3'}{2}$)

2013. 국가직

①

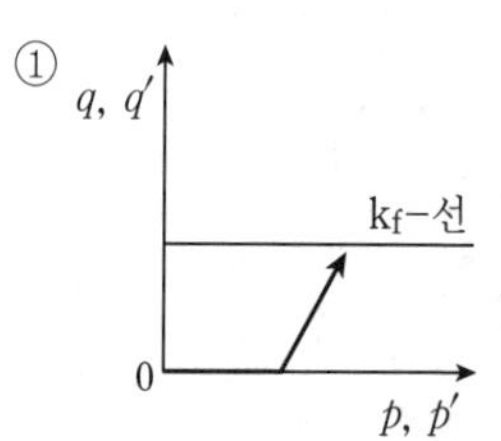

②

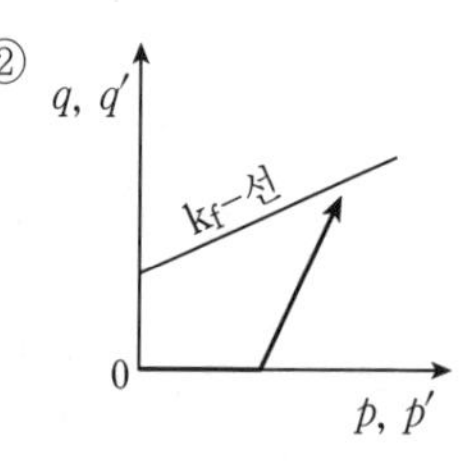

③

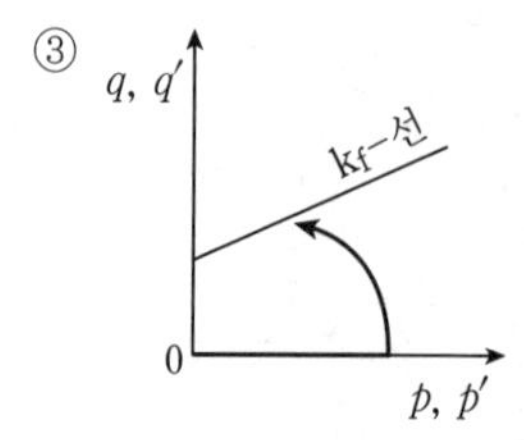

④

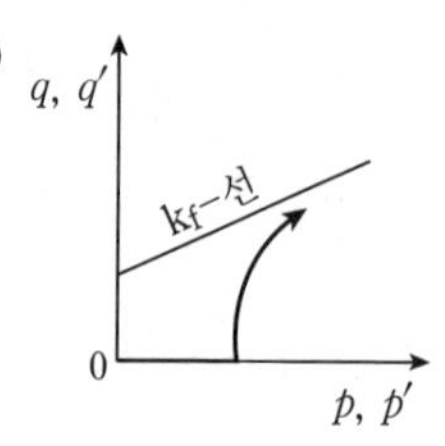

186 ① 187 ② 188 ④ [정답]

189 그림과 같이 정규압밀점토에 대한 삼축압축시험을 통해서 전응력경로(TSP)와 유효응력경로(ESP)가 얻어졌을 때, A점의 응력상태에서 시료에 가해진 축차응력 $\Delta\sigma_d$[kPa]와 간극수압 Δu[kPa]는? $\left(단,\ p=\frac{\sigma_1+\sigma_3}{2},\ p'=\frac{\sigma_1'+\sigma_3'}{2},\ q=\frac{\sigma_1-\sigma_3}{2},\ q'=\frac{\sigma_1'-\sigma_3'}{2}\right)$ 2015. 국가직

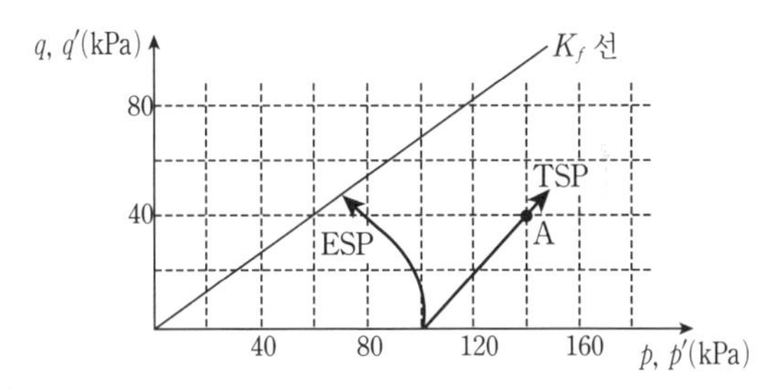

	$\Delta\sigma_d$	Δu
①	80	60
②	80	80
③	100	60
④	100	80

해설

1. $p=\frac{\sigma_1+\sigma_3}{2}=140,\ q=\frac{\sigma_1-\sigma_3}{2}=40$ 이므로

$\sigma_1=180\text{kPa},\ \sigma_3=100\text{kPa}$

$\therefore \sigma_1-\sigma_3=180-100=80\text{kPa}$

2. $\bar{p}=\frac{\bar{\sigma}_1+\bar{\sigma}_3}{2}=80,\ \bar{q}=\frac{\bar{\sigma}_1-\bar{\sigma}_3}{2}=40$ 이므로

$\bar{\sigma}_1=120\text{kPa}$

$\therefore \Delta u=180-120=60\text{kPa}$

190 흙에 대한 삼축압축시험으로 구한 파괴시의 응력상태를 $p-q$ diagram으로 도시한 결과 $q=0.5p+0.5$의 회귀분석식이 도출되었다. 이 결과를 이용하여 Mohr-Coulomb의 파괴규준에 의거한 점착력 c를 구하면? (단, 단위는 고려하지 않는다) 2008. 국가직 7급

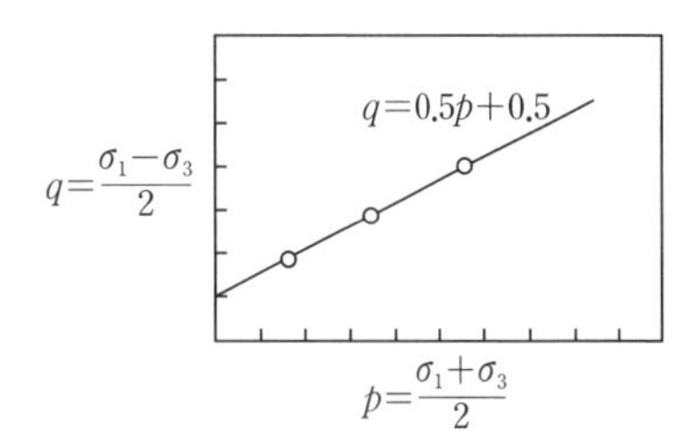

① $\frac{1}{\sqrt{3}}$

② $\frac{1}{2}$

③ $\sqrt{3}$

④ 2

해설

$c=\frac{a}{\sqrt{1-\tan^2\alpha}}=\frac{0.5}{\sqrt{1-\left(\frac{1}{2}\right)^2}}=\frac{0.5}{\sqrt{\frac{3}{4}}}=\frac{1}{\sqrt{3}}$

189 ① 190 ① [정답]

제8장

Chapter 08

흙의 전단강도

기출 및 적중예상문제 Ⅰ [5지선다형]

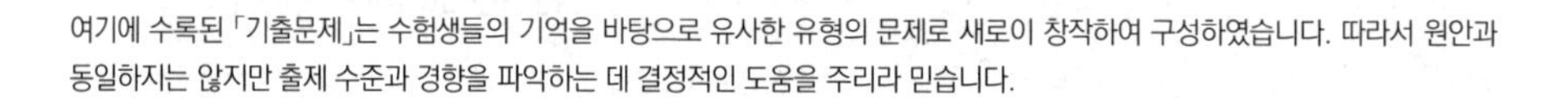

여기에 수록된 「기출문제」는 수험생들의 기억을 바탕으로 유사한 유형의 문제로 새로이 창작하여 구성하였습니다. 따라서 원안과 동일하지는 않지만 출제 수준과 경향을 파악하는 데 결정적인 도움을 주리라 믿습니다.

01 **Coulomb의 선형식(線型式) $\tau = c + \sigma \tan\phi$에 대한 설명 중 틀린 것은?**

① 이 식에서 τ는 흙의 전단응력, σ는 토층내 수평면에 작용하는 수직유효응력이다.
② 이 식 가운데 c, ϕ를 구하는 데는 전단시험을 이용한다.
③ τ와 σ와의 사이에는 직선적 관계가 있다.
④ 깨끗한 모래에서는 $c=0$이다.
⑤ 연약한 점토에서는 $\phi=0$이다.

해설

σ는 토층내 파괴면상에 작용하는 수직응력이다.

02 **$\phi=30°$인 흙 속의 어느 한 면에 작용하는 수직응력이 10tf/m^2, 간극수압이 3tf/m^2, 점착력이 5tf/m^2일 때, 이 면에서의 전단강도의 크기는? (단, $\cos 30° = 0.866$)**

2005. 서울시 7급

① 5.77tf/m^2　② 4.04tf/m^2
③ 11.06tf/m^2　④ 9.04tf/m^2
⑤ 10.77tf/m^2

해설

$\tau = c + (\sigma - u)\tan\phi$
$= 5 + (10 - 3)\tan 30°$
$= 9.04\text{tf/m}^2$

03 **다음 설명 중 틀린 것은?**

① 흙의 전단강도는 흙이 흐트러지면 일반적으로 감소한다.
② 과잉간극수압이 증가하면 흙의 전단강도는 증가한다.
③ 함수비가 증가하면 점토의 전단강도는 일반적으로 감소한다.
④ 모래의 전단강도는 포화도에 비교적 영향을 적게 받는다.
⑤ 비배수시험에서 구한 내부마찰각은 0이다.

해설

1. 과잉간극수압이 증가하면 유효응력이 감소하므로 전단강도가 감소한다.
2. 비배수시험에서 구한 내부마찰각은 0이다.

04 **다음 중 흙의 전단강도를 감소시키는 요인이 아닌 것은 어느 것인가?**

① 공극수압의 증가
② 수분 증가에 의한 점토의 팽창
③ 수축 팽창 등으로 인하여 생긴 미세한 균열
④ 함수비의 감소에 따른 흙의 단위중량 감소
⑤ 흙의 흐트러짐에 의한 전단강도 감소

해설

함수비가 감소함에 따라 흙이 consistancy가 액체 → 소성 → 반고체 → 고체상태로 되어 전단강도가 증가하는데 모래는 영향이 적다.

01 ① 02 ④ 03 ② 04 ④ [정답]

05 삼축압축시험에서 최소주응력면과 파괴면이 이루는 각(θ)은 얼마인가? (단, ϕ는 흙의 내부마찰각)

① $\theta=45°+\frac{\phi}{2}$ ② $\theta=45°-\frac{\phi}{2}$
③ $\theta=45°-\phi$ ④ $\theta=45°+\phi$
⑤ $\theta=90°-2\phi$

해설

1. 최대주응력면과 파괴면이 이루는 각은 $\theta=45°+\frac{\phi}{2}$이다.
2. 최소주응력면과 파괴면이 이루는 각은 $\theta'=45°-\frac{\phi}{2}$이다.
3. $\theta+\theta'=90°$

06 어떤 점토의 일축압축시험에서 파괴강도가 2kg/cm²이고, 내부마찰각은 30°였다. 이 흙의 점착력은? (단, tan60°=1.73)

① 0.58kg/cm² ② 1.7kg/cm²
③ 0.12kg/cm² ④ 1.15kg/cm²
⑤ 2.24kg/cm²

해설

$$q_u=2c\tan\left(45°+\frac{\phi}{2}\right)$$
$$=2c\tan\left(45°+\frac{30°}{2}\right)$$
$$2=2c\times1.73$$
$$\therefore c=0.58\text{kg/cm}^2$$

07 일축압축시험에 관한 설명 중 틀린 것은 어느 것인가?

① 이론상 수평면과 파괴면 사이의 이루는 각은 45°보다 크다.
② 최소주응력이 0인 상태의 시험이다.
③ 일축압축시험은 모래의 강도정수를 구하기 위한 시험이다.
④ 내부마찰각이 0인 흙에서는 일축압축강도의 반이 점착력이다.
⑤ 일축압축시험은 점성토에서만 시험이 가능하다.

해설

일축압축시험은 점토의 강도정수를 구하기 위한 시험이다.

08 예민비에 관한 설명 중 틀린 것은 어느 것인가?

① 예민비는 점토지반에 구조물 건설 시 안전율 등을 고려하는 데 유용하게 쓰인다.
② 예민비는 그 값이 클수록 안전율을 크게 한다.
③ 예민비가 1보다 작은 점토는 비예민성 점토이다.
④ 예민비는 흙의 인장강도로부터 구한다.
⑤ 예민비가 1~8 사이에 있으면 예민성 점토라 한다.

해설

1. 예민비가 클수록 점토의 강도 변화가 크므로 공학적 성질이 나쁘다.
2. $S_t=\frac{q_u}{q_{ur}}$
3. 예민비에 따른 점토의 분류

S_t	분류
≒1	비예민성 점토
1~8	예민성 점토
8~64	초예민성 점토

09 직경이 5cm이고, 높이가 12cm인 점토시료를 일축압축시험을 행한 결과 수직변위가 0.9cm 일어났을 때 최대하중 10.61kg을 받았다. 이 점토의 N치는 대략 얼마인가?

① 2 ② 3
③ 4 ④ 6
⑤ 8

해설

1. $A_0=\frac{A}{1-\varepsilon}=\frac{\frac{\pi\times5^2}{4}}{1-\frac{0.9}{12}}=21.23\text{cm}^2$
2. $\sigma=\frac{P}{A_0}=\frac{10.61}{21.23}=0.5\text{kg/cm}^2$
3. $q_u=\frac{N}{8}$ $0.5=\frac{N}{8}$ $\therefore N=4$

05 ② 06 ① 07 ③ 08 ④ 09 ③ [정답]

제8장

10 매우 연약하고 예민비가 큰 점토지반에 대한 전단강도를 추정하고자 한다. 어느 시험법이 좋은가?

① 일축압축시험　② 삼축압축시험
③ 표준관입시험　④ 직접전단시험
⑤ 베인시험

11 다음 중 흙의 전단파괴에 대한 설명 중 옳지 않은 것은?

① 흙이 흐트러져 있으면 실험실강도와 현장강도 사이에 큰 차이가 생긴다.
② 현장강도와 실험실강도에 차이가 생기는 이유는 현장과 실험실 사이의 재하속도의 차이 또는 흙이 등방물질이 아니기 때문이다.
③ creep 거동은 점토의 전단파괴에 영향을 끼치지는 않는다.
④ 흐트러진 점토를 함수비의 변화없이 보관하면 시간이 지남에 따라 전단강도는 증가한다.
⑤ 자연시료를 흐트러지게 하면 강도가 감소되는데 이는 thixotropy 효과 때문이다.

해설

채취된 자연시료가 교란됨으로써 강도가 감소하는 요인을 2가지로 요약하면

1. 지중에서 받고 있던 구속응력의 제거로 유효응력이 감소함에 따라 강도가 감소한다.
2. 채취과정에서 받은 기계적인 변형 및 균열 등의 교란으로 강도가 감소한다.

12 시료에 배수 또는 압밀작용이 일어나기 전에 전단시험하는 방법은?

① 급속전단시험
② 완속전단시험
③ 압밀급속전단시험
④ 압밀완속전단시험
⑤ 배수전단시험

13 표준관입시험에 관한 설명 중 틀린 것은?

① 표준관입시험 결과로 얻은 N값이 40~50 정도이면 아주 단단한 지반이다.
② 표준관입시험과 대등한 목적으로 사용되는 현장시험에는 화란식 원추관입시험이 있다.
③ 처음 15cm의 관입은 타격준비로 간주하고 그 후로 15cm 관입하는 데 소요되는 타격횟수가 N값이다.
④ 64kg의 추를 76cm 높이에서 자유낙하시킴으로써 타격을 가한다.
⑤ 동일 지층에서는 1.5m 이내의 간격으로 시험을 반복한다.

해설

1. 소정의 깊이를 확인한 후 샘플러를 교란되지 않은 원지반에 도달시키기 위하여 낙하고를 작게 하여 15cm를 관입시킨다(예비타격 15cm).
2. 낙하고 76cm를 유지하여 해머를 자유낙하시켜 30cm 관입에 요하는 타격횟수 N을 측정한다(본타격 30cm).
3. 토층이 변하거나 동일지층일지라도 1.5m 간격으로 연속적으로 실시하며 $N<50$의 큰 자갈을 제외한 모든 흙에 적용한다.

14 응력을 받고 있는 흙 속의 한 점에서 최대 및 최소 주응력이 각각 2kg/cm² 및 0.4kg/cm²일 때 이 점을 통하여 최소주응력면과 60°를 이루는 면상의 수직응력은 얼마인가?

① 0.8kg/cm^2　② 1.6kg/cm^2
③ 1.8kg/cm^2　④ 1.2kg/cm^2
⑤ 2.0kg/cm^2

해설

$$\sigma = \frac{\sigma_1+\sigma_3}{2} + \frac{\sigma_1-\sigma_3}{2}\cos 2\theta$$

$$= \frac{2+0.4}{2} + \frac{2-0.4}{2}\cos(2\times 30^\circ) = 0.16\text{kg/cm}^2$$

10⑤ 11⑤ 12① 13③ 14② [정답]

15 어느 점토지반의 심도 5m에서 Vane 전단시험을 하여 최대회전모멘트 M_{max} = 150kg · cm를 얻었다. 이 흙의 점착력(kg/cm²)은? (단, Vane의 높이 H = 12.5cm, Vane의 직경 D = 6cm)

① 0.41
② 0.18
③ 0.06
④ 0.81
⑤ 0.25

해설

$$C = \frac{M_{max}}{\pi D^2 \times \left(\frac{H}{2} + \frac{D}{6}\right)}$$

$$= \frac{150}{\pi \times 6^2 \times \left(\frac{12.5}{2} + \frac{6}{6}\right)}$$

$$= 0.18\text{kg/cm}^2$$

16 다음 중 흙 속의 전단응력을 증대시키는 요인이 아닌 것은?

① 외력의 작용
② 균열 속에 작용하는 수압
③ 흡수에 의한 점토의 팽창
④ 굴착에 의한 흙의 제거
⑤ 인장응력에 의한 균열의 발생

17 액화현상(Liquefaction)에 관한 설명 중 옳지 않은 것은?

① 포화된 점토지반에서 흔히 일어난다.
② 전단시의 체적변화 때문에 일어난다.
③ 느슨하게 쌓인 포화된 가는 모래지반에서 잘 일어난다.
④ 간극수압이 크게 증가되어 일어난다.
⑤ 액화현상 때의 전단강도는 거의 없다.

해설

액화현상

1. 느슨하게 쌓인 가는 모래지반에서 잘 발생한다.
2. 액화현상이 일어나는 조건은 입자가 둥글고 실트 크기의 입자를 약간 포함하며 D_{10}<0.1mm, C_u<5, n>44%이다.
3. 방지책으로는 자연공극비가 한계공극비보다 작게 하는 것이 일반적이다.

18 포화점토 지반상의 성토사면이 가장 위험한 시기는 언제인가?

① 성토 완료 시
② 성토 계획량의 $\frac{1}{2}$이 성토된 경우
③ 성토 초기
④ 성토 완료 후 충분한 시간이 지난 후
⑤ 성토 계획량의 $\frac{1}{3}$이 성토된 경우

19 다음 계수 중 표준관입실험(S.P.T)의 결과를 이용하여 추정하기 곤란한 것은?

① 탄성계수(E_s)
② 지지력(q_u)
③ 내부마찰각(ϕ)
④ 상대밀도(D_r)
⑤ 투수계수(K)

해설

1. N치로 추정

사질토	D_r, ϕ, E_s
점성토	q_u, c

• N값과 탄성계수 E_s의 관계

흙	E_s/N
실트, 모래질 실트	4
가늘거나 약간 굵은 모래	7
굵은 모래	10
모래질 자갈, 자갈	12~15

2. 조사결과로 파악
① 지반내 토층의 분포 및 토층의 종류
② 지지층 분포의 심도

15 ② 16 ④ 17 ① 18 ① 19 ⑤ [정답]

제8장

20 다음 설명 중 틀린 것은 어느 것인가?

① Dilatancy현상은 흙의 전단시험 중 용적 증가가 일어나서 생기는 전단력의 증가 현상이다.
② Dilatancy가 0이 되는 밀도를 한계밀도라 한다.
③ 제방에 있어서 하수(河水)의 수위가 갑자기 내려갈 때의 파괴 여부를 알기 위한 시험에는 압밀완속전단시험을 해야 한다.
④ 응력제어식은 전단력을 일정한 비율로 증가시켜 이에 대한 변위를 측정하는 방식이다.
⑤ 커튼 그라우팅은 지수하기 위하여 시공한다.

해설

1. 제방에서의 수위 급강하 시의 안정계산에는 압밀급속전단시험을 실시한다.
2. CU·$\overline{\text{CU}}$ - test를 실시하는 경우
   ① preloading 공법으로 압밀된 후의 전단강도가 증가되었을 때의 안정계산 시
   ② 흙댐에서 수위 급강하 시의 안정계산으로서 core 내의 배수가 일어나지 않는 경우

21 초기 응력상태는 $\sigma_v = \sigma_h > 0$이다. 응력변화의 양상은 $\Delta\sigma_v < 0$, $\Delta\sigma_h = 0$이다. 응력경로를 바르게 그린 것은?

2005. 서울시 7급

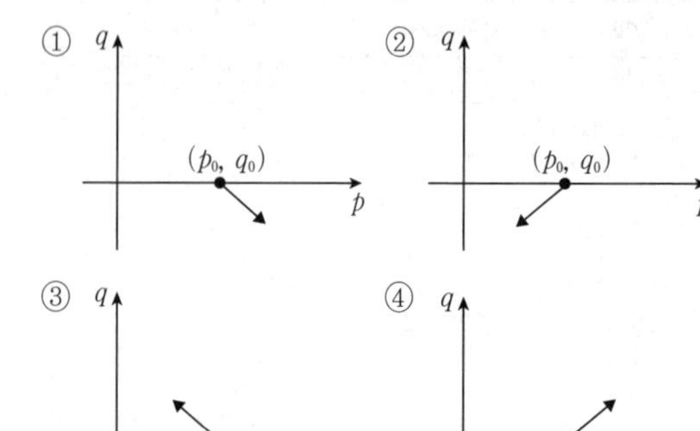

⑤
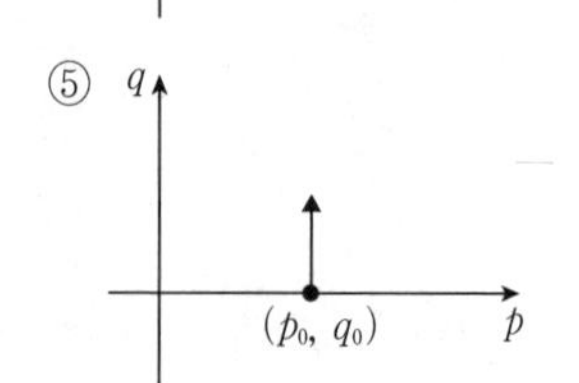

해설

$p = \frac{\sigma_v + \sigma_h}{2} < 0$, $q = \frac{\sigma_v - \sigma_h}{2} < 0$

20 ③ 21 ② [정답]

토 압

Chapter 09

토 압

01 변위에 따른 토압의 종류

옹벽, 지하연속벽, 가설 흙막이벽, 널말뚝 등과 같은 흙막이 구조물에 작용하는 흙의 압력을 **토압**이라 하며 일반적으로 횡방향 토압을 말한다.

1. 정지토압(P_0)

벽체의 변위가 없을 때의 토압을 **정지토압**이라 한다.

(1) 지하실의 벽체, 지하 배수구, 도로 제방 아래를 관통하는 박스암거(box culvert)와 같이 벽체의 변위가 허용되지 않는 경우의 토압이다.

(2) 정지토압계수는 지표면이 수평인 자연지반의 수평토압을 계산할 때 사용된다.

2. 주동토압(P_a)

뒤채움 흙의 압력에 의해 벽체가 흙으로부터 멀어지는 변위를 일으킬 때 뒤채움 흙은 수평방향으로 팽창하면서 파괴가 일어나는데 이 때의 토압을 **주동토압**이라 한다.

(1) 주동토압으로 파괴가 일어나면 옹벽 배면에 있는 흙은 아래로 가라 앉는다.

(2) 주동상태일 때 활동면의 방향은 최대주응력면(수평면)과 $45° + \frac{\phi}{2}$의 각을 이루고 있다.

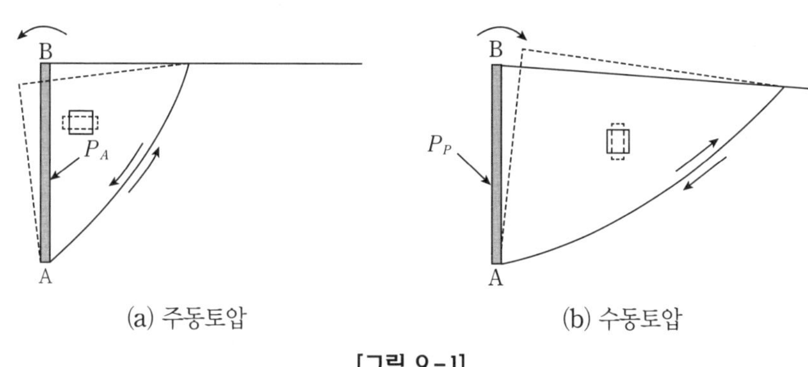

(a) 주동토압　　(b) 수동토압

[그림 9-1]

3. 수동토압(P_p)

어떤 외력으로 벽체가 뒤채움 흙쪽으로 변위를 일으킬 때 뒤채움 흙은 수평방향으로 압축하면서 파괴가 일어나는데 이 때의 토압을 **수동토압**이라 한다.

(1) 수동토압으로 파괴가 일어나면 옹벽 배면에 있는 흙은 지표면으로 부풀어 오른다.

(2) 수동상태일 때 활동면의 방향은 최소주응력면(수평면)과 $45^\circ - \dfrac{\phi}{2}$의 각을 이루고 있다.

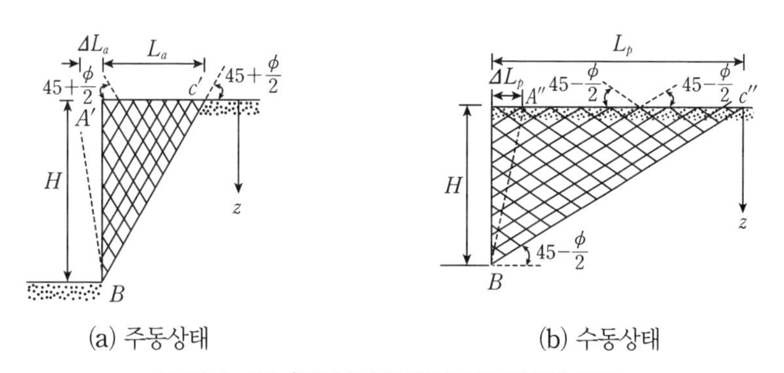

(a) 주동상태　　(b) 수동상태

[그림 9-2] 옹벽 저부에 대한 비마찰벽의 회전

02 벽체의 변위와 토압과의 관계

1. 벽체의 변위와 토압과의 관계

토체의 모든 부분이 지금 막 파괴되려할 때 이것을 **소성평형상태**에 있다고 한다. 소성평형상태에는 벽체의 이동방식에 따라 주동상태와 수동상태가 있다. 만약 벽체가 정지상태일 때 즉, 벽체가 당초 위치에서 내측으로도 외측으로도 움직이지 않을 때에는 **탄성평형상태**에 있게 된다.

주동토압과 수동토압은 벽체의 변위가 충분히 커서 정지상태로부터 주동 또는 수동의 극한 평형상태가 되었을 때의 토압을 말하며 정지토압은 파괴되지 않는 탄성평형상태를 말한다.

(1) 수동상태의 변위가 주동상태의 변위보다 크다.

(2) 수동토압은 주동토압보다 현저히 크다($P_p > P_0 > P_a$)

(3) 점성토일수록 극한상태에 이르는 회전변위가 크다.

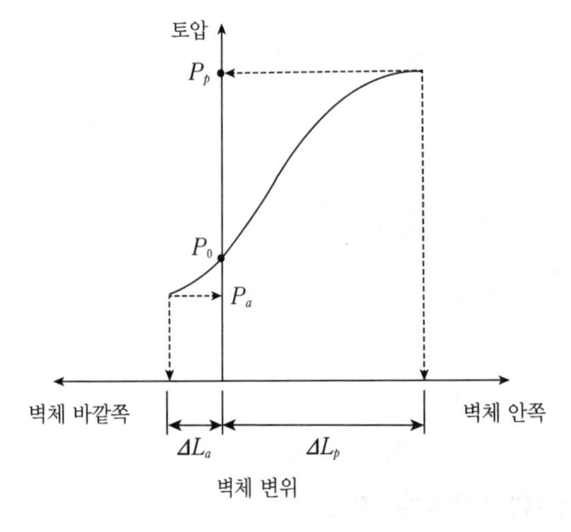

[그림 9-3] 벽체의 변위와 토압과의 관계

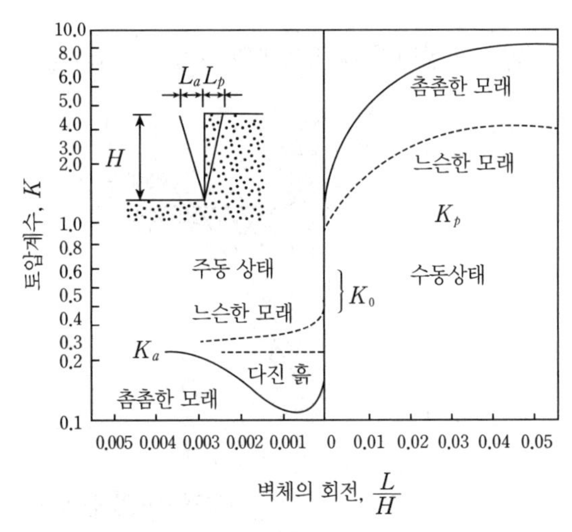

[그림 9-4] 벽체의 변위와 토압계수와의 관계

[표 9-1] 파괴상태가 되었을 때의 벽체의 회전변위

흙의 종류	회전변위($\Delta L/H$)	
	주동	수동
촘촘한 사질토	0.001	0.005
느슨한 사질토	0.002	0.01
굳은 점토	0.01	0.02
연한 점토	0.02	0.04

L : 수평변위, H : 벽체 높이

2. 벽체의 변위에 따른 토압분포

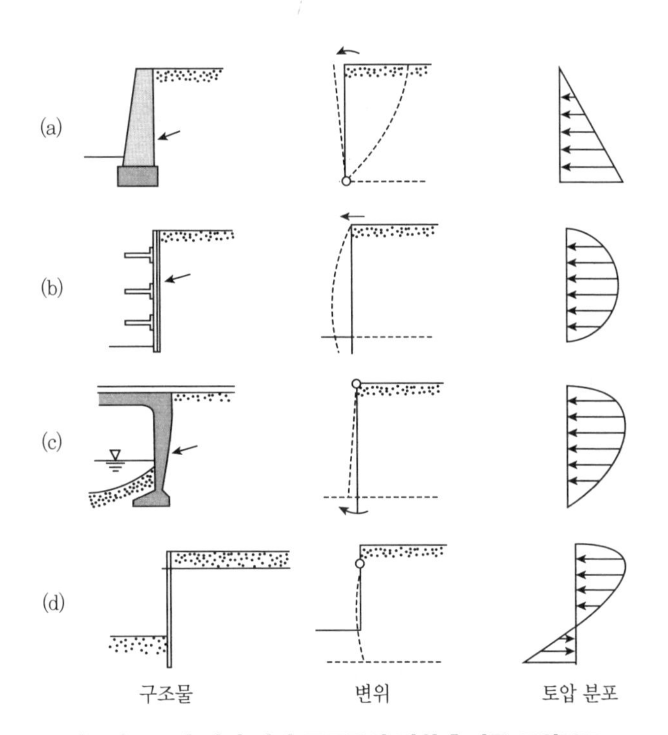

[그림 9-5] 여러 가지 구조물의 변위에 따른 토압분포

(1) 연직한 옹벽(그림 9-5의 (a))은 앞부리(toe)를 중심으로 회전할 수 있으므로 흙은 연직 및 수평방향으로 변위될 수 있다. 이때의 토압분포는 **삼각형 모양**이 된다.

(2) 버팀대로 받친 벽체(그림 9-5의 (b))는 수평방향으로 변위를 일으키며 교대(그림 9-5의 (c))는 상단을 중심으로 회전한다. 이 두 경우에 대한 토압분포는 대략 **포물선 모양**이 된다.

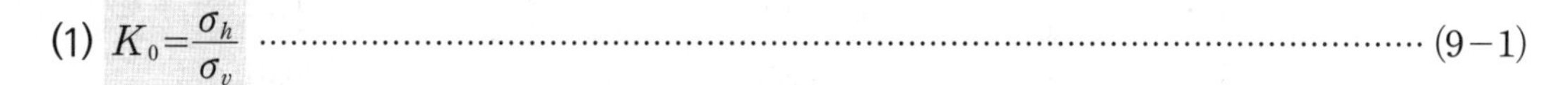

03 토압계수

1. 정지토압계수(K_0)

탄성평형상태에서의 수평응력과 수직응력의 비를 **정지토압계수**라 한다.

(1) $K_0=\dfrac{\sigma_h}{\sigma_v}$ ········· (9-1)

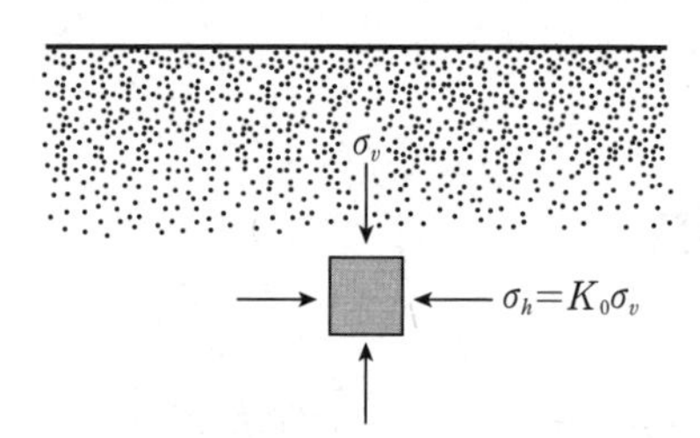

[그림 9-6] 지반 내 한 요소에 작용하는 응력

(2) $K_0=\dfrac{\mu}{1-\mu}$ ········· (9-2)

여기서, μ : 푸아송비

(3) 경험식

① 사질토인 경우(Jaky, 1944)

$K_0=1-\sin\bar{\phi}$ ········· (9-3)

여기서, $\bar{\phi}$ 유효응력으로 구한 전단저항각

② 정규압밀점토인 경우(Brooker & Ireland, 1965)

$K_0=0.95-\sin\bar{\phi}$ ········· (9-4)

③ 과압밀점토인 경우

$K_{0(과압밀)}=K_{0(정규압밀)}\sqrt{OCR}=(0.95-\sin\bar{\phi})\sqrt{OCR}$ ········· (9-5)

(4) K_0값

① 모래, 자갈 : $K_0=0.35\sim0.6$

② 점토, 실트 : $K_0=0.45\sim0.75$

③ 과압밀점토 : $K_0\geqq1$(과압밀비가 클수록 K_0 값이 커지며 약 3 정도에 가까운 값도 존재한다.)

④ 실용적인 계략치 : $K_0\fallingdotseq0.5$(모든 흙에 적용할 수 있다.)

[표 9-2] 여러 가지 흙의 정지토압계수

흙의 종류	K_o
포화된 느슨한 모래	0.46
포화된 촘촘한 모래	0.36
다져진 잔적점토	0.66
불교란된 해성점토(Oslo)	0.48
Quick clay	0.52

2. Rankine의 주동토압계수, 수동토압계수

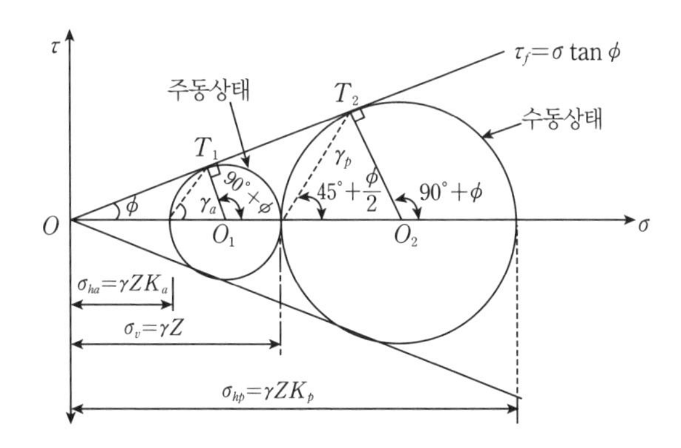

[그림 9-7] Rankine의 주동 및 수동상태의 Mohr원

(1) 주동토압계수

$$K_a=\frac{\sigma_{ha}}{\sigma_v}=\frac{\overline{OO_1}-\gamma_a}{\overline{OO_1}+\gamma_a}=\frac{\overline{OO_1}-\overline{OO_1}\sin\phi}{\overline{OO_1}+\overline{OO_1}\sin\phi}$$

$$=\frac{1-\sin\phi}{1+\sin\phi}=\tan^2\left(45-\frac{\phi}{2}\right) \quad \cdots\cdots (9-6)$$

(2) 수동토압계수

$$K_p=\frac{\sigma_{hp}}{\sigma_v}=\frac{\overline{OO_2}+\gamma_p}{\overline{OO_2}-\gamma_p}=\frac{\overline{OO_2}+\overline{OO_2}\sin\phi}{\overline{OO_2}-\overline{OO_2}\sin\phi}$$

$$=\frac{1+\sin\phi}{1-\sin\phi}=\tan^2\left(45+\frac{\phi}{2}\right) \quad \cdots\cdots (9-7)$$

04 Rankine 토압론

Rankine 토압론은 소성론에 입각하였다. Rankine 토압론은 흙 속의 모든 점이 소성평형상태에 도달할 때(즉, 흙전체에서 전단파괴가 일어나려고 할 때)의 응력상태를 생각하며 소성평형상태는 흙에서 충분한 변형이 일어난 후에 발생한다.

1. 기본가정

(1) 흙은 중력만 작용하는 균질하고 등방성이며 비압축성이다.

(2) 파괴면은 2차원적인 평면이다.

(3) 흙은 입자간의 마찰력에 의해서만 평형을 유지한다(벽 마찰각 무시).

(4) 토압은 지표면에 평행하게 작용한다.

(5) 지표면은 무한히 넓게 존재한다.

(6) 지표면에 작용하는 하중은 등분포하중이다(선하중, 대상하중, 집중하중 등은 Boussinesq의 지중응력 계산법 등으로 편법으로 고려한다).

2. 지표면이 수평인 경우의 연직벽에 작용하는 토압

(1) 점성이 없는 흙의 주동 및 수동토압($c=0$, $i=0$)

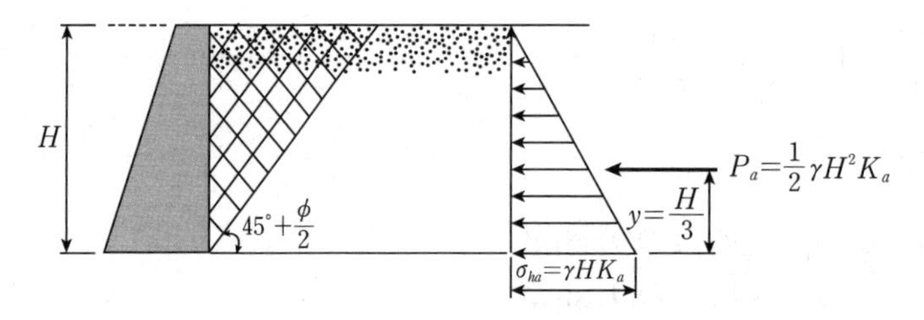

[그림 9-8] 주동토압 분포와 작용 위치

① 주동토압(active earth pressure)

$$P_a=\frac{1}{2}\gamma H^2 K_a \quad \cdots\cdots (9-8)$$

② 수동토압(passive earth pressure)

$$P_p = \frac{1}{2} \gamma H^2 K_P \quad \cdots\cdots (9-9)$$

(2) 점성토의 주동 및 수동토압($c \neq 0$, $i = 0$)

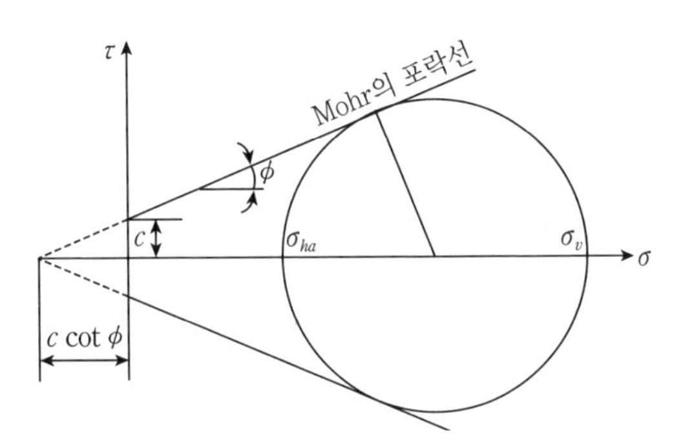

[그림 9-9] 점착력이 있는 흙의 주동상태

$$\sin\phi = \frac{\frac{1}{2}(\sigma_v - \sigma_{ha})}{c\cot\phi + \sigma_{ha} + \frac{1}{2}(\sigma_v - \sigma_{ha})}$$

이 식을 정리하면,

$$\sigma_{ha} = \left(\frac{1-\sin\phi}{1+\sin\phi}\right)\sigma_v - 2c\frac{\cos\phi}{1+\sin\phi}$$

$$= \left(\frac{1-\sin\phi}{1+\sin\phi}\right)\gamma z - 2c\sqrt{\frac{1-\sin\phi}{1+\sin\phi}}$$

$$\therefore \sigma_{ha} = \gamma z \tan^2\left(45^\circ - \frac{\phi}{2}\right) - 2c\tan\left(45^\circ - \frac{\phi}{2}\right)$$

$$= \gamma z K_a - 2c\sqrt{K_a} \quad \cdots\cdots (9-10)$$

이 식에서 K_a는 점착력이 없을 때에는 주동토압계수가 되지만 점착력이 있을 때에는 주동 토압계수가 아니라는 것에 주의하여야 한다. 다시 말하면, 이 경우에는 $K_a = \sigma_{ha}/\sigma_v$의 관계가 성립되지 않는다.

식 9-10에서 알 수 있듯이 흙이 점착력을 가지고 있으면 점착력이 없는 흙에 비해 토압은 깊이에 관계없이 $2c\sqrt{K_a}$ 만큼 일정하게 감소한다. 그러므로, 주동토압의 분포도를 그리면 다음과 같다.

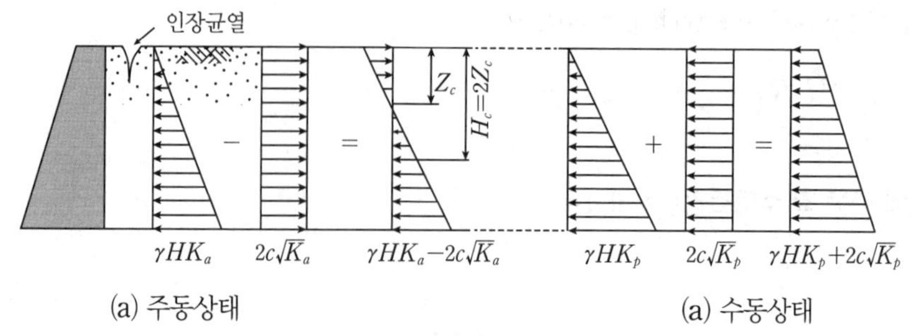

(a) 주동상태 (a) 수동상태

[그림 9-10] 점성이 있는 흙의 토압분포

① 인장균열이 발생하기 전의 주동 및 수동토압

㉠ $P_a=\frac{1}{2}\gamma H^2K_a-2c\sqrt{K_a}H$ ······ (9-11)

㉡ $P_p=\frac{1}{2}\gamma H^2K_P+2c\sqrt{K_P}H$ ······ (9-12)

② **인장균열이 발생한 후의 주동토압** : 인장균열이 발생한 후에는 지표면에서 깊이 Z_c 까지는 흙과 벽 사이의 접촉이 없으므로 Z_c와 H 사이의 벽에 작용하는 주동토압만 고려한다.

$$P_a=\frac{1}{2}(\gamma HK_a-2c\sqrt{K_a})(H-Z_c)$$

$$=\frac{1}{2}(\gamma HK_a-2c\sqrt{K_a})\left(H-\frac{2c}{\gamma}\sqrt{K_P}\right)$$

$$=\frac{1}{2}\gamma H^2K_a-2c\sqrt{K_a}H+\frac{2c^2}{\gamma} \quad \cdots\cdots (9-13)$$

③ **인장균열깊이**(점착고) : 뒤채움 흙이 점성토일 때에는 지표면에서 어느 깊이까지 부의 토압(인장력)이 작용하여 균열이 생기는 데 이것을 **인장균열**이라 한다.

인장균열 속에 물이 채워진다면 그 깊이까지 수압이 작용하므로 이것이 옹벽에 전도와 활동을 일으키는 추가적인 요인이 된다.

$\sigma_{ha}=0$에서

$$\gamma Z_c\tan^2\left(45°-\frac{\phi}{2}\right)-2c\tan\left(45°-\frac{\phi}{2}\right)=0$$

$$\therefore Z_c=\frac{2c}{\gamma}\frac{1}{\tan\left(45°-\frac{\phi}{2}\right)}$$

$$=\frac{2c}{\gamma}\tan\left(45°+\frac{\phi}{2}\right) \quad \cdots\cdots (9-14)$$

④ **한계고**(critical height) : 구조물의 설치 없이 사면이 유지되는 높이, 즉 토압의 합력이 0이

되는 깊이를 한계고라 한다.

$$H_c=2Z_c=\frac{4c}{\gamma_t}\tan\left(45+\frac{\phi}{2}\right) \quad \cdots\cdots (9-15)$$

Q 예제 1

높이 6m의 옹벽이 단위중량 γ_t = 1.8t/m³, 내부마찰각 ϕ = 30°, 점착력 c = 1t/m²인 점성토를 지지하고 있다. 다음 물음에 답하시오.

(1) 인장균열이 발생하기 전의 전체주동토압과 작용점 위치를 구하시오.

(2) 인장균열이 발생한 후의 전체주동토압과 작용점 위치를 구하시오.

풀이

(1) 1. $K_a=tan^2\left(45°-\frac{\phi}{2}\right)=tan^2\left(45°-\frac{30°}{2}\right)=\frac{1}{3}$

2. $P_a=P_{a1}-P_{a2}$

$=\frac{1}{2}\gamma_t H^2K_a-2c\sqrt{K_a}H$

$=\frac{1}{2}\times1.8\times6^2\times\frac{1}{3}-2\times1\times\sqrt{\frac{1}{3}}\times6=3.87\text{t/m}$

3. $P_{a1}\times\frac{H}{3}-P_{a2}\times\frac{H}{2}=P_a\times y$

$10.8\times\frac{6}{3}-6.93\times\frac{6}{2}=3.87\times y$

$\therefore y=0.21\text{m}$

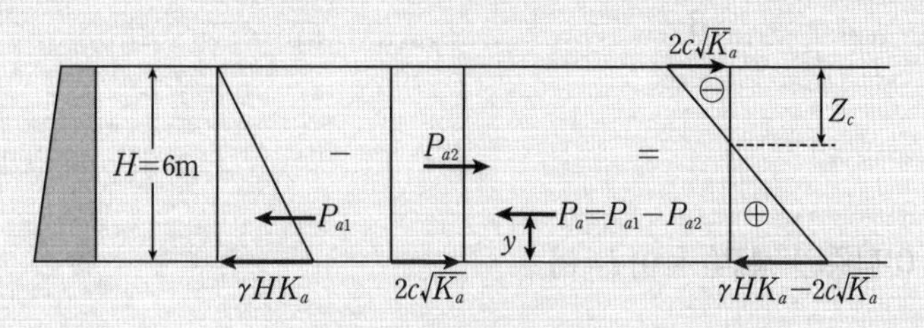

(2) 1. $Z_c=\frac{2c\tan\left(45°+\frac{\phi}{2}\right)}{\gamma_t}=\frac{2\times1\times\tan\left(45°+\frac{30°}{2}\right)}{1.8}=1.92\text{m}$

2. $P_a=\frac{1}{2}\gamma H^2K_a-2c\sqrt{K_a}H+\frac{2c^2}{\gamma_t}$

$=\frac{1}{2}\times1.8\times6^2\times\frac{1}{3}-2\times1\times\sqrt{\frac{1}{3}}\times6+\frac{2\times1^2}{1.8}=4.98\text{t/m}$

3. $y=\frac{H-Z_c}{1.8}=\frac{6-1.92}{3}=1.36\text{m}$

(3) 등분포 재하시의 토압($c=0$, $i=0$)

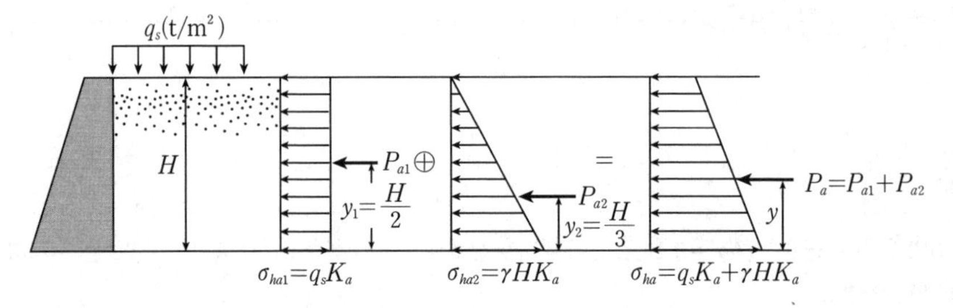

[그림 9-11] 등분포하중 작용시의 주동토압분포

① 주동 및 수동토압

㉠ $P_a=\frac{1}{2}\gamma H^2K_a+q_sK_aH$ ······ (9-16)

㉡ $P_p=\frac{1}{2}\gamma H^2K_P+q_sK_PH$ ······ (9-17)

② 주동토압이 작용하는 작용점 위치(y)

$$P_{a1}\cdot\frac{H}{2}+P_{a2}\cdot\frac{H}{3}=P_a\cdot y$$

$$\therefore y=\frac{P_{a1}\cdot\frac{H}{2}+P_{a2}\cdot\frac{H}{3}}{P_a} \quad \cdots\cdots (9-18)$$

여기서, $P_a=P_{a1}+P_{a2}$

(4) 뒤채움 흙이 이질층인 경우($c=0$, $i=0$)

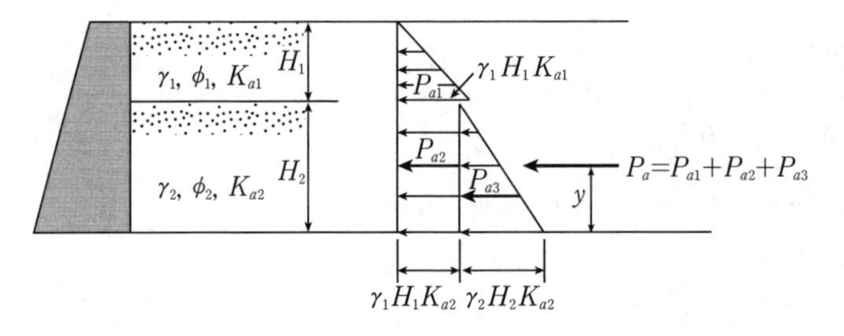

[그림 9-12] 뒤채움 흙이 이질층인 경우의 주동토압분포

① 주동 및 수동토압

㉠ $P_a=\frac{1}{2}\gamma_1H_1^2K_{a1}+\gamma_1H_1H_2K_{a2}+\frac{1}{2}\gamma_2H_2^2K_{a2}$ ······ (9-19)

ⓛ $P_p=\frac{1}{2}\gamma_1 H_1^2 K_{P1}+\gamma_1 H_1 H_2 K_{P2}+\frac{1}{2}\gamma_2 H_2^2 K_{P2}$ ······························ (9−20)

② 주동토압이 작용하는 작용점 위치(y)

$$P_{a1}\left(\frac{H_1}{3}+H_2\right)+P_{a2}\cdot\frac{H_2}{2}+P_{a3}\cdot\frac{H_2}{3}=P_a\cdot y$$

$$\therefore y=\frac{P_{a1}\cdot\left(\frac{H_1}{3}+H_2\right)+P_{a2}\cdot\frac{H_2}{2}+P_{a3}\cdot\frac{H_2}{3}}{P_a} \quad \cdots\cdots (9-21)$$

여기서, $P_a=P_{a1}+P_{a2}+P_{a3}$

(5) 지하수위가 있는 경우

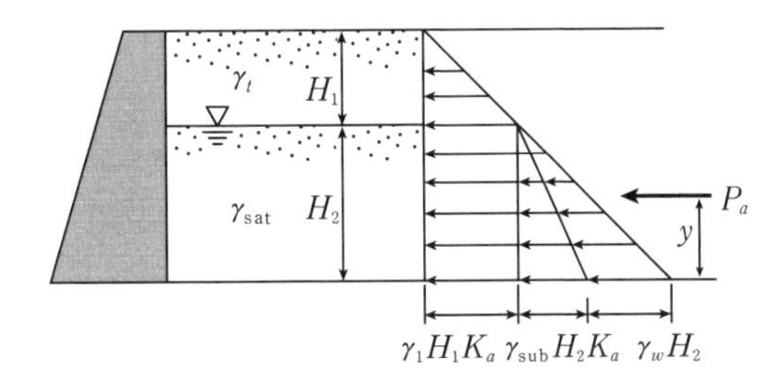

[그림 9-13] 지하수위가 있는 경우의 주동토압분포

① 주동 및 수동토압

ⓣ $P_a=\frac{1}{2}\gamma H_1^2 K_a+\gamma H_1 H_2 K_a+\frac{1}{2}\gamma_{sub} H_2^2 K_a+\frac{1}{2}\gamma_w H_2^2$ ······························ (9−22)

ⓛ $P_p=\frac{1}{2}\gamma H_1^2 K_P+\gamma H_1 H_2 K_P+\frac{1}{2}\gamma_{sub} H_2^2 K_P+\frac{1}{2}\gamma_w H_2^2$ ······························ (9−23)

② 주동토압이 작용하는 작용점 위치(y)

$$P_{a1}\left(\frac{H_1}{3}+H_2\right)+P_{a2}\cdot\frac{H_2}{2}+P_{a3}\cdot\frac{H_2}{3}+P_{a4}\cdot\frac{H_2}{3}=P_a\cdot y$$

$$\therefore y=\frac{P_{a1}\cdot\left(\frac{H_1}{3}+H_2\right)+P_{a2}\cdot\frac{H_2}{2}+P_{a3}\cdot\frac{H_2}{3}+P_{a4}\cdot\frac{H_2}{3}}{P_a} \quad \cdots\cdots (9-24)$$

3. 지표면이 경사진 경우의 토압($c=0,\ i\neq 0$)

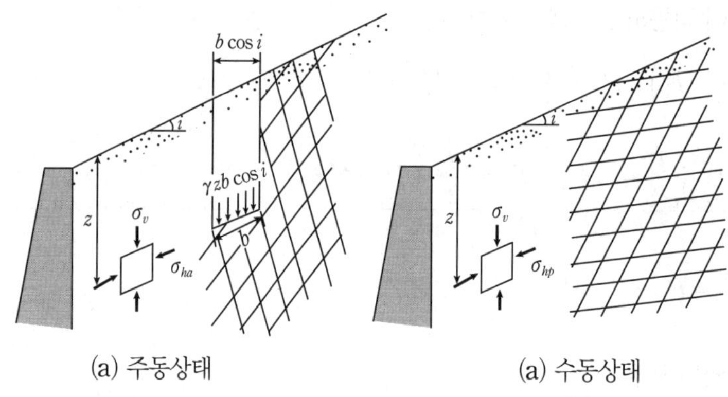

(a) 주동상태 (a) 수동상태

[그림 9-14] 지표면이 경사졌을 때의 주동 및 수동상태

(1) 주동 및 수동토압계수

① $K_a=\cos i\cdot\dfrac{\cos i-\sqrt{\cos^2 i-\cos^2\phi}}{\cos i+\sqrt{\cos^2 i-\cos^2\phi}}$ ······ (9-25)

② $K_p=\cos i\cdot\dfrac{\cos i+\sqrt{\cos^2 i-\cos^2\phi}}{\cos i-\sqrt{\cos^2 i-\cos^2\phi}}$ ······ (9-26)

(2) 주동 및 수동토압

① $P_a=\dfrac{1}{2}\gamma H^2K_a$ ······ (9-27)

② $P_p=\dfrac{1}{2}\gamma H^2K_P$ ······ (9-28)

Q 예제 2

높이 6m인 옹벽의 뒤채움을 단위중량 $\gamma = 1.8\text{t/m}^3$, 내부마찰각 $\phi = 30°$인 사질토로 하고, 지표면 경사 $i = 10°$일 때, 옹벽에 작용하는 전체 주동토압과 작용점의 위치를 구하라.

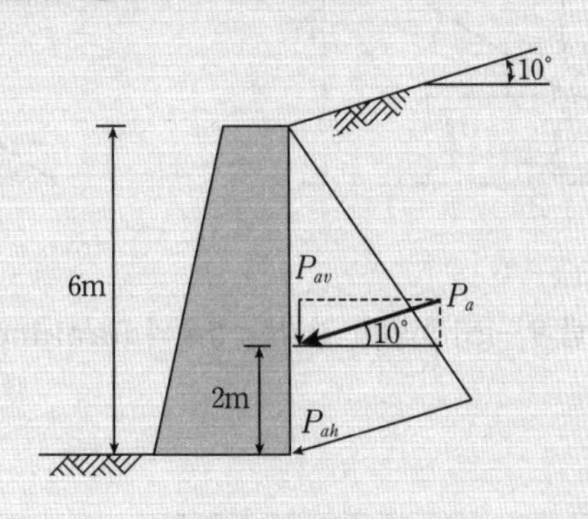

풀이

1. $K_a = \cos i \cdot \dfrac{\cos i - \sqrt{\cos^2 i - \cos^2 \phi}}{\cos i + \sqrt{\cos^2 i - \cos^2 \phi}}$

$= \cos 10° \times \dfrac{\cos 10° - \sqrt{\cos^2 10° - \cos^2 30°}}{\cos 10° + \sqrt{\cos^2 10° - \cos^2 30°}} = 0.35$

2. $P_a = \dfrac{1}{2}\gamma H^2 K_a = \dfrac{1}{2} \times 1.8 \times 6^2 \times 0.35 = 11.34\text{t/m}$

$P_{ah} = P_a \cos i = 11.34 \times \cos 10° = 11.17\text{t/m}$

$P_{av} = P_a \sin i = 11.34 \times \sin 10° = 1.97\text{t/m}$

3. $y = \dfrac{H}{3} = \dfrac{6}{3} = 2\text{m}$

4. 벽면이 경사진 경우의 토압

비점성토의 뒤채움흙이 수평면에 대해 i 만큼 기울어진 벽면이 연직방향에 대하여 θ만큼 경사진 경우에 벽면에 작용하는 전주동토압도 Rankine 이론으로 구할 수 있다.

① $P_a' = \dfrac{1}{2}\gamma H'^2 K_a$ ························ (9−29)

② $W = \dfrac{1}{2}\gamma H' H \tan\theta$ ························ (9−30)

③ $P_a = \sqrt{(P_a' \cos i)^2 + (P_a' \sin i + W)^2}$ ························ (9−31)

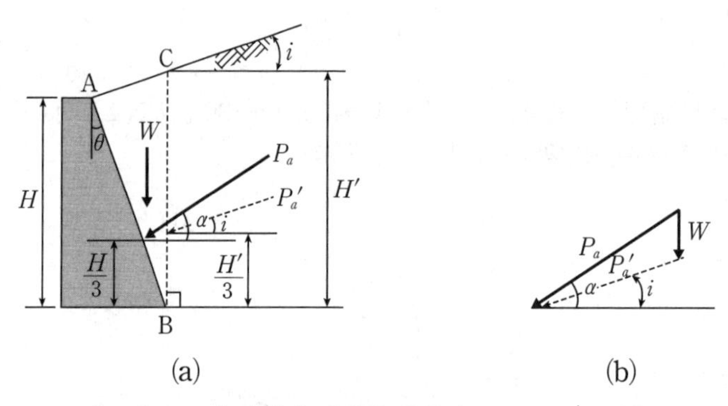

[그림 9-15] 벽면이 경사진 경우의 Rankine 토압

05 Coulomb 토압론(흙쐐기 이론)

Coulomb 토압은 극한평형상태에서 흙이 흙쐐기상태로 활동하면서 마찰벽면에 작용하는 토압인 반면, Rankine 토압은 흙의 요소가 전단분쇄상태로 상호 활동하면서 연직지반면에 작용하는 토압이다.

1. 개론

① 주동토압의 경우에 흙쐐기는 자중으로 인하여 아래로 움직이려고 하기 때문에 옹벽은 벽마찰각을 이용하여 흙쐐기가 아래로 움직이지 못하도록 상향으로 저항력이 생긴다. 따라서 주동토압은 δ의 각도를 가지고 상향으로 기울어져 작용한다.

② 옹벽과 뒤채움 흙과의 마찰을 고려하였으며 파괴면은 평면으로 가정하였다.

③ Coulomb 토압은 파괴면을 직선으로 가정하므로 수동토압은 실제보다 아주 크게 나타나기 때문에 불안전측 설계가 된다(곡면으로 가정하면 주동토압의 경우에 실제 파괴면이 Coulomb 토압론의 가정과 다소 다르지만 결과는 큰 차이가 나지 않는다. 그러나, 수동토압의 경우에는 크게 감소한다).

④ Coulomb 토압론은 흙쐐기 이론이라 불리며 점착력이 없는 흙을 주로 대상으로 하고 있다.

⑤ BC는 최대주동토압이 되는 활동면이다(그림 9-17).

Check Point

Coulomb 토압론 개요

1. 흙쐐기(wedge) 전체에 대한 평형조건으로 해를 구한다.
2. 파괴면은 직선으로 가정한다.
3. 흙과 옹벽사이의 벽마찰력을 고려한다.

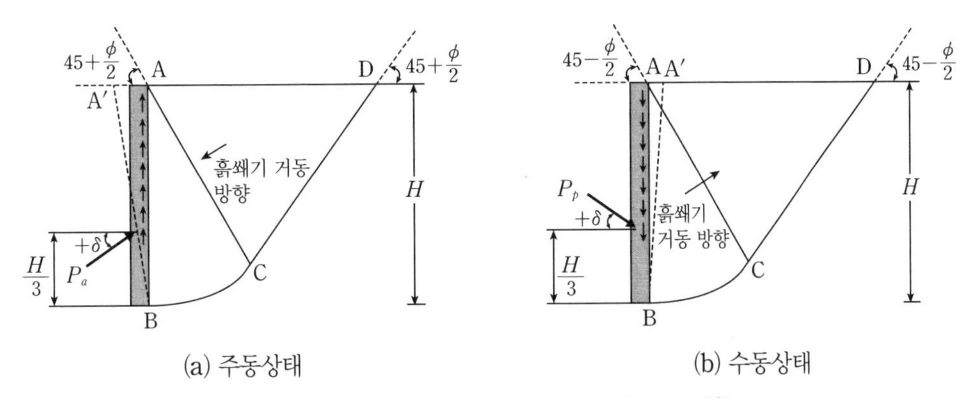

[그림 9-16] 옹벽과 뒤채움 사이의 마찰력의 영향

2. 뒤채움 흙이 사질토인 경우의 주동토압

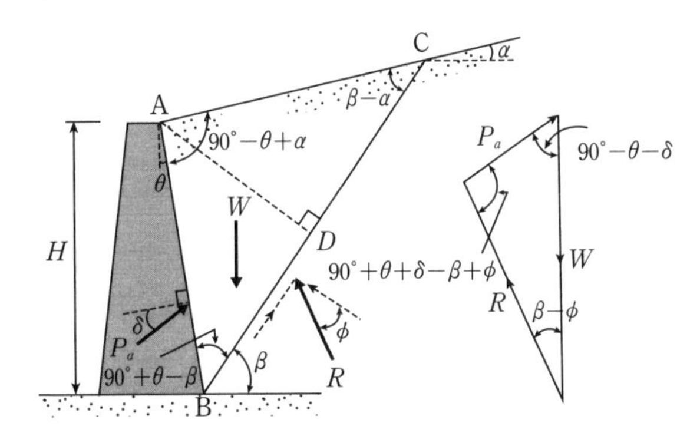

[그림 9-17] 주동상태에서 흙쐐기에 작용하는 힘

(1) 주동토압

$$P_a = \frac{1}{2}\gamma H^2 C_a \quad \cdots\cdots (9-32)$$

(2) 주동토압계수

$$C_a = \frac{\cos^2(\phi-\theta)}{\cos^2\theta \cdot \cos(\delta+\theta)\left[1+\sqrt{\dfrac{\sin(\delta+\phi)\cdot\sin(\phi-\alpha)}{\cos(\delta+\theta)\cdot\cos(\theta-\alpha)}}\right]^2} \quad \cdots\cdots (9-33)$$

연직벽($\theta=0°$)이며 지표면이 수평($\alpha=0°$)인 경우

$$C_a = \frac{\cos^2\phi}{[\sqrt{\cos\delta}+\sqrt{\sin(\phi+\delta)\sin\phi}]^2} \quad \cdots\cdots (9-34)$$

3. 뒤채움 흙이 사질토인 경우의 수동토압

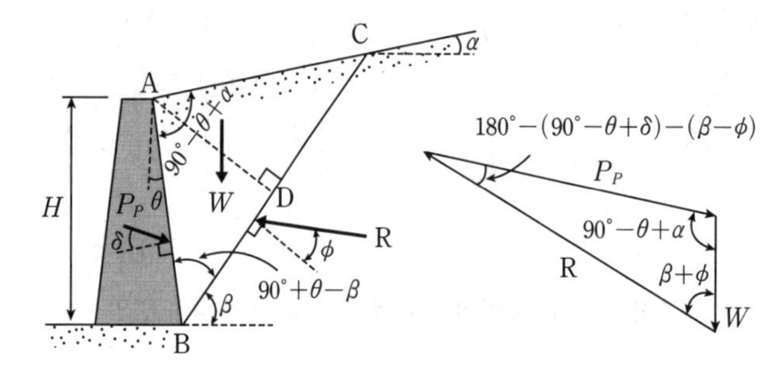

[그림 9-18] 수동상태에서 흙쐐기에 작용하는 힘

(1) 수동토압

$$P_p = \frac{1}{2}\gamma H^2 C_P \quad \cdots\cdots (9-35)$$

(2) 수동토압계수

$$C_p = \frac{\cos^2(\phi+\theta)}{\cos^2\theta \cdot \cos(\delta-\theta)\left[1-\sqrt{\dfrac{\sin(\delta+\phi)\cdot\sin(\phi-\alpha)}{\cos(\delta+\theta)\cdot\cos(\theta-\alpha)}}\right]^2} \quad \cdots\cdots (9-36)$$

06 Rankine 토압과 Coulomb 토압과의 차이점

1. 개론

(1) Rankine 토압

횡방향의 신장 또는 압축응력이 작용하면 흙의 요소가 한계평형상태로 파괴되면서 연직지반면에 작용하는 토압을 산정하는 소성이론이다.

(2) Coulomb 토압

옹벽의 변위에 의하여 형성되는 흙이 흙쐐기상태로 활동하면서 마찰벽면에 작용하는 토압을 산정하는 흙쐐기이론이다.

2. Rankine의 기본가정과 문제점

기본가정	문제점
① 흙은 비압축성이고 균질하며 등방성이다. ② 파괴면은 2차원적인 평면이다. ③ 흙입자는 입자간의 마찰력에 의해서만 평형을 유지한다(벽마찰각 무시). ④ 토압의 작용면은 연직이며, 토압분포는 직선분포를 나타낸다. ⑤ 지표면은 무한히 넓게 존재한다. ⑥ 토압은 지표면에 평행하게 작용한다. ⑦ 지표면에 작용하는 하중은 등분포하중이다. ⑧ 소성평형상태에서 토압을 산정한 소성이론이다.	① 실제의 흙은 거의 대부분이 비균질, 비등방성이다. ② 실제적으로 파괴면은 3차원이다. ④ 토압분포는 벽체의 변위에 따라 직선 또는 곡선분포를 나타낸다. ⑥ 실제로는 토압이 지표면과 평행하게 작용하지 않는다. ⑦ 상재하중에 의한 토압을 계산할 때 등분포하중은 연직하중으로 쉽게 고려할 수 있지만 선하중, 대상하중, 집중하중 등은 Boussinesq의 지중응력계산법 등을 사용하여 편법으로 고려할 수밖에 없다.

3. Coulomb의 기본가정과 문제점

기본가정	문제점
①~⑤는 2.와 동일하다. ⑥ 토압은 지표면의 형상과 관계없이 흙과 접해있는 벽면의 법선에 대하여 벽과 흙 사이의 마찰각(δ)만큼 기울어져 작용한다. ⑦ 벽면 마찰을 고려한다. ⑧ 파괴쐐기는 강체이며 흙쐐기활동으로 인하여 벽면이 받는 토압을 산정하는 흙쐐기이론이다.	⑥ 토압산출방법이 복잡하다. ⑦ 주동토압계수가 감소되어 그 결과 주동토압이 작아진다. $\delta \geq \phi$이면 수동토압의 값이 실제보다 크게 계산되어 불안전한 해석이 될 수 있다. ⑧ 실제로 흙은 액성, 소성, 강성의 형태로 존재하므로 어느 한 형태로 단정할 수가 없다.

4. 실제와의 차이점 및 적용

(1) 차이점

① **Rankine 토압론** : 실제 구조물은 벽체와 흙 사이에 벽마찰이 있으나 벽마찰을 무시하므로 주동토압은 과대평가되고 수동토압은 과소평가된다.

② **Coulomb 토압론** : 주동토압은 실제와 잘 접근하고 있으나 수동토압은 상당히 크게 나타난다.

(2) 설계 적용

① 벽마찰은 콘크리트벽과 흙처럼 이질재료가 만날 때 발생하므로 중력식 옹벽은 벽체단면계산시나 안정검토시에 Coulomb 토압을 적용한다.

② 역T형 옹벽은 벽체단면계산시에는 Coulomb 토압을 적용하고 안정검토시에는 벽마찰이 생기지 않으므로 Rankine 토압을 적용한다.

07 옹벽공

1. 옹벽의 종류

(1) 중력식 옹벽(gravity retaining wall)

자중으로 토압을 저항한 것으로 높이가 4m 이내의 낮은 경우에 적당하다.

(2) 반중력식 옹벽(semigravity retaining wall)

중력식 옹벽을 작은 양의 철근으로 보강하여 옹벽 단면의 크기를 줄인 옹벽을 말하며 높이가 4m 이내가 적당하다.

(3) 캔틸레버식 옹벽(역T형 옹벽)

높이가 비교적 높은 곳에 사용되며 높이가 대략 8m일 때 경제적이다.

(4) 부벽식 옹벽(counterfort retaining wall)

일정한 간격으로 부벽을 두어 수직벽의 강도를 보강한 옹벽으로 높이가 8m 이상인 경우에 사용된다.

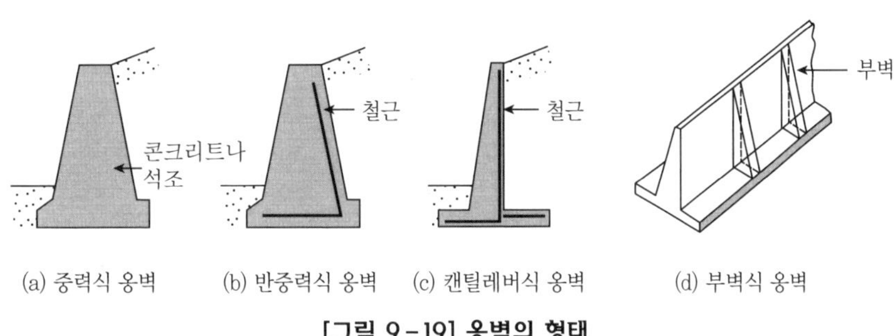

[그림 9-19] 옹벽의 형태

2. 옹벽의 안정조건

(1) 전도에 대한 안정

① 안전율

$$F_s = \frac{W \cdot x + P_v \cdot B}{P_H \cdot y} \geqq 2.0 \quad \cdots\cdots (9-37)$$

② 안전율을 크게 하는 방법

㉠ 옹벽 높이를 낮게 한다.

㉡ 뒷굽 길이를 길게 한다.

※ 합력 R의 작용위치가 저판의 중앙 $\frac{1}{3}$ 이내$\left(R\right.$의 작용위치와 저판 중심과의 거리 e가 $\left. e < \frac{B}{6}\right)$이면 전도에 대해 안전하다.

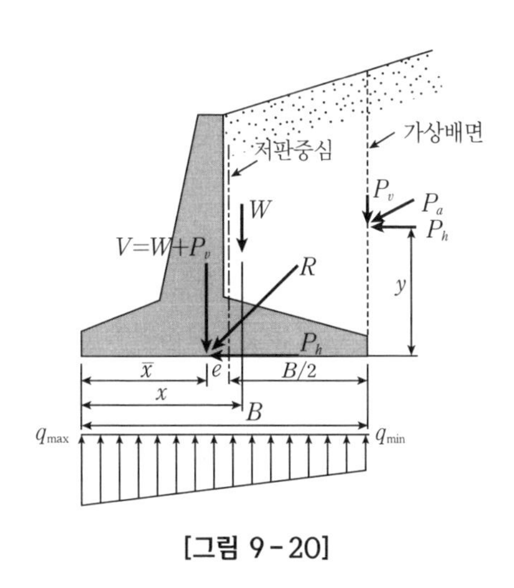

[그림 9-20]

(2) 활동에 대한 안정

① 안전율

$$F_s=\frac{(W+P_v)\tan\delta+cB+P_p}{P_H}\geqq 1.5 \quad\cdots\cdots (9-38)$$

여기서, W : 옹벽의 자중+저판위의 흙의 중량 P_v : 토압의 연직분력

P_H : 토압의 수평분력 δ : 옹벽 저변과 지반 사이의 마찰각

② 안전율을 크게 하는 방법

㉠ 저판 폭을 크게 한다.

㉡ 활동방지벽(shear key) 설치

㉢ 사항(batter pile) 설치

(3) 지지력에 대한 안정

① 안전율

$$F_s=\frac{q_a}{q_{\max}}\geqq 1 \quad\cdots\cdots (9-39)$$

㉠ $q_{\max}=\frac{W+P_v}{B}\left(1+\frac{6e}{B}\right)$ ⋯⋯ (9−40)

㉡ $q_{\min}=\frac{W+P_v}{B}\left(1-\frac{6e}{B}\right)$ ⋯⋯ (9−41)

② 안전율을 크게 하는 방법

㉠ 양질의 재료로 치환한다.

㉡ 저판 폭을 크게 한다.

㉢ 말뚝기초를 시공한다.

(4) 원호활동에 대한 안정

전항에서의 안정이 확인되어도 옹벽이 연약지반상에 있거나 경사지에 있을 때는 옹벽 및 기초지반 전체를 포함한 활동파괴에 대한 안정성을 검토하여야 한다.

① 안전율

$$F_s=\frac{q_a}{q_{\max}}\geqq 1 \quad\cdots\cdots (9-42)$$

② 안전율을 크게 하는 방법

㉠ 기초 slab의 근입깊이를 깊게 한다.

㉡ 말뚝기초를 시공한다.

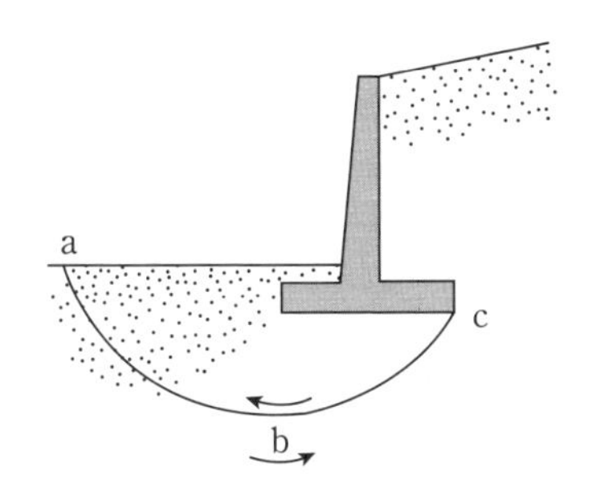

[그림 9-21] 원호활동파괴

08 흙막이벽에 작용하는 토압

1. 버팀대에 작용하는 토압

(1) 개설

2단 이상의 버팀대로 지지된 엄지말뚝식 흙막이벽이나 널말뚝식 흙막이벽 등의 단면계산에 사용하는 토압분포는 실제로는 곡선분포이나 편의상 직사각형분포 등의 직선분포로 가정한다.

토압의 크기와 분포를 계산하는 방법은 Peck의 방법과 Tschebotarioff의 방법 등이 있다.

(2) 버팀대에 작용하는 하중(Peck의 방법)

① 모래일 때 : $P_a=0.65\gamma_t HK_a$

② 연약한 점토일 때 : $P_a=\gamma_t H-4c$와 $0.3\gamma_t H$ 중 큰 값을 사용한다.

③ 굳은 점토일 때 : $P_a=0.2\gamma_t H\sim0.4\gamma_t H$($P_a=0.3\gamma_t H$를 많이 사용한다)

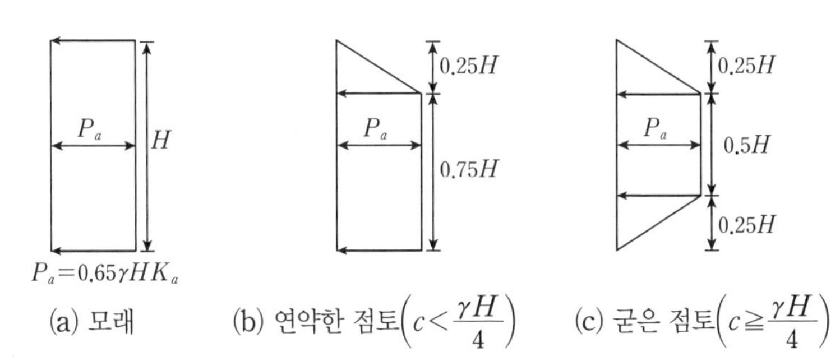

[그림 9-22] Peck의 토압분포도

Q 예제 3

그림과 같이 점토지반에 설치한 널말뚝에 대하여 다음에 답하라. 버팀대의 수평간격은 3m이고 $\gamma = 1.8\text{t/m}^3$, $c = 3.5\text{t/m}^2$이다.

(1) Peck의 토압분포도를 그려라.

(2) 위치 A, B, C의 버팀대가 받는 하중을 구하라.

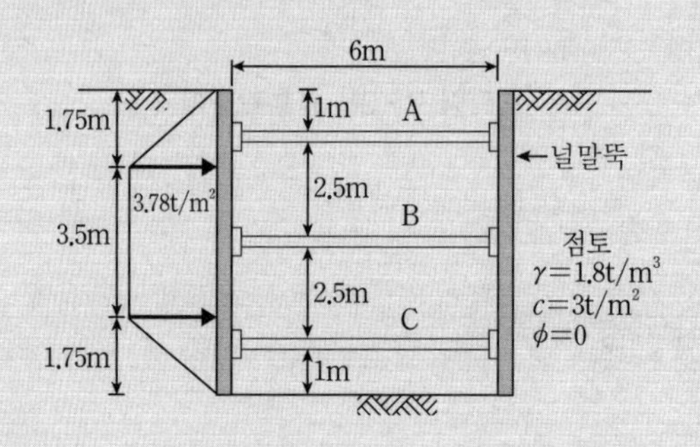

풀이

(1) $c = 3.5\text{t/m}^2 > \dfrac{\gamma_t H}{4} = \dfrac{1.8 \times 7}{4} = 3.5\text{t/m}^2$ 이므로 굳은 점토지반이다.

∴ 이등변 사다리꼴 분포이다.

(2) 1. 최대토압

$P_a = 0.3\gamma_t H = 0.3 \times 1.8 \times 7 = 3.78\text{t/m}^2$

2. $\sum M_{B1} = 0$에서

$R_A \times 2.5 - \dfrac{1.75 \times 3.78}{2} \times \left(1.75 + \dfrac{1.75}{3}\right) - (1.75 \times 3.78) \times \dfrac{1.75}{2} = 0$

$\therefore R_A = 5.4\text{t/m}$

3. $\sum V = 0$에서

$R_A = R_{B1} = \dfrac{1.75 \times 3.78}{2} + 1.75 \times 3.78 = 9.92\text{t/m}$

$\therefore R_{B1} = 9.92 - 5.4 = 4.52\text{t/m}$

4. 두 개의 보가 서로 대칭이므로

$R_{B2} = 4.52\text{t/m},\ R_C = 5.4\text{t/m}$

5. 버팀대가 받는 하중

㉠ $P_A = R_A \cdot s = 5.4 \times 3 = 16.2\text{t}$

㉡ $P_B = R_B \cdot s = (R_{B1} + R_{B2}) \cdot s = (4.52 + 4.52) \times 3 = 27.12\text{t}$

㉢ $P_C = R_C \cdot s = 5.4 \times 3 = 16.2\text{t}$

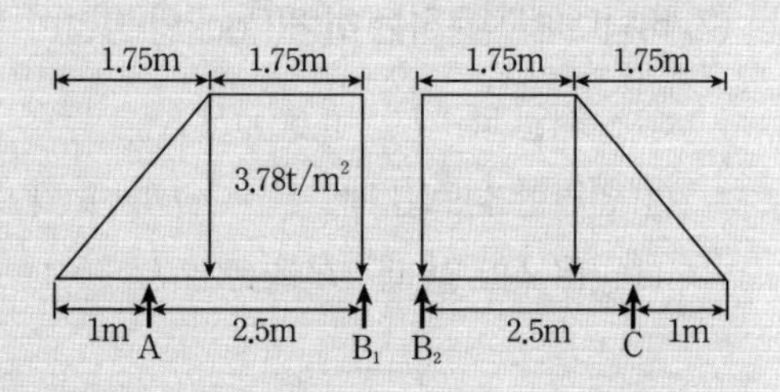

2. 널말뚝에 작용하는 토압

널말뚝은 배면에서 작용하는 주동토압에 대하여 전면에서 저항하는 수동토압으로 안정이 유지된다. 수동토압에 의해 안정을 유지할 수 없을 때에는 널말뚝 상단부근에 앵커를 두어 주동토압의 일부를 이것으로 분담시킨다.

(1) 앵커의 설치

앵커판과 데드맨에 의한 저항은 이들의 앞에 있는 흙의 수동토압에 의한 것이다.

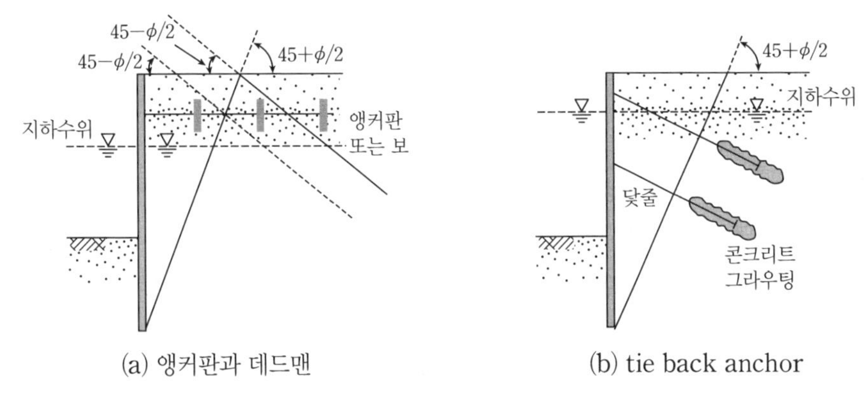

(a) 앵커판과 데드맨 (b) tie back anchor

[그림 9-23] 널말뚝에 사용되는 앵커의 형식

(2) 앵커식 널말뚝의 설계

① 개요 : 앵커식 널말뚝의 설계방법은 근입깊이에 따라 자유단 지지법과 고정단 지지법으로 구분한다.

㉠ 자유단 지지법(free earth support method) : 널말뚝의 근입깊이가 비교적 작은 경우에 널말뚝의 최하단과 앵커지점에서 힌지와 롤러로 지지되었다고 가정하는 방법이다.

㉡ 고정단 지지법(fixed earth support method) : 근입깊이가 비교적 큰 경우에 널말뚝의 최하단이 완전히 고정되어 이 지점에서는 회전이 없는 것으로 가정하는 방법이다.

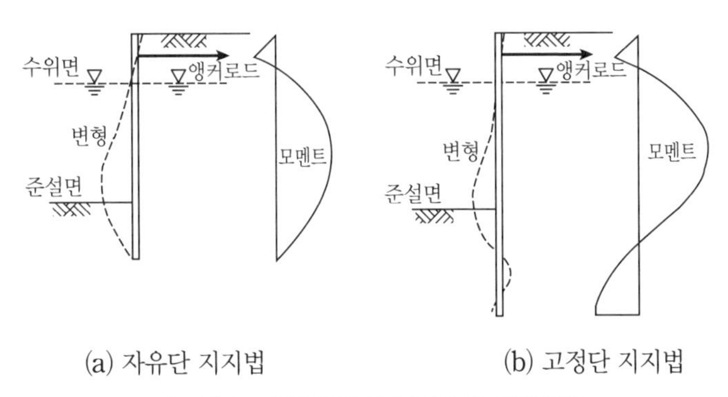

(a) 자유단 지지법 (b) 고정단 지지법

[그림 9-24] 앵커식 널말뚝의 설계방법

② 적용

㉠ 사질토지반에 설치한 널말뚝의 경우에는 자유단 지지법과 고정단 지지법을 모두 사용할 수 있다.

㉡ 굴착면 아래가 연약한 점토지반이거나 얕은 깊이에 암반층이 존재하여 널말뚝의 최하단이 고정단으로서의 역할을 하지 못하는 경우에는 자유단 지지법을 사용하고 고정단 지지법은 사용할 수 없다.

③ **간편설계법** : 널말뚝의 토압과 그 분포가 매우 복잡하므로 이를 단순화하여 다음과 같은 간편한 방법을 사용하기도 한다.

㉠ 널말뚝에 작용하는 토압은 Rankine의 토압분포를 적용하며, 전체 수동토압은 그보다 큰 안전율로 나눈 값을 사용한다.

㉡ 근입깊이 D는 앵커지점 O'에 대한 모멘트의 합이 0이라는 평형방정식에서 계산하고, 앵커 인장력 F는 수평력의 합이 0이라는 평형식으로 구한다.

㉢ 실제 근입깊이는 이론상 근입깊이보다 20% 정도 증가시킨다.

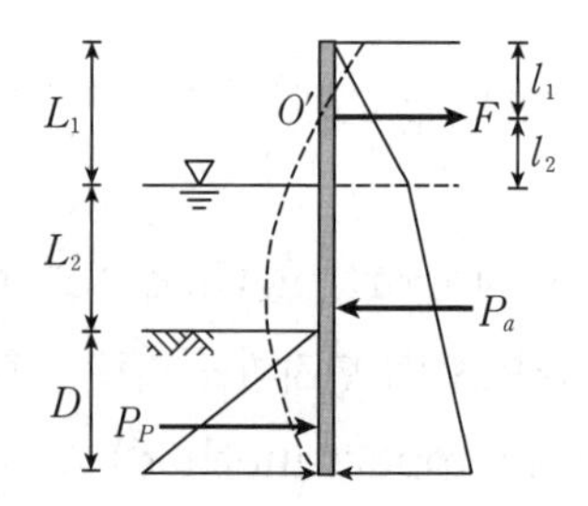

[그림 9-25] 앵커식 널말뚝의 토압분포

Q 예제 4

그림과 같은 앵커식 널말뚝의 앵커인장력을 구하라. (단, $\phi = 30°$, 앵커로드의 간격은 2m이고 수동토압에 대한 안전율은 2이다)

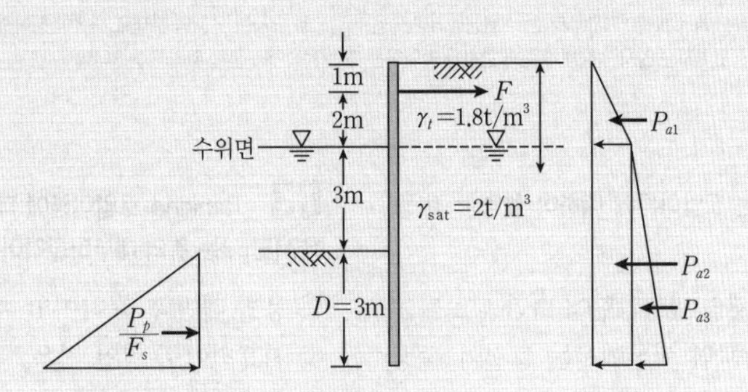

풀이

1. 토압계수

㉠ $K_a = \tan^2\left(45° - \frac{\phi}{2}\right) = \tan^2\left(45° - \frac{30}{2}\right) = \frac{1}{3}$

㉡ $K_p = \tan^2\left(45° + \frac{\phi}{2}\right) = \tan^2\left(45° + \frac{30}{2}\right) = 3$

2. 토압

㉠ $P_{a1} = \frac{1}{2}\gamma_t H_1^2 K_a = \frac{1}{2} \times 1.8 \times 3^2 \times \frac{1}{3} = 2.7 t/m$

㉡ $P_{a2} = \gamma_t H_1 H_2 K_a = 1.8 \times 3 \times 6 \times \frac{1}{3} = 10.8 t/m$

㉢ $P_{a3} = \frac{1}{2}\gamma_{sub} H_2^2 K_a = \frac{1}{2} \times 1 \times 6^2 \times \frac{1}{3} = 6 t/m$

㉣ $P_p = \frac{1}{2}\gamma_{sub} D^2 K_p = \frac{1}{2} \times 1 \times 3^2 \times 3 = 13.5 t/m$

3. 앵커인장력

㉠ $F = P_{a1} + P_{a2} + P_{a3} - \frac{P_p}{F_s}$

$= 2.7 + 10.8 + 6 - \frac{13.5}{2} = 12.75 t/m$

㉡ 앵커 1개의 인장력 $= 12.75 \times 2 = 25.5t$

Chapter 09

토 압

기출 및 적중예상문제 I [4지선다형]

여기에 수록된 「기출문제」는 수험생들의 기억을 바탕으로 유사한 유형의 문제로 새로이 창작하여 구성하였습니다. 따라서 원안과 동일하지는 않지만 출제 수준과 경향을 파악하는 데 결정적인 도움을 주리라 믿습니다.

01 **옹벽에 작용하는 토압이론에 대하여 설명한 것 중 틀린 것은?**

① 토압의 크기는 벽체의 변형방향에 따라 다르다.

② Rankine의 주동토압 이론에서는 토질이 수평방향에서 $\left(45^\circ+\frac{\phi}{2}\right)$ 방향으로 파괴된다고 가정한다.

③ 토압의 크기는 벽체 뒤의 토질이 파괴되는 형태에 따라서 다르다.

④ Coulomb의 주동토압계수는 벽마찰각이 0이고, 연직벽인 경우에 Rankine의 토압계수와 같다.

해설

1. Rankine 토압론

① 주동상태 : 수평방향과 파괴면과의 각이 $\theta=45^\circ+\frac{\phi}{2}$이다.

② 수동상태 : 수평방향과 파괴면과의 각이 $\theta=45^\circ-\frac{\phi}{2}$이다.

2. Coulomb의 토압론은 벽면과 흙의 마찰을 고려($\delta\neq0$)한 이론인데 벽마찰각 $\delta=0$이고 연직벽인 경우에는 Coulomb 토압계수와 Rankine 토압계수가 같다.

02 **주동토압계수를 K_a, 수동토압계수를 K_p, 정지토압계수를 K_0라 할 때 그 크기의 순서가 맞는 것은?** 2005. 충남 7급

① $K_a>K_0>K_p$ ② $K_p>K_0>K_a$

③ $K_0>K_a>K_p$ ④ $K_0>K_p>K_a$

해설

$K_p>K_0>K_a$

03 **Rankine 토압이론에 대한 설명으로 옳지 않은 것은? (단, ϕ는 흙의 내부마찰각이다)** 2013. 국가직 7급

① 옹벽 배면과 흙 사이의 마찰을 고려하지 않는다.

② 지표면이 수평인 경우, 주동상태시 옹벽 배면에서의 파괴면은 지표면과 $45^\circ+\frac{\phi}{2}$의 각도를 갖는다.

③ 주동토압계수 산정식은 $\frac{(1+\sin\phi)}{(1-\sin\phi)}$이다.

④ 지표면이 수평인 경우, 수동파괴시 Mohr원상에서 최대주응력은 수평응력이다.

해설

$K_a=\frac{1-\sin\phi}{1+\sin\phi}=\tan^2\left(45^\circ-\frac{\phi}{2}\right)$

04 **옹벽에 작용하는 토압이론에 대한 설명으로 옳지 않은 것은?** 2009. 지방직 7급

① Rankine의 토압이론은 소성이론에 의한 것이다.

② 동일지반의 경우 토압의 크기는 일반적으로 수동토압>주동토압>정지토압이다.

③ Coulomb의 주동토압계수는 벽면 마찰각이 0이고 연직벽인 경우의 Rankine 주동토압계수와 같다.

④ 토압의 크기는 벽체의 변형방향에 따라 다르다.

해설

$P_p>P_0>P_a$

01 ③ 02 ② 03 ③ 04 ② [정답]

05 옹벽에 작용하는 토압에 대한 설명으로 옳지 않은 것은?

2010. 지방직 7급

① 과압밀지반의 정지토압계수는 정규압밀지반의 정지토압계수보다 크다.
② 배면이 연직인 옹벽에서 흙과 옹벽 사이의 마찰각이 0이고 뒤채움흙의 지표면이 수평일 때 Rankine 토압과 Coulomb 토압의 크기는 같다.
③ 점토지반에서 인장균열이 발생한 후의 주동토압은 발생하기 전의 주동토압보다 크다.
④ 옹벽에 작용하는 토압은 옹벽의 수평변위에 관계없이 일정하다.

해설

옹벽의 수평변위에 따라 주동토압, 수동토압, 정지토압으로 구분된다.

06 다음은 옹벽에 작용하는 주동상태일 때의 Rankine 토압을 설명한 것이다. 옳지 않은 것은?

① 지표면과 평행한 토압의 크기가 최대일 때의 상태이다.
② 옹벽이 외측변위를 일으킬 때의 상태이다.
③ 옹벽의 변위는 윗부분에서만 일어난다고 본다.
④ 흙 중 임의 요소가 소성평형상태가 될 때이다.

해설

Rankine 토압

1. 주동상태일 때 지표면과 평행한 토압의 크기는 최소이고, 수동상태일 때 지표면과 평행한 토압의 크기는 최대이다.
2. 옹벽의 변위는 윗부분에서만 일어난다고 본다.
3. 흙 중 임의 요소가 소성평형상태에 있다고 가정하였다.

07 토압이론에 관한 설명 가운데 틀린 것은?

① Coulomb의 토압론은 흙을 강체로 보고 활동면에 따라 흙쐐기가 구조물에 작용하는 압력을 구하는 흙쐐기 이론이다.
② Rankine은 소성이론, Boussinesq는 탄성이론에 의하여 토압을 구한다.
③ 소성평형상태란 토체의 모든 부분이 막 파괴되려고 할 때를 말하고, 탄성평형상태란 수동토압상태로 벽체가 내측으로 변위될 때의 토압을 말한다.
④ 주동토압상태란 벽체 외측으로 변위가 생길 때의 극한토압으로 자연토압이라고도 한다.

해설

Rankine은 소성론, Coulomb의 토압론은 흙쐐기론, Boussinesq는 탄성론에 근거를 두고 있다. 소성평형 상태란 토체의 모든 부분이 지금 막 파괴되려고 할 때를 말하고, 탄성평형상태는 벽체가 정지상태일 때를 말한다.

08 다음은 토압에 대한 설명이다. 이 가운데 옳지 않은 것은?

① 주동토압은 뒤채움 흙의 전단강도가 크면 감소된다.
② 주동토압계수는 뒤채움 흙의 내부마찰각이 크면 증가된다.
③ 수동토압은 주동토압보다 크다.
④ 뒤채움 흙이 침수되면 전단강도가 약해지므로 토압은 증가되어 옹벽이 앞으로 넘어지게 된다.

해설

1. $K_a = \tan^2\left(45° - \frac{\phi}{2}\right)$ 이므로 ϕ가 클수록 K_a는 감소한다.
2. $P_p > P_0 > P_a$

05 ④ 06 ① 07 ③ 08 ② [정답]

09 토압이론에 대한 설명으로 옳지 않은 것은?

2008. 국가직 7급

① 옹벽 배면흙이 수동상태에 도달하였을 경우 연직응력이 최대주응력이 수평응력이 최소주응력이 된다.
② Rankine 토압이론은 벽체와 흙 사이의 마찰을 무시하므로 Coulomb의 토압이론보다 주동토압을 크게 산정한다.
③ 벽마찰은 토압의 작용방향과 파괴활동면 형상에 영향을 미친다.
④ 점토질흙으로 뒤채움된 옹벽에 있어서 인장균열 깊이는 흙의 점착력에 비례한다.

해설

수동상태일 때 $\sigma_h > \sigma_v$ 이므로 $\sigma_h = \sigma_1$, $\sigma_v = \sigma_3$ 이다.

10 토압론에 관한 다음 설명 중 틀린 것은?

① Coulomb의 토압론은 강체역학에 기초를 둔 흙쐐기이론이다.
② Rankine의 토압론은 소성이론에 의한 것이다.
③ 벽체가 배면에 있는 흙으로부터 떨어지도록 작용하는 토압을 수동토압이라 하고 벽체가 흙쪽으로 밀리도록 작용하는 힘을 주동토압이라 한다.
④ 정지토압계수는 수동토압계수와 주동토압계수 사이에 속한다.

해설

1. Rankine 토압론 : 흙을 중력만 작용하는 균질하고 등방인 반무한체로 가정하여 지반이 소성평형상태에 있을 때, 연직지반면에 작용하는 토압을 산정하는 소성이론이다.
2. Coulomb 토압론 : 옹벽의 변위에 의하여 형성되는 흙이 흙쐐기상태로 활동하면서 마찰벽면에 작용하는 토압을 산정하는 흙쐐기 이론이다.
3. 토압의 종류
   ① 정지토압(P_0) : 벽체의 변위가 없는 상태에서 작용하는 토압
   ② 주동토압(P_a) : 벽체가 흙으로부터 멀어지는 변위를 일으킬 때의 토압
   ③ 수동토압(P_p) : 벽체가 뒤채움 흙쪽으로 변위를 일으킬 때의 토압

11 다음 중 Rankine 토압론의 기본가정에 속하지 않는 것은?

① 흙은 비압축성이고 균질의 입자이다.
② 지표면은 무한히 넓게 존재한다.
③ 옹벽과 흙과의 마찰을 고려한다.
④ 토압은 지표면에 평행하게 작용한다.

해설

Rankine 토압론의 기본 가정

1. 흙은 중력만 작용하는 균질하고 등방성이고 비압축성이다.
2. 파괴면은 2차원적인 평면이다.
3. 흙은 입자간의 마찰력에 의해서만 평형을 유지한다(벽 마찰각 무시).
4. 토압은 지표면에 평행하게 작용한다.
5. 지표면은 무한히 넓게 존재한다.
6. 지표면에 작용하는 하중은 등분포하중이다.

12 랭킨(Rankine) 토압론의 가정 중 잘못된 것은?

① 토압은 지표에 평행하게 작용하고 지표의 모든 하중은 등분포하중이다.
② 흙은 압축성 균질의 분체이다.
③ 분체는 입자간의 마찰력만으로 평형을 유지하며 점착력이 없는 모래질로 생각한다.
④ 지표면은 무한히 넓어진 한 평면으로 존재한다.

해설

1. 흙은 비압축성 균질의 분체이다.
2. Rankine 토압론은 당초 흙을 점착력이 없는 분체로 가정하여 토압을 구했으나, 후일 Resal에 의하여 마찰력 및 점착력이 있는 흙에까지 확장되었다.

13 Rankine 토압론의 가정 중 옳지 않은 것은?

① 흙은 불압축성 균질의 분체이다.
② 지표면은 무한히 넓게 존재한다.
③ 지표에 하중이 있으면 집중하중이다.
④ 토압은 지표에 평행하게 작용한다.

해설

지표면에 작용하는 하중은 등분포하중이다. 선하중, 대상하중, 집중하중 등은 Boussinesq의 지중응력 계산법 등으로 편법으로 고려한다.

09 ① 10 ③ 11 ③ 12 ② 13 ③ [정답]

14 **다음 그림은 옹벽 배면 벽체의 변위에 따른 수평토압의 변화를 나타낸 것이다. 이에 대한 설명 중 옳지 않은 것은?** 2014. 국가직

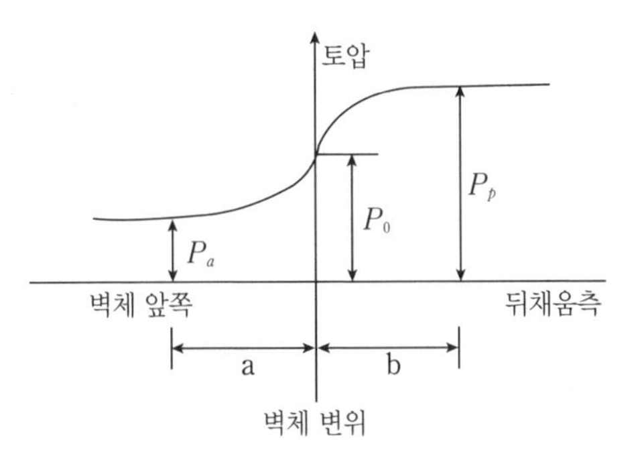

① 내부마찰각이 클수록 값이 P_a 값이 감소한다.

② 벽체의 변위 a가 일반적으로 벽체의 변위 b보다 크다.

③ P_0 상태를 탄성평형으로 가정하여 토압계수를 유추할 수 있다.

④ P_0 상태의 모어원은 파괴포락선 아래에 존재한다.

해설

벽체의 변위 a가 일반적으로 변위 b보다 작다.

15 **주동토압의 분포가 삼각형이 되는 경우는? (단, 점선은 변위, 변형 후의 벽체의 위치이다.)**

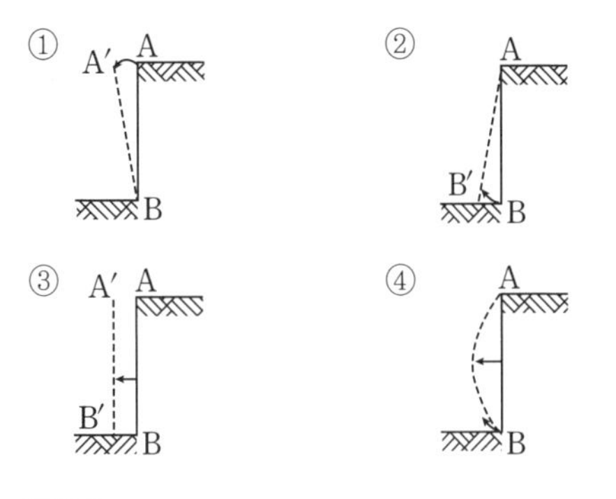

해설

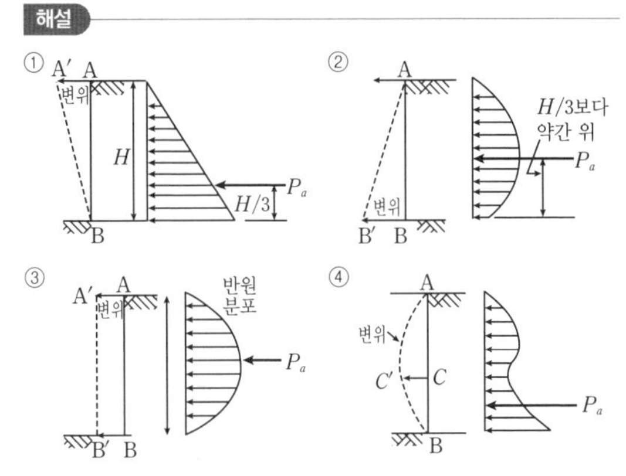

16 **수평지반에 대한 Coulomb 토압이론의 설명으로 옳지 않은 것은?** 2012. 국가직 7급

① 벽면 마찰을 고려하여 토압을 계산한다.

② 연직벽체의 경우 주동토압은 Rankine 주동토압보다 작다.

③ 흙쐐기를 강체로 가정한 토압이론이다.

④ 주동상태에서 연직벽체에 작용하는 수평응력은 최소 주응력이다.

해설

1. ㉠ Rankine 토압론
   주동토압은 과대평가되고 수동토압은 과소평가된다.
   ㉡ Coulomb 토압
   주동토압은 실제와 잘 접근하고 있으나 수동토압은 상당히 크게 나타난다.
2. Coulomb 토압론에서 주동상태의 연직벽체에 작용하는 최소주응력은 δ만큼 기울기에 작용한다.

14 ② 15 ① 16 ④ [정답]

17 그림은 모래지반에서 벽체의 회전에 따라 토압계수가 어떻게 변화하는지 보여주는 그림이다. ㉠~㉣ 괄호 안이 맞게 연결된 것은? 2016. 서울시 7급

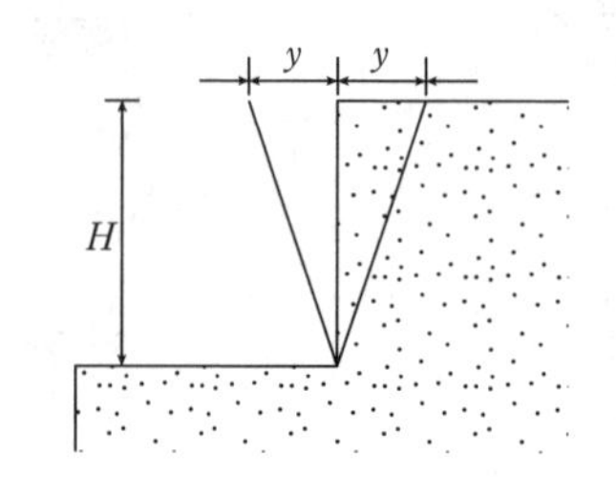

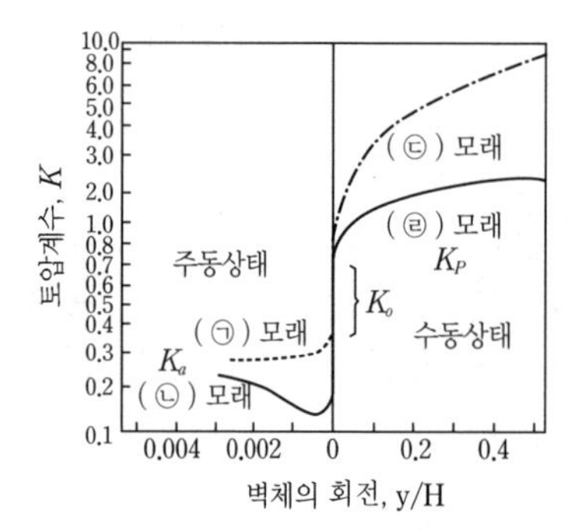

	㉠	㉡	㉢	㉣
①	촘촘한	느슨한	촘촘한	느슨한
②	촘촘한	느슨한	느슨한	촘촘한
③	느슨한	촘촘한	느슨한	촘촘한
④	느슨한	촘촘한	촘촘한	느슨한

18 그림과 같은 콘크리트 Box 측면에서 오는 토압은?

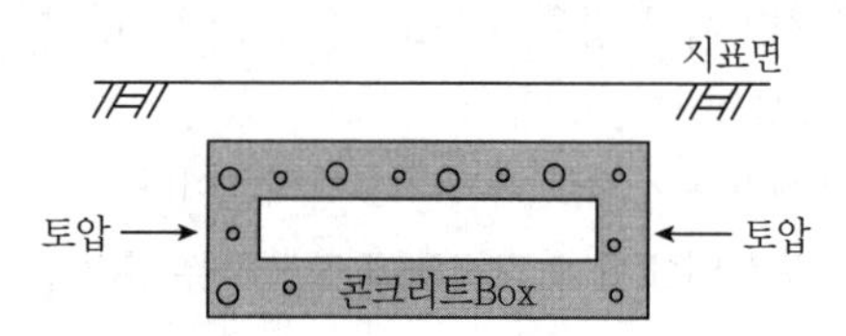

① 정지토압으로 계산한다.
② 주동토압으로 계산한다.
③ 수동토압으로 계산한다.
④ 내부토압으로 계산한다.

해설

지하철의 벽체, 지하 배수구, 도로제방 아래를 관통하는 박스암거와 같이 벽체의 변위가 허용되지 않는 경우의 토압은 정지토압이다.

19 다음은 정지토압계수 K_0에 관한 설명이다. 이 가운데 틀린 것은?

① K_0는 조립토보다 세립토에서 더 크다.
② K_0는 느슨한 사질토와 작은 전단저항각에 있어서 크다.
③ K_0는 상재하중의 증가와 더불어 증가한다.
④ K_0는 과압밀토에 대하여 크다.

해설

정지토압계수

1. 경험식
   ① 모래, 정규압밀점토인 경우 : $K_0 = 1 - \sin\phi$
   ② 과압밀점토인 경우 : $K_{0(과압밀)} = K_{0(정규압밀)}\sqrt{OCR}$
2. 과압밀점토일수록 $K_0 > 1$이다.
3. 실용적인 계략치는 $K_0 \fallingdotseq 0.5$이다.

20 Jaky의 정지토압계수를 구하는 공식 $K_0 = 1 - \sin\phi$가 가장 잘 성립하는 토질은?

① 과압밀점토 ② 정규압밀점토
③ 사질토 ④ 풍화토

해설

1. 사질토인 경우(Jaky, 1944) : $K_0 = 1 - \sin\phi$
2. 정규압밀점토인 경우(Brooker & Ireland, 1965) : $K_0 = 0.95 - \sin\phi$

21 보통 모래에서 정지토압계수의 범위를 나타낸 것은?

① 0.1~0.2 ② 0.2~0.3
③ 0.4~0.5 ④ 0.6~0.7

해설

K_0값

1. 모래, 자갈 : $K_0 = 0.35 \sim 0.6$
2. 점토, 실트 : $K_0 = 0.45 \sim 0.75$
3. 과압밀점토 : $K_0 \geq 1$

17 ④ 18 ① 19 ③ 20 ③ 21 ③ [정답]

22 흙의 정지토압계수 K_0는 삼축압축시험으로 구할 수 있으나 실제로는 대단히 어렵다. 과압밀상태에 있지 않는 흙의 정지토압계수는 다음 중 어느 식으로 대강 계산할 수 있는가? (단, ϕ는 유효응력으로 표시한 내부마찰각이다)

① $1-\sin\phi$
② $1-\tan^2\left(45°-\frac{\phi}{2}\right)$
③ $\frac{1+\sin\phi}{1-\sin\phi}$
④ $1-\tan\phi$

해설

정지토압계수

1. 탄성론에 의한 Hook 법칙 : $K_0 = \frac{\mu}{1-\mu}$
2. 모래 및 정규압밀점토인 경우(Jaky의 이론) : $K_0 = 1 - \sin\overline{\phi}$

23 다음은 토압에 관한 사항이다. 틀린 것은?

① 주동토압에서 배면토가 점착력이 있는 경우는 없는 경우보다 토압이 적어진다.
② Coulomb의 토압이론은 옹벽 배면과 뒤채움 흙 사이의 벽면마찰을 무시한 이론이다.
③ 일반적인 주동토압계수는 1보다 적고 수동토압계수는 1보다 크다.
④ 어떤 지반의 정지토압계수가 1.75라면 이 흙은 과압밀상태에 있다.

해설

1. 점성토의 주동토압($c \neq 0$) : $P_a = \frac{1}{2}\gamma H^2 K_a - 2c\sqrt{K_a}H$
   따라서, 점성이 없는 경우의 토압보다 $2c\sqrt{K_a}H$ 만큼 작다.
2. Coulomb 토압론은 옹벽과 뒤채움 흙과의 마찰을 고려한 흙쐐기 이론이다.
3. 과압밀점토일수록 $K_0 \geq 1$이다.

24 다음 토질에 관한 용어의 조합 중 관계가 없는 것은?

① 흙의 전단강도 – Coulomb의 이론
② 토압 – Rebhann의 정리
③ 사면안정 – Felleniues 방법
④ 지지력비 – 평판재하시험

해설

토압 : Rankine, Coulomb 토압론

25 옹벽의 뒷면과 흙과의 마찰각이 0인 연직옹벽에서 지표면이 수평인 경우 Coulomb의 토압과 Rankine의 토압은 어떻게 되는가?

① Coulomb의 토압은 항상 Rankine의 토압보다 작다.
② Coulomb의 토압은 항상 Rankine의 토압보다 클 때도 있고 작을 때도 있다.
③ Coulomb의 토압은 항상 Rankine의 토압보다 크다.
④ Coulomb의 토압은 Rankine의 토압과 같다.

해설

Rankine 토압에서는 옹벽의 뒷면과 흙과의 마찰을 고려하지 않았지만 Coulomb 토압에서는 고려하였다. 문제에서 옹벽의 뒷면과 흙과의 마찰각을 0이라 하였으므로 Coulomb의 토압과 Rankine 토압은 같다.

26 다음 중 수평토압을 계산하기 위한 방법이 아닌 것은?

① Rankine 방법
② Coulomb 방법
③ Culmann 방법
④ Housel 방법

해설

토압론의 분류

1. Rankine 토압론 : 소성론에 근거를 둠.
2. Coulomb 토압론 : 흙쐐기 이론
3. Culmann 방법 : 토압 도해법
4. Poncelet 방법 : 토압 도해법
5. Boussinesq 토압론 : 탄성론에 근거를 둠.

22 ① 23 ② 24 ② 25 ④ 26 ④ [정답]

27 Rankine 토압이론의 가정 사항 중 옳지 않은 것은?

① 흙은 균질의 분체이다.
② 지표면은 무한히 넓게 존재한다.
③ 분체는 입자간의 점착력에 의해 평형을 유지한다.
④ 토압은 지표면에 평행하게 작용한다.

해설

Rankine 토압론 가정
1. 흙은 균질이고 비압축성이다.
2. 지표면은 무한히 넓게 존재한다.
3. 흙은 입자간의 마찰에 의해 평형을 유지한다(벽마찰은 무시한다).
4. 토압은 지표면에 평행하게 작용한다.
5. 중력만 작용하고 지반은 소성평형상태에 있다.

28 토압에 대한 설명으로 옳지 않은 것은?

2011. 국가직 7급

① Rankine의 토압이론은 흙의 소성평형상태를 고려하고, Coulomb의 토압이론은 파괴면이 평면인 가상파괴 흙쐐기를 고려한다.
② Rankine의 토압이론은 벽체와 흙의 마찰을 고려하고, Coulomb의 토압이론은 벽체와 흙의 마찰을 고려하지 않는다.
③ Rankine의 토압이론에서는 주동토압계수와 수동토압계수는 항상 역수관계이나, Coulomb의 토압이론에서는 이 관계가 성립되지 않는다.
④ Rankine의 토압계수는 Mohr 원에서 유도되었고, Coulomb의 토압계수는 힘의 평형방정식에서 유도되었다.

해설

1. Rankine 토압론 : 소성론, 벽체와 흙의 마찰은 고려하지 않는다.
2. Coulomb 토압론 : 흙쐐기론, 벽체와 흙의 마찰을 고려한다.

29 다음은 토질에 관한 용어의 결합이다. 틀린 것은?

① 투수계수－Darcy의 법칙
② 압밀계수－Terzaghi의 압밀이론
③ 입도분석－Stokes의 법칙
④ 토압계수－Bernoulli의 정리

30 다음 그림에서 깊이 6m에서의 수직응력과 수평응력은 얼마인가? (단, 토압계수는 0.5이다)

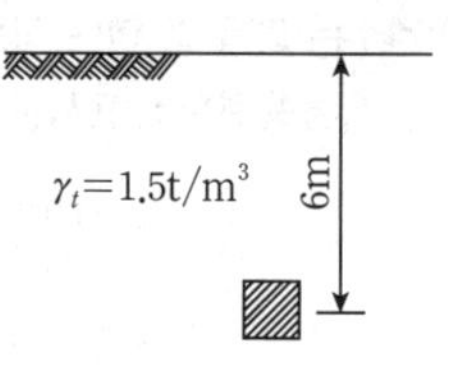

① $\sigma_v=9.0t/m^2$, $\sigma_h=4.5t/m^2$
② $\sigma_v=4.5t/m^2$, $\sigma_h=9.0t/m^2$
③ $\sigma_v=4t/m^2$, $\sigma_h=2.0t/m^2$
④ $\sigma_v=2.0t/m^2$, $\sigma_h=4.0t/m^2$

해설

1. $\sigma_v=\gamma\cdot Z=1.5\times6=9.0t/m^2$
2. $\sigma_h=K_0\sigma_v=0.5\times9.0=4.5t/m^2$

31 수평으로 놓여 있는 모래질 흙의 지표면에서부터 10m 깊이에서의 주동토압에 의한 수평토압(lateral earth pressure) σ_h는 얼마인가? (단, $\gamma=2.0t/m^3$, $C=0$, $K_a=0.4$이다)

① $6t/m^2$　② $8t/m^2$
③ $20t/m^2$　④ $50t/m^2$

해설

$\sigma_h=\gamma hK_a=2\times10\times0.4=8t/m^2$

32 다음 토질 중 정지토압계수가 제일 큰 것은?

① 교란된 고령토　② 굳은 점토
③ 느슨한 모래　④ 조밀한 모래

27 ③　28 ②　29 ④　30 ①　31 ②　32 ①　[정답]

33 다음 그림에서 β의 각도는 얼마인가? (단, 흙의 내부마찰각 $\phi = 30°$, 점선은 Rankine 이론에 의한 파괴선이다)

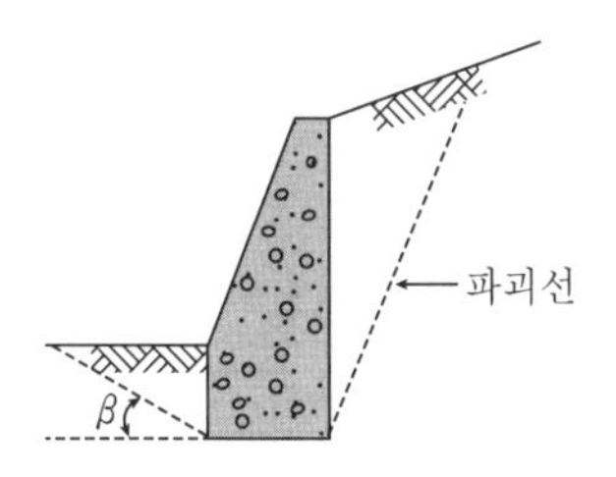

① 30°　　② 45°
③ 60°　　④ 70°

해설

$\beta = 45° - \frac{\phi}{2} = 45° - \frac{30°}{2} = 30°$

34 균질한 상태로 탄성거동을 하는 지반이 있다. 지반의 포와송비 μ가 0.25일 때, 탄성이론에 의한 지반의 정지토압계수는? 2011. 국가직 7급

① 0.25　　② 0.33
③ 0.5　　④ 0.75

해설

$K_0 = \frac{\mu}{1-\mu} = \frac{0.25}{1-0.25} = 0.33$

35 다음과 같이 사질토 지반에 설치된 지중 암거에 작용하는 단위길이당 수평토압(kN/m)은? (단, 소수점 첫째 자리에서 반올림한다) 2011. 지방직 7급

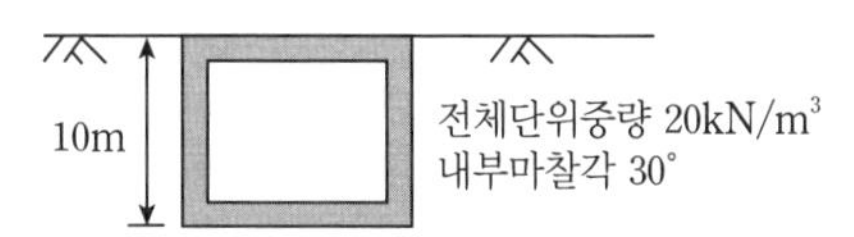

① 250　　② 333
③ 500　　④ 1000

해설

1. $K_0 = 1 - \sin\phi = 1 - \sin 30° = 0.5$
2. $P_0 = \frac{1}{2}\gamma_t h^2 K_0$

$= \frac{1}{2} \times 20 \times 10^2 \times 0.5 = 500\text{kN/m}$

36 다음과 같이 모래로 뒷채움된 콘크리트 옹벽이 있다. 지하수가 옹벽 정상부까지 채워질 때(만수위) 전체 주동토압과 지하수위가 옹벽 바닥 아래로 떨어질 때(갈수위) 전체 주동토압의 차이 (kN/m)는? (단, 물의 단위중량은 10kN/m³, 옹벽배면의 마찰각은 무시한다) 2011. 지방직 7급

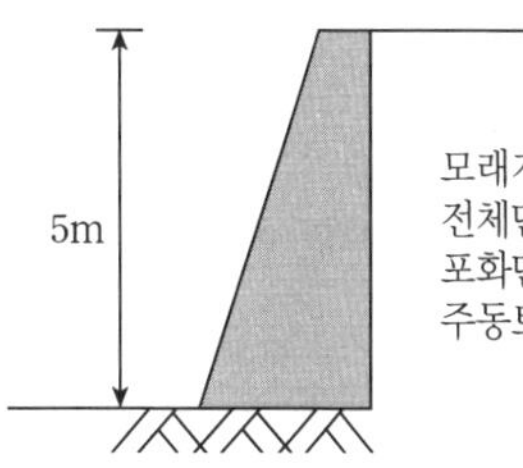

① 87.5
② 95.0
③ 125.0
④ 132.0

해설

1. 만수위시

$P_{a1} = \frac{1}{2}\gamma_{sub}h^2K_a + \frac{1}{2}\gamma_w h^2 = \frac{1}{2} \times 10 \times 5^2 \times 0.3 + \frac{1}{2} \times 10 \times 5^2$

$= 162.5\text{kN/m}$

2. 갈수위시

$P_{a2} = \frac{1}{2}\gamma_t h^2 K_a = \frac{1}{2} \times 18 \times 5^2 \times 0.3 = 67.5\text{kN/m}$

3. $\Delta P = P_{a1} - P_{a2} = 162.5 - 67.5 = 95\text{kN/m}$

33 ① 34 ② 35 ③ 36 ② [정답]

37 그림과 같이 옹벽 전면에 수심 3m의 물이 있고 옹벽 배면에는 지하수위가 뒤채움흙의 지표면과 일치하고 있다. 이런 조건에서 옹벽에 작용하는 순토압(t/m)은?

2010. 지방직 7급

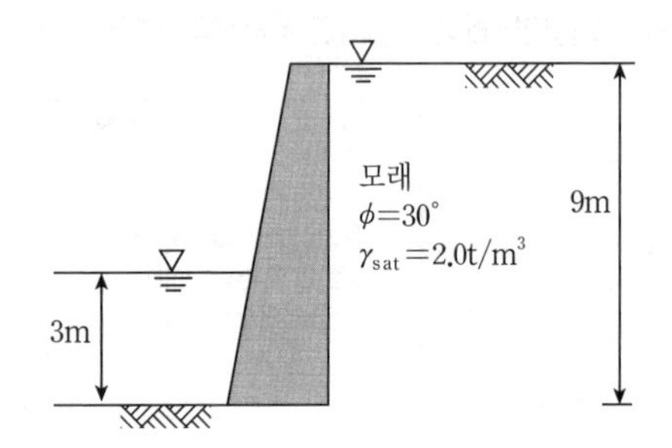

① 22.5 ② 31.5 ③ 49.5 ④ 63.0

해설

1. $K_a = \tan^2\left(45° - \frac{\phi}{2}\right) = \tan^2\left(45° - \frac{30°}{2}\right) = \frac{1}{3}$
2. $P_a = \frac{1}{2}\gamma_{sub}h_1^2K_a + \frac{1}{2}\gamma_w h_1^2 - \frac{1}{2}\gamma_w h_2^2$

$= \frac{1}{2}\times 1\times 9^2\times\frac{1}{3} + \frac{1}{2}\times 1\times 9^2 - \frac{1}{2}\times 1\times 3^2 = 49.5\text{t/m}$

38 그림과 같은 높이 6m의 옹벽 배면에 단위중량 18kN/m³, 내부마찰각 30°인 사질토 지반이 위치한다. 옹벽의 수평변위가 전혀 일어나지 않도록 지지하기 위한 정지토압[kN/m]의 크기와 옹벽저면으로부터의 작용위치[m]는?

2012. 국가직 7급

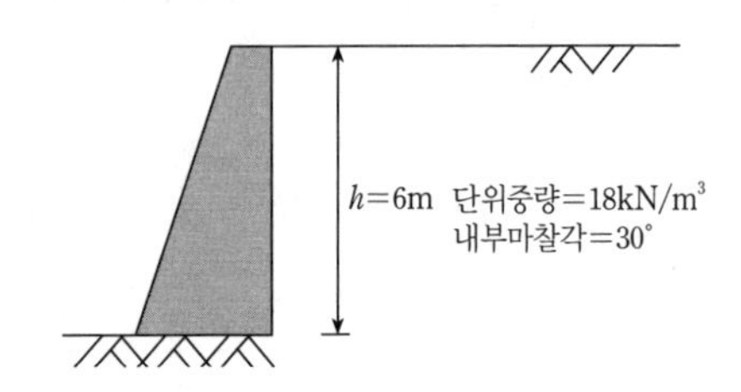

	정지토압	작용위치
①	162	2.0
②	182	2.0
③	162	4.0
④	182	4.0

해설

1. $K_o = 1 - \sin\phi = 1 - \sin 30° = 1 - \frac{1}{2} = \frac{1}{2}$
2. $P_o = \frac{1}{2}\gamma_t h^2 K_o = \frac{1}{2}\times 18\times 6^2\times\frac{1}{2} = 162\text{kN/m}$
3. $h = \frac{H}{3} = \frac{6}{3} = 2\text{m}$

39 옹벽에 작용하는 주동토압의 합력(P_A)과 합력의 작용위치(y)는? (단, Rankine 토압이론을 이용하고 물의 단위중량은 1t/m³이다)

2016. 국가직 7급

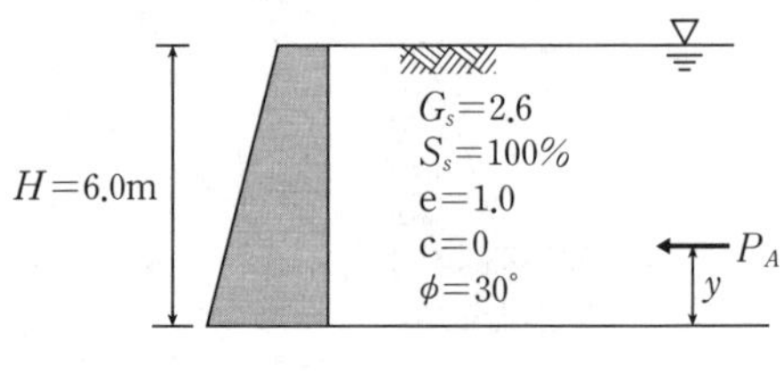

	주동토압의 합력[t/m]	y[m]
①	22.8	2.0
②	10.8	2.0
③	22.8	3.0
④	10.8	3.0

해설

1. $\gamma_{sub} = \frac{G_s - 1}{1+e}\gamma_w = \frac{2.6-1}{1+1}\times 1 = 0.8\text{t/m}^3$

$K_a = \tan^2\left(45° - \frac{30°}{2}\right) = \frac{1}{3}$

$p_a = \frac{1}{2}\gamma_{sub}h^2K_a + \frac{1}{2}\gamma_w h^2$

$= \frac{1}{2}\times 0.8\times 6^2\times\frac{1}{3} + \frac{1}{2}\times 1\times 6^2$

$= 22.8\text{t/m}$

2. $y = \frac{h}{3} = \frac{6}{3} = 2\text{m}$

37 ③ 38 ① 39 ① [정답]

40 그림과 같이 옹벽배면의 상부에 지하수위가 있는 포화지반(a)과 그렇지 않은 습윤지반(b)의 주동토압 크기비는? (단, 주동토압계수 = 0.4, 포화단위중량 = 2.0t/m³, 습윤단위중량 = 1.5t/m³이다)

2010. 국가직 7급

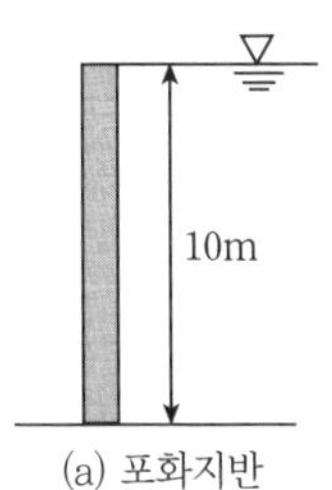

(a) 포화지반

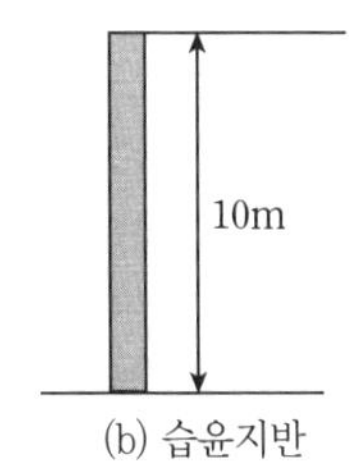

(b) 습윤지반

① 7 : 3　　② 7 : 4
③ 6 : 3　　④ 6 : 4

해설

1. 포화지반

$P_a = \frac{1}{2}\gamma_{sub} h^2 K_a + \frac{1}{2}\gamma_w h^2 = \frac{1}{2}\times 1 \times 10^2 \times 0.4 + \frac{1}{2}\times 1 \times 10^2$

$= 70\text{t/m}$

2. 습윤지반

$P_a = \frac{1}{2}\gamma_t h^2 K_a = \frac{1}{2}\times 1.5 \times 10^2 \times 0.4 = 30\text{t/m}$

3. $P_{a(포화)} : P_{a(습윤)} = 7 : 3$

41 균질한 건조모래를 지지하는 벽체가 미소하게 움직이며 주동파괴가 발생하였다. 뒤채움 모래의 마찰각(ϕ)은 30°이고 단위중량(γ)은 20kN/m³일 때 Rankine의 주동토압과 파괴각은?

2016. 국가직 7급

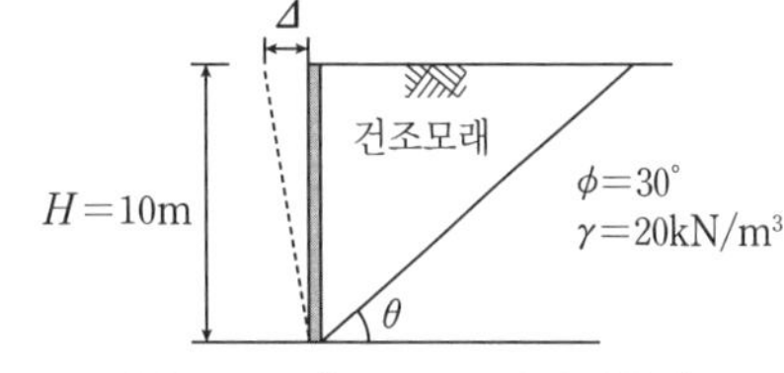

	주동토압[kN/m]	파괴각[θ]
①	$\frac{1000}{3}$	30°
②	$\frac{2000}{3}$	30°
③	$\frac{1000}{3}$	60°
④	$\frac{2000}{3}$	60°

해설

1. $\theta = 45° + \frac{\phi}{2} = 45° + \frac{30°}{2} = 60°$
2. $K_a = \tan^2\left(45° - \frac{30°}{2}\right) = \frac{1}{3}$

$p_a = \frac{1}{2}\gamma_t h^2 K_a$

$= \frac{1}{2}\times 20 \times 10^2 \times \frac{1}{3} = \frac{1,000}{3}\text{kN/m}$

42 배면이 연직이고 높이가 8m인 옹벽이 있다. 뒤채움 표면은 수평이고 흙의 단위중량이 19kN/m³, 점착력이 9.5kN/m², 내부마찰각은 30°일 때, 인장균열이 발생하는 깊이는?

2016. 서울시 7급

① $\frac{\sqrt{3}}{2}$m　　② 1m
③ $\sqrt{3}$m　　④ $2\sqrt{3}$m

해설

$$Z_c = \frac{2c\tan\left(45° + \frac{\phi}{2}\right)}{\gamma_t} = \frac{2\times 9.5 \times \tan\left(45° + \frac{30°}{2}\right)}{19} = \sqrt{3}\text{m}$$

40 ① 41 ③ 42 ③ [정답]

43 다음과 같은 옹벽에서 배면토에 발생하는 인장균열의 깊이(m)는? 2011. 지방직 7급

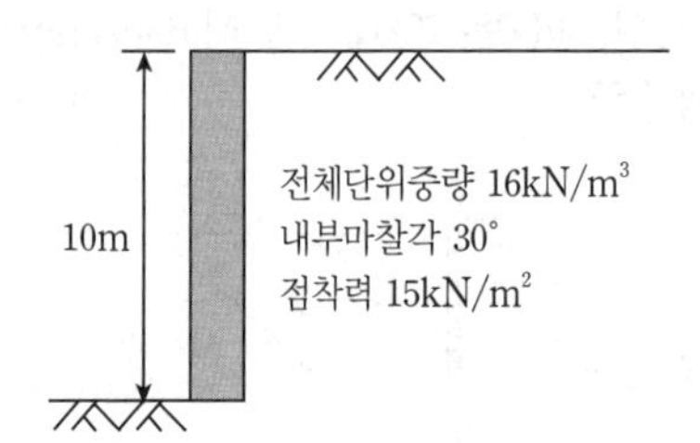

① $\frac{8}{15\sqrt{3}}$ ② $\frac{8\sqrt{3}}{15}$
③ $\frac{15}{8\sqrt{3}}$ ④ $\frac{15\sqrt{3}}{8}$

해설

$$Z_c = \frac{2c\tan\left(45^\circ + \frac{\phi}{2}\right)}{\gamma_t} = \frac{2\times 15\tan\left(45^\circ + \frac{30^\circ}{2}\right)}{16} = \frac{15\sqrt{3}}{8}$$

44 점성토에서 점착력이 0.6t/m²이고 내부마찰각이 30°이며, 흙의 단위중량이 1.7t/m³일 때 주동토압이 0이 되는 깊이는 지표면에서 약 몇 m인가?

① 1.52m
② 1.42m
③ 1.32m
④ 1.22m

해설

$$Z_c = \frac{2c\tan\left(45^\circ + \frac{\phi}{2}\right)}{\gamma_t} = \frac{2\times 0.6\times\tan\left(45^\circ + \frac{30^\circ}{2}\right)}{1.7} = 1.22\text{m}$$

45 그림과 같이 옹벽 배면의 지표면에 등분포하중이 작용하고 있다. 옹벽 배면에 발생하는 인장균열의 깊이 [m]는? 2014. 국가직

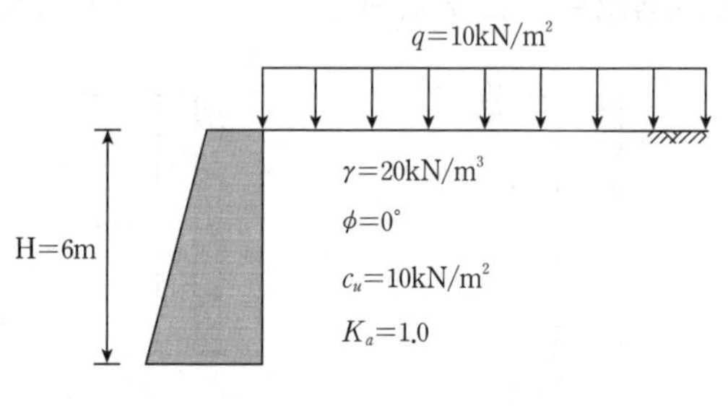

① 0.5 ② 1.0
③ 1.5 ④ 2.0

해설

$\gamma_t Z_c K_a - 2c\sqrt{K_a} + q_s K_a = 0$

$20\times Z_c\times 1 - 2\times 10\sqrt{1} + 10\times 1 = 0$

$\therefore Z_c = 0.5\text{m}$

46 점착력이 8kN/m², 단위체적 중량이 20kN/m³인 점성토 지반이 있다. 이 지반을 굴착할 경우, 인장균열깊이 [Z_c]와 한계 절토고 [H_c]는? (단, 내부마찰각 ϕ=0°이고 Rankine 토압이론을 이용하시오.) 2013. 국가직 7급

	Z_c	H_c
①	0.8m	0.8m
②	0.8m	1.6m
③	1.6m	1.6m
④	1.6m	3.2m

해설

1. $Z_c = \frac{2c\tan\left(45^\circ + \frac{\phi}{2}\right)}{\gamma_t} = \frac{2\times 8\tan(45^\circ + 0)}{20} = 0.8\text{m}$
2. $H_c = 2Z_c = 2\times 0.8 = 1.6\text{m}$

43 ④ 44 ④ 45 ① 46 ② [정답]

47 연약한 점성토로 뒷채움된 5m 높이의 옹벽이 주동 상태에 도달했을 때, 뒤채움재에 인장균열 발생하면 인장균열 발생 이전에 비하여 몇 배의 주동토압이 옹벽에 작용하는가? (단, 뒤채움재의 물성치는 $\gamma_t = 2.0\text{t/m}^3$, $\phi_u = 0$, $C_u = 2.0\text{t/m}^2$이고, 인장균열 발생 후 인장균열 깊이까지 존재하는 뒤채움재는 상재하중으로 작용하지 않는 것으로 한다) 2009. 국가직 7급

① 1.2배 ② 1.5배
③ 1.8배 ④ 2.0배

해설

1. $K_a = \tan^2\left(45° - \frac{\phi}{2}\right) = \tan^2 45° = 1$

2. 인장균열 발생전

$P_a = \frac{1}{2}\gamma_t h^2 K_a - 2c\sqrt{K_a}h = \frac{1}{2} \times 2 \times 5^2 \times 1 - 2 \times 2\sqrt{1} \times 5 = 5\text{t/m}$

3. 인장균열 발생후

$P_a' = \frac{1}{2}\gamma_t h^2 K_a - 2c\sqrt{K_a}h + \frac{2c^2}{\gamma_t} = \frac{1}{2} \times 2 \times 5^2 \times 1 - 2 \times 2\sqrt{1} \times 5 + \frac{2 \times 2^2}{2} = 9\text{t/m}$

4. $\frac{P_a'}{P_a} = \frac{9}{5} = 1.8$

48 단위중량 18kN/m³, 내부마찰각 30°, 점착력 9KN/m²인 흙을 지지하고 있는 높이 6m의 옹벽 배면토에 인장균열이 발생하였다. 인장발생하기 전에 비해 발생 후 옹벽에 작용하는 전체 주동토압 〔kN/m〕의 변화는? (단, $K_a = \tan^2\left(45° - \frac{\phi}{2}\right)$, 인장균열부의 상재하중 및 수압의 영향은 무시한다) 2012. 국가직 7급

① 9 증가 ② 18 증가
③ 9 감소 ④ 18 감소

해설

$\Delta P_a = \frac{2c^2}{\gamma_t} = \frac{2 \times 9^2}{18} = 9\text{kN/m}$

49 연약점토로 뒤채움된 옹벽이 다음과 같을 때, 비배수 조건에서 인장균열이 발생된 후의 주동토압의 합력 P_a(kN/m)는? 2011. 국가직 7급

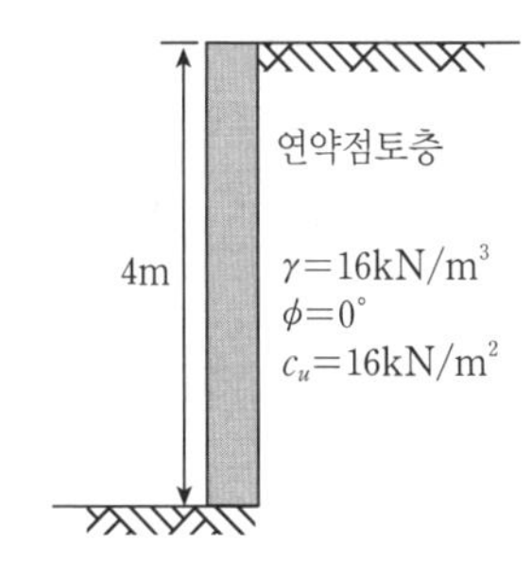

① 32 ② 64
③ 86 ④ 128

해설

1. $K_a = \tan^2\left(45° - \frac{\phi}{2}\right) = \tan^2(45° - 0) = 1$

2. $P_a = \frac{1}{2}\gamma_t h^2 K_a - 2c\sqrt{K_a}h + \frac{2c^2}{\gamma_t}$

$= \frac{1}{2} \times 16 \times 4^2 \times 1 - 2 \times 16 \times 1 \times 4 + \frac{2 \times 16^2}{16} = 32\text{kN/m}$

50 지하수면과 지표면이 동일한 경우의 $K_a = \frac{1}{3}$인 모래지반이 있다. 지표면하 3m 깊이에서의 수평 주동토압은 얼마인가? (단, 포화밀도는 2.0t/m³이다)

① 1t/m^2 ② 2t/m^2
③ 3t/m^2 ④ 4t/m^2

해설

$\sigma_{ha} = \gamma_{sub} HK_a + \gamma_w H$

$= 1 \times 3 \times \frac{1}{3} + 1 \times 3 = 4\text{t/m}^2$

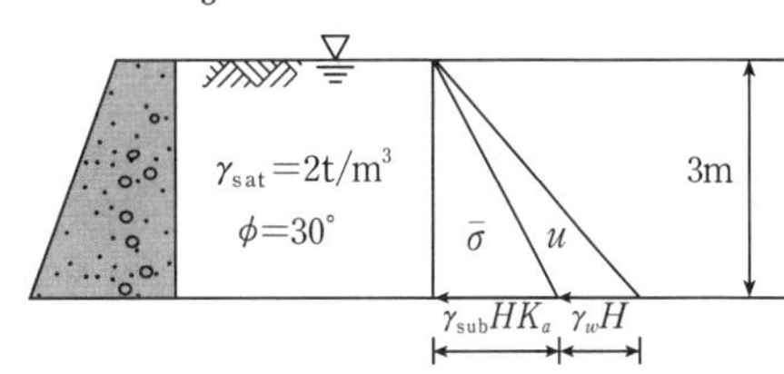

47 ③ 48 ① 49 ① 50 ④ [정답]

51 그림과 같이 옹벽 배면의 지표면에 등분포하중이 작용할 때, 옹벽에 작용하는 전주동토압(P_A)의 크기(t/m)와 옹벽 저면으로부터 토압의 작용점까지의 높이(h〔m〕)는?

2009. 국가직 7급

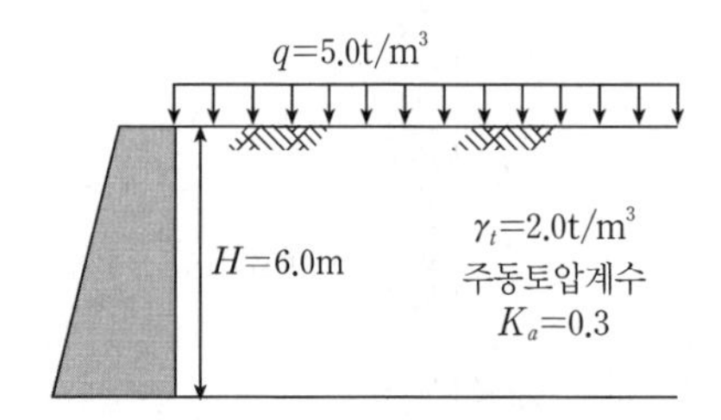

① $P_A=19.8$, $h≒2.75$　② $P_A=22.8$, $h≒2.45$
③ $P_A=19.8$, $h≒2.45$　④ $P_A=22.8$, $h≒2.75$

해설

1. $P_a=P_{a1}+P_{a2}$

$=\frac{1}{2}\gamma_t h^2 K_a+q_s K_a h=\frac{1}{2}\times 2\times 6^2\times 0.3+5\times 0.3\times 6$

$=10.8+9=19.8\text{t/m}$

2. $P_{a1}\times\frac{h}{3}+P_{a2}\times\frac{h}{2}=P_a\times y$

$10.8\times\frac{6}{3}+9\times\frac{6}{2}=19.8\times y\quad\therefore y=2.45\text{m}$

52 그림과 같은 옹벽에 작용하는 주동토압은 얼마인가? (단, 흙의 단위중량 γ=1.7t/m³)

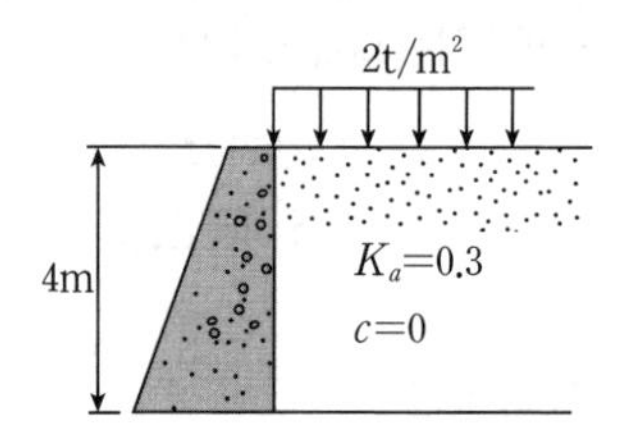

① 3.6t/m　② 4.5t/m
③ 6.5t/m　④ 12.4t/m

해설

$P_a=\frac{1}{2}\gamma_t H^2 K_a+q_s K_a H$

$=\frac{1}{2}\times 1.7\times 4^2\times 0.3+2\times 0.3\times 4=6.5\text{t/m}$

53 다음 그림과 같은 옹벽에서 등분포하중을 흙의 두께로 환산한 높이(ΔH)는?

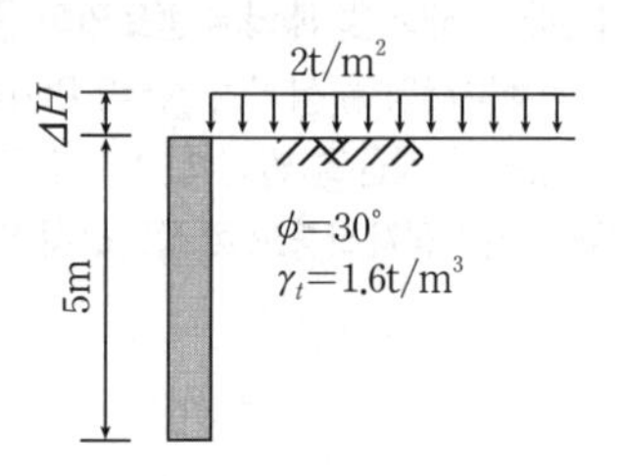

① 1.15m　② 1.25m
③ 1.35m　④ 1.45m

해설

$q_s=\gamma_t\cdot\Delta H$

$2=1.6\times\Delta H\qquad\therefore\Delta H=1.25\text{m}$

54 그림과 같이 성질이 다른 층으로 뒤채움 흙이 이루어진 옹벽에 작용하는 주동토압은?

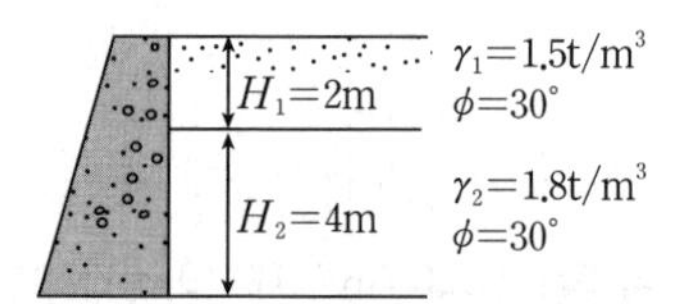

① 8.6t/m　② 9.8t/m
③ 11.4t/m　④ 15.6t/m

해설

1. $K_a=\tan^2\left(45°-\frac{\phi}{2}\right)=\tan^2\left(45°-\frac{30°}{2}\right)=\frac{1}{3}$

2. $P_a=\frac{1}{2}\gamma_1 H_1^2 K_a+\gamma_1 H_1 H_2 K_a+\frac{1}{2}\gamma_2 H_2^2 K_a$

$=\frac{1}{2}\times 1.5\times 2^2\times\frac{1}{3}+1.5\times 2\times 4\times\frac{1}{3}+\frac{1}{2}\times 1.8\times 4^2\times\frac{1}{3}$

$=9.8\text{t/m}$

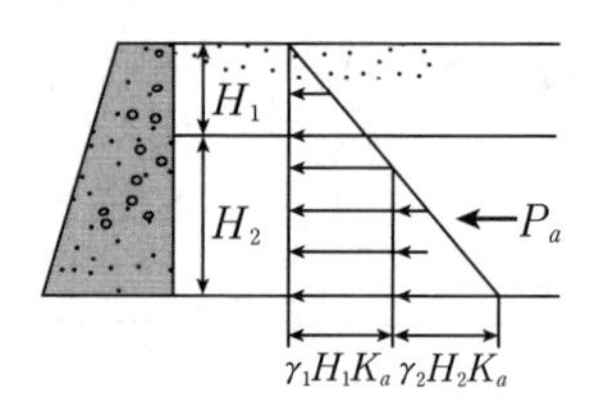

51 ③　52 ③　53 ②　54 ② [정답]

55 단위중량 = 16kN/m³, 점착력 = 10kN/m², 주동토압계수 = 0.25인 지반에 길이 8m의 강성벽체를 설치한 후 그림과 같이 5m 깊이로 굴착하였다. A점에서의 순토압(net earth pressure, kN/m²)과 작용방향은?

2007. 국가직 7급, 2009. 지방직 7급

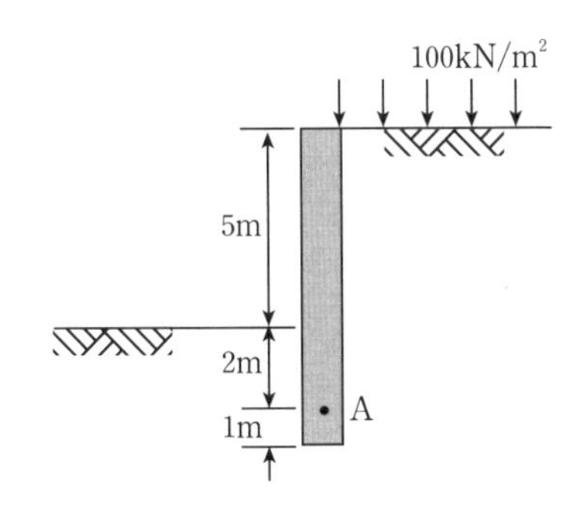

	순토압(kN/m²)	작용방향
①	211	(←)
②	125	(←)
③	211	(→)
④	125	(→)

해설

1. $\sigma_{ha} = \gamma_t h K_a - 2c\sqrt{K_a} + q_s K_a$
   $= 16 \times 7 \times 0.25 - 2 \times 10 \times \sqrt{0.25} + 100 \times 0.25 = 43\text{t/m}^2(\leftarrow)$
2. $\sigma_{hp} = \gamma_t h K_p + 2c\sqrt{K_p}$
   $= 16 \times 2 \times \frac{1}{0.25} + 2 \times 10 \times \sqrt{\frac{1}{0.25}} = 168\text{t/m}^2(\rightarrow)$
3. $\Delta\sigma_h = 168 - 43 = 125\text{t/m}^2(\rightarrow)$

56 다음 그림과 같은 조건에서 Rankine의 공식을 사용하여 토압을 구하려고 한다. 토압분포도에서 Ⓐ부분의 토압의 크기를 나타내는 것은? (단, K_a : 주동토압계수, γ_{sub} : 흙의 수중단위중량, γ_{sat} : 흙의 포화단위중량, γ_t : 흙의 전체단위중량, γ_w : 물의 단위중량)

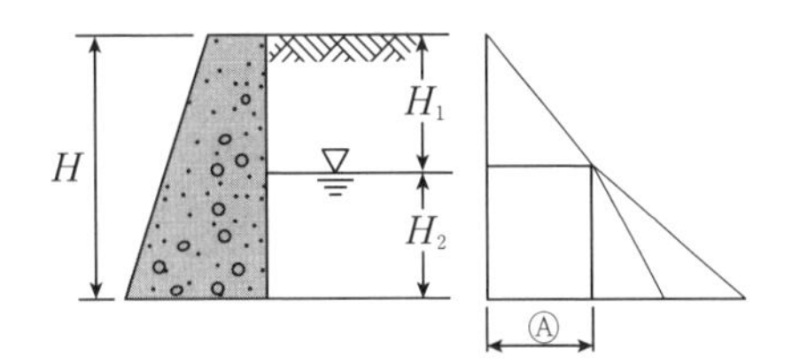

① $K_a \gamma_t H_1$ ② $K_a \gamma_{sub} H_2$
③ $\gamma_w H_2$ ④ $K_a \gamma_{sat} H_2$

해설

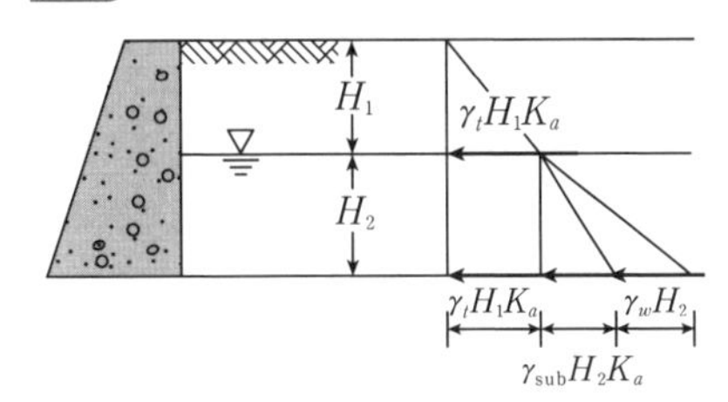

57 그림과 같이 옹벽 뒤채움흙의 지표면에 등분포하중이 작용할 때 이 등분포하중에 의해 옹벽에 작용되는 주동토압(P[t/m])과 그 작용위치(x[m])는?

2010. 지방직 7급

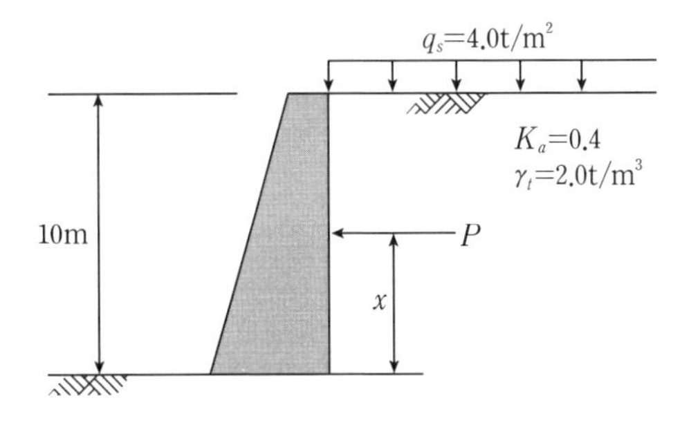

① $P=16.0,\ x=3.3$ ② $P=16.0,\ x=5.0$
③ $P=56.0,\ x=3.3$ ④ $P=56.0,\ x=5.0$

해설

1. $P_a = q_s K_a H = 4 \times 0.4 \times 10 = 16\text{t/m}$
2. $y = \frac{h}{2} = \frac{10}{2} = 5\text{m}$

55 ④ 56 ① 57 ② [정답]

58 그림에서 옹벽에 작용하는 전압력은?

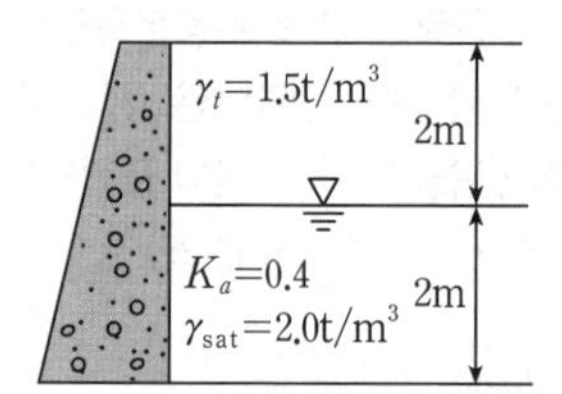

① 3.1t/m ② 3.7t/m
③ 5.3t/m ④ 6.4t/m

해설

$$P_a=\frac{1}{2}\gamma_t H_1^2 K_a+\gamma_t H_1 H_2 K_a+\frac{1}{2}\gamma_{sub}H_2^2 K_a+\frac{1}{2}\gamma_w H_2^2$$

$$=\frac{1}{2}\times1.5\times2^2\times0.4+1.5\times2\times2\times0.4+\frac{1}{2}\times1\times2^2\times0.4$$

$$+\frac{1}{2}\times1\times2^2=6.4\text{t/m}$$

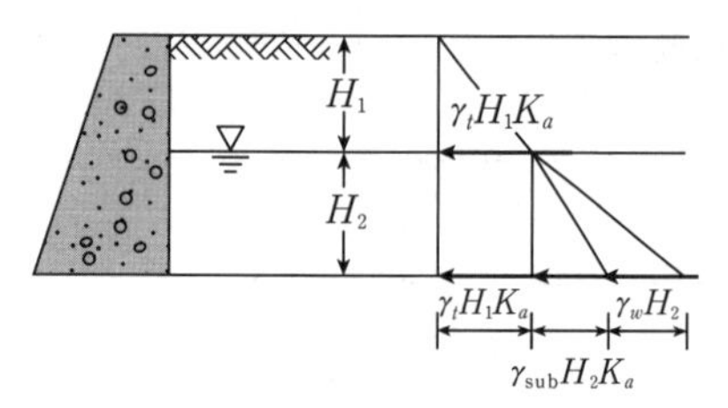

59 다음 그림과 같이 강우로 인하여 지하수위가 상승한다면, 지하수가 없을 때보다 옹벽에 작용하는 주동토압은 몇 배가 되는가?

2007. 국가직 7급

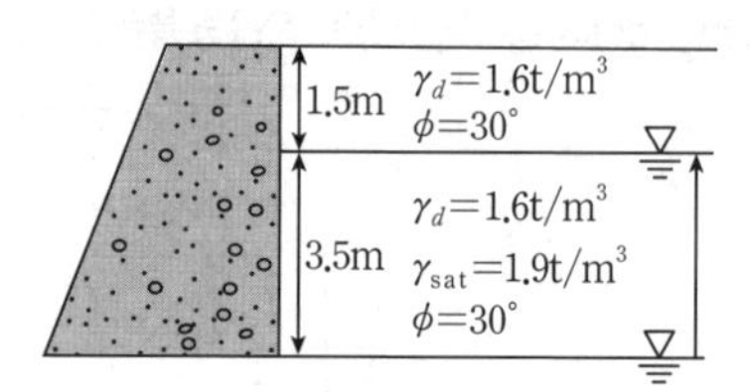

① 약 1.2배 ② 약 1.7배
③ 약 2배 ④ 약 3배

해설

1. $K_a=\tan^2\left(45°-\frac{30°}{2}\right)=\frac{1}{3}$

2. $P_{a1}=\frac{1}{2}\gamma_d(h_1+h_2)^2K_a$

$$=\frac{1}{2}\times1.6\times(1.5+3.5)^2\times\frac{1}{3}=6.67\text{t/m}$$

3. $P_{a2}=\frac{1}{2}\gamma_d h_1^2 K_a+\gamma_d h_1 h_2 K_a+\frac{1}{2}\gamma_{sub}h_2^2K_a+\frac{1}{2}\gamma_w h_2^2$

$$=\frac{1}{2}\times1.6\times1.5^2\times\frac{1}{3}+1.6\times1.5\times3.5\times\frac{1}{3}+\frac{1}{2}\times0.9\times3.5^2$$

$$\times\frac{1}{3}+\frac{1}{2}\times1\times3.5^2=11.36\text{t/m}$$

4. $\frac{P_{a2}}{P_{a1}}=\frac{11.36}{6.67}=1.7$

58 ④ 59 ② [정답]

60 그림과 같은 옹벽에 작용하는 단위폭 당 전체 주동토압[kN/m]은? (단, K_{a1}과 K_{a2}는 지층별 주동토압계수이고 Rankine 토압이론을 적용하며, 물의 단위중량은 $10kN/m^3$이다)

2015. 국가직

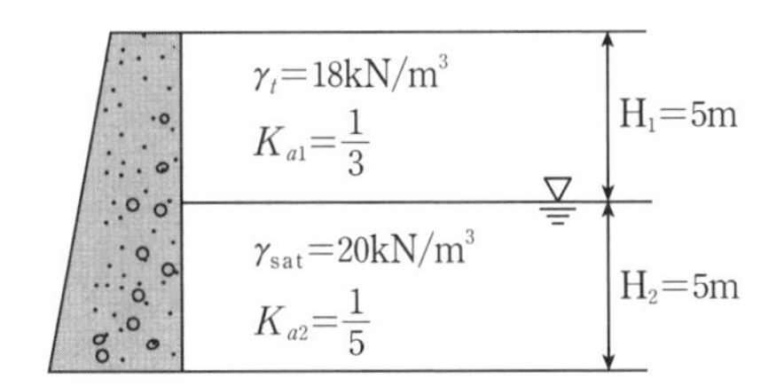

① 215 ② 265
③ 315 ④ 365

해설

$$P_a=\frac{1}{2}\gamma_t h_1^2 K_{a1}+\gamma_t h_1 h_2 K_{a2}+\frac{1}{2}\gamma_{sub}h_2^2 K_{a2}+\frac{1}{2}\gamma_w h_2^2$$

$$=\frac{1}{2}\times 18\times 5^2\times\frac{1}{3}+18\times 5\times 5\times\frac{1}{5}+\frac{1}{2}\times 10\times 5^2\times\frac{1}{5}$$

$$+\frac{1}{2}\times 10\times 5^2$$

$$=315kN/m$$

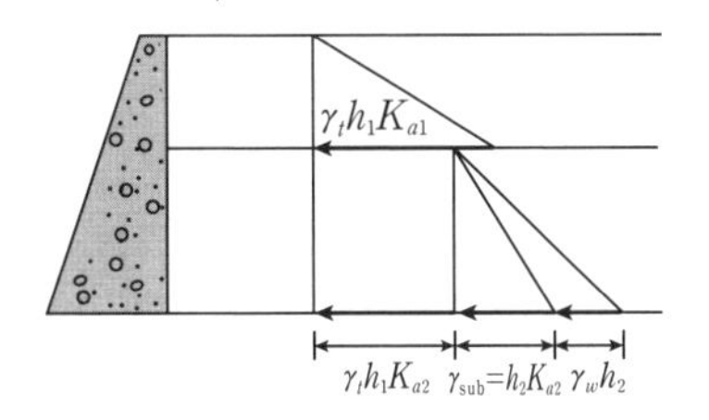

61 지표면으로부터 아래쪽으로 4m 되는 지점에 지하수면이 위치하고 있다. 만약에 지하수면의 위치에 변동이 생겨 지표면으로부터 아래쪽으로 6m 되는 지점에 위치하게 되었다면, 이와 같은 지하수면의 변동에 따른 주동토압 합력의 변화량은 얼마인지 수압을 포함하여 계산한 것은?

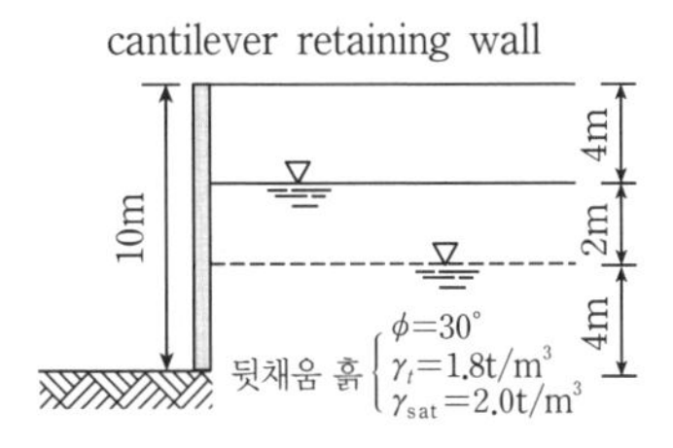

① 7.33t/m ② 10.14t/m
③ 14.34t/m ④ 20.24t/m

해설

1. $K_a=\tan^2\left(45°-\frac{\phi}{2}\right)=\tan^2\left(45°-\frac{30°}{2}\right)=\frac{1}{3}$
2. 지표면 아래 4m 되는 지점에 지하수위면이 위치할 때의 주동토압

$$P_{a1}=\frac{1}{2}\gamma_t H_1^2 K_a+\gamma_t H_1 H_2 K_a+\frac{1}{2}\gamma_{sub}H_2^2 K_a+\frac{1}{2}\gamma_w H_2^2$$

$$=\frac{1}{2}\times 1.8\times 4^2\times\frac{1}{3}+1.8\times 4\times 6\times\frac{1}{3}+\frac{1}{2}\times 1\times 6^2\times\frac{1}{3}$$

$$+\frac{1}{2}\times 1\times 6^2=43.2t/m$$

3. 지표면 아래 $6m$ 되는 지점에 지하수위면이 위치할 때의 주동토압

$$P_{a2}=\frac{1}{2}\gamma_t H_1^2 K_a+\gamma_t H_1 H_2 K_a+\frac{1}{2}\gamma_{sub}H_2^2 K_a+\frac{1}{2}\gamma_w H_2^2$$

$$=\frac{1}{2}\times 1.8\times 6^2\times\frac{1}{3}+1.8\times 6\times 4\times\frac{1}{3}+\frac{1}{2}\times 1\times 4^2\times\frac{1}{3}$$

$$+\frac{1}{2}\times 1\times 4^2=35.87t/m$$

4. $\Delta P_a=P_{a1}-P_{a2}=43.2-35.87=7.33t/m$

60 ③ 61 ① [정답]

62 다음과 같은 옹벽에 있어서 압축응력과 인장응력의 합이 0이 되는 깊이를 구하면? (단, 지표로부터 하단으로)

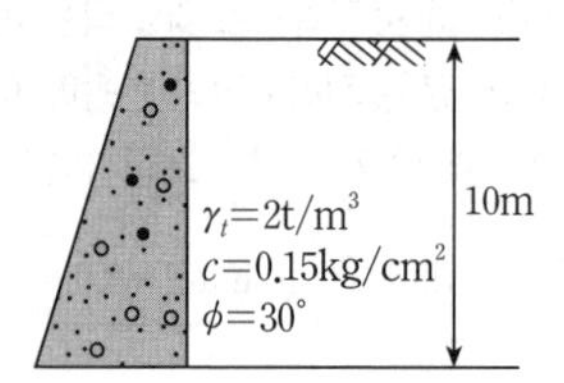

① $\sqrt{3}$　　② $1.5\sqrt{3}$

③ $3\sqrt{3}$　　④ $\dfrac{10}{\sqrt{3}}$

해설

인장균열깊이(점착고)란 압축응력과 인장응력의 합이 0이 되는 깊이를 말한다. 즉, $\sigma_{ha}=0$이다.

$$Z_c=\frac{2c\tan\left(45^\circ+\frac{\phi}{2}\right)}{\gamma_t}=\frac{2\times1.5\times\tan\left(45^\circ+\frac{30^\circ}{2}\right)}{2}=1.5\sqrt{3}\text{m}$$

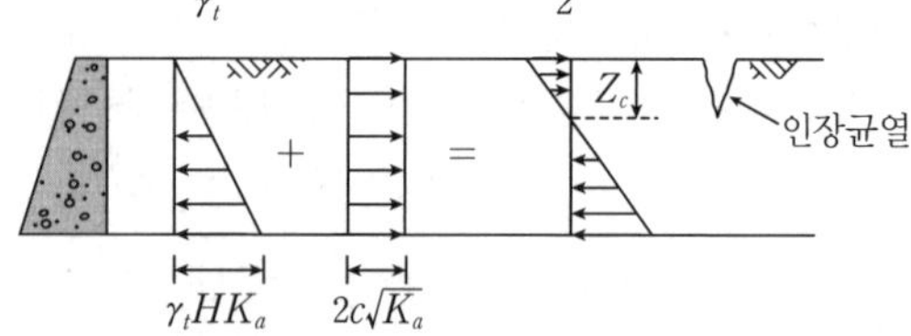

63 그림과 같은 조건의 옹벽에서 벽면마찰각 ϕ_u'=30° 이고 쿨롬의 주동토압계수가 0.25이다. 옹벽에 작용하는 주동토압(수압포함)의 수평분력의 크기는 얼마인가? (단, 흙의 포화단위중량은 1.8t/m³이다)

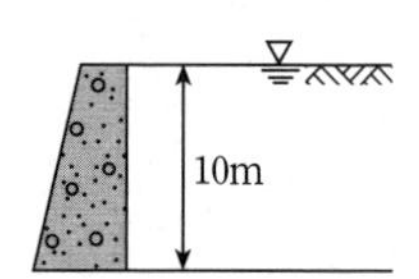

① 60.0t/m　　② 58.7t/m

③ 22.5t/m　　④ 19.5t/m

해설

주동토압의 수평분력

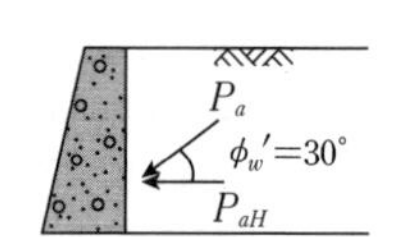

$$P_{aH}=\frac{1}{2}\gamma_{sub}H^2C_a\cos\phi_w'+\frac{1}{2}\gamma_wH^2$$

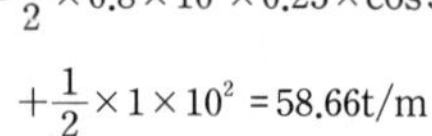

$$=\frac{1}{2}\times0.8\times10^2\times0.25\times\cos30^\circ$$

$$+\frac{1}{2}\times1\times10^2=58.66\text{t/m}$$

64 그림과 같이 옹벽의 크기와 뒷채움재의 물성치는 동일하고 지하수 및 배수조건이 다른 경우 수압을 포함한 옹벽에 작용하는 전체토압의 크기를 순서대로 나열한 것은?

2009. 국가직 7급

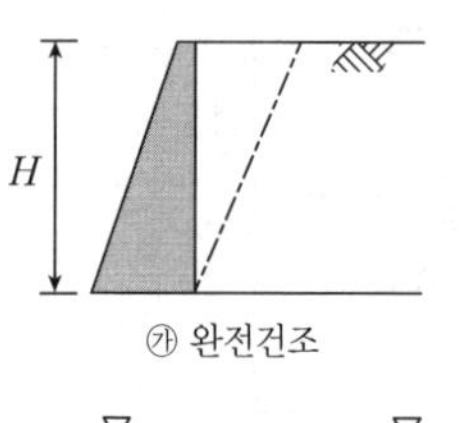

㉮ 완전건조

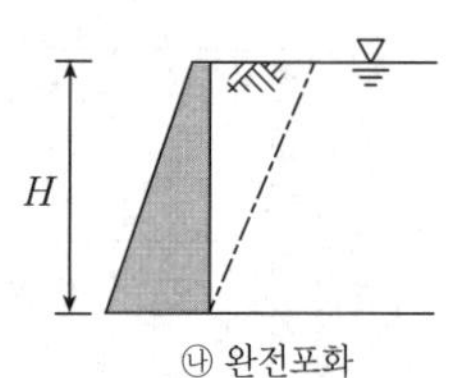

㉯ 완전포화

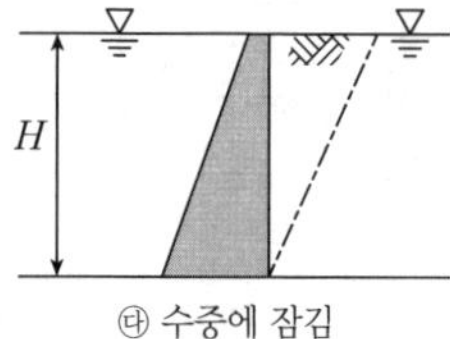

㉰ 수중에 잠김

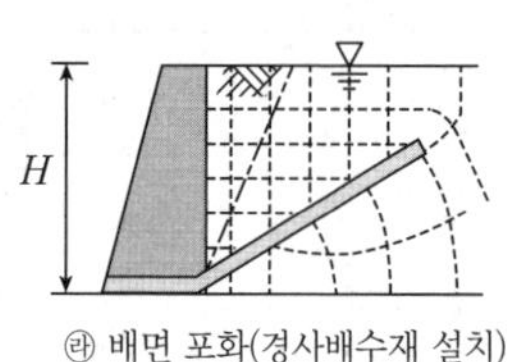

㉱ 배면 포화(경사배수재 설치)

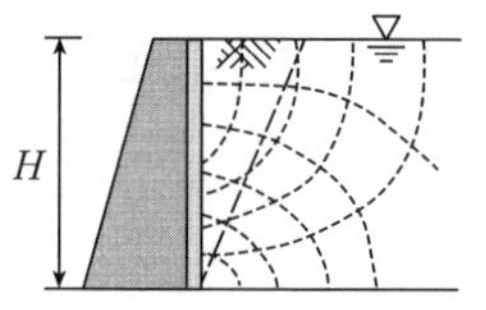

㉲ 배면 포화(연직배수재 설치)

① ㉯>㉲>㉱>㉮>㉰

② ㉯>㉱>㉲>㉮>㉰

③ ㉲>㉯>㉱>㉮>㉰

④ ㉯>㉱>㉲>㉰>㉮

62 ② 63 ② 64 ① [정답]

65 높이 5m인 옹벽의 뒤채움이 다음과 같은 조건의 모래지반일 때 Rankine법에 의한 주동토압 산정결과가 큰 것부터 작은 것까지 순서대로 나열한 것은? (단, $\phi=30^\circ$, $\gamma=18\text{kN/m}^3$, $\gamma_{sat}=20\text{kN/m}^3$, $\gamma_w ≒ 10\text{kN/m}^3$이다)

2011. 국가직 7급

㉠ 지하수가 존재하지 않는 경우
㉡ 지하수가 뒤채움재의 지표까지 존재하는 경우
㉢ 지하수가 옹벽 전 · 후면에 지표면과 같은 높이로 동시에 존재하는 경우
㉣ 옹벽배면에 경사배수재를 설치하여 뒤채움재에 연직배수가 발생하는 경우

① ㉡㉣㉠㉢
② ㉡㉣㉢㉠
③ ㉣㉡㉠㉢
④ ㉣㉡㉢㉠

해설

1. $K_a=\tan^2\left(45^\circ-\frac{\phi}{2}\right)=\tan^2\left(45^\circ-\frac{30^\circ}{2}\right)=\frac{1}{3}$

2. ㉠ $P_a=\frac{1}{2}\gamma_t h^2 K_a=\frac{1}{2}\times18\times5^2\times\frac{1}{3}=75\text{kN/m}$

㉡ $P_a=\frac{1}{2}\gamma_{sub}h^2K_a+\frac{1}{2}\gamma_w h^2$

$=\frac{1}{2}\times10\times5^2\times\frac{1}{3}+\frac{1}{2}\times10\times5^2=166.67\text{kN/m}$

㉢ $P_a=\frac{1}{2}\gamma_{sub}h^2K_a=\frac{1}{2}\times10\times5^2\times\frac{1}{3}=41.67\text{kN/m}$

㉣ $P_a=\frac{1}{2}\gamma_{sat}h^2K_a=\frac{1}{2}\times20\times5^2\times\frac{1}{3}=83.33\text{kN/m}$

66 콘크리트 벽체에 작용하는 Coulomb의 주동토압을 감소시키려고 할 경우 고려하여야 할 사항으로 틀린 것은?

① 뒤채움 흙의 단위중량이 작을 것
② 뒤채움 흙 표면의 경사가 작을 것
③ 흙의 내부마찰각이 클 것
④ 벽체와 흙의 마찰각이 작을 것

해설

Coulomb의 주동토압은 벽체와 흙의 마찰각 δ가 클수록 작아진다.

67 지표면이 수평이고 옹벽의 뒷면과 흙과의 마찰각이 0인 연직옹벽에서 Coulomb의 토압과 Rankine의 토압은?

① Coulomb의 토압은 항상 Rankine의 토압보다 크다.
② Coulomb의 토압은 Rankine의 토압보다 클 때도 있고 작을 때도 있다.
③ Coulomb의 토압과 Rankine의 토압은 같다.
④ Coulomb의 토압은 항상 Rankine의 토압보다 작다.

해설

1. Rankine 토압론은 옹벽의 뒷면과 흙의 마찰을 고려하지 않았지만 Coulomb 토압론은 고려하였다.
2. 옹벽의 뒷면과 흙의 마찰각이 0인 연직옹벽에서는 Rankine 토압과 Coulomb 토압은 같다.

68 토압이론에 대한 설명으로 옳지 않은 것은?

2016. 국가직 7급

① Coulomb 주동토압은 배면의 활동 파괴면 중 토압이 최소가 되는 파괴면에서 산정된다.
② 옹벽배면이 연직, 배면지반이 수평, 그리고 벽면 마찰각을 무시하는 조건에서 Coulomb 토압계수와 Rankine 토압계수는 같다.
③ Rankine 토압이론에서는 흙의 점착력을 고려할 수 있으나 Coulomb 토압이론에서는 고려할 수 없다.
④ Coulomb 수동토압은 배면 파괴면을 직선으로 가정하므로 토압을 과대평가한다.

해설

Coulomb 주동토압은 토압이 최대가 되는 활동면에서 산정된다.

65 ① 66 ④ 67 ③ 68 ① [정답]

69 합력의 수평분력이 기초 저면과 지반 사이의 마찰 저항보다 작아야 된다는 옹벽의 안정조건은 다음 중 어느 것인가?

① 전도에 대한 안정
② 침하에 대한 안정
③ 활동에 대한 안정
④ 지반의 지지력에 대한 안정

해설

옹벽의 안정
1. 활동에 대한 안정
2. 전도에 대한 안정
3. 지반의 지지력에 대한 안정

70 토압에 대한 설명으로 옳지 않은 것은? 2015. 국가직

① 일반적으로 과압밀점토의 정지토압계수는 정규압밀점토의 정지토압계수보다 크다.
② 옹벽의 하부에 설치하는 전단키(shear key)는 주동토압을 증가시키는 것이 주목적이다.
③ Coulomb의 토압이론은 흙과 벽체 사이의 마찰을 고려한다.
④ 토압은 지반변형에 따라 변한다.

해설

전단키(shear key)
전단키(활동방지벽)는 앞굽판 전면의 수동토압을 증가시켜 활동에 대한 안전율을 증가시키며 보통 옹벽본체 아래에 만들어지며, 약간의 철근을 전단키에 넣어준다.

71 옹벽이 활동하지 않기 위한 조건은 다음의 어느 것인가?

① 합력의 작용선이 저면 폭의 중앙 $\frac{1}{3}$ 내에 있을 것
② 합력의 연직분력에 의하여 생기는 압축응력이 지반의 허용지지력보다 작을 것
③ 합력의 수평분력이 저면과 기초지반 사이의 마찰저항보다 작을 것
④ 외력의 합력 작용선이 반드시 저면 내에 있을 것

해설

옹벽의 안정
1. 활동에 대한 안정 : 합력의 수평분력이 저면과 기초지반 사이의 마찰저항보다 작을 것
2. 전도에 대한 안정 : 합력의 작용점 위치가 저판 중앙 1/3 이내에 있을 것
3. 지지력에 대한 안정 : 합력의 연직분력에 의하여 생기는 압축응력이 지반의 허용지지력보다 작을 것

72 그림과 같이 배면이 사질토로 채워진 중력식 옹벽의 활동에 대한 안전율은? (단, Rankine 토압이론을 사용하고, 주동토압계수는 0.3, 옹벽 저면과 지반과의 마찰각은 30°, 흙의 단위중량은 20kN/m³, 콘크리트의 단위중량은 25kN/m³, cos30° = 0.86이다.) 2014. 국가직

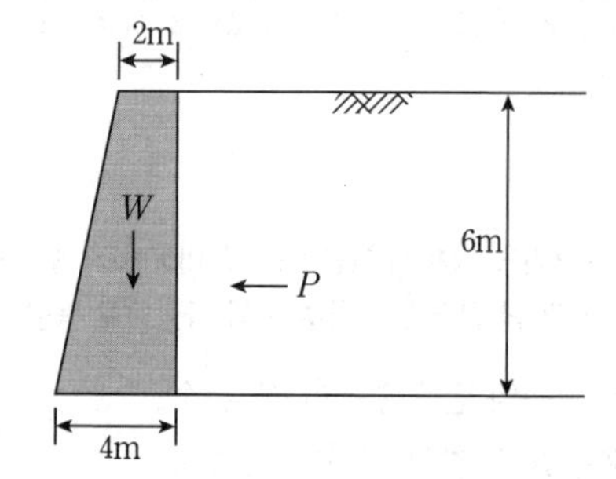

① 1.45 ② 1.93
③ 2.42 ④ 4.83

해설

1. $W = \left(\frac{2+4}{2} \times 6\right) \times 25 = 450\text{kN/m}$

2. $P_a = \frac{1}{2}\gamma_t h^2 K_a = \frac{1}{2} \times 20 \times 6^2 \times 0.3 = 108\text{t/m}$

3. $F_s = \frac{P_p + CB + W\tan\phi}{P_a}$

$= \frac{0+0+450\tan 30^\circ}{108} = 2.41$

69 ③ 70 ② 71 ③ 72 ③ [정답]

73 그림과 같이 수평으로 뒤채움한 역T형 옹벽에서 활동에 대한 안전율은? (단, 단위폭 당 활동면에 작용하는 뒤채움흙의 무게와 옹벽 무게의 합은 400kN/m, 기초저면과 흙의 마찰각은 31°, 흙의 내부마찰각은 30°, 흙의 점착력은 0, 흙의 습윤단위중량은 20kN/m³, tan 31° = 0.6, Rankine 토압이론을 적용하며, 지하수위의 영향과 옹벽전면의 수동측 저항력은 무시한다)

2015. 국가직

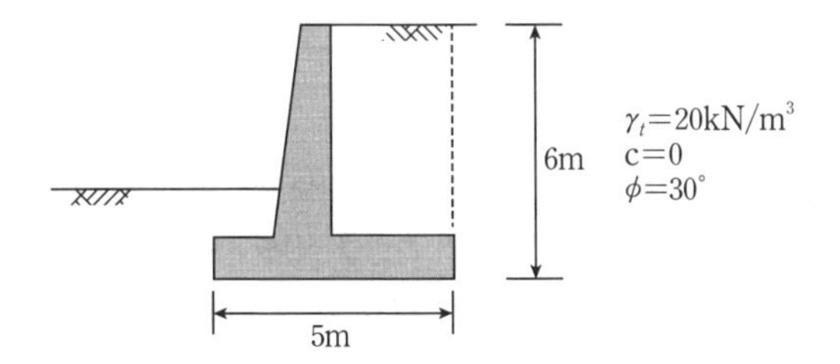

① 1.0 ② 1.5
③ 2.0 ④ 2.5

해설

1. $K_a = \tan^2\left(45° - \frac{30°}{2}\right) = \frac{1}{3}$

2. $P_a = \frac{1}{2}\gamma_t h^2 K_a = \frac{1}{2} \times 20 \times 6^2 \times \frac{1}{3} = 120\text{kN/m}$

3. $F_s = \frac{CL + W\tan\phi}{P_a} = \frac{0 + 400\tan 31°}{120} = 2$

74 다음은 옹벽의 안정조건에 관한 사항이다. 잘못 설명된 것은?

① 전도에 대한 저항 휨모멘트는 횡토압에 의한 전도 휨모멘트의 2.0배 이상이어야 한다.
② 지반의 지지력에 대한 안정성 검토시 허용지지력은 극한지지력의 1/2배를 취한다.
③ 옹벽이 활동에 대한 안정을 유지하기 위해서는 활동에 대한 저항력이 수평력의 1.5배 이상이어야 한다.
④ 침하의 현상이 일어나지 않으려면 기초지반에 작용하는 최대압력이 지반의 허용지지력을 초과하지 않아야 한다.

해설

지지력에 대한 안정

$F_s = \frac{q_a}{q_{max}} \geq 1$

여기서, $q_{max} = \frac{W + P_v}{B}\left(1 + \frac{6e}{B}\right)$

75 그림과 같이 폭이 B로 일정하고 높이가 3m인 옹벽을 세우고자 한다. 전도에 대한 안전율을 2로 적용할 경우, 옹벽의 최소폭 B[m]는? (단, 흙의 단위중량은 16kN/m³, 콘크리트의 단위중량은 24kN/m³, 주동토압계수는 1/3이다)

2013. 국가직 7급

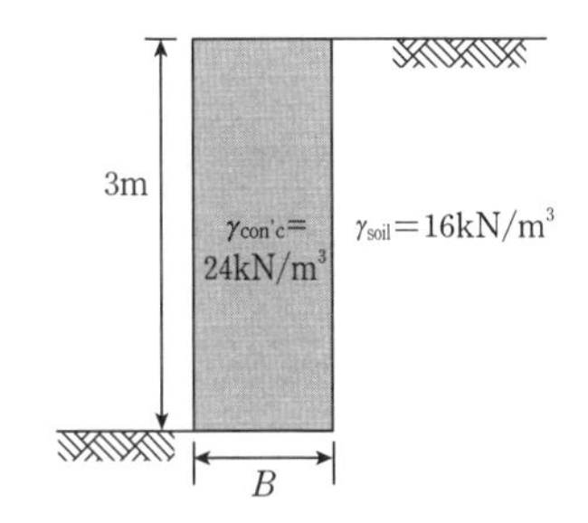

① $\sqrt{\frac{1}{3}}$ ② $\sqrt{\frac{1}{2}}$
③ $\sqrt{\frac{2}{3}}$ ④ $\sqrt{\frac{4}{3}}$

해설

1. $P_a = \frac{1}{2}\gamma_t h^2 K_a = \frac{1}{2} \times 16 \times 3^2 \times \frac{1}{3} = 24\text{kN/m}$

2. $F_s = \frac{Wb}{P_a \times \frac{h}{3}} = \frac{(3B \times 24) \times \frac{B}{2}}{24 \times \frac{3}{3}} = 2$

$\therefore B = \sqrt{\frac{4}{3}}$

76 γ_t = 2t/m³, K_a = 0.4인 뒤채움 모래를 이용하여 9m 높이의 보강토 옹벽을 설치하고자 한다. 폭 75mm, 두께 3.69mm의 보강띠를 연직방향 설치 간격 S_v = 0.5m, 수평방향 설치 간격 S_h = 1.0m로 시공하고자 할 때, 보강띠에 작용하는 최대힘 T_{max}의 크기를 계산하면?

① 1.5t ② 3.0t
③ 3.6t ④ 4.4t

해설

$T_{max} = \gamma H K_a (S_v\ S_h) = 2 \times 9 \times 0.4 \times 0.5 \times 1 = 3.6\text{t}$

73 ③ 74 ② 75 ④ 76 ③ [정답]

77 다음 앵커달린 널말뚝에 대한 설명 중 틀린 것은?

① 단위길이당 띠장의 반력은 주동토압과 작용 수동토압의 차가 된다.
② 띠장은 앵커로드에 지점이 있는 등분포하중의 보로 설계한다.
③ 앵커로드의 장력은 띠장의 반력을 앎으로써 결정할 수 있다.
④ 데드맨 앵커는 주동토압을 받는다고 본다.

해설

데드맨 앵커는 수동토압을 받는다.

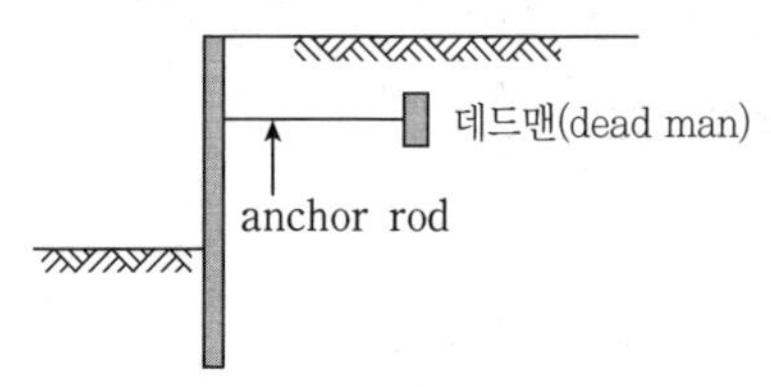

78 다음은 널말뚝에 대한 설명이다. 틀린 것은?

① 강(steel) 널말뚝은 다른 말뚝에 비하여 재사용이 가능하다.
② 앵커(anchor)를 사용할 경우 널말뚝의 관입깊이, 휨모멘트를 적게 할 수 있다.
③ 앵커 널말뚝 설계에 자유지지법이 고정지지법에 비하여 간단하다.
④ 앵커점에 대한 모멘트의 합을 영(zero)으로 하여 앵커 rod의 인장력을 구한다.

해설

1. 앵커달린 널말뚝(anchored sheet pile)
   ① 자유단 지지방법 : 최소 근입장법으로 널말뚝의 근입깊이가 얕을 때 사용하며 고정단 지지방법보다 해석이 간단하다.
   ② 고정단 지지방법 : 널말뚝의 근입깊이가 깊을 때 사용한다.
2. Tie-rod의 힘 T는 수평력의 합이 0이라는 평형식으로부터 구한다.
3. 근입깊이 d는 앵커점에 대한 모멘트의 합이 0이라는 평형방정식으로부터 구한다.

79 굳은 점토지반에 앵커를 그라우팅하여 고정시켰다. 고정부의 길이가 5m, 직경이 20cm, 시추공의 직경은 10cm이었다. 점토의 비배수 전단강도 C_u = 1.0kg/cm², ϕ = 0°라고 할 때 앵커의 극한지지력은? (단, 표면마찰계수는 0.6으로 가정한다)

① 9.4t ② 15.7t ③ 18.8t ④ 31.3t

해설

$P_u = C_a \pi D l = 0.6 C \pi D l = 0.6 \times 10 \times \pi \times 0.2 \times 5 = 18.85\text{t}$

80 다음 그림은 버팀대와 흙막이벽으로 지지된 모래지반의 굴착단면이다. Peck의 가정을 적용하여 $0.65\gamma H K_a$의 토압이 전 벽체에 균등하게 작용할 때, 버팀대 B가 지지하는 하중의 크기(t/m)는? 2010. 국가직 7급

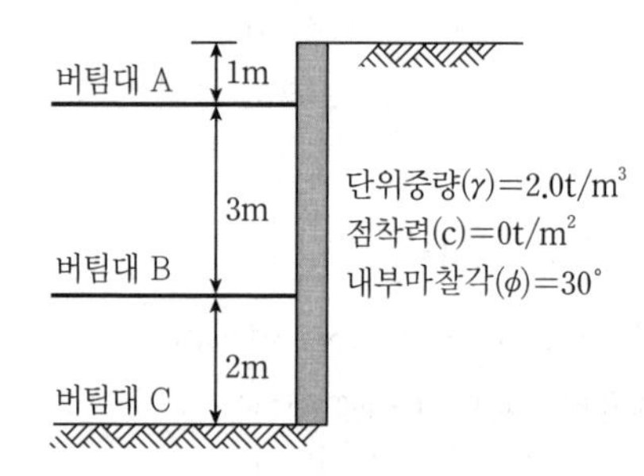

① 3.07 ② 4.07
③ 5.07 ④ 6.07

해설

1. $K_a = \tan^2\left(45° - \frac{30°}{2}\right) = \frac{1}{3}$
2. $P_a = 0.65\,\gamma_t\, h K_a = 0.65 \times 2 \times 6 \times \frac{1}{3} = 2.6\text{t/m}^2$
3.

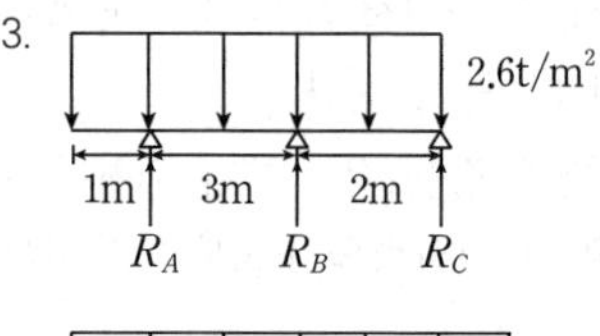

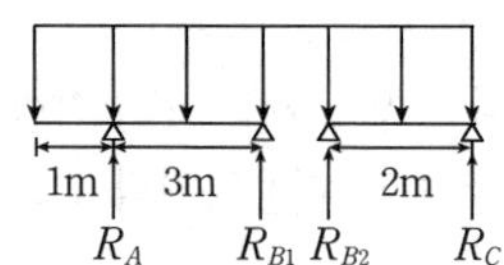

① $2.6 \times 4 \times 2 - R_a \times 3 = 0$
   $R_a = 6.93\text{t/m}$
② $R_{B1} = 2.6 \times 4 - 6.93 = 3.47\text{t/m}$
③ $R_{B2} = 2.6\text{t/m}$
④ $R_B = 3.47 + 2.6 = 6.07\text{t/m}$

77 ④ 78 ④ 79 ③ 80 ④ [정답]

토 압

기출 및 적중예상문제 I [5지선다형]

여기에 수록된 「기출문제」는 수험생들의 기억을 바탕으로 유사한 유형의 문제로 새로이 창작하여 구성하였습니다. 따라서 원안과 동일하지는 않지만 출제 수준과 경향을 파악하는 데 결정적인 도움을 주리라 믿습니다.

01 **Rankine의 토압론에 대한 다음 설명 중 틀린 것은 어느 것인가?**

① 흙은 불압축성의 분체이다.
② 토압은 지표에 평행하게 작용한다.
③ 분체는 입자 간의 마찰력만으로 평형을 유지하며 점착력은 없다.
④ 점착력이 있는 흙에 대해서는 Rankine의 토압론으로 토압을 구할 수 없다.
⑤ 지표면은 무한히 벌어진 한 평면으로 존재하며 지표의 모든 하중은 등분포하중이다.

해설

$c \neq 0$인 흙에 대해서도 Rankine의 토압론으로 토압을 구할 수 있다.

1. 주동토압 : $P_a = \frac{1}{2}\gamma H^2 K_a - 2c\sqrt{K_a}H$

2. 수동토압 : $P_p = \frac{1}{2}\gamma H^2 K_p + 2c\sqrt{K_p}H$

02 **단위체적중량이 1.9t/m³이고, 점착력이 5t/m²인 점토지반의 2.0m 깊이 지점에서의 Rankine 수동토압(t/m)은 얼마인가? (단, $K_p = 3$이다)**

① 9
② 29
③ 145
④ 46
⑤ 14.5

해설

$P_p = \frac{1}{2}\gamma H^2 K_p + 2c\sqrt{K_p}H$

$= \frac{1}{2} \times 1.9 \times 2^2 \times 3 + 2 \times 5 \times \sqrt{3} \times 2$

$= 46.04\text{t/m}$

03 **다음 그림 중 Rankine의 주동토압 상태를 뜻하는 벽체변위 형상으로 적합한 것은? (단, 그림에서 ▭은 변위 발생 전의 벽체이고, ⬚은 변위 발생 후의 벽체를 뜻한다)**

2005. 서울시 7급

① 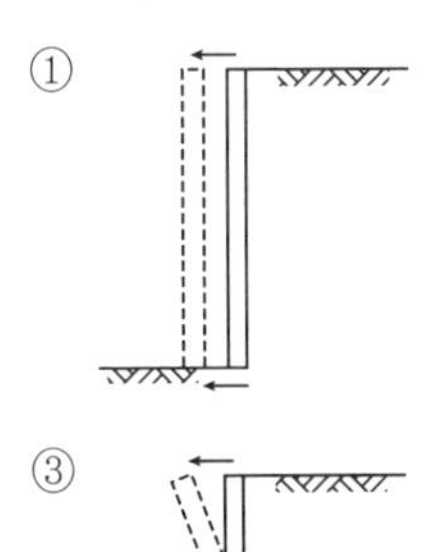

② 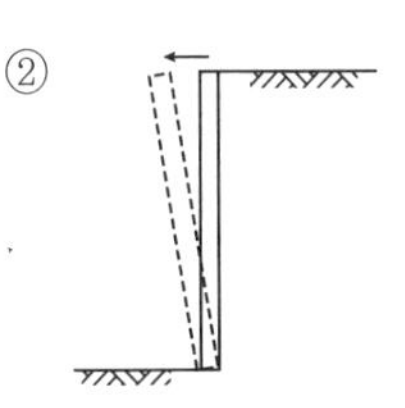

③ 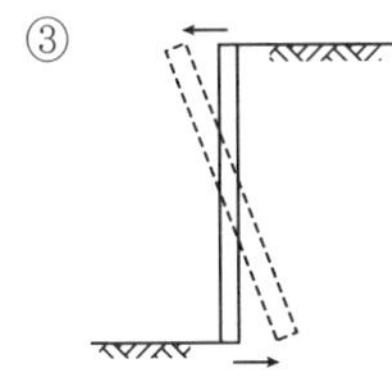

④ 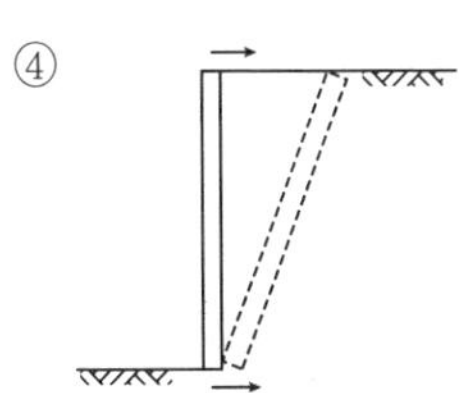

⑤ 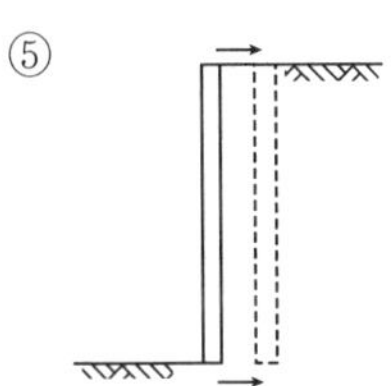

해설

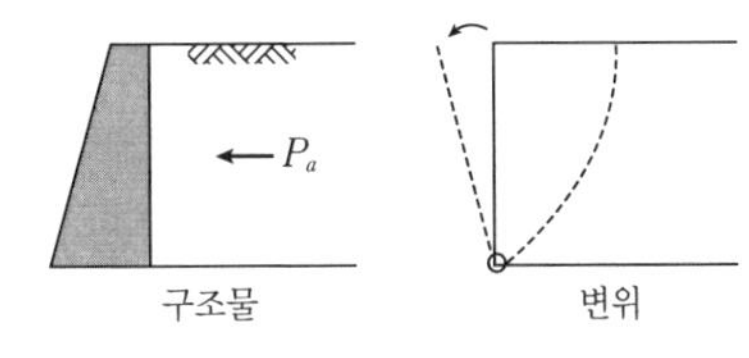

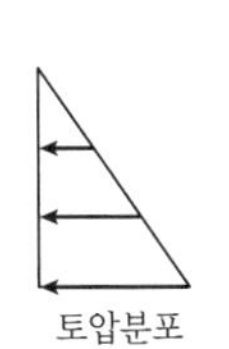

01 ④ 02 ④ 03 ② [정답]

04 토압계수에 관한 설명 중 옳지 않은 것은?

① 토압계수는 흙의 내부마찰각의 함수이다.
② 동일한 흙에서 정지토압계수는 항상 수동토압계수보다 작다.
③ 토압계수는 옹벽 구조물의 설계 시 사용된다.
④ 토압계수는 1보다 클 수도 있다.
⑤ 주동토압계수는 동일한 흙에서 수동토압계수보다 크다.

해설

1. 과압밀점토시 $K_0 \geq 1$이다. K_0값은 과압밀비가 클수록 커지며 약 3 정도에 가까운 값도 존재한다.
2. $K_p > K_0 > K_a$

05 흙의 단위중량 1.65t/m³, 내부마찰각 30°인 지반에서 5m의 연직옹벽을 축조했다. 옹벽에 작용하는 토압의 크기와 작용점은?

① 7.6t/m, 하단에서 3.33m
② 6.9t/m, 하단에서 1.67m
③ 61.8t/m, 하단에서 1.67m
④ 31.2t/m, 하단에서 1.51m
⑤ 71.8t/m, 하단에서 3.33m

해설

1. $K_a = \tan^2\left(45° - \frac{30°}{2}\right) = \frac{1}{3}$
2. $P_a = \frac{1}{2}\gamma H^2 K_a = \frac{1}{2} \times 1.65 \times 5^2 \times \frac{1}{3} = 6.88\text{t/m}$
3. $y = \frac{H}{3} = \frac{5}{3} = 1.67\text{m}$

06 다음 그림과 같은 지하벽에 작용하는 토압은 어느 것인가?

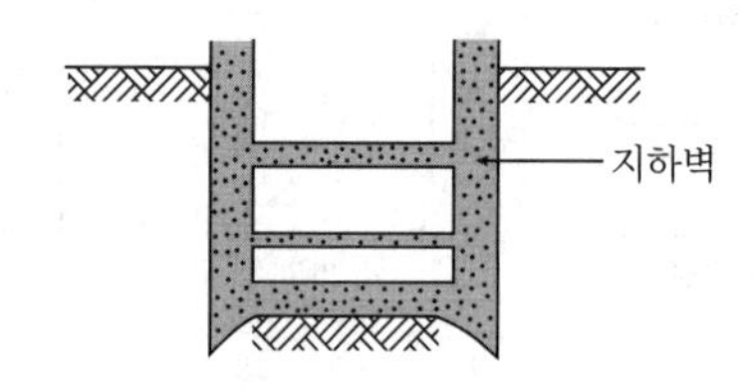

① 주동토압으로 계산 ② 수동토압으로 계산
③ 토압을 무시 ④ 정지토압으로 계산
⑤ 설계토압으로 계산

해설

지하실의 벽체, 지하배수구, 도로제방 아래를 관통하는 박스 암거와 같이 벽체의 변위가 허용되지 않는 경우의 토압을 정지토압이라 한다.

07 그림에서 옹벽에 작용하는 전 압력은?

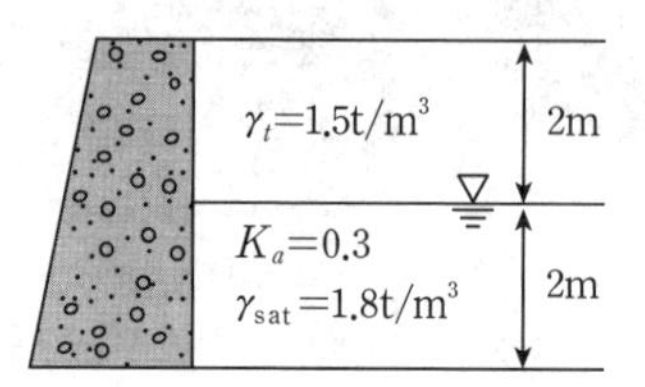

① 3.18t/m ② 3.78t/m
③ 4.17t/m ④ 5.18t/m
⑤ 5.78t/m

해설

$$P_a = \frac{1}{2}\gamma_t H_1^2 K_a + \gamma_t H_1 H_2 K_a + \frac{1}{2}\gamma_{sub} H_2^2 K_a + \frac{1}{2}\gamma_w H_2^2$$
$$= \frac{1}{2} \times 1.5 \times 2^2 \times 0.3 + 1.5 \times 2 \times 2 \times 0.3 + \frac{1}{2} \times 0.8 \times 2^2 \times 0.3 + \frac{1}{2} \times 1 \times 2^2$$
$$= 5.18\text{t/m}$$

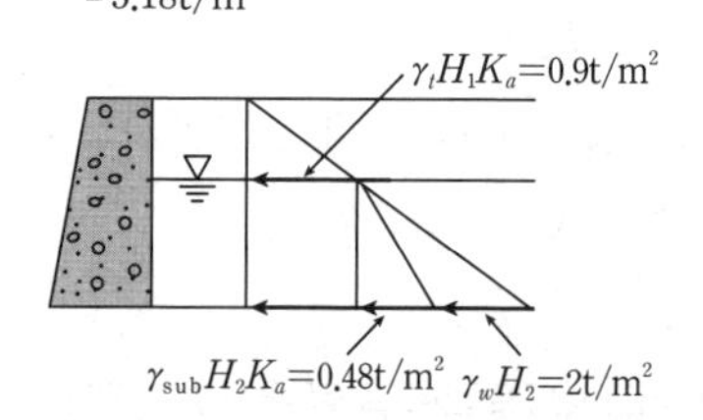

04 ⑤ 05 ② 06 ④ 07 ④ [정답]

08 다음 토질에 대한 용어의 조합 중 관계없는 것은 어느 것인가?

① 입도분석 — Stockes의 법칙
② 흙의 전단강도 — Coulomb의 법칙
③ 토압계수 — Hook의 법칙
④ 투수계수 — Darcy의 법칙
⑤ 소성도표 — A. Cassagrande에 의해 작성

해설

탄성계수는 Hook 법칙과 관계된다. $E=\frac{\sigma}{\varepsilon}$

09 수평진도가 0.3, 수직진도가 0.1인 경우 합진도는 얼마인가?

① 0.4　② 0.2
③ 0.14　④ 0.33
⑤ 0.25

해설

합(성)진도 : $K=\frac{K_h}{1-K_v}=\frac{0.3}{1-0.1}=0.33$

10 높이 H(m)되는 연직옹벽이 있다. 지표면의 경사각과 옹벽배면과 흙과의 마찰각이 동일한 비점성토에 있어서 지표면이 수평인 경우 토압에 관한 다음 설명 중 옳은 것은 어느 것인가?

① Rankine의 토압 Coulomb의 토압보다 크다.
② Coulomb의 토압이 Rankine의 토압보다 크다.
③ Coulomb의 토압과 Rankine의 토압은 같다.
④ Rankine의 토압과 Coulomb의 토압은 서로 다르나 작용위치는 같다.
⑤ Coulomb의 토압이 Rankine의 토압의 2배이다.

해설

연직벽($\theta=0$), 지표면이 수평($\alpha=0$), 옹벽과 뒤채움흙과의 마찰을 무시($\delta=0$)하면 $K_a=C_a$이므로 Rankine의 토압과 Coulomb의 토압은 같다.

11 그림과 같은 옹벽에서 토압의 합력과 작용점 위치를 구하여라.

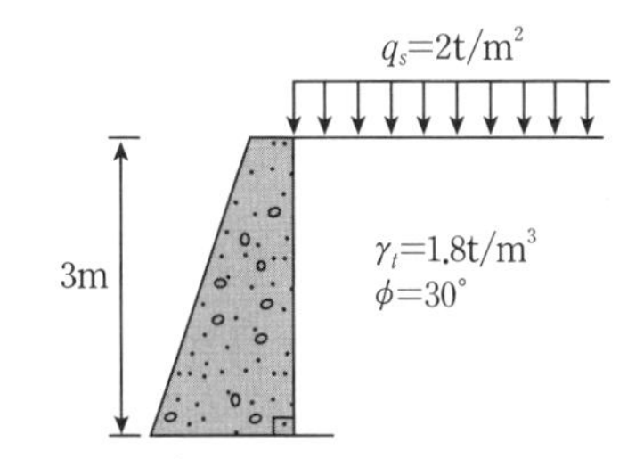

① $P_a=4.7t/m,\ y=1m$
② $P_a=3.7t/m,\ y=1m$
③ $P_a=4.7t/m,\ y=1.21m$
④ $P_a=5.4t/m,\ y=1.79m$
⑤ $P_a=6.4t/m,\ y=2.4m$

해설

1. $K_a=\tan^2\left(45°-\frac{30°}{2}\right)=\frac{1}{3}$

2. $P_a=\frac{1}{2}\gamma_t H^2 K_a+q_s K_a H$

$=\frac{1}{2}\times1.8\times3^2\times\frac{1}{3}+2\times\frac{1}{3}\times3$

$=4.7t/m$

3. $P_{a1}\times\frac{H}{3}+P_{a2}\times\frac{H}{2}=P_a\times y$

$2.7\times\frac{3}{3}+2\times\frac{3}{2}=4.7\times y$

$\therefore y=1.21m$

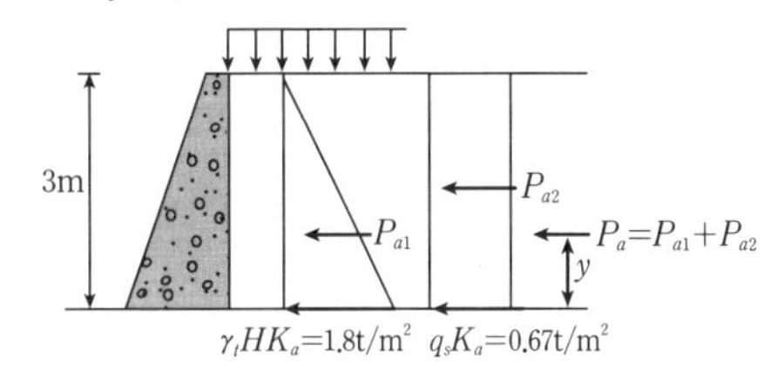

08 ③ 09 ④ 10 ③ 11 ③ [정답]

12 그림과 같이 성질이 다른 층으로 뒤채움흙이 이루어진 옹벽에 작용하는 주동토압은?

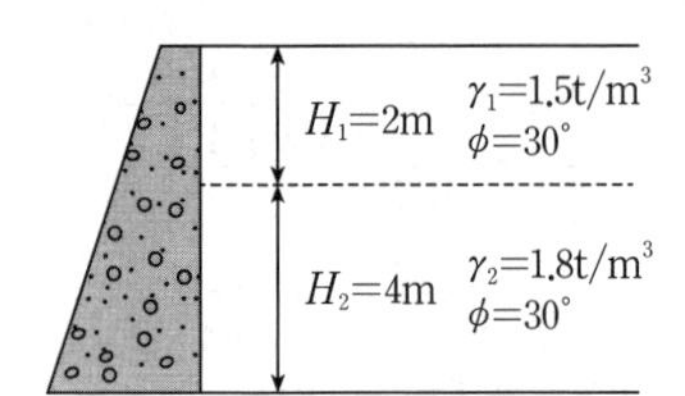

① 15.6t/m ② 11.4t/m
③ 9.8t/m ④ 8.6t/m
⑤ 7.2t/m

해설

1. $K_a = \tan^2\left(45° - \frac{30°}{2}\right) = \frac{1}{3}$

2. $P_a = \frac{1}{2}\gamma_1 H_1^2 K_a + \gamma_1 H_1 H_2 K_a + \frac{1}{2}\gamma_2 H_2^2 K_a$

$= \frac{1}{2} \times 1.5 \times 2^2 \times \frac{1}{3} + 1.5 \times 2 \times 4 \times \frac{1}{3} + \frac{1}{2} \times 1.8 \times 4^2 \times \frac{1}{3}$

$= 9.8\text{t/m}$

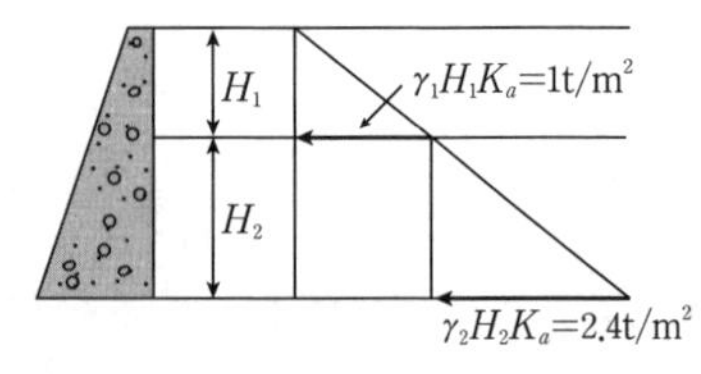

13 옹벽이 전도하지 않게 하기 위한 조건에 해당하는 것은 어느 것인가?

① 합력의 수평분력이 옹벽 저면과 기초지반 사이의 마찰저항력보다 작을 것
② 합력의 작용선은 저면폭의 중앙 $\frac{1}{3}$ 내에 작용하여야 한다.
③ 합력의 연직분력에 의한 압력은 지반의 허용지지력보다 작을 것
④ 합력과 연직분력이 이루는 각의 tan값은 옹벽 저면과 기초지반 사이의 마찰각보다 작을 것
⑤ 위의 조건에 합당한 것은 없다.

해설

합력 R의 작용점이 중앙 $\frac{1}{3}$ 이내 $\left(e < \frac{B}{6}\right)$이면 전도에 대해 안정하다.

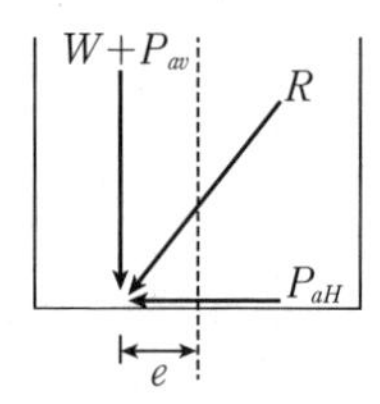

12 ③ 13 ② [정답]

흙의 다짐

Chapter 10

흙의 다짐

01 다짐(compaction)

1. 정의

함수비를 크게 변화시키지 않고 공극 내의 공기를 배출시켜 입자간의 결합을 치밀하게 함으로써 단위중량을 증가시키는 것을 **다짐**이라 한다. 다짐은 흙의 성질을 개선하기 위한 경제적이고 효과적인 방법으로 도로, 활주로, 철도, 흙댐 등과 같은 토공구조물에서 매우 유용하다.

[표 10-1] 다짐과 압밀의 차이점

다짐	압밀
① 공극 내 공기를 배출시킨다. ② 단기적 ③ 충격 또는 진동하중	① 공극 내 공극수를 배출시킨다. ② 장기적 ③ 정적인 하중

2. 효과

(1) 흙의 단위중량이 증가한다.

(2) 전단강도가 증가한다.

(3) 투수계수가 감소한다.

(4) 압축성(향후 침하량)이 감소한다.

(5) 지반의 지지력이 증가한다.

(6) 동상, 팽창, 건조수축 등이 감소한다.

02 다짐시험(KS F 2312)

1. 다짐방법의 종류

(1) 실내시험에서 다짐에너지의 크기에 따라 표준다짐시험과 수정다짐시험으로 나누며 표준다짐 시험은 Proctor에 의해 제안된 방법이므로 표준 Proctor 방법이라고도 한다.

(2) A, B 방법이 표준다짐이고, C, D, E 방법이 수정다짐이며 수정다짐은 표준다짐보다 약 4배의 에너지가 더 소요된다.

[표 10-2] 실내다짐방법의 종류

다짐방법의 호칭명	래머무게 (kg)	몰드 안지름 (cm)	다짐 층수	1층당 다짐횟수	허용최대 입경(mm)	몰드의 체적 (cm^3)
A	2.5	10	3	25	19	1000
B	2.5	15	3	55	37.5	2209
C	4.5	10	5	25	19	1000
D	4.5	15	5	55	19	2209
E	4.5	15	3	92	37.5	2209

2. 다짐곡선(compaction curve)

흙의 함수비와 다져진 흙의 건조단위중량과의 관계곡선을 **다짐곡선**이라고 한다.

(1) **최적함수비(OMC)**

흙이 가장 잘 다져지는 함수비이다.

(2) 최대 건조단위중량은 최적함수비에서 얻어진다.

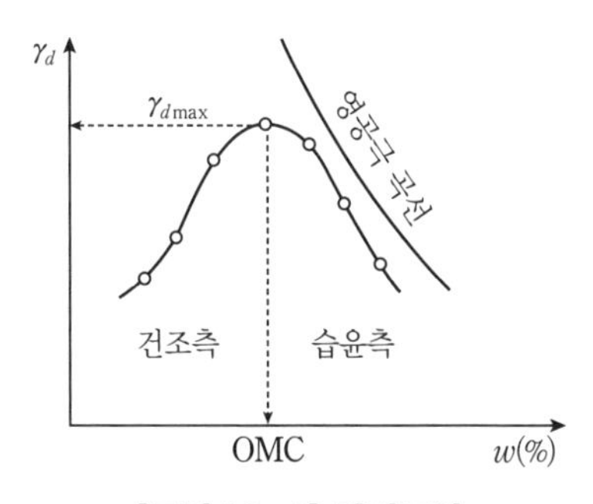

[그림 10-1] 다짐곡선

(3) 영공극곡선(zero air void curve)

① 어떤 함수비에서 다짐에 의해 흙 속의 공기가 완전히 배출되면 완전포화상태가 되어 건조 중량이 최대가 되는데 이 때를 영공기공극상태라 하며 흙 속에 공기간극이 전혀 없는 경우(S_r=100%)의 건조밀도와 함수비의 관계곡선을 **영공극곡선**이라 한다.

$$\gamma_d = \frac{G_s \cdot \gamma_w}{1+e} = \frac{G_s \cdot \gamma_w}{1+\frac{w \cdot G_s}{S}} = \frac{\gamma_w}{\frac{1}{G_s}+\frac{w}{S}} \quad \cdots\cdots (10-1)$$

② 흙을 아무리 잘 다져도 공기를 완전히 배출시킬 수가 없으므로 다짐곡선은 반드시 영공극곡선의 왼쪽에 그려진다.

(4) 다짐도(degree of compaction ; C_d)

다짐의 정도를 말하며, 보통 90~95%의 다짐도가 요구된다.

$$C_d = \frac{\text{현장의 } \gamma_d}{\text{실내 다짐시험에 의한 } \gamma_{d\max}} \times 100(\%) \quad \cdots\cdots (10-2)$$

[표 10-3] 토질구조물의 종류에 따른 다짐도

토질구조물	요구되는 다짐도(수정다짐 기준)
구조물의 기초	95
저지수의 라이닝	90
흙댐(15m 이상)	95
흙댐(15m 이하)	92
구조물의 뒤채움	90

(5) 다짐에너지(compaction energy)

$$E_c = \frac{W_R \cdot H \cdot N_B \cdot N_L}{V} (\text{kg}\cdot\text{cm/cm}^3) \quad \cdots\cdots (10-3)$$

여기서, W_R : Rammer 무게(kg)

H : 낙하고(cm)

N_B : 다짐횟수

N_L : 다짐층수

V : Mold의 체적(cm^3)

03 다짐한 흙의 특성

1. 다짐효과에 영향을 미치는 요소(다짐곡선의 특성)

(1) 다짐에너지

수정다짐곡선이 표준다짐곡선보다 좌상방향에 놓이므로 다짐에너지를 크게 할수록 최적함수비는 감소하고 최대 건조단위중량은 증가한다.

(2) 토질특성(동일한 에너지로 다지는 경우)

① 조립토일수록 최적함수비는 작고 최대 건조단위중량은 크다.

② 입도분포가 양호할수록 최적함수비는 작고 최대 건조단위중량은 크다.

③ 점성토에서 소성이 증가할수록 최적함수비는 크고 최대 건조단위중량은 작다.

④ 점성토일수록 다짐곡선이 평탄하고 최적함수비가 높아서 함수비의 변화에 따른 다짐효과가 작다.

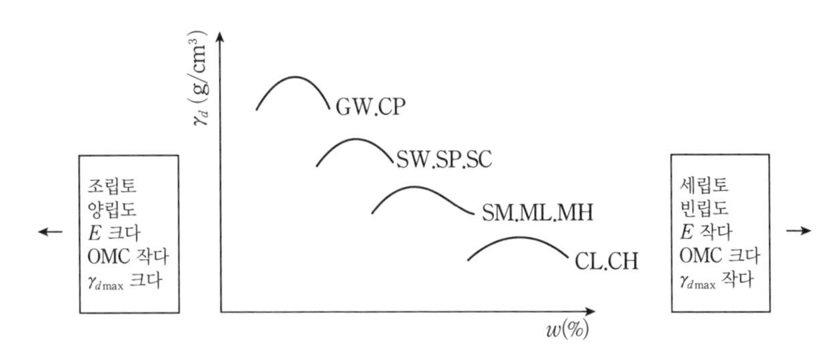

[그림 10-2] 표준다짐시험으로 다진 여러 종류의 흙에 대한 다짐곡선

Check Point

다짐곡선의 유형

Lee와 Suedkamp는 35가지의 다른 흙을 사용하여 다짐곡선을 연구한 결과 다음과 같은 여러 형태의 다짐곡선을 얻었다.

1. A형과 같은 다짐곡선은 액성한계가 30~70인 흙에서 나타난다.
2. B형 곡선은 $1\frac{1}{2}$ 정점 곡선이고, C형 곡선은 이중정점곡선이다. B형과 C형 곡선은 액성한계가 30 이하인 흙에서 많이 나타난다.
3. D형 곡선은 명확한 정점이 없는 곡선으로 액성한계가 70 이상인 흙에서 나타난다.

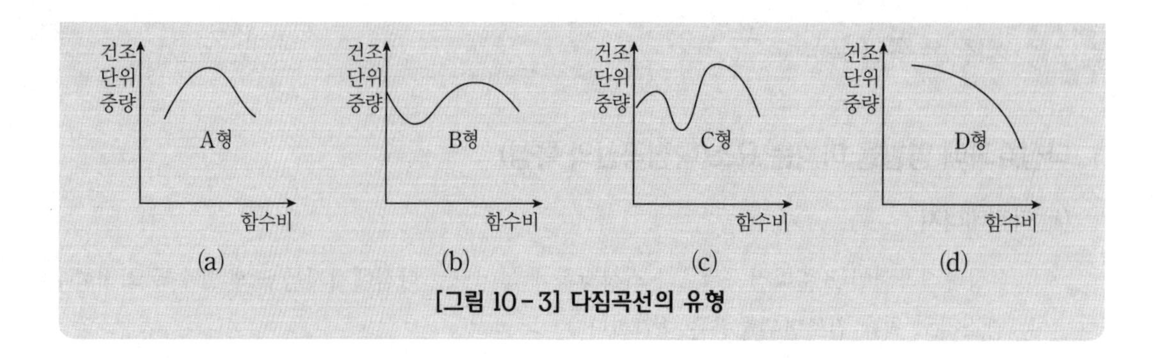

[그림 10-3] 다짐곡선의 유형

2. 다짐한 점성토의 공학적 특성

(1) 흙의 구조

건조측에서 다지면 면모구조가 되고 습윤측에서 다지면 이산구조가 된다. 이러한 경향은 다짐에너지가 클수록 더 명백하게 나타난다.

(2) 투수계수

최적함수비보다 약간 습윤측에서 투수계수가 최소가 된다.

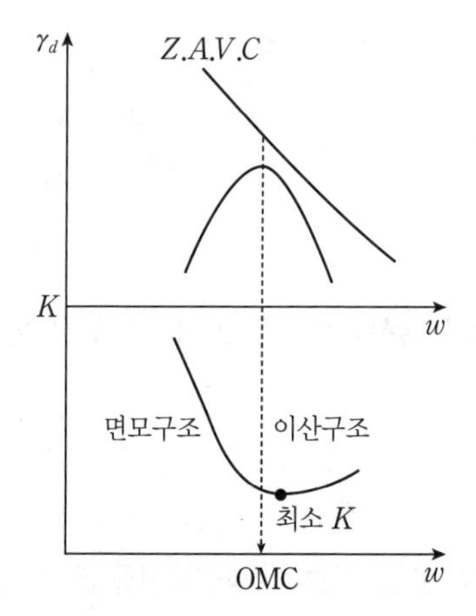

[그림 10-4] $\gamma_d - w$, $K - w$ 관계도

(3) 전단강도

① 건조측에서는 다짐에너지가 증가할수록 강도가 증가하나 습윤측에서는 다짐에너지의 크기에 따른 강도의 증감을 거의 무시할 수 있다.

② 동일한 다짐에너지에서는 건조측이 습윤측보다 전단강도가 훨씬 크다.

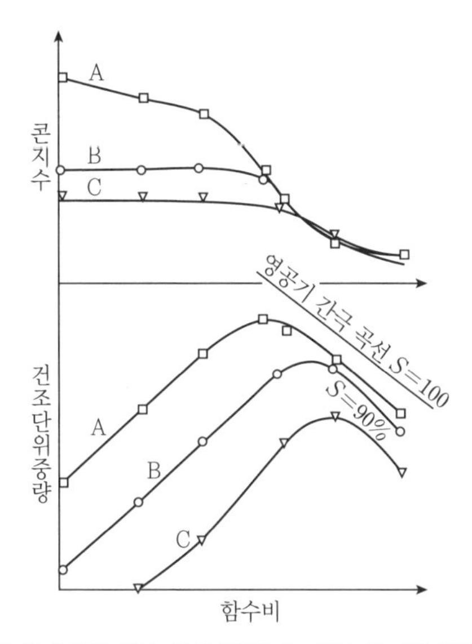

[그림 10-5] 다짐에너지와 함수비의 변화에 따른 강도의 변화(Lambe, 1962)

(4) 팽창성

건조측은 팽창을 억제한 경우에도 습윤측에 비해 공극이 크고 포화도가 낮기 때문에 물을 많이 빨아들이며, 팽창을 허용한다면 간극비가 더 커지므로 더욱 물을 많이 빨아들인다. 그러나 이러한 경향은 최적함수비에 가까워지면서 급격히 줄어들고 그 이상의 함수비에서는 건조측에 비해 함수비가 크게 증가되지 않는다. 최종함수비는 최적함수비 부근에서 가장 적으므로 건조측에서 다지면 팽창성이 크고 최적함수비에서 다지면 팽창성이 최소이다.

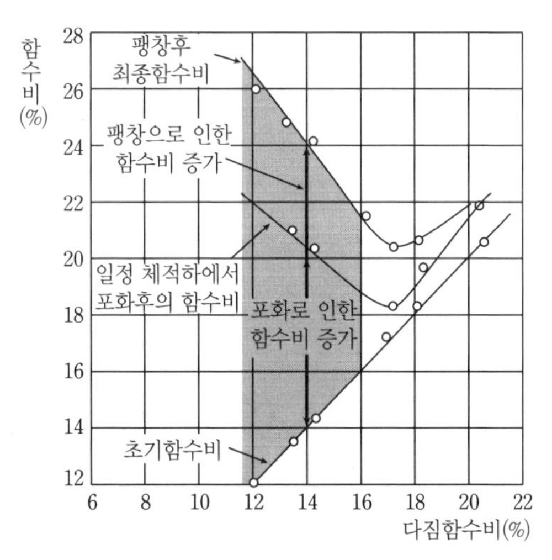

[그림 10-6] 팽창성에 대한 다짐함수비

(5) 압축성

낮은 압력에서는 건조측에서 다진 흙이 압축성이 작고 높은 압력에서는 입자가 재배열되므로 오히려 건조측에서 다진 흙이 압축성이 커진다.

[표 10-4] 요약정리

구분	건조측	습윤측
구조	면모구조	이산구조
투수성	크다.	OMC보다 약간 습윤측에서 최소
전단강도	크다.	작다.
팽창성	크다.	작다.

① 다짐의 목적이 댐의 심벽처럼 차수가 목적이라면 습윤측이 유리하다.

② 다짐의 목적이 전단강도 확보라면 건조측이 유리하다.

3. 다짐 횟수에 따른 효과

일반적으로 다짐횟수가 많으면 다짐의 효과가 높아지게 된다. 그러나 너무 많이 다지면 표면의 흙 입자가 깨져서 전단파괴가 발생하여 흙이 분산화되어 오히려 강도가 감소하여 다짐이 불충분해지게 된다. 이를 과도전압(Over compaction)이라 한다. 과도전압현상은 특히 화강풍 화토에서 많이 발생한다.

4. 다짐시 함수비의 변화에 따른 흙성상의 변화(수막영향)

(1) 수화단계(반고체 영역)

반고체상으로 수분이 부족하여 흙입자간의 접착이 없이 큰 공극이 존재한다. 따라서 다짐을 해도 다짐효과는 나타나지 않으며 공기간격이 그대로 남게 되어 건조밀도가 낮은 다짐흙이 된다.

(2) 윤활단계(탄성영역)

함수비가 수화단계를 넘으면 물의 일부는 자유수로 존재하여 흙입자 사이에 윤활역할을 하게 된다. 이 단계에서 다짐에 의하여 흙입자 상호간의 접착이 이루어지기 시작하여 최대함수비 부근에서 OMC가 나타난다.

(3) 팽창단계(소성영역)

최적함수비를 넘으면 증가분의 물은 윤활역할 뿐만 아니라 다져진 순간에 잔류공기를 압축시키고 이로 인해 흙은 압축되었다가 충격이 제거되면 팽창한다.

(4) 포화단계(반점성단계)

더욱 함수비가 증가하면 증가된 물은 흙입자를 포화시킨다.

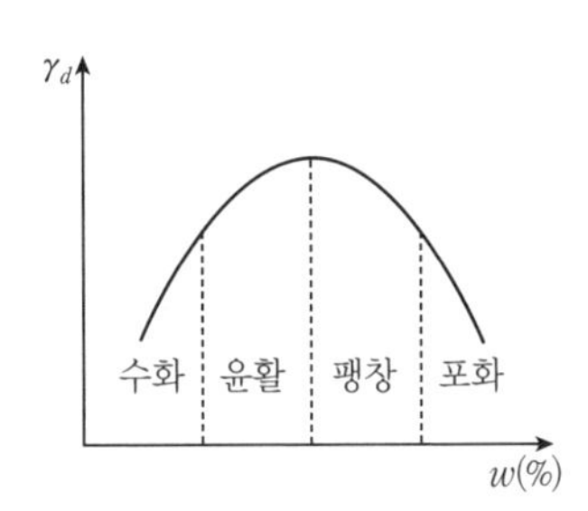

[그림 10-7] 흙 성질의 4단계

04 현장에서의 다짐

1. 다짐장비

(1) 사질토

진동롤러(vibratory roller)

(2) 점성토

양족롤러(sheeps foot roller), 탬핑롤러(tamping roller)

2. 현장다짐 특성

(1) 흙의 건조단위중량은 어느 정도까지는 롤러의 통과횟수에 따라 증가하지만 점차 일정한 값이 된다. 따라서 대부분의 경우 경제적으로 최대건조단위중량을 얻을 수 있는 롤러의 통과횟수는 10~15회 정도이다.

(2) 롤러의 다짐효과는 깊이에 따라 변화한다. 그림 10-8(a)와 같이 다짐면보다 약간 아래에서 다짐효과가 가장 크게 나타나고 깊이가 깊을수록 줄어든다. 따라서 성토한 흙을 균질하고 경제적으로 다지려면 최소의 포설두께가 요구된다.

(3) 다짐두께 결정법

깊이－상대밀도 곡선을 그림 10－8(b)와 같이 겹쳐서 최소요구상대밀도에 만족되는 다짐층의 두께를 구한다.

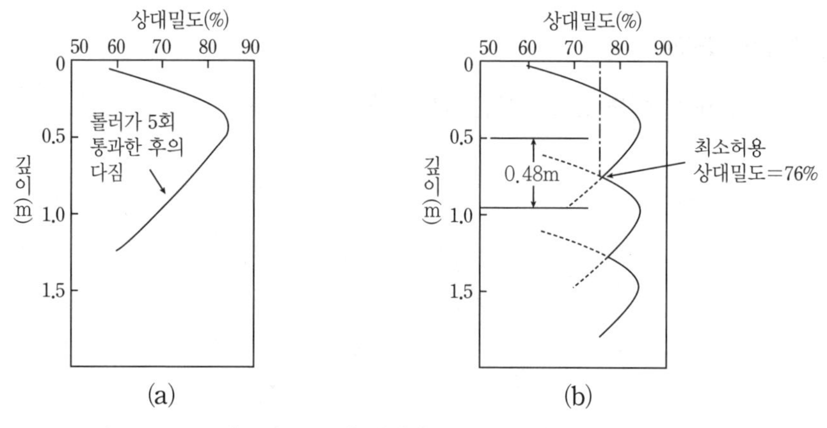

[그림 10－8] 깊이에 따른 다짐효과

3. 현장관리 시험(건조단위중량 결정법)

현장에서 롤러로 다진 흙에 대해 단위중량을 측정하고 다짐도를 구하여 이것이 요구하는 다짐도와 비교한다.

(1) 모래치환법(sand cone method, 들밀도 시험) KS F 2311

흙의 단위중량을 현장에서 직접 구할 목적으로 행한다.

① 시험공을 뚫고 흙무게와 함수비를 구한다.

② NO.10체를 통과하고 No.200체에 남는 모래를 가지고 시험공의 체적을 구한다.

③ 건조밀도를 구한다.

$$\gamma_d = \frac{\text{시험공에서 채취한 흙의 건조무게}}{\text{시험공의 체적}} \qquad \cdots\cdots (10-4)$$

(2) 고무막법(rubber baloon method) KS F 2347

굴토한 공간에 고무막을 깔고 물 또는 기름을 주입하여 용적을 측정하는 방법이다.

(3) 절삭법(core cutter method)

(4) 방사선 밀도측정기에 의한 방법(the use of nuclear density meter)

05 포장설계에 적용되는 토질시험

1. 평판재하시험(PBT) KS F 2310

(1) 목적

지반의 지내력 및 노상, 노반의 지반반력계수, 콘크리트 포장과 같은 강성포장의 두께를 결정하기 위해 행한다.

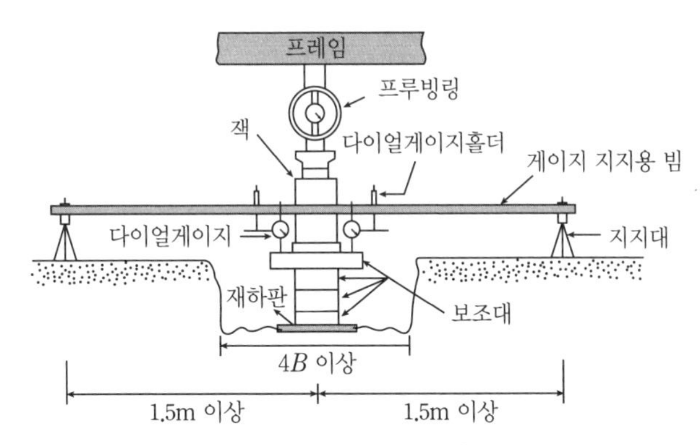

[그림 10-9] 평판재하시험 장치

(2) 지반반력계수(coefficient of subgrade reaction)

① $K=\dfrac{q}{y}$ ······ (10-5)

여기서, K : 지지력 계수(kg/cm³)

q : 침하량 y(cm)일 때의 하중강도(kg/cm²)

y : 침하량(콘크리트 포장인 경우 0.125cm가 표준)

② **재하판의 크기에 따른 지지력 계수** : 재하판의 두께는 2.5cm 이상이고 지름이 30cm, 40cm, 75cm의 원형 또는 정방형의 강판을 사용한다.

$K_{30}=2.2K_{75}$ ······ (10-6)

$K_{40}=1.7K_{75}$ ······ (10-7)

여기서, K_{30}, K_{40}, K_{75} : 지름이 각각 30cm, 40cm, 75cm의 재하판을 사용하여 구해진 지지력 계수(kg/cm³)

Check Point

$K_{30}=1.3K_{40}$

(3) 항복하중 결정법

① 하중–침하곡선법(최대곡률법 : $P-S$법)

② $\log P-\log S$법 : 하중과 침하량을 대수눈금에 그려서 얻어진 그래프의 절점에 대응하는 하중을 항복하중으로 하며 이 방법이 가장 신뢰도가 있다.

③ $S-\log t$법

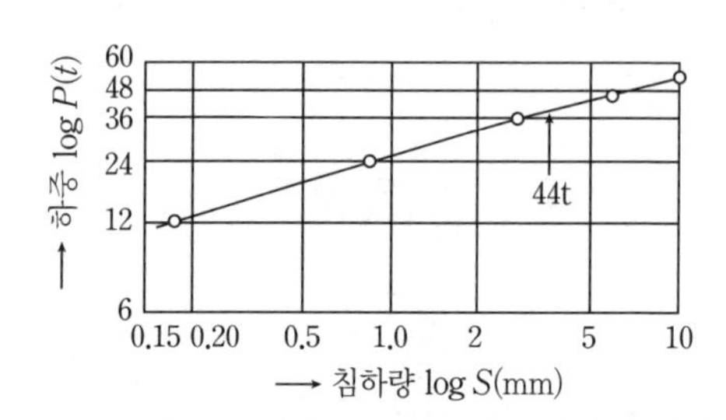

[그림 10-10] $\log P-\log S$ 곡선법

(4) 평판재하시험 결과를 이용할 때 유의사항

① 시험한 지점의 토질종단을 알아야 한다. 기초폭의 규모에 따른 지중응력의 분포범위는 기초폭의 2배 정도 깊이까지 미치므로 실제 기초폭의 2배 이상의 깊이까지 원위치시험 및 토질시험으로 하부지층의 성상을 확인해야 한다.

② 지하수위면과 그 변동을 고려하여야 한다. 지하수위가 상승하면 흙의 유효밀도는 약 50% 감소하므로 지반의 지지력도 대략 반감한다.

③ Scale effect를 고려한다.

(5) 재하판 크기에 대한 보정

① 지지력

㉠ 점토지반일 때 재하판 폭에 무관하다.

$$q_{u(기초)}=q_{u(재하판)} \qquad \cdots\cdots (10-8)$$

㉡ 모래지반일 때 재하판 폭에 비례한다.

$$q_{u(기초)}=q_{u(재하판)}\cdot\frac{B_{(기초)}}{B_{(재하판)}} \qquad \cdots\cdots (10-9)$$

② 침하량

㉠ 점토지반일 때 재하판 폭에 비례한다.

$$S_{(기초)} = S_{(재하판)} \cdot \frac{B_{(기초)}}{B_{(재하판)}} \quad \cdots\cdots (10-10)$$

㉡ 모래지반일 때 침하량은 재하판의 크기가 커지면 약간 커지긴 하지만 폭 B에 비례하는 정도는 못된다.

$$S_{(기초)} = S_{(재하판)} \cdot \left[\frac{2B_{(기초)}}{B_{(기초)} + B_{(재하판)}}\right]^2 \quad \cdots\cdots (10-11)$$

(6) 평판재하시험에 의한 허용지지력 산정법

① 장기허용지지력

$$q_a = q_t + \frac{1}{3}\gamma D_f N_q \quad \cdots\cdots (10-12)$$

② 단기허용지지력

$$q_a = 2q_t + \frac{1}{3}\gamma D_f N_q \quad \cdots\cdots (10-13)$$

여기서, q_t : $\frac{q_y}{2}$, $\frac{q_u}{3}$ 중에서 작은 값

(7) 실험방법

① 기초깊이에서의 굴착 폭은 재하판 크기의 4배 이상이어야 한다.

② 재하판에 하중을 가하고 다이얼게이지로 침하를 측정한다. 예상지지력의 $\frac{1}{5}$씩 하중을 단계적으로 증가시키며 재하시간은 침하가 거의 정지할 때까지 또는 1시간 이상으로 하되 모든 하중 증가에 대하여 동일한 시간으로 한다.

③ 총침하량이 25mm가 되거나 시험장치의 용량에 도달할 때까지 시험을 계속하고, 하중을 제거한 후 1시간 이상 탄성회복량(rebound)을 측정한다.

Check Point

도로의 평판재하시험

1. 35kN/m^{2}씩 하중을 증가시킨다.
2. 침하량이 15mm에 달하거나 하중강도가 현장에서 예상되는 최대 접지압, 또는 지반의 항복점을 넘으면 시험을 멈춘다.

2. 노상토 지지력비시험(CBR) KS F 2320

아스팔트포장과 같은 가요성포장의 두께를 산정할 때 사용한다.

(1) $$\text{CBR} = \frac{\text{실험단위하중}}{\text{표준단위하중}} \times 100(\%) \quad \cdots\cdots (10-14)$$

[표 10-5]

관입량(mm)	표준단위하중(kg/cm^2)	표준하중(kg)
2.5	70	1370
5.0	105	2030

① $CBR_{2.5} > CBR_{5.0}$이면 $CBR = CBR_{2.5}$로 한다.

② $CBR_{2.5} < CBR_{5.0}$이면 재실험하고 재시험 후

㉠ $CBR_{2.5} > CBR_{5.0}$이면 $CBR = CBR_{2.5}$로 한다.

㉡ $CBR_{2.5} < CBR_{5.0}$이면 $CBR = CBR_{5.0}$으로 한다.

(2) 팽창비

$$\text{팽창비} = \frac{\text{다이얼게이지 최종 읽음} - \text{다이얼게이지 최초 읽음}}{\text{공시체의 최초 높이}} \times 100(\%) \quad \cdots\cdots (10-15)$$

(3) 설계 CBR

$$\text{설계 CBR} = \text{각 지점의 CBR평균} - \left(\frac{\text{CBR최대치} - \text{CBR최소치}}{d_2} \right) \quad \cdots\cdots (10-16)$$

여기서, d_2 : 설계 CBR 계산용 계수

Chapter 10

흙의 다짐

기출 및 적중예상문제 I [4지선다형]

여기에 수록된 「기출문제」는 수험생들의 기억을 바탕으로 유사한 유형의 문제로 새로이 창작하여 구성하였습니다. 따라서 원안과 동일하지는 않지만 출제 수준과 경향을 파악하는 데 결정적인 도움을 주리라 믿습니다.

01 흙을 다지면 흙의 성질이 개선되는데 다음 설명 중 옳지 않은 것은?

① 투수성이 감소한다.
② 부착성이 감소한다.
③ 흡수성이 감소한다.
④ 압축성이 작아진다.

해설

다짐의 효과
1. 투수성의 감소
2. 전단강도의 증가
3. 지반의 압축성 감소
4. 지반의 지지력 증대
5. 동상, 팽창, 건조수축의 감소

02 다짐에 의하여 감소되지 않는 흙의 성질은?

① 압축성 ② 투수성
③ 흡수성 ④ 지지력

03 흙의 다짐에 관한 사항 중 옳지 않은 것은?

① 흙을 다짐하면 일반적으로 전단강도가 증가되고 투수성도 증가한다.
② 다짐에너지를 증가시키면 최적함수비는 감소한다.
③ 모래는 점토보다 다짐효과가 더 좋은 것이 보통이다.
④ 다짐에너지가 증가하면 더 큰 최대건조단위중량이 얻어진다.

해설

흙을 다짐하면 전단강도는 증가되고 투수성은 감소한다.

04 흙의 다짐시험(KS F 2312)에서 A다짐에 사용되는 허용 최대입자지름은?

① 37.5mm ② 25mm
③ 19mm ④ 10mm

해설

다짐방법의 종류

다짐 방법의 호칭명	래머 무게 (kg)	몰드 안지름 (cm)	다짐 층수	1층당 다짐 횟수	허용 최대 입경(mm)	몰드의 체적 (cm^3)
A	2.5	10	3	25	19	1000
B	2.5	15	3	55	37.5	2209
C	4.5	10	5	25	19	1000
D	4.5	15	5	55	19	2209
E	4.5	15	3	92	37.5	2209

05 다음 중 전단강도와 관계가 먼 것은?

① Mohr−Coulomb의 파괴가설
② Proctor의 이론
③ 흙의 내부마찰각
④ 흙의 점착력

해설

Proctor에 의해 다짐이론이 제시되었다.

01 ② 02 ④ 03 ① 04 ③ 05 ② [정답]

06 다음 중 다짐시험에 사용되는 래머의 무게는?

① 2.5kgf, 4.5kgf
② 2.0kgf, 4.0kgf
③ 3.0kgf, 6.0kgf
④ 1.5kgf, 3.0kgf

07 흙의 다짐시험 방법 중 1층당 다짐횟수가 가장 많은 것은?

① A방법 ② C방법
③ D방법 ④ E방법

08 다음 중 흙의 다짐시험과 관계가 없다고 생각되는 것은?

① 영공극곡선 또는 포화곡선
② 최적함수비
③ 최대건조밀도
④ 비중계

해설

비중계는 입도분석시험 중 비중계시험을 할 때 사용된다.

09 흙의 다짐에서 최적함수비를 설명하는 것 중 옳지 않은 것은?

① 같은 흙에서는 다짐일량의 변화와 관계없이 일정하다.
② 일반적으로 점토는 모래보다 최적함수비가 크다.
③ 현장에서 다짐작업을 할 경우에는 최적함수비에서 작업하는 것이 좋다.
④ 최적함수비는 다짐곡선에서 얻어진다.

해설

다짐에너지를 크게 할수록 최적함수비는 감소하고 최대건조밀도는 증가한다.

10 다음 중 다짐곡선은 무엇으로 작도하는가?

① 건조단위중량 – 다짐횟수
② 최대건조밀도 – 함수비
③ 최대건조밀도 – 최적함수비
④ 건조밀도 – 함수비

해설

함수비와 다져진 흙의 건조단위중량과의 관계곡선을 다짐곡선이라고 한다.

11 토질시험 결과를 반대수용지(semi-log paper)에 나타내어 구하는 것이 아닌 것은?

① 압축지수, 압밀계수
② 균등계수, 곡률계수
③ 최대건조밀도, 최적함수비
④ 액성한계, 유동지수

해설

다짐곡선은 산술용지를 사용한다.

12 다음 흙의 다짐에 관한 사항 중 옳지 않은 것은?

① 실험실에서 얻어지는 다짐곡선은 제방이나 성토에 사용하기 위한 흙을 선별하는데 주요한 가치가 있다.
② 어떤 흙이든 다짐방법만 일정하게 해두면 토질에 상관없이 최적함수비는 일정하다.
③ 같은 흙일지라도 다짐방법이 달라지면 최대건조밀도나 최적함수비는 달라진다.
④ 실내에서의 다짐시험 결과는 그대로 현장다짐에 적용되는 것은 아니다.

해설

동일한 다짐방법으로 다질지라도 토질에 따라 최대건조밀도나 최적함수비는 달라진다.

06 ① 07 ④ 08 ④ 09 ① 10 ④ 11 ③ 12 ② [정답]

13 영공극곡선(zero air void curve)이란 무엇인가?

① 함수비와 최적함수비와의 곡선을 말한다.
② 건조밀도와 최대건조밀도와의 곡선을 말한다.
③ 다짐의 정도의 최적함수비곡선을 말한다.
④ 함수비와 건조밀도곡선을 말한다.

해설

흙 속에 공기간극이 전혀 없는 경우($S_r = 100\%$)의 건조밀도와 함수비의 관계곡선을 영공극곡선이라 한다.

14 흙의 다짐곡선에서 영공기 간극곡선(zero-air void curve)에 관한 설명 중 옳은 것은?

① Zero-air void curve는 다짐곡선과 직교한다.
② Zero-air void curve는 다짐곡선에 접한다.
③ Zero-air void curve는 다짐곡선의 하향선과 약간 떨어져서 평행에 가깝게 된다.
④ Zero-air void curve는 현장 다짐정도를 추정하는데 도움이 된다.

해설

영공기 간극곡선(zero-air void curve)

1. 공기함유율 $V_a = 0$인 상태의 함수비와 건조밀도의 관계곡선
2. 다짐시험 확인에 이용된다.
3. 다짐곡선의 하향곡선은 대략 영공기 간극곡선에 평행한다.

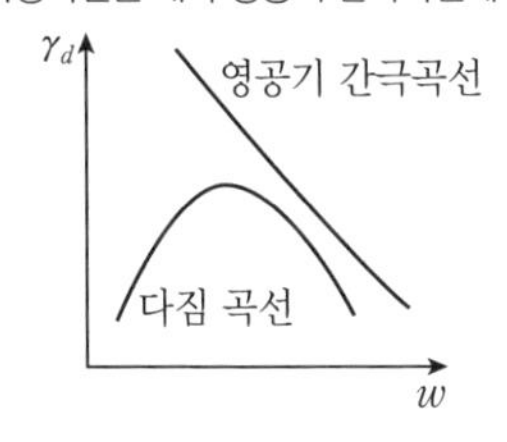

15 도로 성토시 다져진 흙의 간극비가 0.5이고, 함수비가 10%이다. 흙입자의 비중이 2.50일 때, 공기함유율(air content) A(%)는?

2008. 국가직 7급

① 14.2 ② 16.7 ③ 19.6 ④ 17.3

해설

1. $\gamma_d = \frac{G_s}{1+e}\gamma_w = \frac{2.5}{1+0.5} \times 1 = 1.67\text{g/cm}^3$
2. $\gamma_d = \frac{\gamma_w(1-V_a)}{\frac{1}{G_s}+\frac{W}{S}}$ $\quad 1.67 = \frac{1\times(1-V_a)}{\frac{1}{2.5}+\frac{10}{100}}$

$\therefore V_a = 0.165 = 16.5\%$

16 흙의 다짐에 있어 래머의 중량이 2.5kg, 낙하고 30cm, 3층으로 각 층 다짐횟수 25회일 때 다짐에너지는? (단, 몰드의 체적은 1000cm³이다)

2005. 충남 7급

① 5.63kg·cm/cm³ ② 5.96kg·cm/cm³
③ 10.45kg·cm/cm³ ④ 10.66kg·cm/cm³

해설

$E_c = \frac{W_R \cdot H \cdot N_L \cdot N_B}{V} = \frac{2.5\times30\times3\times25}{1000} = 5.625\text{kg}\cdot\text{cm/cm}^3$

17 흙의 다짐시험방법에서 A 방법의 다짐에너지는 얼마인가? (단, 몰드의 부피는 1000cm³이다.)

① 25.3kg·cm/cm³ ② 25.3t·m/cm³
③ 5.6kg·cm/cm³ ④ 5.6t·m/cm³

해설

1. 다짐시험의 A 방법은 $W_R = 2.5\text{kg}$, $H = 30\text{cm}$, 3층, 25회 다짐을 하며, 몰드의 체적은 $V = 1000\text{cm}^3$이다.
2. $E = \frac{W_R H N_L N_B}{V} = \frac{2.5\times30\times3\times25}{1000} = 5.6\text{kg}\cdot\text{cm/cm}^3$

18 다짐시험에서 체적이 1000cm³인 다짐 몰드에 다진 흙의 무게가 2000g이었다. 이 흙의 함수비 측정결과 w = 25%이었다면 건조단위중량은?

① 1.5g/cm³ ② 1.6g/cm³
③ 1.7g/cm³ ④ 1.8g/cm³

해설

1. $\gamma_t = \frac{W}{V} = \frac{2000}{1000} = 2\text{g/cm}^3$
2. $\gamma_d = \frac{\gamma_t}{1+\frac{w}{100}} = \frac{2}{1+\frac{25}{100}} = 1.6\text{g/cm}^3$

13 ④ 14 ③ 15 ② 16 ① 17 ③ 18 ② [정답]

19 흙의 다짐시험을 실시한 결과 다음과 같았다. 이 흙의 건조밀도를 구하면?

㉠ 몰드+젖은시료 무게 : 3600g
㉡ 몰드 무게 : 2100g
㉢ 젖은 흙의 함수비 : 15.0%
㉣ 몰드의 체적 : $1000cm^3$

① $1.3g/cm^3$ ② $1.4g/cm^3$
③ $1.5g/cm^3$ ④ $1.6g/cm^3$

해설

1. $\gamma_t = \frac{W}{V} = \frac{3600-2100}{1000} = 1.5g/cm^3$
2. $\gamma_d = \frac{\gamma_t}{1+\frac{w}{100}} = \frac{1.5}{1+\frac{15}{100}} = 1.3g/cm^3$

20 현장에서 다짐도가 90%란 말은?

① 지정된 실내 다짐시험에서 최대건조밀도에 대한 90% 밀도를 말한다.
② 롤러가 다진 최대밀도의 90% 밀도를 말한다.
③ 최적함수비의 90% 함수비에 대한 다짐밀도를 말한다.
④ 포화도가 90%일 때의 다짐밀도를 말한다.

해설

다짐도 : $C_d = \frac{\text{현장의 } \gamma_d}{\text{실내 다짐시험에 의한 } \gamma_{d\max}} \times 100(\%)$

21 현장다짐 후 들밀도시험을 수행하였다. 들밀도시험을 위해 굴착된 굴착체적 $V = 1,000cm^3$, 흙입자만의 무게 $W = 18N$이었다. 실내 표준다짐시 최대건조단위중량이 $\gamma_{d\max} = 20kN/m^3$로 얻어졌다면 이 현장의 상대다짐도[%]는?

2014. 국가직

① 80 ② 85
③ 90 ④ 95

해설

1. $\gamma_d = \frac{W_s}{V} = \frac{18 \times 10^{-3}}{1000 \times 10^{-6}} = 18kN/m^3$
2. $C_d = \frac{\gamma_d}{\gamma_{d\max}} \times 100 = \frac{18}{20} \times 100 = 90\%$

22 최대 건조단위중량과 최소 건조단위중량이 각각 $16kN/m^3$와 $8kN/m^3$인 모래지반의 상대밀도가 75%라면 다짐도는?

2012. 국가직 7급

① 75% ② 80%
③ 85% ④ 90%

해설

1. $D_r = \frac{\gamma_{d\max}}{\gamma_d} \times \frac{\gamma_d - \gamma_{d\min}}{\gamma_{d\max} - \gamma_{d\min}}$

$0.75 = \frac{16}{\gamma_d} \times \frac{\gamma_d - 8}{16-8}$

$\therefore \gamma_d = 12.8kN/m^3$

2. $C_d = \frac{\gamma_d}{\gamma_{d\max}} \times 100 = \frac{12.8}{16} \times 100 = 80\%$

23 현장 도로토공에서 들밀도시험을 하였다. 파낸 구멍의 체적이 $V = 1900cm^3$, 이 흙의 함수비는 10%이고, 흙 무게가 3040g이었다. 실험실에서 구한 최대건조밀도가 $\gamma_{d\max} = 1.65g/cm^3$일 때 다짐도는 얼마인가?

① 80.5% ② 87.9%
③ 91.3% ④ 98.7%

해설

1. $\gamma_t = \frac{W}{V} = \frac{3040}{1900} = 1.6g/cm^3$
2. $\gamma_d = \frac{\gamma_t}{1+\frac{w}{100}} = \frac{1.6}{1+\frac{10}{100}} = 1.45g/cm^3$
2. $C_d = \frac{\gamma_d}{\gamma_{d\max}} \times 100 = \frac{1.45}{1.65} \times 100 = 87.88\%$

24 영공극곡선(zero air void curve)은 다음 중 어떤 토질시험 결과로 얻어지는가?

① 액성한계시험 ② 다짐시험
③ 직접전단시험 ④ 압밀시험

해설

흙 속에 공기간극이 전혀 없는 경우의 건조밀도와 함수비 관계곡선을 영공극곡선이라 한다.

19 ① 20 ① 21 ③ 22 ② 23 ② 24 ② [정답]

25 다음 흙의 다짐에 관한 설명 중 틀린 것은?

① 다진 흙의 최대건조밀도와 최적함수비는 어떻게 다짐하더라도 일정한 값이다.
② 사질토의 최대건조밀도는 점성토의 최대건조밀도보다 통상 크다.
③ 점성토의 최적함수비는 사질토보다 크다.
④ 다짐에너지가 크면 보통 밀도는 높아진다.

해설

다진 흙의 최대건조밀도와 최적함수비는 다짐방법에 따라 다르다.

26 다짐에 대한 설명 가운데 타당하지 않은 것은?

① 입도배합이 양도한 흙에서는 건조밀도가 낮다.
② 사질이 많이 내포된 흙은 점성토보다도 다짐곡선의 기울기가 급하다.
③ 점토분이 많은 흙에서는 최적함수비가 높다.
④ 동일한 흙에서 다짐에너지가 클수록 다짐효과는 증대한다.

해설

입도배합이 양호한 흙일수록 건조밀도는 커지고 최적함수비는 감소한다.

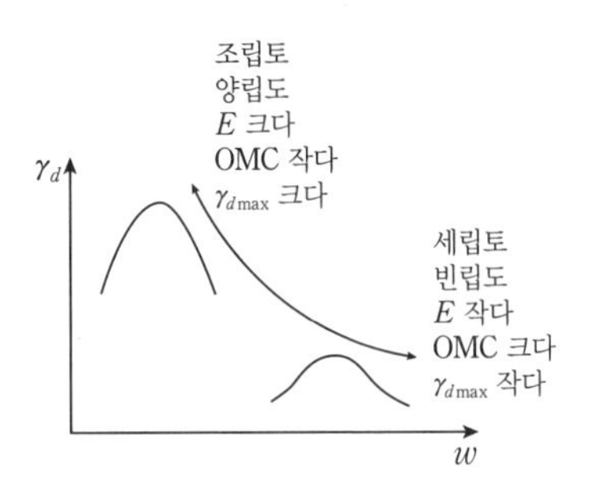

27 그림과 같은 다짐곡선을 보고 다음 설명 중 틀린 것은?

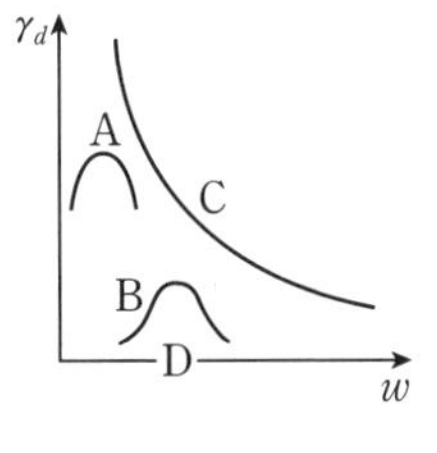

① A는 일반적으로 사질토이다.
② B는 일반적으로 점토에서 나타난다.
③ C는 과잉공급수압 곡선이다.
④ D는 최적함수비를 나타낸다.

해설

C는 영공극곡선이다.

28 다음 다짐곡선 중 옳은 것은?

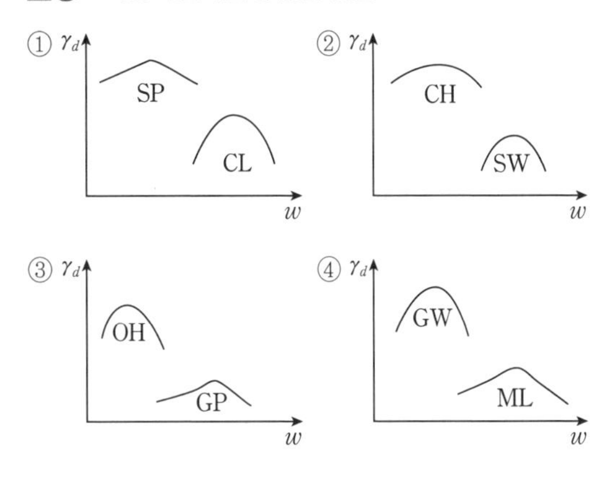

해설

1. 조립토일수록 다짐곡선의 기울기가 급하다.
2. 조립토일수록 최적함수비는 작으며 건조밀도는 크다.

29 흙의 다짐에 관한 설명 중에서 옳지 않은 것은?

2016. 서울시 7급

① 동일한 흙에서 다짐에너지가 커질수록 최대 건조단위중량은 증가하고, 최적함수비는 감소한다.
② 모래질 흙은 진동다짐방법이 바람직하다.
③ 일반적으로 흙이 조립토에 가까울수록 최적함수비는 작아진다.
④ 모래질을 많이 포함할수록 흙의 건조단위중량-함수비 곡선의 구배는 완만해진다..

해설

모래질을 많이 포함할수록 흙의 건조단위중량은 커지고 최적함수비는 작아지며 $\gamma_d - w$곡선의 구배는 급해진다.

25 ① 26 ① 27 ③ 28 ④ 29 ④ [정답]

30 다짐에 관한 다음 설명 중 타당하지 않은 것은?

① 사질성분이 많이 내포된 흙은 다짐곡선의 기울기가 급하다.
② 최적함수비는 흙의 종류와 다짐방법에 따라 다르다.
③ 입도분포가 양호한 흙의 건조밀도는 낮다.
④ 다짐을 하면 부착성이 양호해지고 투수성과 압축성이 작아진다.

해설

입도분포가 양호한 흙일수록 $\gamma_{d\max}$는 크고 OMC는 작다.

31 흙의 다짐에 관한 설명 중 옳지 않은 것은?

① 일반적으로 흙의 건조밀도는 가하는 다짐에너지가 클수록 크다.
② 모래질 흙은 진동 또는 진동을 동반하는 다짐방법이 유효하다.
③ 건조밀도-함수비 곡선에서 최적함수비와 최대건조밀도를 구할 수 있다.
④ 모래질을 많이 포함한 흙의 건조밀도-함수비 곡선의 구배는 완만하다.

해설

1. 사질토일수록 $\gamma_d - w$ 곡선의 구배가 급하면, $\gamma_{d\max}$는 커지고 OMC는 작아진다.
2. 점성토일수록 $\gamma_d - w$ 곡선의 구배가 완만하며, $\gamma_{d\max}$는 작아지고 OMC는 커진다.

32 다음은 흙의 다짐에 관한 설명이다. 그 중 틀린 것은?

① 실험실과 현장의 다짐에너지가 다르므로 실험실의 다짐곡선은 현장에 직접 적용될 수 없다.
② 다짐에너지가 커질수록 최적함수비는 작다.
③ 다짐정도는 토질, 함수비, 다짐에너지 등에 따라 다르다.
④ 입자의 크기는 균등할수록 최대건조단위중량은 증가한다.

해설

입자의 크기가 균등할수록 최대건조단위중량은 감소하고 최적함수비는 증가한다.

33 흙의 다짐시험에 관한 설명 중 옳지 않은 것은?

① 일반적으로 최대건조밀도가 높은 흙일수록 최적함수비가 낮다.
② 세립토일수록 최대건조밀도가 낮고 다짐곡선의 변화도 완만하다.
③ 몰드, 래머 및 시료가 같은 경우 다짐일량(work energy)을 증가시킬수록 최대건조밀도는 감소하고 최적함수비는 증가한다.
④ 흙의 다짐시험방법에는 시료의 종류와 시험기구에 따라 5가지가 있다.

해설

다짐에너지를 증가시킬수록 $\gamma_{d\max}$는 증가하고 OMC는 감소한다.

34 흙의 다짐에 대한 다음 기술 중 옳지 않은 것은?

① 함수비의 변화에 따라 건조밀도가 변하는데 건조밀도가 가장 클 때의 함수비를 최적함수비라고 한다.
② 최적함수비는 흙의 종류와 다짐방법에 따라 다른 값이 나온다.
③ 같은 다짐방법에서는 최적함수비가 작은 흙일수록 최대건조밀도가 작다.
④ 흙이 조립토에 가까울수록 최적함수비의 값은 작다.

해설

최적함수비가 작은 흙일수록 최대건조밀도는 크다.

30 ③ 31 ④ 32 ④ 33 ③ 34 ③ [정답]

35 흙의 다짐에 관한 다음 사항 중 옳지 않은 것은?

① 점토보다 사질토쪽이 일반적으로 건조밀도가 높다.
② 영공극곡선은 다짐곡선보다 아래쪽에 있다.
③ 점토보다 사질토쪽이 다짐곡선의 구배가 급하다.
④ 최적함수비는 점토가 사질토보다 큰 값을 보인다.

해설

영공극곡선은 다짐곡선과 만나지 않고 다짐곡선의 오른쪽에 그려진다.

36 흙의 다짐에 대한 설명 중 틀린 것은?

① 다짐의 효과는 흙의 종류, 함수비, 다짐에너지 등에 따라 달라진다.
② 영공기간극곡선과 포화도 곡선은 동일하다.
③ 최대건조밀도에 대응한 함수비를 최적함수비라 한다.
④ 다짐에너지가 증가하면 일반적으로 최적함수비가 커진다.

해설

다짐에너지가 증가할수록 $\gamma_{d\max}$는 커지고 OMC는 작아진다.

37 다짐(compaction)에 관한 다음 사항 중 옳지 않은 것은?

① 일반적으로 조립토가 세립토보다 같은 조건 아래에서는 보다 더 높은 건조밀도로 다져질 수 있다.
② 자연함수비가 최적함수비보다 적을 때에는 물을 좀 더 부어도 좋다.
③ 몰드(mold) 내 흙의 각 층마다 래머로 25회씩 다져준다.
④ 자연함수비가 최적함수비보다 클 때에는 물을 더 부어야 효과적이다.

해설

다짐할 때 최적함수비에서 다짐을 해야 저압효과가 크다. 그러므로 자연함수비가 최적함수비보다 클 때 물을 더 가하면 전압효과가 작아진다.

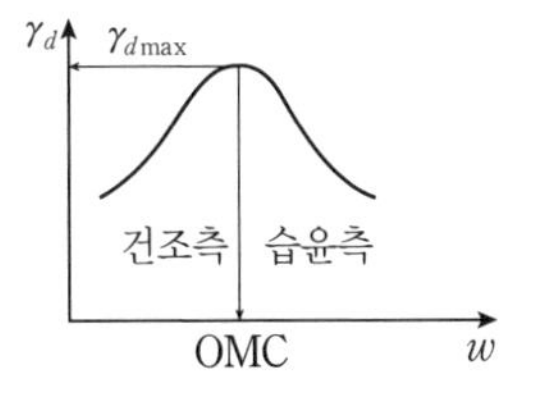

38 흙의 다짐에 대한 설명으로 옳지 않은 것은?

2016. 국가직 7급

① 다짐곡선에서 함수비는 흙 입자에 대한 간극수의 중량비로 정의한다.
② 영공기간극곡선은 모든 공기가 배제된 경우로 이때 포화도는 100%이다.
③ 다짐 시 습윤과정의 순서는 수화, 윤활, 포화, 팽창단계의 순이다.
④ 일반적으로 최적함수비는 윤활단계에서 나타난다.

해설

다짐 시 습윤과정의 순서는 수화, 윤활, 팽창, 포화단계의 순이다.

39 다짐에너지를 변화시키면 다음과 같은 결과가 얻어진다. 옳지 않은 것은?

① 다짐에너지를 증가시키면 최대건조단위중량은 증가한다.
② 최대건조단위중량이 얻어질 때의 공기함유율은 거의 동일하다.
③ 다짐에너지를 증가시키면 최적함수비는 감소한다.
④ 최대건조단위중량을 나타내는 점들을 연결하면 영공극곡선이 얻어진다.

해설

문제에서 다짐에너지를 변화시켰을 때의 결과를 묻고 있는데 ④에서는 영공극곡선의 정의를 답하고 있다. 즉, 다짐에너지의 변화와 영공극곡선과는 전혀 관계가 없다.

35 ② 36 ④ 37 ④ 38 ③ 39 ④ [정답]

40 흙의 다짐에 대한 설명으로 옳지 않은 것은?

2008. 국가직 7급

① 일반적으로 입도분포가 양호한 흙의 최대건조밀도는 크고, 최적함수비는 작다.
② 영공기간극곡선은 다짐곡선과 교차할 수 없고, 항상 다짐곡선의 우측에만 위치한다.
③ 모래는 다짐시에 낮은 함수비에서 간극수의 표면장력 때문에 건조밀도가 감소할 수 있다.
④ 유기질 성분이 증가할수록 흙의 최대건조밀도와 최적함수비는 감소한다.

해설

점성토에서는 소성이 증가할수록 최대건조단위중량은 감소하고 최적함수비는 증가한다.

41 동일한 다짐에너지로 다지는 경우, 다짐에 의한 점성토의 성질변화에 대한 설명으로 옳지 않은 것은?

2010. 국가직 7급

① 최적함수비의 건조측에서는 면모구조를 가지며, 습윤측에서는 이산구조를 가진다.
② 최적함수비의 건조측 다짐시료가 습윤측 다짐시료보다 강도가 크다.
③ 최적함수비의 건조측에서는 최적함수비로 접근할수록 투수계수가 급속히 감소한다.
④ 최적함수비의 약간 건조측에서 다질 때 투수성이 최소가 된다.

해설

최적함수비보다 약간 습윤측에서 다질 때 투수성이 최소가 된다.

42 다음 중 흙의 다짐 특성으로 옳지 않은 것은?

2009. 국가직 7급

① 일반적으로 다짐에너지가 클수록 흙의 최대 건조단위중량은 커진다.
② 최적함수비는 최대 건조단위중량을 나타낼 때의 함수비이며 포화도는 100%를 나타낸다.
③ 다짐에너지가 증가할수록 최적함수비는 감소한다.
④ 조립토의 입도분포가 양호할수록 최적함수비는 작아지고 최대 건조단위중량은 커진다.

해설

최적함수비는 최대 건조단위중량일 때의 함수비이다.

43 다짐곡선에 대한 설명으로 옳지 않은 것은?

2009. 지방직 7급

① 일반적으로 최적함수비는 점성토보다 사질토가 크다.
② 다짐에너지가 클수록 최대 건조밀도는 증가한다.
③ 영공기간극곡선은 간극 내 공기의 부피가 0인 포화상태의 건조단위중량과 함수비의 관계곡선이다.
④ 동일한 흙이라도 다짐시험의 종류에 따라 최적함수비가 다르다.

해설

일반적으로 최적함수비는 사질토가 작다.

44 다짐에 대한 설명으로 옳지 않은 것은?

2013. 국가직 7급

① 다짐에너지가 커지면 최대건조단위중량은 증가하고 최적함수비는 감소한다.
② 큰 강도가 필요한 경우, 최적함수비보다 약간 작은 함수비에서 건조측 다짐을 실시한다.
③ 동일한 에너지로 다진 경우, 함수비가 증가할수록 투수계수도 증가한다.
④ 다짐에너지가 큰 현장다짐장비를 모사하기 위한 실내다짐시험은 수정다짐시험이다.

해설

최적함수비 보다 약간 습윤측에서 투수계수가 최소이다.

40 ④ 41 ④ 42 ② 43 ① 44 ③ [정답]

45 다음 2개의 다짐곡선에 대한 설명으로 옳지 않은 것은? 2011. 국가직 7급

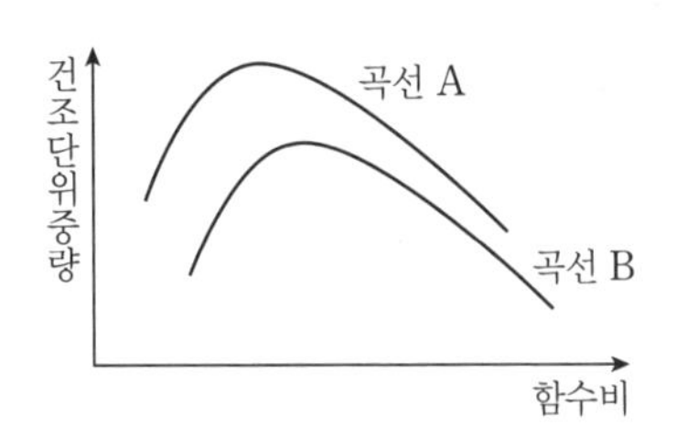

① 흙 종류가 동일한 경우, 곡선 A의 투수계수가 곡선 B의 투수계수보다 크다.
② 흙 종류가 동일한 경우, 곡선 A의 다짐에너지가 곡선 B의 다짐에너지보다 크다.
③ 다짐에너지가 동일할 경우, 곡선 A가 곡선 B보다 더 많은 조립분을 함유하고 있다.
④ 다짐에너지가 동일한 경우, 곡선 A가 곡선 B보다 더 양호한 입도분포를 보인다.

해설

곡선 A가 양립도이므로 투수계수가 작다.

46 흙의 다짐특성에 대한 설명으로 옳지 않은 것은? 2015. 국가직

① 흙이 완벽하게 다져졌을 경우 이론적으로는 완전포화상태가 되어 다짐함수비에 따른 건조단위중량이 영공기간극곡선 상에 나타난다.
② 동일한 다짐에너지 조건일 때, 건조측에서는 다짐함수비가 증가할수록 투수계수가 감소하는 경향을 보이며, 최적함수비에서 최소투수계수를 나타낸다.
③ 최적함수비를 중심으로 다짐함수비가 작은 쪽을 건조측, 큰 쪽을 습윤측이라고 하며, 점성토에서는 건조측에서 면모구조, 습윤측에서 이산구조를 보이는 것이 일반적이다.
④ 일반적으로 다짐에너지가 클수록 최적함수비는 감소하고 최대건조단위중량은 증가한다.

해설

건조측에서는 다짐함수비가 증가할수록 투수계수가 감소하며, 최적함수비보다 약간 습윤측에서 투수계수가 최소이다.

47 여러 종류의 흙을 같은 조건으로 다짐시험을 하였다. 일반적으로 최적함수비가 가장 작은 흙은?

① GW ② ML
③ SW ④ CH

48 다짐시험에서 몇 개의 흙에다 동일한 다짐에너지를 가했을 때 건조밀도가 높은 순서로 되어 있는 것은?

① SW−ML−CH
② SW−CH−ML
③ CH−ML−SW
④ ML−CH−SW

해설

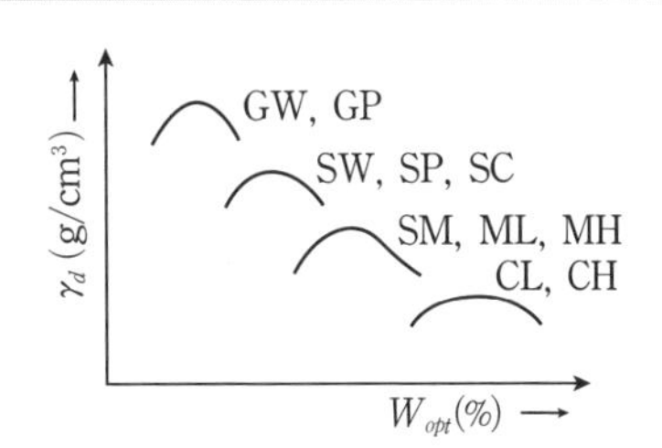

49 흙의 종류에 따른 다음 그림과 같은 다짐곡선들이 있다. 다음 중 맞는 것은?

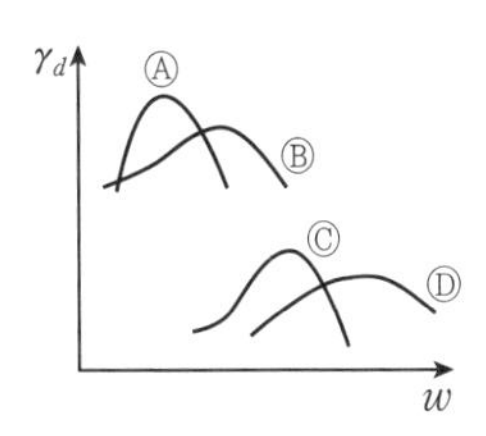

① Ⓐ : ML, Ⓒ : SM
② Ⓐ : SW, Ⓓ : CL
③ Ⓑ : MH, Ⓓ : GM
④ Ⓑ : GC, Ⓒ : CH

45 ① 46 ② 47 ① 48 ① 49 ② [정답]

50 흙의 다짐에 있어 최대건조단위중량은 어느 단계의 최대함수비 부근에서 일어나는가?

① 수화단계 ② 윤활단계
③ 팽창단계 ④ 포화단계

해설

함수비의 변동에 따른 흙성상의 변화에서 제2단계인 윤활단계에서 최대건조단위중량이 나타난다.

51 다짐의 효과에 대한 설명 중 틀린 것은?

① 다짐함수비가 클수록 일축압축강도는 감소한다.
② 최적함수비에서 습윤쪽으로 다짐을 하는 경우, 건조쪽으로 다지는 것보다 흙의 압축성이 커진다.
③ 최적함수비에서 건조쪽으로 다지는 경우가 습윤쪽으로 다지는 경우보다 투수계수가 작다.
④ 댐코어 재료는 습윤쪽으로 다지는 것이 건조쪽으로 다지는 것보다 균열이 적다.

해설

다짐효과

1. 압축성 : 건조측에서 다진 흙이 압축성이 작다.
2. 투수계수 : 최적함수비보다 약간 습윤쪽에서 투수계수가 최소가 된다.
3. 전단강도 : 건조측이 습윤측보다 전단강도가 크다.
4. 팽창성 : 습윤측이 건조측보다 팽창성이 작다.

52 최적함수비로 흙을 다졌을 때, 이 다진 흙에 대한 다음 기술 중 틀린 것은?

① 최대에 가까운 전단강도가 OMC 근방에서 얻어진다.
② 흡수 및 팽창이 OMC에서 최소가 된다.
③ 투수계수가 OMC 근방에서 최소가 된다.
④ 간극비는 OMC에서 최소가 된다.

해설

1. OMC보다 건조측에서 최대전단강도가 나온다.
2. OMC에서 약간 습윤측에서 최소투수계수가 나온다.
3. OMC에서 다짐이 용이해져 건조단위중량이 커지고 흡수 및 팽창이 최소가 된다.

53 다음 중 흙의 다짐과 직접 관계가 없는 것은?

① 포화단계 ② 팽창단계
③ 수화단계 ④ 수축단계

해설

다짐시 함수비의 변화에 따른 흙성상의 변화는 수화단계, 윤활단계, 팽창단계, 포화단계가 있다.

54 흙의 다짐에 관한 다음 설명 중 옳지 않은 것은?

① 점성토지반을 다질 때에는 진동롤러로 다지는 것이 가장 좋다.
② 세립토가 많을수록 최적함수비는 증가한다.
③ 다짐에너지가 커질수록 최적함수비는 작다.
④ 비중이 같은 흙은 최대건조밀도가 높은 흙일수록 최적함수비가 낮다.

해설

현장 다짐기계

1. 점성토지반 : sheeps foot roller
2. 사질토지반 : 진동 roller

55 현장다짐시 흙의 단위중량과 함수비 측정방법으로 적당하지 않은 것은?

① 절삭법 ② 모래치환법
③ 관입시험법 ④ 고무막법

해설

흙의 단위중량 결정법

1. 모래치환법(sand cone method)
2. 고무막법(rubber baloon method)
3. 절삭법(core cutter method)
4. 방사선 밀도측정기에 의한 법(the use of unclear density meter)

50 ② 51 ③ 52 ① 53 ④ 54 ① 55 ③ [정답]

56 들밀도시험 중 모래치환법에서 모래는 무엇을 구하려고 이용하는가?

2007. 국가직 7급

① 시험구멍에서 파낸 흙의 중량
② 흙의 함수비
③ 시험구멍의 체적
④ 지반의 침하량

해설

측정지반의 흙을 파내어 구멍을 뚫은 후 모래를 이용하여 시험구멍의 체적을 구한다.

57 현장의 건조밀도시험에 사용되는 모래는 다음 어느 규격에 맞는 것이라야 하는가?

① No.10～200체 ② No.10～100체
③ No.4～200체 ④ No.40～200체

해설

들밀도시험에서 사용되는 모래는 No.10체를 통과하고 No.200체에 남는 씻은 모래를 사용한다.

58 모래치환법에 의한 흙의 들밀도 실험결과가 아래와 같다. 현장 흙의 건조단위중량은?

㉠ 실험구멍에서 파낸 흙의 중량 : 1800g
㉡ 실험구멍에서 파낸 흙의 함수비 : 20%
㉢ 실험구멍에 채워진 표준모래의 중량 : 1350g
㉣ 실험구멍에 채워진 표준모래의 단위중량 : 1.35g/cm^3

① 0.93g/cm^3 ② 1.13g/cm^3
③ 1.35g/cm^3 ④ 1.50g/cm^3

해설

1. $W_s = \dfrac{W}{1+\dfrac{w}{100}} = \dfrac{1800}{1+\dfrac{20}{100}} = 1500\text{g}$

2. $\gamma_{모} = \dfrac{W_{모}}{V}$ 에서 $1.35 = \dfrac{1350}{V}$ $\therefore V = 1000\text{cm}^3$

3. $\gamma_d = \dfrac{W_s}{V} = \dfrac{1500}{1000} = 1.5\text{g/cm}^3$

59 현장에서 습윤단위중량을 측정하기 위해 표면을 평활하게 한 후 시료를 굴착하여 무게를 측정하니 1230g이었다. 이 구멍의 부피를 측정하기 위해 표준사로 채우는 데 1044g이 필요하였다. 표준사의 단위중량이 1.45g/cm^{3}이면 이 현장 흙의 습윤단위중량은?

① 1.71g/cm^3 ② 1.61g/cm^3
③ 1.48g/cm^3 ④ 1.29g/cm^3

해설

1. $\gamma_{모} = \dfrac{W}{V}$ 에서 $1.45 = \dfrac{1044}{V}$ $\therefore V = 720\text{cm}^3$

2. $\gamma_t = \dfrac{W}{V} = \dfrac{1230}{720} = 1.71\text{g/cm}^3$

60 모래치환법에 의한 현장 들밀도시험 결과가 아래와 같다. 현장 흙의 건조단위중량[g/cm^3]은 얼마인가?

2012. 서울시 7급

- 시험공에서 파낸 흙의 무게 $W = 2{,}200\text{g}$
- 시험공에서 파낸 흙의 함수비 $w = 10\%$
- 시험공을 채우기 전의 표준사의 무게 $(W_o)_{sand} = 2{,}500\text{g}$
- 시험공을 채우고 남은 표준사의 무게 $(W_r)_{sand} = 1{,}000\text{g}$
- 표준사의 건조단위중량 $(\gamma_d)_{sand} = 1.5\text{g/cm}^3$

① 2.5 ② 2.2
③ 2.0 ④ 1.5

해설

1. $\gamma_{모래} = \dfrac{W}{V}$ $1.5 = \dfrac{2{,}500-1{,}000}{V}$ $\therefore V = 1{,}000\text{cm}^3$

2. $\gamma_t = \dfrac{W}{V} = \dfrac{2{,}200}{1{,}000} = 2.2\text{g/cm}^3$

3. $\gamma_d = \dfrac{\gamma_t}{1+\dfrac{w}{100}} = \dfrac{2.2}{1+\dfrac{10}{100}} = 2\text{g/cm}^3$

56 ③ 57 ① 58 ④ 59 ① 60 ③ [정답]

61 다음 토질시험 중 도로의 포장두께를 정하는데 많이 사용되는 것은?

① 표준관입시험 ② C.B.R 시험
③ 삼축압축시험 ④ 표준다짐시험

해설

포장두께 결정을 위한 지지력시험
1. 평판재하시험
2. CBR시험(지지력비시험)
3. 동탄성계수시험

62 도로의 평판재하시험시 침하량의 표준값은?

① 0.15mm ② 15mm ③ 0.25mm ④ 1.25mm

해설

침하량의 표준값은 콘크리트 포장인 경우는 0.125cm이고 아스팔트 포장인 경우는 0.25cm이다.

63 지름 30cm의 재하판을 사용하여 평판재하시험을 한 결과 재하판이 1.25mm 침하될 때 하중강도가 2.5kg/cm^{2}이었다. 지지력계수 K_{75}는?

① 18.7kg/cm^3 ② 14.0kg/cm^3
③ 9.1kg/cm^3 ④ 8.0kg/cm^3

해설

1. $K_{30}=\frac{q}{y}=\frac{2.5}{0.125}=20\text{kg/cm}^3$
2. $K_{30}=2.2K_{75}$
   $20=2.2K_{75}$
   $\therefore K_{75}=9.1\text{kg/cm}^3$

64 재하판 지름이 30cm일 때의 지지력계수 K_{30}= 22kg/cm^{3}를 얻었다. 이때, 40cm의 재하판을 사용한 경우 지지력계수 값은?

① 12kg/cm^3 ② 14kg/cm^3
③ 17kg/cm^3 ④ 20kg/cm^3

해설

1. $K_{30}=2.2K_{75}$
   $22=2.2K_{75}$
   $\therefore K_{75}=10\text{kg/cm}^3$
2. $K_{40}=1.7K_{75}=1.7\times10=17\text{kg/cm}^3$

65 다음은 평판재하시험에 관한 기술이다. 이 가운데 틀린 항은?

① 모형시험에서 얻은 자료를 설계에 응용하기 위해서는 토질종단을 알아야 한다.
② 지하수위의 변동사항을 알아야 한다.
③ 침하량 추정은 점성토의 경우 수정을 해야 한다.
④ 허용지지력은 항복하중의 1/3을 취한다.

해설

PBT시험에 의한 허용지지력은 $\frac{q_y}{2}$, $\frac{q_u}{3}$ 중에서 작은 값을 장기허용지지력으로 한다.

66 다음은 평판재하시험의 결과를 설계에 사용하기 전에 검토할 사항이다. 옳지 않은 것은?

① 토질종단을 조사하여 연약지반 여부를 조사한다.
② 지하수위는 계절적으로 변하므로 그 변동은 지지력에 관계없음을 알 수 있다.
③ 순수한 점토의 지지력은 재하판의 크기에 관계없다.
④ 순수한 모래질 흙의 지지력은 재하판의 폭에 비례한다.

해설

평판재하시험 결과를 이용할 때 유의사항
1. 토질종단을 알아야 한다.
2. 지하수위면과 그 변동을 고려하여야 한다(지하수위가 상승하게 되면 지지력이 약 50% 정도 감소한다).
3. scale effect를 고려한다.

61 ② 62 ④ 63 ③ 64 ③ 65 ④ 66 ② [정답]

67 평판재하시험에 대한 설명 중 옳지 않은 것은?

① 순수한 점토의 지지력은 재하판 크기와 관계없다.
② 순수한 모래지반의 지지력은 재하판의 폭에 비례한다.
③ 순수한 점토의 침하량은 재하판의 폭에 비례한다.
④ 순수한 모래지반의 침하량은 재하판의 폭에 비례한다.

해설

재하판 크기에 대한 보정

1. 지지력
   ① 점토지반 : 재하판 폭에 무관한다.
   ② 모래지반 : 재하판 폭에 비례한다.
2. 침하량
   ① 점토지반 : 재하판 폭에 비례한다.
   ② 모래지반 : 재하판의 크기가 커지면 약간 커지긴 하지만 폭에 비례할 정도는 아니다.

68 평판재하시험 결과를 이용할 때 고려해야 할 사항 중 틀린 것은?

① Scale effect를 고려할 때 모래의 경우 침하량은 기초의 폭에 비례한다.
② Scale effect를 고려할 때 점토의 지지력은 재하판 크기와는 무관하다.
③ 지하수위가 상승하면 흙의 유효밀도는 대략 50% 정도 저하하며, 강도는 1/2로 준다.
④ 시험한 지점의 토질종단을 알아서 예기치 못한 침하와 기초지반의 파괴에 대비한다.

해설

사질토 지반의 침하량은 기초의 폭 B에 비례하지 않는다.

$$S_{(기초)}=S_{(재하판)}\left[\frac{2B_{(기초)}}{B_{(기초)}+B_{(재하판)}}\right]^2$$

69 점착력이 없는 사질토 지반 위에서 직경 70cm인 원형 재하판을 이용한 평판 재하시험을 실시한 결과, 극한지지력은 285.6kN/m²이었다. 동일 지반 위에 놓인 직경 1.5m인 원형기초의 극한지지력 [kN/m²]은? 2012. 국가직 7급

① 512 ② 525
③ 612 ④ 625

해설

$$q_{u(기초)}=\frac{1.5}{0.7}\times 285.6=612\text{kN/m}^2$$

70 크기가 30cm×30cm의 평판을 이용하여 사질토 위에서 평판재하시험을 실시하고 극한지지력 20t/m²을 얻었다. 크기가 1.8m×1.8m인 정사각형 기초의 총 허용하중은? (단 안전율 3을 사용)

① 90t ② 110t
③ 130t ④ 150t

해설

1. 정사각형 기초의 극한지지력

$$q_{u(기초)}=q_{u(재하판)}\cdot\frac{B_{(기초)}}{B_{(재하판)}}$$

$$=20\times\frac{1.8}{0.3}=120\text{t/m}^2$$

2. $q_a=\dfrac{q_u}{F_s}=\dfrac{120}{3}=40\text{t/m}^2$

3. $q_a=\dfrac{P}{A}$ 에서

$$40=\frac{P}{1.8\times1.8}$$

$\therefore P=129.6\text{t}$

71 포화점토지반에서 직경이 30cm의 평판재하시험 결과, 극한 지지력은 50kPa로 나타났다. 포화점토지반 위에 놓인 직경이 1.5m 원형기초의 극한지지력으로 옳은 것은? 2016. 서울시 7급

① 25kPa ② 50kPa
③ 100kPa ④ 250kPa

해설

점토지반의 지지력은 기초의 폭과 무관하다.

67 ④ 68 ① 69 ③ 70 ③ 71 ② [정답]

72 **평판재하시험에서 결과를 이용할 때 고려해야 할 사항들 중 틀린 것은?**

① Scale effect를 고려할 때 모래지반의 경우 지지력은 재하판의 폭에 비례한다.
② Scale effect를 고려할 때 점토지반의 침하량은 재하판의 폭에 무관하다.
③ 지하수위가 상승하면 흙의 유효밀도는 약 50% 정도 저하한다.
④ 허용지지력은 항복하중의 1/2, 극한하중의 1/3의 값 중 작은 값으로 결정한다.

해설

재하판 크기에 대한 보정(scale effect)

1. 지지력
   ① 점토지반 : 재하판 폭에 무관하다.
   ② 모래지반 : 재하판 폭에 비례한다.
2. 침하량
   ① 점토지반 : 재하판 폭에 비례한다.
   ② 모래지반 : 재하판의 크기가 커지면 약간 커지긴 하지만 폭에 비례할 정도는 아니다.

73 **평판재하시험(Plate Load Test)에 대한 설명으로 옳지 않은 것은?** 2013. 국가직 7급

① 평판재하시험을 하기위해 굴착 깊이에서 굴착단면의 최소 직경은 4B(B는 시험판의 직경)가 되도록 한다.
② 하중은 예상되는 극한하중의 1/4~1/5 정도로 단계별로 증가 시키면서 가한다. 각 단계의 하중을 가한 후부터 최소한 1시간이 경과된 후에 다음 단계의 하중을 가한다. 시험은 파괴가 발생하거나 침하가 적어도 25mm가 발생할 때까지 실시한다.
③ 순수한 사질토지반에서 예상 기초의 침하량은 사용한 시험판(재하판)의 크기와 관계없이 결정된다.
④ 순수한 점토지반에서 예상 기초의 지지력은 사용한 시험판(재하판)의 크기와 관계없이 결정된다.

해설

$$S_{(기초)}=S_{(재하판)}\left[\frac{2B_{(기초)}}{B_{(기초)}+B_{(재하판)}}\right]^2$$

74 **평판재하시험에서 단계적으로 하중을 가한다. 1단계 하중강도는?**

① 0.35kg/cm^2　② 0.25kg/cm^2
③ 0.15kg/cm^2　④ 0.1kg/cm^2

해설

도로의 평판재하시험은 0.35kg/cm^2씩 하중을 증가시킨다.

75 **도로의 평판재하시험이 끝나는 다음 조건 중 옳지 않은 것은?**

① 완전히 침하가 멈출 때
② 침하량이 15mm에 달할 때
③ 하중강도가 그 지반의 항복점을 넘을 때
④ 하중강도가 현장에서 예상되는 최대 접지압력을 초과할 때

해설

평판재하시험이 끝나는 조건

1. 침하량이 15mm에 달할 때
2. 하중강도가 최대 접지압을 넘어 항복점을 초과할 때

76 **어느 지반에 30cm×30cm 재하판을 이용하여 평판재하시험을 한 결과, 항복하중이 5.4t, 극한하중이 10.8t 이었다. 이 지반의 허용지지력은 다음 중 어느 것인가?**

① 25t/m^2　② 30t/m^2
③ 35t/m^2　④ 40t/m^2

해설

1. $\dfrac{q_y}{2}=\dfrac{\frac{5.4}{0.3\times0.3}}{2}=30\text{t/m}^2$
2. $\dfrac{q_u}{3}=\dfrac{\frac{10.8}{0.3\times0.3}}{3}=40\text{t/m}^2$
3. $\dfrac{q_y}{2}$, $\dfrac{q_u}{3}$ 중에서 작은 값이 q_a이므로 $q_a=30\text{t/m}^2$

72 ② 73 ③ 74 ① 75 ① 76 ② [정답]

77 실내 CBR 시험에 있어서 공시체 다짐에 관하여 맞는 것은 어느 것인가?

① 시료는 5층으로 나누어 55회, 25회, 10회로 45cm 높이에서 자유낙하시켜 3개 mold 제작
② 시료는 3층으로 나누어 55회, 25회, 20회로 45cm 높이에서 자유낙하시켜 3개 mold 제작
③ 시료는 5층으로 나누어 55회, 25회, 10회로 45cm 높이에서 자유낙하시켜 5개 mold 제작
④ 시료는 3층으로 나누어 55회, 25회, 10회로 45cm 높이에서 자유낙하시켜 5개 mold 제작

해설

실내 CBR(KS F 2320)

1. 허용 최대입경이 38.1mm일 때 최적함수비에서 3층 92회, 42회, 17회의 다짐에 의한 공시체를 제작한다.
2. 허용 최대입경이 19.1mm일 때 최적함수비에서 5층 55회, 25회, 10회의 다짐에 의한 공시체를 제작한다.

78 CBR에 대한 설명 중 옳지 않은 것은?

① CBR 값은 강성포장의 두께를 결정하는데 주로 쓰이는 값이다.
② 실험실에서의 길 바탕흙 지지력비 시험방법과 현장에서의 길 바탕흙 지지력비 시험방법이 있다.
③ 다짐한 흙시료에 지름 5cm의 강봉을 관입시켰을 때의 표준하중강도와 하중강도와의 비를 백분율로 표시한 값이다.
④ $CBR_{5.0} > CBR_{2.5}$의 경우 재시험하고, 그래도 $CBR_{5.0}$이 $CBR_{2.5}$보다 클 때는 $CBR_{5.0}$ 값을 CBR 값으로 한다.

해설

1. CBR 시험은 아스팔트포장과 같은 연성포장(가요성포장) 두께를 산정할 때 사용되고 PBT 시험은 콘크리트포장과 같은 강성포장 두께를 산정할 때 사용된다.
2. CBR 시험은 실험실 CBR 시험과 현장 CBR 시험이 있다.
3. 지름 5cm의 강봉을 관입시켜 어느 관입깊이에서의 표준단위하중에 대한 그의 관입깊이에서의 시험 단위하중의 비를 백분율로 나타낸 것이다.

$$CBR = \frac{\text{시험단위하중}}{\text{표준단위하중}} \times 100(\%)$$

79 CBR 시험에서 CBR 값이 100%라는 것은 지름 5cm의 관입 피스톤이 2.5mm 관입될 경우 얼마의 시험단위하중을 받는가?

① $2060kg/cm^2$　② $1370kg/cm^2$
③ $105kg/cm^2$　④ $70kg/cm^2$

해설

관입량(mm)	2.5	5.0
표준단위하중(kg/cm^2)	70	105
표준하중(kg)	1370	2030

80 CBR 시험에서 지름 5cm의 피스톤이 2.5mm 관입될 때 표준하중강도는?

① $105kg/cm^2$　② $70kg/cm^2$
③ $125kg/cm^2$　④ $207kg/cm^2$

해설

관입량(mm)	2.5	5.0
표준하중강도(kg/cm^2)	70	105

81 지름 5cm의 강으로 된 원봉을 흙 중에 관입시켜 2.5mm의 관입량을 얻었다. 이때의 시험단위하중강도가 $35kg/cm^2$, 전하중이 1370kg이었다면 CBR은?

① 35%　② 40%
③ 45%　④ 50%

해설

$$CBR_{2.5} = \frac{\text{시험단위하중}}{\text{표준단위하중}} \times 100 = \frac{35}{70} \times 100 = 50\%$$

77 ①　78 ①　79 ④　80 ②　81 ④ [정답]

82 CBR 시험에서 관입깊이가 2.5mm일 때 piston에 작용하는 하중이 900kg이다. 이 재료의 $CBR_{2.5}$의 값은?

① 80%　　② 65.7%
③ 63.3%　　④ 60.5%

해설

$$CBR_{2.5} = \frac{\text{시험하중}}{\text{표준하중}} \times 100$$
$$= \frac{900}{1370} \times 100 = 65.69\%$$

83 CBR 시험을 실시하여 다음의 그림과 같은 관입량과 하중과의 관계를 얻었다. 이 흙이 2.5mm일 때의 CBR은? (단, 관입량 2.5mm 때의 표준하중은 1370kg이고, 표준하중강도는 70kg/cm^{2}이다)

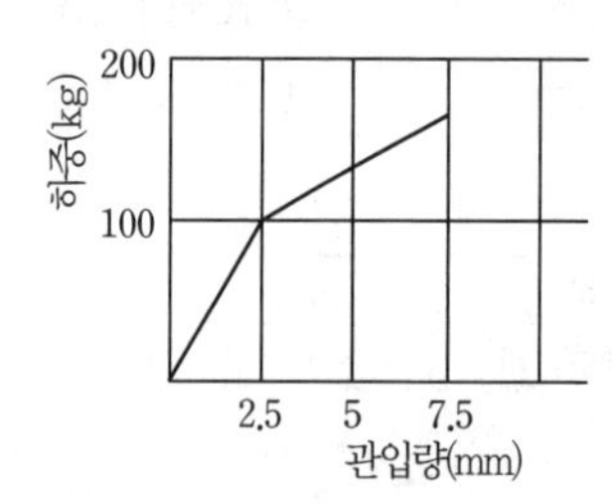

① 7.3%　　② 13.7%
③ 14.3%　　④ 70.0%

해설

$$CBR_{2.5} = \frac{\text{시험하중}}{\text{표준하중}} \times 100$$
$$= \frac{100}{1370} \times 100 = 7.3\%$$

84 CBR 시험 결과 관입량 2.5mm 및 5.0mm에 대한 시험하중(전하중)은 137kg 및 180kg으로 측정되었다. 이 흙의 CBR 값은?

① 1.4　② 1.8　③ 8.9　④ 10

해설

1. $CBR_{2.5} = \frac{137}{1370} \times 100 - 10\%$
2. $CBR_{5.0} = \frac{180}{2030} \times 100 = 8.9\%$
3. $CBR_{2.5} > CBR_{5.0}$이므로 $CBR = CBR_{2.5} = 10\%$

85 CBR 시험을 한 결과 관입량이 5.0mm일 때의 $CBR_{5.0}$값이 관입량 2.5mm일 때의 $CBR_{2.5}$값보다 클 때에는 재시험을 해야 하고 재시험을 해도 $CBR_{5.0}$이 클 때에는 어떤 값을 CBR로 해야 하는가?

① $CBR_{2.5}$　　② $CBR_{5.0}$
③ $\frac{CBR_{2.5} + CBR_{5.0}}{2}$　　④ $CBR_{2.5} + CBR_{5.0}$

86 CBR 시험에서 피스톤이 2.5mm 관입될 때와 5mm 관입될 때를 비교한 결과 5mm 값이 더 크게 나타났다. 어떻게 하여 CBR 값을 결정하는가?

① 그대로 5mm 값을 CBR 값으로 한다.
② 2.5mm 값과 5mm 값의 평균값을 CBR 값으로 한다.
③ 5mm 값을 무시하고 2.5mm 값을 표준으로 하여 CBR 값으로 한다.
④ 되풀이 시험해서 그래도 5mm 값이 크게 나오면 그대로 5mm 값을 CBR 값으로 한다.

해설

1. $CBR_{2.5} > CBR_{5.0}$이면 $CBR = CBR_{2.5}$로 한다.
2. $CBR_{2.5} < CBR_{5.0}$이면 재시험하고 재시험 후
   ① $CBR_{2.5} > CBR_{5.0}$이면 $CBR = CBR_{2.5}$로 한다.
   ② $CBR_{2.5} < CBR_{5.0}$이면 $CBR = CBR_{5.0}$으로 한다.

82 ② 83 ① 84 ④ 85 ② 86 ④ [정답]

Chapter 10

흙의 다짐

기출 및 적중예상문제 Ⅱ [5지선다형]

여기에 수록된 「기출문제」는 수험생들의 기억을 바탕으로 유사한 유형의 문제로 새로이 창작하여 구성하였습니다. 따라서 원안과 동일하지는 않지만 출제 수준과 경향을 파악하는 데 결정적인 도움을 주리라 믿습니다.

01 다짐에 관한 다음 설명 중 틀린 것은 어느 것인가?

① 입도배합이 양호한 흙에서는 건조밀도가 높다.
② 사질분을 많이 내포하고 있는 흙은 다짐곡선의 기울기가 급하다.
③ 점토분이 많은 흙에서는 최적함수비가 일반적으로 낮다.
④ 동일한 흙일지라도 다짐기계에 따라 다짐효과는 상이하다.
⑤ 모래분이 많은 흙에서는 최적함수비가 낮다.

해설

점토분이 많을수록 최대건조밀도는 작아지고 최적함수비는 커진다.

02 한국산업규격이 KS F 2312에 규정된 A 다짐시험 방법이 아닌 것은?

2005. 서울시 7급

① 래머무게 = 2.5kg
② 몰드직경 = 150mm
③ 낙하높이 = 30cm
④ 허용최대입경 = 19mm
⑤ 매 층당 타격횟수 = 25회

해설

다짐방법의 종류

다짐 방법의 호칭명	래머 무게 (kg)	몰드 안지름 (cm)	다짐 층수	1층당 다짐 횟수	허용 최대 입경(mm)	몰드의 체적 (cm^3)
A	2.5	10	3	25	19	1000
B	2.5	15	3	55	37.5	2209
C	4.5	10	5	25	19	1000
D	4.5	15	5	55	19	2209
E	4.5	15	3	92	37.5	2209

03 다음 중 흙의 다짐에 관한 설명으로서 틀린 것은?

① 동일(同一)한 흙에서 다짐에너지가 크면 일반적으로 최적함수비가 작다.
② 점성토(黏性土)의 최적함수비(最適含水比)는 사질토(砂質土)의 최적함수비(最適含水比)보다 일반적으로 작다.
③ 입도(粒度)가 좋은 흙일수록 최대건조밀도(最大乾燥密度)가 크다.
④ 동일(同一)한 건조밀도(乾燥密度)가 되도록 다짐한 흙의 전단강도(剪斷强度)는 일반적으로 건조측이 습윤측보다 크다.
⑤ 다짐에너지가 크면 클수록 최대건조밀도(最大乾燥密度)가 크다.

해설

1. 최적함수비는 점성토가 사질토보다 크다.
2. 최대건조밀도는 사질토가 점성토보다 크다.
3. 전단강도는 동일한 다짐에너지에서는 건조측이 습윤측보다 훨씬 크다.

01 ③ 02 ② 03 ② [정답]

04 흙의 다짐에 대한 기술 중 틀린 것은 어느 것인가?

① 입도조성이 양호한 흙일수록 일반적으로 최대건조밀도가 높다.
② 점토분이 많은 흙일수록 사질분의 흙에 비해 일반적으로 기울기가 급하다.
③ 동일한 흙일지라도 다짐기계의 종류에 따라 다짐효과는 상이하다.
④ 다짐에너지는 래머의 중량, 낙하고, 낙하횟수 등에 비례한다.
⑤ 흙이 조립토에 가까울수록 일반적으로 최적함수비는 작다.

해설

점토가 많을수록 다짐곡선의 기울기는 완만하고, 사질토가 많을수록 기울기는 급하다.

05 현장의 건조밀도시험에 사용되는 모래는 다음 어느 규격에 맞는 것이라야 하는가?

① No.10체～No.200체
② No.10체～No.100체
③ No.4체～No.200체
④ No.40체～No.200체
⑤ No.60체～No.100체

해설

No.10～No.200의 물로 씻어서 충분히 건조된 유동성 있는 모래를 사용한다.

06 동일한 건조밀도가 되도록 다지는 경우 건조측으로 다진 흙의 전단강도가 습윤측으로 다진 흙의 전단강도보다 큰 이유로서 틀린 것은 어느 것인가?

① 모관압력에 의한 유효응력이 건조측에서 더 크다.
② 건조측 흙의 구조는 면모화구조이다.
③ 건조측에서는 흙의 이중층이 충분히 발달하지 못하기 때문이다.
④ 습윤측의 흙의 구조는 분산구조(dispersed)에 가깝다.
⑤ 건조측의 흙의 팽창성이 크기 때문이다.

해설

최적함수비보다 건조측의 함수비로 다진다면 면모구조로 된다. 이는 낮은 함수비에서 이온이중층이 완전히 발달할 수 없어서 입자 사이의 반발작용이 감소하기 때문이다. 이 때문에 점토입자는 면모화를 띠고 보다 낮은 단위중량이 된다.

07 모래치환법에 의한 들밀도시험 결과가 아래와 같았다. 현장 흙에 대한 건조단위중량은?

- 실험구멍에서 파낸 흙의 무게 : 1600g
- 실험구멍에서 파낸 흙의 함수비 : 20%
- 실험구멍에 채워진 표준모래의 무게 : 1350g
- 실험구멍에 채워진 표준모래의 단위중량 : $1.35g/cm^3$

① $0.93g/cm^3$ ② $1.13g/cm^3$
③ $1.33g/cm^3$ ④ $1.53g/cm^3$
⑤ $2.12g/cm^3$

해설

1. $\gamma_{모}=\dfrac{W}{V}$

   $1.35=\dfrac{1350}{V}$ $\quad\therefore V=1000cm^3$

2. $\gamma_t=\dfrac{W}{V}=\dfrac{1600}{1000}=1.6g/cm^3$

3. $\gamma_d=\dfrac{\gamma_t}{1+\dfrac{w}{100}}=\dfrac{1.6}{1+\dfrac{20}{100}}=1.33g/cm^3$

04 ② 05 ① 06 ⑤ 07 ③ [정답]

08 평판재하시험에서 단계적으로 하중을 가한다. 제1 단계 하중강도는?

① $0.35kg/cm^2$ ② $0.25kg/cm^2$
③ $0.15kg/cm^2$ ④ $0.1kg/cm^2$
⑤ $0.50kg/cm^2$

해설

도로의 평판재하시험

1. $0.35kg/cm^2$씩 하중을 증가시킨다.
2. 침하량이 15mm에 달하거나 하중강도가 현장에서 예상되는 최대 접지압 또는 지반의 항복점을 넘으면 시험을 멈춘다.

09 다음 토질시험 중 도로의 포장설계에 사용되는 시험은?

① 삼축압축시험 ② 압밀시험
③ 베인전단시험 ④ 지지력비시험
⑤ 표준관입시험

해설

지지력시험

1. PBT(평판재하시험)
2. CBR(노상토 지지력비시험)

10 사질토지반에서 직경 30cm 평판재하시험 결과 $30tf/m^2$의 압력이 작용할 때 침하량이 10mm라면, 직경 1.5m의 실제 기초에 $30tf/m^2$의 하중이 작용할 때 침하량의 크기는?

2005. 서울시 7급

① 55.6mm ② 27.8mm
③ 13.9mm ④ 6.9mm
⑤ 3.5mm

해설

$$S_{(기초)}=S_{(재하판)}\left[\frac{2B_{(기초)}}{B_{(기초)}+B_{(재하판)}}\right]^2$$

$$=1\times\left[\frac{2\times150}{150+30}\right]^2$$

$$=2.78cm=27.8mm$$

11 CBR시험에서 CBR값이 100%라는 것은 직경 5cm 피스톤이 2.5mm 관입될 때의 어느 때를 말하는가?

① $105kg/cm^2$의 하중을 받을 때를 말한다.
② $134kg/cm^2$의 하중을 받을 때를 말한다.
③ $70kg/cm^2$의 하중을 받을 때를 말한다.
④ $183kg/cm^2$의 하중을 받을 때를 말한다.
⑤ $95kg/cm^2$의 하중을 받을 때를 말한다.

제10장

08 ① 09 ④ 10 ② 11 ③ [정답]

토목직 공무원·공기업 토질역학

사면의 안정

Chapter 11

사면의 안정

01 개설

수평면과 90° 이내의 각을 이루고 있는 지표면을 **사면**(slope)이라고 하며 성토나 절토 같은 흙공사에 의해 인공적으로 이루어진 경사면을 **법면**(法面)이라고 하기도 한다.

지표면이 기울어져 사면을 이루고 있을 때 흙이 중력작용을 받아 높은 부분에서 얕은 부분으로 이동하게 된다. 이때, 어느 면에서 전단응력이 발생하는데 이 전단응력이 전단강도를 넘으면 이 면에 **활동**(land slide)이 일어나 사면에 붕괴가 일어난다. 사면불안정 원인은 지형의 기하학적 변경, 수위강하 등 여러 가지가 있지만 우리나라에서는 강우가 직접적인 원인인 경우가 대부분이다.

1. 사면의 분류

(1) 유한사면(finite slope)

활동면의 깊이가 사면의 높이에 비해 비교적 큰 사면을 **유한사면**이라 한다.

① **단순사면** : 사면의 경사가 균일하고 사면의 상하단에 접한 지표면이 수평인 사면이다.

② **복합사면** : 사면의 경사가 중간에서 변화하고 사면의 상하단에 접한 지표면이 수평이 아닌 사면이다.

(2) 무한사면(infinite slope)

활동면의 깊이가 사면의 높이에 비해 작은 사면을 **무한사면**이라 한다.

2. 사면파괴의 형태

유한사면의 활동면의 형상은 원호, 비원호, 복합적인 곡선의 모양이며, 무한사면은 사면의 표면과 평행한 직선이다. 인공사면과 같이 상당한 깊이까지 흙이 균질하다면 원호 또는 이에 가까운 활동면이 생기고, 연약한 층이 아래에 존재한다면 곡선과 직선의 복합곡선이 생긴다.

(1) 단순사면

활동면의 형상은 원호에 가까운 곡면을 이룬다.

① **사면 내 파괴**(slope failure) : 견고한 지층이 얕은 곳에 있으면 활동면은 매우 얕게 형성되어 사면의 중간에 나타난다.

② **사면 선단파괴**(toe failure) : 사면의 경사가 급하고 비점착성의 토질에서 원호활동면이 비교적 얕게 형성되어 사면의 선단에 나타난다.

③ **저부파괴**(base failure) : 사면의 경사가 완만하고 점착성의 토질에서 암반 또는 견고한 지층이 깊은 곳에 있으면 원호활동면이 깊게 형성되어 사면 선단의 전방에 나타난다. 이 때 파괴원은 중심이 사면의 중앙점 연직선 위에 위치하므로 **중앙점원**(midpoint circle)이라 한다.

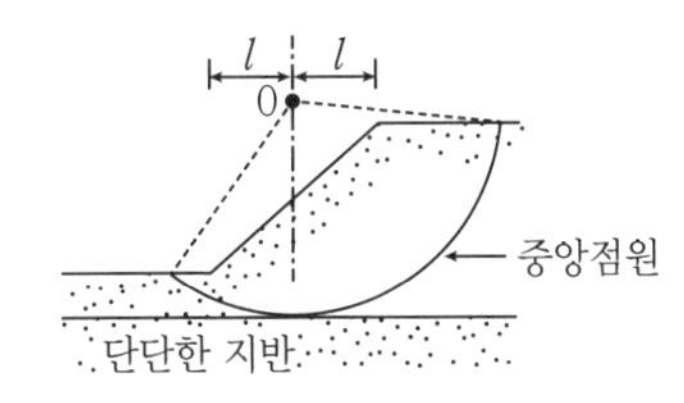

[그림 11-1] 저부파괴

(2) 복합사면

활동면의 형상은 복합활동면을 이룬다.

(3) 무한사면

활동면의 형상은 사면에 평행한 평면활동면을 이룬다.

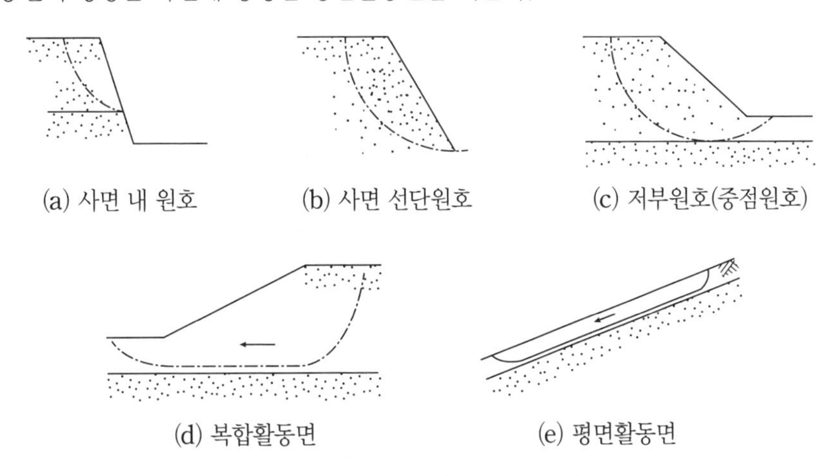

[그림 11-2] 토질사면의 파괴형태

3. 사면붕괴의 분류, land creep와 land slide

(1) 사면붕괴의 분류

① **붕락(falls)** : 연직으로 깎은 비탈의 일부가 낙하하거나 굴러서 아래로 떨어지는 현상을 말한다. 이때 떨어지는 물체와 비탈 사이에는 전단변위가 거의 없으며 낙하속도는 매우 빠르다.

② **활동(slides)** : 활동체와 활동면 사이에 전단변형에 의해서 발생되는 현상이다.

③ **유동(flows)** : 활동깊이에 비해서 활동길이가 대단히 길며 전단저항력의 부족으로 인한 활동이라기보다는 소성적인 활동이 지배적이기 때문에 토사가 대부분 아래로 흘러내리는 특징이 있다. 따라서 활동속도가 대단히 느리고 이로 인하여 비탈이 불안정하게 되면 지반은 creep 변형이 발생한다.

(2) land creep와 land slide

① land creep

㉠ **정의** : 사면이 비교적 완만한 경우에(경사가 5～20°) 중력작용에 의해 낮은 곳으로 이동하는 현상으로 주로 풍화된 층의 토사나 암층의 표층이 이동하게 한다. 이동속도가 완만하고 강우, 융설에 의한 지하수위가 상승하거나 침식이 진행되는 과정에서 발생하기 쉽다.

㉡ 대책공법

ⓐ **land creep 운동을 저지하는 구조물의 설치** : 활동면의 선단에 옹벽 등을 설치하고 활동면을 관통시키는 말뚝을 설치한다.

ⓑ **배수** : 지표에 잡석으로 배수로를 설치하여 지표수의 침투를 방지하거나 지하에 배수암거를 설치하여 흙의 강도를 증대시키고 침투수에 의한 간극수압을 감소시킨다.

ⓒ 윗부분 흙을 제거하여 land creep의 힘을 감소시킨다.

② land slide

㉠ **정의** : 사면이 급경사인 경우(경사가 30° 이상) 중력작용에 의해 낮은 곳으로 이동하는 현상으로 호우나 지진 등에 의하여 흙 속의 응력이 증대하고 강도가 감소하면 발생한다. 이동속도가 매우 빠르며 대부분이 순간적으로 일어난다.

㉡ 대책공법

ⓐ **느슨한 모래사면** : 밀도를 크게 한다.

ⓑ **연약한 점토사면** : 배수에 의해 전단강도를 증가시킨다.

ⓒ **경점토사면** : 경사를 완만하게 한다.

[표 11-1] land creep와 land slide의 비교

구분	land creep	land slide
원인	전단강도 감소(지하수위 상승)	전단응력 증가(호우, 지진)
발생시기	강수 후 시간 경과	• 호우 중·직후 • 지진시
지형	완경사(5~20°)	급경사(30° 이상)
발생형태	• 이동속도가 느리고 연속적이다. • 규모가 크다.	• 이동속도가 빠르고 순간적이다. • 규모가 작다.

4. 사면파괴의 원인

내적인 원인(사면 자체의 특성에 기인)	외적인 원인(자연적 또는 인위적 작용에 기인)
① 급한 사면의 경사 ② 낮은 강도 또는 풍화되기 쉬운 토질 ③ 지표수가 침투하기 쉬운 지반 또는 지형 ④ 지하수가 풍부한 지층	① 자연적 침식에 의한 사면형상의 변화 ② 인위적인 굴착 또는 성토 ③ 지진력의 작용 ④ 댐 또는 제방의 수위 급변 ⑤ 강수, 폭설, 침수 등에 의한 간극수압의 상승, 자중의 증가, 강도의 저하

02 사면의 안정계산

1. 용어설명

(1) 임계활동면(critical surface)

사면 내에 몇 개의 가상활동면 중에서 안전율의 값이 최소인 활동면을 **임계활동면**이라 한다.

(2) 임계원(critical circle)

안전율이 최소로 되는 활동면을 만드는 원을 **임계원**이라 한다.

2. 안전율

(1) 원형 활동면에 대해서 모멘트에 착안하면

$$F_s = \frac{\text{활동에 저항하는 힘의 모멘트}}{\text{활동을 일으키는 힘의 모멘트}} = \frac{M_r}{M_d} \quad \cdots\cdots (11-1)$$

(2) 원형 활동면에 대해서 전단력에 착안하면

$$F_s = \frac{\text{활동면상의 전단강도의 합}}{\text{활동면상의 실제 전단응력의 합}} = \frac{\tau_f}{\tau_d} = \frac{c + \bar{\sigma}\tan\phi}{c_d + \bar{\sigma}\tan\phi_d} \quad \cdots\cdots (11-2)$$

(3) 복합 활동면의 경우 이동방향에 대해서 착안하면

$$F_s = \frac{\text{운동에 저항하려는 힘}}{\text{운동을 일으키려는 힘}} \quad \cdots\cdots (11-3)$$

[표 11-2] 소요 안전율의 예

안전율	안정성
$F_s < 1.0$	불안정
$F_s = 1 \sim 1.2$	안정성에 불안
$F_s = 1.3 \sim 1.4$	사면, 성토에는 흡족, 흙댐에는 불안
$F_s > 1.5$	흙댐에 안정, 더욱 지진을 고려할 때 필요

03 유한사면의 안정해석법(단순사면의 경우)

1. 평면파괴면을 갖는 사면의 안정해석(Culmann의 도해법)

Culmann의 도해법은 거의 연직사면에 대해서만 만족할만한 결과를 얻을 수 있다.

(1) 안전율

① 쐐기 ABC의 무게

$$W = \frac{1}{2} H \overline{BC} \cdot 1 \cdot \gamma_t$$

$$= \frac{1}{2} H (H\cot\theta - H\cot\beta)\gamma_t = \frac{1}{2}\gamma_t H^2 (\cot\theta - \cot\beta)$$

$$=\frac{1}{2}\gamma H^2\left[\frac{\sin(\beta-\theta)}{\sin\beta\cdot\sin\theta}\right] \quad \cdots\cdots (11-4)$$

② AC면에 대한 W의 법선, 접선성분

㉠ $N_a=W\cos\theta$ ⋯⋯ (11-5)

㉡ $T_a=W\sin\theta$ ⋯⋯ (11-6)

③ AC면에 대한 평균 저항전단응력

$$T_r=\overline{AC}\cdot c+N_a\tan\phi \quad \cdots\cdots (11-7)$$

④ 안전율

$$F_s=\frac{T_r}{T_a} \quad \cdots\cdots (11-8)$$

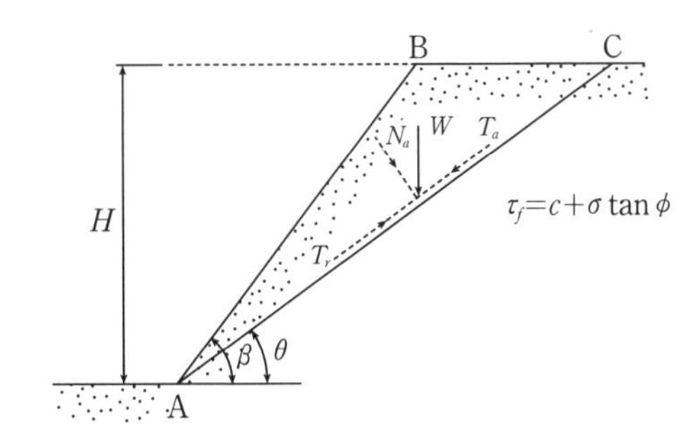

[그림 11-3] Culmann의 방법에 의한 유한사면의 해석

(2) 한계고

$$H_c=\frac{4c}{\gamma_t}\left[\frac{\sin\beta\cdot\cos\phi}{1-\cos(\beta-\phi)}\right] \quad \cdots\cdots (11-9)$$

(3) 직립면의 한계고

$\beta=90°$이므로

$$H_c=\frac{4c}{\gamma_t}\left(\frac{\cos\phi}{1-\sin\phi}\right)=\frac{4c}{\gamma_t}\tan\left(45°+\frac{\phi}{2}\right) \quad \cdots\cdots (11-10)$$

(4) 인장균열을 고려할 때

$$H_c'=\frac{2}{3}H_c(\text{Terzaghi}) \quad \cdots\cdots (11-11)$$

2. 안정도표(stability chart)에 의한 사면의 안정해석

안정도표는 단순사면에 대한 안정해석의 결과를 도표화한 것으로서 Taylor가 발표한데 이어 Janbu, Bishop–Morgenstern 등의 안정도표가 있다.

Taylor의 안정도표는 공극수압이 없는 단순사면에 대하여 N_s와 β와의 관계를 도표화한 것이다.

(1) 한계고

$$H_c = \frac{N_s c}{\gamma_t} \quad \cdots\cdots (11-12)$$

① $N_s = \dfrac{1}{\text{안정수}}$ ⋯⋯(11−13)

② 안정수(stability number)

$$m = \frac{1}{4}\tan\frac{\beta}{2} \quad \cdots\cdots (11-14)$$

여기서, N_s : 안정계수(stablility factor)

(2) 안전율

$$F_s = \frac{H_c}{H} \quad \cdots\cdots (11-15)$$

(3) 심도계수(depth function ; N_d)

$$N_d = \frac{H'}{H} \quad \cdots\cdots (11-16)$$

여기서, H : 사면의 높이

H' : 사면의 어깨에서 지반까지의 깊이

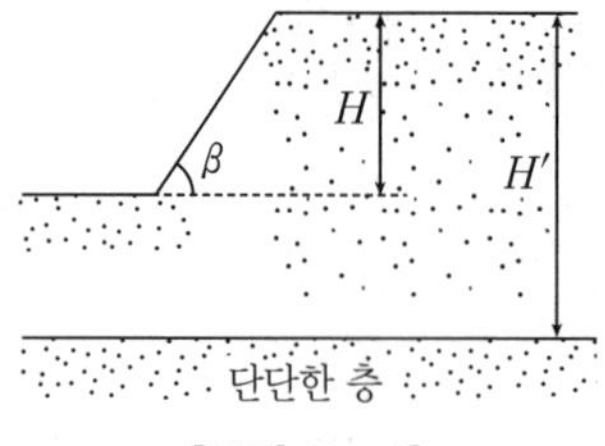

[그림 11-4]

(4) 단순사면의 파괴형태

① $\beta \geqq 53°$: 항상 사면선단파괴가 발생한다.

② $\beta < 53°$: N_d에 따라 파괴형태가 달라진다(N_d가 클수록 사면내파괴에서 사면선단파괴, 저부파괴로 된다).

③ $N_d \geqq 4$: 항상 저부파괴가 발생한다.

3. 원호파괴면을 갖는 사면의 안정해석

대부분의 사면안정해석은 가상 파괴곡선을 원호로 가정해서 구하고 있다.

(1) 질량법(mass procedure)

파괴면 위의 흙을 하나의 물체(body)로 보고 해석하는 방법으로 사면을 형성하는 흙이 균질한 경우에 유용한 방법이나 실제 대부분의 자연사면의 경우 거의 적용할 수 없다.

① $\phi=0$ 해석법

㉠ 포화점토의 비배수상태(급속재하)에서의 시공 직후 안정해석법으로 전응력 해석법이다.

㉡ 안전율

$$F_s=\frac{M_r}{M_d}=\frac{c_u r L_a}{Wd} \qquad \cdots\cdots (11-17)$$

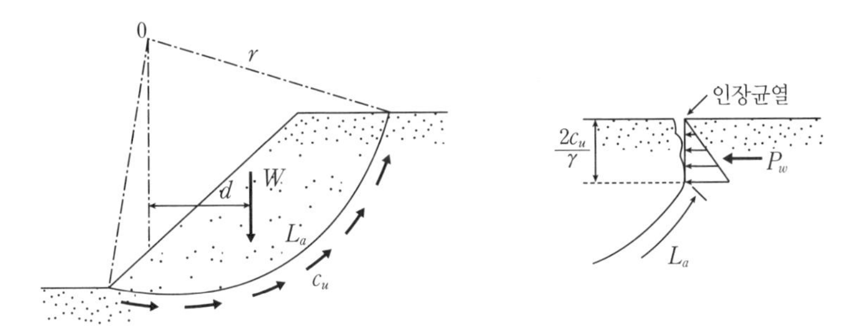

[그림 11-5] $\phi=0$ 해석

② $\phi>0$ 해석법(마찰원법)

㉠ Taylor가 발전시킨 전응력 해석법이다.

㉡ 임의로 가정한 원호활동면의 반력의 작용선은 마찰원에 접한다는 원리이며 안정해석 순서는 다음과 같다.

ⓐ 가상활동원을 그린다(r과 중심각 θ).

ⓑ r과 θ로서 호의 길이(L_a) 및 현의 길이(L_c)를 구한다.

ⓒ 마찰원의 반지름은 $r\sin\phi_d$이고 $r_c=\frac{L_a}{L_c}r$이다.

ⓓ W=흙쐐기 ABC의 무게=ABC 면적×γ

ⓔ R은 활동면을 따라서 생기는 법선력 및 마찰력의 합력으로 평형상태에서 R의 작용선은 W와 C의 작용선의 교점을 지난다.

ⓕ $\tan\phi_d=\dfrac{\tan\phi}{F_\phi}$가 되도록 내부마찰각에 따른 F_ϕ를 가정하여 ϕ_d를 구한다.

ⓖ 현 AB에 평행한 전점착력은 $C=\dfrac{a\cdot L_c}{F_c}$로 나타낸다($F_c \neq F_\phi$).

ⓗ F_ϕ를 다시 가정하여 ⓐ~ⓖ까지 되풀이하여 F_c를 구한다(3회 이상 반복한다).

ⓘ F_c-F_ϕ 관계곡선을 plot 한 후 $F_\phi=F_c=F$ 값을 구한다.

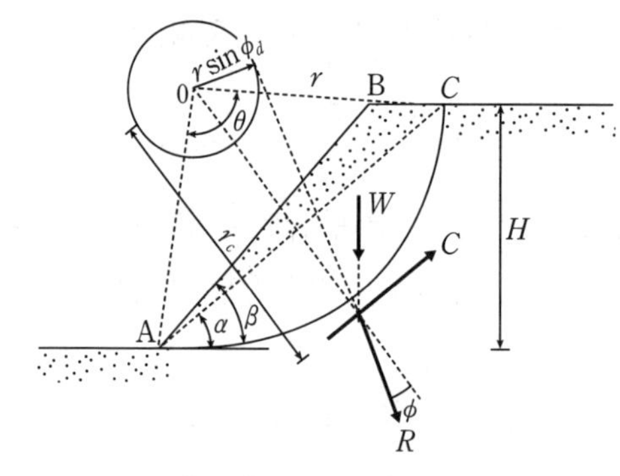

[그림 11-6] 마찰원법

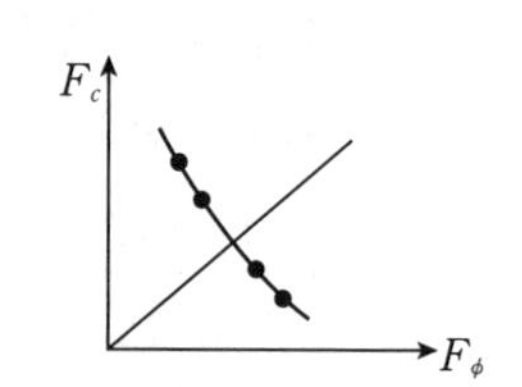

[그림 11-7] F_c-F_ϕ관계곡선

(2) 분할법(절편법 : slice method)

파괴면 위의 흙을 수 개의 절편으로 나눈 후 각각의 절편에 대해 안정성을 계산하는 방법으로 이질토층, 지하수위가 있을 때 적용한다.

① 안정해석

㉠ 가상활동원을 그린다.

㉡ 가상활동원의 흙(ABCD)을 너비가 b인 몇 개의 수직 절편으로 나눈다(꼭 같은 폭으로 나눌 필요는 없다). 여기서 절편의 무게는 $W=\gamma bh$이다.

㉢ 분할된 절편의 밑면은 직선으로 본다.

㉣ O에 대한 원호 ABC에 작용하는 전단력 T에 대한 모멘트는 W에 대한 모멘트와 같으므로

$\sum T\cdot\gamma=\sum W\cdot\gamma\sin\alpha$

$T=\tau_m l=\dfrac{\tau_f}{F_s}l\left(\because F_s=\dfrac{\tau_f}{\tau_m}\right)$이므로, 이것을 대입하면

$\sum\dfrac{\tau_f}{F_s}l=\sum W\sin\alpha$

$\therefore F_s=\dfrac{\sum\tau_f l}{\sum W\sin\alpha}$

유효응력으로 나타내면 $\tau_f = c' + \bar{\sigma}\tan\phi'$이므로

$$F_s = \frac{\sum(c' + \bar{\sigma}\tan\phi')l}{\sum W\sin\alpha} = \frac{c'L_a + \tan\phi' \sum N'}{\sum W\sin\alpha} \quad \cdots\cdots (11-18)$$

여기서, N' : 유효법선력, L_a : 원호 ABC의 길이

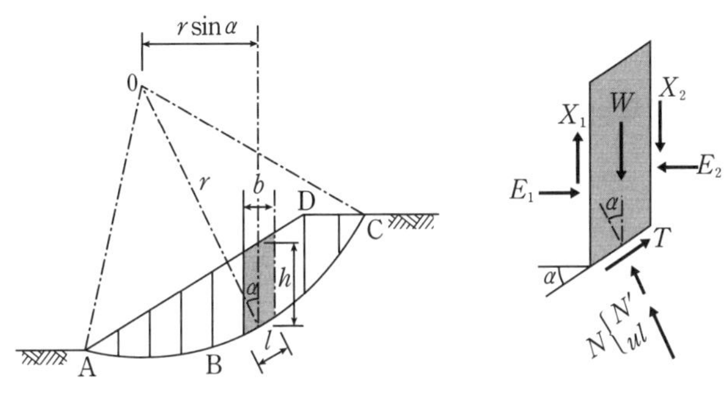

[그림 11-8] 절편법

② 종류

㉠ Fellenius 방법(스웨덴 방법) : Fellenius법은 정밀도가 낮고 과소한 안전율이 산출되지만 계산이 매우 간편한 이점이 있다.

가정	절편의 양 연직면에 작용하는 힘들의 합은 0이다. $(X_1 - X_2 = 0,\ E_1 - E_2 = 0)$
특징	• 전응력 해석법이 정확하다(유효응력 해석법은 신뢰도가 떨어진다.) • $\phi = 0$일 때 정해가 구해진다. • 사면의 단기 안정해석에 유효하다.

㉡ Bishop 방법 : Bishop법은 시행착오법으로 안전율을 계산하므로 Fellenius 방법보다 훨씬 복잡하나 안전율은 거의 실제와 같이 나타나기 때문에 최근에는 이 방법을 많이 사용하고 있다.

가정	절편의 양 연직면에 작용하는 힘들의 합은 수평으로 작용한다. 즉, 연직방향의 합력은 0이다. $(X_1 - X_2 = 0)$
특징	• 전응력, 유효응력 해석이 가능하고 안전율 값이 거의 실제와 같이 나타난다. • 사면의 장기 안정해석에 유효하다. • 가장 널리 사용한다.

04 무한사면의 안정해석법

깊이에 비해 사면의 길이가 길 때 파괴면은 사면에 평행하게 형성된다. 사면의 길이는 거의 무한대이므로 양 끝의 영향은 무시한다.

1. 파괴면에 작용하는 수직응력과 전단응력

$ab=\gamma_t Z\cos i$

$cb=ab\cos i=\gamma_t Z\cos^2 i$

$ac=ab\sin i=\gamma_t Z\cos i\cdot\sin i$

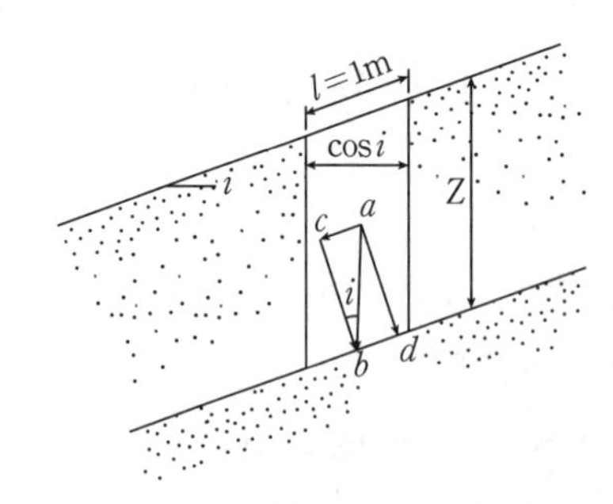

[그림 11-9]

(1) 수직응력

$$\sigma=\gamma_t Z\cos^2 i \quad \cdots\cdots (11-19)$$

(2) 전단응력

$$\tau=\gamma_t Z\cos i\cdot\sin i \quad \cdots\cdots (11-20)$$

2. 안전율

(1) 지하수위가 파괴면 아래에 있을 경우

① $c\neq0$일 때

$$F_s=\frac{\tau_f}{\tau}=\frac{c+\gamma_t Z\cos^2 i\tan\phi}{\gamma_t Z\cos i\sin i}=\frac{c}{\gamma_t Z\cos i\sin i}+\frac{\tan\phi}{\tan i} \quad \cdots\cdots (11-21)$$

② $c=0$일 때(사질토)

$$F_s=\frac{\tan\phi}{\tan i} \quad \cdots\cdots (11-22)$$

(2) 지하수위가 지표면과 일치할 경우

① $c \neq 0$일 때

$$F_s = \frac{\tau_f}{\tau} = \frac{c + \gamma_{\text{sub}} Z \cos^2 i \tan\phi}{\gamma_{\text{sat}} Z \cos i \sin i}$$

$$= \frac{c}{\gamma_{\text{sat}} Z \cos i \sin i} + \frac{\gamma_{\text{sub}}}{\gamma_{\text{sat}}} \frac{\tan\phi}{\tan i} \quad \cdots\cdots (11-23)$$

② $c = 0$일 때(사질토)

$$F_s = \frac{\gamma_{\text{sub}}}{\gamma_{\text{sat}}} \frac{\tan\phi}{\tan i} \fallingdotseq \frac{1}{2} \frac{\tan\phi}{\tan i} \quad \cdots\cdots (11-24)$$

(3) 수중인 경우

① $c \neq 0$일 때

$$F_s = \frac{\tau_f}{\tau} = \frac{c + \gamma_{\text{sub}} Z \cos^2 i \tan\phi}{\gamma_{\text{sub}} Z \cos i \sin i} = \frac{c}{\gamma_{\text{sub}} Z \cos i \sin i} + \frac{\tan\phi}{\tan i} \quad \cdots\cdots (11-25)$$

② $c = 0$일 때(사질토)

$$F_s = \frac{\tan\phi}{\tan i} \quad \cdots\cdots (11-26)$$

(4) 침투수압이 사면에 평행하게 작용할 경우

① 수직응력

$$\sigma = [(1-m)\gamma_t + m\gamma_{sat}] Z \cos^2 i \quad \cdots\cdots (11-27)$$

② 전단응력

$$\gamma = [(1-m)\gamma_t + m\gamma_{sat}] Z \cos i \sin i \quad \cdots (11-28)$$

③ 간극수압

$$u = mZ\gamma_w \cos^2 i \quad \cdots\cdots (11-29)$$

④ 안전율

$$F_s = \frac{\tau_f}{\tau} = \frac{c + (\sigma - u)\tan\phi}{\tau} \quad \cdots\cdots (11-30)$$

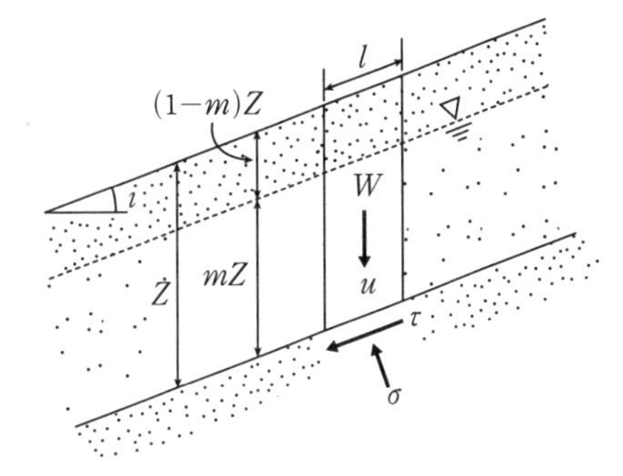

[그림 11-10] 무한사면의 활동

05 흙댐의 안정

흙댐의 설계시 양 사면의 가장 위험한 상태에 대한 안전율을 결정해야 한다.

1. 상류측이 가장 위험한 경우

(1) 시공 직후에는 전단응력과 간극수압이 크므로 안전율이 낮다.

(2) 수위 급강하시에는 상류측 흙의 γ_{sub}가 γ_t로 바뀌므로 활동하는 토괴의 중량이 증가하여 전단응력이 증가함으로써 안전율이 낮아진다.

2. 하류측이 가장 위험한 경우

(1) 시공 직후에는 전단응력과 간극수압이 크므로 안전율이 낮다.

(2) 정상침투시에 하류측에서는 침윤선 아래의 흙이 γ_{sat}가 되고 정상침투로 인하여 간극수압이 증가되어 안전율이 낮아진다.

[표 11-3]

상류측 사면이 가장 위험할 때	하류측 사면이 가장 위험할 때
① 시공 직후 ② 수위 급강하시	① 시공 직후 ② 정상 침투시

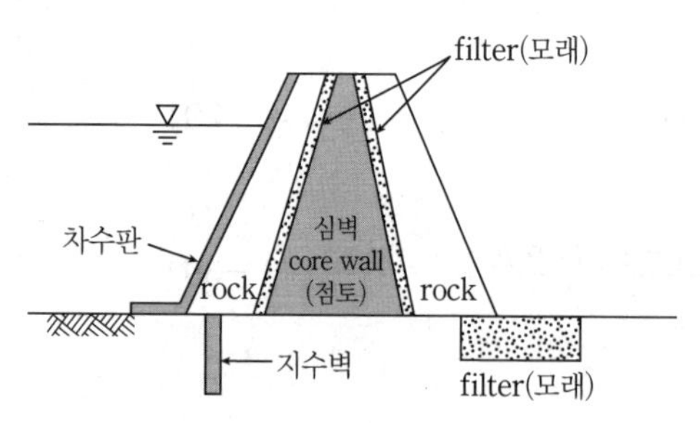

[그림 11-11] 중앙 차수벽형 rock fill dam

사면의 안정

기출 및 적중예상문제 I [4지선다형]

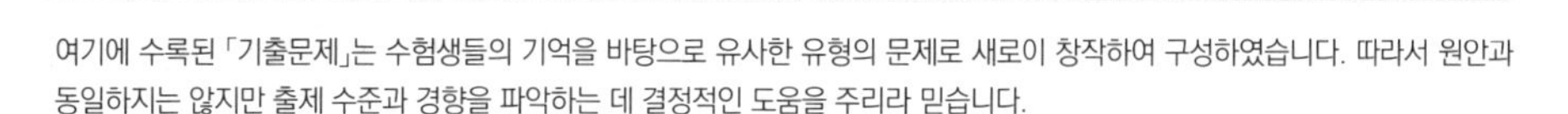

여기에 수록된 「기출문제」는 수험생들의 기억을 바탕으로 유사한 유형의 문제로 새로이 창작하여 구성하였습니다. 따라서 원안과 동일하지는 않지만 출제 수준과 경향을 파악하는 데 결정적인 도움을 주리라 믿습니다.

01 원형 활동면에 의한 사면파괴의 종류는 일반적으로 다음과 같다. 해당되지 않는 것은?

① 사면 저부파괴 ② 사면 선단파괴
③ 사면 내 파괴 ④ 사면 인장파괴

해설

단순사면의 파괴형태
1. 사면 내 파괴
2. 사면 선단파괴(사면 끝 파괴)
3. 저부파괴

02 균질한 연약점토지반 위에 놓인 연직사면에 잘 일어나는 파괴형태는?

① 사면 저부파괴 ② 사면 선단파괴
③ 사면 내 파괴 ④ 사면 저면파괴

해설

1. $\beta \geq 53°$이면 선단파괴가 발생한다.
2. $\beta < 53$이면 N_d에 따라 파괴형태가 달라진다.

03 저부붕괴의 경우 분할법에 의하여 사면안정 검토를 할 때 임계원의 중심은 다음의 어느 곳에 있는가?

① 임계원의 중심은 사면의 중점에서 사면에 직각으로 세운 선상에 있다.
② 임계원의 중심은 사면의 중점을 통하여 연직선상에 있다.
③ 임계원의 중심은 사면의 2/3점에서 사면에 직각으로 세운 선상에 있다.
④ 임계원의 중심은 사면의 1/3점을 통하여 연직선상에 있다.

해설

저부파괴의 경우 파괴원은 중심이 사면의 중앙점 연직선 위에 위치하고 있으므로 중앙점원(midpoint circle)이라 한다.

04 사면의 안정에 관한 다음 설명 중 옳지 않은 것은?

① 임계활동면이란 안전율이 가장 크게 나타나는 활동면을 말한다.
② 안전율이 최소로 되는 활동면을 이루는 원을 임계원이라 한다.
③ 활동면에 발생하는 전단응력이 흙의 전단강도를 초과할 경우 활동이 일어난다.
④ 활동면은 일반적으로 원형활동면으로 가정한다.

해설

1. 임계활동면이란 사면 내 몇 개의 가상활동면 중에서 안전율이 최소인 활동면을 말한다.
2. 임계원이란 안전율이 최소로 되는 활동면을 만드는 원을 말한다.
3. $F_s = \dfrac{\tau_f(\text{활동면상의 전단강도의 합})}{\tau_d(\text{활동면상의 전단응력의 합})}$
4. 대부분의 사면 안정해석은 가장 파괴곡선을 원호로 가정하여 구하고 있다.

05 어느 유한사면의 사면활동에 대한 안전율을 계산하였더니 $F = 1.0$이 얻어졌다. 이 사면의 안전율을 증가시키는데 효과적이 아닌 것은?

① 압성토를 둔다.
② 흙의 전단강도를 증가시킨다.
③ 사면의 높이를 감소시킨다.
④ 사면의 높이를 증가시킨다.

01 ④ 02 ② 03 ② 04 ① 05 ④ [정답]

06 안전율(factor of safety)에 대한 설명 중 옳지 않은 것은?

① 설계에 사용되는 안전율이란 경험에서 얻어진 것으로 그 의미는 명확하지 않다.
② 동일한 조건에서 안전율이 3인 것은 안전율이 2인 것보다 더 안전하다고 생각할 수 있다.
③ 동일한 조건에서 안전율이 3인 것은 안전율이 2인 것보다 파괴 가능성이 50% 적다.
④ 구조물에 따라 다른 안전율을 사용한다.

해설

안전율이 3인 것은 2인 것보다 1.5배 안전하다라고 할 수 없다. 단지 더 안전하다라고 생각할 따름이다.

07 사면의 안정검토에서 일반적으로 최하의 안전율은?

① 0.8∼1.2 ② 1.3∼1.5
③ 3∼4 ④ 5∼6

해설

안전율	안정성
$F_s<1.0$	불안정
$F_s=1\sim1.2$	안정에 불안
$F_s=1.3\sim1.4$	사면, 성토에는 흡족(안정), 흙댐에는 불안
$F_s>1.5$	흙댐에 안정, 더욱 지진을 고려할 때 필요

08 사면파괴가 일어날 수 있는 원인에 대한 설명 중 적절하지 못한 것은?

① 흙 중의 수분의 증가
② 굴착에 따른 구속력의 감소
③ 과잉간극수압의 감소
④ 지진에 의한 수평방향력의 증가

해설

간극수압이 감소하면 유효응력이 증가하여 전단강도가 커진다.

09 비탈면 또는 굴착면의 안정성을 저감시키는 요인으로 옳지 않은 것은? (단, 모든 요인은 영향범위 내에서 변화되는 것으로 고려한다) 2015. 국가직

① 비탈면 내 지하수위의 상승
② 지진발생에 따른 수평하중의 증가
③ 굴착 후 지반 내 발생된 부의 과잉간극수압(negative excess pore pressure)의 소산
④ 비탈면 내 모관흡수력 증대

해설

사면파괴의 원인(외적인 요인)

1. 자연적 침식에 의한 사면형상의 변화
2. 인위적인 굴착 및 성토
3. 지진력의 작용
4. 댐 또는 제방의 수위급변
5. 강우, 폭설 등에 의한 간극수압의 상승, 자중의 증가, 강도의 저하

10 점착력이 1.4t/m², 내부마찰각이 30°, 단위중량이 1.8t/m³인 흙에서 인장균열의 깊이는 얼마인가?

① 1.7m ② 2.7m
③ 3.4m ④ 5.2m

해설

$$Z_c=\frac{2c\tan\left(45^\circ+\frac{\phi}{2}\right)}{\gamma_t}=\frac{2\times1.4\times\tan\left(45^\circ+\frac{30^\circ}{2}\right)}{1.8}=2.7\text{m}$$

11 점착력이 0.8t/m², 단위중량이 1.6t/m³, 내부마찰각이 30°인 흙에 있어서 점착고(粘着高)는?

① 0.5m ② $\sqrt{3}$m
③ 3m ④ $2\sqrt{3}$m

해설

$$Z_c=\frac{2c\tan\left(45^\circ+\frac{\phi}{2}\right)}{\gamma_t}=\frac{2\times0.8\times\tan\left(45^\circ+\frac{30^\circ}{2}\right)}{1.6}=\sqrt{3}\text{m}$$

06 ③ 07 ② 08 ③ 09 ④ 10 ② 11 ② [정답]

12 점성토의 단위중량(γ)이 1.8t/m^3, 점착력(c)이 0.8t/m^{2}일 때 평면활동면으로 본 culmann의 한계고(H_c)를 구한 값은?

① 1.78m ② 1.85m
③ 1.97m ④ 2.01m

해설

$$H_c = \frac{4c\tan\left(45° + \frac{\phi}{2}\right)}{\gamma_t} = \frac{4 \times 0.8 \times \tan\left(45° + \frac{0}{2}\right)}{1.8} = 1.78\text{m}$$

13 어떤 지반에 대한 토질시험 결과 점착력 c = 0.5kg/cm^2, 흙의 단위중량 γ = 2.0t/m^{3}인데 그 지반에 연직으로 7m를 굴착했다면 안전율은 얼마인가? (단, ϕ = 0이다)

① 1.4 ② 1.5
③ 2.1 ④ 2.6

해설

1. $H_c = \frac{4c\tan\left(45° + \frac{\phi}{2}\right)}{\gamma_t} = \frac{4 \times 5 \times \tan\left(45° + \frac{0}{2}\right)}{2} = 10\text{m}$

2. $F_s = \frac{H_c}{H} = \frac{10}{7} = 1.4$

14 어떤 흙의 토질시험 결과 일축압축강도가 9t/m^2, 단위중량 1.8t/m^{3}이었다. 이 지반의 ϕ는 0°이었을 때 이 점토지반을 연직으로 5m 굴착할 때의 안전율은 얼마인가?

① 2 ② 1
③ 0.5 ④ 0.25

해설

1. $H_c = \frac{2q_u}{\gamma_t} = \frac{2 \times 9}{1.8} = 10\text{m}$

2. $F_s = \frac{H_c}{H} = \frac{10}{5} = 2$

15 일축압축강도가 150kN/m^2, 전체 단위중량이 20kN/m^{3}인 점토지반을 연직으로 깊이 5m까지 절토할 때, 전단파괴에 대한 안전율은? 2011. 지방직 7급

① 1.5 ② 2.0
③ 3.0 ④ 6.0

해설

1. $H_c = \frac{2q_u}{\gamma_t} = \frac{2 \times 150}{20} = 15\text{m}$

2. $F_s = \frac{H_c}{H} = \frac{15}{5} = 3\text{m}$

16 사면의 경사각이 70°로 굴착하고 있다. 흙의 점착력이 1.5t/m^2, 단위체적중량이 1.8t/m^{3}으로 한다면 이 사면의 한계고는? (단, 사면의 경사각이 70°일 때 안정계수는 4.8로 한다.)

① 2.0m ② 4.0m
③ 6.0m ④ 8.0m

해설

$$H_c = \frac{N_s \cdot c}{\gamma_t} = \frac{4.8 \times 1.5}{1.8} = 4\text{m}$$

17 점성토 지반에서 안정계수가 N_s = 8이고, 흙의 단위중량이 γ_t = 1.8t/m^3, 점착력 c = 0.36kg/cm^{2}일 때 이 사면을 유지할 수 있는 한계높이는?

① 0.81m ② 1.6m
③ 8.6m ④ 16.0m

해설

$$H_c = \frac{N_s \cdot c}{\gamma_t} = \frac{8 \times 3.6}{1.8} = 16\text{m} \ (\because c = 0.36\text{kg/cm}^2 = 3.6\text{t/m}^2)$$

12 ① 13 ① 14 ① 15 ③ 16 ② 17 ④ [정답]

제11장

18 수직 굴착면의 안정과 관련하여 지지없이 굴착 가능한 한계 굴착 깊이에 대한 설명으로 옳지 않은 것은?

2007. 국가직 7급

① 흙의 점착력이 증가할수록 한계 굴착 깊이는 증가한다.
② 인장균열을 고려하는 경우 한계 굴착 깊이는 증가한다.
③ 흙의 전단저항각이 증가할수록 한계 굴착 깊이는 증가한다.
④ 단위중량이 큰 흙일수록 한계 굴착 깊이는 감소한다.

해설

인장균열 고려시 $H_c' = \frac{2}{3}H_c$이다.

19 점토지반을 수평면과 60°의 기울기로 무지보 굴착을 하려 한다. 이 흙의 단위중량이 1.8t/m³, 점착력이 2.0t/m²라고 할 때 안전율을 1.5로 하여 굴토깊이를 결정한 것으로 옳은 것은?

① 5.1m ② 3.8m ③ 2.4m ④ 1.4m

해설

1. $H_c = \frac{4c}{\gamma_t} \times \frac{\sin\beta \cdot \cos\phi}{1-\cos(\beta-\phi)}$
$= \frac{4\times 2}{1.8} \times \frac{\sin 60^\circ \cdot \cos 0^\circ}{1-\cos(60^\circ - 0)}$
$= 7.7\text{m}$

2. $F_s = \frac{H_c}{H}$에서 $1.5 = \frac{7.7}{H}$
$\therefore H = 5.13\text{m}$

20 안정계수가 12, 단위중량이 1.8t/m³, 점착력이 1.5t/m²인 흙으로 된 높이 5m의 사면에 있어서 안전율은?

① 2.0 ② 2.4
③ 2.9 ④ 3.6

해설

1. $H_c = \frac{N_s \cdot c}{\gamma_t} = \frac{12\times 1.5}{1.8} = 10\text{m}$
2. $F_s = \frac{H_c}{H} = \frac{10}{5} = 2$

21 습윤밀도 $\gamma = 1.8\text{t/m}^3$, 점착력 $c = 0.2\text{kg/cm}^2$, 내부마찰각 $\phi = 25^\circ$인 지반을 연직으로 3m 굴착하였다. 이 지반의 붕괴에 대한 안전율은 얼마인가? (단, 안정계수 $N_s = 6.3$이다)

① 0.45 ② 1.0
③ 2.0 ④ 2.33

해설

1. $H_c = \frac{N_s \cdot c}{\gamma_t} = \frac{6.3\times 2}{1.8} = 7$
2. $F_s = \frac{H_c}{H} = \frac{7}{3} = 2.33$

22 그림과 같은 사면의 안전율이 2.0일 때 안정수 (stability number) N_s는?

2008. 국가직 7급

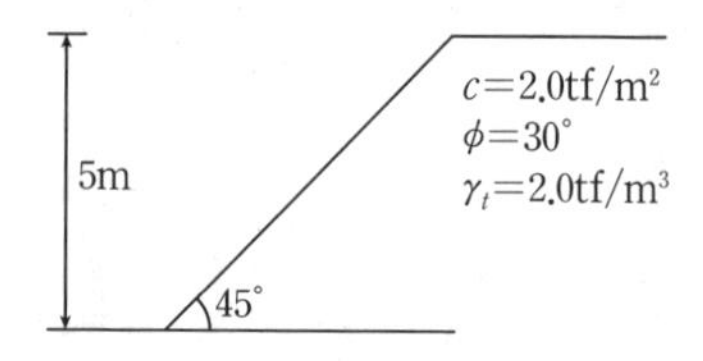

① 0.1 ② 0.2
③ 5.0 ④ 10

해설

1. $F_s = \frac{H_c}{H} = \frac{H_c}{5} = 2$
$\therefore H_c = 10\text{m}$

2. $H_c = \frac{N_s \cdot c}{\gamma_t} = \frac{\frac{1}{m}\cdot c}{\gamma_t}$
$10 = \frac{\frac{1}{m}\times 2}{2}$
$\therefore m = 0.1$

18 ② 19 ① 20 ① 21 ④ 22 ① [정답]

23 연약점토 사면이 수평과 75° 각도를 이루고 있고 이 사면 흙의 강도정수가 c_u=3.2t/m², γ_t=1.6t/m³이고 β>53° 일 때 안정수 m=0.2였다. 굴착할 수 있는 최대깊이와 그림에서 절토깊이를 4m까지 했을 때의 안전율은?

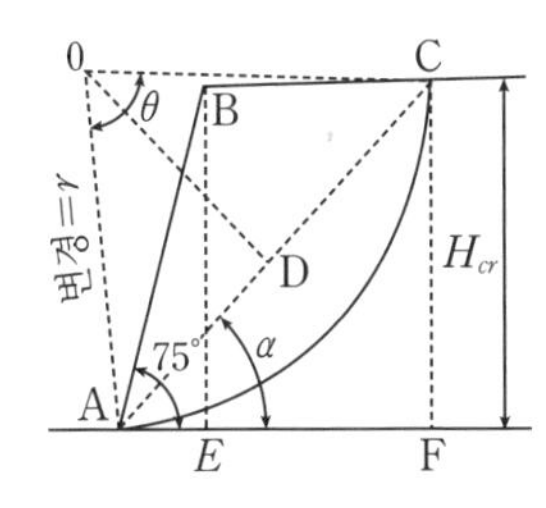

	H_{cr}	F_s
①	2.1	1.1
②	4.2	2.3
③	10.0	2.5
④	12.4	3.2

해설

1. $H_{cr}=\dfrac{N_s\cdot c}{\gamma_t}=\dfrac{\frac{1}{m}\cdot c}{\gamma_t}=\dfrac{\frac{1}{0.2}\times 3.2}{1.6}=10\text{m}$

2. $F_s=\dfrac{H_{cr}}{H}=\dfrac{10}{4}=2.5$

24 그림과 같은 사면을 이루고 있는 흙에서 점착력이 c=2t/m², 단위중량이 γ=2t/m³일 때 심도계수(n_d)와 사면의 한계높이(H_c)는? (단, 안정계수 N_s=6.2이다)

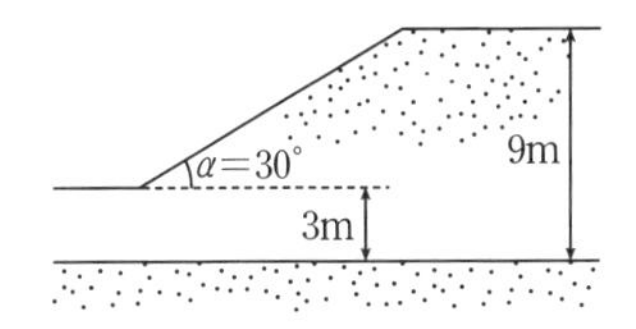

① $n_d=1.5$, $H_c=6.2\text{m}$
② $n_d=1.3$, $H_c=7.2\text{m}$
③ $n_d=1.5$, $H_c=5.2\text{m}$
④ $n_d=3.0$, $H_c=5.2\text{m}$

해설

1. $N_d=\dfrac{H'}{H}=\dfrac{9}{6}=1.5$

2. $H_c=\dfrac{N_s c}{\gamma_t}=\dfrac{6.2\times 2}{2}=6.2\text{m}$

25 다음 그림과 같은 포화점토 사면의 파괴에 대한 안전율은? (단, 점토의 포화단위중량이 2.0t/m³, 흙의 전단강도계수 c_u=6.4t/m², ϕ_u=0, 그리고 안정계수 N_s=0.2이다)

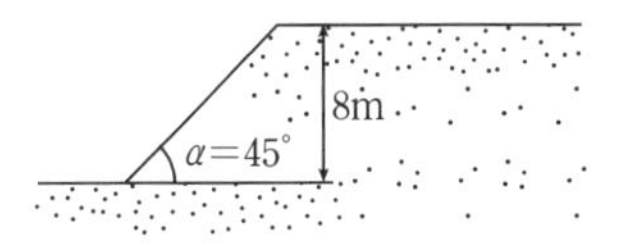

① 3.1 ② 2.6
③ 2.0 ④ 1.8

해설

1. $H_c=\dfrac{N_s\cdot c}{\gamma_t}=\dfrac{\frac{1}{m}\cdot c}{\gamma_t}=\dfrac{\frac{1}{0.2}\times 6.4}{2}=16$

2. $F_s=\dfrac{H_c}{H}=\dfrac{16}{8}=2$

26 전체단위중량(γ_t)이 1.8t/m³, 점착력(c)이 0.27kg/cm², 내부마찰각(ϕ)이 30°인 지반을 연직으로 5.0m 굴착시, 붕괴에 대한 안전율은? (단, 안정수(Stability Number) N_s는 0.150이다)

2009. 지방직 7급

① 0.5 ② 1.0
③ 2.0 ④ 3.0

해설

1. $H_c=\dfrac{N_s c}{\gamma_t}=\dfrac{\frac{1}{0.15}\times 2.7}{1.8}=10\text{m}$

2. $F_s=\dfrac{H_c}{H}=\dfrac{10}{5}=2$

27 사면의 안정계산에 고려하지 않아도 되는 것은 다음 중 어느 것인가?

① 흙의 단위체적중량 ② 흙의 점착력
③ 흙의 활동속도 ④ 흙의 내부마찰각

해설

$$H_c=\dfrac{4c\tan\left(45°+\dfrac{\phi}{2}\right)}{\gamma_t}$$

23 ③ 24 ① 25 ③ 26 ③ 27 ③ [정답]

제11장

28 그림과 같이 불포화된 점토로 충진된 불연속면을 갖는 암블럭에 대해 활동파괴 가능성을 검토하고자 한다. 암블럭의 높이가 4m이고 습윤단위중량이 2.5t/m^{3}이며, 불연속면을 채우고 있는 불포화점토의 내부마찰각은 30°, 점착력은 $\sqrt{3}$t/m^{2}일 때 암블럭의 활동파괴에 대한 안전율은? (단, 암블럭의 단위폭당 중량은 $20\sqrt{3}$t/m이다) 2010. 지방직 7급

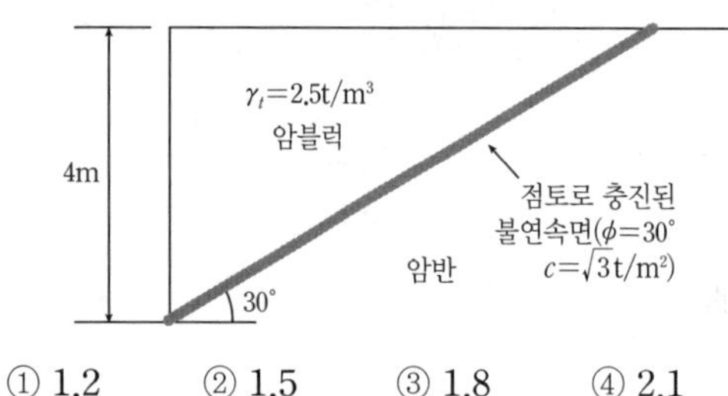

① 1.2 ② 1.5 ③ 1.8 ④ 2.1

해설

1. $N_a = W\cos\theta = 20\sqrt{3}\cos 30° = 30\text{t/m}$
2. $T_a = W\sin\theta = 20\sqrt{3}\sin 30° = 10\sqrt{3}\text{t/m}$
3. $T_r = \overline{AC}\cdot c + N_a\tan\phi = \dfrac{4}{\sin 30°}\times\sqrt{3} + 30\tan 30°$
   $= 8\sqrt{3} + \dfrac{30}{\sqrt{3}}$
4. $F_s = \dfrac{T_r}{T_a} = \dfrac{8\sqrt{3}+\dfrac{30}{\sqrt{3}}}{10\sqrt{3}} = 1.8$

29 다음 그림과 같은 암반사면에 불연속면 AB가 있으며 AB면 틈에는 포화점토가 전체적으로 협재되어 있다. 이때 상부 암반의 활동에 대한 안전율은? (단, 점토의 비배수 점착력 c_u = 45kN/m^2, 암반의 단위중량 γ = 20kN/m^3, 선 AB 윗부분의 면적은 9.0m^{2}이다) 2014. 국가직

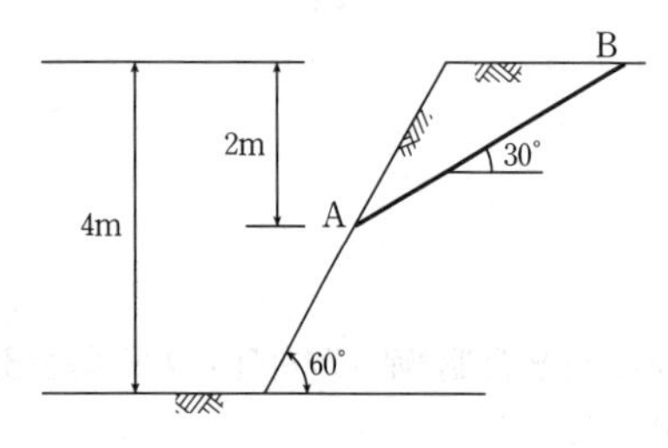

① 1.0 ② 2.0

③ 4.0 ④ 5.0

해설

1. $W = 9\times 20 = 180\text{kN/m}$
2. $T_a = W\sin 30° = 180\sin 30° = 90\text{kN/m}$
   $N_a = W\cos 30° = 180\cos 30° = 90\sqrt{3}\text{kN/m}$
3. $T_r = \overline{AB}c + N_a\tan\phi = \dfrac{2}{\sin 30°}\times 45 + 0 = 180\text{kN/m}$
4. $F_s = \dfrac{T_r}{T_a} = \dfrac{180}{90} = 2$

30 그림과 같이 기울기가 45°의 전단파괴면을 갖는 연직사면의 안전율은? (단, 단위폭당 파괴쐐기의 무게는 W, 단위폭당 전단파괴면의 면적은 L, 연직사면을 구성하는 토체의 점착력은 0, 내부마찰각은 ϕ이다) 2013. 국가직 7급

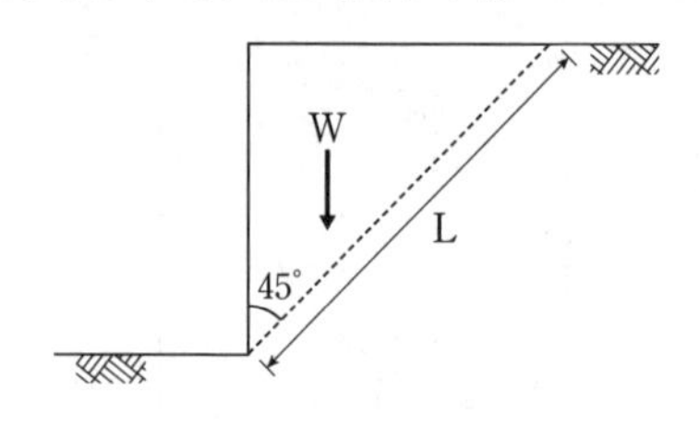

① $\tan\phi$ ② $\dfrac{1}{\tan\phi}$

③ $(\tan\phi)^2$ ④ $\left(\dfrac{1}{\tan\phi}\right)^2$

해설

1. $N_a = W\cos\theta,\ T_a = W\sin\theta$
2. $F_s = \dfrac{T_r}{T_a} = \dfrac{\overline{AC}c + N_a\tan\phi}{T_a} = \dfrac{W\cos\theta\cdot\tan\phi}{W\sin\theta}$
   $= \dfrac{1}{\tan\theta}\cdot\tan\phi = \dfrac{1}{\tan 45°}\cdot\tan\phi = \tan\phi$

28 ③ 29 ② 30 ① [정답]

31 그림과 같은 연직사면에서 평면 가상파괴면에 대한 안전율은? (단, N, T는 각각 파괴쐐기 무게에 의한 가상파괴면에 작용하는 수직력 및 활동력이며, 연직사면은 별도의 보강 없이도 자립할 수 있는 것으로 가정한다.)

2015. 국가직

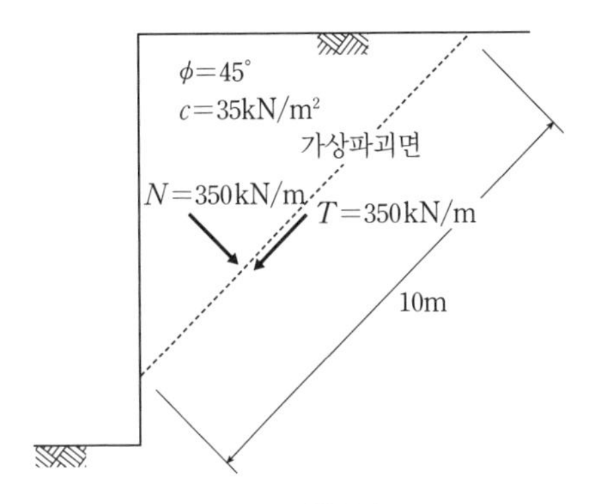

① 1.5 ② 2.0

③ 2.5 ④ 3.0

해설

$$F_s=\frac{T_r}{T_a}=\frac{\overline{AC}\cdot c+N_a\tan\phi}{T_a}=\frac{10\times35+350\tan45^\circ}{350}=2$$

32 다음 사면 안정검토에 직접적으로 필요하지 않은 것은?

① 흙의 입도 ② 흙의 점착력

③ 흙의 단위중량 ④ 사면의 구배

해설

$$H_c=\frac{4c}{\gamma_t}\times\frac{\sin\beta\cdot\cos\phi}{1-\cos(\beta-\phi)}$$

33 다음 중 사면의 안정해석과 관계가 없는 것은?

① 안전율 ② 안정계수

③ 압축계수 ④ 심도계수

해설

1. $H_c=\frac{N_s c}{\gamma_t}$ 2. $N_d=\frac{H'}{H}$

3. 압축계수는 압밀침하량이나 투수계수 산정에 이용된다.

34 다음 중 사면 안정해석과 관계가 없는 것은?

① 지지력계수 ② 마찰원법

③ 분할법 ④ 안정계수

해설

지지력계수는 기초의 극한지지력 산정에 이용된다.

35 다음 중 사면의 붕괴와 관계가 없는 것은?

① 사면의 표고 ② 사면의 구배

③ 사면의 높이 ④ 흙의 내부마찰각

해설

표고(고도)란 기준수평면에서 어느 점까지의 연직높이를 말하므로 사면의 높이와는 다르다.

36 사면의 안정문제는 보통 사면의 단위길이를 취하여 2차원 해석을 한다. 이렇게 하는 가장 중요한 이유는?

① 흙의 특성이 등방성(isotropic)이라고 보기 때문이다.

② 길이방향의 응력도(stress)를 무시할 수 있다고 보기 때문이다.

③ 실제 파괴형태가 이와 같기 때문이다.

④ 길이방향의 변형도(strain)를 무시할 수 있다고 보기 때문이다.

해설

길이가 대단히 길고 모든 조건이 길이에 대해 변화가 없다고 생각할 때 2차원 해석을 한다. 따라서 2차원 해석시 길이방향의 $\sigma\neq0$, $\varepsilon=0$으로 한다.

31 ② 32 ① 33 ③ 34 ① 35 ① 36 ④ [정답]

제11장

37 길이가 매우 긴 사면의 안정해석을 할 때 다음 중 어느 방법으로 전단강도를 측정하는 것이 가장 타당한가?

① 평면변형시험(plane strain test)
② 단순전단시험(simple shear test)
③ 일축압축시험(unconfined compression test)
④ 현장베인시험(field vane shear test)

해설

길이가 매우 긴 사면에서는 2차원 해석을 한다.

38 그림에서 보인 연속기초와 같이 길이가 대단히 길고 모든 조건이 z 방향에 따라서는 변화가 없다고 생각될 때 이러한 상태를 pland strain 문제라 한다. 다음 중 옳지 않은 것은?

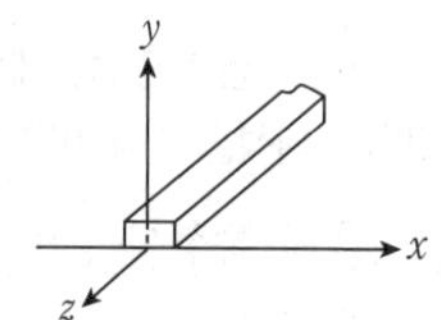

① 끝(end)에서 가깝지 않은 곳에서는 단위길이당 계산을 한다.
② z 방향의 변위도 $\varepsilon_z=0$
③ z 방향의 응력 $\sigma_z=0$
④ 변위는 x, y 두 개

해설

길이가 대단히 길고, 길이 방향에 대해 변화가 없다고 생각할 때에는 2차원 해석을 한다. 2차원 해석에서 길이 방향의 $\sigma\neq0$, $\varepsilon=0$으로 한다.

39 사면안정해석 방법 중 절편법이 아닌 것은?

2012. 국가직 7급

① Fellenius 방법 ② Culmann 방법
③ Bishop의 간편법 ④ Janbu의 간편법

해설

절편법
1. Fellenius 방법
2. Bishop 방법
3. Spencer 방법
4. Janbu의 간편법

40 사면의 안정해석에 관한 설명 중 옳지 않은 것은?

① $\phi=0$ 해석법은 사면의 장기 안정문제를 고려할 때 적합하다.
② 유효응력법(c, ϕ 해석법)은 재하조건의 변화에 따른 영향을 고려할 때 적합하다.
③ 흙의 성질이 균질하지 않은 사면은 분할법이 적합하다.
④ 활동면의 형은 보통 원형으로 가정한다.

해설

사면 안정해석법
1. 질량법 : 사면을 형성하는 흙이 균질한 경우에 유용한 방법이다.
2. 절편법(분할법) : 이질토층, 지하수위가 있을 때 적용한다.

Fellenius 방법($\phi=0$ 해석법)	Bishop 방법($c-\phi$ 해석법)
① 사면의 단기 안정해석에 유효하다. ② 전응력 해석법	① 사면의 장기 안정해석에 유효하다. ② 유효응력 해석법 ③ 가장 널리 사용한다.

41 다음은 마찰원 방법으로 사면의 안정해석을 하기 위하여 내부마찰각에 대한 안전율 F_ϕ를 가정하여 점착력에 대한 안전율 F_c를 결정한 것이다. 이 사면의 안전율은?

F_ϕ	1.2	1.4	1.6	1.8	2.0
F_c	1.8	1.6	1.4	1.2	1.0

① 1.2 ② 1.5
③ 1.8 ④ 2.0

해설

F_ϕ와 F_c로 safety factor를 연결한 후
$F_\phi=F_c=F$ 값을 구한다.
$\therefore F=F_\phi=F_c=1.5$

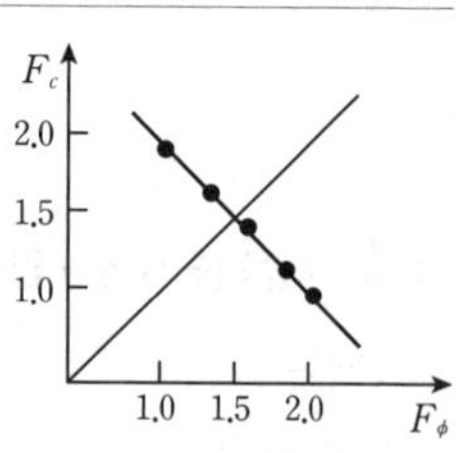

37 ① 38 ③ 39 ② 40 ① 41 ② [정답]

42 사면 안정해석법에 관한 설명 중 틀린 것은?

① 해석법은 크게 마찰원법과 분할법으로 나눌 수 있다.
② Fellenius 방법은 주로 단기 안정해석에 이용된다.
③ Bishop 방법은 주로 장기 안정해석에 이용된다.
④ Bishop 방법은 절편의 양측에 작용하는 수평방향의 합력이 0이라고 가정하여 해석한다.

해설

사면 안정해석법

1. 질량법
 ① $\phi=0$ 해석법 ② $\phi>0$ 해석법(마찰원법)
2. 분할법
 ① Fellenius법 : $\sum X=0$, $\sum E=0$이라고 가정
 ② Bishop법 : $\sum X=0$이라고 가정

43 사면 안정계산에 있어서 Fellenius법과 간편 Bishop법의 비교 설명 중 틀린 것은?

① Fellenius법은 절편의 양쪽에 작용하는 합력은 0(zero)이라고 가정한다.
② 간편 Bishop법은 절편의 양쪽에 작용하는 연직방향의 합력은 0(zero)이라고 가정한다.
③ Fellenius법은 간편 Bishop법보다 계산은 복잡하지만 계산 결과는 더 안전측이다.
④ 간편 Bishop법은 안전율을 시산법으로 구한다.

해설

Bishop법은 안전율 계산시 시행착오법을 사용하므로 Fellenius 방법보다 훨씬 복잡하나 이 방법으로 결정한 안전율은 거의 실제와 같이 나타나기 때문에 최근에는 이 방법을 많이 사용하고 있다.

44 다음은 사면 안정해석방법을 설명하고 있다. 틀린 것은?

① 마찰원법은 균일한 토질지반에 적용된다.
② 분할법은 일명 스웨덴법으로 불리우고, 활동원 중심에서의 모멘트 값으로부터 안전율을 구한다.
③ Bishop 방법은 흙의 장기 안정해석에 유효하게 쓰인다.
④ Fellenius 방법은 간극수압을 고려한 $\phi=0$ 해석법이다.

해설

절편법(분할법)

1. Fellenius 방법(스웨덴 방법)은 전응력 해석법이므로 간극수압을 고려하지 않는다.
2. Bishop 방법은 유효응력 해석법이므로 간극수압을 고려하였다.

45 사면의 안정을 검토하는데 있어서 "$\phi=0$" 해석법이라고 하는 것은?

① 포화 점토지반의 전단강도는 무시하는 것이다.
② 포화 점토지반의 전단강도는 깊이에 따라 일정하다고 가정한 것이다.
③ 포화 점토지반의 비배수 강도만 고려한 것이다.
④ 포화 점토지반의 내부마찰각만 고려한 것이다.

해설

$\phi=0$ 해석법은 포화점토의 비배수상태(급속재하)에서의 시공 직후의 안정해석법으로 전응력 해석법이다.

46 내부마찰각 $\phi_u=0$, 점착력 $c_u=4.5\text{t/m}^2$, 단위중량이 1.8t/m^3 되는 포화된 점토층에 경사각 45°로 높이 8m인 사면을 만들었다. 그림과 같은 하나의 파괴면을 가정했을 때 안전율은? (단, ABCD의 면적은 70m^2이고, ABCD의 무게중심은 O점에서 4.5m 거리에 위치하며, 호 AC의 길이는 20.0m이다)

① 1.2
② 1.9
③ 2.5
④ 3.2

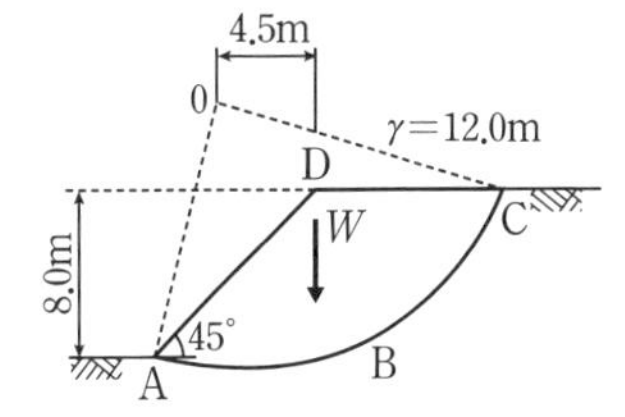

해설

1. $\tau=c+\bar{\sigma}\tan\phi=c=4.5\text{t/m}^2$
2. $M_r=\tau\gamma L_a=4.5\times12\times20=1080\text{t}$
3. $M_D=We=A\gamma_t\cdot e=(70\times1.8)\times4.5=567\text{t}$
4. $F_s=\dfrac{M_r}{M_D}=\dfrac{1080}{567}=1.9$

42 ④ 43 ③ 44 ④ 45 ③ 46 ② [정답]

47 그림과 같이 유한사면 위에 연속구조물이 위치하는 경우 사면의 안전율은? (단, 가상파괴면 원호의 길이는 15m, 흙의 비배수 전단강도는 100kPa이고, 모멘트평형법을 사용한다) 2014. 국가직

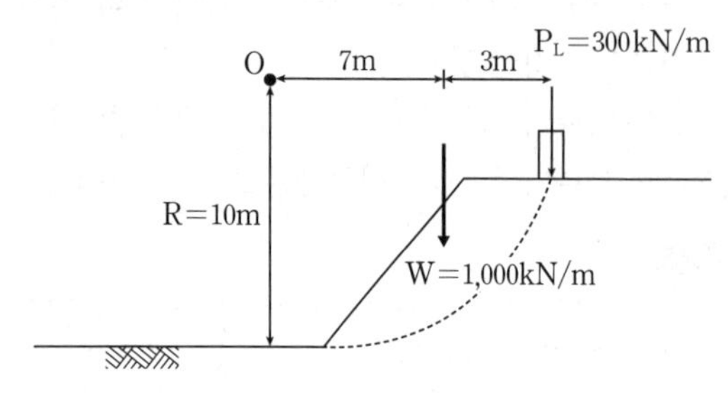

① 1.9 ② 1.7
③ 1.5 ④ 1.1

해설

$$F_s=\frac{\tau r l_{ab}}{We}=\frac{100\times10\times15}{1000\times7+300\times10}=1.5$$

48 활동면 위의 흙을 몇 개의 연직 평행한 절편으로 나누어 사면의 안정을 해석하는 방법이 아닌 것은 어느 것인가?

① Fellenius 방법 ② 마찰원법
③ Spencer 방법 ④ Bishop의 간편법

해설

유한사면의 안정해석

1. 질량법
   ① $\phi=0$ 해석법, ② $\phi>0$ 해석법(마찰원법)
2. 분할법
   ① Fellenius 법, ② Bishop 법, ③ Spencer 법

49 분할법으로 사면 안정해석시에 제일 먼저 결정되어야 할 사항은?

① 분할세편의 중량 ② 활동면상의 마찰력
③ 가상 활동면 ④ 각 세편의 공극수압

해설

분할법의 안정해석

1. 반지름이 r인 가상 파괴활동면을 그린다.
2. 가상 파괴활동면의 흙을 몇 개의 수직절편(slice)으로 나눈다.

50 사면의 안정해석법의 하나인 절편법에 대한 설명 중 틀린 것은?

① 사면이 이질의 지층으로 되어 있을 경우 적용할 수 없다.
② 예상 파괴활동면은 원호라고 가정한다.
③ 각 절편의 바닥은 직선이라 가정한다.
④ 어떤 한 절편에 작용하는 힘은 정역학적으로 구할 수 없다.

해설

절편법(분할법)

1. 이질토층, 지하수위가 있을 때 사용한다.
2. 가상 파괴활동면은 원호이다.
3. 분할된 절편의 밑면은 직선으로 본다.

51 사면 안정계산의 분할법(swedish method)에 사면을 연직면으로 대상요소로 분할할 때 안전율의 공식은 $F=\frac{\tan\phi'\sum N'+c'L}{\sum T}$이다. 이 공식의 설명 중 틀린 것은?

① ϕ'는 흙의 고유 마찰각
② N'은 대상요소 중량의 원통면에 대한 수직분력
③ T는 대상요소 중량의 원호방향의 분력
④ L은 임계원이 지나는 사면의 상부와 하부를 연결하는 원에서 현의 길이

해설

절편법(분할법) : $F_S=\frac{c'L_a+\tan\phi'\sum N'}{\sum W\sin\alpha}$

1. ϕ'는 흙의 내부마찰각
2. N'은 분할된 절편의 밑면에서의 연직분력
3. T는 분할된 절편의 밑면에서 수평분력
4. L_a는 임계원이 지나는 사면의 상부와 하부를 연결하는 원에서 호의 길이

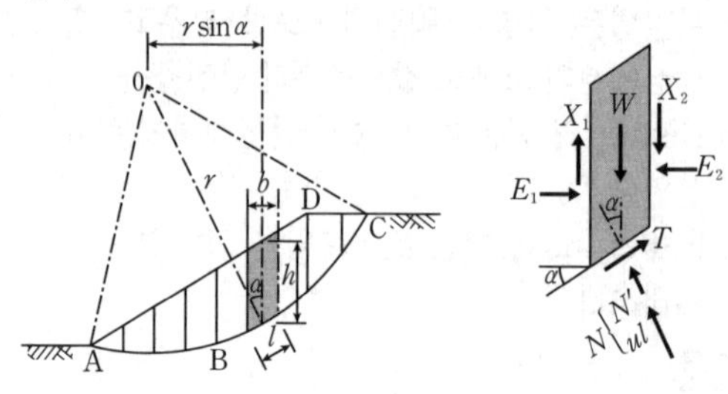

47 ③ 48 ② 49 ③ 50 ① 51 ④ [정답]

52 안정해석의 방법 중 분할법(절편법)의 설명으로 틀린 것은?

① 가장 일반적인 방법으로 토질조건이 복잡한 경우에도 적용된다.
② Fellenius의 방법이 보통 계산식으로 간편하다.
③ 피압지하수 등이 존재하여 부분적으로 공극수압의 변화가 있을 경우에는 Bishop 방법이 편리하다.
④ 분할편수는 일반적으로 20~25개 정도로 하는 것이 좋다.

해설

절편법에서 절편수는 6~10개 정도가 좋다.

53 절편법을 이용한 사면 안정해석 중 가상파괴면의 한 절편에 작용하는 힘의 상태를 그림으로 나타내었다. 다음 설명 중 잘못된 것은?

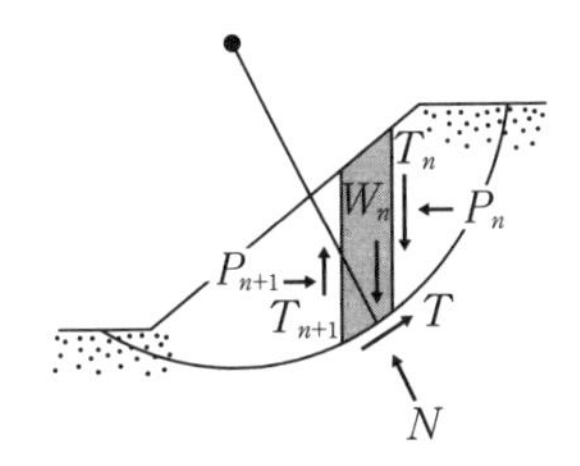

① Swedish(Fellenius)법에서는 T_n과 P_n의 합력이 P_{n+1}과 T_{n+1}의 합력과 같고 작용선도 일치한다고 가정하였다.
② Bishop의 간편법에서는 $P_{n+1}-P_n=0$이고 $T_n-T_{n+1}=0$으로 가정하였다.
③ 절편의 전중량 W_n=(흙의 단위중량×절편의 높이×절편의 폭)이다.
④ 안전율은 파괴원의 중심 0에서 저항전단모멘트를 활동모멘트로 나눈 값이다.

해설

절편법

구분	가정
Fellenius 방법(Swedish 방법)	• $X_1-X_2=0(\sum X=0)$ • $E_1-E_2=0(\sum E=0)$
Bishop 방법	• $X_1-X_2=0(\sum X=0)$

54 다음 그림에서 무한사면의 지표면 아래 깊이가 Z인 곳에 있는 가상파괴면에 작용하는 전단응력 τ를 나타낸 식은? (단, b는 경사거리, γ는 흙의 단위중량이다)

2010. 국가직 7급

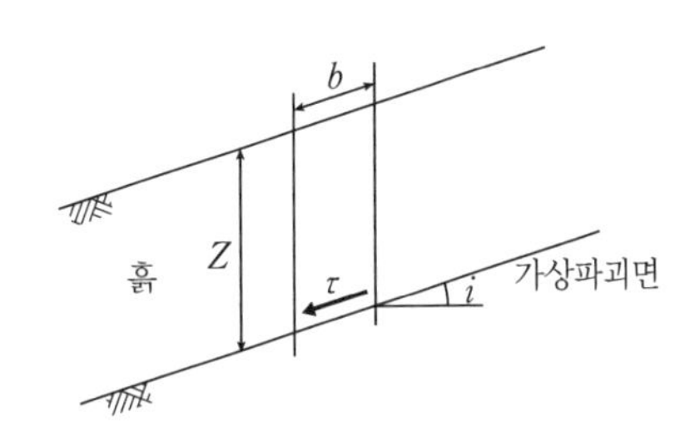

① $\tau=\gamma\cdot Z\cdot\cos^2 i$　② $\tau=\gamma\cdot Z\cdot\cos i\cdot\sin i$
③ $\tau=\gamma\cdot Z\cdot\sin^2 i$　④ $\tau=\gamma\cdot Z\cdot\cos i$

해설

단위폭(b=1)일 때

1. $\sigma=\gamma_t Z\cos^2 i$
2. $\tau=\gamma_t Z\cos i\sin i$

55 그림과 같은 사면에서 깊이 5m 위치에서 발생하는 단위폭당 전단응력은 얼마인가?

① $4.5t/m^2$
② $3.3t/m^2$
③ $2.5t/m^2$
④ $1.4t/m^2$

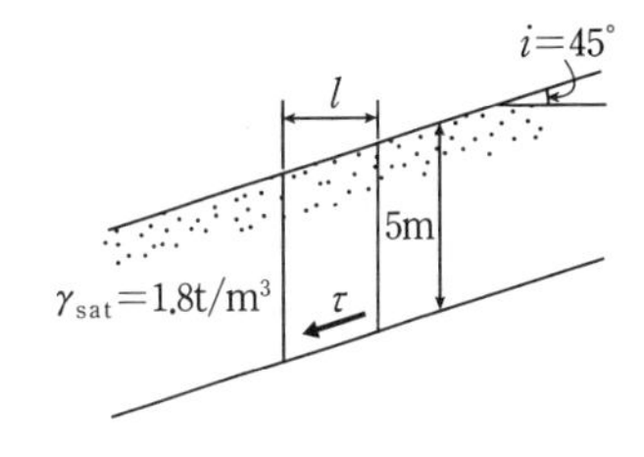

해설

$\tau=\gamma Z\cos i\sin i=1.8\times5\times\cos45°\times\sin45°=4.5t/m^2$

56 단위중량이 $1.8t/m^3$, 내부마찰각이 30°인 반무한 사면의 안정 경사각은?

① 15° 이하　② 20° 이하
③ 25° 이하　④ 30° 이하

해설

사면 경사각이 흙의 내부마찰각보다 작으면 사면은 안정하다 할 수 있다.

52 ④　53 ②　54 ②　55 ①　56 ④ [정답]

57 사질토로 된 반무한사면의 경사각이 30°이고 침투류가 없는 경우 사면이 안정하기 위해서 흙의 내부마찰각은 얼마 이상이어야 하는가?

① 20°　　② 25°

③ 30°　　④ 35°

해설

$F_s = \dfrac{\tan\phi}{\tan i} \geq 1$이므로 $\phi \geq 30°$이다.

58 침투류가 지표면과 일치되며 내부마찰각이 45°, 포화밀도가 2.0t/m³인 비점성토로 된 반무한사면이 30°로 경사져 있다. 이 사면의 안전율은?

① $\dfrac{\sqrt{3}}{4}$　　② $\dfrac{\sqrt{3}}{2}$

③ $\sqrt{3}$　　④ $2\sqrt{3}$

해설

$F_s = \dfrac{\gamma_{sub}}{\gamma_{sat}} \cdot \dfrac{\tan\phi}{\tan i} = \dfrac{1}{2} \times \dfrac{\tan 45°}{\tan 30°} = \dfrac{\sqrt{3}}{2}$

59 다음 그림과 같이 무한사면이 흐르지 않는 물 속에 잠긴 경우 사면의 안전율은? 2009. 지방직 7급, 2010. 국가직 7급

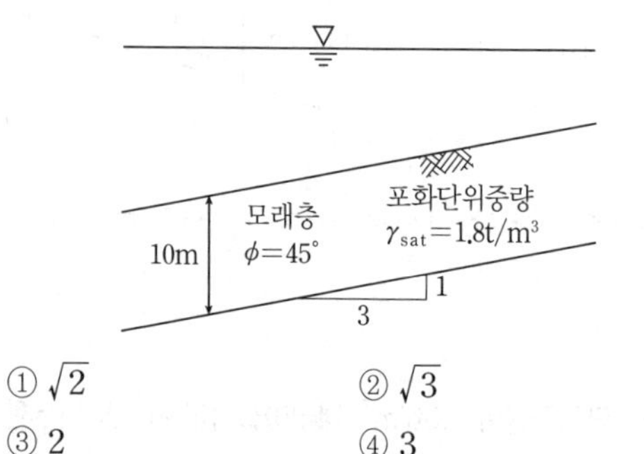

① $\sqrt{2}$　　② $\sqrt{3}$

③ 2　　④ 3

해설

$F_s = \dfrac{\tan\phi}{\tan i} = \dfrac{\tan 45°}{\frac{1}{3}} = \dfrac{1}{\frac{1}{3}} = 3$

60 그림 A와 같은 무한 비탈면에 많은 강우가 내려 비탈면의 상태가 그림 B와 같이 바뀌었다. 그림 B의 비탈면 안전율에 대한 그림 A의 비탈면 안전율의 비(그림 A의 안전율/그림 B의 안전율)는? (단, 비탈면의 파괴는 암반과 모래 사이에서 발생한다고 가정한다) 2009. 국가직 7급

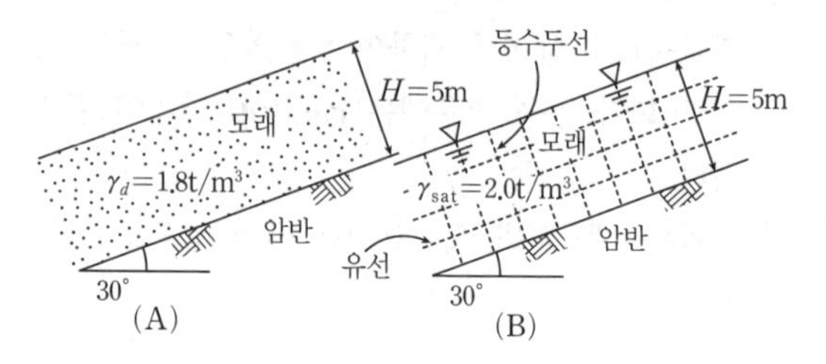

① 1.4　　② 1.6

③ 1.8　　④ 2.0

해설

1. $F_a = \dfrac{\tan\phi}{\tan i}$

2. $F_b = \dfrac{\gamma_{sub}}{\gamma_{sat}} \cdot \dfrac{\tan\phi}{\tan i} = \dfrac{1}{2}\,\dfrac{\tan\phi}{\tan i}$

3. $\dfrac{F_a}{F_b} = 2$

61 그림과 같이 지하수위가 지표와 일치되는 반무한 사질토 사면이 놓여 있다. 이때의 안전율은?

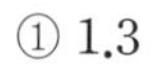

① 1.3

② 1.8

③ 2.3

④ 2.6

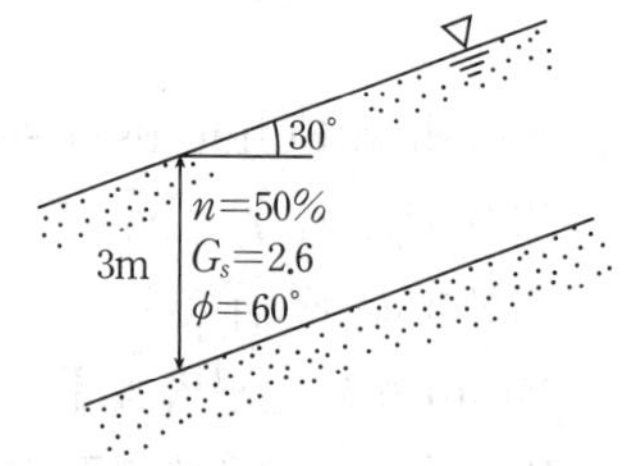

해설

1. $e = \dfrac{n}{100-n} = \dfrac{50}{100-50} = 1$

2. $\gamma_{sat} = \dfrac{G_s + e}{1+e}\gamma_w = \dfrac{2.6+1}{1+1} \times 1 = 1.8\text{t/m}^3$

3. $F_s = \dfrac{\gamma_{sub}}{\gamma_{sat}} \cdot \dfrac{\tan\phi}{\tan i} = \dfrac{0.8}{1.8} \times \dfrac{\tan 60°}{\tan 30°} = 1.3$

57 ③ 58 ② 59 ④ 60 ④ 61 ① [정답]

62 그림과 같이 사질토로 구성된 경사 30°의 무한사면이 두 개가 있다. 왼쪽은 건조상태의 무한사면이고, 오른쪽은 수중에 잠긴 무한사면일 때, 두 사면의 안전율에 대한 설명으로 옳은 것은? (단, 사질토의 배수 내부마찰각 ϕ는 동일하다) 2008. 국가직 7급

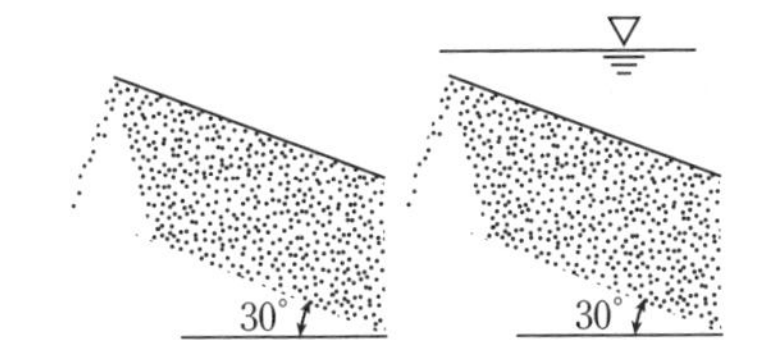

① 건조상태의 무한사면의 안전율이 더 크다.
② 건조상태의 무한사면의 안전율은 $\tan\phi$이다.
③ 수중에 잠긴 무한사면의 안전율이 더 크다.
④ 두 사면의 안전율은 $\sqrt{3}\tan\phi$로서 동일하다.

해설

1. 건조상태 : $F_s = \dfrac{\tan\phi}{\tan i} = \dfrac{\tan\phi}{\tan 30°} = \dfrac{\tan\phi}{\frac{1}{\sqrt{3}}} = \sqrt{3}\tan\phi$
2. 수중상태 : $F_s = \dfrac{\tan\phi}{\tan i} = \dfrac{\tan\phi}{\tan 30°} = \sqrt{3}\tan\phi$

63 암반층 위에 5m 두께의 모래층이 경사 15°의 자연무한사면으로 구성되어 있다. 이 토층의 내부마찰각은 30°, 포화단위중량은 20kN/m³이다. 지하수가 있는 경우와 지하수가 없는 경우의 안전율 비는? (단, tan30° = 0.5774, tan15° = 0.2679, 물의 단위중량은 10kN/m³로 하며, 지하수는 지표면과 일치하고 경사면과 평행하게 흐른다) 2012. 국가직 7급

① 1 : 1.0 ② 1 : 1.5
③ 1 : 2.0 ④ 1 : 2.5

해설

1. 지하수가 있는 경우 $F_s = \dfrac{\gamma_{sub}}{\gamma_{sat}} \cdot \dfrac{\tan\phi}{\tan i}$
2. 지하수가 없는 경우 $F_s = \dfrac{\tan\phi}{\tan i}$
3. 지하수가 있는 경우 F_s : 지하수가 없는 경우 F_s
$= \dfrac{\gamma_{sub}}{\gamma_{sat}} : 1 = \dfrac{10}{20} : 1 = 1 : 2$

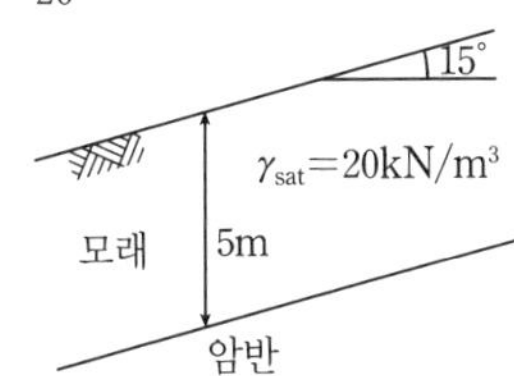

64 그림과 같이 지하수위가 지표면에 위치하는 사질토 지반(A)에 폭우가 내려 사면이 완전히 물속에 잠겼다(B). 이때 B의 안전율은 A의 안전율의 몇 배인가? (단, 흙의 마찰각은 30°, 흙의 포화단위중량은 20kN/m³, 물의 단위중량은 10kN/m³이다.) 2016. 국가직 7급

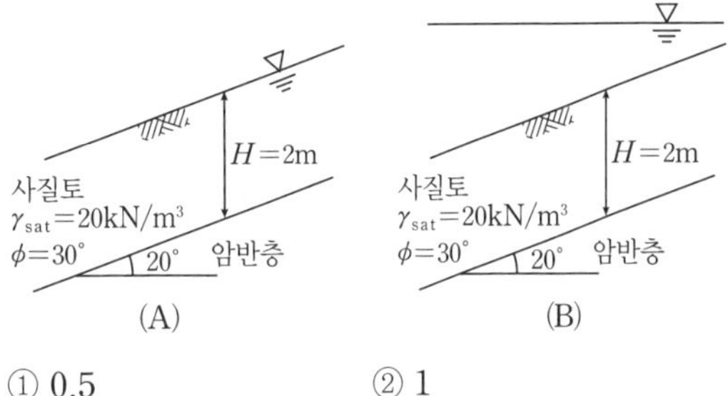

① 0.5 ② 1
③ 1.5 ④ 2

해설

$F_{SA} = \dfrac{\gamma_{sub}}{\gamma_{sat}} \dfrac{\tan\phi}{\tan i}$, $F_{SB} = \dfrac{\tan\phi}{\tan i}$이므로

$\therefore \dfrac{F_{SB}}{F_{SA}} = \dfrac{\gamma_{sat}}{\gamma_{sub}} = \dfrac{20}{10} = 2$

65 사면안정에 대한 설명으로 옳지 않은 것은? 2016. 국가직 7급

① 점착력이 없는 사질토로 이루어진 무한사면의 안전율은 활동깊이가 깊어질수록 감소한다.
② 완전 포화된 점토 사면인 경우, 절토가 시작된 이후 사면의 안전율은 감소한다.
③ 정상침투상태에 있는 흙댐의 경우, 사면안정성에 있어 하류사면이 상류사면보다 위험하다.
④ 균질한 사면인 경우, 사면기울기가 클수록 선단파괴의 발생가능성이 높다.

해설

1. 무한사면($c=0$일때) $F_s = \dfrac{\tan\phi}{\tan i}$
2. $\beta \geq 53°$일 때 항상 사면선단파괴가 발생한다.

62 ④ 63 ③ 64 ④ 65 ① [정답]

66 그림과 같은 무한사면에서 A점의 간극수압은?

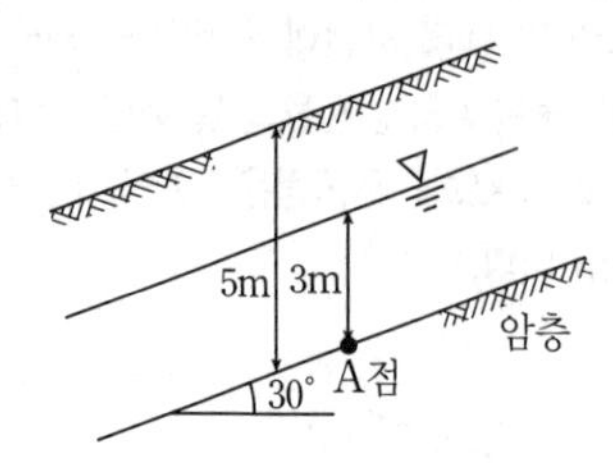

① 2.8t/m^2 ② 2.3t/m^2
③ 1.6t/m^2 ④ 0.9t/m^2

해설

$u = mZ\gamma_w \cos^2 i$

$= \frac{3}{5} \times 5 \times 1 \times \cos^2 30°$

$= 2.3\text{t/m}^2$

5m $mZ = \left(\frac{3}{5}\right) \times 5$

67 내부 마찰각이 30°인 건조모래를 트럭으로부터 쏟아 부어 다짐 없이 성토체를 만들려고 한다. 성토체의 사면붕괴에 대한 안전율이 1.5일 때 붕괴가 발생하지 않을 성토 사면각의 최댓값은? 2011. 국가직 7급

① $\tan^{-1}\left(\frac{2}{3\sqrt{3}}\right)$ ② $\tan^{-1}\left(\frac{3\sqrt{3}}{2}\right)$
③ $\frac{2}{3\sqrt{3}}$ ④ $\frac{3\sqrt{3}}{2}$

해설

$F_s = \frac{\tan\phi}{\tan i}$

$1.5 = \frac{\tan 30°}{\tan i}$ $\therefore i = \tan^{-1}\left(\frac{\frac{1}{\sqrt{3}}}{1.5}\right) = \tan^{-1}\left(\frac{1}{1.5\sqrt{3}}\right)$

68 일반적으로 흙 댐의 하류측이 가장 위험한 경우는 다음 중 어느 것인가? 2016. 서울시 7급

① 수위가 점차 상승하는 경우
② 수위가 급강하하는 경우
③ 댐이 완전히 포화된 경우
④ 만수 때의 정상침투 경우

해설

1. 상류측 사면이 가장 위험할 때
 ① 시공 직후 ② 수위 급강하시
2. 하류측 사면이 가장 위험할 때
 ① 시공 직후 ② 정상 침투시

69 흙댐에서 시간경과에 따른 안전율의 변화 및 안정해석에 대한 설명으로 옳지 않은 것은? 2010. 지방직 7급

① 흙댐이 정상침투상태가 되면 상류측 사면이 위험하다.
② 흙댐의 안전율은 공사기간 중 성토하중의 증가로 인해 성토완공 시까지 계속 감소한다.
③ 흙댐이 만수상태에 있다가 수위가 급강하하면 댐의 상류측 사면이 위험한 상태가 된다.
④ 댐 완공 직후의 안정해석은 이론적으로 전응력해석법과 유효응력해석법 모두 적용이 가능하다.

해설

흙댐이 정상침투상태가 되면 하류측 사면의 안전율이 최소가 된다.

70 사면의 안정과 관련된 설명으로 옳지 않은 것은? 2010. 국가직 7급

① 포화된 점토지반 절취시 가장 위험한 때는 절취 후 간극수압이 평형조건으로 회복했을 때이다.
② 흙댐의 경우 착공에서 완공시까지 간극수압이 상승하므로 안전율이 감소한다.
③ 포화된 점토지반 위에 제방을 성토하는 경우 가장 위험한 때는 완공 직후이다.
④ 흙댐에서 수위 급강하시 상류측 사면보다 하류측 사면의 안전율 변화폭이 크다.

해설

수위 급강하시에는 상류측 사면의 안전율이 최소가 되며 정상침투시에는 하류측 사면의 안전율이 최소가 된다.

66 ② 67 ① 68 ④ 69 ① 70 ④ [정답]

71 흙댐에 관한 설명 중 옳지 않은 것은?

2009. 국가직 7급

① 흙댐 완공 후 물을 채우기 시작하면 상류측 사면의 전단응력은 증가한다.

② 흙댐 완공 후 물을 채우기 시작하면 상류측 사면의 간극수압은 증가한다.

③ 흙댐 완공 후 물을 채우기 시작하면 하류측 사면의 전단응력은 거의 일정하거나 약간 증가한다.

④ 흙댐 완공 후 물을 채우기 시작하면 하류측 사면의 간극수압은 증가한다.

해설

댐 완공후 담수를 시작하면 상류측의 제체는 부력의 작용으로 γ_t가 γ_{sub}가 되어 전단응력이 감소한다. 하류측은 물이 없으므로 간극수압의 영향을 받지 않으므로 전단응력은 거의 일정하거나 약간 증가할 따름이다.

72 사면에 대한 설명으로 옳지 않은 것을 모두 고른 것은?

2011. 지방직 7급

㉠ 사면 선단에서 침식 및 굴착, 비나 눈 등의 자연적인 현상, 제방 내 수위의 갑작스런 저하 등이 사면 불안정을 초래할 수 있다.

㉡ 일반적으로 Bishop의 간편법으로 구한 안전율은 Fellenius 방법으로 구한 안전율보다 작다.

㉢ 포화점토지반에 절토시 안전율은 절토가 끝난 직후 가장 작다.

㉣ 일반적으로 사면의 실제 파괴면은 원호파괴 형태에 가깝다.

① ㉠ ② ㉠, ㉣

③ ㉡, ㉢ ④ ㉡, ㉢, ㉣

해설

1. Fellenius 방법은 정밀도가 낮고 과소한 안전율이 산출되지만 계산이 매우 간편하다.
2. 포화점토지반에 절토시 안전율은 오랜시간이 지난후 가장 작다.

73 다음과 같이 포화된 점토지반을 굴착하여 사면을 형성하는 경우, 예상되는 파괴면상의 점 A의 전단응력, 간극수압, 전단강도 및 안전율 변화에 대한 설명으로 옳지 않은 것은?

2011. 국가직 7급

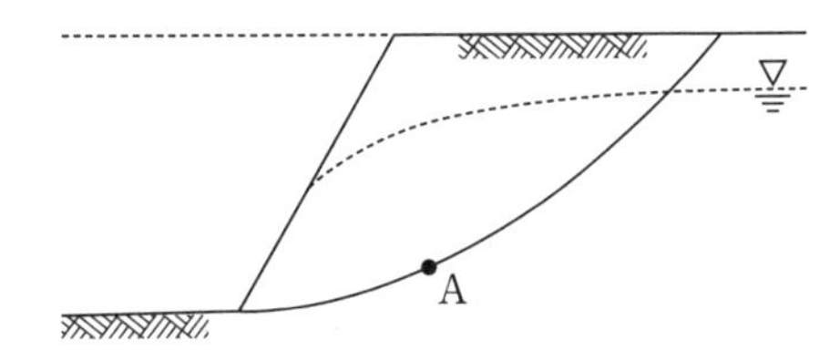

① 굴착이 종료된 후에 안전율은 증가한다.

② 굴착이 종료된 후에 전단강도는 감소한다.

③ 굴착이 진행되는 동안 전단응력은 증가한다.

④ 굴착이 진행되는 동안 간극수압은 감소한다.

해설

포화된 점토지반을 굴착할 때 가장 위험한 순간은 절취후 완전히 수압이 평형조건으로 돌아왔을 때이다. 즉, 오랜시간이 지난 후이다.

74 내부세굴에 의한 제차파괴를 방지하는 방법 중 옳지 못한 것은?

① 하류측에 차수판을 설치한다.

② 물의 침투경로를 길게 한다.

③ 제체 내에 점토 코어를 설치한다.

④ 제체 하류측에 필터를 설치한다.

해설

1. 상류측에 차수판을 설치한다.
2. 물의 침투경로를 길게 하여 동수경사를 작게 한다.
3. 제체 내에 점토로 된 코어(심벽)를 설치한다.
4. 제체 하류측에 필터를 설치한다.

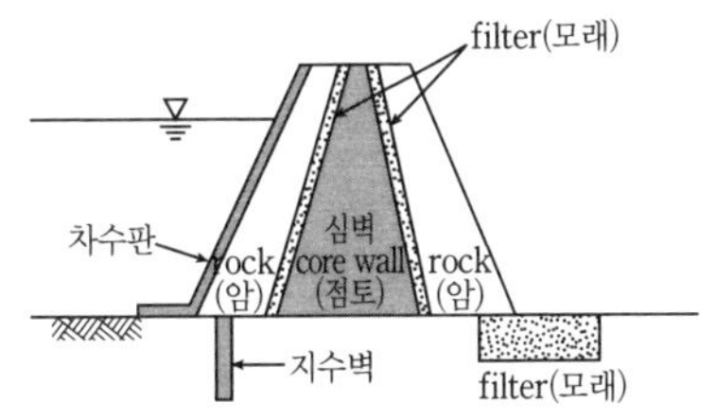

71 ① 72 ③ 73 ① 74 ① [정답]

제11장

75 포화점토지반에 축조된 점토제방의 사면 및 절토사면의 안정에 대한 설명으로 옳지 않은 것은? 2013. 국가직 7급

① 포화점토지반의 절토사면에서 시간에 따른 안전율은 시공완료 시점 이후부터는 점차 증가한다.
② 포화점토지반의 절토사면에서 시간에 따른 흙의 전단강도는 시공완료시점 이후부터는 점차 감소한다.
③ 포화점토지반 위에 축조된 점토제방에서 시간에 따른 안전율은 시공완료시점에서 가장 작고 그 이후부터는 점차 증가한다.
④ 포화점토지반 위에 축조된 점토제방에서 시간에 따른 흙의 전단강도는 시공완료시점 이후부터는 점차 증가한다.

해설

절토사면에서 안전율은 시공완료시점 이후부터 점차 감소한다.

76 흙댐에 설치되는 필터재료를 선정할 때, 사용하지 않는 흙의 입경은? 2016. 국가직 7급

① D_{15}　② D_{30}
③ D_{50}　④ D_{85}

해설

흙댐에 설치되는 필터재료

1. 세립토 유실방지

$$\frac{D_{15(F)}}{D_{85(S)}} < 5$$

2. 배수

$$5 < \frac{D_{15(F)}}{D_{15(S)}} < 20$$

$$\frac{D_{50(F)}}{D_{50(S)}} < 25$$

77 흙댐의 안정에 대한 설명 중 틀린 것은?

① 시공기간 중에는 가상활동면상의 전단응력이 감소한다.
② 댐이 만수되고 난 다음에는 정상침투의 상태가 된다.
③ 댐의 상류측이 가장 위험한 시기는 시공 직후와 수위 급강하 때이다.
④ 댐의 하류측이 가장 위험한 시기는 시공 직후와 정상침투 때이다.

해설

시공기간 중에는 흙의 하중이 계속 증가하므로 가상활동면상의 전단응력과 간극수압은 댐의 완공시까지 계속 증가한다.

78 그림과 같이 성질이 대단히 다른 두 가지 재료로 된 흙댐의 도시(圖示)된 활동면에 대해 안전을 계산할 때 옳지 않은 것은?

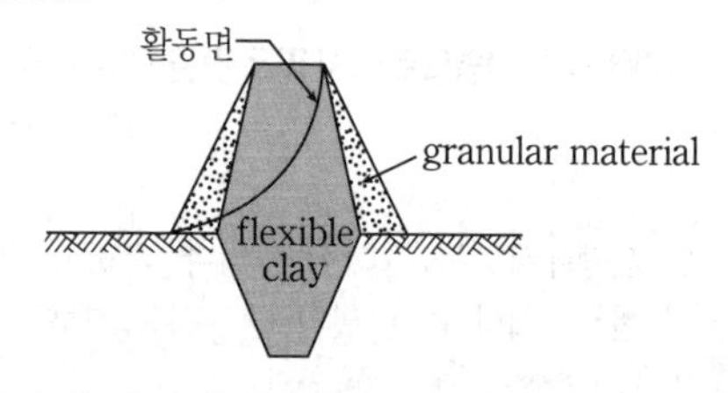

① 활동면 위의 흙덩이는 전체가 강체(rigid body)로서 이동한다고 가정한다.
② 각 흙의 응력－변형도 곡선에서 조합된 응력－변형도 곡선을 그리는 것이 필요하다.
③ 각 흙에 대해서 각각의 첨두강도(peak strength)를 사용한다.
④ 해석방법으로 절편법(또는 분할법, slice method)을 쓸 수 있다.

해설

각 흙은 변형에 따른 강도가 서로 다르기 때문에 각각의 첨두강도를 사용하는게 아니라 조합된 강도를 사용한다.

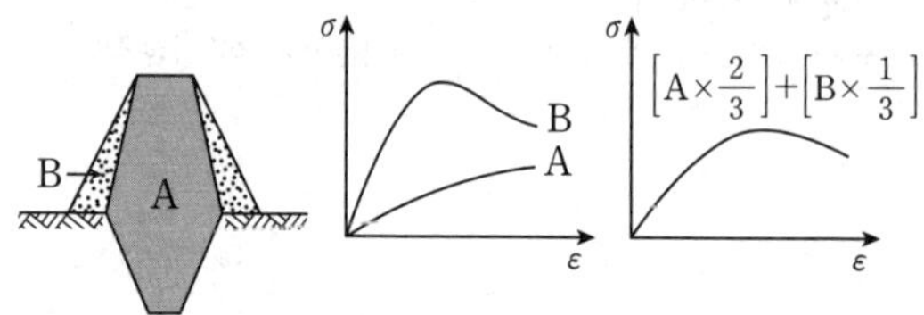

75 ① 76 ② 77 ① 78 ③ [정답]

Chapter 11

사면의 안정

기출 및 적중예상문제 Ⅱ [5지선다형]

여기에 수록된 「기출문제」는 수험생들의 기억을 바탕으로 유사한 유형의 문제로 새로이 창작하여 구성하였습니다. 따라서 원안과 동일하지는 않지만 출제 수준과 경향을 파악하는 데 결정적인 도움을 주리라 믿습니다.

01 다음은 사면파괴의 종류를 나타낸 것이다. 옳지 않은 것은 어느 것인가?

① 사면선단파괴　② 저부파괴
③ 사면내파괴　④ 사면정부파괴
⑤ 복합활동파괴

해설

사면파괴의 종류

1. 유한사면
   ① 단순사면 : 사면내파괴, 사면선단파괴, 저부파괴
   ② 복합사면 : 복합활동파괴
2. 무한사면 : 평면활동파괴

02 사면의 안정에 관한 다음 설명 중 옳지 않은 것은?

① 임계활동면이란 안전율이 가장 크게 나타나는 활동면을 말한다.
② 안전율이 최소로 되는 활동면을 이루는 원을 임계원이라 한다.
③ 활동면에 발생하는 전단응력이 흙의 전단강도를 초과할 경우 활동이 일어난다.
④ 활동현상은 원호, 대수나선, 직선, 블록파괴 등이다.
⑤ 활동면은 일반적으로 원형활동면으로 가정한다.

해설

일반적인 사면안정에 사용되는 활동면의 형상은 직선, 절선, 원호, 대수나선 또는 이들을 복합한 형상으로 가정한다.

1. 비점착성토 : 평면활동면
2. 점착성토 : 곡면활동면
3. 암반 : 평면파괴, 쐐기파괴, 원호파괴, 토플링파괴(전도파괴)

03 다음 중 사면의 붕괴와 관계 없는 것은?

① 사면의 표고
② 사면의 구배
③ 경사면의 높이
④ 흙의 내부마찰각
⑤ 흙의 점착력

04 Land Slide의 방지방법 중 틀린 것은 어느 것인가?

① 말뚝박이에 의한 방지
② 옹벽에 의한 방지
③ 지하수 침투방지 및 지표배수공법에 의한 방지
④ 수목 벌채에 의한 방지
⑤ 띠장에 의한 방지

해설

붕괴의 형태

1. 붕락(falls) : 연직으로 작은 비탈의 일부가 낙하하거나 굴러서 아래로 떨어지는 현상으로 낙하속도는 대단히 빠르다.
2. 활동(slides)
   ① 활동물질과 활동면 사이의 전단변형에 의해서 생기는 현상이다.
   ② 산사태(land slides)는 자연흙의 사면이 급경사(30° 이상)인 경우 중력에 의해 낮은 곳으로 이동하는 현상으로 이동속도가 빠르고 순간적으로 일어난다. 이러한 현상은 호우나 지진 등에 의하여 흙속의 응력이 증대하고 역학적 강도가 감소하면 발생한다.
3. 유동(flows) : 활동깊이에 비하여 활동길이가 대단히 길며 전단저항력의 부족으로 인한 활동이라기보다는 소성적인 활동이 지배적이다. 따라서 유동은 활동되는 토사가 대부분 비탈면 아래로 흘러내리는 특징이 있다.

01 ④　02 ①　03 ①　04 ④ [정답]

05 어떤 토층에 있어서 흙의 단위중량이 1.6t/m^3, 점착력이 0.2kg/cm^2, 내부마찰각이 10°이다. 인장균열을 고려할 때 이 토층을 연직으로 절취할 수 있는 깊이는 얼마인가?

① 3.5m　② 4.0m
③ 5.0m　④ 5.5m
⑤ 6.0m

해설

1. $c'=\frac{2}{3}c=\frac{2}{3}\times2=1.33\text{t/m}^2$
2. $H_c=\dfrac{4c'\tan\left(45°+\frac{\phi}{2}\right)}{\gamma_t}=\dfrac{4\times1.33\times\tan\left(45°+\frac{10°}{2}\right)}{1.6}$
$=3.96\text{m}$

06 단위체적중량 1.8t/m^3, 점착력이 1.4t/m^2, 내부마찰각이 0°인 흙 속에 깊이 3m의 연직벽에 도랑을 판다. 도랑 폭을 2m로 하였을 때 옆벽의 붕괴에 대한 안전율은 얼마인가? (단, N_s=3.8)

① 1　② 2
③ 3　④ 3.5
⑤ 4.0

해설

1. $H_c=\dfrac{N_s c}{\gamma_t}=\dfrac{3.8\times1.4}{1.8}=2.96\text{m}$
2. $F_s=\dfrac{H_c}{H}=\dfrac{2.96}{3}=0.99$

07 어느 큰 점토층을 깊이 7m까지 연직절토하였다. 이 점토층의 일축압축강도가 1.4kg/cm^2, 흙의 단위중량 γ=2t/m^{3}라 하면 파괴에 대한 안전율은?

① 1.0　② 2.0
③ 2.5　④ 3.0
⑤ 3.5

해설

1. $H_c=\dfrac{2q_u}{\gamma_t}=\dfrac{2\times14}{2}=14\text{m}$
2. $F_s=\dfrac{H_c}{H}=\dfrac{14}{7}=2$

08 흙의 안식각이란 다음 중 어느 것인가?

① 계획경사각　② 시공경사각
③ 자연경사각　④ 비탈면각
⑤ 설계경사각

해설

흙의 안식각이란 자연경사각으로 보통 30～45°이다.

09 침투류가 없는 비점성토로 된 반무한 사면에서 경사각 20°일 때, 이 사면이 안정하기 위한 조건으로 흙의 내부마찰각이 최소 몇 도 이상이어야 하는가?

① 30°　② 20°
③ 35°　④ 10°
⑤ 5°

해설

$F_s=\dfrac{\tan\phi}{\tan i}=\dfrac{\tan\phi}{\tan 20°}>1$

$\therefore \phi>20°$

10 어떤 호수 주변에 사면이 있다. 일반적으로 이 사면이 가장 위험한 때는?

2005. 서울시 7급

① 사면이 완전히 포화되었을 때
② 호수의 수위가 천천히 올라갈 때
③ 호수의 수위가 갑자기 올라갈 때
④ 호수의 수위가 천천히 내려갈 때
⑤ 호수의 수위가 갑자기 내려갈 때

해설

1. 상류측 사면이 가장 위험할 때
   ① 시공 직후
   ② 수위 급강하 시
2. 하류측 사면이 가장 위험할 때
   ① 시공 직후
   ② 정상 침투 시

05 ② 06 ① 07 ② 08 ③ 09 ② 10 ⑤ [정답]

지반조사

Chapter 12

지반조사

01 개설

기초의 설계, 시공에 필요한 자료를 얻기 위해 실시하는 조사를 **지반조사**라 하며 지반조사는 조기에 실시해야 한다.

1. 목적

(1) 상부 구조물에 적합한 기초의 종류와 깊이를 결정

(2) 기초의 지지력 계산

(3) 구조물의 예상 침하량 산정

(4) 지하수위 파악

(5) 지반조건에 따른 시공법의 결정

(6) 잠재적인 기초문제의 결정(팽창성 토질, 붕괴성 토질, 폐기물 성토 등)

2. 지반조사의 단계

(1) 예비조사

예비조사는 부지를 선정하고 기초의 형식을 결정하며 본조사의 계획을 세우기 위해 수행하고 구조물 설치시나 그 이후에 일어날 문제점 등을 예견한다.

① **자료조사** : 현장의 지형, 지질, 기후, 재해, 교통 등 지반조사 계획에 필요한 정보를 수집하는 것으로 조사자료에는 지형도, 지질도, 토양도, 기후·기상자료, 부근의 지질조사보고서, 항공사진 및 원격탐사자료, 지진관계자료 등이 있다.

② **현지답사** : 현장을 방문하여 관찰하는 것으로 다음과 같은 정보를 얻을 수 있다.

㉠ 현장의 전반적인 지형, 지질 상태 및 배수로의 존재여부

ⓛ 현장의 식생
ⓒ 건물이나 교량의 교대에 있는 고수위 흔적
ⓔ 지하수위(부근의 우물관측)
ⓜ 인접건축물의 형태, 벽의 균열의 존재

③ **개략조사**(현장조사의 예비조사) : 자료조사와 현지답사에서 얻은 지질, 토질조건을 토대로 하여 boring, sounding, 물리탐사(탄성파탐사, 음파탐사, 전기탐사), sampling, 실내 토질시험 등을 하여 현지지반을 개략적으로 조사하여 예정부지를 결정한다. 지층의 구성과 특성, 지지층의 깊이와 지지력, 연약층의 전단강도와 침하특성, 지하수위와 수심 등에 대한 정보를 얻을 수 있다.

(2) **본조사**

① **정밀조사**(현장조사의 정밀조사) : 개략조사에서 밝혀진 지층상태의 변화가 심한 지역이나 구조물 기초가 놓일 지점 및 지층과 토질에 대한 정밀한 자료가 요구되는 지점 등에 대하여 실시하는 것으로 구조물의 상세설계, 공사의 시공방법 등을 검토하기 위한 조사이다. 원위치 시험의 빈도와 채취시료의 품질을 높여 실시한다.

② **보충조사** : 지반조사에서 누락되었거나 추가로 필요한 사항이 발견되어 보충적으로 시행하는 조사이다.

02 지반조사의 종류

1. Test pit(시굴)

(1) 시굴은 간단하면서 가장 확실하게 지표부근의 지반형상을 알 수 있다(2~3m 깊이에서 가장 경제적이다.)

(2) 도로공사를 위한 지반조사에 적합하며 시굴의 바닥에서 sounding을 하여 깊은 지반의 강성을 조사할 수 있다.

2. Boring(시추)

(1) **개요**

① 지표면에서 지반에 구멍을 뚫어 심층지반을 조사하는 방법이다.

② Boring은 본조사 중에서 가장 많이 사용되고 있으며 sampling과 원위치 시험을 하기 위한 예비적 보조수단이 된다.

(2) 목적

① 지반의 구성상태 파악
② 지하수위 파악
③ 토질시험을 위한 불교란 시료의 채취(sampling)
④ 공내에서의 원위치 시험

(3) 종류

① hand auger boring
㉠ 인력으로 하며 현장에서 가장 간단히 할 수 있다.
㉡ 심도는 6~7m 정도(사질토는 3~4m)이고 최대심도는 10m이다.
㉢ 고속도로나 작은 구조물의 토질조사에 사용된다.

② percussion boring(충격식 보링) : 와이어 로프 끝에 percussion bit를 붙여 60~70cm 올려 낙하시켜 구멍을 뚫는 공법이다.
㉠ core 채취가 불가능하다.
㉡ 단단한 흙이나 암반 등에 구멍을 뚫을 때 이용하는 방법이다.
㉢ 연약한 점토, 느슨한 세립사질의 지반에 부적합하다.
㉣ 토질조사에는 부적합하다.

③ rotary boring(회전식 보링) : drill rod 선단에 장착된 drilling bit를 고속으로 회전하면서 가압함으로써 토사 및 암을 절삭 분쇄하여 굴진하는 공법으로 최근에 대부분 사용하고 있다.
㉠ 코어 채취가 가능하다.
㉡ 거의 모든 지반에 적용된다(토사에서 암까지 적용지질의 범위가 넓다).
㉢ 굴진성능이 우수하며 공저지반의 교란이 적으므로 sampling 및 공내 원위치 시험에 적합하며 암석코어를 채취할 수 있어 암반조사에서 최적의 보링법이다.

[표 12-1] auger boring

종류	특징	샘플의 품질
① 수동식 오거(hand auger) ㉠ 쌍주걱 오거(post-hole auger) ㉡ 통송곳 오거(helical auger) ② 기계식 오거(machine auger)	가장 간단한 방법이다.	교란된 대표적인 샘플이다.

(4) 보링의 심도

예상되는 기초 슬래브의 단변장 B의 2배 이상 또는 구조물 폭의 1.0~2.0배로 한다.

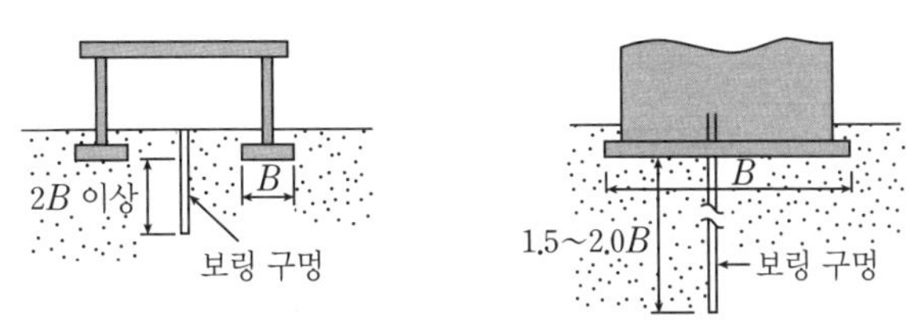

[그림 12-1] 보링의 심도

(5) 보링의 간격

① 건설부지 내에 대표적인 점을 격자식으로 균등하게 배치하여 boring 한다.

② 국부적으로 연약한 지반이 있거나 큰 하중이 작용하는 곳에서는 별도로 boring 한다.

③ 부지가 넓어서 보링 개수가 너무 많은 경우에는 일부 격자점에서 sounding을 하여 boring 개수를 줄일 수 있다.

[표 12-2] 미국표준 보링간격(G. Sowers) (단위 : m)

공사종류	보통지반	불규칙지반
도로	150~300	30
흙댐	30	8~15
토취장	60	15~30
고층건물	15	8
단층건물	30	8~15

3. Sounding

(1) 개요

① Rod 선단에 설치한 저항체를 땅 속에 삽입하여 관입, 회전, 인발 등의 저항치로부터 지반의 특성을 파악하는 지반조사 방법이다.

② Sounding은 지반의 형상을 알기 위한 보조수단이며 그 결과로 사질토의 상대밀도, 점성토의 상태, 지반의 압축성 및 전단강도를 구할 수 있다.

(2) 종류

점성토 지반에서는 정적인 사운딩, 사질토 지반에서는 동적인 사운딩을 적용한다.

계통	방식	장치형식	시험명칭	보링
동적	타입식	단관 cone	동적 원추관입시험 (dynamic cone penetration test)	불필요
		단관 split spoon sampler	표준관입시험(SPT)	필요
정적	압입식	단관 cone	휴대용 원추관입시험 (portable cone penetration test)	불필요
		이중관 cone	화란식 원추관입시험 (dutch cone penetration test)	불필요
	추 재하, 회전관입	단관 screw point	스웨덴식 관입시험 (swedish penetration test)	불필요
	인발	wire rope, 저항 날개	이스키미터 시험(iskymeter test)	불필요
	완속회전	단관 vane	베인시험(vane test)	필요

① **휴대용 원추관입시험**(portable cone penetration test)

㉠ 점질토 또는 이탄질토를 주체로 한 연약지반에서 군용차량의 통과여부를 판정할 목적으로 휴대하기 편하고 측정이 신속하도록 고안된 차량 통과용량시험기이다.

㉡ 콘을 사용하여 심도 10cm의 간격으로 1cm/s의 관입속도로 연약토층의 점착력을 신속하게 측정한다.

㉢ $q_c = 5q_u = 10c$ ························ (12－1)

② **더치콘 관입시험**(Dutch Cone Penetration Test; CPT, 정적콘 관입시험)

㉠ 콘을 땅속에 밀어 넣을 때 발생하는 저항을 측정하여 지반의 강도를 추정하는 시험으로 점성토와 사질토에 모두 적용할 수 있으나 주로 연약한 점토지반의 특성을 조사하는데 적합하다.

㉡ SPT와 달리 CPT는 시추공 없이 지표면에서부터 시험이 가능하므로 신속하고, 연속적으로 지반을 파악할 수 있는 장점이 있다.

㉢ 단점으로는 시료채취가 불가능하고, 자갈이 섞인 지반에서는 시험이 어렵고 시추하는 것보다 저렴하나 시험을 위해 특별히 CPT장비를 조달해야 하는 것이다.

③ **스웨덴식 관입시험**(swedish penetration test) : 선단에 스크류 포인트(screw point)를 달아 중추의 무게와 회전력에 의하여 관입저항을 측정하는 시험이다.

④ **피조콘관입시험**(piezocone penetration Test ; CPTU)

㉠ 콘을 흙속에 관입하면서 콘관입저항력, 마찰저항력과 함께 간극수압을 측정할 수 있도록 다공질 필터와 트랜스듀서(transducer)가 설치되어 있는 전자콘을 피조콘이라 한다. 최

근에 피조콘에 특수장치를 부착하여 온도, 전기비저항, 탄성파속도를 측정하거나 프레셔미터, 카메라 등을 부착하여 재하시험, 흙입자 및 균열의 관찰 등을 실시할 수 있는 전자식콘이 개발되었다.

ⓛ 결과의 이용

ⓐ 연속적인 토층상태 파악

ⓑ 점토층에 있는 sand seam의 깊이, 두께 판단

ⓒ 지반개량 전후의 지반변화 파악

ⓓ 간극수압 측정

ⓔ 소산시험을 통한 수평방향 압밀계수, 점토의 점착력, 수평방향 투수계수

ⓕ 토층구분

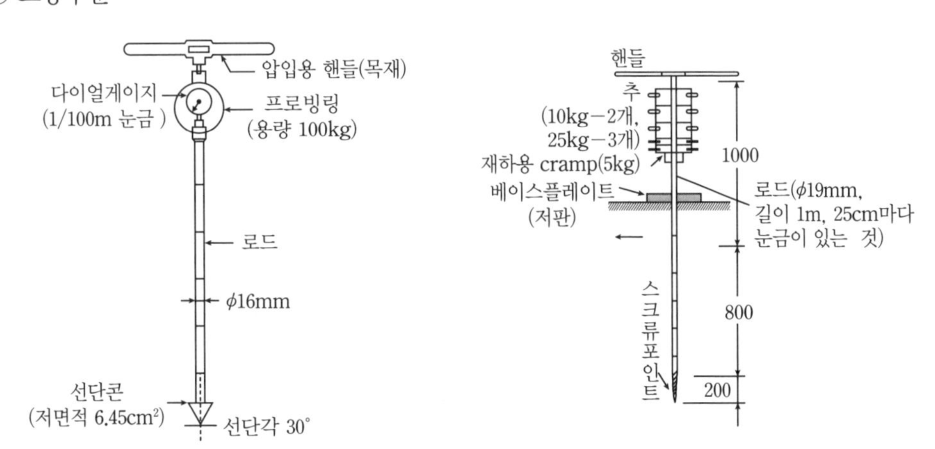

[그림 12-2] 휴대용 콘 페네트로 미터　　[그림 12-3] 스웨덴식 페네트로 미터

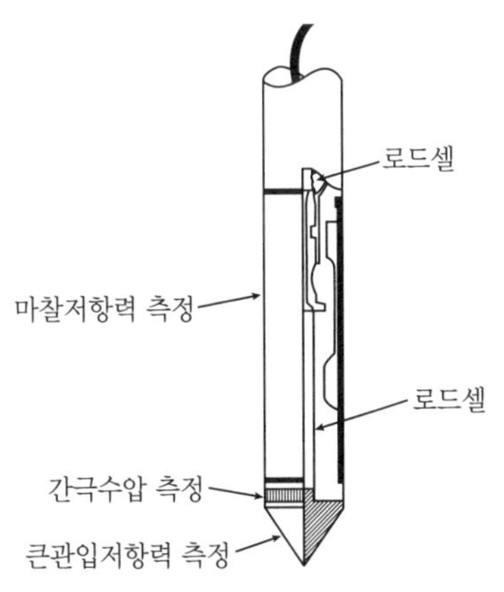

[그림 12-4] 피조콘 관입시험기

4. 물리탐사

(1) 개요

① 지반의 물리학적 성질을 측정 비교하여 지하 지질구조를 파악하는 방법이다.

② 넓은 지역에 대강의 판단을 내릴 수 있고 굴착에 의한 종래의 방법보다 비용이 저렴하지만 정확한 판단을 내리기는 어렵다. 따라서, 이 방법은 예비적인 작업으로만 사용된다.

(2) 종류

① **탄성파 탐사법**(지진탐사법) : 지반의 탄성파 전파속도는 지질의 종류, 풍화의 정도 등에 따라 각각 다르므로 화약폭발, 중추 낙하 등으로 지반에 탄성파를 발생시킨 후 P, S, R, L파 중 전파속도가 가장 빠른 P파를 이용하여 그 도달시간을 측정하여 지하 지질구조를 파악하는 방법이다.

② **전기비저항 탐사법**(전기탐사법) : 지반의 토질과 공극, 함수상태에 따라서 전기비저항이 다르게 나타나는 것을 이용하여 지하수 조사나 지하 지질구조를 파악하는 방법으로 국내에서는 특히 지하수 조사에 이용되고 있다.

③ **음파탐사법** : 관측선의 선저에서 전기발진기로 수중에 0.1~10kHz 정도의 음파를 발사하여 수저면과 지층 경계면에서 반사된 반사파를 측정하여 지하 지질구조를 파악하는 방법이다.

④ **방사능탐사법** : 단층, 파쇄대 부분에서 자연방사능이 강하게 나타나는 것을 이용하여 지하 지질구조를 파악하는 방법이다.

5. 시료채취(sampling)

교란된 시료 및 불교란시료의 채취를 sampling이라 한다.

[표 12-3] 각종 샘플러의 특징

샘플러의 종류	적합한 토질	채취시료 상태	특징
thin wall tube sampler (고정 피스톤식)	연약 점성토 (N=0~4)	불교란시료	• 연약 점성토의 불교란시료를 채취하는 샘플러로서 가장 신뢰성이 높아 널리 사용되고 있다.
split spoon sampler	사질토	교란시료	• 샘플링과 병행하여 지반의 관입저항을 얻을 수 있다.
foil sampler	연약 점성토 (N=0~4)	불교란시료	• 연속적으로 불교란시료를 채취할 수 있다. • 샘플링 직후에 시료를 인출하여 시험을 해야 한다.

denison sampler	경질 점성토 ($N=4\sim20$)	불교란시료	• 연약 점성토의 샘플링에는 부적합하고 경질 점성토의 불교란시료를 채취하는 데 적합하다.
scraper bucket sampler	자갈 섞인 모래	교란시료	• 자갈 때문에 split spoon sampler로 시료채취가 곤란할 때 사용한다.
core boring	경질 점성토, 암석 ($N=30$ 이상)		• 경질토 이상의 고결도이면 시료채취가 가능하다.
auger boring	자갈 및 고결토를 제외한 모든 토질	교란시료	• 가장 간편한 방법이다. • 얕은 지층에서 교란시료를 채취한다.

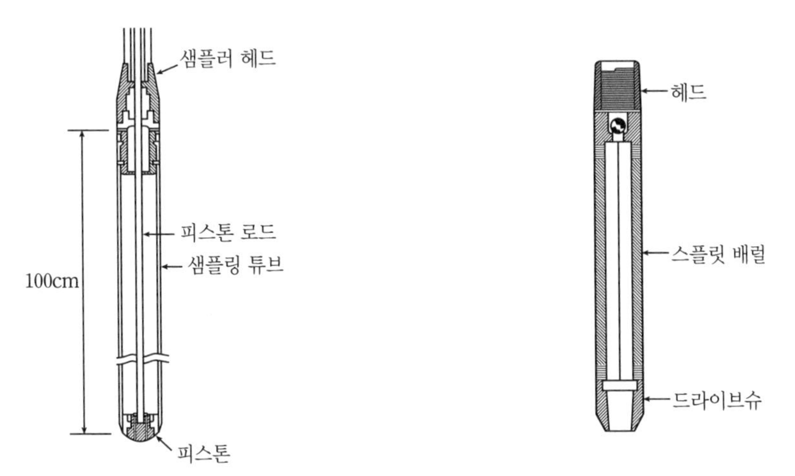

[그림 12-5] 고정피스톤식 딘월 샘플러

[그림 12-6] 표준관입시험용 스플릿 스푼 샘플러

6. 암석 시료채취

굴착 중에 암석층이 나타나면 암석시료를 채취해야 한다. 암석시료 채취시 굴착봉에 코어배럴을 부착시키고 코어배럴의 바닥에 코어비트를 부착시킨 후 회전굴착을 하여 시료를 채취한다.

(1) 케이싱, 코어배럴 그리고 굴착봉의 표준크기 및 규정

케이싱과 코어배럴 규정	코어배럴 비트의 외경(mm)	굴착봉 규정
EX	36.51	E
AX	47.63	A
BX	58.74	B
NX	74.61	N

(2) 시료채취에서 회수된 암석의 길이에 의해 암석의 질을 평가하기 위해 회수율과 암질지수(Rock Quality Designation : RQD)를 사용한다.

① $회수율=\frac{회수된\ 암석의\ 길이}{암석코어의\ 이론상의\ 길이}\times 100(\%)$ ······ (12-2)

회수율은 1은 신선암이며, 부스러지기 쉬운 암석에서는 회수율이 0.5 이하가 된다.

② $RQD=\frac{10cm\ 이상으로\ 회수된\ 암석조각들의\ 길이의\ 합}{암석코어의\ 이론상의\ 길이}\times 100(\%)$ ······ (12-3)

㉠ RQD 결정을 위해서는 NX 크기 이상의 코어를 사용해야 한다.

㉡ RQD의 이용 : RMR 분류, Q 분류, 지지력 추정

[표 12-4] RQD와 현장 암질과의 관계

RQD(%)	암질
0~25	매우 불량
25~50	불량
50~75	보통
75~90	양호
90~100	우수

Chapter 12

지반조사

기출 및 적중예상문제 I [4지선다형]

여기에 수록된 「기출문제」는 수험생들의 기억을 바탕으로 유사한 유형의 문제로 새로이 창작하여 구성하였습니다. 따라서 원안과 동일하지는 않지만 출제 수준과 경향을 파악하는 데 결정적인 도움을 주리라 믿습니다.

01 우리나라 각처에 널리 분포되어 있는 화강토(일명 "마사")의 일반적인 설명이다. 틀린 것은 어느 것인가?

① 풍화도에 따라 암에 가까운 사질토가 있는가 하면 이와 반대로 점토를 극히 많이 함유하는 점성토도 있다.
② 토립자가 파쇄되어 세립화되기 쉽다.
③ 물에 대하여 극히 강하며 물로 포화되면 전단강도는 현저하게 증가된다.
④ 투수성은 자연상태에서는 크지만 인공적으로 잘 다진 것은 거의 불투수성에 가깝다.

해설

화강토(마사토)는 물에 극히 약하여 물로 포화되면 전단강도가 현저히 떨어지고 특히 점착력은 0에 가까워진다.

02 토질조사의 방법에 관한 설명 중 옳지 않은 것은?

① 기초의 형식을 결정하고 본조사의 계획을 세우기 위한 예비조사가 있다.
② 본조사의 정밀조사에서는 기초의 설계시공에 필요한 모든 자료를 얻는다.
③ 보링, 사운딩, 기타 원위치시험과 실내 토질시험 등을 실시하여 지반구성과 기초의 지지력, 침하량을 결정한다.
④ 자료조사, 현지답사, 개략조사 등은 본조사에 속한다.

해설

토질조사

구분	개요	종류
예비조사	부지를 선정하고 기초의 형식을 결정하며 본조사의 계획을 세우기 위한 조사이다.	• 자료조사 • 현지답사 • 개략조사
본조사	예비조사의 결과에 의하여 예정부지의 지반을 정밀조사하기 위한 조사이다.	• 정밀조사 • 보충조사

03 토질조사의 주요목적 중 가장 거리가 먼 것은?

① 확실한 공사계획을 세우는 자료를 얻는다.
② 안전하고 경제적인 설계자료를 얻는다.
③ 구조물 위치 선정에 필요한 자료를 얻는다.
④ 구조물의 형식을 선정하는 자료를 얻는다.

해설

1. 예비조사에서 구조물의 부지를 선정하고 기초의 형식을 결정한다.
2. 토질조사의 주요 목적은 본조사라 할 수 있으며 본조사에서 기초의 설계, 시공에 필요한 모든 자료를 얻는다.

01 ③ 02 ④ 03 ③ [정답]

04 보링의 목적이 아닌 것은?

① 흐트러지지 않은 시료의 채취
② 지반의 토질구성 파악
③ 지하수위 파악
④ 평판재하시험을 위한 재하면의 형성

해설

보링의 목적
1. 지반의 구성상태 파악
2. 지하수위의 파악
3. 실내 토질시험을 위한 교란 및 불교란 시료의 채취(sampling)

05 도로지반의 현장조사 방법으로 점토지반의 토질을 알기 위해 행하는 시험으로 7m 정도까지 조사가 가능하고 교란시료의 채취도 가능한 조사시험은?

① test pit(T.P)
② hand auger boring(H.A.B)
③ borrow pit(B.P)
④ sounding

06 다음은 지반조사 방법이다. 이 중 경암을 관통하여 깊은 곳의 암석 core 채취가 가능한 것은?

① 지구물리탐사법
② 로터리 보링
③ 오거보링
④ 시험구멍파기

해설

Rotary boring(회전식 보링)은 토사에서 암반까지 거의 모든 지반에 적용되며 굴진성이 우수하고 암석코어를 채취할 수 있어 암반조사에 최적의 보링법이다.

07 다음 기술 중 틀린 것은?

① 보링(boring)에는 회전식(rotary boring)과 충격식(percussion boring)이 있다.
② 충격식은 굴진속도가 빠르고 비용도 싸지만 분말상의 교란된 시료만 얻어진다.
③ 회전식은 시간과 공사비가 많이 들 뿐만 아니라 확실한 core도 얻을 수 없다.
④ 보링은 기초와 상황을 판단하기 위해 실시한다.

해설

보링(boring)
1. 오거 보링(auger boring) : 인력으로 행한다.
2. 충격식 보링(percussion boring) : core 채취가 불가능하다.
3. 회전식 보링(rotary boring) : 거의 모든 지반에 적용되고 충격식 보링에 비해 공사비가 비싸지만 굴진 성능이 우수하며 확실한 core를 채취할 수 있고 공저지반의 교란이 적으므로 최근에 대부분 이 방법을 사용하고 있다.

08 토질조사에서 보링의 깊이는 지반상태에 따라 다르나 일반적으로 최대 기초슬래브의 단변장의 몇 배라야 하는가?

① 1배 이상　　② 2배 이상
③ 3배 이상　　④ 4배 이상

해설

보링의 심도는 예상되는 기초슬래브의 단변장 B의 2배 이상 또는 구조물 폭의 1.5~2.0배로 한다.

09 보통 지반조사를 위한 보링은 어느 정도 깊이까지 실시하는가?

① 구조물 폭의 2배
② 구조물 폭과 동일하게
③ 구조물 폭의 3배 이상
④ 기초 암반까지

04 ④　05 ②　06 ②　07 ③　08 ②　09 ①　[정답]

10 다음 흙시료 채취에 관한 설명 중 옳지 않은 것은?

① Post hole형의 auger는 비교적 연약한 흙을 boring 하는데 적합하다.
② 비교적 단단한 흙에는 screw형의 auger가 적합하다.
③ Auger boring은 흐트러지지 않은 시료를 채취하는데 적합하다.
④ 깊은 토층에서 시료를 채취할 때는 보통 기계 boring을 한다.

해설

auger boring(오거 보링)

1. 굴착토의 배출방법에 따라 포스트 홀 오거(post hole auger)와 헬리컬 또는 스크루 오거(helical or screw auger)로 구분되며, 오거의 동력기구에 따라 분류하면 핸드 오거, 머신 오거, 파워 핸드 오거로 구분된다.
2. 특징 : 공 내에 송수하지 않고 굴진하여 연속적으로 흙의 교란된 대표적인 시료를 채취할 수 있다.

종류	특징	샘플의 품질
① 수동식 오거(post-hole auger, helical auger) ② 기계식 오거	가장 간단한 방법	교란된 대표적인 샘플

11 토질조사에 대한 다음 설명 중 옳지 않은 것은?

① 보링의 위치와 수는 지형조건과 설계형태에 따라 변한다.
② 보링의 깊이는 설계의 형태와 크기에 따라 변한다.
③ 보링구멍은 사용 후에 흙이나 시멘트 그라우트(grout)로 메워야 한다.
④ 표준관입시험은 정적인 사운딩이다.

해설

1. 보링 간격

공사 종류	보통지반	불규칙지반
도로	150~300m	30m
어스댐	30m	8~15m
토취장	60m	15~30m

2. 보링의 심도 : 예상되는 최대 기초 slab의 단변장 B의 2배 이상 또는 구조물 폭의 1.5~2.0배로 한다.
3. 표준관입시험은 동적인 사운딩이다.

12 다음은 중요한 sounding의 종류를 나타낸 것이다. 이 가운데 사질토에 가장 적합하고 점성토에서도 쓰이는 조사법은?

① 단관 콘(cone) 관입시험기
② 베인시험기(vane tester)
③ 표준관입시험기
④ 이스키미터(isky meter)

해설

Sounding의 종류

계통	시험 명칭	적용 토질
동적	동적 원추관입시험	큰 자갈, 조밀한 모래, 자갈 이외의 흙에 사용된다.
	표준관입시험	사질토에 가장 적합하고 점성토에서도 시험이 가능하다.
정적	단관 원추관입시험	연약한 점토에 사용된다.
	화란식 원추관입시험	큰 자갈 이외의 대체의 흙에 사용된다.
	이스키미터	연약한 점토에 사용된다.
	베인시험	연약한 점토에 사용된다.

13 다음 현장시험 중 sounding의 종류가 아닌 것은?

① 평판재하시험
② vane 시험
③ 표준관입시험
④ 정적 cone 관입시험

해설

Sounding의 종류

구분	동적 sounding	정적 sounding
종류	① 동적 원추관입시험 ② SPT	① 단관 원추관입시험 ② 화란식 원추관입시험 ③ 베인시험 ④ 이스키미터

10 ③ 11 ④ 12 ③ 13 ① [정답]

14 **다음과 같은 토질시험 중에서 현장에서 이루어지지 않는 시험은?**

① 베인(vane)전단시험 ② 표준관입시험
③ 수축한계시험 ④ 원추관입시험

15 **다음은 원위치에 있어서 지반의 전단강도를 간접적으로 측정하려는 시험방법이다. 이 가운데 전단강도를 측정할 수 없는 시험법은?**

① 표준관입시험
② 원추관입시험
③ 오거 보링(auger boring)
④ 베인시험(vane test)

해설

Boring은 지표면에서 지반에 구멍을 뚫어 심층지반을 조사하는 것이며 전단강도는 측정할 수 없다.

16 **다음은 비교적 깊은 연약지반(깊이 15m 이상)의 강도를 알아보기 위하여 시험하고자 하는 원위치 시험방법을 열거하였다. 이 가운데 가장 적합하다고 생각되는 것은?**

① 이중관 정적 원추관입시험(dutch cone penetrometer)
② 표준관입시험(standard penetration test)
③ 단관 정적 원추관입시험(cone penetrometer)
④ 동적 원추관입시험(dynamic cone penetrometer)

17 **Rod에 붙인 어떤 저항체를 지중에 넣어 타격관입, 인발 및 회전할 때의 흙의 전단강도를 측정하는 원위치 시험은?**

① 보링(boring) ② 사운딩(sounding)
③ 시료채취(sampling) ④ 비파괴시험(NDT)

해설

sounding : Rod 선단에 설치한 저항체를 땅 속에 삽입하여 관입, 회전, 인발 등의 저항치로부터 지반의 특성을 파악하는 지반조사방법이다.

18 **토질조사에서 사운딩(sounding)에 관한 설명 중 옳은 것은?**

① 동적인 사운딩 방법은 주로 점성토에 유효하다.
② 표준관입시험(SPT)은 정적인 사운딩이다.
③ 사운딩은 보링이나 시굴보다 확실하게 지반구조를 알아낸다.
④ 사운딩은 주로 원위치시험으로서 의의가 있고 예비조사에 사용하는 경우가 많다.

해설

1. 동적인 sounding은 주로 조립토에 유효하다.
2. SPT는 동적인 sounding이다.
3. Sounding은 지반의 형상을 알기 위한 보조수단이며 원위치시험(in-situ test)으로서 중요한 의의가 있다.

19 **토질조사방법 중 사운딩에 대한 설명으로 옳지 않은 것은?**

① 표준관입시험은 정적인 사운딩이다.
② 정적인 사운딩은 주로 점성토에 쓰인다.
③ 사운딩은 주로 현장시험으로서의 의의가 중요하다.
④ 사운딩은 보링이나 시굴보다도 지반구성을 파악하기가 곤란하다.

해설

1. 표준관입시험은 동적인 사운딩이다.
2. 점성토 지반에서 동적인 사운딩을 하면 지반이 부풀어 올라 강도가 작아지므로 정적인 사운딩을 한다.

14 ③ 15 ③ 16 ② 17 ② 18 ④ 19 ① [정답]

20 다음은 흙시료 채취에 대한 설명이다. 틀린 것은?

① 교란의 효과는 소성이 낮은 흙이 소성이 높은 흙보다 크다.
② 교란된 흙은 자연상태의 흙보다 압축강도가 작다.
③ 교란된 흙은 자연상태의 흙보다 전단강도가 작다.
④ 흙시료 채취 직후에 비교적 교란되지 않은 코어(core)의 과잉간극수압은 부(負)이다.

해설

1. 교란의 효과는 소성이 낮은 흙(모래)이 소성이 높은 흙(점토)보다 작다.
2. 교란될수록 압축강도, 전단강도가 작아진다.
3. 시료채취 직후에는 코어(core)의 체적이 약간 팽창하므로 부(負)의 과잉간극수압이 발생한다.

21 암석시료를 얻기 위하여 시료통을 2.0m 굴진시켰다. 회수된 암석의 길이가 1.6m이고 그 중 10cm 이상의 길이를 갖는 시편의 길이의 합은 1.2m이다. 암석의 회수율과 *RQD*를 바르게 구한 것은? 2005. 서울시 7급

① 회수율=80%, RQD=60%
② 회수율=80%, RQD=75%
③ 회수율=60%, RQD=75%
④ 회수율=60%, RQD=80%

해설

1. $\text{회수율} = \dfrac{\text{회수된 암석의 길이}}{\text{암석코어의 이론상의 길이}} \times 100 = \dfrac{1.6}{2} \times 100 = 80\%$
2. $\text{RQD} = \dfrac{\text{10cm 이상으로 회수된 암석 조각들의 합}}{\text{암석코의 이론상의 길이}} = \dfrac{1.2}{2} \times 100$
   $= 60\%$

22 암질을 나타내는 항목 중 직접 관계가 없는 것은?

① N치 ② RQD 값
③ 탄성파 속도 ④ 균열의 간격

해설

1. 암반의 분류법
   ① RQD 분류
   ② RMR 분류 : 암석의 강도, RQD, 불연속면의 간격, 불연속면의 상태, 지하수 상태 등 5개의 매개변수에 의해 각각 등급을 두어 암반을 분류하는 방법이다.
2. 암석이 풍화 및 변질작용을 받으면 탄성파 속도는 감소하며 포화도가 상승하면 증대한다

23 전체 시추 코어 길이가 150cm이고 이 중 회수된 코어 길이의 합이 80cm이었으며, 10cm 이상인 코어 길이의 합이 70cm였을 때 암질의 상태는?

① 매우 불량(very poor)
② 불량(poor)
③ 보통(fair)
④ 양호(good)

해설

1. $\text{RQD} = \dfrac{\sum \text{10cm 이상 채취된 시료의 길이}}{\text{관입깊이}}$
   $= \dfrac{70}{150} = 0.47 = 47\%$이므로 불량하다.
2. RQD와 현장 암질과의 관계

RQD(%)	0~25	25~50	50~75	75~90	90~100
암질	매우 불량	불량	보통	양호	우수

24 암석시료 채취기(Sampler)의 관입깊이가 100cm이었고, 이때 채취된 암석 시료를 상부로부터 차례대로 배열하면 암석 코아 길이가 각각 5cm, 8cm, 12cm, 6cm, 15cm, 9cm, 23cm, 12cm이었다. 이런 경우에 암석의 회수율(Recover Ratio)과 RQD(Rock Quality Designation)는? 2013. 국가직 7급

	회수율	RQD		회수율	RQD
①	1.0	0.38	②	1.0	0.62
③	0.9	0.38	④	0.9	0.62

해설

1. $\text{회수율} = \dfrac{5+8+12+6+15+9+23+12}{100} = 0.9$
2. $\text{RQD} = \dfrac{12+15+23+12}{100} = 0.62$

20 ① 21 ① 22 ① 23 ② 24 ④ [정답]

토목직 공무원·공기업 토질역학

얕은 기초

Chapter 13

얕은 기초

01 개설

상부구조물의 하중을 지반에 전달하는 역할을 하는 구조물의 최하부를 **기초**라 하며 기초의 종류에는 얕은 기초와 깊은 기초가 있다. **얕은 기초**는 상부구조물의 하중을 직접 지반으로 전달시키기 위하여 지반 위에 놓이는 기초를 말하며 **깊은 기초**는 말뚝이나 케이슨 등을 통하여 상부하중을 지중으로 전달하는 기초를 말한다.

1. 기초의 구비조건

(1) 최소한의 근입깊이를 가질 것(동해, 지반의 건조수축, 습윤팽창, 지하수위 변화 등에 영향을 받지 않아야 한다)

(2) 지지력에 대해 안정할 것

(3) 침하에 대해 안정할 것(침하량이 허용치 이내에 들어야 한다)

(4) 시공이 가능하고 경제적일 것

2. 기초의 분류

(1) 얕은 기초(직접기초)

$$\frac{D_f}{B} \leqq 1$$

① 푸팅기초(확대기초)

㉠ **독립푸팅기초** : 상부구조물의 하중을 1개의 기둥이 하나의 푸팅으로 전달하는 기초이다.

㉡ **복합푸팅기초** : 상부구조물의 하중을 2개 이상의 기둥이 하나의 푸팅으로 전달하는 기초이다.

㉢ **캔틸레버푸팅기초** : 2개의 독립푸팅기초를 보로 연결한 기초이다.

㉣ **연속(줄)푸팅기초** : 기둥의 수가 많아지든지 하중이 벽을 통하여 전달되는 경우 이들을 띠 모양의 긴 푸팅으로 지지하는 기초로서 기초지반의 지지력이 작은 곳에 사용된다.

② Mat 기초(전면기초) : 독립푸팅기초 면적의 합계가 시공면적의 $\frac{2}{3}$ 이상일 때이거나 지반의 지지력이 작은 곳에 전면기초가 사용된다.

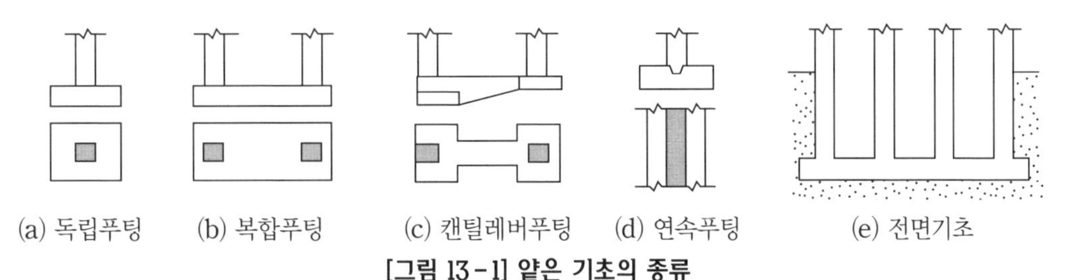

[그림 13-1] 얕은 기초의 종류

(2) 깊은 기초

$$\frac{D_f}{B} > 1$$

① 말뚝기초
② 피어기초
③ 케이슨기초

02 얕은 기초의 극한지지력

1. 지반의 파괴형태

(1) 전반전단파괴(general shear failure)

q_u보다 큰 하중이 가해지면 침하가 급격히 일어나고 주위 지반이 융기하며 지표면에 균열이 생긴다.

① 조밀한 모래나 굳은 점토지반에서 일어난다.
② 하중-침하곡선에서 피크점이 뚜렷하다.

(2) 국부전단파괴(local shear failure)

활동 파괴면이 명확하지 않으며 파괴의 발달이 지표면까지 도달하지 않고 지반 내에서만 발생하므로 약간의 융기가 생기며 흙 속에서 국부적으로 파괴된다.

① 느슨한 모래나 연약한 점토지반에서 일어난다.
② 하중-침하곡선의 경사가 더욱 급해져서 직선으로 변하는 하중 q_u가 극한지지력이다.

(3) 관입전단파괴(punching shear failure)

기초가 지반에 관입할 때 주위 지반이 융기하지 않고 오히려 기초를 따라 침하를 일으키며 파괴된다.

① 아주 느슨한 모래나 아주 연약한 점토지반에서 일어난다.

② 기초 아래 지반은 기초의 하중으로 다져지므로 기초가 침하할수록 하중은 증가한다.

③ 하중-침하곡선의 경사가 급하게 되어 직선에 가깝게(곡률이 최대) 변하는 하중 q_u가 극한지지력이다.

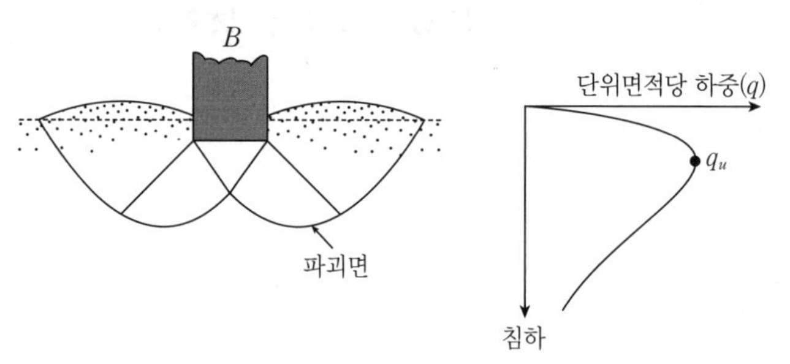

(a) 전반전단파괴(general shear failure)

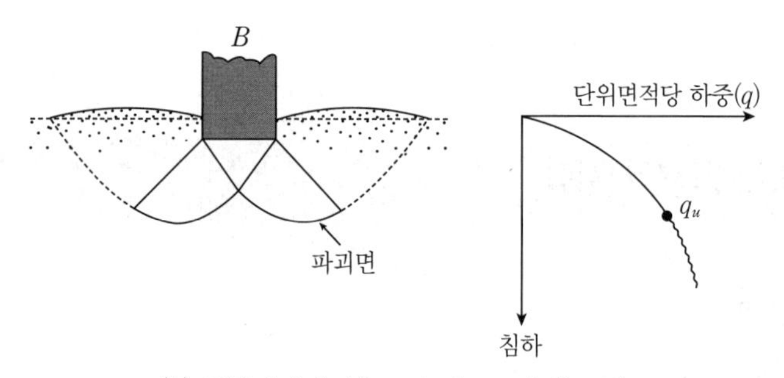

(b) 국부전단파괴(local shear failure)

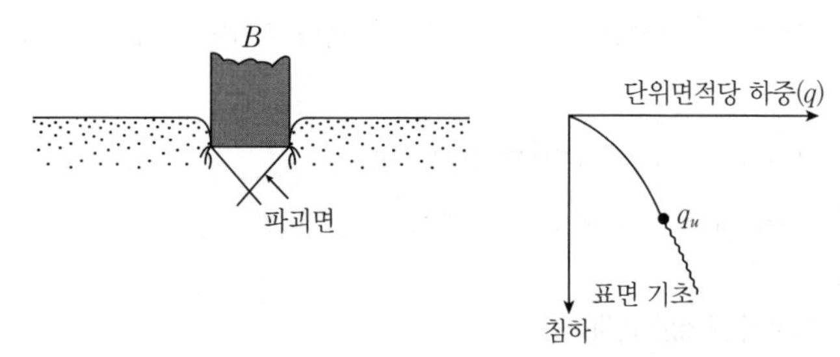

(c) 관입전단파괴(punching shear failure)

[그림 13-2] 기초 파괴의 형태

2. Terzaghi의 지지력 공식

(1) Terzaghi의 기초파괴 현상

기초면이 거친 줄기초의 전반전단파괴시의 극한지지력을 계산하기 위해 Terzaghi는 다음과 같이 파괴형태를 가정하였다.

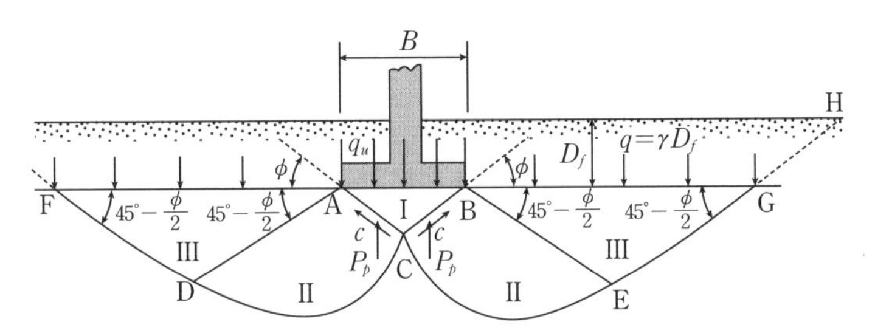

[그림 13-3] 강성 연속기초의 전반전단파괴

① 파괴영역

㉠ **영역** Ⅰ : 탄성영역, 기초면이 거칠어서 마찰저항이나 점착력에 의해 전단변형이 억제되므로 주동상태가 되지 않고 탄성평형상태로서 기초의 일부와 같이 거동한다.

㉡ **영역** Ⅱ : 과도영역 또는 방사상 전단영역이다.

㉢ **영역** Ⅲ : Rankine의 수동영역, 흙의 선형전단파괴 영역이다.

② AC, BC 둘다 수평선과 ϕ의 각도를 이룬다.

③ 영역 Ⅲ에서 수평선과 $45°-\dfrac{\phi}{2}$의 각을 이룬다.

④ 파괴 순서는 Ⅰ → Ⅱ → Ⅲ으로 된다.

⑤ 원호 CD, CE는 대수나선 원호이다.

⑥ DF, EG는 직선이다.

⑦ GH 선상의 전단강도는 무시한다.

(2) 극한지지력

① $q_u=cN_c+\dfrac{1}{2}B\gamma N_\gamma+\gamma D_f N_q$(연속기초) ··················· (13-1)

이 식이 Terzaghi의 극한지지력 공식이며 전반전단파괴에 대하여 사용한다. 그러나 국부전단파괴에 대하여는 다음과 같이 강도 정수를 저감하여 사용한다.

$c'=\dfrac{2}{3}c$ ··················· (13-2)

$\tan\phi'=\dfrac{2}{3}\tan\phi$ ··················· (13-3)

② 극한지지력 공식의 제1항은 점착력, 제2항은 흙의 자중, 제3항은 상재하중의 영향을 나타낸다.

3. Terzaghi의 수정지지력 공식

Terzaghi는 지지력계수를 전반전단파괴와 국부전단파괴의 2가지 경우로 나누고 있는데 실제로 어느 파괴가 일어날지를 예측하는 것은 곤란하다. 따라서 실용적으로 수정한 파괴형태를 구별하지 않는 **수정지지력 공식**이 제안되었다.

(1) 극한지지력

$$q_{ult}=\alpha c N_c+\beta \gamma_1 B N_\gamma+\gamma_2 D_f N_q \quad \cdots\cdots (13-14)$$

여기서, N_c, N_γ, N_q : 지지력계수로서 ϕ의 함수이다.

c : 기초 저면 흙의 점착력(t/m^2)

B : 기초의 최소폭(m)

γ_1 : 기초 저면보다 하부에 있는 흙의 단위중량(t/m^3)

γ_2 : 기초 저면보다 상부에 있는 흙의 단위중량(t/m^3)

단, γ_1, γ_2는 지하수위 아래에서는 수중단위중량을 사용한다.

D_f : 근입깊이(m)

α, β : 기초 모양에 따른 형상계수(shape factor)

① 형상계수

구분	연속	정사각형	직사각형	원형
α	1.0	1.3	$1+0.3\dfrac{B}{L}$	1.3
β	0.5	0.4	$0.5-0.1\dfrac{B}{L}$	0.3

여기서, B : 구형의 단변길이, L : 구형의 장변길이

② 전반전단 파괴시 지지력계수

ϕ(내부마찰각, °)	N_c	N_γ	N_q
0	5.7	0	1.0
5	7.3	0.5	1.6
10	9.6	1.2	2.7
15	12.9	2.5	4.4
20	17.7	5.0	7.4
25	25.1	9.7	12.7
30	37.2	19.7	22.5
35	57.8	42.4	41.4
40	95.7	100.4	81.3

③ 지하수위의 영향

㉠ 기초하중면 아래쪽의 경우 기초폭보다 깊으면 지지력에 영향이 없다.

㉡ 기초하중면 위에 있는 경우 지하수위 아래쪽 흙의 밀도를 고려하여 평균밀도를 사용한다.

ⓐ $0 \leq D_1 < D_f$인 경우

$$\gamma_1 = \gamma_{sub} \quad \cdots\cdots (13-5)$$

$$D_f \gamma_2 = D_1 \gamma_t + D_2 \gamma_{sub} \quad \cdots\cdots (13-6)$$

ⓑ $0 \leq d \leq B$인 경우

$$\gamma_1 = \gamma_{sub} + \frac{d}{B}(\gamma_t - \gamma_{sub}) \quad \cdots\cdots (13-7)$$

$$\gamma_2 = \gamma_t \quad \cdots\cdots (13-8)$$

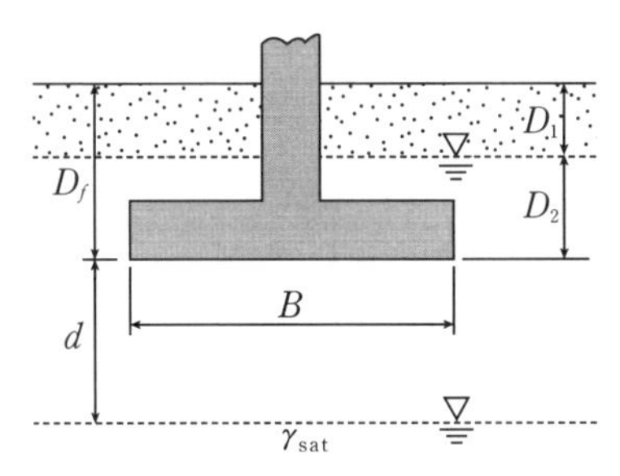

[그림 13-4] 지하수위가 있는 경우에 대한 지지력공식의 수정

④ 참고사항

㉠ Terzaghi 지지력 공식의 첫째항은 점착력, 둘째항은 흙의 자중, 셋째항은 상재하중의 영향을 나타내고 있다.

㉡ 기초의 극한지지력은 D_f에 비례한다.

㉢ 점성토에서는 $c \neq 0$, $\phi = 0 \rightarrow N_\gamma = 0$이므로 극한지지력은 B에 무관하고 D_f에 비례한다.

⑤ 허용지지력

$$q_a = \frac{q_u}{F_s} \quad \cdots\cdots (13-9)$$

여기서, $F_s = 3$

⑥ 사질토에서는 $c = 0$, $\phi \neq 0$이므로 극한지지력은 B, D_f에 비례한다.

(2) 순극한지지력

기초 주위면에 있는 흙의 압력을 제외한 것으로 기초면 아래에 있는 흙에 의해 지지될 수 있는 단위면적당의 극한지지력이다.

① 순극한지지력

$$q_{u(net)} = q_u - q \quad \cdots\cdots (13-10)$$

여기서, $q = \gamma_2 D_f$

② 순허용지지력

$$q_{a(\text{net})}=\frac{q_{u(\text{net})}}{F_s}=\frac{q_u-q}{F_s} \quad \cdots\cdots (13-11)$$

여기서, $F_s=3$

(3) 편심하중을 받을 때의 극한지지력

편심하중을 받는 footing의 극한지지력은 하중작용점에 대칭인 부분만이 유효하고 나머지는 계산상 불필요하다고 생각하는 Meyerhof의 유효면적법으로 구할 수 있다.

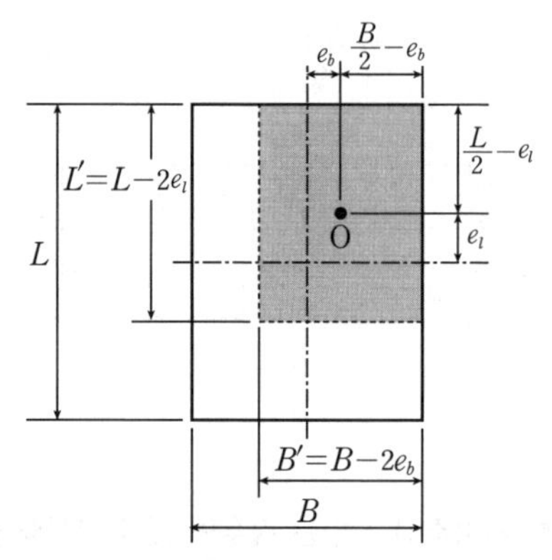

[그림 13-5] 편심하중을 받는 구형 단면의 유효폭

① 기초의 유효크기

㉠ 유효폭 : $B'=B-2e_b$ ⋯⋯ (13-12)

㉡ 유효길이 : $L'=L-2e_l$ ⋯⋯ (13-13)

② $q_u'=\frac{P_u}{B'L'}$ ⋯⋯ (13-14)

③ $F_s=\frac{P_u}{P}$ ⋯⋯ (13-15)

4. Meyerhof의 지지력공식

Terzaghi공식은 기초의 바닥면 위에 있는 흙의 파괴면을 따라 생기는 전단저항을 고려하지 않고 있고, 경사진 하중이 기초에 작용되는 경우도 있는데 이러한 조건들을 고려할 수 있도록 하기위해 Meyerhof는 Terzaghi의 극한지지력 공식과 유사하면서 형상계수, 깊이계수, 경사계수를 추가한 다음과 같은 극한지지력 공식을 제안하였다.

$$q_u=cN_cF_{cs}F_{cd}F_{ci}+\frac{1}{2}B\gamma_1N_\gamma F_{\gamma s}F_{\gamma d}F_{\gamma i}+\gamma_2D_fN_qF_{qs}F_{qd}F_{qi} \quad \cdots\cdots (13-16)$$

여기서, $F_{cs}F_{\gamma s}F_{qs}$: 형상계수

$F_{cd}F_{\gamma d}F_{qd}$: 깊이계수, 지지력은 기초의 깊이에 따라 달라지며, 이를 고려하기 위해 깊이 계수를 사용한다.

$F_{ci}F_{\gamma i}F_{qi}$: 경사계수, 기초에 작용하는 하중이 수직이 아닐 경우에는 수직하중일 때에 비하여 기초의 지지력이 감소하며, 이를 고려하기 위해 경사계수를 사용한다.

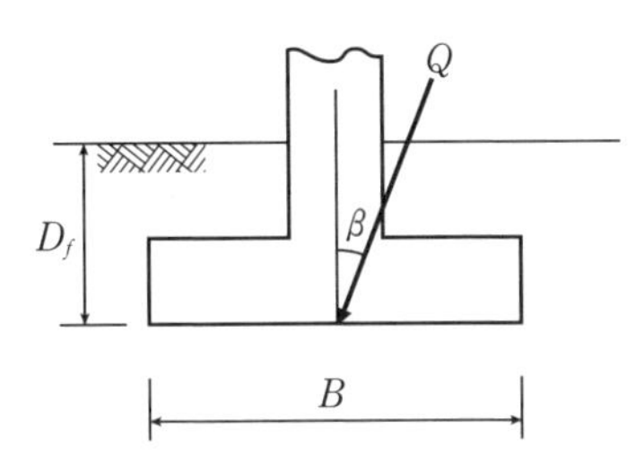

[그림 13-6] Meyerthof의 지지력공식

5. Skempton 공식

비배수 상태(ϕ_u=0)인 포화점토에 대해 다음과 같은 식을 제안하였다.

$$q_u = cN_c + \gamma D_f \quad \cdots\cdots (13-17)$$

여기서, N_c : Skempton의 지지력 계수 $\left(\frac{D_f}{B}\text{에 의해 결정된다.}\right)$

γ : 전응력 해석이므로 γ_{sat}을 사용한다.

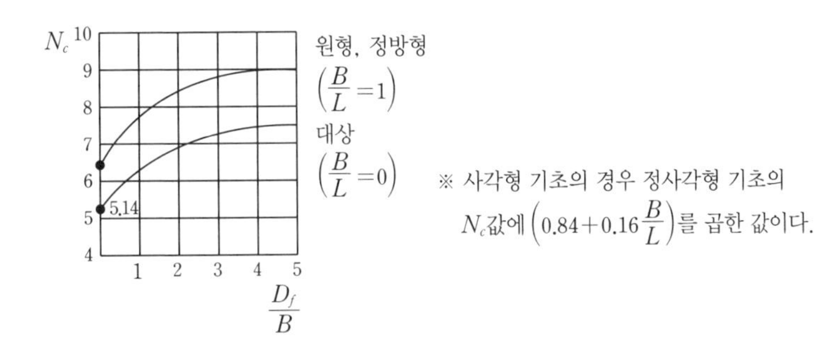

[그림 13-7] ϕ = 0일 때 Skempton의 N_c 값

6. Meyerhof 공식

(1) 극한지지력

$$q_u = 3NB\left(1+\frac{D_f}{B}\right) \quad \cdots\cdots (13-18)$$

$$q_u = \frac{3}{40}q_cB\left(1+\frac{D_f}{B}\right) \quad \cdots\cdots (13-19)$$

여기서, q_u : 극한지지력(t/m^2)

N : 표준관입시험의 N치

q_c : cone의 관입저항(t/m^2)

(2) 특징

① 두꺼운 모래층에 축조된 기초에 적합하다.

② 표준관입시험 및 콘관입시험을 이용한 식이다.

③ 경험식으로 사용이 간편하고 비교적 신뢰도가 높다.

03 재하시험에 의한 지지력 결정

이론치보다 비교적 확실한 값을 얻을 수 있고 실제 설계에 사용되는 허용지지력은 다음 식으로 구한다.

(1) 장기 허용지지력

$$q_a = q_t + \frac{1}{3}\gamma D_f N_q \quad \cdots\cdots (13-20)$$

(2) 단기 허용지지력

$$q_a = 2q_t + \frac{1}{3}\gamma D_f N_q \quad \cdots\cdots (13-21)$$

여기서, q_t : 재하시험에 의한 항복강도의 1/2 또는 극한강도의 1/3 중 작은 값(t/m^2)

D_f : 기초에 근접된 최저지반면에서 기초 하중면까지의 깊이(m)

N_q : 지지력 계수

[표 13-1] 재하시험시의 N_q

지반		N_q
사질토지반	느슨한 경우	3
	조밀한 경우	9
점토질 지반		3

※ 느슨한 경우라는 것은 N치가 5~10의 범위의 것이며, 조밀한 경우라는 것은 $N>20$의 범위의 것을 말하고 있으므로 중간적인 지반에 대해서는 적당한 보간(補間)을 한다.

04 허용지내력

1. 정의

지지력에 대해서 소정의 안전율을 가지며(허용지지력 이하) 침하량이 허용치 이하가 되게 하는 하중강도 중의 최대의 허용지내력이라 한다.

2. 기초폭과 허용지내력과의 관계

(1) 지지력을 기준으로 하면 점성토에서는 기초폭에 관계없이 일정하지만 사질토에서는 기초폭이 커짐에 따라 지지력이 커진다.

(2) 침하량을 기준으로 하면 흙의 종류에 관계없이 기초폭이 클수록 하중강도가 감소한다.

(3) 어떤 종류의 지반에서도 크기가 작은 기초의 허용지내력은 지지력으로 정해지고 크기가 큰 기초의 경우에는 침하량으로 허용지내력이 정해진다.

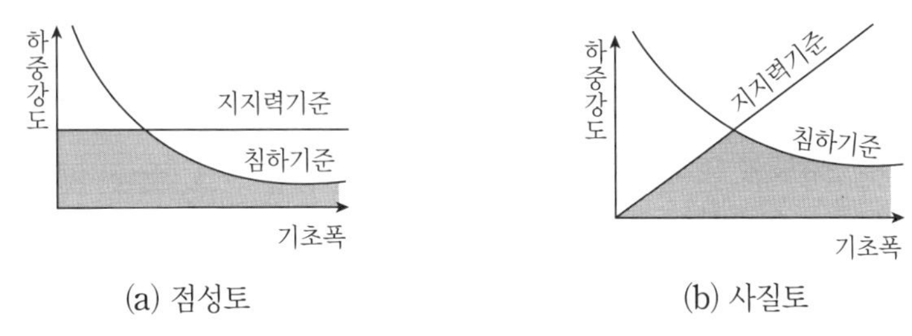

(a) 점성토 (b) 사질토

[그림 13-8] 기초의 크기와 허용지내력과의 관계

05 얕은 기초의 침하(settlement)

1. 침하의 종류

하중을 받고 있는 기초의 침하는 탄성침하와 압밀침하로 나눌 수 있으며 침하량의 크기는 하중강도와 지반의 성질에 따라 달라진다.

$$S=S_i+S_c+S_s \quad \cdots\cdots (13-22)$$

여기서, S : 총침하량(total settlement), S_i : 즉시침하량(immediate or elastic settlement)

S_c : 압밀침하량(settlement due to consolidation)

S_s : 2차 압밀침하량(secondary consolidation)

2. 탄성침하(즉시침하)

지반에 하중이 작용함과 동시에 일어나는 침하로서 구조물 시공 중이나 시공 직후 7일 이내에 발생한다. 탄성침하는 사질토와 같이 투수계수가 큰 흙이나 포화도가 90% 이하인 세립토에서 크게 일어나며 탄성론에 의하여 침하량을 산정한다.

(1) 사질토지반에서의 즉시침하는 투수계수가 커서 하중증가와 동시에 물이 배수되기 때문에 즉시침하가 전체침하량과 같다고 볼 수 있다.

(2) 지지력시험에서 생기는 기초의 침하는 주로 탄성침하이다.

(3) 즉시침하량

① 일반식

$$S_i = qB\frac{1-\mu^2}{E_s}I_w \quad \cdots\cdots (13-23)$$

여기서, q : 기초의 하중강도(t/m²)

B : 기초의 폭(m)

μ : 흙의 푸아송비

E_s : 흙의 탄성계수(흙일때는 변형계수라 한다)

I_w : 영향계수(침하에 의한 영향값)

② $D_f=0$, $H=\infty$인 경우의 즉시침하량(Harr, 1966)

㉠ 유연성기초의 모서리

$$S_i = \frac{qB}{E_s}(1-\mu^2)\frac{\alpha}{2} \quad \cdots\cdots (13-24)$$

㉡ 유연성기초의 중심

$$S_i = \frac{qB}{E_s}(1-\mu^2)\alpha \quad \cdots\cdots (13-25)$$

㉢ 유연성기초의 평균

$$S_i = \frac{qB}{E_s}(1-\mu^2)\alpha_{av} \quad \cdots\cdots (13-26)$$

㉣ 강성기초

$$S_i = \frac{qB}{E_s}(1-\mu^2)\alpha_\gamma \quad \cdots\cdots (13-27)$$

여기서, α, α_{av}, α_γ : $\frac{L}{B}$에 대한 계수

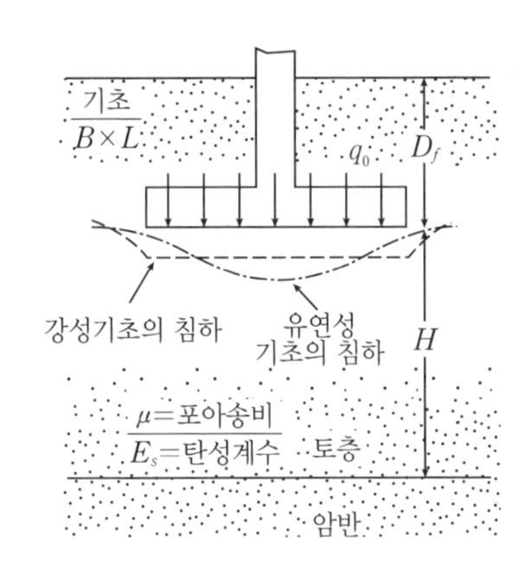

[그림 13-9] 강성기초와 유연성기초의 즉시침하

3. 압밀침하

포화점성토의 간극으로부터 간극수가 빠져나감으로 인해 생기는 침하로 1차압밀침하와 2차압밀침하가 있다.

(1) 2차 압밀침하는 과잉간극수압이 소산된 후에도 장기간에 걸쳐 생기는 침하로서 하중이 지속적으로 작용할 때 흙입자의 미끄러짐과 재배열에 의해 생긴다.

(2) 1차 압밀침하는 포화된 세립토에서 크게 일어나며, 2차 압밀침하는 유기질토에서 많이 발생한다.

4. 기초침하의 원인

(1) 구조물 하중에 의한 지중응력의 증가

(2) 지하수위 저하에 따른 지반 내 유효응력의 증가

(3) 점성토 지반의 건조수축

(4) 함수비 증가에 의한 지반 지지력의 약화

(5) 지반의 기초 파괴

(6) 연화에 의한 지반 지지력의 약화

06 기초하중에 의한 침하

기초에 침하가 발생하면 상부구조물이 파괴되거나 균열이 발생하고 기능상 또는 미관상 좋지 않은 영향을 미치게 된다.

기초하중에 의한 침하는 균등침하와 전도 및 불균등침하로 나눌 수 있으며 전도와 불균등 침하를 부등침하라고 한다.

구조물에 뒤틀림을 일으키는 불균등침하가 균등침하나 전도보다 문제가 되며, 과도한 침하는 전단파괴를 일으킨다.

1. 침하의 종류

(1) 균등침하(uniform settlement)

강성이 매우 큰 구조물이 연약한 지반에 놓인 경우에 발생한다.

(2) 부등침하(differential settlement)

① 상부구조물이 벽돌구조와 같이 연성인 경우에 발생한다.

② **원인** : 기초하중에 의한 지중응력의 변화, 지층의 불규칙성, 기초지반이 연약한 점토층이나 유기질 흙인 경우, 모래지반에서 누수나 하수관에서의 유출수의 영향 등이 있다.

③ 부등침하는 인접한 두 점 사이의 침하량의 차이로 산정하며, 최대 전체침하량의 $\frac{3}{4}$ 정도로 추정할 수 있다.

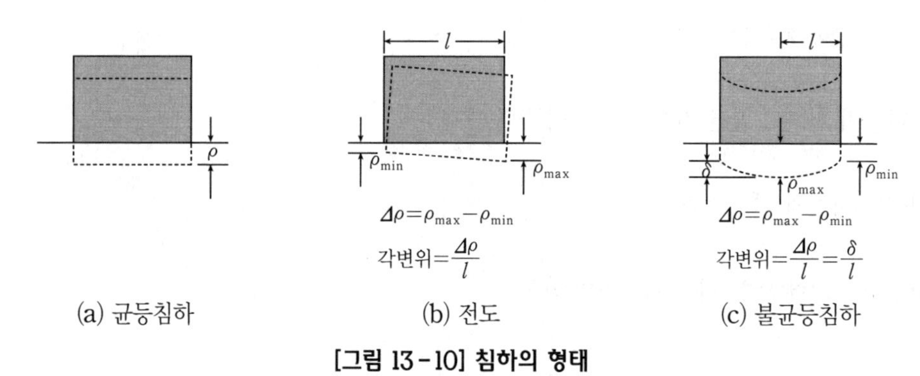

[그림 13-10] 침하의 형태

2. 각변위(angular distortion)

구조물의 두 점 사이의 부등침하량을 두 점 사이의 거리로 나눈 값을 **각변위**라 한다.

$$각변위=\frac{\Delta\rho}{l} \qquad \cdots\cdots (13-28)$$

[표 13-2] 각변위의 한계값

각변위	구조물 또는 기능 손상
1/150	일반 구조물의 기능 손상
1/250	고층 강성 건물의 기울어짐 육안관찰 한계
1/300	판넬벽의 균열이 나타나는 한계
1/400	고가 크레인의 작업이 곤란한 한계
1/500	균열이 허용되지 않는 건물
1/600	경사부재를 가진 구조물의 골조
1/750	침하에 예민한 기계류의 작동 한계

07 기초의 굴착공법

1. open cut 공법(절개공법)

토질이 좋고 넓은 대지면적이 있을 때 시공한다.

2. trench cut 공법

Island 공법과 반대로 먼저 둘레부분을 굴착하고 기초의 일부분을 만든 후 중앙부를 굴착, 시공하는 공법이다.

3. island 공법

굴착할 부분의 중앙부를 먼저 굴착하고 여기에 일부분의 기초를 먼저 만들어 이것에 의지하여 둘레부분을 파고 나머지 부분을 시공하는 공법으로 기초의 깊이가 얕고 면적이 넓은 경우에 사용한다.

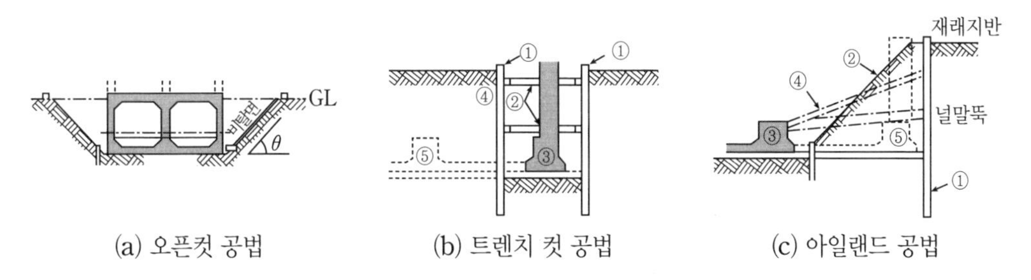

(a) 오픈컷 공법 (b) 트렌치 컷 공법 (c) 아일랜드 공법

[그림 13-11] 기초의 굴착공법

Chapter 13

얕은 기초

기출 및 적중예상문제 I [4지선다형]

여기에 수록된 「기출문제」는 수험생들의 기억을 바탕으로 유사한 유형의 문제로 새로이 창작하여 구성하였습니다. 따라서 원안과 동일하지는 않지만 출제 수준과 경향을 파악하는 데 결정적인 도움을 주리라 믿습니다.

01 기초의 구비조건에 대한 설명 중 옳지 않은 것은?

① 기초깊이는 동결깊이 이하라야 한다.
② 상부하중을 안전하게 지지해야 한다.
③ 기초는 전체침하나 부등침하가 전혀 없어야 한다.
④ 기초는 기술적, 경제적으로 만족되고 시공 가능한 것이라야 한다.

해설

기초의 구비조건

1. 최소한의 근입깊이를 가질 것(동해, 지반의 건조수축, 습윤팽창 등에 영향을 받지 않아야 한다)
2. 지지력에 대해 안정할 것
3. 침하에 대해 안정할 것(침하량이 허용값 이내에 들어야 한다)
4. 시공이 가능할 것(경제적, 기술적)

02 다음은 기초의 구비조건을 설명한 것이다. 부적당한 것은?

① 기초는 기술적으로나 경제적으로 시공이 가능하고 또 인접지에 피해를 주어서는 안된다.
② 모든 기초는 절대로 침하가 일어나서는 안 된다.
③ 기초에 작용하는 하중에 의하여 지반에 전단파괴가 일어나지 않도록 안전하게 하중을 지지하여야 한다.
④ 기초는 건습의 반복으로 인한 계절적인 용적변화를 받지 않고 또 구조물에 손상이 일어나지 않는 최소깊이를 가지고 있어야 한다.

해설

침하량이 허용치 이내에 들어오면 침하에 대하여 안정한 것이다.

03 일반적인 기초의 필요조건으로 거리가 먼 것은?

① 동해를 받지 않는 최소한의 근입깊이를 가질 것
② 지지력에 대해 안정할 것
③ 침하가 전혀 발생하지 않을 것
④ 사용성, 경제성이 좋을 것

해설

기초의 구비조건

1. 최소한의 근입깊이를 가질 것(동해에 대한 안정)
2. 지지력에 대해 안정할 것
3. 침하에 대해 안정할 것(침하량이 허용치 이내에 들어야 한다)
4. 시공이 가능하고 경제적일 것

04 기초가 갖추어야 할 조건으로 거리가 먼 것은?

① 동결, 세굴 등에 안전하도록 최소의 근입깊이를 가져야 한다.
② 기초의 시공이 가능하고 침하량이 허용치를 넘지 않아야 한다.
③ 상부로부터 오는 하중을 안전하게 지지하고 기초지반에 전달하여야 한다.
④ 미관상 아름답고 주변에서 쉽게 구득할 수 있는 재료로 설계되어야 한다.

01 ③ 02 ② 03 ③ 04 ④ [정답]

05 건물의 신축에서 큰 침하를 피하지 못하는 경우의 대책 중 옳지 않은 것은?

① 신축이음을 설치한다.
② 구조물의 강성을 높인다. 특히 수평재가 유효하다.
③ 지중응력의 증가를 크게 한다.
④ 구조물의 형상 및 중량 배분을 고려한다.

해설

구조물 침하 대책공법
1. 길고 큰 구조물에서 20~30m마다 신축이음을 설치한다.
2. 구조물의 강성을 증대시킨다.
3. 구조물을 경량화시킨다.
4. 구조물의 형상 및 중량 배분을 침하에 유리하도록 배분한다.
5. 기초지반을 개량한다.
6. 모든 기초의 침하량을 동일하게 조절한다.
7. 말뚝, 피어, 케이슨을 지지가능한 지반까지 깊게 시공한다.

06 다음은 직접기초에 대한 설명이다. 틀린 것은?

① 두 개의 푸팅을 스트랩(strap)으로 연결한 것을 캔틸레버 푸팅이라고 한다.
② 캔틸레버 푸팅은 기둥이 용지의 경계선에 접근해서 기초 부지를 침범하게 되는 경우는 사용할 수 없다.
③ 푸팅의 전면적이 커져서 그의 합계가 시공면적의 2/3를 초과하면 일반적으로 전면기초가 경제적이다.
④ 푸팅의 깊이는 동결작용을 받지 않은 깊이까지 기초를 해야 한다.

해설

캔틸레버 푸팅을 사용하는 경우
1. 기둥이 용지의 경계선에 극히 접근하고 있어서 인접지를 침범하지 않도록 독립 푸팅기초를 설치하는 경우에 셜루 심한 편심이 생기는 경우
2. 2개의 기둥을 높이가 서로 다른 위치에 설치해야 하는 경우

07 다음 중 직접기초라고 할 수 없는 기초는?

① 독립기초 ② 복합기초
③ 전면기초 ④ 말뚝기초

해설

얕은 기초(직접기초)
1. 푸팅기초(확대기초) : 독립푸팅기초, 복합푸팅기초, 캔틸레버푸팅기초, 연속(줄)푸팅기초
2. 전면기초(Mat기초)

08 다음 직접기초 중에서 지지력이 가장 작은 지반에 설치하기에 경제적인 기초는?

① 독립 footing 기초
② cantilever footing 기초
③ 복합 footing 기초
④ 연속 footing 기초

해설

지지력이 작은 지반에 적합한 기초는 연속기초와 전면기초(mat 기초)이다.

09 기초지반의 지지력이 작은 곳에서 하나의 큰 슬래브로 연결하여 지반에 작용하는 단위압력을 감소시키는 형식의 기초는 어느 것인가?

① 연속기초 ② 독립기초
③ 복합기초 ④ 전면기초

05 ③ 06 ② 07 ④ 08 ④ 09 ④ [정답]

10 기초에 관한 설명 중 옳지 않은 것은?

① 기초의 근입깊이와 기초 폭에 따라 직접기초와 깊은 기초로 나눈다.
② 직접기초에는 푸팅기초와 전면기초로 나눈다.
③ 깊은 기초에는 말뚝기초와 케이슨기초 등이 있다.
④ 기초지반의 전단파괴에는 전반 및 국부전단파괴가 있는데 연약 점토층에는 전반전단파괴가 보통 일어난다.

해설

1. 기초의 분류

얕은 기초(직접기초)	깊은 기초
footing기초(확대기초) mat기초(전면기초)	말뚝기초 피어기초 케이슨기초

2. 지반의 파괴형태
   ① 전반전단파괴 : 조밀한 모래나 굳은 점토지반에서 일어난다.
   ② 국부전단파괴 : 느슨한 모래나 연약한 점토지반에서 일어난다.

11 지반의 강도가 약한 지반에는 다음 중 어떤 기초가 좋은가?

① 연속기초　　② 전면기초
③ 독립기초　　④ 복합기초

해설

지반의 강도가 작은 경우에는 전면기초와 연속기초를 사용하면 좋다. 특히, 지반의 강도가 아주 작은 경우에는 단위압력을 감소시키는 전면기초(mat 기초)를 사용하면 좋다.

12 다음 중 직접기초의 지지력 감소요인으로서 적당하지 않은 것은?

① 편심하중　　② 경사하중
③ 부마찰력　　④ 지하수위의 상승

13 얕은기초 하부지반의 전단파괴 양상에 대한 설명으로 옳지 않은 것은? 2015. 국가직

① 지반이 전단파괴가 일어날 때까지 저항할 수 있는 저항력을 극한지지력이라고 한다.
② 기초지반의 전단파괴는 전반전단파괴, 국부전단파괴, 관입전단파괴 등으로 나눌 수 있다.
③ 관입전단파괴는 일반적으로 조밀한 사질토 지반에서 발생하며, 흙의 파괴면은 지표면까지 확산되지 않는다.
④ Terzaghi의 얕은기초 지지력공식은 기초지반의 전반전단파괴를 가정하여 제안된 공식이다.

해설

관입전단파괴

1. 기초가 지반에 관입할 때 주위지반이 융기하지 않고 오히려 기초를 따라 침하를 일으키며 파괴된다.
2. 아주 느슨한 모래나 아주 연약한 점토지반에서 일어난다.

14 기초에 관한 다음 설명 중 틀린 것은?

① 지지력을 크게 하기 위하여 응력이 중복되도록 한다.
② 전면기초는 상부구조의 전하중을 하나의 기초판이 지지한다.
③ 양질의 두꺼운 지지층이 지표 가까이 존재하는 경우는 직접기초로 하는 것이 좋다.
④ 직접기초 밑에 돌기를 설치하면 활동저항을 크게 할 수 있다.

해설

1. 응력이 중복되면 손실이 커지므로 지지력은 작아진다.
2. 상부구조의 전하중을 하나의 기초판(footing)으로 지지하는 기초를 전면기초(mat 기초)라 한다.

10 ④　11 ②　12 ③　13 ③　14 ① [정답]

15 다음 중 얕은 기초의 지지력에 영향을 미치지 않는 것은?

① 기초의 형상 ② 기초의 두께
③ 기초의 깊이 ④ 지반의 경사

해설

얕은 기초의 지지력에 영향을 미치는 것

1. 기초의 형상
2. 기초의 깊이 : 동결작용을 받지 않는 경우일지라도 풍화작용 때문에 보통 1.2m 정도 이상은 기초를 내려야 한다.
3. 지반의 경사 : 경사지에 건설하는 푸팅은 풍화작용을 고려하여 경사면에서 최소한 60~100cm 정도 떨어져야 한다.

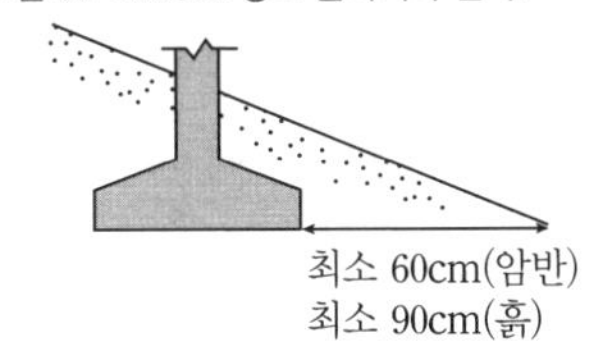

16 직접기초에 대한 다음 설명 중 옳지 않은 것은?

① 직접기초는 하중을 직접 좋은 지반에 전달시키는 형식의 얕은 기초이다.
② 직접기초 밑면에 돌기(突起)를 설치하면 활동저항이 증대된다.
③ 점토지반에서($\phi=0$) 지지력을 증가시키기 위해서는 기초깊이를 깊게 하는 것보다 기초폭을 크게 하는 것이 유리하다.
④ 직접기초는 지지, 전도, 활동에 대해서 안정하여야 한다.

해설

점토지반에서 기초의 지지력은 기초폭과는 무관하다.

17 얕은 기초의 극한지지력을 결정하는 테르자기의 이론에서 Q가 점차 증가하여 푸팅이 아래로 침하할 때 다음 중 옳지 않은 것은?

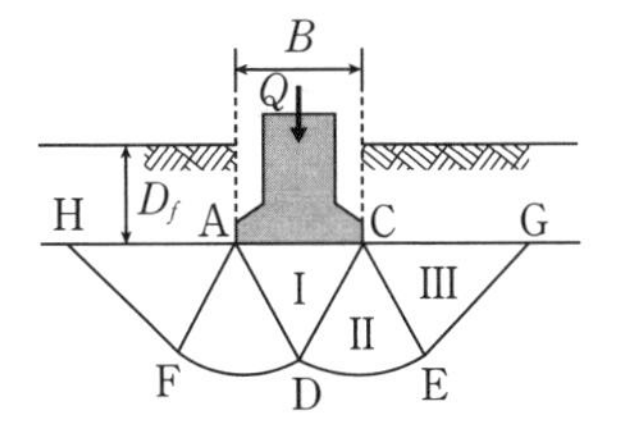

① Ⅰ의 ▽ACD 구역은 탄성영역이다.
② Ⅱ의 △CDE 구역은 방사방향의 전단영역이다.
③ Ⅲ의 ▽CEG 구역은 랜킨(Rankine)의 주동영역이다.
④ DE와 FD는 대수나선형의 곡선이다.

해설

1. 영역 Ⅰ은 Rankine의 주동상태가 되지 않고 탄성평형상태로 남아 기초의 한 부분과 같이 거동하는 탄성영역이다. 파괴될 때 소성평형상태가 발생하며 파괴면은 AD와 CD이다.
2. 영역 Ⅱ는 방사전단영역(radial shear zones)이다.
3. 영역 Ⅲ은 Rankine의 수동영역이다.
4. DE, DF는 대수나선 원호이다.
5. EG, FH는 직선이다.
6. 파괴순서는 Ⅰ → Ⅱ → Ⅲ이다.

18 그림은 확대기초를 설치했을 때 지반의 전단파괴형상을 가정한 것이다. 다음 설명 중 옳지 않은 것은?

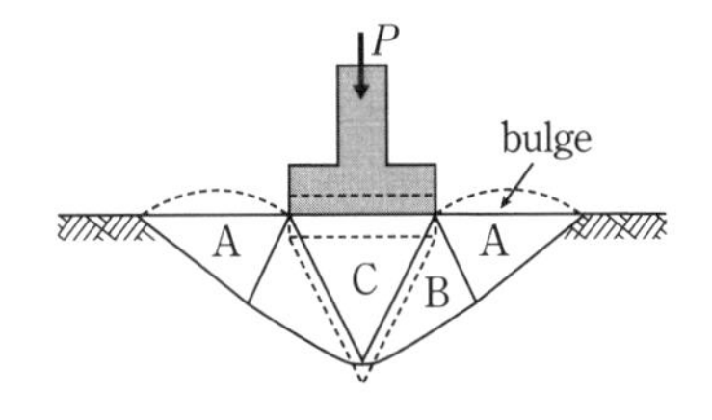

① 전반전단(general shear)일 때의 파괴형상이다.
② 파괴순서는 C → B → A이다.
③ 파괴순서는 A → B → C이다.
④ Terzaghi에 의하여 제안된 파괴형상이다.

해설

1. 기초면이 거친 줄기초의 전반전단파괴시의 파괴형태이다.
2. Terzaghi가 극한지지력을 계산하기 위해 파괴형태를 가정하였다.
3. 파괴순서는 C → B → A이다.

15 ② 16 ③ 17 ③ 18 ③ [정답]

19 다음 그림은 얕은 기초의 파괴영역이다. 설명이 옳은 것은?

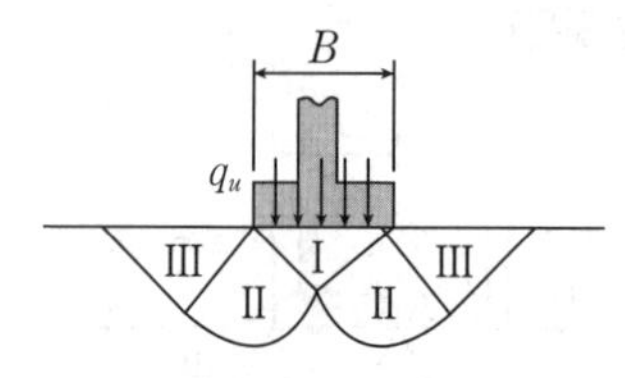

① 파괴순서는 Ⅲ → Ⅱ → Ⅰ이다.

② 영역 Ⅲ에서 수평면과 $45°+\dfrac{\phi}{2}$의 각을 이룬다.

③ 영역 Ⅲ은 수동영역이다.

④ 국부전단파괴의 형상이다.

해설

1. 파괴순서는 Ⅰ → Ⅱ → Ⅲ
2. 영역 Ⅲ에서 수평면과 $45°-\dfrac{\phi}{2}$의 각을 이룬다.
3. 영역 Ⅰ은 탄성영역이고, 영역 Ⅲ은 수동영역이다.

20 다음 그림은 얕은 기초의 지지력에 대한 Terzaghi 해의 가정을 보인 것이다. 잘못된 것은?

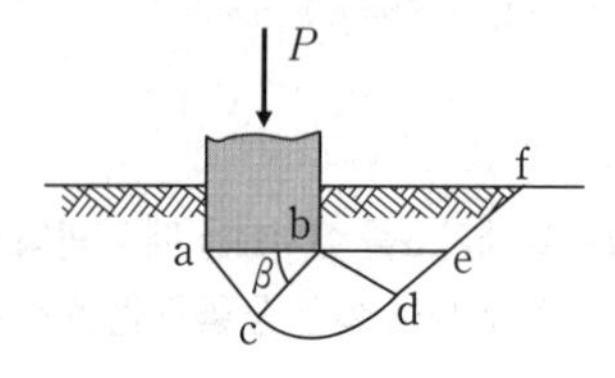

① 기초의 형상은 세장기초이며 평면 변형문제로 해석한다.

② 흙쐐기가 이루는 각 β는 $45°+\dfrac{\phi}{2}$이다.

③ e, f면상의 흙의 전단강도는 무시한다.

④ 내부마찰각이 있을 때 c, d는 대수나선형이다.

해설

1. 기초면이 거친 줄기초(세장기초)의 전반전단파괴시의 극한지지력을 계산하기 위해 그림과 같이 파괴형태를 가정하였다.
2. 흙쐐기가 이루는 각 $\beta=\phi$이다.
3. ef선상의 전단강도는 무시한다.
4. cd는 대수나선 원호이다.
5. de는 직선이다.

21 기초의 지지력계수 N_c, N_q 및 N_γ을 이루고 있는 항목은 어느 것인가?

① 내부마찰력과 점착력

② 내부마찰력과 기초의 폭

③ 내부마찰력과 기초의 깊이

④ 내부마찰력과 수동토압계수

해설

면 AC, BC에 작용하는 힘은 전수동저항력(P_p)과 면에 따라 작용하는 부착력(c)이다. 면 AC와 BC에 ϕ만큼 기울어져 작용하는 전수동저항력은

$P_p=\dfrac{1}{2\cos^2\phi}\left(\dfrac{1}{4}K_\gamma\gamma B^2\tan\phi+cK_cB+q_0K_qB\right)$이므로

평형방정식 $q_fB=2P_p+2c\sin\phi-W$에 대입하여 정리하면

$$q_f=\frac{1}{2}\gamma B\left[\frac{1}{2}\tan\phi\left(\frac{K_\gamma}{\cos\phi}-1\right)\right]+c\left(\frac{K_c}{\cos^2\phi}+\tan\phi\right)+q_0\left(\frac{K_q}{\cos^2\phi}\right)$$

여기서, K_γ, K_c, K_q : ϕ에 관계되는 토압계수

K_γ, K_c, K_q는 ϕ만의 함수이므로 무차원인 지지력계수를 도입하면

$q_f=\dfrac{1}{2}\gamma BN_\gamma+cN_c+\gamma DN_q$

이 식을 Terzaghi의 지지력 공식이라 한다.

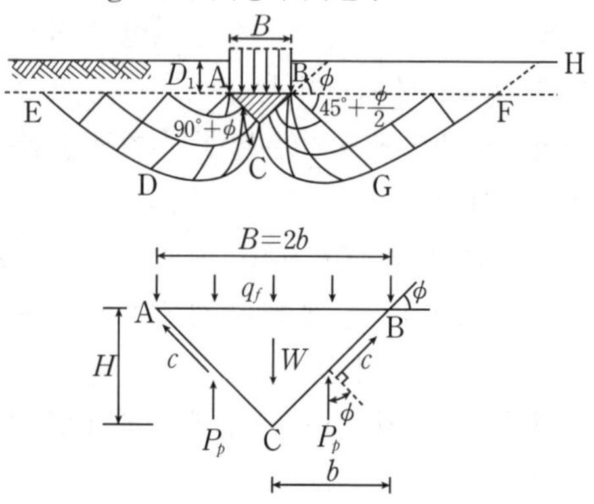

[기초 저부가 거친 경우의 파괴 모형]

19 ③ 20 ② 21 ④ [정답]

22 극한지지력 공식에 대한 내용 중에서 틀린 것은?

① 지지력계수(N_c, N_γ, N_q)는 내부마찰각에 따라 결정되는 값이다.
② 기초형상에 따라 다른 형상계수를 고려해야 한다.
③ 점성토에서 극한지지력은 기초의 근입깊이가 커짐에 따라 커진다.
④ 극한지지력은 기초폭에 관계없이 흙의 상태를 나타내는 고유의 성질이다.

해설

극한지지력은 기초폭과 근입깊이가 클수록 커진다.

23 Meyerhof의 극한지지력 공식에서 사용하지 않는 계수는?

① 형상계수 ② 깊이계수
③ 시간계수 ④ 하중경사계수

해설

1. 기초의 형상과 근입깊이 및 경사하중을 동시에 고려해야 하는 경우에는 기초의 형상계수, 깊이계수, 경사계수를 사용하는 Meyerhof의 일반적인 극한지지력 공식을 많이 사용하고 있다.

$$q_u = cN_c s_c d_c i_c + \frac{1}{2}B\gamma_1 N_\gamma s_\gamma d_\gamma i_\gamma + \gamma_2 D_f N_q s_q d_q i_q$$

2. 지지력 공식의 요소
   ① 형상계수(s_c, s_r, s_q) : 기초의 모양
   ② 깊이계수(d_c, d_r, d_q) : 기초저면 위 파괴면의 전단저항
   ③ 경사계수(i_c, i_r, i_q) : 기초중심에 대해 하중이 어떤 방향으로 작용하는가

24 Terzaghi의 극한지지력 공식 $q_d = \alpha cN_c + \beta\gamma_1 BN_\gamma + \gamma_2 D_f N_q$ 중 기호 설명이 잘못된 것은?

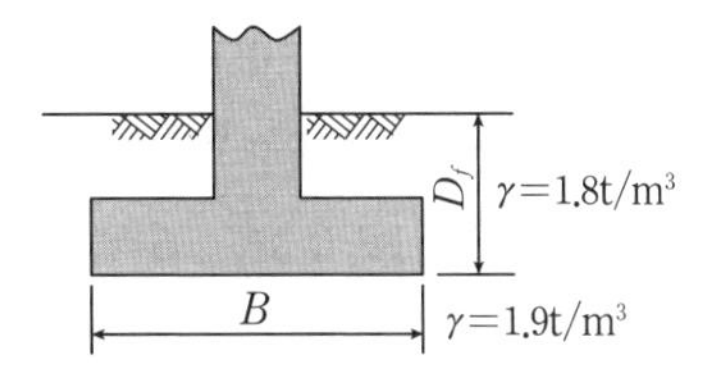

① γ_1는 1.8t/m^3이다.
② 연속기초일 때 $\alpha=1.0$, $\beta=0.5$이다.
③ D_f란 기초가 묻힌 깊이(근입깊이)이다.
④ $\phi=0$이면 N_γ이 0이 되고 수정지지력계수에서는 $\phi=10°$까지 N_γ이 0이 된다.

해설

1. $\gamma_1=1.9\text{t/m}^3$, $\gamma_2=1.8\text{t/m}^3$
2. $\phi=0$일 때, $N_\gamma=0$이고, 수정지지력계수에서는 $\phi=0\sim10°$일 때 $N_\gamma=0$이다.

25 테르자기(Terzaghi)의 얕은 기초에 대한 지지력공식 $q_d = \alpha cN_c + \beta\gamma_1 BN_\gamma + \gamma_2 D_f N_q$에 대한 사항 중 옳지 않은 것은?

① 계수 α, β를 형상계수라 하며 기초의 모양에 따라 결정된다.
② 기초의 깊이 D_f가 클수록 극한지지력도 이와 더불어 커진다고 볼 수 있다.
③ N_c, N_γ, N_q는 지지력계수라 하는데 내부마찰각과 점착력에 의하여 정해진다.
④ γ_1, γ_2는 흙의 단위중량이며 지하수위 아래에서는 수중단위중량을 써야 한다.

해설

1. N_c, N_γ, N_q는 지지력계수로서 ϕ의 함수이다(점착력과는 무관하다).
2. γ_1, γ_2는 흙의 단위중량이며 지하수위 아래에서는 수중단위중량(γ_{sub})을 사용한다.

22 ④ 23 ③ 24 ① 25 ③ [정답]

제13장

26 Terzaghi의 얕은 기초에 대한 수정지지력 공식에서 형상계수 α와 β의 해석 중 틀린 것은? (단, B는 단변(短邊)의 길이, L은 장변(長邊)의 길이)

① 연속기초에서 $\alpha=1.0$, $\beta=0.5$

② 정방형기초에서 $\alpha=1.3$, $\beta=0.4$

③ 장방형기초에서 $\alpha=1+0.3\dfrac{B}{L}$, $\beta=0.5-0.1\dfrac{B}{L}$

④ 원형기초에서 $\alpha=1.3$, $\beta=0.6$

해설

형상계수

구분	연속	정사각형	직사각형	원형
α	1.0	1.3	$1+0.3\dfrac{B}{L}$	1.3
β	0.5	0.4	$0.5-0.1\dfrac{B}{L}$	0.3

(단, B : 구형의 단변길이, L : 구형의 장변길이)

27 다음과 같이 지반이 2개층으로 구성되어 있을 때, Terzaghi 지지력 공식을 적용하는 방법에 대한 설명으로 옳지 않은 것은? (단, Terzaghi 지지력 공식은 $q_u=\alpha cN_c+qN_q+\beta\gamma BN_\gamma$이다)

2010. 국가직 7급

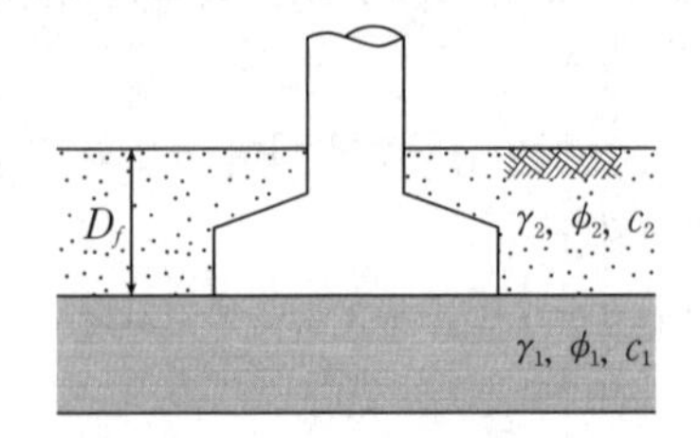

① 지지력계수, N_c, N_q, N_γ를 구할 때에는 ϕ_1을 적용한다.

② 첫째항, αcN_c를 계산할 때, 점착력 c는 c_2를 적용한다.

③ 둘째항, qN_q를 계산할 때, 흙의 단위중량 γ는 γ_2를 적용한다.

④ 셋째항, $\beta\gamma BN_\gamma$를 계산할 때, 흙의 단위중량 γ는 γ_1를 적용한다.

해설

αcN_c 계산할 때 c_1을 사용한다.

28 Terzaghi 지지력 공식 중 내부마찰각이 0°인 경우 N_c, N_q, N_γ의 값은?

2007. 국가직 7급

	N_c	N_q	N_γ
①	9.0	0.0	0.0
②	5.7	1.0	0.0
③	6.3	0.0	1.0
④	5.7	0.0	1.0

해설

지지력 계수

ϕ	N_c	N_γ	N_q
0	5.7	0.00	1.00
2	6.3	0.18	1.20
4	6.97	0.38	1.49

29 얕은 기초에 대한 Terzaghi의 극한지지력 공식에 관한 설명 중 옳지 않은 것은?

2009. 국가직 7급

① 기초의 근입깊이와 폭이 클수록 지지력도 커진다.

② 지지력계수는 내부마찰각의 함수이다.

③ 국부전단파괴시 내부마찰각(ϕ')은 수정값$\left(\dfrac{2}{3}\phi'\right)$으로 대체하여 사용한다.

④ 기초지반이 지하수에 의하여 포화되면 지지력은 감소한다.

해설

국부전단파괴시

1. $c'=\dfrac{2}{3}c$

2. $\tan\phi'=\dfrac{2}{3}\tan\phi$

26 ④ 27 ② 28 ② 29 ③ [정답]

30 Terzaghi의 수정지지력 공식 $q_u=\alpha cN_c+\beta\gamma_1 BN_\gamma+\gamma_2 D_f N_q$에 관한 설명 중 틀린 것은?

① α, β는 형상계수로서 기초모양에 의해 결정된다.
② 허용지지력은 보통 계산된 q_u의 1/3을 취한다.
③ γ_1은 기초하중면 밑, γ_2는 기초하중면 위의 흙의 단위중량이다.
④ N_c, N_γ, N_q는 흙의 점착력에 의해서 결정된다.

해설

1. α, β는 기초모양에 따른 형상계수이다.
2. 허용지지력 $q_a=\frac{q_u}{3}$
3. γ_1은 기초하중면 아래, γ_2는 기초하중면 위의 흙의 단위중량이며 지하수위 아래에서는 수중밀도(γ_{sub})를 사용한다.
4. N_c, N_γ, N_q는 지지력계수로서 흙의 내부마찰각에 의해서 결정된다.

31 다음 Terzaghi의 극한지지력 공식 $q_u=\alpha cN_c+\beta\gamma_1 BN_\gamma+\gamma_2 D_f N_q$에서의 설명으로 틀린 것은?

① N_c, N_γ, N_q는 지지력계수로서 흙의 점착력과 내부마찰각으로부터 정해진다.
② 식 중 α, β는 형상계수이며, 기초의 모양에 따라 정해진다.
③ 제①항은 점착력, 제②항은 내부마찰각, 제③항은 덮개토압에 의한 것이다.
④ B는 기초폭이고, D_f는 근입깊이이다.

해설

N_c, N_γ, N_q는 지지력계수로서 내부마찰각의 함수이다.

32 지하수위가 지표면과 일치하면 지하수위가 없는 경우에 비해 얕은 기초의 지지력은?

① 대략 같다.
② 대략 반감한다.
③ 대략 $\frac{1}{3}$ 감소한다.
④ 대략 $\frac{1}{4}$ 감소한다.

해설

지하수위가 지표면과 일치하면 기초의 지지력이 약 반감한다.

33 테르자기(Terzaghi)의 극한지지력 공식 $q_u=\alpha cN_c+\beta\gamma_1 BN_\gamma+\gamma_2 D_f N_q$에서 옳지 않은 것은?

① α, β는 기초형상계수이다.
② 제1항은 점착지지력, 제2항은 마찰지지력, 제3항은 덮개토압에 의한 지지력이다.
③ 사질지반 표면에 기초를 설치한 경우 지지력은 마찰에 기대할 수밖에 없다.
④ N_c, N_γ, N_q는 지지력계수로서 흙의 점착력만으로부터 정해진다.

34 Terzaghi의 얕은기초 해석에 대한 설명으로 옳지 않은 것은? 2011. 국가직 7급

① 전반전단 파괴시의 응력을 고려하여 극한지지력을 산정한다.
② 기초의 안전율은 일반적으로 2~3을 사용한다.
③ 점성토의 허용지지력은 기초폭과 관계없이 일정하고, 사질토는 기초폭에 비례하여 커진다.
④ 지지력계수는 내부 마찰각과 점착력의 함수로 구성되어 있다.

해설

지지력 계수는 내부마찰각의 함수로 구성되어 있다.

30 ④ 31 ① 32 ② 33 ④ 34 ④ [정답]

35 지하수위가 확대기초 밑면부터 3m 되는 점토질 모래지반에 폭 2m의 확대기초를 설치하였다. 극한지지력을 구하려 할 때 옳은 설명은?

① 지하수위가 폭의 1.5배 되는 곳에 있으므로 지지력이 50% 감소한다.
② 지하수위 위치가 기초폭보다 아래에 있으므로 지지력에 영향이 없다.
③ 지하수위가 기초 밑면에 있으므로 그 위치에 관계없이 지지력은 크게 감소한다.
④ 지하수위는 공극수압을 감소시켜 지지력은 크게 증가한다.

해설

지하수위가 기초저면 밑에 있을 때 기초저면에서 지하수위까지의 거리(3m)가 기초폭(2m)보다 큰 경우이므로 지지력에 영향이 없다.

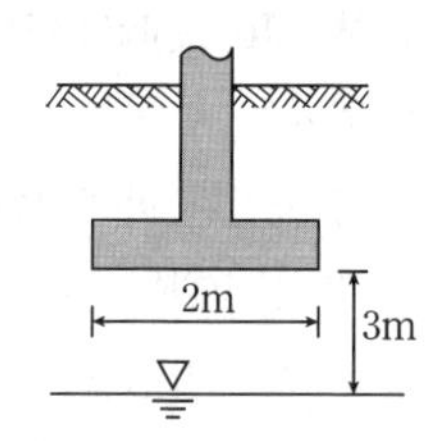

36 포화된 점토지반의 지지력에 대한 설명으로 옳지 않은 것은? 2012. 국가직 7급

① 지지력은 근입깊이가 깊을수록 증가한다.
② 기초 형상에 따라 지지력은 달라진다.
③ 지지력은 점착력에 의존한다.
④ 기초 폭이 클수록 지지력은 증가한다.

해설

포화된 점토지반의 지지력은 기초의 폭과 무관하다.

37 다음 식은 Terzaghi의 지지력 공식이다. 이 공식에 대한 다음 사항 중 옳지 않은 것은?

$$q_u=\alpha cN_c+\beta\gamma_1 BN_\gamma+\gamma_2 D_f N_q$$

① 지지력계수 N_c, N_γ, N_q는 내부마찰각 ϕ와 함수관계가 있다.
② 지표에 기초를 바로 설치하였을 때는 제3항은 무시할 수 없다.
③ 모래지반에서는 기초폭 B에 지지력이 크게 관계된다.
④ 점토지반에서 기초를 지표에 바로 설치할 때 허용지지력은 대략 일축압축강도와 같다고 보아도 좋다.

해설

1. N_c, N_γ, N_q는 ϕ의 함수이다.
2. 지표에 기초를 바로 설치하였을 때는 $D_f=0$이므로 제3항을 무시할 수 있다.
3. 모래지반에서 $c=0$, $\phi\neq 0$이므로 $q_u=\beta\gamma_1 BN_\gamma+\gamma_2 D_f N_q$
   ∴ 기초의 폭과 근입깊이에 비례한다.

38 3m×3m 크기의 정사각형 기초가 단위중량 1.7tf/m³(포화단위중량 γ_{sat} = 1.9tf/m³)인 지반에 깊이 2m 위치에 설치되었다. 지하수위가 지표면에서 3m 깊이에 위치할 때, 다음의 Terzaghi 지지력공식을 이용하여 극한지지력을 산정할 때 사용되는 단위중량 γ_1과 γ_2의 값(tf/m³)은? 2008. 국가직 7급

$$q_u=1.3cN_c+0.4\gamma_1 BN_\gamma+\gamma_2 D_f N_q$$

	γ_1	γ_2		γ_1	γ_2
①	1.43	1.7	②	1.17	1.7
③	1.43	1.9	④	0.9	1.9

해설

1. $\gamma_1=\gamma'+\frac{d}{B}(\gamma_t-\gamma')$
   $=0.9+\frac{1}{3}\times(1.7-0.9)$
   $=1.17\text{tf/m}^3$
2. $\gamma_2=\gamma_t=1.7\text{tf/m}^3$

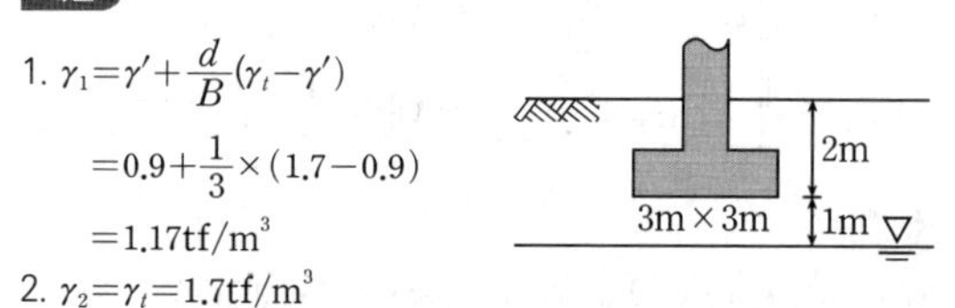

35 ② 36 ④ 37 ② 38 ② [정답]

39 그림과 같은 지반조건에서 Terzaghi의 극한지지력 공식을 적용하여 지지력을 구하고자 할 때 γ_1과 γ_2의 값 [kN/m³]은? (단, 흙의 포화 단위중량은 19kN/m³, 지하수위 상부 흙의 단위중량은 15kN/m³, 물의 단위중량은 10kN/m³로 가정하고, Terzaghi의 지지력 공식 $q_u=\alpha cN_c+D_f\gamma_1N_q+\beta\gamma_2BN_\gamma$이다) 2014. 국가직

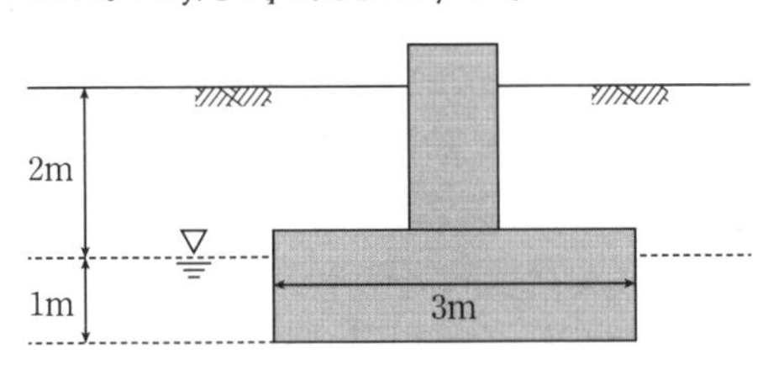

	γ_1	γ_2
①	13	9
②	13	13
③	9	9
④	9	13

해설

1. $D_f\gamma_1=D_1\gamma_t+D_2\gamma_{sub}$
   $3\times\gamma_1=2\times15+1\times9$
   $\therefore \gamma_1=13\text{kN/m}^3$
2. $\gamma_2=\gamma_{sub}=9\text{kN/m}^3$

40 Terzaghi 공식에 의하면 모래지반 기초의 극한지지력은?

① 기초의 폭과 깊이가 클수록 증가한다.
② 기초의 폭이 크면 감소하고 깊이가 크면 증가한다.
③ 기초의 폭과 깊이가 적을수록 증가한다.
④ 기초의 폭과 깊이에 관계없이 일정하다.

해설

1. 점토지반일 때 $c\neq0$, $\phi=0(N_\gamma=0)$이므로 $q_u=\alpha cN_c+D_f\gamma_2N_q$
   ∴ 극한지지력은 D_f에 비례한다.
2. 모래지반일 때 $c=0$, $\phi\neq0$이므로 $q_u=\beta B\gamma_1N_\gamma+D_f\gamma_2N_q$
   ∴ 극한지지력은 B, D_f에 비례한다.

41 Terzaghi의 극한지지력 공식에 관한 설명이다. 옳지 않은 것은?

① 극한지지력은 footing의 근입깊이가 크면 클수록 커진다.
② 점성토($\phi=0$)의 극한지지력은 footing 크기와 무관하다.
③ 사질토($c=0$)의 극한지지력은 footing의 크기에 정비례한다.
④ 국부전단 파괴시의 극한지지력은 전반전단파괴의 극한지지력보다 크다.

해설

전반전단파괴시의 극한지지력이 국부전단파괴시의 극한지지력보다 크다.

42 Terzaghi의 극한지지력 공식에 관한 설명 중 옳지 않은 것은?

① 모래지반인 경우 기초의 폭이 클수록 극한지지력은 증가한다.
② 이 공식은 깊은 기초에서보다 얕은 기초에 적용하는 것이 보다 합리적이다.
③ 지하수위가 지표면상에 있을 때 지지력이 가장 크다.
④ 점성토인 경우 기초의 크기는 지지력에 큰 영향을 미치지 않는다.

해설

지하수위가 지표면과 일치하면 기초의 지지력은 약 $\frac{1}{2}$ 감소한다.

39 ① 40 ① 41 ④ 42 ③ [정답]

43 다음의 얕은 기초에 대한 설명 중 가장 옳지 않은 것은?

① Terzaghi의 지지력공식은 깊은 기초에서보다는 얕은 기초에 적용함이 보다 합리적이다.
② 점토지반에서 지지력을 증가시키기 위해서는 기초폭을 크게 하는 것보다 깊이를 깊게 하는 것이 유리하다.
③ 흙이 전반전단파괴에 이르면 침하량은 급격히 증가하며 촘촘한 상태의 사질토에서 흔히 볼 수 있다.
④ 기초의 지지력에 영향을 미치지 않는 지하수위면의 위치는 기초바닥면으로부터의 기초폭의 2배만큼 깊이다.

해설

1. 전반전단파괴는 조밀한 모래나 굳은 점토지반에서 일어나며 국부전단파괴는 느슨한 모래나 연약한 점토지반에서 일어난다.

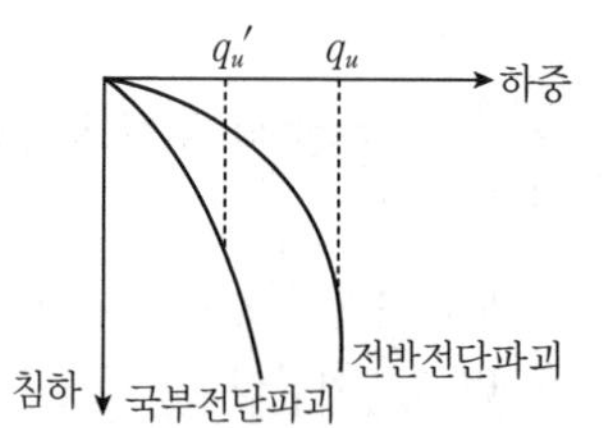

2. 지하수위가 기초저면 밑에 있을 때 기초저면에서 지하수위까지의 거리가 기초폭(B)보다 큰 경우는 지지력에 영향이 없다.

44 직접기초의 지지력에 관한 테르자기(Terzaghi) 공식에 대한 다음 설명 중 옳지 않은 것은?

① 기초의 근입깊이를 증대시키면 지지력은 증가한다.
② 사질토에서는 기초폭을 넓힘으로써 지지력의 증가를 도모할 수 있다.
③ 기초부분에 지하수위가 상승하면 지지력은 매우 떨어지게 된다.
④ 기초 주변에 부(−)의 주면마찰이 생기면 지지력은 증가한다.

해설

부마찰력은 하중역할을 하는 주면마찰력이므로 기초의 지지력은 감소한다.

45 지하수위가 지표면과 일치하는 포화된 점토지반에서 깊이 1m 지점에 폭이 2m인 연속기초를 설치하였다. 점토의 포화단위중량이 2t/m^{3}이고, 비배수전단강도가 3t/m^2, ϕ_u=0일 때 Terzaghi 공식을 사용해서 계산되는 얕은 기초의 극한지지력(t/m^2)은? (단 ϕ_u=0일 때 N_c=5.14, N_γ=0, N_q=1.00이다)

2010. 지방직 7급

① 14.42 ② 15.42
③ 16.42 ④ 17.42

해설

연속기초이므로 $\alpha=1$, $\beta=0.5$이다.

$q_u=\alpha c N_c+\beta B\gamma_1 N_\gamma+D_f\gamma_2 N_q$
$=1\times3\times5.14+0+1\times1\times1=16.42\text{t/m}^2$

46 내부마찰각이 20°, 점착력이 20kN/m^2, 흙의 단위중량이 18kN/m^{3}인 지반에 정사각형(3m×3m) 기초를 설치할 때, 전면전반 전단파괴에 대한 기초의 허용지지력(kN/m^2)은? (단, 지하수위 깊이는 지표면에서 5m이며, 안전율은 3, 근입깊이는 1m, N_c=18, N_q=8, N_r=5이다)

2011. 지방직 7급

① 240 ② 300
③ 480 ④ 720

해설

1. $q_u=\alpha c N_c+\beta B\gamma_1 N_\gamma+D_f\gamma_2 N_q$
$=1.3\times20\times18+0.4\times3\times18\times5+1\times18\times8=720\text{kN/m}^2$
2. $q_a=\dfrac{q_u}{F_s}=\dfrac{720}{3}=240\text{kN/m}^2$

43 ④ 44 ④ 45 ③ 46 ① [정답]

47 다음 그림과 같은 정사각형 기초에서의 허용지지력은? (단, 안전율은 3이고, 지지력계수 N_c=5.7, N_r=0, N_q=1.0이다.)

2016. 서울시 7급

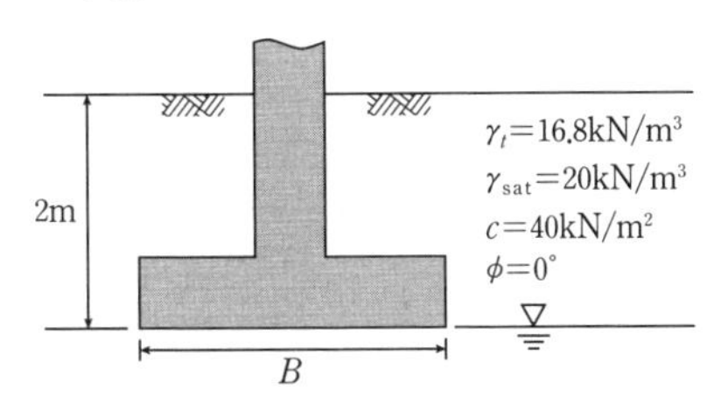

① 110kN/m^2　② 220kN/m^2
③ 330kN/m^2　④ 440kN/m^2

해설

1. 정사각형 기초이므로 $\alpha=1.3$, $\beta=0.4$이다.
$q_u=\alpha cN_c+\beta B\gamma_1 N_\gamma+D_f\gamma_2 N_q$
$=1.3\times40\times5.7+0+2\times16.8\times1=330\text{kN/m}^2$
2. $q_a=\dfrac{q_u}{F_s}=\dfrac{330}{3}=110\text{kN/m}^2$

48 그림과 같이 점착력 50kN/m^2, 습윤단위중량 18kN/m^3, 포화단위중량 20kN/m^3인 지반에 근입깊이 1m가 되도록 직경 2m인 원형 기초를 설치하였다. 지하수위가 지표면 아래 1m에 위치할 때, 기초의 극한지지력 [kN/m^2]은? (단, N_c=10.8, N_q=3.3, N_γ=1.7이고 물의 단위중량은 10kN/m^3이며, 원형기초에 대한 Terzaghi 지지력공식 $q_{ult}=1.3cN_c+qN_q+0.3B\bar{\gamma}N_\gamma$을 사용한다)

2015. 국가직

1m
$\gamma_t=18\text{kN/m}^3$
2m
$\gamma_{sat}=20\text{kN/m}^3$

① 571.6　② 671.6
③ 771.6　④ 871.6

해설

원형기초이므로 $\alpha=1.3$, $\beta=0.3$이다.
$q_u=1.3c시_c+q시_q+0.3B\bar{\gamma}시_r$
$=1.3\times50\times10.8+(18\times1)\times3.3+0.3\times2\times10\times1.7$
$=771.6\text{kN/m}^2$

49 2m×2m 정방형 기초가 1.5m 깊이에 있다. 이 흙의 단위중량 $\gamma=1.7\text{t/m}^3$, 점착력 c=0이며, N_γ=20, N_q=22이다. Terzaghi의 공식을 이용하여 전허용하중(Q_{all})을 구한 값은? (단, 안전율 F_s=3으로 한다)

① 27t　② 51t
③ 83t　④ 111t

해설

1. $q_u=\alpha cN_c+\beta\gamma_1 BN_\gamma+\gamma_2 D_f N_q$
$=0+0.4\times2\times1.7\times20+1.5\times1.7\times22=83.3\text{t/m}^2$
2. $q_a=\dfrac{q_u}{F_s}=\dfrac{83.3}{3}=27.8\text{t/m}^2$
$q_a=\dfrac{Q_{all}}{A}$ 에서　$27.8=\dfrac{Q_{all}}{2\times2}$
$\therefore Q_{all}=111.2t$

50 다음 그림과 같이 점토질 지반에 연속기초가 설치되어 있다. Terzaghi 공식에 의한 이 기초의 허용지지력 q_a는 얼마인가? (단, ϕ=0이며 N_c=5.14, N_q=1.0, N_γ=0, 안전율 F_s=3이다)

① 8t/m^2
② 13t/m^2
③ 20t/m^2
④ 38t/m^2

1.5m
점토질 지반
$\gamma=2\text{t/m}^3$
일축압축강도: $q_u=14\text{t/m}^2$

해설

1. 연속기초이므로 $\alpha=1.0$, $\beta=0.5$이다.
$q_u=\alpha cN_c+\beta B\gamma_1 N_\gamma+D_f\gamma_2 N_q$
$=1\times\dfrac{14}{2}\times5.14+0+1.5\times2\times1=38.98\text{t/m}^2$
2. $q_a=\dfrac{q_u}{F_s}=\dfrac{38.98}{3}=12.99\text{t/m}^2$

47 ①　48 ③　49 ④　50 ② [정답]

제13장

51 폭(B)이 3.0m인 콘크리트 줄기초를 일축압축강도(q_u)가 20t/m^{2}이고 포화단위중량이 $\gamma_{sat}=2.0$t/m^{3}인 완전 포화된 점토지반에 시공하려고 한다. 기초의 근입깊이가 $D_f=1.0$m이고 지하수위는 지표면 아래 4m에 위치할 때, 기초의 극한지지력 q_{ult}[t/m^2]은? (단, Terzaghi의 지지력 계수는 $\phi=0°$, $N_c=5.7$, $N_q=1$, $N_\gamma=0$이고, $\phi=10°$일 때, $N_c=10$, $N_q=3$, $N_\gamma=1$로 가정한다) 2009. 국가직 7급

① 100 ② 57
③ 109 ④ 59

해설

1. $q_u=2c$, $20=2c$ $\quad \therefore c=10\text{t/m}^2$
2. $q_u=\alpha cN_c+\beta B\gamma_1 N_\gamma+D_f\gamma_2 N_q$
$=1\times10\times5.7+0+1\times2\times1=59\text{t/m}^2$

52 점착력이 0.2kg/cm^{2}인 점토지반에 연속기초를 설치하였다. Terzaghi에 의한 극한지지력은 얼마인가? (단, 기초 아랫면은 매우 매끄럽다(smooth)고 한다)

① 2.0t/m^2 ② 5.7t/m^2
③ 10.3t/m^2 ④ 14.2t/m^2

해설

점성토($\phi=0$)이고 $D_f=0$인 연속기초의 극한지지력은 $q_u=5.7c$이다. 한편, footing 저면이 매끄러운 경우에는 $q_u=5.14c$이다(거친 경우에 비해 약 10% 정도 감소한다).
$q_u=5.14c=5.14\times2=10.28\text{t/m}^2$

53 그림과 같은 1.5m×1.5m의 정방형기초가 받을 수 있는 허용하중은 얼마인가? (단, Terzaghi의 전면전단 파괴공식을 이용하고 안전율은 3, 내부마찰각은 25°, 점착력은 0.2kg/cm^2, $N_c=23$, $N_q=12$, $N_\gamma=10$이다)

① 32.6t
② 69.1t
③ 88.4t
④ 207.5t

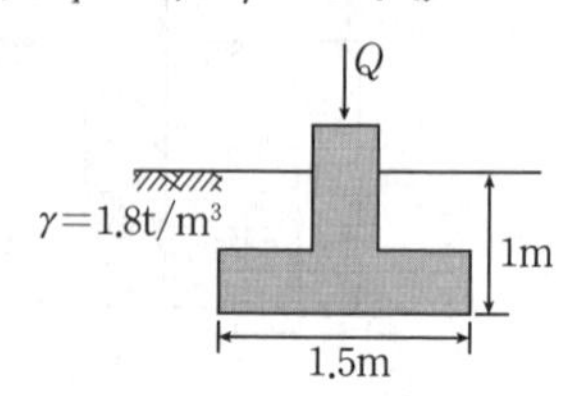

해설

1. 정사각형 기초이므로 $\alpha=1.3$, $\beta=0.4$이다.
$q_u=\alpha cN_c+\beta B\gamma_1 N_\gamma+D_f\gamma_2 N_q$
$=1.3\times2\times23+0.4\times1.5\times1.8\times10+1\times1.8\times12=92.2\text{t/m}^2$
2. $q_a=\dfrac{q_u}{F_s}=\dfrac{92.2}{3}=30.73\text{t/m}^2$
$q_a=\dfrac{Q_{all}}{A}$ 에서 $\quad 30.73=\dfrac{Q_{all}}{1.5\times1.5}$
$\therefore Q_{all}=69.14\text{t}$

54 크기가 1.5m×1.5m인 직접기초가 있다. 근입깊이가 1.0m일 때, 기초가 받을 수 있는 최대 허용하중을 Terzaghi 방법에 의하여 구하면? (단, 기초지반의 점착력은 1.5t/m^2, 단위중량은 1.8t/m^3, 마찰각은 20°이고 이 때의 지지력계수는 $N_c=18$, $N_q=7.5$, $N_\gamma=3.5$이며, 허용지지력에 대한 안전율은 4.0으로 한다)

① 약 29t ② 약 39t
③ 약 49t ④ 약 59t

해설

1. $q_u=\alpha cN_c+\beta B\gamma_1 N_\gamma+D_f\gamma_2 N_q$
$=1.3\times1.5\times18+0.4\times1.5\times1.8\times3.5+1\times1.8\times7.5$
$=52.38\text{t/m}^2$
2. $q_a=\dfrac{q_u}{F_s}=\dfrac{52.38}{4}=13.1\text{t/m}^2$
3. $q_a=\dfrac{P}{A}$ 에서 $\quad 13.1=\dfrac{P}{1.5\times1.5}$
$\therefore P=29.48\text{t}$

51 ④ 52 ③ 53 ② 54 ① [정답]

55 그림과 같은 정방형 독립기초가 46t/m²의 하중을 도심에 받고 있을 때 기초폭 B는 얼마인가? (단, $F_s=3$ 사용하며 $N_c=35$, $N_r=N_q=20$)

① 2.0m
② 2.3m
③ 2.5m
④ 3.0m

1.5m
$\gamma_t=2\text{t/m}^3$
$\phi=30°$
$c=0.1\text{kg/cm}^2$

해설

1. 정사각형 기초이므로 $\alpha=1.3$, $\beta=0.4$이다.
$q_u=\alpha c N_c+\beta B\gamma_1 N_\gamma+D_f\gamma_2 N_q$
$=1.3\times1\times35+0.4\times B\times2\times20+1.5\times2\times20=16B+105.5$
2. $q_a=\dfrac{q_u}{F_s}=\dfrac{16B+105.5}{3}=46$
$\therefore B=2\text{m}$

56 포화된 점토지반($\phi=0$)에서 평판재하시험(지름 0.3m)을 통해 얻어진 극한지지력은 100kN/m²이다. 이 지반에 그림과 같이 얕은 기초(근입깊이 2m, 지름 3m)를 설치했을 경우, 극한지지력[kN/m²]은? (단, 비배수 전단강도는 깊이에 따라 일정하며, 흙의 포화단위중량은 20kN/m³, 물의 단위중량은 10kN/m³이다) 2016. 국가직 7급

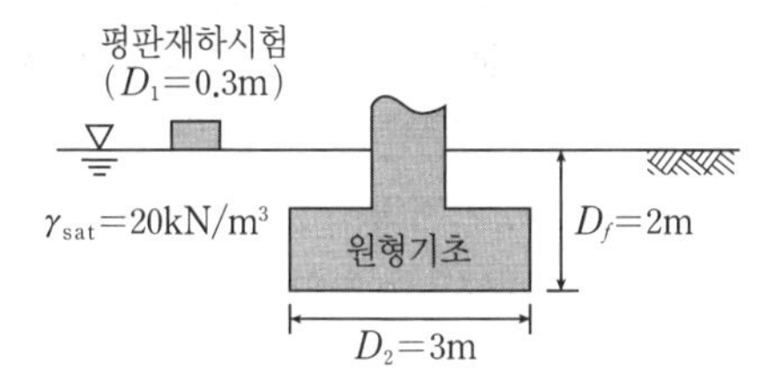

① 100 ② 120
③ 1000 ④ 1020

해설

점토지반의 지지력은 기초의 폭과 무관하므로
$q_u-\gamma D_f=100$
$q_u-10\times2=100$
$\therefore q_u=120\text{kN/m}^2$

57 2m×2m 정방형 기초가 2m 깊이에 있다. 이 흙의 단위중량 $\gamma=1.8\text{t/m}^3$, 점착력 $c=0$이며 $N_\gamma=18$, $N_q=20$이다. 이 기초의 순극한지지력을 Terzaghi 식으로 구한 값은? 2005. 충남 7급

① 31.4t/m² ② 32.6t/m²
③ 94.3t/m² ④ 97.9t/m²

해설

1. $q_u=\alpha c N_c+\beta B\gamma_1 N_\gamma+D_f\gamma_2 N_q$
$=0+0.4\times2\times1.8\times18+2\times1.8\times20=97.92\text{t/m}^2$
2. $q_{u(\text{net})}=q_u-\gamma D_f$
$=97.92-1.8\times2=94.32\text{t/m}^2$

58 기초 폭 4m의 연속기초를 지표면 아래 3m 위치의 모래지반에 설치하려고 한다. 이때 표준관입시험 결과에 의한 사질지반의 평균 N 값이 10일 때 극한지지력은? (단, Meyerhof 공식 사용)

① 420t/m² ② 210t/m²
③ 105t/m² ④ 75t/m²

해설

$q_u=3NB\left(1+\dfrac{D_f}{B}\right)=3\times10\times4\left(1+\dfrac{3}{4}\right)=210\text{t/m}^2$

59 어떤 굳은 사질지반에 기초폭 4m, 근입깊이 2m의 구조물을 축조하기 전에 표준관입시험을 하였더니 $N=30$이었다. Meyerhof 공식에 의한 극한지지력은 얼마인가?

① 630t/m² ② 630kg/cm²
③ 540t/m² ④ 540kg/cm²

해설

$q_u=3NB\left(1+\dfrac{D_f}{B}\right)=3\times30\times4\left(1+\dfrac{2}{4}\right)=540\text{t/m}^2$

55 ③ 56 ② 57 ③ 58 ② 59 ③ [정답]

60 크기가 30cm×30cm의 평판을 이용하여 사질토 위에서 평판재하시험을 실시하고 극한지지력 20t/m²을 얻었다. 크기가 1.8m×1.8m인 정사각형 기초의 총 허용하중은? (단, 안전율 3을 사용)

① 90t　② 110t
③ 130t　④ 160t

해설

1. $q_{u(기초)}=q_{u(재하판)}\cdot\dfrac{B_{(기초)}}{B_{(재하판)}}=20\times\dfrac{1.8}{0.3}=120\text{t/m}^2$

2. $q_a=\dfrac{q_u}{F_s}=\dfrac{120}{3}=40\text{t/m}^2$

3. $q_a=\dfrac{P}{A}$ 에서 $40=\dfrac{P}{1.8\times1.8}$

$\therefore P=129.6\text{t}$

61 기초폭 2m인 연속기초에서 기초면에 작용하는 합력의 연직성분이 10t이 작용하고 편심거리가 0.2m일 때 기초지반에 일어나는 최대응력은? 2005. 충남 7급

① 2t/m^2　② 4t/m^2
③ 8t/m^2　④ 12t/m^2

해설

$$\sigma_{max}=\frac{P}{BL}\left(1+\frac{6e}{B}\right)$$
$$=\frac{10}{2\times1}\left(1+\frac{6\times0.2}{2}\right)=8\text{t/m}^2$$

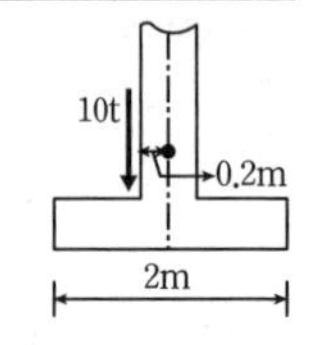

62 폭 22m, 길이 28m의 전면기초에 3080t의 하중이 길이방향으로 도심의 우측 아래에 편심되어 작용하고 있다. A점의 지반에 작용하는 압력(t/m²)은? (단, e_x= 0.6m, e_y=0.4m, I_x=40245m⁴, I_y=24845m⁴이다. 2009. 지방직 7급

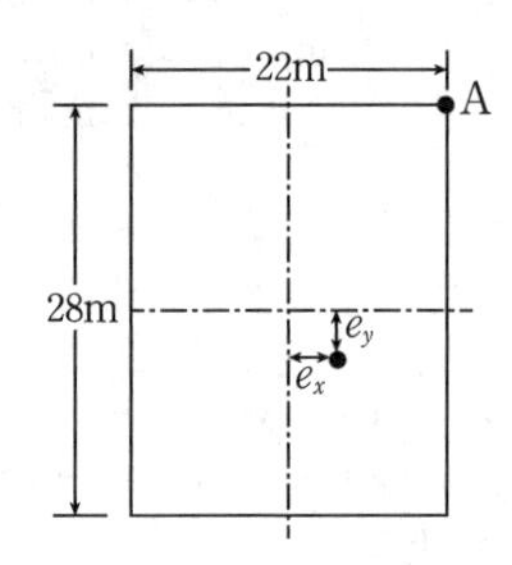

① 5.38　② 6.25
③ 6.75　④ 7.25

해설

$$q=\frac{P}{A}\pm\frac{M_x}{I_x}y\pm\frac{M_y}{I_y}x$$
$$=\frac{3080}{22\times28}-\frac{3080\times0.4}{40245}\times14+\frac{3080\times0.6}{24845}\times11=5.39\text{t/m}^2$$

63 모래지반에 30cm 각의 재하판을 사용하여 현장재하시험을 행하였다. 하중-침하량 곡선을 그려 극한지지력을 구한 결과는? (단, 실제 기초의 폭은 재하판의 폭보다 크다)

① 실제 기초의 극한지지력과 잘 맞는다.
② 실제 기초의 극한지지력보다 크므로 보정하여야 한다.
③ 실제 기초의 극한지지력보다 작으므로 보정하여야 한다.
④ 실제 기초의 극한지지력과 전혀 관련이 없다.

해설

모래지반에서 지지력은 기초의 폭에 비례하여 커진다.

60 ③ 61 ③ 62 ① 63 ③ [정답]

64 평판재하실험에서 재하판의 크기에 의한 영향(scale effect)에 관한 설명 중 틀린 것은?

① 사질토지반의 지지력은 재하판의 폭에 비례한다.
② 점토지반의 지지력은 재하판의 폭에 무관하다.
③ 사질토지반의 침하량은 재하판의 폭이 커지면 약간 커지기는 하지만 비례하는 정도는 아니다.
④ 점토지반의 침하량은 재하판의 폭에 무관하다.

해설

점토지반의 침하량은 재하판의 폭에 비례한다.

65 지표면에 설치된 얕은기초에서 기초의 강성과 지반 종류에 따른 기초의 침하특성에 대한 설명으로 옳지 않은 것은? 2010. 지방직 7급

① 포화된 점토지반 위에 있는 연성기초의 경우 즉시침하는 기초 중심부에서 최대이고 전지압은 균등하다.
② 포화된 점토지반 위에 있는 강성기초의 경우 즉시침하보다 압밀침하가 더 크게 발생한다.
③ 모래지반 위에 있는 연성기초의 경우 침하량의 대부분은 즉시침하로 구성된다.
④ 모래지반 위에 있는 강성기초의 경우 즉시침하는 균등하고 접지압은 기초 단부에서 최대이다.

해설

모래지반 위의 강성기초의 경우 즉시침하는 균등하고 접지압은 기초 중심부에서 최대이다.

66 흙의 허용지내력에 대한 설명 중 옳은 것은?

① 지지력도 안전하고 침하량도 허용값을 초과하지 않는 능력을 말한다.
② 허용지지력과 크기가 같다.
③ 극한지지력을 말한다.
④ 흙의 장기안정강도를 말한다.

해설

허용지내력이란 [허용 지지력 / 허용 침하량의 하중강도] 중에서 작은 값을 말한다.

67 허용지내력에 대한 다음 설명 중 옳지 않은 것은?

① 극한지지력에 대하여 소정의 안전율을 가지며, 침하량이 허용치 이하가 되게 하는 하중강도의 최대의 것을 말한다.
② 지지력을 기준하면 점성토는 일정하고, 사질토는 기초폭에 비례하여 커진다.
③ 침하량을 기준하면 점성토는 기초폭에 관계없이 일정하고, 사질토는 기초폭의 증가에 따라 작아진다.
④ 일반적으로 작은 크기의 기초의 허용지내력은 지지력에 의하여 결정되고, 큰 기초의 허용지내력은 침하에 의해 결정된다.

해설

허용지내력 : 침하량을 기준으로 하면 흙의 종류에 관계없이 기초 폭이 클수록 하중강도가 감소한다.

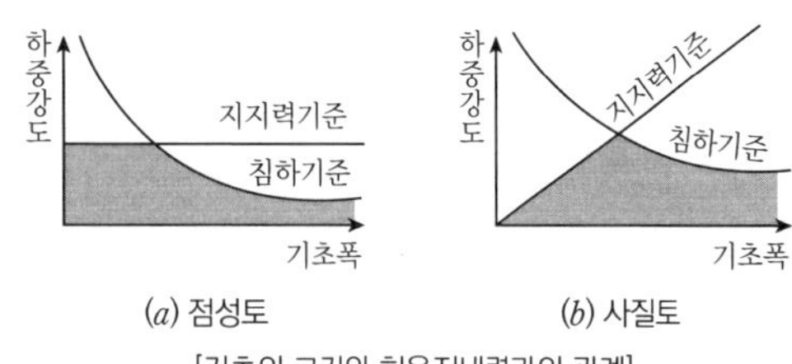

(a) 점성토 (b) 사질토

[기초의 크기와 허용지내력과의 관계]

64 ④ 65 ④ 66 ① 67 ③ [정답]

제13장

68 어떤 사질 기초지반의 평판재하시험 결과 항복강도가 60t/m², 극한강도가 105t/m²이었다. 그리고 그 기초는 지표에서 2m 깊이에 설치될 것이고, 그 기초지반의 단위중량이 1.8t/m³일 때, 이때의 지지력계수 N_q = 5이었다. 이 기초의 장기 허용지지력은?

① 20t/m² ② 30t/m²
③ 36t/m² ④ 52t/m²

해설

1. q_t의 결정

$\begin{pmatrix} \frac{q_y}{2} = \frac{60}{2} = 30\text{t/m}^2 \\ \frac{q_u}{3} = \frac{105}{3} = 35\text{t/m}^2 \end{pmatrix}$ 중에서 작은 값이므로 $q_t = 30\text{t/m}^2$

2. 장기 허용지지력

$$q_a = q_t + \frac{1}{3}\gamma D_f N_q$$
$$= 30 + \frac{1}{3} \times 1.8 \times 2 \times 5 = 36\text{t/m}^2$$

69 어느 지반에 30cm×30cm 재하판을 이용하여 평판재하시험을 한 결과 항복하중이 7.2t, 극한하중이 15.3t이었다. 이 지반의 허용지지력은 얼마인가?

① 25.9t/m² ② 40.0t/m²
③ 56.7t/m² ④ 80.0t/m²

해설

1. $q_y = \frac{P_y}{A} = \frac{7.2}{0.3 \times 0.3} = 80\text{t/m}^2$

2. $q_u = \frac{P_u}{A} = \frac{15.3}{0.3 \times 0.3} = 170\text{t/m}^2$

3. q_t의 결정

$\frac{q_y}{2} = \frac{80}{2} = 40\text{t/m}^2$, $\frac{q_u}{3} = \frac{170}{3} = 56.67\text{t/m}^2$이므로

$q_t = 40\text{t/m}^2$

4. $q_a = q_t + \frac{1}{3}\gamma D_f N_q = 40 + 0 = 40\text{t/m}^2$

70 다음 그림과 같은 전면기초의 단면적이 100m², 구조물의 사하중 및 활하중을 합한 총하중이 2500t이고 근입깊이가 2m, 근입깊이 내의 흙의 단위중량이 1.8t/m³이었다. 전면기초에 작용하는 순압력은?

① 21.4t/m²
② 25.0t/m²
③ 26.8t/m²
④ 28.6t/m²

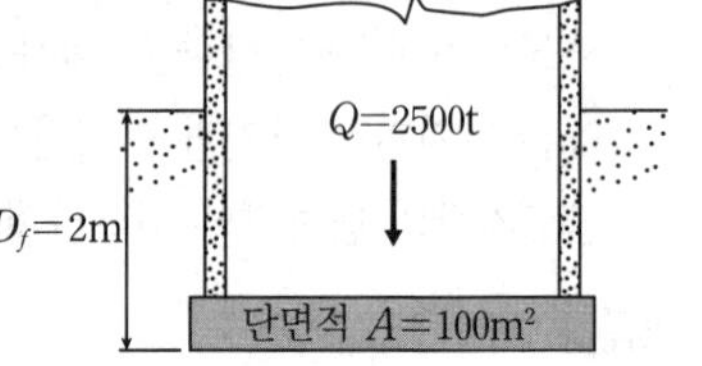

해설

$$q = \frac{Q}{A} - \gamma D_f = \frac{2500}{100} - 1.8 \times 2 = 21.4\text{t/m}^2$$

71 단위중량 20kN/m³의 지반 내에 5m를 굴착하여 5m×5m의 기초에 2500kN의 하중을 재하하려고 한다. 기초에 의하여 지반에 전달되는 순압력(net pressure, kN/m²)은? (단, 지하수위는 무시한다) 2007. 국가직 7급

① 0 ② 25
③ 100 ④ 2500

해설

$$\sigma = \frac{P}{A} - \gamma D_f = \frac{2500}{5 \times 5} - 20 \times 5 = 0$$

72 크기가 30m×40m인 전면기초가 점성토지반 위에 설치되었다. 기초에 작용하는 하중의 합이 18000t이고, 점성토의 단위중량이 2t/m³일 때 완전보상기초(compensated foundation)가 되기 위한 기초의 깊이를 구하면?

① 3.75m ② 6m
③ 7.5m ④ 15m

해설

$$\frac{P}{A} - \gamma D_f = 0$$
$$\frac{18000}{30 \times 40} - 2D_f = 0$$
$$\therefore D_f = 7.5\text{m}$$

68 ③ 69 ② 70 ① 71 ① 72 ③ [정답]

73 다음과 같이 20m(폭)×30m(길이)를 가진 전면 기초가 총 하중 32400kN의 하중을 받고 있다. 안전율이 1.5일 때 완전보상기초가 되기 위해 필요한 근입 깊이(m)은?

2011. 국가직 7급

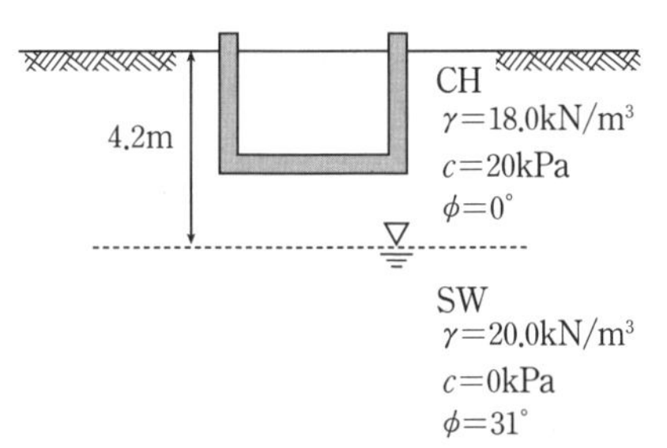

① 0.8 ② 2.0
③ 3.0 ④ 3.5

해설

1. $q_a=\frac{P}{A}-\gamma D_f=\frac{32,400}{20\times 30}-18D_f=0$

$\therefore D_f=3\text{m}$

2. $F_s=\frac{H_c}{H}$ 에서 $1.5=\frac{3}{H}$

$\therefore H=2\text{m}$

74 20m×30m의 전면기초가 단위중량이 1.8t/m³인 연약점토지반 위에 놓여 있다. 기초에 작용하는 사하중과 활하중의 합이 12000t일 때 완전보상기초(fully eompensated foundation)의 깊이는 얼마인가?

① 4.2m ② 6.4m
③ 9.6m ④ 11.1m

해설

$\frac{P}{A}-\gamma D_f=0$

$\frac{12000}{20\times 30}-1.8\times D_f=0$

$\therefore D_f=11.1\text{m}$

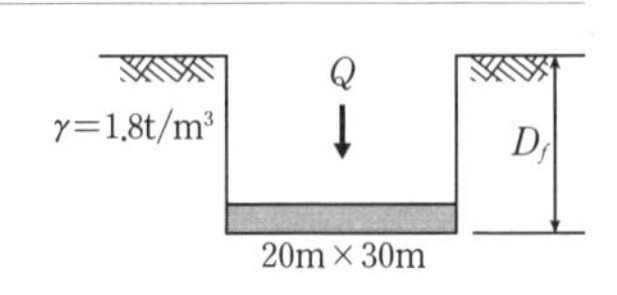

75 지표에 하중을 가하면 침하현상이 일어나고 하중이 제거되면 원상태로 되돌아가는 침하를 무엇이라고 말하는가?

① 소성침하 ② 압밀침하
③ 압축침하 ④ 탄성침하

76 연성기초의 탄성(즉시)침하에 대한 설명으로 옳지 않은 것은?

2013. 국가직 7급

① 탄성(즉시)침하량은 기초에 작용하는 압력이 커질수록 증가한다.
② 탄성(즉시)침하량은 지반의 탄성계수가 커질수록 증가한다.
③ 탄성(즉시)침하량은 기초의 폭이 커질수록 증가한다.
④ 기초의 설치심도가 깊어질수록 더 작은 침하가 발생한다.

해설

$S_i=qB\frac{1-\mu}{E_s}I_w$

77 길이가 25m인 정방형 전면기초인 건물이 있다. 이 건물의 허용 각변위(angular distortion)를 1/500이라고 할 때, 최대허용부등침하량(cm)은?

2008. 국가직 7급

① 2.0 ② 2.5
③ 5.0 ④ 10

해설

각변위$=\frac{\Delta\rho}{l}$ $\frac{1}{500}=\frac{\Delta\rho}{2500}$

$\therefore \Delta\rho=5\text{cm}$

78 다음 중 직접기초의 굴착공법으로 옳지 않은 것은?

① 오픈컷공법 ② 공기 케이슨공법
③ 트렌치컷공법 ④ 아일랜드공법

해설

기초의 굴착법

1. open cut 공법(절개 공법)
2. trench cut 공법
3. island 공법

73 ② 74 ④ 75 ④ 76 ② 77 ③ 78 ② [정답]

제13장

Chapter 13

얕은 기초

기출 및 적중예상문제 Ⅱ [5지선다형]

여기에 수록된 「기출문제」는 수험생들의 기억을 바탕으로 유사한 유형의 문제로 새로이 창작하여 구성하였습니다. 따라서 원안과 동일하지는 않지만 출제 수준과 경향을 파악하는 데 결정적인 도움을 주리라 믿습니다.

01 안전한 기초의 설계와 직접적인 관련이 없는 것은?

① 지반 흙의 소성한계와 활성도
② 동상(Frost heave) 깊이
③ 지하수의 위치
④ 설계하중에 의한 침하량 산정
⑤ 허용지지력의 산정

02 연속기초의 극한지지력을 구하는 Terzaghi공식을 이용하여 그림과 같이 모래질 흙 위에 놓여 있는 연속기초의 극한지지력(t/m^2)을 구하면 얼마인가? (단, 지지력계수 $N_c=10.0$, $N_q=2.5$, $N_r=1.0$)

① 7.0
② 8.0
③ 9.0
④ 10.0
⑤ 11.0

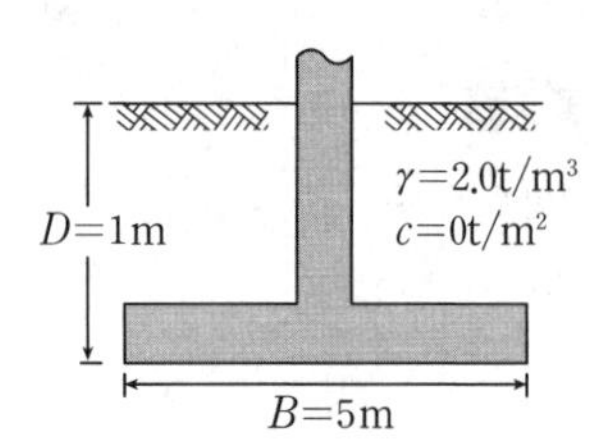

해설

1. 연속기초이므로 $\alpha=1.0$, $\beta=0.5$이다.
2. $q_u=\alpha cN_c+\beta B\gamma_1 N_\gamma+D_f\gamma_2 N_q$
$=0+0.5\times5\times2\times1+1\times2\times2.5$
$=10t/m^2$

03 2m×3m의 장방향기초에서 기초면에 작용하는 합력의 연직성분이 15t 작용하고 편심거리가 0.2m일 때 기초지반에 일어나는 최대응력은?

① $2t/m^2$
② $4t/m^2$
③ $6t/m^2$
④ $8t/m^2$
⑤ $12t/m^2$

해설

$e\leq\frac{B}{6}\left(0.2\leq\frac{2}{6}\right)$이므로

$q_{max}=\frac{P}{BL}\left(1+\frac{6e}{B}\right)$
$=\frac{15}{2\times3}\left(1+\frac{6\times0.2}{2}\right)=4t/m^2$

01 ① 02 ④ 03 ② [정답]

깊은 기초

Chapter 14

깊은 기초

01 말뚝기초(pile foundation)

1. 정의

구조물 바로 아래에 있는 흙이 연약하여 상부구조물에서 오는 하중을 지지할 수 없을 때에는 깊은 기초를 사용해야 한다. 깊은 기초로서 일반적으로 사용되는 것은 말뚝기초와 피어기초이며 그 밖에 케이슨기초 등이 있다.

2. 말뚝기초의 분류

(1) 지지방법에 의한 분류

① **선단지지말뚝(end bearing pile)** : 연약한 지반을 관통하여 하부의 견고한 지반에 말뚝을 도달시켜서 상부구조물의 하중을 말뚝 선단의 지지력으로 지지하는 말뚝을 말한다.

② **마찰말뚝(friction pile)** : 상부구조물의 하중을 말뚝의 주면마찰력으로 지지하는 말뚝을 말하며 지지 가능한 지층이 너무 깊게 위치하여 지지층까지 말뚝을 설치할 수 없는 경우에 적용한다. 구조물이 가볍든가 또는 어느 정도의 침하량이 허용되는 경우에는 마찰말뚝을 사용하는 것이 경제적이다.

③ **하부지반 지지말뚝(bearing pile)** : 상부구조물의 하중을 말뚝 선단의 지지력과 주면마찰력으로 지지하는 말뚝을 말한다(선단지지말뚝＋마찰말뚝).

④ **다짐말뚝(compaction pile)** : 말뚝을 지반에 타입하여 지반의 간극을 감소시켜서 지반이 다져지는 효과를 얻기 위하여 사용하는 말뚝으로 주로 느슨한 사질지반의 개량에 사용된다.

⑤ **인장말뚝(tension pile)** : 인발력에 저항하는 말뚝이다.

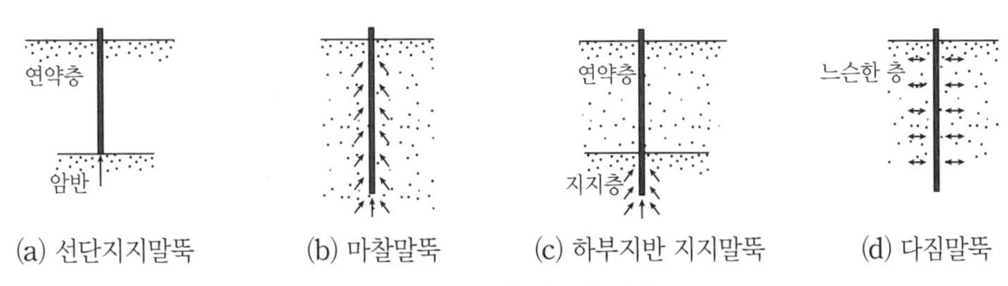

(a) 선단지지말뚝 (b) 마찰말뚝 (c) 하부지반 지지말뚝 (d) 다짐말뚝

[그림 14-1] 말뚝의 분류

(2) 재료에 의한 분류

① **나무말뚝**(wooden pile) : 나무말뚝은 가지를 제거한 나무 줄기를 말하며 최대길이는 대체로 10~20m이다. 말뚝으로 사용되는 목재는 곧고 견고해야 하며 어떠한 흠도 없어야 한다. 나무말뚝은 가격이 싸고 취급하기 간편하며, 수중에 설치하면 잘 부식되지 않는 장점이 있다. 반면에 수면위에서는 부식이 잘되고, 타입시 손상되기 쉬우며, 지지력이 작고, 이음이 어려우며, 이음부분이 있는 경우에는 인장력에 대한 저항이 작다.

② **기성 콘크리트 말뚝**(precast concrete pile)

㉠ **원심력 철근 콘크리트 말뚝**(RC 말뚝) : 양생 중에 원심력을 이용하여 콘크리트의 밀도 및 강도를 높인 중공말뚝이다.

장점	단점
• 15m 이하에서 경제적이다. • 재질이 균일하기 때문에 신뢰도가 높다. • 강도가 크기 때문에 지지말뚝에 적합하다.	• 말뚝이음 신뢰성이 작다. • 중간 경질토($N=30$ 정도) 통과가 어렵다. • 무게가 무겁다. • 충격에 약하다(항타시 균열이 발생한다).

㉡ **PC 말뚝**(prestressed concrete pile) : 기성 콘크리트 말뚝 사용량은 거의 전부가 PC 말뚝이다. 그 이유는 RC 말뚝이 콘크리트의 작은 인장강도 때문에 운반, 취급 및 시공시에 균열이 발생하거나 파손되는 단점이 있는데 PC 말뚝은 프리스트레스를 도입하여 이러한 단점을 어느 정도 보완하였고 압축강도가 커서 지지력과 지반 관입력이 큰 장점이 있기 때문이다.

장점	단점
• Prestress가 유효하게 작용하기 때문에 항타시 인장파괴가 발생하지 않는다(내구성이 크다). • 휨량이 적다. • 이음이 쉽고 신뢰도가 크다.	• RC 말뚝에 비해 고가이다. • 말뚝길이가 15m 이하이거나 가벼운 하중을 지지하는 경우에는 RC 말뚝에 비해 비경제적이다.

③ **강말뚝**(steel pile) : 강말뚝으로는 보통 H형 강과 강관을 사용한다. H형 강말뚝은 강관말뚝에 비해 가격이 싸고 흙의 배제량이 적기 때문에 좁은 곳에 조밀하게 타입할 수 있으며 강관말

뚝은 모든 방향으로 강성이 고르며 외주면적, 선단의 저면적 등의 공학적 특성이 일반적으로 H형 강말뚝보다 우수하며 타입 후 보통 그 안을 콘크리트로 채운다.

장점	단점
• 재질이 강해 지내력이 큰 지층에 항타할 수 있으며 개당 100t 이상의 큰 지지력을 얻을 수 있다. • 단면의 휨강성이 커서 수평저항력이 크다. • 이음이 확실하고 길이 조절이 용이하다. • 운반, 항타작업이 소형의 기계로서 빠르고 쉽게 할 수 있다.	• 단가가 비싸다. • 부식이 잘된다. • 항타시 소음이 크다.

④ **합성말뚝** : 합성말뚝은 강관내에 콘크리트를 채운 강관콘크리트 합성말뚝(SC말뚝)과 상이한 종류의 말뚝을 이은 말뚝 등이 있다.

3. 말뚝기초의 시공

(1) 항타법

① 타입식

㉠ **드롭해머(drop hammer)** : 소규모의 짧은 말뚝을 타입할 때 사용하며 해머의 중량은 말뚝 중량의 3~4배가 좋다.

㉡ **증기해머(steam hammer)**

장점	단점
• 타격횟수가 많기 때문에 드롭해머보다 시공능률이 양호하다. • 말뚝 상단의 손실이 작다.	• 연속항타이므로 소음이 크다. • 시공설비가 크다(소규모 현장에 부적합하다.)

㉢ **디젤해머(diesel hammer)** : 치수가 큰 말뚝을 타입할 때 많이 사용하며 최근에 가장 많이 사용하고 있다. 타격효과는 가벼운 해머보다 무거운 해머가 더 효과적인데 램(ram)의 중량은 말뚝 중량의 1/4~1배가 효과적이다.

② **진동식** : 말뚝 상단에 기진기 장치를 한 바이브로해머(vibro-hammer)가 말뚝 종방향에 강제 진동을 주어 항타하는 방법이다.

장점	단점
• 타입, 인발이 쉽다(시공능률이 크다). • 말뚝 두부손상이 없다. • 점토지반에 항타시 지반이 교란되기 때문에 사질지반에 적합하다.	• 전기 설비비가 많이 든다. • 특수 cap이 필요하다.

③ 압입식 : Oil jack의 반력으로 말뚝을 압입하는 공법이며 사수식, pre-boring 등과 병용하여 시공하고 있다.

장점	단점
• 무소음, 무진동 • 말뚝이 손상되지 않는다. • 주위 지반의 교란이 없다.	• 압입시에 매우 큰 반력하중이 필요하다. • 압입기계가 커서 기계의 운반 및 조립에 많은 시간이 소요된다.

④ 사수식(water jet식) : 말뚝 선단의 노즐에서 고압수를 분사하여 말뚝의 선단 및 주위 지반을 무르게 하여 말뚝을 자중으로 침하시키는 공법이다.

장점	단점
무소음, 무진동	점토지반에 사용시 말뚝의 지지력이 저하되므로 부적합하다.

(2) 타입순서

① 중앙부에서 외측으로 향하여 타입한다.

② 육지에서 해안쪽으로 타입한다.

③ 인접 구조물이 있는 곳에서 바깥쪽으로 타입한다.

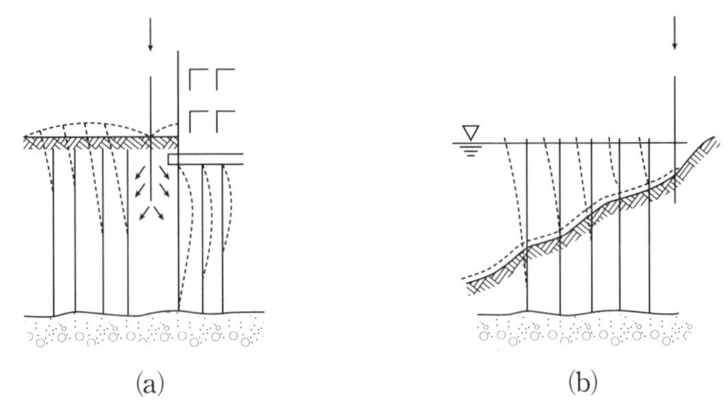

[그림 14-2] 말뚝의 타입순서

4. 말뚝 항타시 말뚝과 흙의 거동

(1) 말뚝의 거동

말뚝을 타격하면 처음에는 하향으로 내려가지만 곧 부분적으로 튀어오른다. 이것은 말뚝과 그 주위에 있는 흙에 순간적으로 탄성압축이 일어나서 곧 회복되기 때문이다.

최대 관입량과 리바운드량과의 차이가 실제 관입량이 된다. 타격당 실제평균관입량은 주어진 거리를 관입하는데 타격한 횟수로 나누어 구한다.

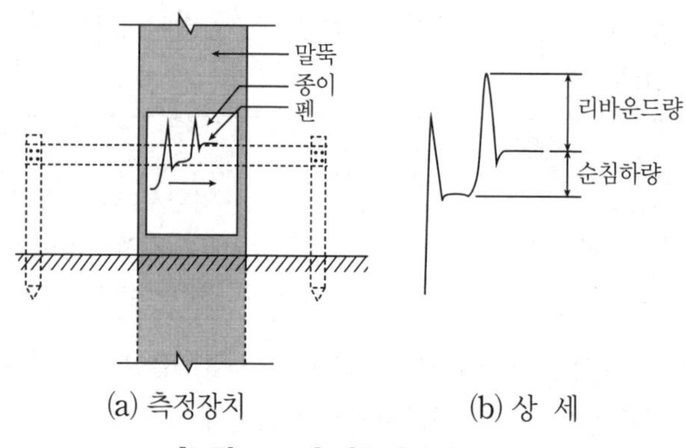

(a) 측정장치　　　　　　(b) 상 세

[그림 14-3] 말뚝머리의 변위

(2) 흙의 거동

① **천공말뚝의 경우** : 천공을 하면 지반은 응력상태가 바뀌고 구멍 주변의 흙은 교란된다. 이때 흙은 구멍쪽으로 팽창하므로 점토인 경우에는 흙의 강도가 저하되고 모래는 공벽이 붕괴될 수 있다.

② **타입말뚝의 경우** : 항타시 말뚝의 끝은 마치 작은 기초처럼 작용하고 계속적으로 전단파괴를 일으키면서 박히므로 천공말뚝의 경우보다 더 큰 교란이 생긴다. 말뚝 둘레에는 D~2D의 폭을 가진 교란된 흙의 영역이 생긴다. 이때 교란된 범위 내에서는 압축성이 증가하고 포화된 점토의 강도가 저하한다. 대부분의 비점성토는 단위중량이나 전단저항각이 증가하지만 조밀한 흙에서는 말뚝의 바로 옆에서는 전단 때문에 단위중량이 감소하며 전단저항각이 국부적으로 감소한다.

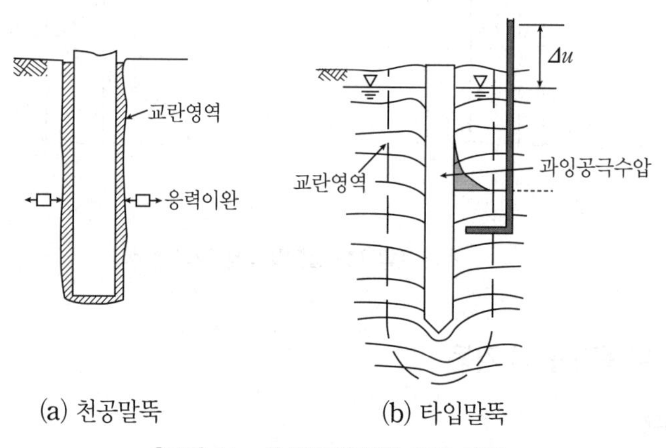

(a) 천공말뚝　　　　　　(b) 타입말뚝

[그림 14-4] 말뚝설치시 흙의 거동

Check Point

배토말뚝과 비배토말뚝

1. 배토말뚝 : 타격, 진동으로 박는 폐단기성말뚝
2. 소배토말뚝 : H말뚝, 선굴착 최종항타말뚝
3. 비배토말뚝 : 중굴말뚝, 현장타설말뚝

5. 말뚝기초의 지지력

(1) 정역학적 지지력 공식

말뚝의 극한지지력을 주면마찰력과 선단저항의 합으로 생각하여 극한지지력 또는 허용지지력을 구하는 방법이다.

① Terzaghi의 공식 : 얕은기초의 지지력 이론에 기인한 지지력 공식이다.

㉠ 사질토의 마찰저항력(f_s)

$$f_s = K\sigma_v{}'\tan\delta \quad \cdots\cdots (14\text{-}1)$$

여기서, K : 토압계수($K_0 = 1 - \sin\phi$)

$\sigma_v{}'$: 고려 중인 깊이에서 유효연직응력

($\sigma_v{}'$를 계산하는 깊이의 한계(임계깊이)는 $L' = 15d$)

δ : 흙과 말뚝 사이의 마찰각

㉡ 점성토의 마찰저항력(f_s)

- α 방법 : 전응력으로 마찰저항을 구하는 방법이다.

$$f_s = \alpha c \quad \cdots\cdots (14\text{-}2)$$

여기서, α : 말뚝과 흙 사이의 부착계수(adhesion factor)

- β 방법 : 유효응력으로 얻은 전단강도정수를 가지고 마찰저항을 구하는 방법이다.

$$f_s = \beta \cdot \sigma_v{}' \quad \cdots\cdots (14\text{-}3)$$

여기서, β : $K\tan\phi'$

K : 토압계수(정규압밀점토 시 $K = 1 - \sin\phi'$

과압밀점토 시 $K = (1 - \sin\phi')\sqrt{OCR}$)

- λ 방법 : 전응력과 유효응력을 조합하여 마찰저항을 구하는 방법이다.

$$f_{av} = \lambda(\overline{\sigma_v{}'} + 2c) \quad \cdots\cdots (14\text{-}4)$$

여기서, c : 점착력

㉢ 극한지지력

$$R_u = R_p + R_f = q_p A_p + f_s A_s \quad \cdots\cdots (14\text{-}5)$$

여기서, R_u : 말뚝의 극한지지력(t)

R_p : 말뚝의 선단지지력(t)

R_f : 말뚝의 주면마찰력(t)

q_p : 단위 선단지지력(t/m^2)

A_p : 말뚝의 선단지지면적(m^2)

f_s : 단위 마찰저항력(t/m^2)

A_s : 말뚝의 주면적(m^2)

$$q_p = cN_c^* + q'N_q^* \quad \cdots\cdots (14\text{-}6)$$

㉣ 허용지지력

$$R_a = \frac{R_u}{F_s}(F_s = 3) \quad \cdots\cdots (14\text{-}7)$$

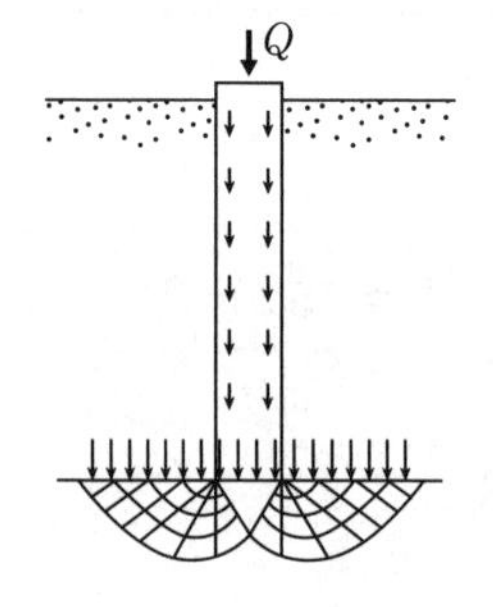

(a) Terzaghi, Prandtl Reissner, Caquot, busiman

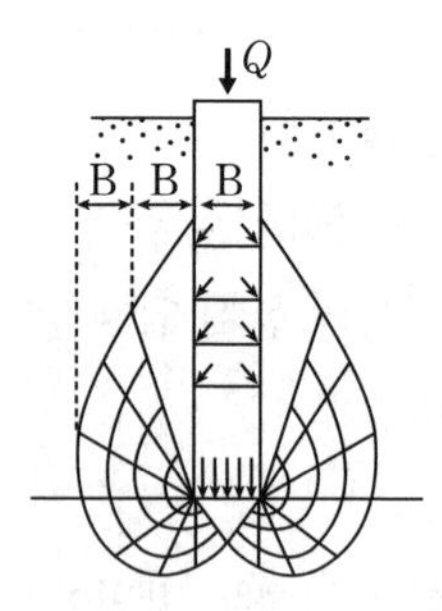

(b) Meyerhof, DeBeer, Jaky

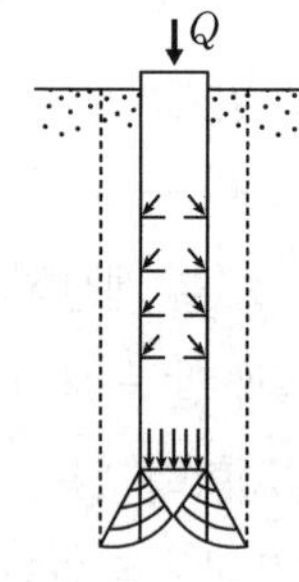

(c) Berezantzev and Yaroshenko, Vesic

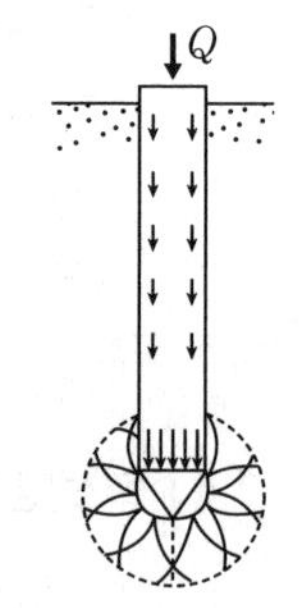

(d) Bishop, Hill and Mott Skempton, Yassin and Gibson

[그림 14-5] 깊은 기초의 파괴양상(Vesic, 1967)

② Meyerhof의 공식 : 표준관입시험 결과(N치)에 의한 지지력 공식으로 사질지반에서 우수하다.

㉠ 극한지지력

$$R_u = R_p + R_f = 40NA_p + \frac{1}{5}\overline{N_s}A_s \quad \cdots\cdots (14\text{-}8)$$

여기서, A_p : 말뚝의 선단단면적(m^2)

N : 말뚝 선단 부위의 N치

$\overline{N_s}$: 모래층의 N치의 평균치

A_s : 모래층의 말뚝의 주면적(m^2)

㉡ 허용지지력

$$R_a=\frac{R_u}{F_s}(F_s=3) \quad \cdots\cdots (14-9)$$

③ Dörr의 공식 : 토압론에 기인한 고전적 지지력 공식으로 주로 마찰말뚝에 적용된다.

④ Dunham 공식 : Dunham 공식은 피어기초와 같이 말뚝 둘레 지반을 압축하지 않는 말뚝에는 적용하지 못한다.

(2) 동역학적 지지력 공식

항타할 때의 타격에너지와 지반의 변형에 의한 에너지가 같다고 하여 말뚝의 정적인 극한지지력을 동적인 관입저항에서 구한 것으로 간편하다는 이점이 있으나 정밀도에서는 좋지 않다. 따라서 동역학적 지지력 공식에 의해 축방향 지지력을 구하는 것은 좋지 않다. 그러나 현장에서 지지말뚝이 만족스런 지지력 값에 도달했는지를 결정하는 데 널리 사용된다.

① Hiley 공식 : 동역학적 지지력 공식 중 Hiley 공식이 가장 합리적이다.

㉠ 극한지지력

$$R_u=\frac{W_h\cdot h\cdot e}{S+\frac{1}{2}(C_1+C_2+C_3)}\left(\frac{W_h+n^2W_p}{W_h+W_p}\right) \quad \cdots\cdots (14-10)$$

여기서, W_h : 해머의 무게(t), W_p : 말뚝의 무게(t)

h : 낙하고(cm)

e : hammer 효율

S : 말뚝의 최종 관입량(cm)

C_1, C_2, C_3 : 말뚝, 지반, cap cushion의 탄성변형량(cm)

n : 반발계수

㉡ 허용지지력

$$R_a=\frac{R_u}{F_s}(F_s=3) \quad \cdots\cdots (14-11)$$

② Engineering News 공식

㉠ 극한지지력

ⓐ Drop hammer

$$R_u=\frac{W_h h}{S+2.54}=\frac{W_h he}{S+2.54} \quad \cdots\cdots (14-12)$$

제14장

ⓑ 단동식 Steam hammer

$$R_u=\frac{W_h h}{S+0.254}=\frac{W_h he}{S+0.254} \quad \cdots\cdots (14-13)$$

ⓒ 복동식 Steam hammer

$$R_u=\frac{(W_h+A_p P)h}{S+0.254} \quad \cdots\cdots (14-14)$$

여기서, A_p : 피스톤의 면적(cm^2)

P : hammer에 작용하는 증기압(t/cm^2)

S : 타격당 말뚝의 평균관입량(cm)

h : 낙하고(cm), e : 해머 효율

㉡ 허용지지력

$$R_a=\frac{R_u}{F_s}(F_s=6) \quad \cdots\cdots (14-15)$$

③ Sander 공식

㉠ 극한지지력

$$R_u=\frac{W_h h}{S} \quad \cdots\cdots (14-16)$$

㉡ 허용지지력

$$R_a=\frac{R_u}{F_s}(F_s=8) \quad \cdots\cdots (14-17)$$

④ Weisbach 공식

(3) 말뚝의 정재하시험

말뚝의 지지력은 재하시험에 의하여 가장 실제에 가까운 값이 구해진다. 암반에 박힌 말뚝을 제외하고는 모든 말뚝의 지지력은 상당한 시간이 지난 후까지도 극한에 이르지 않는다. 그러므로 말뚝의 지지력은 이러한 시간이 경과된 다음에 결정되어야 한다.

사질토지반에 설치한 말뚝의 재하시험은 말뚝타입 후 즉시 실시할 수 있으나 점토지반에 설치한 말뚝의 재하시험은 말뚝타입 후 30~60일 이상 경과한 후에 실시해야 한다. 이는 말뚝타입시 교란된 점토의 강도가 원래대로 회복하는 데 상당한 시간이 걸리기 때문이다.

① 평판재하시험과 같은 원리로 하중-침하곡선으로부터 허용지지력을 결정한다. $\frac{P_y}{2}$, $\frac{P_u}{3}$ 중 작은 값을 허용지지력으로 한다.

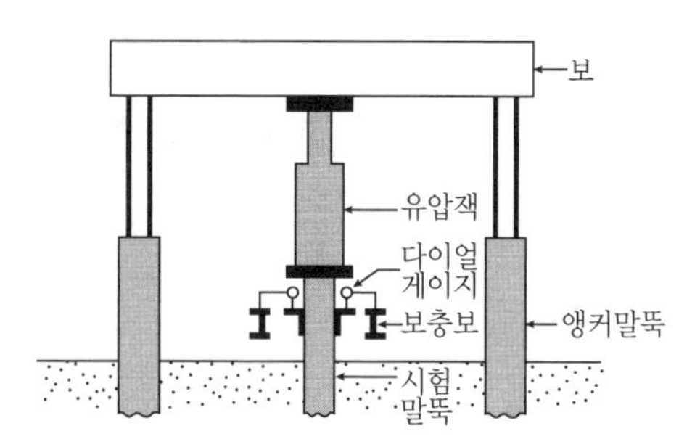

[그림 14-6] 말뚝재하시험

② 결과의 표시

㉠ 시간-하중곡선

㉡ 시간-침하곡선

㉢ 하중-침하곡선으로 구성되어 있다.

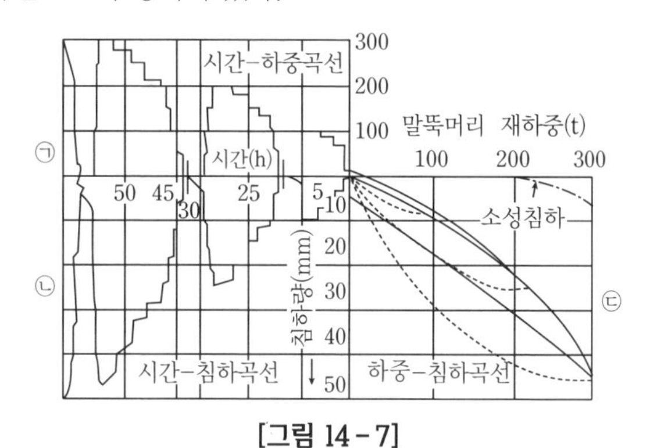

[그림 14-7]

(4) 동재하시험(항타분석기(PDA)를 이용하는 방법)

동적재하시험 결과로 말뚝의 정적지지력을 추정하는 것은 아직 신뢰성이 적기 때문에 동일한 말뚝에 대해 정적재하시험 결과와 비교하여 검증한 후에 적용해야 한다. 이때, 시간과 비용이 많이 소요되는 정재하시험 횟수를 줄일 수 있어서 경제적이다.

① 항타 즉시 말뚝의 지지력을 얻을 수 있다.

② 항타 즉시 해머의 효율 및 적합성을 판단할 수 있다(말뚝과 해머의 성능을 동시에 측정할 수 있어서 합리적 시공관리를 할 수 있다).

③ 깊이별 저항력 분포를 알 수 있다.

④ 항타 후 다음 항타시까지 시간간격을 조절하여 시간경과에 따른 말뚝의 지지력 변화를 알 수 있다.

⑤ 시험시간이 짧고 간편하며, 비용이 저렴하다.

⑥ 말뚝의 종류, 시공법에 관계없이 적용할 수 있으며 재하를 위한 사하중, 반력말뚝 등이 필요 없다.

(5) 적용성

① **정역학적 공식** : 말뚝 설계의 예비적인 검토와 시험말뚝의 길이를 정하는 경우 등에 사용되며 또 재하시험을 행하지 않는 경우에 항타공식으로 구한 극한지지력을 비교 검토할 때에도 사용된다.

② **동역학적 공식**

㉠ 마찰말뚝의 경우에는 잘 적용되지 않고 모래, 자갈과 같은 층에 지지말뚝의 경우에 한해서 적용된다.

㉡ 정밀도에 문제가 있어서 설계치에 사용되지 않고 지지말뚝의 시공관리에 사용된다.

[표 14-1]

극한지지력 결정방법	안전율	비고
정역학적 지지력 공식	3	• 시공 전 설계에 사용 • N치 이용 가능
동역학적 지지력 공식	3~8	• 시공시 사용, 점토지반에 부적합 • 모래, 자갈 등의 지지말뚝에 한해서 적용
정재하시험	3	• 가장 확실하나 비경제적임

6. 주면마찰력과 부마찰력

(1) 주면마찰력

말뚝 주위 표면과 흙 사이의 마찰력을 주면마찰력이라 한다.

① 사질토지반에 항타하면 지반이 압축되어 밀도가 커져서 마찰저항이 커진다.

② 점토지반에 항타하면 말뚝 주변의 흙은 큰 전단변형이 생겨 거의 교란된 상태가 되므로 마찰저항이 작아진다. 그리고 시간이 경과함에 따라 thixotropy에 의하여 점토의 강도가 회복되므로 말뚝의 재하시험은 항타 후에 20여일 동안 방치한 후에 실시한다.

㉠ 완전교란되는 범위는 말뚝 지름의 1/2이다.

㉡ 교란에 의해 현저한 압축이 생기는 범위는 말뚝 지름의 1.5배이다.

㉢ 포화점토에서 간극수압이 상승하는 범위는 말뚝 지름의 6배이다.

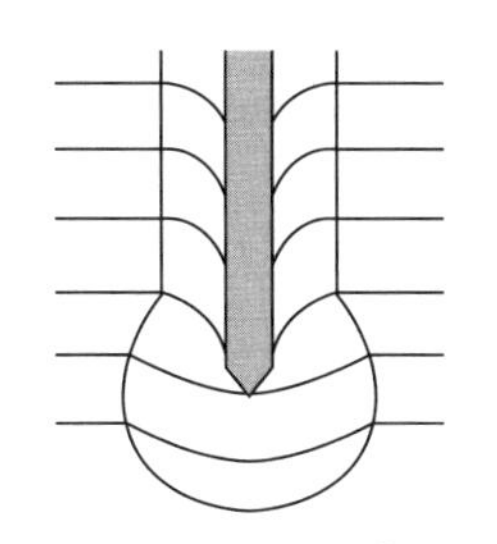

[그림 14-8] 주변의 흙의 교란

(2) 부마찰력(negative friction)

① **정의** : 주면마찰력은 보통 상향으로 작용하여 지지력에 가산되었으나 말뚝 주위의 지반이 말뚝보다 더 많이 침하하게 되면 주면마찰력이 하향으로 발생하여 하중역할을 하게 된다. 이러한 주면마찰력을 **부마찰력**이라 한다. 부마찰력이 발생하는 경우는 압밀침하를 일으키는 연약 점토층을 관통하여 지지층에 도달한 지지말뚝의 경우나 연약점토지반에 말뚝을 항타한 다음 그 위에 성토를 한 경우 등이다.

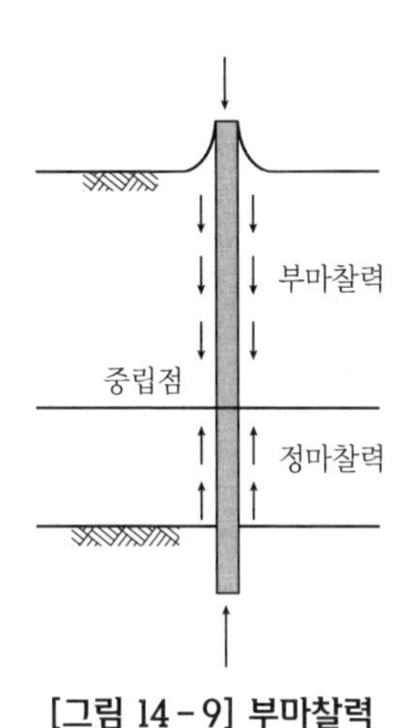

[그림 14-9] 부마찰력

② **중립점** : 지반침하에 의한 주면마찰력의 방향은 말뚝의 침하량과 지반침하량의 크기에 따라 변화하며, 말뚝의 침하량이 지반침하량을 초과하는 부분에서는 상향(정, +)의 주면마찰력이 작용하고, 지반침하량이 말뚝의 침하량을 초과하는 부분에서는 하향(부, −)의 주면마찰력이 작용한다. 하향의 주면마찰력과 상향의 주면마찰력의 경계면을 **중립점**이라고 한다.

③ 부마찰력의 크기

$$R_{nf}=f_n A_s \quad \cdots\cdots (14-18)$$

여기서, f_n : 단위면적당 부마찰력$\left(\text{연약점토시 } f_n=\frac{1}{2}q_u\right)$

A_s : 부마찰력이 작용하는 부분의 말뚝 주면적

④ 발생원인
  ㉠ 지반 중에 연약점토층의 압밀침하
  ㉡ 연약한 점토층 위의 성토(사질토) 하중
  ㉢ 지하수위 저하

⑤ 부마찰력을 줄이는 공법
  ㉠ H형 강말뚝을 사용하는 방법
  ㉡ 말뚝 지름보다 크게 boring하여 부마찰력을 감소시키는 방법
  ㉢ 말뚝 지름보다 약간 큰 casing을 박아서 부마찰력을 차단하는 방법
  ㉣ 말뚝 주변을 역청하여 코팅하는 방법

7. 말뚝의 이음

(1) 허용지지력의 감소

① 압축력 : 1개소당 약 20% 이내의 지지력이 감소한다.
② 인발력 : 이음 밑 부분의 저항을 감소하거나 극단적인 경우에는 무시한다.

(2) 이음의 위치

① 이음의 위치를 결정함에 있어서 휨, 전단, 인장 등 전부를 고려하고 이음구조가 휨에 약한 것이면 휨 모멘트가 작은 곳에, 전단에 약한 것이면 전단력이 작은 곳에 설치한다.
② 강재인 경우에는 방식처리가 용접 등의 가공으로 인하여 기능의 저하를 초래할 수 있으므로 부식의 영향이 작은 곳으로 하고 특히 수위의 변동에 의한 건습이 반복되는 곳은 피해야 한다.

8. 무리말뚝(군항)

대부분의 경우 말뚝은 구조물 하중을 흙에 전달하기 위해 여러 개를 무리지어서 사용하며 이를 무리말뚝(군항, group pile)이라고 한다. 무리말뚝 상부를 연결하는 기초 콘크리트판을 말뚝캡(pile cap) 또는 확대기초(footing)라고 하며, 이는 대개 지면과 접하나, 해상플랫폼을 건설할 경우에는 지면보다 상당히 위에 놓이기도 한다.

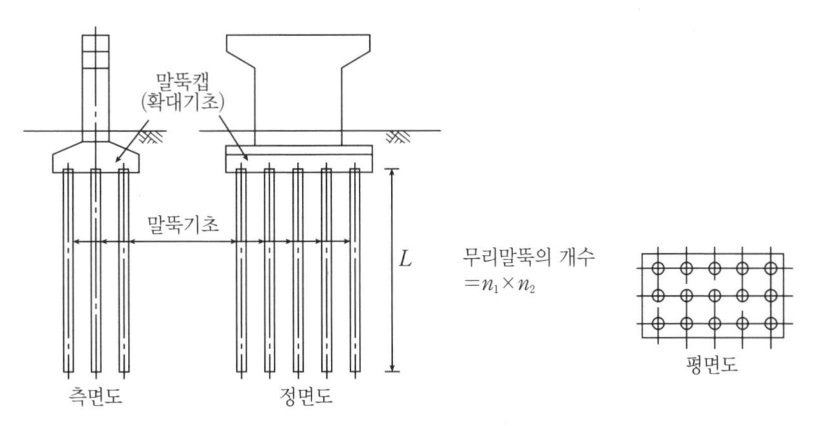

[그림 14-10] 무리말뚝

(1) 판정 기준

2개 이상의 말뚝에서 지중응력의 중복여부로 판정한다.

$$D = 1.5\sqrt{rL} \qquad \cdots\cdots (14-19)$$

여기서, D : 말뚝에 의한 지중응력이 중복되지 않기 위한 말뚝 간격

r : 말뚝 반지름 L : 말뚝 길이

① $D > d$: 군항(group pile) ② $D < d$: 단항(single pile)

여기서, d : 말뚝의 중심간격

(2) 무리말뚝의 지지력

암반이나 모래, 자갈층에 타입된 선단지지말뚝의 경우에는 지지층내의 응력집중이 크게 문제되지 않으므로 무리말뚝의 효과를 고려하지 않으며 모래층에 타입된 마찰말뚝의 경우에는 말뚝관입시에 주변 모래를 다져서 전단강도를 증가시키게 되는데 이렇게 증가한 지지력과 무리말뚝의 효과에 의하여 감소되는 지지력이 상쇄되어 역시 무리말뚝 효과를 고려하지 않는것이 일반적이다. 그러나 점성토에 타입된 마찰말뚝의 경우에는 말뚝에 의해서 흙으로 전달되는 응력이 겹치게 되어서 무리말뚝에 의한 지지력 감소를 고려해야 한다.

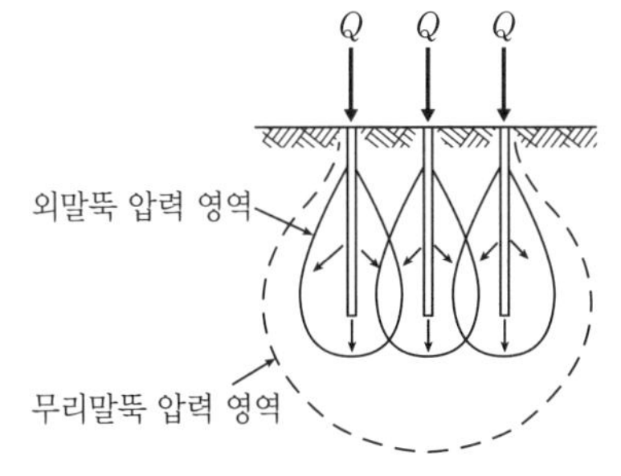

[그림 14-11] 무리말뚝의 지지력

① 무리말뚝과 외말뚝의 차이점

㉠ 일반적으로 무리말뚝의 지지력은 외말뚝의 지지력을 합한 값보다 작다.

㉡ 무리말뚝의 침하량은 동일한 규모의 하중을 받는 외말뚝의 침하량보다 크다.

㉢ 무리말뚝의 효율성은 외말뚝의 효율성보다 작다.

② 사질토지반의 무리말뚝 지지력

$$R_{ag}=ENR_a \quad \cdots\cdots (14-20)$$

여기서, E : 군항의 효율

N : 말뚝개수

R_a : 말뚝 1개의 허용지지력

③ 사질토지반에 설치한 마찰말뚝의 효율

$$E=1-\frac{\phi}{90}\left[\frac{(m-1)n+m(n-1)}{mn}\right] \quad \cdots\cdots (14-21)$$

④ $\phi=\tan^{-1}\dfrac{D}{S}$ ⋯⋯ (14-22)

여기서, m : 각 열의 말뚝 수　　n : 말뚝 열의 수

D : 말뚝 직경(m)　　S : 말뚝 간격(m)

(3) 말뚝의 간격

일반적으로 말뚝의 중심과 중심 사이의 적당한 간격으로는 약 $3d \sim 3.5d$(d : 말뚝 직경) 이상인 것이 좋으며 최소한 $2.5d$ 이상이 되어야 한다. 그리고 $4d$ 이상이 되면 비경제적이다.

[표 14-2] 말뚝 간격

말뚝 종류	말뚝 간격
암반 위의 선단지지말뚝	$2.5d$
연약한 점토를 관통하여 모래층에 박은 지지말뚝	$2.5d$
느슨한 모래 속의 마찰말뚝	$3d$
굳은 점토층 중의 마찰말뚝	$3 \sim 3.5d$
연약한 점토층 중의 마찰말뚝	$3 \sim 3.5d$

(4) 말뚝의 배열

① 말뚝배열의 최솟값은 원칙적으로 2행 2열로서, 무리말뚝의 최소개수는 4개이다. 2열 이상의 말뚝을 사용한 기초를 다주식기초라고도 한다.

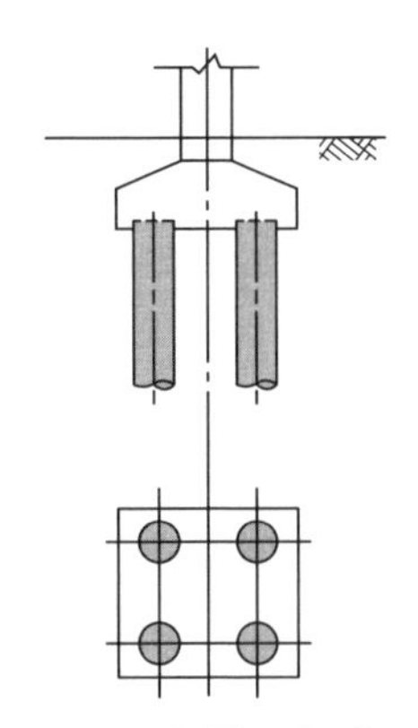

[그림 14-12] 최소의 말뚝배열

② 무리말뚝의 배치는 정사각형 배치, 직사각형 배치, 지그재그 배치 등으로 하는 것이 좋으며, 비대칭으로 불규칙하게 배치하는 것은 좋지 않다.

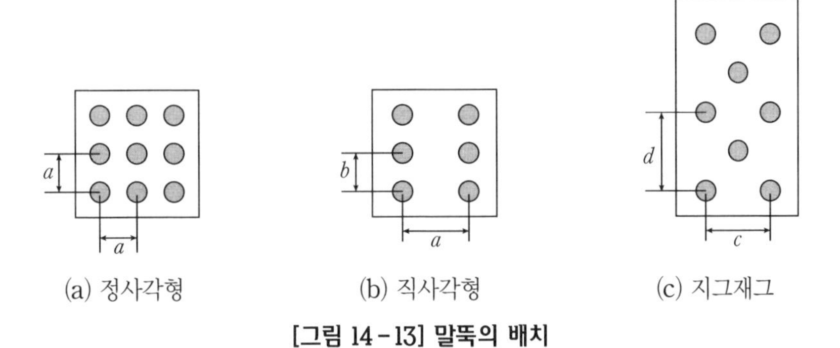

[그림 14-13] 말뚝의 배치

02 피어기초(pier foundation)

1. 개설

(1) 정의

구조물의 하중을 연약토층을 지나 견고한 지지층에 전달시키기 위하여 지반을 천공한 후 그 구멍 속에 현장치기 콘크리트를 채워 설치하는 깊은 기초로서 최소직경 80cm 이상의 것을 피어기초라 한다.

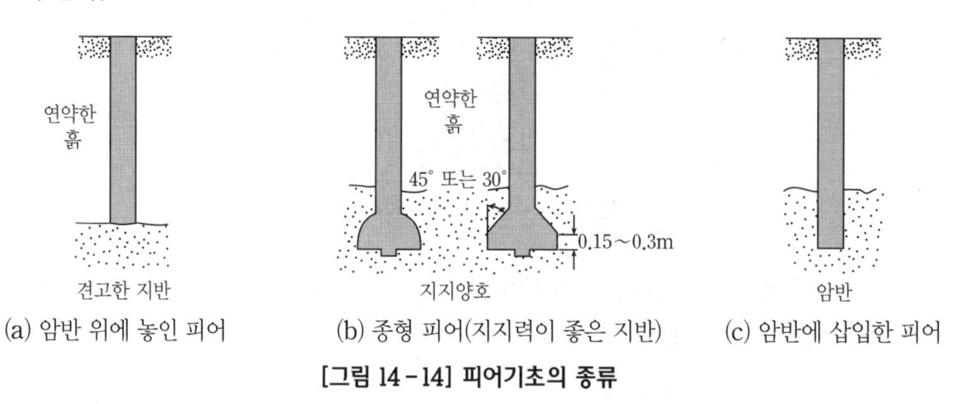

(a) 암반 위에 놓인 피어 (b) 종형 피어(지지력이 좋은 지반) (c) 암반에 삽입한 피어

[그림 14-14] 피어기초의 종류

(2) 장점

① 한 개의 피어기초로 무리말뚝과 말뚝캡을 대치할 수 있다.
② 단단한 사력층에서는 말뚝을 박는 것보다 피어의 시공이 더 용이하다.
③ 비교적 큰 직경의 구조물이므로 지지력도 크고, 횡하중에 대해 저항력이 크다.
④ 인력굴착시에는 선단지반과 콘크리트를 잘 밀착시켜서 선단지지력을 확보할 수 있고, 지지층의 토질상태를 직접 조사하여 지지력을 확인할 수 있다.
⑤ 선단을 확장할 수 있으므로 큰 양압을 받을 수 있다.
⑥ 시공시에 소음이 생기지 않아서 도시의 공사에 적합하다.
⑦ 시공시에 인접구조물에 피해를 주는 지표의 히빙(heaving)과 지반진동이 일어나지 않는다.
⑧ 피어는 주위의 흙을 배제하지 않으므로 인접한 말뚝이 옆으로 밀리든가 솟아오르는 등의 피해가 생기지 않는다.
⑨ 기계굴착을 하는 경우에 말뚝으로 관통이 어려운 조밀한 자갈층이나 사질토층도 잘 관통시킬 수 있다.
⑩ 건조비가 일반적으로 싸다.

2. 현장타설 콘크리트 말뚝 공법의 분류

(1) 인력굴착공법(심초공법)

① Chicago 공법

㉠ 수직 흙막이 판으로 흙막이를 하면서 인력으로 굴착하는 공법이다. 수직공은 사람이 들어가서 작업할 수 있도록 직경을 최소 1.1m 이상으로 한다.

㉡ 중간 정도의 단단한 점토에 이용된다.

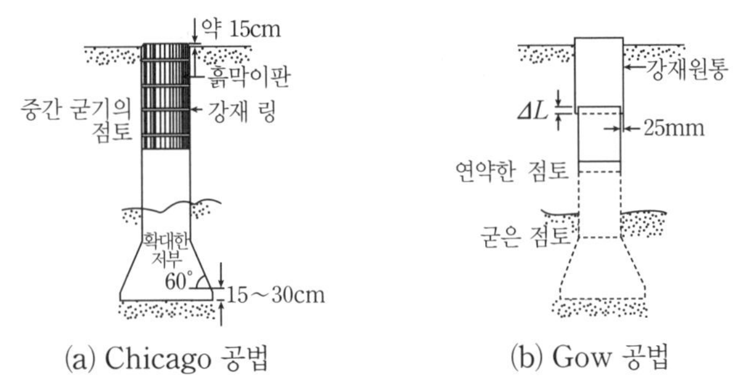

(a) Chicago 공법 (b) Gow 공법

[그림 14-15] 심초공법

② Gow 공법

㉠ 강제 원통을 땅 속에 박고 내부의 흙을 인력으로 굴착한 후 다시 다음의 원통을 박으며 굴착하는 공법이다. 원통의 직경은 상단의 원통 직경보다 약 5cm 정도 작으며 이 공법으로 피어를 심도 30m까지 설치할 수 있다.

㉡ 시카고 공법보다 약간 연약한 흙에 적당하다.

(2) 기계굴착공법

① Benoto 공법(all casing 공법) : 프랑스에 베노토사가 개발한 베노토 굴삭기를 사용하여 선단에 cutting edge가 있는 케이싱 튜브를 왕복 요동시키면서 경질의 지반까지 압입시킨 후 내부를 해머 그래브로 굴착한 후 공내에 철근망을 넣고 콘크리트를 타설하면서 casing tube를 인발시켜 현장타설 콘크리트 말뚝을 만드는 공법이다.

장점	단점
• 저소음, 저진동 • 암반을 제외한 모든 토질에 적합하다. • All casing 공법으로 붕괴성 있는 토질에도 시공이 가능하다.	• 굴착속도가 느리다. • 케이싱 인발시 철근망 부상이 우려된다. • 기계가 고가이다.

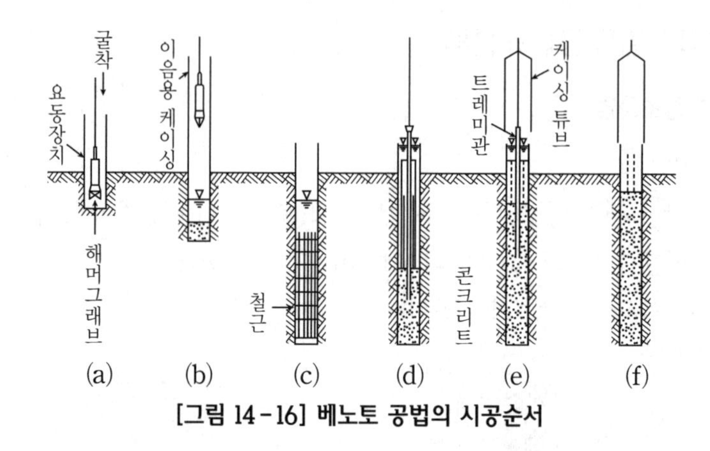

[그림 14-16] 베노토 공법의 시공순서

② Earth drill 공법(calwelde 공법) : 미국의 칼웰드사가 개발한 공법으로 회전식 bucket으로 굴착한 후 철근망을 넣고 콘크리트를 타설하여 현장타설 콘크리트 말뚝을 만드는 공법이다. 케이싱 튜브를 원칙적으로 사용하지 않는 점이 베노토 공법과 다르다. 그러나 연약지반이나 문제가 되는 지반이 중간에 있을 때에는 부분적으로 케이싱 튜브를 사용한다.

장점	단점
• 소음, 진동이 가장 적다. • 굴착속도가 빠르다. • 기계장치가 간단하여 기동성이 좋다.	• 공벽 붕괴의 우려가 있다. • 전석층, 호박돌층이 있을 때 굴착이 곤란하다.

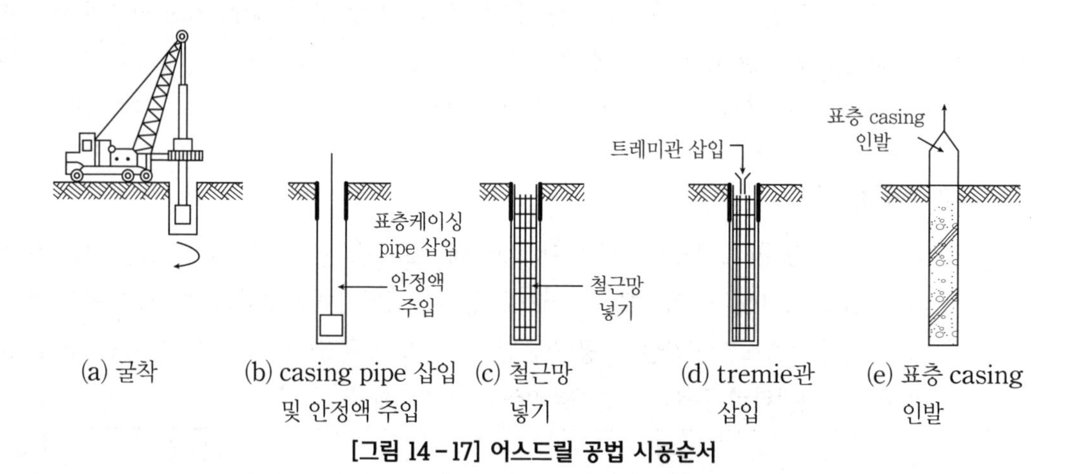

[그림 14-17] 어스드릴 공법 시공순서

③ RCD(역순환) 공법 : 독일에서 개발된 공법으로 특수 bit의 회전으로 토사를 굴착한 후 공벽을 정수압(0.2kg/cm^2)으로 보호하고 철근망을 삽입한 후 콘크리트를 타설하여 현장타설 콘크리트 말뚝을 만드는 공법이다.

장점	단점
• 암반의 굴착이 가능하다. • 좁은 장소의 시공에 가장 유리하다. • 무진동, 무소음 • 연속굴착이므로 시공속도가 빠르다.	• 굴착토사의 지름이 drill pipe의 지름(ϕ15~20cm)보다 큰 경우에 시공이 곤란하다. • 지반 중에 고압의 피압수, 복류수가 있으면 시공이 곤란하다.

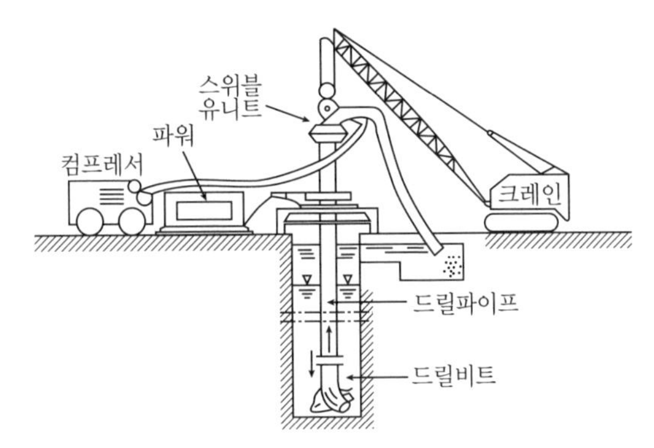

[그림 14-18] 리버스 서큘레이션 공법(air lift pump 공법)

(3) 관입공법

① Franky 말뚝 : 구근이 될 콘크리트를 굳게 반죽하여 외관(강관)에 채우고 그 위를 드롭해머로 타격하여 외관을 지지층까지 도달시킨다. 그 후 외관을 약간 끌어올려서 지상에 고정시키고 외관 내의 콘크리트에 타격을 가해 구근을 만든다. 이와 같은 일을 일정한 간격마다 되풀이하여 만든 혹 같은 돌기를 많이 가지는 말뚝이다.

㉠ 해머가 콘크리트를 항타하므로 소음, 진동이 적어서 도심지 공사에 적합하다.

㉡ 무각(無殼)

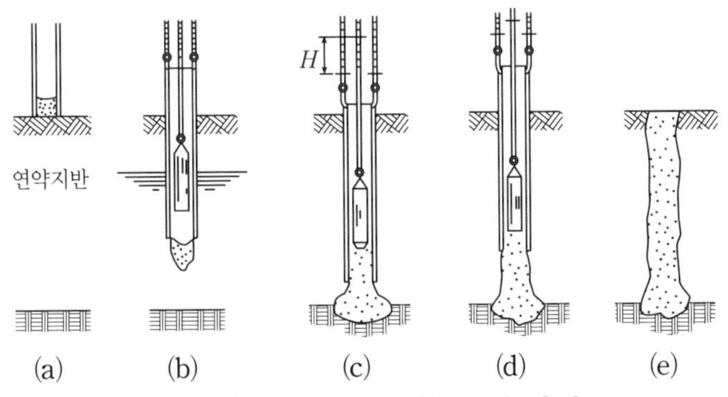

[그림 14-19] Franky 말뚝의 시공순서

② Pedestal 말뚝 : 내·외관을 지중에 타입한 후 선단부에 구근을 만들고 콘크리트를 투입, 케이싱을 인발, 다짐을 되풀이하여 만든 말뚝이다.

㉠ 해머가 직접 케이싱을 항타하므로 소음이 크나 지반이 다소 굳더라도 충분한 지지력을 갖는 하부지지층까지 도달시킬 수 있다. 따라서 기성 콘크리트 말뚝의 타입이 어려운 지반에 말뚝을 설치하는 경우나 말뚝의 이음을 피할 경우에 적당하다.

㉡ 무각(無殼)

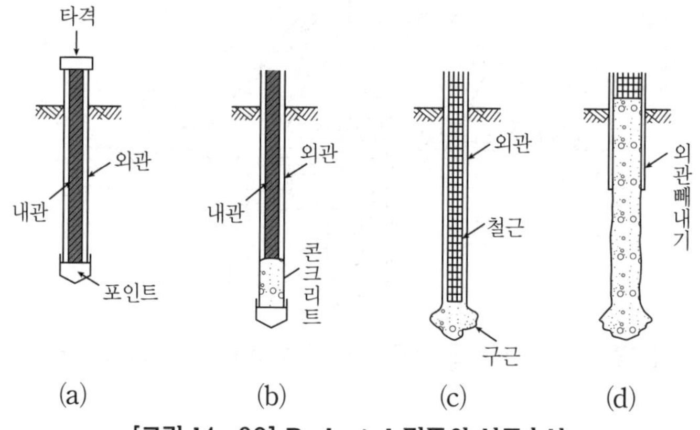

[그림 14-20] Pedestal 말뚝의 시공순서

③ Raymond 말뚝 : 내·외관을 동시에 지중에 타입한 후 내관을 빼내고 외관 속에 콘크리트를 쳐서 만든 말뚝이다.

㉠ 말뚝체에 약 30 : 1의 경사가 있어서 내관을 뽑아 올리기가 쉽고 말뚝 주변의 저항이 크다.

㉡ 유각(有殼)

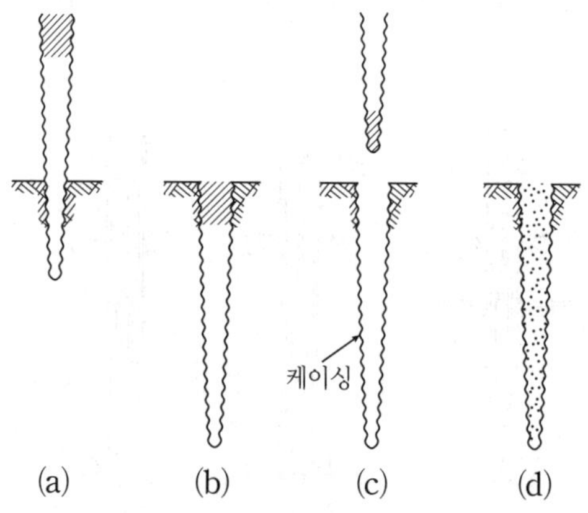

[그림 14-21] Raymond 말뚝의 시공순서

(4) 치환공법

① **CIP(cast in place pile) 공법** : Earth auger로 굴착하여 철근망을 넣은 후 자갈을 채우고 pre-packed mortar를 주입하여 현장타설 말뚝을 만드는 공법이다.

㉠ Casing, 이수가 필요없다.
㉡ 저소음, 저진동
㉢ 경질지반에 사용한다.
㉣ MIP, PIP에 비해 지지력이 크다.

② **MIP(mixed in place pile) 공법** : 지반을 굴착한 토사와 auger의 축선단부에서 분출된 cement paste를 교반, 혼합하여 일종의 soil 콘크리트를 만드는 공법으로 auger를 뽑아낸 후 철근망을 삽입하여 현장타설 말뚝을 완성한다.

㉠ Casing, 이수가 필요없다.
㉡ 저소음, 저진동
㉢ 비교적 연약지반에 사용
㉣ 흙을 골재로 이용하므로 경제적

③ **PIP(packed in palce pile) 공법** : 연속날개가 달린 auger로 소정의 깊이까지 굴착한 후 중공의 auger shaft 선단에서 pre-packed 모르터를 3~7kg/cm^{2}의 압력으로 사출하면서 auger를 올려 mortar 말뚝을 만드는 공법으로 auger를 뽑아낸 후 철근망이나 형강을 삽입하여 현장타설 말뚝을 완성한다.

㉠ Casing, 이수가 필요없다.
㉡ 저소음, 저진동
㉢ 토사를 파올리지 않기 때문에 지지층의 확인이 불확실

03 케이슨기초(caisson foundation)

1. 정의

지상 또는 지중에 구축한 중공 대형의 철근콘크리트 구조물을 저부의 흙을 굴착하면서 자중 또는 별도의 하중을 가하여 지지층까지 침하시킨 후 그 저부에 콘크리트를 쳐서 설치하는 기초를 **케이슨기초**라 한다.

케이슨기초는 도로교, 철도교, 항만구조물, 건축구조물 등의 기초에 주로 이용된다.

2. 공법의 종류

(1) Open caisson(정통기초)

뚜껑도 바닥도 없는 우물통 모양의 케이슨을 어떤 높이까지 건조한 다음 통 내의 흙을 크램쉘 등으로 굴착하여 케이슨을 침하시키고 점차 케이슨을 이어가면서 소정의 지지층까지 도달시키는 공법이다.

케이슨은 원형, 정사각형, 직사각형 및 타원형 등 다양한 형태로 제작할 수 있다.

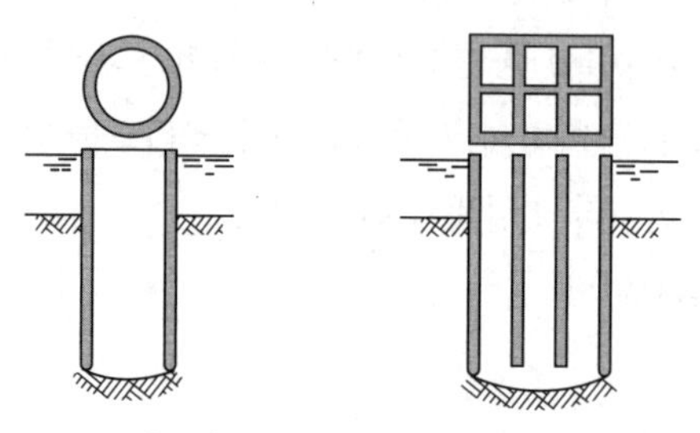

[그림 14 - 22] 오픈 케이슨

① 특징

장점	단점
• 침하깊이에 제한을 받지 않는다. • 기계설비가 간단하다. • 공사비가 싸다.	• 무게중심이 높아져서 케이슨이 기울어질 우려가 있다. • 경사수정이 곤란하다. • 굴착시 boiling, heaving이 우려된다. • 저부의 연약토를 깨끗이 제거하지 못한다. • 지지력, 토질상태를 조사, 확인할 수 없다.

② 정통의 제자리 놓기

㉠ **축도법** : 흙가마니, 널말뚝 등으로 물을 막고 그 내부를 토사로 채운 후 그 위에서 육상의 경우와 같이 케이슨을 놓아 침하시키는 공법이다. 가장 안전하고 일반적인 공법이며 수심이 5m 이내일 때에는 축도법으로 한다.

㉡ **비계식** : 케이슨을 발판 위에서 만든 다음 서서히 끌어내려 침설시키는 공법이다.

㉢ **예항식(부동식)** : 케이슨의 측벽을 강제로 만들어 부상 케이슨으로 하여 소정의 위치까지 물에 띄워 끌고간 후 콘크리트를 쳐서 침설시키는 공법이다.

(2) 공기 케이슨기초(pneumatic caisson 기초)

케이슨 저부에 작업실을 만들고 이 작업실에 압축공기를 넣어서 공기압력에 의하여 지하수의 유입, 보일링, 히빙 등을 막으면서 인력굴착에 의하여 케이슨을 침하시키는 공법이다.

① 특징

장점	단점
• 건조상태에서 작업하므로 침하공정이 빠르고 장애물 제거가 쉽다. • 토층의 확인이 가능, 지지력시험이 가능하다. • 이동경사가 작고 경사수정이 쉽다. • Boiling, heaving을 방지할 수 있다. • 수중작업이 아니므로 저부 콘크리트의 신뢰도가 높다.	• 소음, 진동이 크다. • 케이슨병이 발생한다. • 35~40m 이상의 깊은 공사는 못한다. • 노무자의 모집이 곤란하고 비싸다. • 기계설비가 고가이다.

② **공기 케이슨을 사용하는 경우** : 공기 케이슨은 많은 특수장비와 전문인력이 필요하고, 공사비가 많이 소요되므로 다음과 같은 특수한 경우가 아니면 사용하지 않는다.

㉠ 인접 구조물의 안전을 위해 기존 지반의 교란을 최소화해야 할 경우

㉡ 기존 구조물에 인접하여 깊이가 더 깊은 구조물의 기초를 시공해야 할 경우

㉢ 전석층이나 호박돌층 또는 깊게 깔린 풍화암층을 관통해야 할 경우

㉣ 기초 암반이 경사졌거나 불규칙할 경우

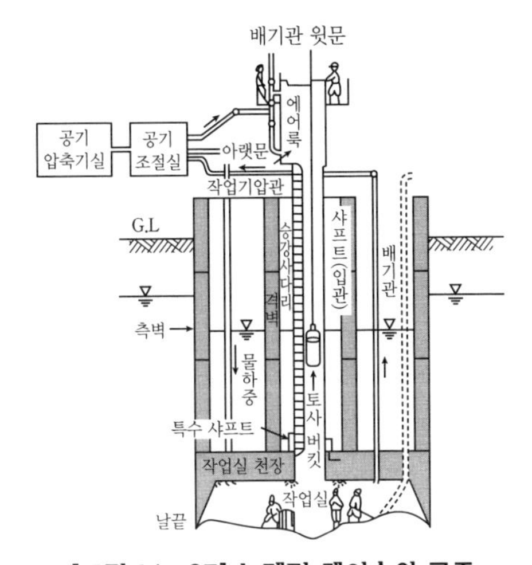

[그림 14-23] 뉴메틱 케이슨의 구조

(3) Box caisson 기초

밑이 막힌 box형으로 되어 있으며, 설치 전에 미리 지지층까지 굴착하고 지반을 수평으로 고른 다음 육상에서 건조한 후에 해상에 진수시켜서 정위치에 온 다음 내부에 모래, 자갈, 콘크리트 또는 물을 채워서 침하시키는 공법이다.

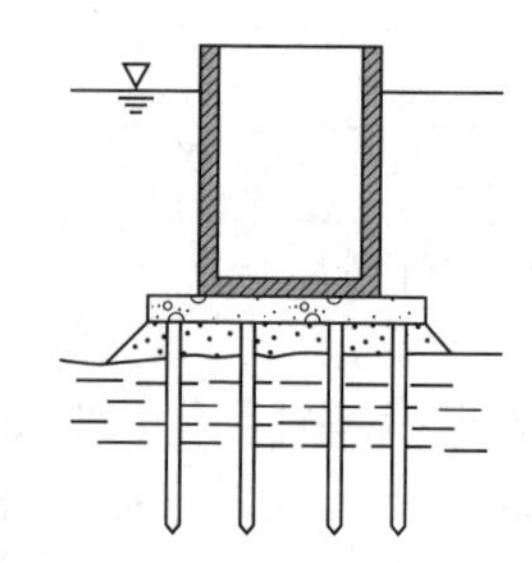

[그림 14-24] 콘크리트 슬래브 위의 box 케이슨

3. 케이슨의 침하

구분	오픈 케이슨	공기 케이슨
침하조건	$W>F+Q+B$	$W>U+F+Q+B$

여기서, W : 케이슨의 수직하중(자중+재하중)(t)
U : 작업공기에 의한 양압력(t)
F : 총 주면마찰력(t)
Q : 선단지지력(t)
B : 부력(t)

04 언더피닝 공법

1. 개요

기설 구조물에 대하여 기초부분을 신설, 개축 또는 증강하는 공법이다.

2. U.P를 사용하는 경우

(1) 기존 기초의 지지력이 불충분한 경우

(2) 신구조물을 만들기 위하여 기존 기초에 접근해서 굴착하는 경우

(3) 기존 구조물의 밑에 신구조물을 만드는 경우

(4) 구조물을 이동하는 경우

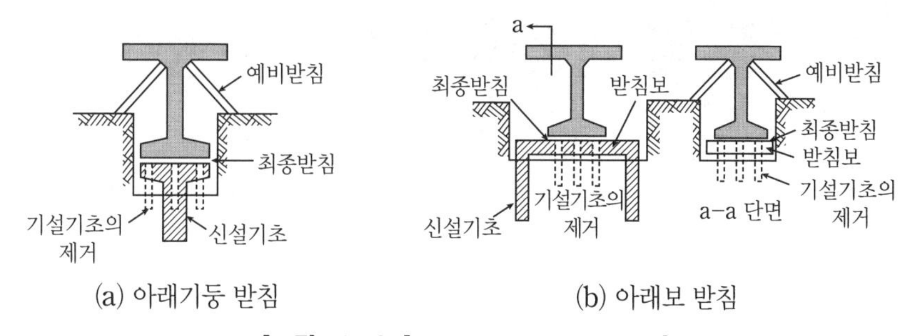

[그림 14-25] under pinning 공법

Chapter 14

깊은 기초

기출 및 적중예상문제 I [4지선다형]

여기에 수록된 「기출문제」는 수험생들의 기억을 바탕으로 유사한 유형의 문제로 새로이 창작하여 구성하였습니다. 따라서 원안과 동일하지는 않지만 출제 수준과 경향을 파악하는 데 결정적인 도움을 주리라 믿습니다.

01 다음 말뚝기초 중 기능면에서 다른 한 가지는 어떤 말뚝인가?

① 인장말뚝 ② 경사말뚝
③ 마찰말뚝 ④ 널말뚝

해설

말뚝기초의 기능에 의한 분류

1. 선단지지말뚝 2. 마찰말뚝
3. 하부지반지지말뚝 4. 다짐말뚝
5. 인장말뚝 6. 횡력저항말뚝
7. 활동방지말뚝

02 큰 벤딩 모멘트(bending moment)를 받는 기초의 인발력에 저항하는 부재로서 사용되는 말뚝은?

① 억류말뚝(stabilizing pile)
② 횡력저항말뚝(lateral resistance pile)
③ 인장말뚝(tensile pile)
④ 다짐말뚝(compaction pile)

해설

인장말뚝은 기초의 인발력에 저항하는 말뚝이다.

03 오픈컷에 있어서 토압과 침투수의 유출이 심할 경우에 제일 좋다고 생각되는 기초공법은?

① 나무널말뚝
② 강관말뚝
③ 강널말뚝
④ 철근 콘크리트널말뚝

04 다음 말뚝 중에서 말뚝을 박을 때 저항력이 작은 단면형의 말뚝은 어느 것이 되겠는가?

① H형 강말뚝 ② R.C 말뚝
③ P.C 말뚝 ④ 강관말뚝

해설

강말뚝(steel pile)

1. H형 강말뚝
   ① 흙의 배제량이 적기 때문에 좁은 곳에 조밀하게 타입할 수 있다.
   ② 강관말뚝보다 20~30% 저렴하다.
2. 강관말뚝
   ① 모든 방향으로 강성이 고르다.
   ② 외주면적, 선단의 저면적 등의 공학적 특성이 H형 강말뚝보다 우수하다.

05 말뚝에 관한 다음의 설명 중 옳지 못한 것은?

① 인장말뚝은 인발력에 저항하는 말뚝이다.
② 합성말뚝은 같은 재료의 말뚝을 2개 이상 이은 말뚝이다.
③ 역류말뚝은 사면의 활동방지 등에 사용되는 말뚝이다.
④ 횡저항말뚝은 안벽, 교대 등에서와 같이 횡력에 저항시키기 위하여 사용되는 말뚝이다.

해설

1. 합성말뚝 : 다른 재료의 말뚝을 이은 말뚝이다.
2. 이음말뚝 : 같은 재료의 말뚝을 2개 이상 이은 말뚝이다.

01 ④ 02 ③ 03 ③ 04 ① 05 ② [정답]

06 다음 중 강말뚝의 장점이 아닌 것은?

① 한 개의 지지력이 매우 크다.
② 강력한 타격에 견딘다.
③ 가볍고 강하므로 말뚝박기가 쉽다.
④ 한 개의 지지력이 작을 때에도 경제적이다.

해설

1. 강말뚝은 재질이 강해 지내력이 큰 지층에 항타할 수 있으며 개당 100t 이상의 큰 지지력을 얻을 수 있다.
2. 단가가 비싸기 때문에 지지력이 작은 경우에는 비경제적이다.

07 말뚝을 지반에 박을 때 무진동, 무소음으로 위쪽에 공간이 적을 때 이용하면 좋은 공법은?

① 수사법 ② 충격법
③ 진동법 ④ 압입법

해설

기성 말뚝기초 시공법

1. 타입공법
2. 매입공법
   ① 압입공법 : oil jack의 반력으로 말뚝을 압입하는 공법
   ② water jet 공법 : 말뚝 선단의 노즐에서 고압수를 분사하여 말뚝을 자중으로 침하시키는 공법

08 바이브로 해머의 장·단점을 기술한 것이다. 적당하지 않은 것은?

① 말뚝을 타입 혹은 빼내기가 쉽다는 장점이 있다.
② 순간적으로 큰 전류가 흐르므로 전기 설비비가 많이 소요되는 단점이 있다.
③ 말뚝머리를 손상시키지 않는 장점이 있다.
④ 타입식 기계에 대하여 소음이 크다는 결점이 있다.

해설

1. 바이브로 해머는 말뚝 상단에 기진기 장치를 말뚝 종방향에 강제진동을 주어 항타하는 방법이다.
2. 특징

장점	단점
① 타입과 인발이 쉽다. ② 말뚝 두부 손상이 없다. ③ 진동식이므로 소음이 아주 작다.	① 전기설비비가 많이 든다. ② 특수 cap이 필요하다. ③ 점토지반에 항타시 교란되므로 사질지반에 적합하다.

09 다음 말뚝박기 공법에 대한 사항 중 옳지 않은 것은?

① 증기해머는 단동식과 복동식이 있고, 시공설비가 많이 들며 소음문제가 있다.
② 바이브로해머는 종방향에 큰 강제진동을 주어서 말뚝을 관입시킨다.
③ 압입식은 오일잭크를 사용하여 관입시키는 것으로 N치가 30 이상이면 곤란하다.
④ 사수식은 압력수를 선단부에 분출시켜 관입시키는 것으로 점성토지반에 적당하다.

해설

사수식은 압력수를 말뚝 선단부에서 분출시켜 말뚝의 관입저항을 감소시켜 말뚝을 자중으로 침하시키는 공법인데 점토지반에서는 사용이 곤란하다.

10 무리말뚝의 배열과 관련된 설명 중 옳지 않은 것은?

2014. 국가직

① 무리말뚝의 배치는 정사각형, 직사각형, 지그재그 등으로 하는 것이 좋으며, 가능한 한 대칭으로 배치하는 것이 좋다.
② 각 말뚝의 하중분담률이 큰 차이가 나지 않도록 한다.
③ 경사면에 말뚝을 타입하는 순서는 높은 쪽부터 낮은 쪽으로 한다.
④ 무리말뚝을 타입할 때 중앙부보다 주변의 말뚝을 먼저 한다.

해설

말뚝기초의 타입 순서

1. 중앙부의 말뚝부터 먼저 박은 다음 외측으로 향하여 타입한다.
2. 육지에서 해안쪽으로 타입한다.
3. 인접 구조물이 있는 곳에서 바깥쪽으로 타입한다.

06 ④ 07 ④ 08 ④ 09 ④ 10 ④ [정답]

제14장

11 말뚝박기 순서에 관한 설명으로 옳지 않은 것은? (단, 다짐말뚝은 제외한다)

① 중앙부의 말뚝부터 외측으로 향해서 차례로 박아간다.
② 외측에서 시작해서 중앙부로 차례로 박는다.
③ 인접 기존말뚝으로부터 시작해서 먼 곳으로 박는다.
④ 부두, 잔교와 같은 해안 구조물에서와 같이 지표면이 바다쪽으로 경사진 곳은 육지에서 바다쪽으로 진행한다.

12 말뚝의 지지력에 관한 여러 가지 공식 중 정역학적 지지력 공식이 아닌 것은?

① Dörr의 공식
② Terzaghi의 공식
③ Meyerhof의 공식
④ Engineering−news 공식(또는 AASHO 공식)

해설

말뚝의 지지력 공식

정역학적 공식	동역학적 공식
① Terzaghi 공식 ② Dörr 공식 ③ Meyerhof 공식 ④ Dunham 공식	① Hiley 공식 ② Engineering-news 공식 ③ Sander 공식 ④ Weisbach 공식

13 말뚝박기 공식 중에 말뚝머리에서 측정되는 반발량을 이용하는 것은 어느 공식인가?

① Hiley 공식
② Engineering News 공식
③ Sander 공식
④ Weisbach 공식

해설

항타공식으로 구한 극한지지력의 신빙성에 대해서는 문제점이 많지만 그 중에서 Hiley 공식이 합리적이다. Hiley 공식은 말뚝머리에서 측정되는 반발계수를 고려하였으며 모래, 자갈층과 같은 지지층으로 지지된 경우에는 재하시험 결과와 비교적 잘 일치한다.

14 말뚝의 극한지지력에 관한 설명 중 옳지 않은 것은?

① 군항(群抗)은 단항보다도 각각의 말뚝이 발휘하는 지지력이 크다.
② 말뚝의 지지력은 선단지지력과 주면마찰력의 합으로 나타내어진다.
③ 항타공식은 정적인 지지력을 동적인 관입저항에서 구하려는 식이다.
④ 말뚝의 지지력 공식에는 재하실험에 의한 추정, 동역학적 공식, 정역학적 공식이 있다.

해설

1. 군항은 단항보다도 각각의 말뚝이 발휘하는 지지력이 작다. 그러나 전체 말뚝이 발휘하는 지지력은 크다.
2. 말뚝의 지지력 공식
   ① 정역학적 공식 : $R_u = R_p + R_f$
   ② 동역학적 공식 : 말뚝의 정적인 극한지지력을 동적인 관입저항에서 구한 것이다.
   ③ 말뚝의 재하시험에 의한 방법

15 다음 그림은 여러 연구자들에 의하여 가정된 말뚝 선단부 주변 지반에서의 파괴형상을 나타내고 있다. 이 중 Meyerhof에 의하여 가정된 파괴형상은 어느 것인가?

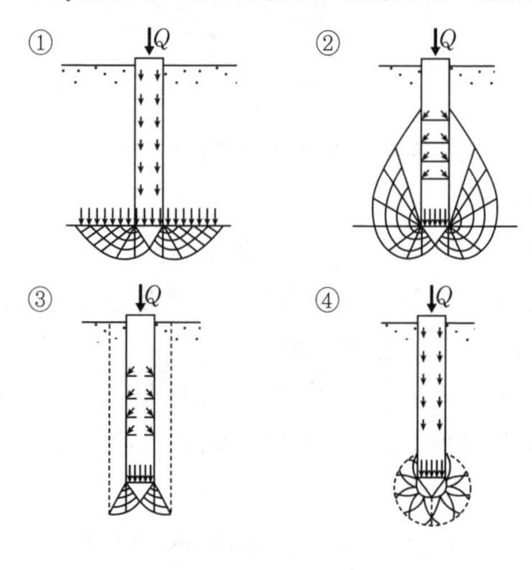

11 ② 12 ④ 13 ① 14 ① 15 ② [정답]

16 말뚝 기초의 지지력에 대한 설명으로 옳지 않은 것은?

2013. 국가직 7급

① 사질토지반에서 주면마찰력 산정시, 타입식 말뚝의 수평토압계수는 천공식 말뚝의 값보다 크다.

② 점성토지반에서 주면마찰력 산정방법 중 β방법은 유효응력으로 얻은 강도정수를 사용한다.

③ 사질토지반에서 한계깊이개념은 말뚝의 선단지지력 산정에는 적용되나 주면마찰력 산정에는 적용되지 않는다.

④ 부주면마찰력은 말뚝주의 지반의 침하가 말뚝의 침하보다 큰 경우에 발생한다.

해설

구조물기초 설계기준

1. 사질토지반($c=0$)에서의 선단지지력은 말뚝직경의 20배 깊이까지만 증가하고 그 아래에서는 일정한 것으로 간주한다.
2. 마찰지지력은 말뚝직경의 15배 깊이까지만 증가하고 그 아래에서는 일정한 것으로 간주한다.

17 주택 단지를 조성하려고 현장지반조사를 하였더니 평균 비배수 전단강도가 5.0t/m²인 완전 포화된 깊은 점토지반이었다. 직경 0.5m 콘크리트말뚝을 점토지반 내 깊이 20m까지 근입시 시공 직후의 극한 하중의 크기(t)는? (단, 주면부착요소 $\alpha=0.82$이고, 말뚝과 지반 사이의 밀도차는 무시하고, 원주율은 $\pi=3$으로 가정한다.)

2009. 지방직 7급

① 131.4 ② 142.6

③ 151.5 ④ 162.3

해설

$R_u=R_p+R_f$

$=q_pA_p+f_sA_s$

$=(cN_c*)A_p+(\alpha c)A_s$

$=(5\times9)\times\dfrac{\pi\times0.5^2}{4}+(0.82\times5)\times\pi\times0.5\times20=131.44\text{t}$

18 점토지반에 근입된 말뚝의 주면마찰력을 구하는 방법으로 토압계수를 고려한 방법은?

2016. 국가직 7급

① α방법 ② β방법

③ γ방법 ④ λ방법

해설

점성토의 주면마찰력(f_s)

1. α법 : $f_s=\alpha c$
2. β법 : $f_s=\beta\sigma_v'=\tan\phi K\sigma_v'$
3. λ법 : $f_s=\lambda(2c+\sigma_v')$

19 비배수 전단강도가 5.0t/m²이고 포화단위중량이 2.0t/m³인 포화된 점토지반에 한 변이 20cm인 정사각형 단면을 갖는 콘크리트 말뚝이 30m 깊이까지 관입되었을 때 말뚝의 극한 선단지지력(t)은? (단, $\phi=0$일 때 지지력계수는 $N_c=9$, $N_q=1$이고, 말뚝의 형상계수와 한계관입깊이 개념은 무시한다.)

2010. 국가직 7급

① 3 ② 4

③ 5 ④ 6

해설

1. $\tau=c+\bar{\sigma}\tan\phi$

   $5=c+0 \qquad \therefore c=5\text{t/m}^2$

2. $R_p=q_pA_p$

   $=(cN_c*+\bar{\sigma}N_q*)A_p$

   $=(5\times9+1\times30\times1)\times(0.2\times0.2)=3\text{t}$

20 각 변의 길이가 0.5m이고, 길이가 20m인 연약점토에 근입된 정사각형 말뚝에 대해 β 방법에 의한 전체 주면마찰력(kN)은? (단, 지중의 평균 유효연직응력은 100kN/m², $\beta=0.25$이다)

2011. 지방직 7급

① 250 ② 500

③ 750 ④ 1000

해설

1. $f_s=\beta\sigma_v'=0.25\times100=25\text{kN/m}^2$
2. $R_f=f_sA_s=25\times(0.5\times4\times20)=1{,}000\text{kN}$

16 ③ 17 ① 18 ② 19 ① 20 ④ [정답]

제14장

21 그림과 같이 연약지반 상에 원주(말뚝 둘레)가 1.0m, 길이가 18m인 콘크리트 말뚝을 설치하였다. 말뚝 시공 후 연약지반의 침하로 인한 부주면마찰에 의해 단위면적당 주면마찰력 분포가 다음 그림과 같이 상향(+)1.0t/m²에서 하향(−) 1.0t/m²으로 변화할 경우 말뚝의 선단에 작용하는 하중(ton)은? 2009. 국가직 7급

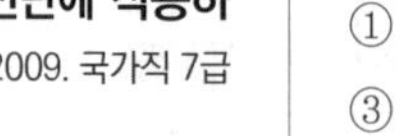

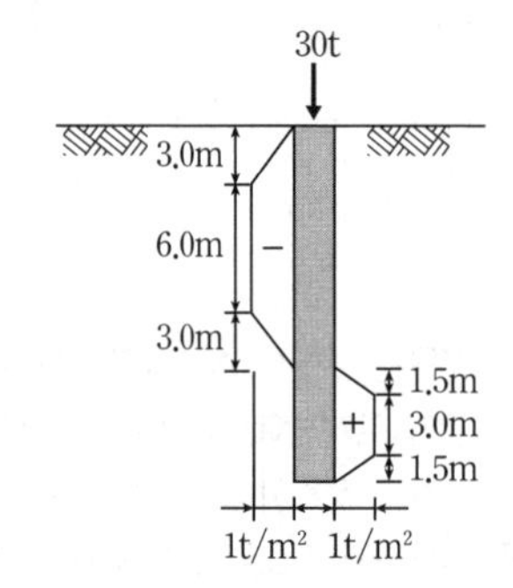

① 26.5 ② 30.0
③ 34.5 ④ 39.0

해설

1. 주면마찰력

$\frac{6+12}{2}\times1=9\text{t}$, $\frac{3+6}{2}\times1=4.5\text{t}$

2. $R_p=30+(9-4.5)=34.5\text{t}$

22 다음 말뚝의 동역학적 지지력 공식 중 엔지니어링 뉴스 공식이 아닌 것은? (단, W_h: 해머의 중량, P: 증기압, a: 피스톤의 유효면적, S: 말뚝의 최종관입량, h: 낙하고)

① 드롭해머 $R_u=\frac{W_h\cdot h}{S+2.54}$

② 단동식 증기해머 $R_u=\frac{W_h\cdot h}{S+0.254}$

③ 진동식 해머 $R_u=\frac{W_h\cdot h}{S+25.4}$

④ 복동식 증기해머 $R_u=\frac{(W_h+A_p\cdot P)h}{S+0.254}$

해설

Engineering-News 공식

구분	드롭해머	단동식 증기해머	복동식 증기해머
극한지지력	$R_u=\frac{W_h\cdot h}{S+2.5}$	$R_u=\frac{W_h\cdot h}{S+0.25}$	$R_u=\frac{(W_h+A_p\cdot P)h}{S+0.25}$

23 단동식 증기 hammer로 말뚝을 박았다. 해머의 무게 2.5t, 낙하높이 3m, 타격당 말뚝의 평균관입량 1cm, 안전율 6일 때 Engineering News 공식으로 허용지지력을 구하면 얼마인가?

① 250t ② 200t
③ 100t ④ 50t

해설

1. $R_u=\frac{W_h\cdot h}{S+0.25}=\frac{2.5\times300}{1+0.25}=600\text{t}$

2. $R_a=\frac{R_u}{F_s}=\frac{600}{6}=100\text{t}$

24 항타공식에 의한 말뚝의 허용지지력을 구하고자 한다. 이때 말뚝해머의 무게가 2.5t, 해머의 낙하고가 40cm, F_s=6으로 보았다. Engineering News 공식에 의한 단동식 증기해머의 허용지지력은 얼마인가? (단, 침하량은 3.7cm)

① 3.6t ② 4.2t
③ 9.5t ④ 16.7t

해설

1. $R_u=\frac{W_h\cdot h}{S+0.25}=\frac{2.5\times40}{3.7+0.25}=25.32\text{t}$

2. $R_a=\frac{R_u}{F_s}=\frac{25.32}{6}=4.22\text{t}$

25 무게 320kg인 드롭해머(drop hammer)로 2m 높이에서 말뚝을 때려 박았더니 침하량이 2cm이었다. Sander의 공식을 사용할 때 이 말뚝의 허용지지력은?

① 1000kg ② 2000kg
③ 3000kg ④ 4000kg

해설

$R_a=\frac{W_h h}{8S}=\frac{320\times200}{8\times2}=4000\text{kg}$

21 ③ 22 ③ 23 ③ 24 ② 25 ④ [정답]

26 말뚝의 안전하중을 5000kg, 해머의 무게 500kg, 낙하고 2m로 하면 말뚝의 최종 침하량은 얼마나 될 것인가? (단, Sander 공식을 이용할 것)

① 2.5cm ② 3.0cm
③ 5.0cm ④ 10.1cm

해설

$R_a = \frac{W_h h}{8S}$, $5000 = \frac{500 \times 200}{8S}$

$\therefore S = 2.5\text{cm}$

27 항타실험시 말뚝의 리바운드량이 이론적인 값보다 적게 나오는 경우의 토질의 종류는?

① 조밀한 모래지반 ② 자갈지반
③ 연약 점토지반 ④ 암반층

해설

1. 항타시 지반의 탄성변형량(cm)은 말뚝의 리바운드량을 말한다.
2. 연약 점토지반에서 말뚝의 리바운드량이 적게 나타난다.

28 다음은 말뚝재하시험의 결과를 나타내는 곡선이다. 가장 적당하지 않은 것은?

① 하중－침하량 곡선 ② 하중－경과시간 곡선
③ 하중－시간 곡선 ④ 하중－지지력비 곡선

해설

말뚝의 재하시험에서 재하시험 결과의 표시

1. 시간 - 하중 곡선
2. 시간 - 침하 곡선
3. 하중 - 침하 곡선

29 연약 점토지반에서 말뚝재하시험을 하는 경우 말뚝을 타입한 후 20여일이 지난 다음 재하실험을 하는 이유는?

① 말뚝 주위의 흙이 압축되었기 때문
② 주면마찰력이 작용하기 때문
③ 부마찰력이 생겼기 때문
④ 타입시 말뚝주변의 시료가 교란되었기 때문

해설

연약 점토지반에 항타하면 말뚝주변의 점토가 교란되어 지지력이 작아진다. 그리고 시간이 경과함에 따라 thixotropy에 의하여 점토의 강도가 회복되므로 말뚝의 재하시험은 항타 후에 20여일 동안 방치한 후에 실시한다.

30 항타공식을 적용하여 지지력을 산출할 때 실제와 가장 잘 부합되는 흙은?

① 조밀한 모래지반
② 연약한 점토지반
③ 예민한 점토지반
④ 느슨한 모래지반

해설

동역학적 공식

1. 모래 자갈과 같은 층에 지지말뚝의 경우에 적용한다(점토나 대단히 느슨하고 포화된 비점성토 지반에는 신뢰성이 별로 없다).
2. 설계치에 사용되지 않고 현장에서 지지말뚝이 만족스런 값에 도달했는지를 결정하는데 사용된다.

31 다음은 말뚝의 지지력에 대한 설명이다. 틀린 것은?

① 말뚝의 지지력을 추정하는 데는 말뚝재하시험이 가장 정확하다.
② 말뚝의 부(負)마찰력이 생기면 지지력이 감소한다.
③ 항타공식에 의한 말뚝의 허용지지력을 구할 때 안전율을 대개 3으로 한다.
④ 연약한 점토지반에 대한 말뚝의 지지력은 항타 직후보다 시간이 경과함에 따라 증가한다.

해설

지지력 산정방법과 안전율

분류	안전율	비고
재하시험	3	• 가장 확실하나 비경제적이다.
정역학적 지지력 공식	3	• 시공 전 설계에 사용한다. • N값 이용이 가능하다
동역학적 지지력 공식	3~8	• 시공시 사용한다. • 점토지반에 부적합하다.

26 ① 27 ③ 28 ④ 29 ④ 30 ① 31 ③ [정답]

32 말뚝의 지지력에 관한 다음 사항 중 틀린 것은?

① 말뚝 선단부의 지지력과 말뚝 주면마찰력의 합이 말뚝의 지지력이 된다.
② 말뚝의 지지력을 추정하는 데는 재하시험, 동역학적 지지력 공식, 정역학적 지지력 공식 등이 있다.
③ 동역학적 지지력 공식은 정적인 지지력을 동적인 관입저항에서 구하는 공식이다.
④ 무리말뚝은 외말뚝보다 각개의 말뚝이 발휘하는 지지력이 크다.

해설

무리말뚝은 외말뚝보다 각개의 말뚝이 발휘하는 지지력이 작다. 그러나 말뚝 전체가 발휘하는 지지력은 크다.

33 말뚝기초의 지지력에 관한 설명으로 틀린 것은?

① 부의 마찰력은 아래방향으로 작용한다.
② 효율을 이용해서 군항의 지지력을 구하는 경우는 마찰말뚝인 경우이다.
③ 점성토 지반에는 동역학적 지지력 공식이 잘 맞는다.
④ 재하시험 결과를 이용하는 것이 신뢰도가 큰 편이다.

해설

1. 점성토에 타입되는 마찰말뚝의 경우에는 무리말뚝 효과에 의한 지지력 감소를 고려해야 한다.
2. 동역학적 지지력 공식은 점토지반에 부적합하다.

34 어느 지반에 말뚝을 박을 때 부마찰력이 발생하지 않는가?

① 지하수위가 높고 연약한 사질토층
② 말뚝이 박힌 사질토 위에 점성토로 채울 때
③ 압밀이 진행되는 점토층
④ 점성토 위에 사질토가 매립된 층

해설

부마찰력(negative friction)

1. 압밀침하를 일으키는 연약 점토층을 관통하여 지지층에 도달한 지지말뚝의 경우나 연약 점토지반에 말뚝을 항타한 다음 그 위에 성토를 한 경우 등에서 연약층의 침하에 의하여 하향으로 작용하는 주면마찰력이 발생하여 하중역할을 하게 되는데 이러한 주면마찰력을 부마찰력이라 한다.
2. 말뚝 주변 지반의 침하량이 말뚝의 침하량보다 클 때 발생한다.

35 말뚝 기초에서 부주면 마찰력이 발생하는 경우로 옳지 않은 것은?

2012. 국가직 7급

① 연약지반에 말뚝을 타입한 후 성토하는 경우
② 말뚝 주변 지하수위가 내려가는 경우
③ 상재하중이 말뚝 주변 지표면에 작용하는 경우
④ 연약지반에 말뚝 타입 후 말뚝 주변 지표 지반을 굴착 제거하는 경우

해설

부마찰력의 발생원인

1. 지반 중에 연약 점토층의 압밀침하
2. 연약한 점토층 위의 성토(사질토) 하중
3. 지하수위 저하

32 ④ 33 ③ 34 ② 35 ④ [정답]

36 부마찰력에 대한 설명이다. 틀린 것은?

① 부마찰력을 줄이기 위하여 말뚝표면을 아스팔트 등으로 코팅하여 타설한다.
② 지하수의 저하 또는 압밀이 진행 중인 연약지반에서 부마찰력이 발생한다.
③ 점성토 위에 사질토를 성토한 지반에 말뚝을 타설한 경우에 부마찰력이 발생한다.
④ 부마찰력은 말뚝을 아랫방향으로 작용하는 힘이므로 결국에는 말뚝의 지지력을 증가시킨다.

해설

부마찰력이 발생하면 말뚝의 지지력이 크게 감소한다($R_u=R_p-R_{nf}$)

37 말뚝에 작용하는 부마찰력에 대한 설명으로 옳지 않은 것은?

2011. 국가직 7급

① 연약지반에서 지하수위가 감소하면 부마찰력이 발생할 수 있다.
② 군말뚝(무리말뚝)에 발생하는 부마찰력은 단말뚝보다 작다.
③ 부마찰력이 발생한 말뚝 두부에 상재하중을 작용시키면 부마찰력이 감소한다.
④ 부마찰력의 크기는 흙의 종류, 말뚝의 재료 등에 영향을 받지만, 말뚝과 흙 사이의 상대 변위속도에는 무관하다.

해설

말뚝과 흙사이의 상대변위속도가 클수록 부마찰력은 커진다.

38 말뚝에 관한 다음 설명 중 옳은 것은?

① 말뚝에 부(負)의 주면마찰력이 일어나면 지지력은 증가한다.
② 무리말뚝에 있어서 각 개의 말뚝이 발휘하는 지지력은 단독말뚝보다 크다.
③ 정역학적 지지력 공식에 의하면 지지력은 선단저항력과 주면마찰력의 합과 같다.
④ 일반적으로 지반조건으로 보아 말뚝 끝이 암반에 도달하면 마찰말뚝, 연약점성토에 도달하면 지지말뚝으로 구분한다.

해설

1. 정역학적 지지력 공식 : $R_u=R_p+R_f$
2. 말뚝에 부마찰력이 일어나면 지지력은 감소한다.
3. 무리말뚝에서 각 개의 말뚝이 발휘하는 지지력은 단독말뚝보다 작다.
4. 말뚝 끝이 암반에 도달하면 지지말뚝, 연약 점성토에 도달하면 마찰말뚝이라 한다.

39 말뚝의 부마찰력에 대한 설명 중 틀린 것은?

① 말뚝의 허용지지력을 결정할 때 세심하게 고려한다.
② 연약지반에 말뚝을 박은 후 그 위에 성토를 한 경우 일어나기 쉽다.
③ 연약지반을 관통하여 견고한 지반까지 말뚝을 박은 경우 일어나기 쉽다.
④ 연약한 점토에 있어서는 상대변위의 속도가 느릴수록 부마찰력은 크다.

해설

1. 부마찰력이 발생하면 지지력이 크게 감소하므로 말뚝의 허용지지력을 결정할 때 세심하게 고려한다.
2. 상대변위 속도가 클수록 부마찰력이 크다.

36 ④ 37 ④ 38 ③ 39 ④ [정답]

40 부마찰력(negative skin friction)에 대한 설명 중 옳지 않은 것은?

① 연약지반을 통해 견고지층까지 말뚝을 박았을 때 생긴다.
② 연약지반에 말뚝을 박고 그 위에 성토를 하였을 때 생긴다.
③ 수중에 강말뚝을 박았을 때 생긴다.
④ 극한지지력의 계산치와 실제치가 다른 이유는 부마찰력 때문일 수 있다.

해설

부마찰력의 발생원인

1. 지반 중에 연약 점토층의 압밀침하
2. 연약한 점토층 위의 성토(사질토) 하중
3. 지하수위 저하

41 말뚝기초에 관한 다음 기술 중 적당한 것은?

① 침하를 최소로 억제할 필요가 있는 경우에 지지말뚝보다도 마찰말뚝이 좋다.
② 말뚝간격은 작을수록 좋다.
③ 지지말뚝이라 할지라도 연약층을 관통한 경우에는 부마찰력이 작용하므로 지지력이 감소한다.
④ 강관말뚝을 지지말뚝으로 사용하는 경우에는 속채움으로 콘크리트만을 타설하여야 한다.

해설

1. 침하를 최소로 억제할 경우에는 지지말뚝을 사용한다.
2. 일반적으로 말뚝의 적당한 간격은 약 $3d \sim 3.5d$(d : 말뚝 지름) 이상인 것이 좋으며 최소한 $2.5d$ 이상이 되어야 하고, $4d$ 이상이면 비경제적이다.
3. 연약한 점토층을 관통하여 지지층에 도달한 지지말뚝의 경우 부마찰력이 발생한다. 이 부마찰력은 하중역할을 하는 주면마찰력이므로 기초의 지지력이 감소한다.

42 연약지반 위에 성토를 한 후 말뚝을 박았다. 시공 후 어떤 현상이 일어난 것인가?

① 성토로 인하여 시간이 지남에 따라 말뚝의 지지력은 크게 증가한다.
② 압밀로 인하여 부마찰력이 생겨서 말뚝의 지지력은 크게 감소한다.
③ 암반까지만 말뚝을 박았다면 지지력은 변함이 없다.
④ 연약지반에 팽창하여 말뚝의 지지력은 크게 증가한다.

해설

1. 말뚝이 연약 점토층을 관통하여 지지층에 도달한 지지말뚝의 경우나 연약 점토지반에 말뚝을 항타한 다음 그 위에 성토를 하든지 지하수위가 저하될 때 연약층의 침하에 의하여 하향으로 작용하는 주면마찰력이 발생하여 하중 역할을 하게 되는데 이러한 주면마찰력을 부마찰력이라 한다.
2. 부마찰력이 발생하면 지지력이 크게 감소한다($R_u = R_p - R_{nf}$).

43 말뚝의 부마찰력(negative skin friction)에 대한 설명 중 틀린 것은?

① 아래쪽으로 작용하는 말뚝의 주면마찰력이다.
② 연약지반에 말뚝을 박은 후 그 위에 성토를 한 경우 일어나기 쉽다.
③ 연약지반을 관통하여 견고한 지반까지 말뚝을 박은 경우 일어나기 쉽다.
④ 해머의 무게가 말뚝의 무게보다 가벼울 때 일어나기 쉽다.

해설

부마찰력과 해머의 무게, 말뚝의 무게와는 무관하다.

40 ③ 41 ③ 42 ② 43 ④ [정답]

44 말뚝기초에 대한 설명으로 적절하지 않은 것은?

2010. 국가직 7급

① 말뚝기초의 선단이 상부의 연약층을 지나 견고한 층에 닿도록 타입하면 향후 발생할 수 있는 부마찰력의 영향이 없어진다.
② 말뚝기초는 주로 상부구조물의 하중과 같은 하향력을 견디기 위해 설치하지만, 인장력과 같은 상향력에 저항하도록 설치하기도 한다.
③ 말뚝기초의 주면마찰력을 산정하는 방법 가운데 β방법은 유효응력으로 얻은 강도정수를 가지고 마찰저항력을 계산할 수 있는 방법이다.
④ 무리말뚝의 지지력은 단일말뚝의 지지력에 말뚝 개수를 곱한 값과 꼭 같지는 않다.

해설

부마찰력이 발생하는 경우는 압밀침하를 일으키는 연약점토층을 관통하여 지지층에 도달한 지지말뚝의 경우이거나 연약점토지반에 말뚝을 항타한 다음 그 위에 성토를 한 경우 등이다.

45 연약지반에 건물을 지지하기 위한 말뚝기초를 설치할 때 말뚝의 부마찰력을 저감시키기 위한 방안으로 옳지 않은 것은?

2009. 지방직 7급

① 지반을 개량하여 잔류침하량을 감소시킨 후 말뚝을 설치한다.
② 말뚝에 역청재를 도포하여 마찰력을 감소시킨다.
③ 말뚝 외측에 케이싱을 설치하여 말뚝의 부마찰력을 차단시킨다.
④ 지반이 침하하면 말뚝도 함께 침하하도록 하여 부마찰력 작용을 막는다.

46 연약지반에 선단이 폐쇄된 말뚝을 항타로 설치할 때 지반에서 발생되는 현상으로 옳지 않은 것은?

2011. 지방직 7급

① 말뚝을 항타하는 경우 지반에 과잉간극수압이 발생한다.
② 말뚝을 항타하는 경우 지반에 높은 횡압이 발생한다.
③ 말뚝에 장기간 시간을 두고 항타와 중단을 반복하면 관입이 더욱 용이하다.
④ 말뚝을 항타 관입한 후에 시간이 지나면 말뚝이 다시 솟아오르는 현상이 발생할 수 있다.

해설

말뚝항타 후 장기간 시간이 경과되면 과잉간극수압이 소산되어 전단강도가 증가되므로 말뚝관입이 어려워진다.

47 지름 D=5m인 기초공이 지하 20m까지 관입되었다. 단위면적당 마찰력 f_s=0.02t/m²일 때 이 기초공(caisson)에 작용하는 주면마찰력은 얼마인가?

① 3.5t ② 3.8t
③ 5.2t ④ 6.3t

해설

$R_u = f_s A_s = 0.02 \times (\pi \times 5 \times 20) = 6.3\text{t}$

48 연약 점성토층을 관통하여 철근콘크리트 파일을 박았을 때 부마찰력은? (단, 이때 지반의 일축압축강도 q_u=2t/m², 파일 직경 D=50cm, 관입깊이 l=10m이다.)

① 15.7t ② 18.5t
③ 20.8t ④ 24.2t

해설

$$R_{nf} = f_n A_s = \frac{1}{2} q_u \cdot \pi D l$$
$$= \frac{1}{2} \times 2 \times \pi \times 0.5 \times 10 = 15.7\text{t}$$

44 ① 45 ④ 46 ③ 47 ④ 48 ① [정답]

제14장

49 말뚝의 지지력에 대한 설명으로 옳은 것은?

2016. 국가직 7급

① 부(주면)마찰력은 말뚝 주변 지반의 침하량이 말뚝의 침하량보다 클 때 발생한다.
② 일반적으로 군(무리)말뚝의 지지력은 단일말뚝의 지지력을 합한 값보다 크다.
③ 모래지반에서 말뚝의 주면마찰력은 근입깊이가 증가함에 따라 선형적으로 감소한다.
④ 모래지반에서 말뚝의 주면마찰력은 말뚝의 시공방법에 영향을 받지 않는다.

해설

1. 부마찰력은 말뚝 주변 지반의 침하량이 말뚝의 침하량보다 클때 발생한다.
2. 단항 : $R_a{}'=NR_a$, 군항 : $R_{ag}=ENR_a$
3. 모래지반의 주면마찰력
   $R_f=f_sA_s=\sigma_v{}'\tan\phi KA_S$ 이므로 근입깊이가 증가할수록 선형적으로 증가한다.

50 말뚝의 단위면적당 주면마찰력은 그림과 같은 분포 형태를 가진다. 이 말뚝두부에 축방향 하중이 작용하였을 때, 축방향 하중전이 곡선의 형태와 가장 유사한 것은?

2014. 국가직

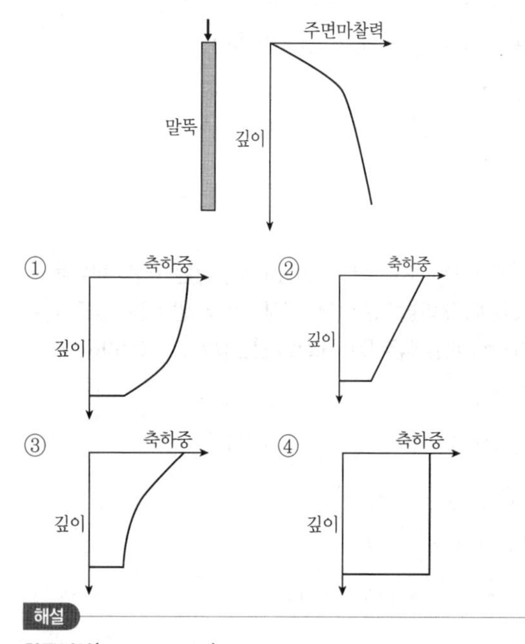

해설

하중전이(Load transfer)

1. 하중재하 초기에는 전체하중을 주면저항으로 분담한다.
2. 하중이 증가하여 주면저항을 초과하면 하중전이는 선단으로 이동하여 선단저항으로 분담하게 된다.

51 콘크리트 말뚝을 이음말뚝으로 쓸 때 1개소 이음마다 허용지지력은 얼마만큼 감소되는가?

① 50% ② 30%
③ 20% ④ 10%

해설

이음 1개소당 20% 이내의 압축력에 대한 지지력이 감소한다.

52 무리말뚝에 있어서 말뚝간격이 작아지면 외말뚝의 지지력이 무리말뚝의 효과 즉, 지지력 저감의 효과가 발생하는데 무리말뚝의 영향을 고려하지 않아도 되는 말뚝의 최소간격은? (단, 말뚝의 평균지름은 40cm, 말뚝의 관입깊이는 20m이다)

① 3m ② 4m
③ 5m ④ 6m

해설

$D=1.5\sqrt{rl}=1.5\times\sqrt{0.2\times20}=3\text{m}$

53 군항(群抗) 1개의 지지력은 단항(單抗) 1개의 지지력에 비해서 어떠한가?

① 같다.
② 작다.
③ 크다.
④ 같거나 작다.

해설

군항은 단항보다도 1개의 말뚝이 발휘하는 지지력이 작다.

49 ① 50 ③ 51 ③ 52 ① 53 ② [정답]

54 말뚝기초를 시공하는 데 있어서 유의해야 할 사항 중 옳지 않은 것은?

① 말뚝을 좁은 간격으로 시공했을 때는 단항(single pile)인가 군항(group pile)인가를 따져야 한다.
② 군항일 경우는 말뚝 1본당 지지력을 말뚝 수로 곱한 값이 지지력이다.
③ 말뚝이 점토지반을 관통하고 있을 때는 부마찰력에 대해서 검토를 할 필요가 있다.
④ 말뚝간격이 너무 좁으면 단항에 비해서 훨씬 깊은 곳까지 응력이 미치므로 그 영향을 검토해야 한다.

해설

1. 군항의 허용지지력 : $R_{ag}=ENR_a$
2. 단항의 허용지지력 : $R_a'=NR_a$

55 무리말뚝의 효과

$E=1-\phi\left(\dfrac{(m-1)n+(n-1)m}{90\cdot m\cdot n}\right)$를 알면 무리말뚝 기초 중의 말뚝 1개의 지지력은 얼마인가? (단 단독말뚝의 지지력은 R이다)

① $R-E$ ② $R\times E$
③ R/E ④ $R+E$

해설

$R_{ag}=ENR_a$에서 $N=1$이므로 $R_{ag}=ER_a$

56 10개의 무리말뚝 기초에 있어서 0.8, 단항으로 계산한 말뚝 1개의 허용지지력이 10t일 때 군항의 허용지지력은?

① 50t ② 80t
③ 100t ④ 125t

해설

$R_{ag}=ENR_a=0.8\times10\times10=80\text{t}$

57 지름 $d=20$cm인 나무말뚝을 25본 박아서 기초 상판을 지지하고 있다. 말뚝의 배치를 5열로 하고 각 열은 등간격으로 5본씩 박혀 있다. 1본의 말뚝이 단독으로 10t의 지지력을 가졌다고 하면 이 무리말뚝은 전체로 얼마의 하중을 견딜 수 있는가? (단, $\phi=10.5°$이고 Converse-Labbarre 식을 사용한다)

① 100t ② 200t
③ 300t ④ 400t

해설

1. $E=1-\phi\dfrac{(m-1)n+m(n-1)}{90mn}$

$=1-10.5\times\dfrac{4\times5+5\times4}{90\times5\times5}=0.8$

2. $R_{ag}=ENR_a=0.8\times25\times10=200\text{t}$

58 다음 그림과 같이 사질토지반에 타설된 무리마찰말뚝이 있다. 말뚝은 원형이고 직경은 0.4m, 설치간격은 1m였다. 이 무리말뚝의 효율은 얼마인가? (단, $\phi=22°$이다)

① 55%
② 62%
③ 67%
④ 75%

해설

$E=1-\phi\dfrac{(m-1)n+m(n-1)}{90mn}$

$=1-22\times\dfrac{2\times3+3\times2}{90\times3\times3}$

$=0.67=67\%$

59 일반적으로 말뚝의 간격은 말뚝지름의 몇 배 이상되면 비경제적으로 보는가?

① 1.5배 ② 2.5배
③ 3배 ④ 4배

해설

일반적으로 말뚝의 적당한 간격은 약 $3d\sim3.5d$(d : 말뚝지름) 이상인 것이 좋으며 최소한 $2.5d$ 이상이 되어야 하고, $4d$ 이상이면 비경제적이다.

54 ② 55 ② 56 ② 57 ② 58 ③ 59 ④ [정답]

제14장

60 피어기초의 특징이 아닌 것은?

① 굴착을 하게 되므로 예정지반까지 도달한다.
② 지내력시험이 실제의 기초 밑면까지 행하여져 확실한 결과가 얻어진다.
③ 많은 수의 기초를 동시에 시공할 수 있다.
④ 말뚝박기에 따르는 소음진동이 심하다.

해설

피어기초의 특징

1. 시공중 굴착된 흙을 직접 눈으로 검사할 수 있고 지지층의 상태를 확인할 수 있다.
2. 연약한 지층을 지나 견고한 지지층에 기초를 설치하여 비교적 큰 하중을 전달할 수 있다.
3. 큰 지름의 구조물이므로 본당 지지력이 크고 수평저항력이 크다.
4. 시공 중 소음, 진동이 없다.

61 다음 중 피어(pier) 공법이 아닌 것은?

① 시카고공법(Chicago 공법)
② 베노토(Benoto) 공법
③ 가우(Gow) 공법
④ 감압공법

해설

피어기초(Pier foundation)

기계굴착 공법	인력굴착 공법
① Benoto 공법 ② Earth drill 공법 ③ RCD 공법	① Chicago 공법 ② Gow 공법

62 다음 중 현장말뚝 기초공법에 해당되지 않는 것은?

① 프렌키공법
② 바이브로 프로테이션공법
③ 페데스탈공법
④ 레이몬드공법

해설

현장 콘크리트 말뚝(cast-in-place concrete pile)

기계굴착 공법	관입공법
① Benoto 공법 ② Earth drill 공법 (calwelde 공법) ③ RCD 공법	① Franky 말뚝 ② Pedestal 말뚝 ③ Raymond 말뚝

63 얇은 철판의 외관 안에 굳은 심대를 넣어 처박은 후 심대는 빼내고 콘크리트를 다져 넣는 방법으로 콘크리트 말뚝을 만드는 공법은?

① Franky pile ② Pedestal pile
③ Raymond pile ④ Simplex pile

해설

현장타설 콘크리트 말뚝

1. Franky 말뚝 : 외관 사용, 무각
2. Pedestal 말뚝 : 내·외관 사용, 무각
3. Raymond 말뚝 : 내·외관 사용, 유각

64 다음 말뚝공법 중 현장말뚝공법이 아닌 것은 어느 것인가?

① Open caisson(우물통 공법)
② Benoto 공법
③ Calwelde earth drill 공법
④ Reverse circulation 공법

해설

케이슨 기초

1. 오픈 케이슨 기초
2. 공기 케이슨 기초
3. Box 케이슨 기초

60 ④ 61 ④ 62 ② 63 ③ 64 ① [정답]

65 피어기초의 수직공을 굴착할 때의 방법 중에서 인력 굴착에 속하는 것은?

① Benoto 공법
② Calwelde 공법
③ Reverse circulation 공법
④ Gow 공법

해설

인력굴착 공법(심초공법)
1. Chicago 공법　　2. Gow 공법

66 구조물의 하중을 굳은 지반에 전달하기 위하여 수직공을 굴착하여 그 속에 현장콘크리트를 타설하여 만들어진 주상(柱狀)의 기초로써 비교적 지름이 큰 구조물이며 이 기초의 대표적인 시공법에는 베노토공법 등이 있다. 다음 중 이 기초에 속하는 것은?

① 콘크리트말뚝기초
② 피어기초
③ 오픈 케이슨(open caisson)
④ 뉴메틱 케이슨(pneumatic caisson)

67 베노토(BENOTO) 공법에 대한 다음 기술 중 적당하지 않은 것은?

① 굴착하는 동안 지하수는 펌프로 배수시킬 필요가 있다.
② 굴착하는 해머그래브를 사용한다.
③ 케이싱 튜브를 사용하여 공벽을 유지시킨다.
④ 점토질 실트와 자갈층 등에 대해서 유효하다.

해설

베노토 공법
1. 요동운동에 의하여 casing tube를 땅 속에 압입하면서 해머그래브라는 굴착장치로 구멍을 굴착하여 콘크리트를 타설한 후 casing tube를 끌어올리는 all casing 공법이므로 굴착하는 동안 지하수를 배수시킬 필요는 없다.
2. 모든 지반의 굴착이 가능하다.
3. 공벽(孔壁)의 붕괴를 방지하기 위해 케이싱을 사용한다.

68 선단에 요동(搖動)장치가 부착된 케이싱 튜브를 압입시켜 관입하고 케이싱(casing) 내부의 흙을 해머그래브(hammer grab)로 굴착하여 소정의 지지 지반까지 구멍을 판 후 이수(泥水)를 펌핑하고 철근을 조립하여 콘크리트를 치면서 케이싱 튜브를 빼내 원형의 주상(柱狀)기초를 만드는 공법을 무엇이라 하는가?

① 베노토(Benoto) 공법
② 역순환(RCD) 공법
③ ICOS 공법
④ 시카고(Chicago) 공법

69 다음 중 지하연속벽 공법이 아닌 것은?

① Soletanche 공법
② PIP 공법
③ ICOS 공법
④ Gow 공법

해설

심초공법
1. Chicago 공법
2. Gow 공법

70 공기 케이슨공법에 관한 설명 중 옳지 않은 것은?

① 우물통 기초보다 침하공정이 빠르다.
② 압축공기를 사용하기 때문에 소규모 공사에서는 비경제적이다.
③ 아주 깊은 곳까지 확실하게 시공할 수 있다.
④ 장애물의 제거가 용이하고 지지력의 측정이 용이하다.

해설

공기 케이슨기초의 단점
1. 소음, 진동이 크다.
2. 케이슨병이 발생한다.
3. 수면하 35～40m 이상의 깊은 공사는 곤란하다(굴착 깊이에 제한을 받는다).

65 ④　66 ②　67 ①　68 ①　69 ④　70 ③ [정답]

71 뉴메틱 케이슨공법에 관한 다음 설명 중 틀린 것은?

① Well 기초보다 침하공정이 빠르고, 또 케이슨의 경사수정이 용이하다.
② 50m 이상의 깊이에 적합한 공법이다.
③ 굴착시 극단적인 여굴이 필요없고 장애물 제거도 용이하다.
④ 압축공기를 사용하기 때문에 소규모 공사에는 비경제적이다.

해설

뉴메틱 케이슨기초(공기 케이슨기초)

장점	단점
① 침하공정이 빠르고 장애물 제거가 쉽다. ② 토질을 확인할 수 있다. ③ Dry work이므로 저부 콘크리트의 신뢰도가 높다. ④ Boiling, heaving을 방지할 수 있다.	① 소음, 진동이 크다. ② 수명하 35～40m 이상의 깊은 공사는 곤란하다. ③ 노무자의 모집이 곤란하고 기계설비가 고가이다. ④ 케이슨병이 발생한다.

72 뉴메틱 케이슨(pneumatic caisson)의 장점을 열거한 것 중 옳지 않은 것은?

① 토질을 확인할 수 있고, 비교적 정확한 지지력을 측정할 수 있다.
② 수중 콘크리트를 하지 않으므로 신뢰성이 많은 저부 콘크리트 슬래브의 시공이 가능하다.
③ 기초지반의 보일링과 팽창을 방지할 수 있으므로 인접구조물에 피해를 주지 않는다.
④ 굴착깊이에 제한을 받지 않는다.

해설

뉴메틱 케이슨기초는 수면하 35～40m 이상의 깊은 공사는 곤란하다(굴착깊이에 제한을 받는다).

73 공기 케이슨 공법(pneumatic caisson)에서 압축공기의 압력으로 적당한 것은?

① $3.5 \sim 4.0 kg/cm^2$　② $4.0 \sim 4.5 kg/cm^2$
③ $4.5 \sim 5.0 kg/cm^2$　④ $5.0 \sim 5.5 kg/cm^2$

해설

컴프레서를 사용하여 공기 케이슨 내에 송기하며 인체에 대한 공기압의 한도는 약 $3.5 \sim 4.0 kg/cm^2$이다.

74 공기 케이슨기초에 관한 설명 중 옳지 않은 것은?

① 이동경사가 적고 경사수정도 쉽다.
② 굴착시 boiling이나 heaving의 우려가 있다.
③ 주야작업이므로 노무관리비가 많이 든다.
④ 소음과 진동이 크다.

해설

공기 케이슨기초는 굴착시 boiling이나 heaving의 우려가 없다.

75 뉴메틱 케이슨(pneumatic caisson)의 장점을 열거한 것 중 옳지 않은 것은?

① 압축공기를 이용하여 시공하므로 굴착깊이에 제한이 없는 기초공사에 경제적이다.
② 토질을 확인할 수 있기 때문에 비교적 정확한 지지력을 측정할 수 있다.
③ 수중 콘크리트를 하지 않으므로 신뢰성이 큰 저부콘크리트 슬래브의 시공이 가능하다.
④ 기초지반의 보일링과 팽창을 방지할 수 있으므로 인접 구조물에 피해를 주지 않는다.

76 기존 건물에서 인접된 장소에 새로운 깊은 기초를 시공하고자 한다. 이때 기존 건물의 기초가 얕아 보강하는 공법 중 적당한 것은?

① 압성토공법
② underpinning 공법
③ preloading 공법
④ 치환공법

해설

Underpinning 공법은 기존 구조물에 대한 기초부분을 신설, 개축 또는 증강하는 공법이다.

71 ② 72 ④ 73 ① 74 ② 75 ① 76 ② [정답]

Chapter 14

깊은 기초

기출 및 적중예상문제 Ⅱ [5지선다형]

여기에 수록된 「기출문제」는 수험생들의 기억을 바탕으로 유사한 유형의 문제로 새로이 창작하여 구성하였습니다. 따라서 원안과 동일하지는 않지만 출제 수준과 경향을 파악하는 데 결정적인 도움을 주리라 믿습니다.

01 말뚝기초에 관한 다음 기술 중 적당한 것은?

① 강관말뚝을 지지말뚝으로 사용하는 경우에는 속채움으로 콘크리트만을 타설하여야 한다.
② 말뚝의 지지력은 선단지지력이 마찰지지력보다 작다.
③ 침하를 최소로 억제할 필요가 있는 경우에는 지지말뚝보다 마찰말뚝이 좋다.
④ 말뚝 간격은 작을수록 좋다.
⑤ 지지말뚝이라 할지라도 연약층을 관통할 경우에는 부마찰력이 작용하므로 지지력이 감소한다.

해설

1. 강말뚝은 큰 재료의 강도를 이용하여 굳은 지층에 관입이 가능하므로 마찰말뚝보다 선단지지말뚝이 유리하다.
2. 지지말뚝 : $R_p > R_f$, 마찰말뚝 : $R_p < R_f$
3. 침하를 최소로 억제할 필요가 있는 경우에는 지지말뚝이 좋다.
4. 군말뚝의 침하량은 같은 작용응력 하에서 단말뚝의 침하량보다 더 크다.

02 말뚝의 부(負)마찰력은 언제 발생하는가?

① 연약지반에 말뚝을 박을 때
② 말뚝에 수평력이 작용할 때
③ 말뚝 주위의 연약지반이 압밀침하할 때
④ 말뚝 주변지반이 측방으로 유동할 때
⑤ 말뚝을 뽑을 때

해설

부마찰력의 발생원인

1. 지반 중에 연약점토층의 압밀침하
2. 연약점토층 위의 성토(사질토)하중
3. 지하수위 저하

03 말뚝의 지지기능에 관한 설명으로 부적당한 것은?

① 마찰말뚝의 주 지지기능은 말뚝주면의 마찰력이다.
② 선단지지말뚝의 주 지지기능은 말뚝선단부의 저항력이다.
③ 무리말뚝의 지지력에는 말뚝 상호 간의 영향이 반영된다.
④ 말뚝의 주면마찰력은 점착력에 의한 성분과 마찰력 및 수직응력에 의한 성분으로 구분할 수 있다.
⑤ 무리말뚝의 지지력은 말뚝 한 개의 지지력에 말뚝 수를 곱하여 계산할 수 있다.

해설

1. 주면마찰력(f_s)
   ① 사질토 : $f_s = \bar{\sigma}\tan\phi K_0$
   ② 점성토 : $f_s = \alpha c$
2. $R_{ag} = ENR_a$

04 디젤 해머인 경우 말뚝을 박을 때 타격에너지를 나타내는 식은?

① $F = W_h \cdot H$
② $F = (A_p + W_h) \cdot H$
③ $F = 2W_h \cdot H$
④ $F = \dfrac{4W_h}{H}$
⑤ $F = (A_p + 2W_h) \cdot H$

해설

타격에너지

1. 기본식 : 타격에너지 = 말뚝저항력 × 해머의 근입량
2. 해머의 종류에 따른 타격에너지
   ① drop hammer, 단동식 스팀해머 : $F = W_h H$
   ② 복동식 스팀해머 : $F = (W_h + A_p P)H$
   ③ 디젤해머 : $F = 2W_h H$

01 ⑤ 02 ③ 03 ⑤ 04 ③ [정답]

제14장

05 전단위중량(γ)이 20kN/m^3, 비배수전단강도(c_u)가 30kN/m^{2}인 지반에 콘크리트말뚝을 타입하였다. 말뚝의 단면은 정사각형으로서 한 변의 길이가 0.25m이다. 이 말뚝의 근입깊이는 10m이고 부착계수 $\alpha=1$이라고 가정한다. 이 말뚝의 주면지지력은 얼마인가? 2005. 서울시 7급

① 50kN ② 100kN
③ 150kN ④ 300kN
⑤ 500kN

해설

$R_f = f_s A_s = \alpha c \cdot A_s$
$= 1 \times 30 \times (4 \times 0.25 \times 10)$
$= 300\text{kN}$

05 ④ [정답]

연약지반 개량공법

Chapter 15

연약지반 개량공법

01 점토지반 개량공법

점성토 지반의 개량에 사용되는 공법

1. 기계적 공법 – 치환공법
2. 압밀을 이용한 공법
   - pre-loading 공법
   - sand drain 공법
   - paper drain 공법
3. 화학적 흡인작용을 이용한 공법
   - 침투압공법
   - 생석회말뚝공법
4. 화학변화에 의한 흙의 강화공법
   - 소결공법
   - 전기화학적 고결공법

1. 치환공법

연약 점토지반의 일부 또는 전부를 제거한 후 양질의 사질토로 치환하여 지지력을 증대시키는 공법으로 공기를 단축할 수 있고 공사비가 저렴하므로 지금도 많이 이용된다. 연약토층이 얇을 경우에는 전부 치환하는 것이 확실하지만 연약층이 두꺼울 때에는 부분 치환한다.

2. pre-loading 공법(사전압밀공법)

구조물 축조 전에 미리 재하하여 하중에 의한 압밀을 미리 끝나게 하는 공법이다.

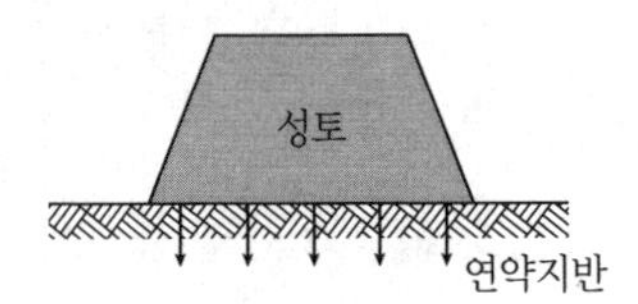

[그림 15-1] pre-loading 공법

(1) 목적

① 압밀침하 촉진
② 시공 후의 잔류침하 감소
③ 공극비를 감소시켜 전단강도 증진

(2) 특징

장점	단점
• 공사비가 저렴하다. • 압밀효과가 균등하다.	• 공기가 길다. • 재하용 성토재료의 확보

3. sand drain 공법

연약 점토층이 깊은 경우 연약 점토층에 모래말뚝을 박아 수평방향으로의 배수거리를 짧게 하여 압밀을 촉진시키는 공법이다. 또 점토층 위에 sand mat를 깔고 그 위에 성토를 하면 간극수가 더욱 신속하게 빠져나간다.

미국의 Barron에 의해 이론이 체계화되었으며 설계에서 드레인의 간격이 가장 중요한 요소이다. 드레인 간격은 점토층의 두께보다 작아야 하며, 일반적으로 C_h/C_v비가 클수록 드레인 설치효과가 크다.

점토층의 두께가 클 때나 pre-loading으로는 장시간이 소요될 때에는 sand drain 공법이든가 paper drain 공법이 치환공법과 더불어 점성토지반 개량공법의 주류를 이루고 있으며 2차 압밀이 크게 일어나는 유기질지반에서는 드레인공법이 적당하지 않다.

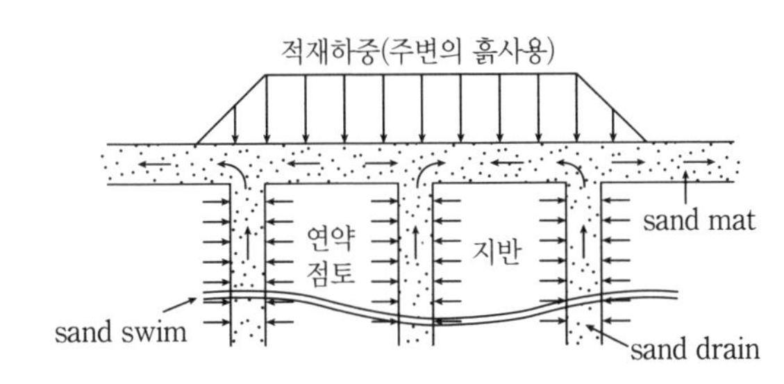

[그림 15-2] sand drain 공법

(1) sand mat

sand drain을 박기 이전에 약 50cm 정도의 모래를 까는데 이것을 sand mat라 한다. sand mat는 점성토 중의 간극수를 측방으로 배수시키는 역할과 시공기계의 주행성 확보의 역할을 하는데 주행성 확보가 더 중요한 역할이다.

(2) sand drain의 설치

① 압축공기식 케이싱법(mandrel법)

② water jet식 케이싱법

③ auger식 케이싱법

(3) sand drain의 설계

① sand drain의 배열

㉠ 정삼각형 배열

$$d_e = 1.05d \quad \cdots\cdots (15-1)$$

㉡ 정사각형 배열

$$d_e = 1.13d \quad \cdots\cdots (15-2)$$

여기서, d_e : drain의 영향원 지름, d : drain의 간격

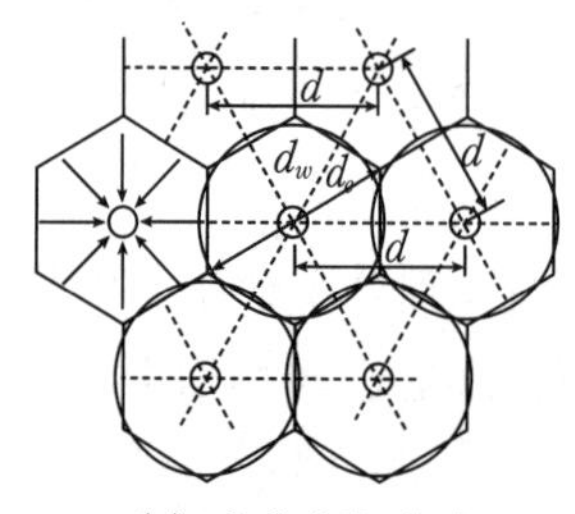

(a) 정삼각형 배열

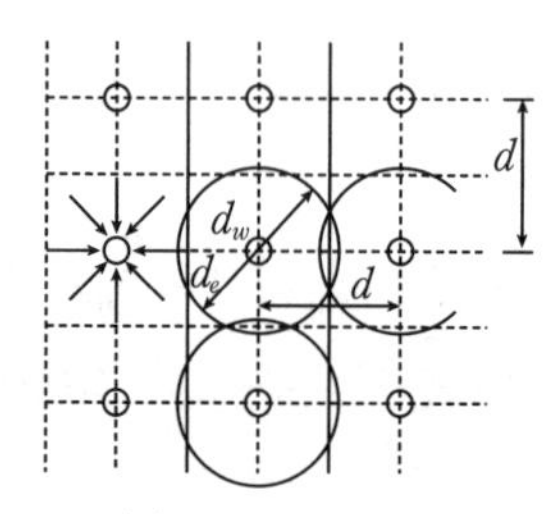

(b) 정사각형 배열

[그림 15-3] sand drain의 배열과 지배영역

② 수평, 연직방향 투수를 고려한 전체적인 평균압밀도

$$U = 1-(1-U_h)\cdot(1-U_v) \quad \cdots\cdots (15-3)$$

여기서, U_h : 수평방향의 평균압밀도, U_v : 연직방향의 평균압밀도

③ sand drain의 간격이 길이의 1/2 이하인 경우에 연직방향투수는 무시한다.

④ sand drain의 크기

㉠ 지름 : 0.3~0.5m

㉡ 간격 : 2~4m

㉢ 길이 : 15m 이하에서 효과적이다(20m 이상이면 공사비가 대단히 비싸다).

4. paper drain 공법(card board wicks method)

모래말뚝 대신에 합성수지로 된 card board를 땅 속에 박아 압밀을 촉진시키는 공법이다.

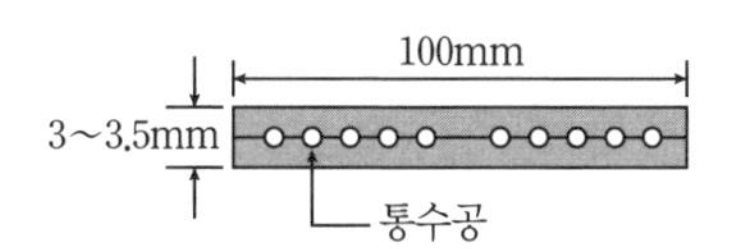

[그림 15-4] card board의 단면

(1) sand drain에 비해 paper drain의 특징

① 시공속도가 빠르다.

② 배수효과가 양호하다. sand drain의 설치간격은 어느 한계 이상으로 작게 할 수 없으나 paper drain의 간격은 얼마든지 작게 시공할 수 있으므로 배수거리를 더 작게함으로써 압밀 효과를 촉진시킬 수 있다.

③ 타입시 교란이 거의 없어서 압밀계수 $C_h \fallingdotseq 2 \sim 4C_v$로 설계한다. Sand pile 타입시에는 지반이 교란되므로 $C_h \fallingdotseq C_v$이다.

④ Drain 단면이 깊이에 대하여 일정하다.

⑤ 장기간 사용시 열화현상이 생겨 배수효과가 감소한다.

⑥ 특수 타입기계가 필요하다.

⑦ 대량생산시에 공사비가 싸다.

(2) paper drain의 제품기준

① 페이퍼 드레인의 투수계수는 그 주위지반의 투수계수보다 커야 한다.

② 세립자는 필터를 통과해서는 안된다.

③ 필터는 높은 횡압에 압착되지 않도록 충분한 강성이 있어야 한다.

④ 필터는 시공시 손상을 받지 않도록 충분히 강해야 한다.

⑤ 필터는 배수되는 동안 물리적, 화학적, 생물학적인 손상을 받지 않아야 한다.

(3) paper drain의 설계

$$D=\alpha\frac{2A+2B}{\pi} \quad \cdots\cdots (15\text{-}4)$$

여기서, D : drain paper의 등치환산원의 지름

α : 형상계수(0.75)

$A,\ B$: drain 폭과 두께(cm)

5. 전기침투공법

물로 포화된 세립토 중에 한 쌍의 전극을 설치하여 직류를 보내면 간극수는 전기침투현상에 의해 (+)극에서 (−)극으로 흘러서 모인다. 이 (−)극에 모인 간극수를 배수하여 전단저항과 지지력을 증가시키는 공법이다.

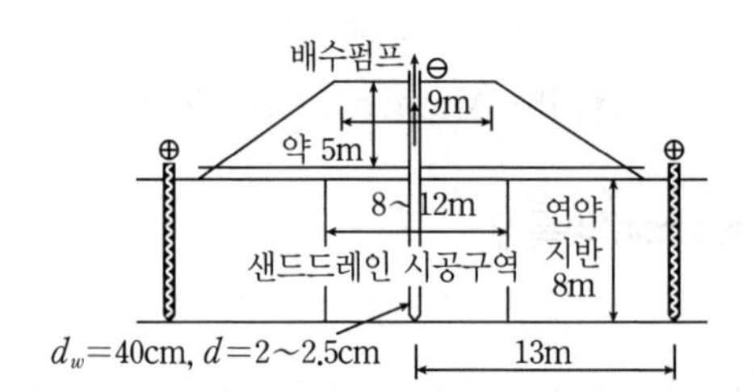

[그림 15-5] 전기침투공법에서의 전극 배치의 예

(1) 비경제적이고 광범위한 지반개량에는 부적합하다. 그러나 산사태지역과 같이 재하에 의해서 개량할 수 없는 경우나 구조물기초를 보강할 때와 같이 특수한 경우에 유효한 공법이다.

(2) 초연약지반, 준설매립토에 적합하며 불포화토에는 효과가 적다.

(3) sand drain 공법과 병행할 수 있다.

6. 전기화학적 고결공법

금속의 전기분해를 촉진시켜 흙의 간극에 금속염을 침전시켜 지반을 경화시키는 공법이다. 즉, 지반에 금속으로 된 전극을 설치하고 전류를 통하면 전극의 전기분해에 의하여 발생된 이온이 전류에 의하여 운반되어 점토광물의 표면에 부착되어 있는 이온과 교환되며, 결국 흙의 간극에 금속염이 쌓이게 된다. 따라서 전극의 금속재료(주로 알루미늄)를 적당하게 선택하면 흙을 전기화학적으로 경화시킬 수 있다.

7. 침투압공법(MAIS 공법)

함수비가 큰 점토층에 반투막 중공원통(ϕ25cm 정도)을 삽입하여 그 속에 농도가 큰 용액(펄프, 공장 폐액)을 넣어 점토분의 수분을 빨아내는 공법이다.

(1) sand drain 공법은 상재하중에 의해 점토층을 눌러서 높아진 간극수압을 배출시켜 압밀시키는 데 반해 침투압공법은 상재하중을 사용하지 않고 수분을 빨아내어 간극수압을 작게 하고, 유효상재하중을 증가시킴으로써 압밀되게 한다는 점이 서로 상이하다.

(2) 깊이 3m 정도의 표층개량에 사용된다.

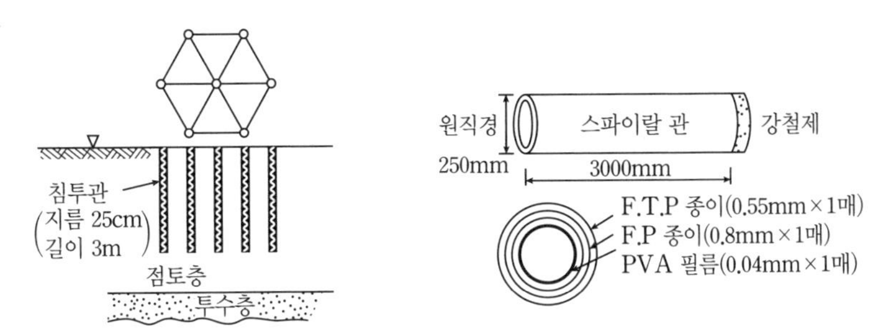

[그림 15-6] 침투압공법

8. 생석회말뚝공법(chemico pile 공법)

생석회가 물을 흡수하면 발열반응을 일으켜서 소석회가 되며 이때에 체적이 2배로 팽창하는 원리를 이용하여 연약 점성토 중에 생석회의 말뚝을 박아 지반을 개량하는 공법이다.

(1) 탈수효과, 건조효과, 팽창효과가 있다.

(2) 생석회 말뚝공법에서는 탈수에 의한 지반의 수축을 석회말뚝의 팽창이 보충하기 때문에 다른 공법에서와 같은 심한 침하가 일어나지 않는다. 또한 생석회말뚝이 말뚝으로서의 효과를 갖기 때문에 말뚝에 응력이 집중되어서 점성토지반의 침하가 상당히 경감된다.

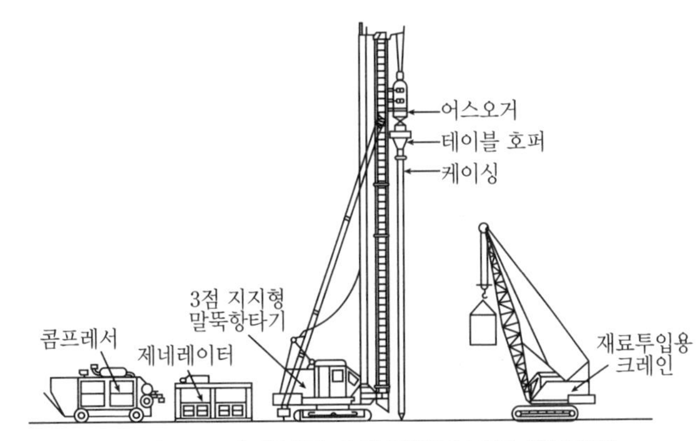

[그림 15-7] 생석회 파일 공법의 표준 시공기계

9. 소결공법

점성토지반을 연직 또는 수평으로 보링하고 그 속에서 액체 또는 기체연료를 태워서 주위지반을 가열하고 지반 내의 물을 증발시켜서 함수비를 낮추어 지반의 강도를 증가시키는 공법이다.

기초의 지지력 강화, 침하의 억제 및 지반의 활동억제 등을 목적으로 하나 아직 해결해야 할 문제점이 많은 공법이다.

02 사질토지반 개량공법

사질토 지반의 개량에 사용되는 공법

1. 말뚝이나 모래말뚝을 이용한 수평다짐
   - 다짐말뚝공법
   - sand compaction pile 공법
   - vibro flotation 공법
2. 충격을 이용한 연직다짐
   - 폭파다짐공법
   - 전기충격공법
   - 진동 물다짐공법
3. 화학적 주입공법 – 약액주입공법

1. 다짐말뚝공법

RC, PC 말뚝을 땅 속에 박아서 말뚝의 체적만큼 흙을 배제하여 압축함으로써 사질토지반의 전단강도를 증진시키는 공법이다.

2. 다짐모래 말뚝공법(sand compaction pile 공법 = compozer 공법)

다짐말뚝공법과 원리가 같지만 RC, PC 말뚝을 박는 대신 충격, 진동타입에 의해서 지반에 모래를 압입하여 잘 다져진 모래말뚝을 만드는 공법이다.

(1) 모래가 70% 이상인 사질토지반에서 효과가 현저하며, 경제적이다.

(2) 공법의 종류

hammering compozer 공법	vibro compozer 공법
• 전력설비가 없어도 시공이 가능하다. • 충격시공이므로 소음, 진동이 크다. • 주변 흙을 교란시킨다. • 낙하고의 조절이 가능하므로 강력한 타격에너지가 얻어진다. • 시공관리가 힘들다.	• 시공상 무리가 없으므로 기계고장이 적다. • 충격, 진동과 소음이 작다. • 균질한 모래기둥을 만들 수 있다. • 진동은 모래의 다짐에 유효하지만 지표면은 다짐효과가 적으므로 vibro tamper로 다진다. • 시공관리가 쉽다.

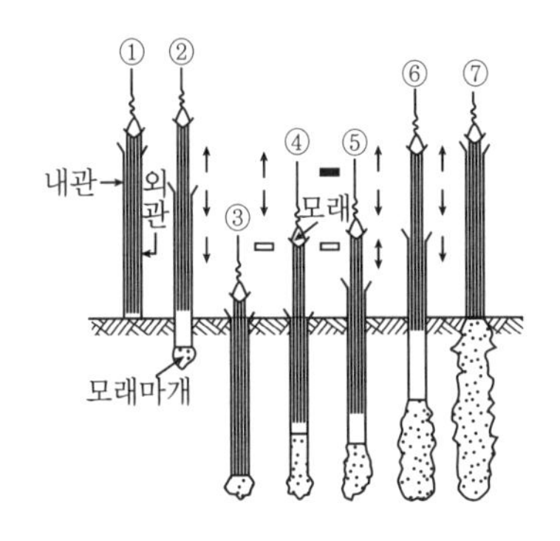

[그림 15-8] 해머링 콤포저 공법의 시공순서

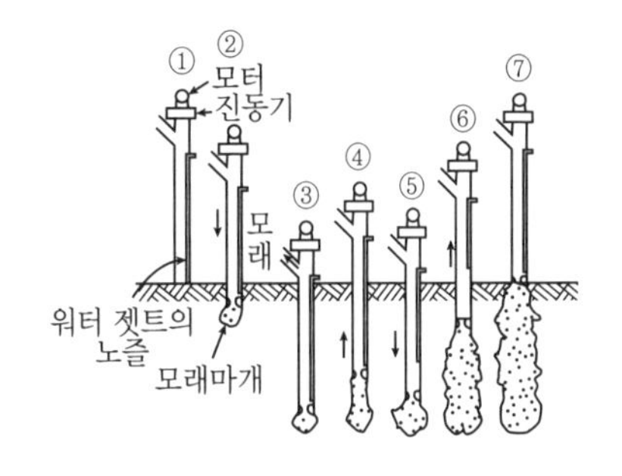

[그림 15-9] 바이브로 콤포저 공법의 시공순서

3. 바이브로 플로테이션 공법(vibro flotation 공법)

수평방향으로 진동하는 봉상(ϕ 약 20cm)의 바이브로 플로트(vibro flot)로 사수와 진동을 동시에 일으켜서 생긴 빈틈에 모래나 자갈을 채워서 느슨한 모래지반을 개량하는 공법이다.

(1) 느슨한 사질토의 20∼30m 깊이까지 시공이 가능하며, 각국에서 널리 사용되고 있다.

(2) 특징

① 수평방향의 진동이므로 지반을 균일하게 다질 수 있고, 강도의 분산이 적다.
② 깊은 곳의 다짐을 지표면에서 할 수 있다.
③ 지하수위의 영향을 받지 않는다.
④ 공기가 빠르고 공사비가 저렴하다.
⑤ 상부구조물이 진동하는 경우 특히 효과가 있다.
⑥ 느슨한 모래지반의 액상화방지에 효과적이다.

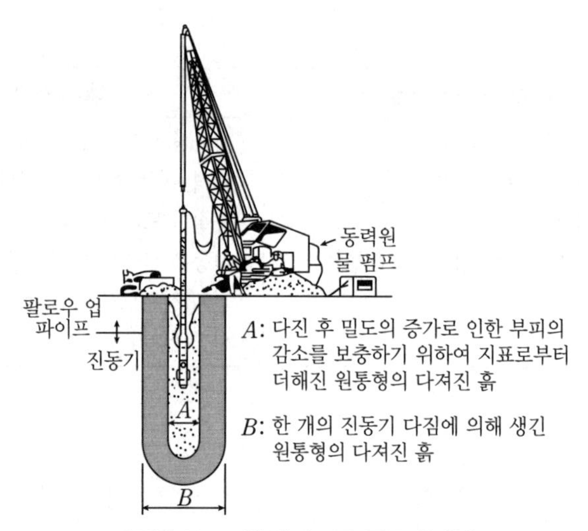

[그림 15-10] 바이브로 플로테이션

4. 폭파다짐공법

다이너마이트를 터뜨리던가 인공지진을 일으켜서 느슨한 사질지반을 다지는 공법으로 광범위한 연약 사질토층의 대규모 다짐에 유리하나 인접구조물 피해, 인명피해 등의 문제가 있고 표층 1m 정도는 다짐효과가 없어 vibro tamper로 다진다.

5. 전기충격공법

지반에 미리 물을 주입하여 지반을 거의 포화상태로 한 후에 water jet에 의한 방전전극을 지중에 삽입한 후 이 방전전극에 고압전류를 일으켜서 생긴 충격력에 의해 지반을 다지는 공법이다.

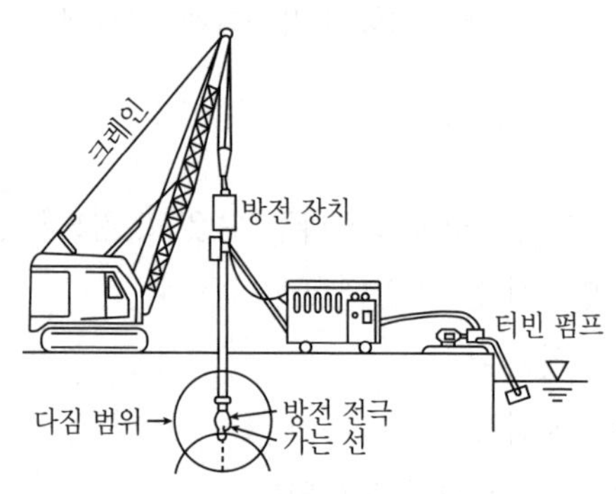

[그림 15-11] 전기충격 공법 장치의 배치

6. 약액주입공법

지반 내에 주입관을 삽입한 후 약액을 압송, 충전시켜 일정시간 경과 후 지반을 고결시키는 공법이다.

(1) 차수목적으로 널리 사용되지만 지반을 고결시킴으로서 강도를 증가시키거나 침하를 감소시킬 목적으로도 사용되고 있다.

(2) 주입약액의 종류와 특징

① 현탁액형

종류	특징
시멘트계	• 강도를 증가시킬 수 있는 경제적이고 가장 일반적인 주입재이다. • 굵은 모래지반의 강도의 증진에만 사용된다.
점토계(bentonite)	• 강도의 증진효과는 없고 다만, 지수목적으로만 쓰인다.
아스팔트계	

② 용액형

㉠ 현탁액형의 결점을 보완한 것으로 점성이 낮고 응결시간을 조절할 수 있으며 현탁액형보다 훨씬 더 작은 간극 속으로 주입할 수 있는 장점이 있지만 주입기술이 더 복잡하며 비싸다.

㉡ 약액으로 많이 사용되고 있는 것은 물유리계, 크롬리그닌계, 아크릴아미드계, 수지계 등이다.

7. 동압밀공법(동다짐공법)

개량하고자 하는 지반에 크레인 등을 이용하여 10~200t의 중추를 10~40m 높이에서 낙하시켜 지표면에 가해지는 충격에너지로서 지반의 심층부까지 다지는 공법이다.

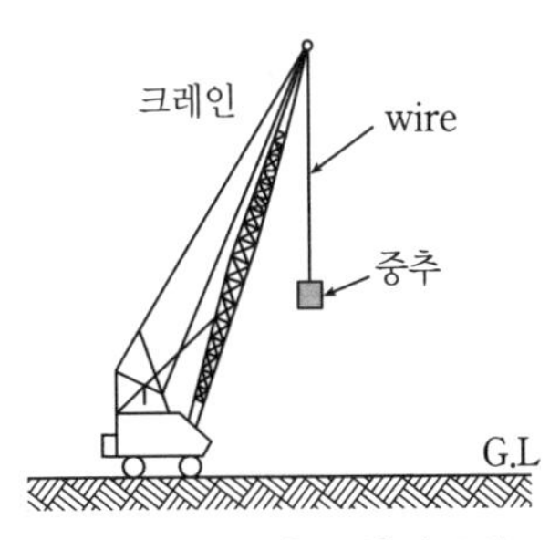

[그림 15-12] 동압밀공법

03 일시적 지반 개량공법

일시적인 개량에 사용되는 공법

1. 배수에 의한 수위저하를 이용한 공법 ┌ well point 공법
   ├ deep well 공법
   └ 대기압공법
2. 전기적 배수공법 – 전기침투공법
3. 동결강도를 이용하는 공법 – 동결공법

1. well point 공법

well point(ϕ2inch, 길이 1m)라는 흡수관을 지하공사 시공지역의 주위에 관입하여 지하수위를 저하시켜 dry work를 하기 위한 강제배수공법이다.

(1) 실트질 모래지반에 효과적이다(점토지반에는 곤란하다).

(2) 굴착시의 배수와 boiling 방지뿐만 아니라 점성토층의 압밀촉진에도 사용된다.

(3) well point 간격은 2m 내, 배수가능 심도는 6m이다.

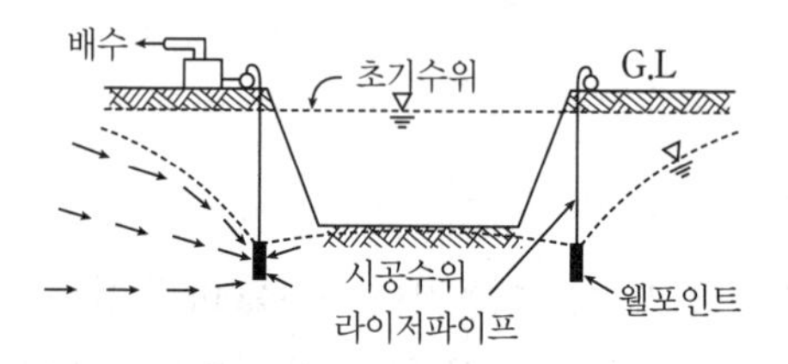

[그림 15-13] well point 배치

2. deep well 공법(깊은 우물 공법)

ϕ0.3~1.5m 정도의 깊은 우물을 판 후 strainer를 부착한 casing(우물관)을 삽입하여 지하수를 펌프로 양수함으로써 지하수위를 저하시키는 중력식 배수공법이다.

(1) 적용

① 용수량이 매우 많아 well point의 적용이 곤란한 경우
② 투수계수가 큰 사질토층의 지하수위 저하시

③ Heaving이나 boiling 현상이 발생할 우려가 있는 경우

(2) 특징

① 양수량이 많다.

② 고양정의 pump 사용시 깊은 대수층의 양수가 가능하다.

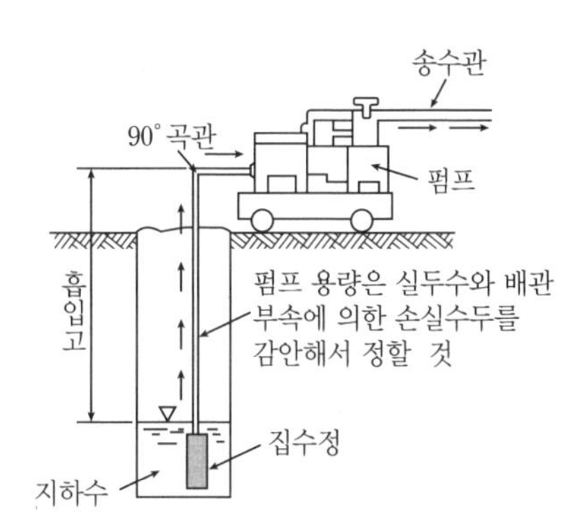

[그림 15-14] deep well 공법

3. 대기압공법(진공압밀공법)

비닐 등으로 지표면을 덮은 다음 진공 pump로서 내부의 압력을 내려 대기압하중으로 압밀을 촉진시키는 공법이다.

(1) 대기압을 이용하므로 재하중이 필요없다.

(2) 압밀완료 후 철거시간과 cost가 필요없다.

(3) 공기가 짧다.

(4) vertical drain 공법과 병용하면 깊은 심도까지 압밀효과가 확실하다.

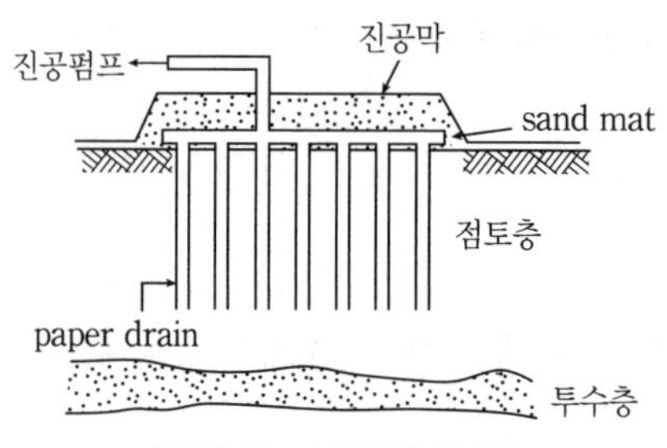

[그림 15-15] 진공공법

4. 동결공법

동결관(ϕ1.5~3inch)을 땅 속에 박고 이 속에 액체질소 등의 냉각제를 흘려 넣어서 주위의 흙을 일시적으로 동결시켜 지반의 강도와 차수성을 높여 가설공사에 일시적으로 이용하는 공법이다.

장점	단점
• 모든 토질에 적용이 가능하다. • 완전한 차수성이다. • 동결토의 강도가 대단히 크다(원지반토보다 수배에서 수십배).	• 동해현상의 피해가 수반된다. • 지하수가 흐르고 있을 때는 동결이 늦고 지하수의 유속이 빠를 때는 동결이 불가능하다. • 공사비가 비싸다.

04 기타 공법

1. 토목섬유(geosynthetics)

토목섬유는 흙을 보강하는 데 사용되는 투수성섬유를 부르는 일반적인 명칭으로서 geotextile의 filter 기능을 이용하여 piping 방지목적으로 사용하다가 최근에는 배수재, filter재, 분리재, 보강재 등으로 사용하고 있다.

(1) 토목섬유의 기능

① **배수기능** : 섬유가 조립토와 세립토 사이에 놓일 때 섬유는 물이 조립토에서 세립토로 자유롭게 흐를 수 있게 한다.

② **여과기능** : 섬유가 세립토에서 조립토로 세굴되는 것을 막아준다.

③ **분리기능** : 섬유가 여러 토층으로 분리된 상태로 유지시켜준다.

④ **보강기능** : 토목섬유의 인장강도가 토질의 지지력을 증가시킨다.

⑤ 차수기능

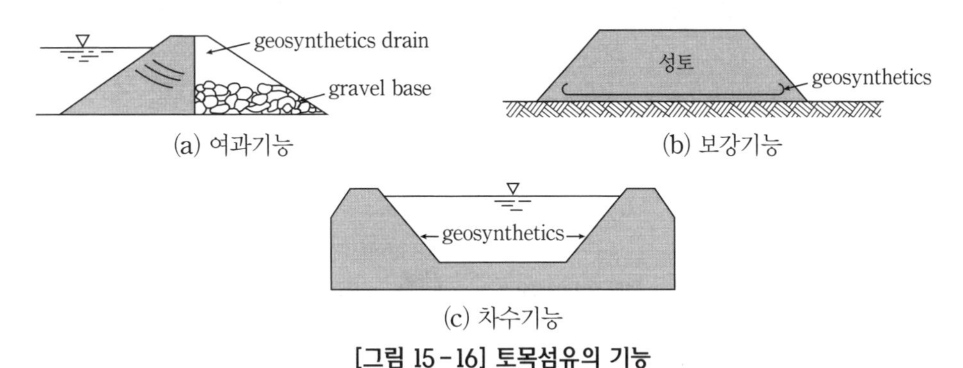

[그림 15-16] 토목섬유의 기능

(2) 토목섬유의 종류 및 특징

종류	특징
geotextile	토목섬유의 주를 이룬다.
geomembrane	차수기능, 분리기능
geogrid	보강기능, 분리기능
geocomposite	배수, 여과, 분리, 보강기능을 겸한다.

2. 여성토(더돋기, extra-banking) 공법

계획높이 이상으로 재하중을 증가시켜 예상 이상의 침하 또는 강도증가를 도모하는 공법이다.

(1) 특징

① 잔류침하량이 작아진다.

② Pre-loading 공법보다 압밀소요시간이 줄어들기 때문에 공기가 단축된다.

(2) 여성토의 시공

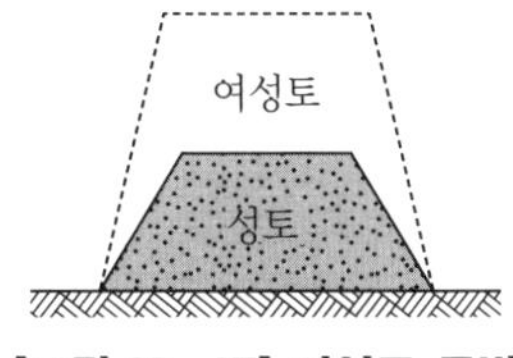

[그림 15-17] 여성토 공법

Chapter 15

연약지반 개량공법

기출 및 적중예상문제 Ⅰ [4지선다형]

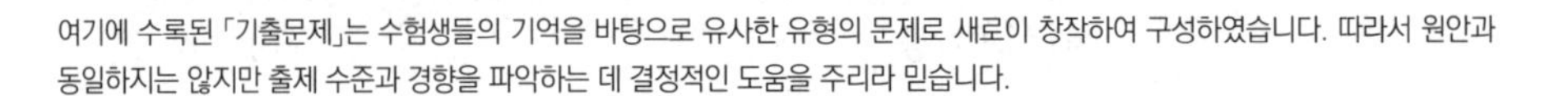
여기에 수록된 「기출문제」는 수험생들의 기억을 바탕으로 유사한 유형의 문제로 새로이 창작하여 구성하였습니다. 따라서 원안과 동일하지는 않지만 출제 수준과 경향을 파악하는 데 결정적인 도움을 주리라 믿습니다.

01 다음은 지반개량공법이다. 연약한 점토지반에 적당하지 않은 것은?

① 바이브로 플로테이션공법
② pre－loading 공법
③ 치환공법
④ 샌드드레인공법

해설

점성토지반 개량공법
1. 치환공법
2. pre-loading 공법(사전압밀공법)
3. sand drain, paper drain 공법
4. 전기침투공법
5. 침투압공법(MAIS 공법)
6. 생석회말뚝(chemico pile) 공법

02 탈수에 의한 연약지반 개량공법이 아닌 것은?

① 전기충격공법 ② 침투압공법
③ 생석회말뚝공법 ④ sand drain 공법

해설

전기충격공법은 사질토지반 개량공법이다.

03 다음의 지반개량공법 중 탈수(脫水)를 주로 하는 공법이 아닌 것은?

① 웰포인트 공법
② 샌드드레인 공법
③ 프리로딩(pre－loading) 공법
④ 바이브로 플로테이션 공법

04 다음 연약지반 개량공법 중 압밀침하에 의한 공법은?

① pre－loading 공법
② 치환공법
③ 다짐모래말뚝공법
④ 동결공법

해설

Pre－loading(사전압밀) 공법은 구조물 축조 전에 미리 재하하여 하중에 의한 압밀을 미리 끝나게 하는 공법이다

05 연약 점토지반의 개량공법으로서 다음 중 옳지 않은 것은?

① 샌드드레인 공법
② 페이퍼드레인 공법
③ 프리로딩(pre－loading) 공법
④ 바이브로 플로테이션(vibro flotation) 공법

해설

점토지반 개량공법
1. 치환공법
2. 강제압밀공법
   ① pre－loading 공법
   ② 여성토공법
3. vertical drain 공법
   ① sand drain 공법
   ② paper drain 공법
   ③ pack drain 공법
4. sand mat 공법

01 ① 02 ① 03 ④ 04 ① 05 ④ [정답]

06 다음 중에서 점성토지반의 개량공법이 아닌 것은?

① 콤포저(compozer) 공법
② 사전압밀(pre－loading) 공법
③ 페이퍼 드레인(paper drain) 공법
④ 전기화학적 고결공법

해설

compozer 공법은 사질토지만 개량공법이다.

07 연약 점토지반에 성토할 때 다음 공법 중 이용도가 가장 낮은 것은?

① 치환공법 ② pre－loading 공법
③ sand drain 공법 ④ soil－cement 공법

08 다음 열거한 공법 중 점토지반의 개량공법에 속하지 않는 것은 어느 것인가?

① 치환공법
② 폭파다짐공법
③ 샌드드레인(sand drain) 공법
④ 웰포인트(well point) 공법

해설

1. 폭파다짐공법은 사질토지반 개량공법이다.
2. Well point 공법은 일시적 지반개량공법인데 pre-loading 공법 등과 병행해서 사용할 수 있다.

09 다음의 지반 개량공법 중 주로 모래질지반을 개량하는데 사용되는 것은?

① 콤포저(compozer) 공법
② 페이퍼드레인(paper drain) 공법
③ 프리로딩(preloading) 공법
④ 생석회말뚝(chemico pile) 공법

해설

사질토지반 개량공법

1. 다짐말뚝공법
2. 다짐모래말뚝공법(compozer) 공법
3. 바이브로 플로테이션 공법
4. 약액주입법
5. 폭파다짐공법

10 다음 중 모래지반의 개량공법에 속하지 않는 것은?

① 다짐말뚝공법
② 진동 물다짐공법
③ 폭파다짐공법
④ 여성토공법

해설

여성토공법(extra－banking 공법)은 계획높이 이상으로 재하중을 증가시켜 예상 이상의 침하 또는 강도증가를 도모하는 공법이다.

11 다음 중 일시적인 지반개량공법에 속하는 것은?

① 동결공법
② 약액주입공법
③ 침투압공법
④ 다짐모래말뚝공법

해설

일시적 지반개량공법

1. well point 공법
2. deep well 공법
3. 대기압공법(진공공법)
4. 동결공법

06 ① 07 ④ 08 ② 09 ① 10 ④ 11 ① [정답]

12 다음의 연약지반 개량공법 중 지하수위를 저하시킬 목적으로 사용되는 공법은?

① 샌드드레인(sand drain) 공법
② 페이퍼드레인(paper drain) 공법
③ 치환공법
④ 웰포인트(well point) 공법

해설

지하수위 저하공법
1. well point 공법
2. deep well 공법

13 다음과 같은 연약지반 개량공법 중에서 영구적인 공법은 어느 것에 해당되는가?

① well point 공법 ② 대기압공법
③ 치환공법 ④ 동결공법

14 연약지반 개량공법 중 프리로딩(pre-loading) 공법은 다음 중 어떤 경우에 채용하는가?

① 압밀계수가 작고 점성토층의 두께가 큰 경우
② 압밀계수가 크고 점성토층의 두께가 얇은 경우
③ 구조물 공사기간에 여유가 없는 경우
④ 2차 압밀비가 큰 경우

해설

압밀계수가 작고 두께가 두꺼운 점성토층에서는 이 공법을 단독으로 적용할 수 없고 sand drain 공법이나 paper drain 공법을 병용한다.

15 지반개량을 위한 샌드파일 공법에서 샌드파일의 타설에 관계가 없는 것은?

① mandrel에 의한 방법
② water jet에 의한 방법
③ auger에 의한 방법
④ pre-loading에 의한 방법

해설

sand drain의 설치방법
1. mandrel법(타입식 케이싱법, 압축공기식 케이싱법)
2. water jet식 케이싱법
3. auger식 케이싱법

16 다음의 연약지반 개량공법의 설명 중 옳지 않은 것은?

① 페이퍼드레인 공법은 샌드드레인 공법과 이론적인 면은 동일하다.
② 화학적변화에 의한 흙의 강화공법으로 소결공법, 전기화학적 방법 등이 있다.
③ 프리로딩(pre-loading) 공법은 미리 소정의 침하를 끝나게 하는 공법으로 공기가 급할 때 사용한다.
④ 동결공법은 흙 속의 물을 동결시켜서 흙을 고화(固化)하는 공법이다.

해설

pre-loading(사전압밀) 공법 : 구조물 축조 전에 미리 재하하여 하중에 의한 압밀을 미리 끝나게 하는 공법이다.

장점	단점
• 공사비가 저렴하다. • 압밀효과가 균등하다.	• 공기가 길다. • 재하용 성토재료의 확보

17 Sand drain에 대한 paper drain 공법의 설명 중 옳지 않은 것은?

① 횡방향력에 대한 저항력이 크다.
② 시공지표면에 sand mat가 필요없다.
③ 시공속도가 빠르고 타설시 주변을 교란시키지 않는다.
④ 배수단면이 깊이에 따라 일정하다.

해설

sand drain 공법에서 sand mat는 점토층 중의 간극수를 배수시키는 역할 및 시공기계의 주행성(trafficability) 확보의 역할을 하므로 sand mat를 부설해야 한다.

12 ④ 13 ③ 14 ② 15 ④ 16 ③ 17 ② [정답]

18 sand drain 공법 및 paper drain 공법에 관한 다음 설명 중 옳지 않은 것은?

① 두 개의 공법은 원리면에서는 서로 같다.
② sand drain의 간격이 길이의 1/2 이하일 때는 수평방향의 압밀은 무시하여도 된다.
③ 점토층의 두께가 두꺼울 때는 pre-loading 공법보다 효과가 크다.
④ 장기간에 걸친 배수공법에는 paper drain보다 sand drain 공법이 우수하다.

해설

sand drain 공법

1. 배수는 주로 수평방향으로 이루어진다.
2. sand drain의 간격이 길이의 $\frac{1}{2}$ 이하일 때는 연직방향 투수(압밀)는 무시한다.

19 다음 연약지반 개량공법에 관한 사항 중 옳지 않은 것은?

① 샌드드레인 공법은 2차 압밀비가 높은 점토와 이탄 같은 흙에 큰 효과가 있다.
② 장기간에 걸친 배수공법은 샌드드레인이 페이퍼 드레인보다 유리하다.
③ 동압밀공법 적용시 과잉간극수압의 소산에 의한 강도증가가 발생한다.
④ 화학적변화에 의한 흙의 강화공법으로 소결공법, 전기화학적 공법 등이 있다.

해설

sand drain공법과 paper drain공법은 두꺼운 점성토지반에 적합하다.

20 Sand drain 공법과 paper drain 공법을 비교할 때 paper drain 공법의 특징이 아닌 것은?

① 주변지반을 흐트러뜨리지 않는다.
② drain 단면이 길이방향에 걸쳐 일정하다.
③ 시공속도가 더 빠르다.
④ 공사비가 더 많이 든다.

해설

sand drain 공법에 비해 paper drain 공법의 장점

1. 시공속도가 빠르다(약 2배 정도).
2. 배수효과가 양호하다.
3. 타입시 교란이 없다.
4. drain 단면이 깊이에 대하여 일정하다.
5. 공사비가 싸다.

21 점토지반에서 연직방향의 압밀계수 C_v는 수평방향의 압밀계수 C_h보다도 작지만 sand drain 공법에서는 설계시 보통 $C_v \fallingdotseq C_h$로 본다. 그 이유는?

① sand mat를 깔았기 때문에
② sand말뚝 타입시 주변의 지반이 교란되기 때문에
③ 얇은 모래층이 지반에 개재하고 있기 때문에
④ 압밀계산 결과에 전혀 차가 없기 때문에

해설

1. sand pile 타입시 지반이 교란되기 때문에 $C_h \fallingdotseq C_v$로 본다.
2. paper pile 타입시 교란이 거의 없어서 $C_h \fallingdotseq (2\sim4)C_v$로 본다.

18 ② 19 ① 20 ④ 21 ② [정답]

제15장

22 다음 샌드드레인(sand drain) 공법에 대한 설명 중 옳지 않은 것은?

① 샌드드레인 공법은 연약지반의 압밀촉진공법의 하나이다.
② 샌드드레인 공법은 압밀에 의한 배수가 수평방향으로 일어나므로 압밀계수는 수평방향 압밀계수 C_h를 쓰는 것이 원칙이다.
③ 샌드드레인 공법을 사용할 때에는 먼저 목표하는 압밀도와 압밀 소요일수를 정해 놓고 설계한다.
④ 샌드드레인 공법은 모래기둥을 점토층에서 시공하는 것이므로 압밀하중은 필요없다.

해설

sand drain 공법에서 sand mat는 점토층 중의 간극수를 배수시키는 역할 및 시공기계의 주행성(trafficability) 확보의 역할을 하므로 sand mat를 부설해야 한다.

23 Sand drain 공법의 주된 목적은?

① 압밀침하를 촉진시키는 것이다.
② 투수계수를 감소시키는 것이다.
③ 간극수압을 증가시키는 것이다.
④ 기초의 지지력을 증가시키는 것이다.

해설

sand drain 공법은 연약 점토층이 깊은 경우 연약 점토층에 모래말뚝을 박아 배수거리를 짧게 하여 압밀을 촉진시키는 공법이다.

24 다음 sand drain에 관한 설명이다. 틀린 것은?

① 모래층은 압밀을 일으키지 않으므로 sand pile을 설치하지 않는다.
② sand pile의 간격은 점토층의 경우 투수성이 나쁘므로 보통 2~4m가 사용된다.
③ sand pile의 설치목적은 압밀을 촉진시켜 빠른 시일 내에 종료시키는데 있다.
④ sand pile의 설치목적은 그의 지지력에 의해 압밀침하량을 줄이는데 있다.

해설

sand drain 공법

1. 정의 : 연약 점토층이 두꺼운 경우 연약 점토층에 주상의 모래말뚝을 다수 박아서 점토층의 배수거리를 짧게 하여 압밀을 촉진함으로써 단시간 내에 연약지반을 처리하는 공법이다.
2. sand drain의 크기
   ① 지름 : 0.3~0.5m
   ② 간격 : 2~4m
   ② 길이 : 1.5m 이하에서 효과적이다.

25 연약지반 개량공법에 관한 사항 중 옳지 않은 것은?

① pre-loading 공법(사전압밀공법)은 공사비가 싸지만 공기가 길다는 것이 단점이다.
② sand drain 공법은 2차 압밀비가 높은, 즉 소성이 높은 점토와 이탄(peat)과 같은 흙에는 효과가 크다.
③ sand drain 공법에 비해서 paper drain 공법이 시공속도는 빠르나 원리는 비슷하다.
④ 다짐모래말뚝공법은 느슨한 사질토지반의 다짐에 효과가 현저하며 경제적이다.

해설

다짐모래말뚝공법(sand compaction pile 공법=compozer 공법)

1. 느슨한 모래지반에 효과가 좋다.
2. 특히 hammering compozer 공법은 시공관리가 힘들다.

22 ④ 23 ① 24 ④ 25 ② [정답]

26 샌드드레인 공법 및 페이퍼드레인 공법에 관한 다음 설명 중 옳지 않은 것은?

① 두 개의 공법은 원리면에서는 같다.
② 장기간에 걸친 배수공법에는 샌드드레인 쪽이 우수하다.
③ 점토층의 두께가 두꺼울 때에는 프리로딩 공법보다 효과가 크다.
④ 배수는 주로 수직방향으로 이루어지며 수평방향은 약간의 배수가 일어난다.

해설

1. 두 공법은 원리면에서 같다.
2. paper drain은 장기간 사용시 열화현상이 생겨 배수효과가 감소하므로 장기배수시에는 sand drain이 우수하다.
3. 배수는 주로 수평방향으로 이루어지며 수직방향은 약간의 배수가 일어난다(sand pile의 간격이 길이의 $\frac{1}{2}$ 이하인 경우 연직방향 배수는 무시한다.)

27 페이퍼드레인 공법의 설명 중 틀린 것은?

① 압밀촉진공법으로 시공속도가 빠르다.
② 장기간 사용시 열화현상이 생겨 배수효과가 감소한다.
③ sand drain 공법에 비해 초기 배수효과는 떨어진다.
④ 단면이 깊이에 대해 일정하다.

해설

paper drain 공법의 특징

1. 시공속도가 빠르다.
2. sand drain 공법에 비해 초기 배수효과는 좋으나 장기간 사용시 열화현상이 생겨 배수효과가 감소한다.
3. drain 단면이 깊이에 대하여 일정하다.

28 샌드드레인 공법에서 샌드드레인의 간격이 샌드파일의 길이의 얼마 이하인 경우 연직방향의 배수를 무시하는가?

① $\frac{1}{2}$배 ② $\frac{1}{3}$배
③ 2배 ④ 3배

해설

Sand drain의 간격이 길이의 $\frac{1}{2}$ 이하인 경우에는 연직방향 배수(투수)는 무시한다.

29 위크드레인(wick drain) 공법에 대한 설명 중 옳지 않은 것은?

① 샌드드레인 공법보다 시공속도가 빠르다.
② 샌드드레인과 같은 간격으로 설치할 수 있다.
③ 위크드레인은 굴착할 필요가 없다.
④ 포화점토지반의 수평배수를 일으키기 위한 샌드드레인의 대체공법이다.

해설

심지배수(wick drain)

1. 포화된 점토층에서 연직방향의 배수를 촉진시키기 위해 sand drain 공법의 대안으로 최근에 개발된 공법이다.
2. 심지배수는 긴 튜브 속에 페이퍼나 플라스틱 띠를 넣은 것이다.
3. 굴착이 필요없기 때문에 sand drain 공법보다 좋고, 빠르며, 비용도 저렴하다.
4. sand drain의 설치간격은 어느 한계 이상으로 작게 할 수 없으나 paper drain의 간격은 얼마든지 작게 시공할 수 있으므로 배수거리를 더 작게함으로써 압밀효과를 촉진시킬 수 있다.

30 Sand drain 공법에서 배수거리에 대한 영향원의 이론을 제기한 사람은?

① Terzaghi ② Barron
③ Casagrande ④ Mahr

26 ④ 27 ③ 28 ① 29 ② 30 ② [정답]

31 Sand drain 공법의 지배영역에 관한 Barron의 4각형 배치에서 사주(sand pile)의 간격을 d, 영향원의 지름을 d_e라 할 때 d_e는 다음 중 어느 것인가?

① $d_e=1.13d$ ② $d_e=1.05d$
③ $d_e=1.03d$ ④ $d_e=1.50d$

해설

Barron에 의한 sand pile의 배열과 영향원 지름
1. 정삼각형 배열 : $d_e=1.05d$
2. 정사각형 배열 : $d_e=1.13d$

32 Sand drain의 지배영역에 관한 Barron의 삼각배치에 샌드파일의 간격을 d, 유효원의 지름을 d_e라 할 때 d_e는 다음 중 어느 것인가?

① $d_e=1.128d$ ② $d_e=1.028d$
③ $d_e=1.050d$ ④ $d_e=1.50d$

33 샌드드레인 공법에서 샌드파일의 정삼각형 배열의 경우 영향원 지름(d_e)은?

① $1.019d$ ② $1.04d$
③ $1.05d$ ④ $1.13d$

34 Sand drain 공법에서 sand pile을 정삼각형으로 배치할 때 모래기둥의 간격은? (단, pile의 유효지름은 40cm이다)

① 38cm ② 40cm
③ 42cm ④ 44cm

해설

$d_e=1.05d$
$40=1.05d \quad \therefore d=38.1\text{cm}$

35 연약지반 처리공법 중 sand drain 공법에서 연직과 방사선 방향을 고려한 평균압밀도 U는? (단, $U_v=0.2$, $U_h=0.7$이다)

① 0.57 ② 0.69
③ 0.71 ④ 0.76

해설

$U_{vh}=1-(1-U_v)(1-U_h)$
$=1-(1-0.2)(1-0.7)=0.76$

36 Paper drain(폭 10cm, 두께 3mm) 설계시 sand drain의 직경과 동등한 값으로 볼 수 있는 것은?

① 2.5cm ② 5.0cm
③ 7.5cm ④ 10.0cm

해설

$D=\alpha\dfrac{2A+2B}{\pi}=0.75\times\dfrac{2\times10+2\times0.3}{\pi}=4.92\text{cm}$

37 Compozer 공법에 대한 다음 설명 중 적당하지 않은 것은?

① 느슨한 모래지반을 개량하는데 좋은 공법이다.
② 충격, 진동에 의해 지반을 개량하는 공법이다.
③ 효과는 의문이나, 연약한 점토지반에도 사용할 수 있는 공법이다.
④ 시공관리가 매우 간편한 공법이다.

해설

Compozer 공법 : 충격, 진동 타입에 의하여 모래를 지반 내에 압입하여 잘 다져진 모래말뚝을 만드는 공법이다.
1. 느슨한 사질토지반의 다짐에 가장 널리 사용되고 있다.
2. 해머링 콤포저 공법은 시공관리가 힘들다.

31 ① 32 ③ 33 ③ 34 ① 35 ④ 36 ② 37 ④ [정답]

38 Well point 공법에서 배수량 산정시에 제일 많이 이용되는 식은?

① Thiem 식 ② Barron 식
③ Laplace 식 ④ Stokes 식

해설

Well-point 공법에서 배수량 산정시 계산식은 여러 가지 있지만 보통 가장 많이 사용되는 것은 다음과 같은 Thiem 식이다.

1. 깊은 우물 : $Q=\dfrac{\pi K(h_2^2-h_1^2)}{2.3\log\dfrac{R}{\gamma_0}}$

2. 굴착정 : $Q=\dfrac{2\pi cK(h_2-h_1)}{2.3\log\dfrac{R}{\gamma_0}}$

39 토목섬유재 중 지오텍스타일의 수행기능이 아닌 것은?

① 배수(drainage)
② 보강(reinforcement)
③ 여과(filteration)
④ 차수(seepage barrier)

해설

토목섬유

1. geotextile(지오텍스타일)의 기능
   ① 배수기 ② 여과기능 ③ 분리기능 ④ 보강기능
2. 차수기능은 geomembrane, geocomposit의 기능이다.

40 동결공법에 대한 다음 설명 중 옳지 않은 것은?

① 동결된 토사의 차수성이 우수하다.
② 지하수의 흐름이 빠르면 동결은 되지 않는다.
③ 지질에 따라서 동결팽창하는 수가 있다.
④ 함수비가 작을수록 높은 강도를 나타낼 수 있다.

해설

동결공법은 동결관(ϕ1.5~3인치)을 땅 속에 박고 액체질소 등의 냉각제를 흘려 넣어서 주위의 흙을 동결시켜 동결토의 큰 강도와 불투수를 일시적인 가설공사에 이용하는 공법이다.

41 다음 중 지오텍스타일(geotextile)의 설명 중 맞는 것은?

① 흙 속에 직물 따위를 넣어 수분을 흡수함으로써 유효응력을 줄이는 방법이다.
② 흙 속에 폴리에스테르, 나일론, 폴리에틸렌 등을 사용하여 연약지반을 개량하는 시공방법의 하나이다.
③ 흙 속에 직물 따위를 넣어 압밀에 침하량을 크게 하기 위하여 사용하는 시공법이다.
④ 흙 속에 직물 따위를 넣어 흙과 직물 사이의 접합면이 흙의 내부마찰각을 줄이게 함으로써 흙의 강도를 높이는데 사용하는 시공법이다.

해설

1. 지오텍스타일은 토목섬유를 말하며, 토목섬유에는 석유화학제품인 폴리에스테르, 나일론, 폴리에틸렌 등이 있다.
2. 이 공법은 흙 속에 토목섬유를 깔아 연약지반의 인장강도를 크게 하여 지지력을 증대시켜 연약지반을 개량하는 공법이다.

38 ① 39 ④ 40 ④ 41 ② [정답]

제15장

Chapter 15

연약지반 개량공법

기출 및 적중예상문제 Ⅱ [5지선다형]

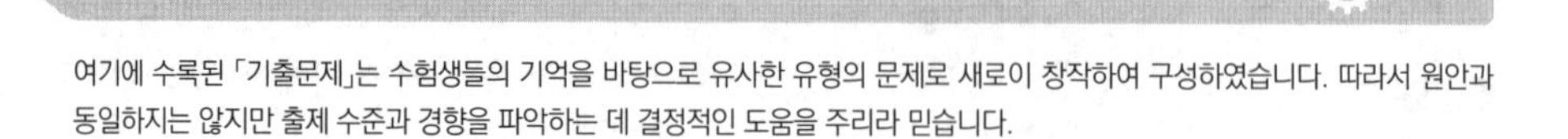
여기에 수록된 「기출문제」는 수험생들의 기억을 바탕으로 유사한 유형의 문제로 새로이 창작하여 구성하였습니다. 따라서 원안과 동일하지는 않지만 출제 수준과 경향을 파악하는 데 결정적인 도움을 주리라 믿습니다.

01 **연약지반에 있어서 탈수공법이 아닌 것은 어느 것인가?**

① Pre－loading 공법
② Sand drain 공법
③ Well－point 공법
④ 전기침투공법
⑤ 생석회말뚝공법

해설

지하수위저하공법
1. well－point 공법
2. deep well 공법
3. 대기압공법

02 **연약지반(점성토)의 개량공법으로서 다음 중 옳지 않은 것은?**

① 샌드드레인공법
② 페이퍼드레인공법
③ 프리로딩(pre－loading)공법
④ 생석회말뚝공법
⑤ 바이브로 플로테이션(vibro－floatation)공법

해설

점성토지반 개량공법
1. 치환공법
2. pre－loading공법(사전압밀공법)
3. sand drain, paper drain공법
4. 전기침투공법
5. 침투압공법(MAIS공법)
6. 생석회말뚝(chemico pile)공법

03 **다음의 연약지반 개량공법에 대한 설명 중 옳지 않은 것은?**

① 페이퍼드레인공법은 샌드드레인공법과 이론적인 면은 동일하다.
② 압밀침하에 의한 공법이 pre－loading공법이다.
③ 화학적 변화에 의한 흙의 강화공법으로 소결공법, 전기화학적 방법 등이 있다.
④ 프리로딩(pre－loading)공법은 미리 소정의 침하를 끝나게 하는 공법으로 공기가 급할 때 사용한다.
⑤ 동결공법은 흙 속의 물을 동결시켜서 흙을 고화(固化)하는 공법이다.

해설

1. 전기화학적 고결공법 : 금속의 전기분해를 촉진시켜 흙의 간극에 금속염을 침적시켜 지반을 경화시키는 공법
2. 소결공법 : 점토지반을 연직 또는 수평으로 보링한 후 그 속에 액체 또는 기체연료를 태워 주위 지반을 가열하여 지반 내의 물을 증발시켜 함수비를 낮추어 지반의 강도를 증가시키는 공법
3. pre－loading공법 : 구조물 축조 전에 미리 재하하여 하중에 의한 압밀을 미리 끝나게 하는 공법으로 공기가 길다.

01 ③ 02 ⑤ 03 ④ [정답]

04 Sand drain공법의 지배영역에 관한 Barron의 정사각형 배치에서 sand pile의 간격을 d, 유효원의 지름을 d_e라 할 때 d_e는 다음 중 어느 것인가?

① $d_e=1.13d$ ② $d_e=1.05d$
③ $d_e=1.15d$ ④ $d_e=1.03d$
⑤ $d_e=1.50d$

해설

Barron 배열
1. 정3각형 배열 : $d_e=1.05d$
2. 정4각형 배열 : $d_e=1.13d$

05 Sand drain공법에서 연직방향의 평균압밀도는 18%, 방사상방향 평균압밀도는 90%일 때 전체 평균압밀도는? 2005. 서울시 7급

① 16% ② 76%
③ 84% ④ 92%
⑤ 96%

해설

$U=1-(1-U_v)(1-U_h)$
$=1-(1-0.18)\times(1-0.9)$
$=0.918$
$=91.8\%$

06 다음의 연약지반 처리공법 중 사질토에 가장 적합한 것은?

① Vibro-Compozer공법
② Pre-loading공법
③ Sand Drain공법
④ Well-Point공법
⑤ Paper Drain공법

해설

사질토지반 개량공법
1. 다짐말뚝공법
2. 다짐모래말뚝공법(compozer공법)
3. 바이브로 플로테이션공법
4. 약액주입법
5. 폭파다짐공법

07 약액주입공법에 있어서 주입재료에 의하여 그 공법을 대별할 때 다음 중에서 해당되지 않는 것은?

① 시멘트계 ② 아스팔트계
③ 요소계 ④ 물유리계
⑤ A.E제

해설

주입약액의 종류
1. 현탁액형 : 시멘트계, 점토계, 아스팔트계
2. 용액형 : 물유리계, 크롬리그닌계, 아크릴아미드계, 요소계, 우레탄계

04 ① 05 ④ 06 ① 07 ⑤ [정답]

제15장

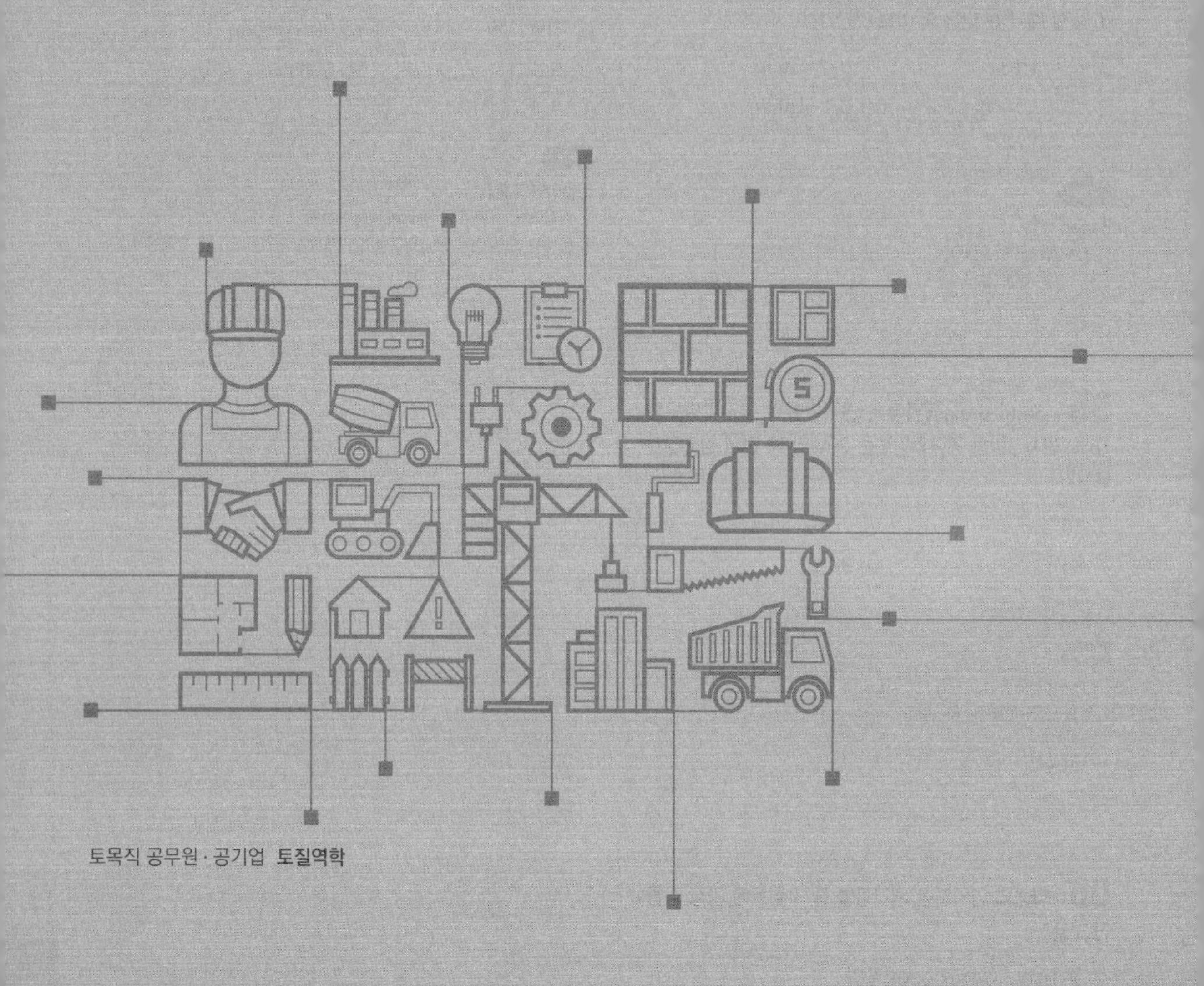

토목직 공무원 · 공기업 **토질역학**

최근 기출문제

2007. 8. 9. 국가직 7급 ●
2008. 7. 26. 국가직 7급 ●
2009. 7. 25. 국가직 7급 ●
2009. 9. 26. 지방직 7급 ●
2010. 7. 24. 국가직 7급 ●
2010. 10. 9. 지방직 7급 ●
2011. 7. 23. 국가직 7급 ●
2011. 10. 8. 지방직 7급 ●
2012. 국가직 7급 ●
2013. 국가직 7급 ●
2014. 국가직 7급 ●
2015. 국가직 7급 ●
2016. 국가직 7급 ●
2016. 서울시 7급 ●
2017. 국가직 7급 ●
2017. 서울시 7급 ●
2018. 3. 서울시 7급 ●
2018. 6. 23. 서울시 7급 ●
2018. 8. 18. 국가직 7급 ●
2019. 8. 17. 국가직 7급 ●
2019. 10. 12. 서울시 7급 ●
2020. 9. 26. 국가직 7급 ●
2020. 10. 17. 서울시 7급 ●
2021. 9. 11. 국가직 7급 ●
2021. 10. 16. 서울시 7급 ●
2022. 10. 15. 국가직 7급 ●
2022. 10. 29. 서울시 7급 ●

2007. 8. 9. 국가직 7급

토목직 공무원

최근 기출문제

수험번호	성명
20070809	도서출판세화

01 **수직 굴착면의 안정과 관련하여 지지없이 굴착 가능한 한계 굴착 깊이에 대한 설명으로 옳지 않은 것은?**

① 흙의 점착력이 증가할수록 한계 굴착 깊이는 증가한다.

② 인장균열을 고려하는 경우 한계 굴착 깊이는 증가한다.

③ 흙의 전단저항각이 증가할수록 한계 굴착 깊이는 증가한다.

④ 단위중량이 큰 흙일수록 한계 굴착 깊이는 감소한다.

02 **Terzaghi 지지력 공식 중 내부마찰각이 0°인 경우의 N_c, N_q, N_γ 값은?**

	N_c	N_q	N_γ
①	9.0	0.0	0.0
②	5.7	1.0	0.0
③	6.3	0.0	1.0
④	5.7	0.0	1.0

03 **삼축압축시험시 배압(back pressure)을 가하게 된다. 배압에 관한 설명으로 옳지 않은 것은?**

① 지하수위 아래 흙의 시료채취시 기포가 형성되면서 포화도가 100%보다 작아지게 되는데 생성된 기포를 원상태로 용해시키기 위해서 사용된다.

② 배압은 시료의 포화도에 따라 정해지며 포화도가 낮으면 큰 배압이 필요하다.

③ 배압의 크기는 구속압력보다 35~70kPa 정도 크게 가해주는 것이 좋다.

④ 배압은 여러 단계로 나누어 천천히 충분한 시간을 두고 가해주어야 한다.

04 **단위중량 20kN/m^{3}의 지반 내에 5m를 굴착하여 5m×5m의 기초에 2500kN의 하중을 재하하려고 한다. 기초에 의하여 지반에 전달되는 순압력(net pressure, kN/m^2)은? (단, 지하수위는 무시한다)**

① 0 ② 25

③ 100 ④ 2500

05 **연약점토지반에 말뚝재하시험을 하는 경우, 말뚝타입 후 며칠이 지난 후 시험을 행하는데, 이는 점토의 어느 성질 때문인가?**

① 모세관 현상

② 팽창작용

③ 틱소트로피(Thixotropy)

④ 슬레이킹(Slaking)

01 ② 02 ② 03 ③ 04 ① 05 ③ [정답]

06 UU(Unconsolidated Undrained) 삼축압축시험 방법을 사용하여 포화된 점토시료를 전단파괴시켰다. 구속압은 300kPa이고 파괴시 축차응력은 340kPa이었다. 이 때 비배수 전단강도(S_u[kPa])를 구하고, 하나 더 준비된 동일 시료를 사용하여 구속압을 400kPa로 증가시켜 파괴시켰을 때 축차응력($\Delta\sigma_d$[kPa])은?

	전단강도(S_u〔kPa〕)	축차응력($\Delta\sigma_d$〔kPa〕)
①	150	340
②	170	570
③	170	340
④	150	570

07 정규압밀상태의 연약점토층 위에 성토되는 경우에 있어 사면안정 측면에서의 안전율에 관한 설명으로 옳지 않은 것은?

① 안전율은 시공 직후에 가장 작다.
② 연약점토층의 전단강도는 시간이 경과함에 따라 감소한다.
③ 가장 위험한 단계에서의 안전율을 산정하기 위한 연약점토층의 강도정수는 비압밀 비배수 삼축압축시험으로부터 구한다.
④ 성토속도를 느리게 할 경우 성토높이를 증가시킬 수 있다.

08 지표에서 10m×10m의 기초에 5t/m²의 등분포하중이 작용하고 있을 때, 이 하중으로 인한 하부 5m 깊이의 수평면에 증가하는 연직응력(t/m²)은? (단, 2 : 1 분포법을 이용한다)

① 약 1.11　　② 약 2.22
③ 약 3.33　　④ 약 4.44

09 다음 그림과 같은 2m×4m 면적에 10t/m²의 등분포하중이 작용하고 있다. A점 4m 아래의 연직응력 증가량 (t/m²)은?

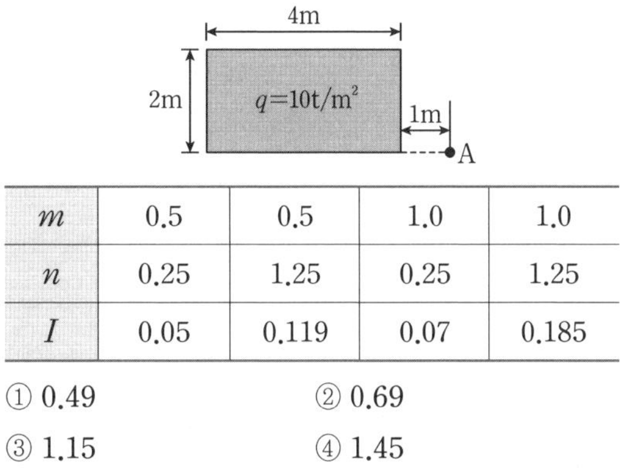

m	0.5	0.5	1.0	1.0
n	0.25	1.25	0.25	1.25
I	0.05	0.119	0.07	0.185

① 0.49　　② 0.69
③ 1.15　　④ 1.45

10 국내 남해안에 있는 한 점토층에서 지반조사를 수행하여 베인시험과 UU시험을 통하여 비배수 전단강도(S_u)를 구하였다. 그리고 압밀시험에서 구한 선행압밀하중(p_c')이 그림과 같이 나타났다. 이에 대한 설명으로 옳지 않은 것은?

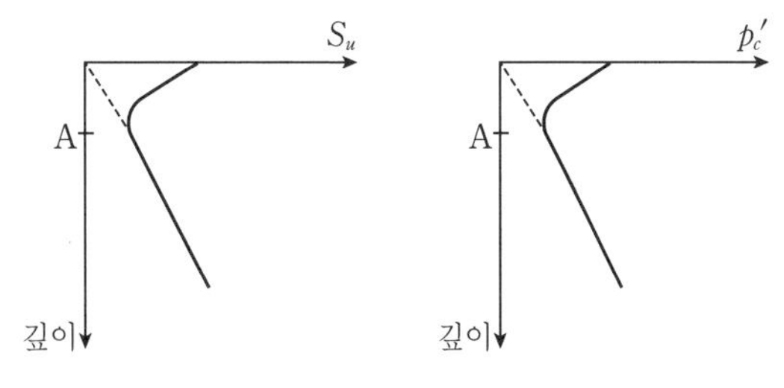

① 깊이 A점 하부는 정규압밀점토로 여겨지며 침식에 따른 응력이력의 영향이 크지 않은 것으로 보인다.
② 지표부근의 지층은 퇴적과 침식의 응력이력과 환경인자의 영향을 받았으며 과압밀상태에 있다.
③ 정지토압계수는 깊이 A점 하부에서는 일정한 값을 가지며, A점으로부터 지표에 도달할수록 증가할 것으로 보인다.
④ 수평응력은 지표면에서부터 깊이 A점까지는 깊이가 깊어질수록 증가하는 경향을 나타낸다.

06 ③　07 ②　08 ②　09 ②　10 ④ **[정답]**

부록

11 들밀도시험 중 모래치환법에서 모래는 무엇을 구하려고 이용하는가?

① 시험구멍에서 파낸 흙의 중량
② 흙의 함수비
③ 시험구멍의 체적
④ 지반의 침하량

12 연약점성토 층의 압밀특성을 파악하기 위해 시료를 채취하여 압밀시험을 실시하였다. 두께 2cm의 양면배수 시료가 50% 압밀되는데 1시간이 걸렸다면 일면배수조건의 두께 2m인 연약점성토층이 50% 압밀되는데 걸리는 시간은?

① 2×10^4시간　② 4×10^4시간
③ 2×10^5시간　④ 4×10^5시간

13 포화단위중량이 $2.2g/cm^3$인 사질토 지반에서 분사현상(quick sand)에 대한 한계동수경사는?

① 0.8　② 1.2
③ 1.8　④ 2.2

14 간극률(n)이 0.5, 토립자의 비중이 2.60, 함수비가 20%인 흙을 완전 포화시키고자 한다. $10m^3$의 완전포화토를 얻기 위해서는 얼마의 물이 더 필요한가?

① 2400kg　② 2600kg
③ 3200kg　④ 5000kg

15 다음 그림과 같이 2m 두께의 점토층이 모래층 사이에 끼어 있고, 하부 모래층은 피압대수층으로 점토층과의 경계면에서 수두는 6.0m로 측정되었다. 점토층과 상부 모래층을 통해서 1일 동안 지표면으로 흐르는 단위면적당 침투수량($cm^3/day/cm^2$)은?

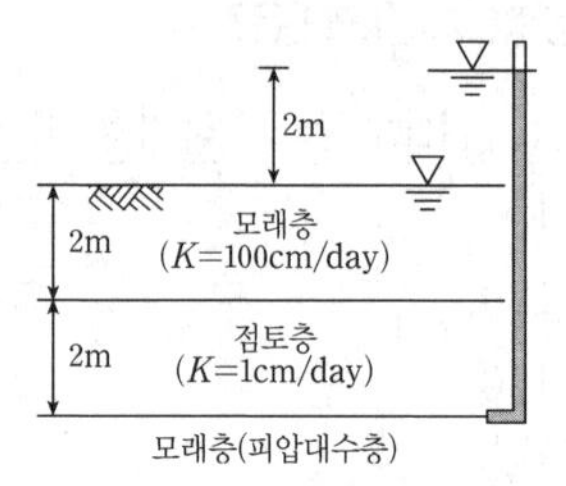

① 약 0.99　② 약 1.98
③ 약 2.97　④ 약 3.96

16 실내 압밀시험(oedometer test)에서 압밀링에 담겨진 시료의 단면적이 $30cm^2$이고 높이가 3cm, 그리고 시료의 비중은 2.50이며 건조중량은 150g이었다. 이 시료에 $2kg/cm^2$의 압밀압력을 가했을 때, 0.3cm의 최종 압밀침하가 발생하였다면 압밀이 완료된 후에 시료의 간극비는?

① 0.25　② 0.3
③ 0.35　④ 0.4

17 포화된 점토시료를 $30.0t/m^2$의 구속응력(σ_3)으로 압밀시킨 후 비배수 조건에서 축차응력($\sigma_1-\sigma_3$)을 $20.0t/m^2$ 증가시켰을 때 발생되는 과잉간극수압($u[t/m^2]$)은? (단, Skempton의 간극수압계수 $A=0.7$, $B=1.0$이다)

① 35.0　② 25.0
③ 21.0　④ 14.0

11 ③ 12 ② 13 ② 14 ① 15 ① 16 ③ 17 ④ [정답]

18 다음 그림과 같이 강우로 인하여 지하수위가 상승한다면, 지하수가 없을 때보다 옹벽에 작용하는 주동토압은 몇 배가 되는가?

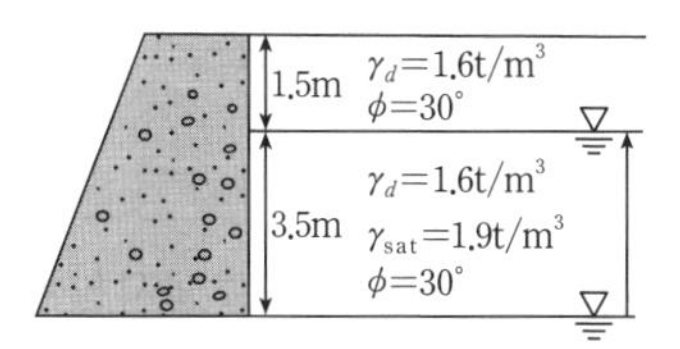

① 약 1.2배 ② 약 1.7배
③ 약 2배 ④ 약 3배

19 단위중량 = 16kN/m^3, 점착력 = 10kN/m^2, 주동토압계수 = 0.25인 지반에 길이 8m의 강성벽체를 설치한 후 그림과 같이 5m 깊이로 굴착하였다. A점에서의 순토압(net earth pressure, kN/m^2)과 작용방향은?

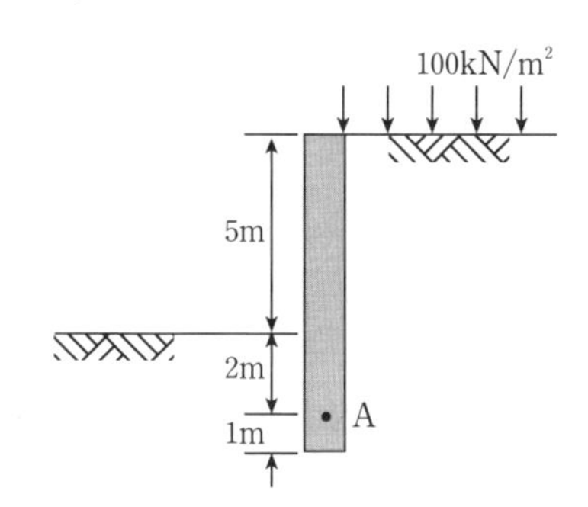

	순토압(kN/m^2)	작용방향
①	211	(←)
②	125	(←)
③	211	(→)
④	125	(→)

20 모래시료에 대하여 압밀배수 삼축압축시험을 실시하였다. 시험결과 파괴시 구속압력 σ_3 = 20t/m^2, 축차응력 $\Delta\sigma_d$ = 40t/m^{2}일 때, 모래시료의 내부마찰각은?

① 20° ② 25°
③ 30° ④ 35°

18 ② 19 ④ 20 ③ [정답]

2008. 7. 26. 국가직 7급

토목직 공무원

최근 기출문제

수험번호	성명
20080726	도서출판세화

01 흙의 연경도(consistency)에 대한 설명으로 옳지 않은 것은?

① 소성지수는 액성한계와 소성한계의 차이로 정의된다.

② 주어진 점토의 액성한계와 소성한계는 교란도에 상관없이 일정하다.

③ 애터버그 한계(Atterberg limit)는 사질토에 대한 흙의 분류기준으로 흔히 이용된다.

④ 소성지수가 큰 흙은 일반적으로 점토분을 많이 함유하고 있다.

02 흙의 다짐에 대한 설명으로 옳지 않은 것은?

① 일반적으로 입도분포가 양호한 흙의 최대건조밀도는 크고, 최적함수비는 작다.

② 영공기간극곡선은 다짐곡선과 교차할 수 없고, 항상 다짐곡선의 우측에만 위치한다.

③ 모래는 다짐시에 낮은 함수비에서 간극수의 표면장력 때문에 건조밀도가 감소할 수 있다.

④ 유기질 성분이 증가할수록 흙의 최대건조밀도와 최적함수비는 감소한다.

03 지반내 응력에 대한 내용으로 옳지 않은 것은?

① 점하중이 작용할 경우 지반내 응력을 산정하는 Boussinesq해는 탄성이론에 근거한다.

② 탄성지반에서 여러 가지 하중들이 지표에 작용하는 경우 지반 내의 응력은 각 하중에 의한 응력 증가량을 산정하여 더해줌으로써 계산할 수 있다.

③ 외부하중이 작용하지 않고 지표가 수평한 지반에는 전단응력이 0이다.

④ 흙의 압축성은 전응력이 지배하지만 전단특성은 유효응력이 지배한다.

04 도로 성토시 다져진 흙의 간극비가 0.5이고, 함수비가 10%이다. 흙입자의 비중이 2.50일 때, 공기함유율(air content) A(%)는?

① 14.2　　② 16.7

③ 19.6　　④ 17.3

01 ③ 02 ④ 03 ④ 04 ② [정답]

05 그림과 같이 단면적 $\overline{A}$인 튜브 속의 흙을 통하여 물의 흐름이 발생할 때, 다음 설명 중 옳지 않은 것은? (단, K는 흙의 투수계수이다)

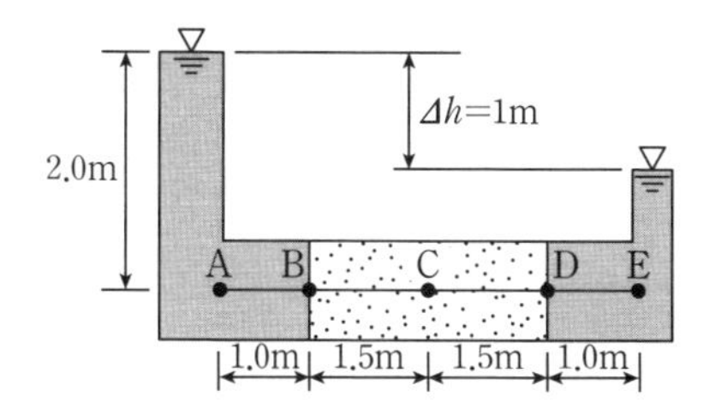

① 점 A의 전수두와 점 B의 전수두는 같다.
② 점 B에서 점 C까지 손실수두는 0.5m이다.
③ 점 C의 압력수두는 1.5m이다.
④ 단위시간당 유출유량은 $0.5K\overline{A}$이다.

06 그림과 같이 콘크리트 댐 아래 투수지반에 대한 유선망을 작도하였다. A점의 간극수압(tf/m²)은? (단, γ_w = 1.0tf/m³이다)

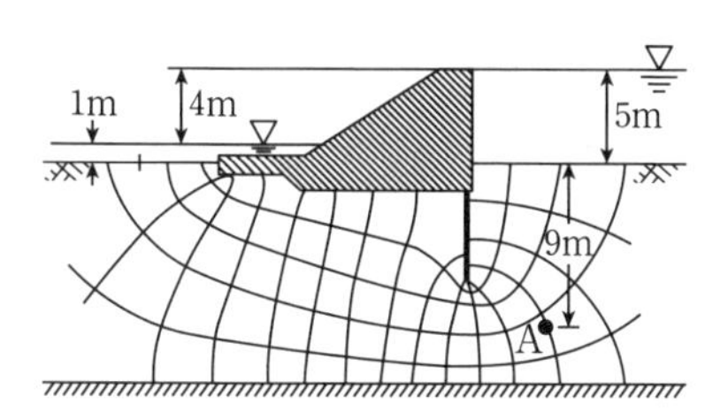

① 12.2 ② 13.2
③ 14.2 ④ 15.2

07 일면배수 상태인 10m 두께의 점토층이 지표면에서 무한히 넓게 등분포 상재하중을 받아 1년 동안 12cm 침하하였다. 점토층이 90% 압밀도에 도달할 때, 침하량(cm)은? (단, 점토층의 압밀계수는 19.7m²/yr이다)

① 12.3 ② 13.7
③ 21.6 ④ 24.5

08 그림과 같은 지층의 지표면에 5tf/m²의 상재하중이 무한히 넓게 작용한다. 점토층 내 A점에서 상재하중 재하 후 피에조미터 내 수위 상승고가 그림과 같이 2.5m일 때, 다음 내용 중 옳지 않은 것은? (단, GWT는 지하수위를 의미한다)

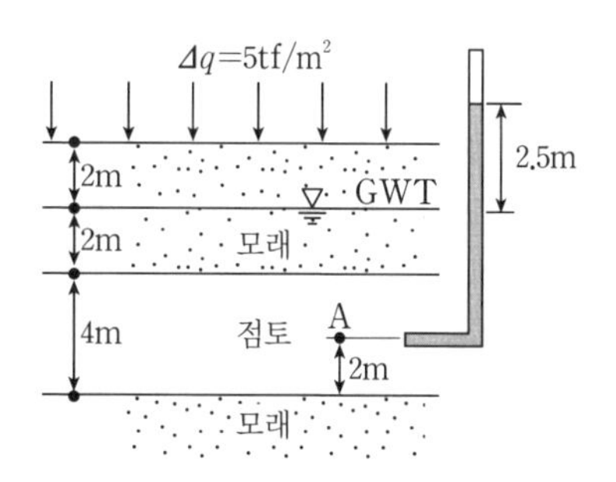

① A점에서 압밀도는 50%이다.
② 점토층의 평균압밀도는 50%보다 크다.
③ A점에서 상재하중에 의하여 증가된 연직 유효응력은 2.5tf/m²이다.
④ 점토층에서 현재까지 발생된 침하량은 최종 1차 압밀침하량의 50%이다.

09 다음 그림 중 압밀이 진행되고 있는 점토층의 간극수압분포가 옳은 것은? (단, 그림의 점선은 정수압분포를 도시한 것이며 피압대수층은 없는 것으로 가정한다)

①
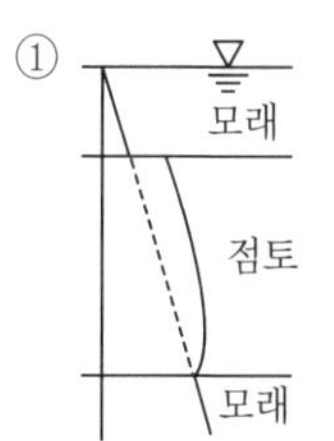

②
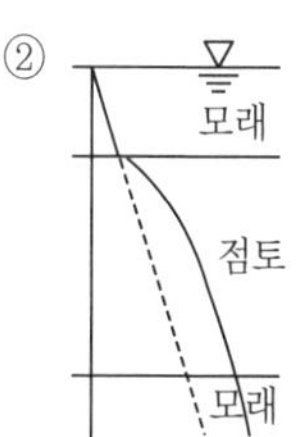

③
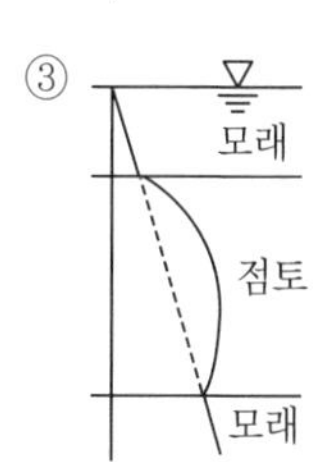

④
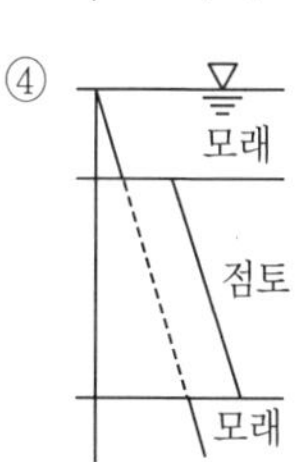

05 ④ 06 ② 07 ③ 08 ④ 09 ③ **[정답]**

10 토압이론에 대한 설명으로 옳지 않은 것은?

① 옹벽 배면흙이 수동상태에 도달하였을 경우 연직응력이 최대주응력이고 수평응력이 최소주응력이 된다.
② Rankine 토압이론은 벽체와 흙 사이의 마찰을 무시하므로 Coulomb 토압이론보다 주동토압을 크게 산정한다.
③ 벽마찰은 토압의 작용방향과 파괴활동면 형상에 영향을 미친다.
④ 점토질흙으로 뒤채움된 옹벽에 있어서 인장균열깊이는 흙의 점착력에 비례한다.

11 지하수위가 지표면과 일치하는 두께 10m의 단일 토층지반에서 수위가 강하하여 지표면으로부터 3m 지점까지 내려갔다. 지표면으로부터 깊이 4m 지점에서 수위강하로 인한 연직 유효응력 증가량(tf/m^2)은? (단, 흙의 포화단위중량은 2tf/m^{3}이며 수위강하 후 포화도의 변화는 없는 것으로 간주한다)

① 3　② 4
③ 7　④ 8

12 흙에 대한 삼축압축시험으로 구한 파괴시의 응력상태를 $p-q$ diagram으로 도시한 결과 $q=0.5p+0.5$의 회귀분석식이 도출되었다. 이 결과를 이용하여 Mohr-Coulomb의 파괴규준에 의거한 점착력 c를 구하면? (단, 단위는 고려하지 않는다)

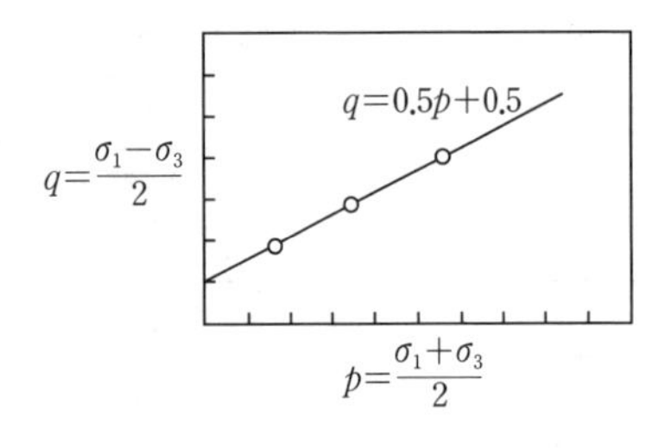

① $\frac{1}{\sqrt{3}}$　② $\frac{1}{2}$
③ $\sqrt{3}$　④ 2

13 직접전단시험과 관련된 내용으로 옳지 않은 것은?

① 진행성 파괴가 일어난다.
② 배수조절과 간극수압 측정이 어렵다.
③ 전단응력이 파괴면에 균등하게 분포한다.
④ 전단시에 주응력방향이 회전한다.

14 부피 $V=200$cm^{3}인 등방 균질한 점토시료에 대하여 삼축배수전단시험(CD)을 실시한 결과, 파괴시의 체적감소(ΔV)가 5.0cm^3, 축방향 변형률(ε_1)이 4.5%로 측정되었다면, 횡방향 변형률(ε_3[%])은?

① 0.5(팽창)　② 1.0(팽창)
③ 1.5(팽창)　④ 2.0(팽창)

15 그림과 같은 사질토층의 A점에서 상향흐름이 있을 경우, 분사현상이 발생하지 않기 위한 최저수심(h[m])은? (단, 사질토층의 비중은 2.6, 간극비는 1.0으로 가정한다)

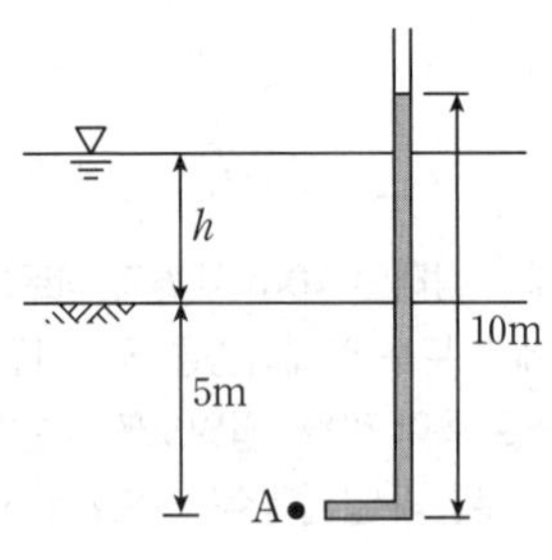

① 0.5　② 1.0
③ 1.5　④ 2.0

10 ① 11 ① 12 ① 13 ③ 14 ② 15 ② [정답]

16 길이가 25m인 정방형 전면기초인 건물이 있다. 이 건물의 허용 각변위(angular distortion)를 1/500이라고 할 때, 최대허용부등침하량(cm)은?

① 2.0 ② 2.5
③ 5.0 ④ 10

17 그림과 같이 단위중량이 2.0tf/m³인 지반의 4m 깊이에 위치한 10m×10m의 전면기초에 Q=2000tf의 활하중과 사하중이 작용한다. 기초 저면 중앙부 아래 10m 깊이 A지점에서 전면기초 작용하중에 의한 연직응력 증가량(tf/m²)은? (단, 지중응력 전달은 2 : 1 응력분포법을 사용한다)

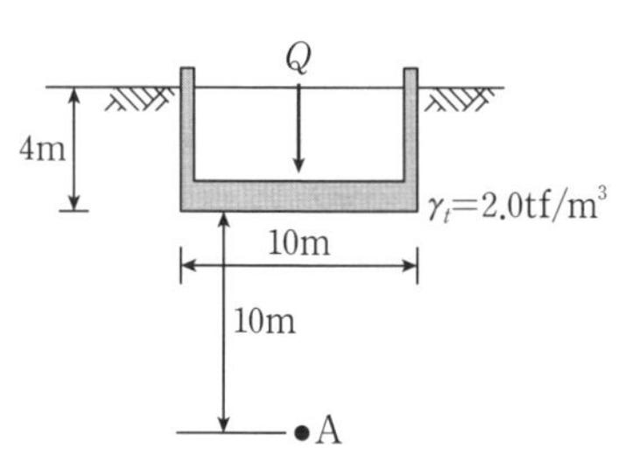

① 2.0 ② 3.0
③ 4.0 ④ 5.0

18 3m×3m 크기의 정사각형 기초가 단위중량 1.7tf/m³(포화단위중량 γ_{sat}=1.9tf/m³)인 지반에 깊이 2m 위치에 설치되었다. 지하수위가 지표면에서 3m 깊이에 위치할 때, 다음의 Terzaghi 지지력공식을 이용하여 극한지지력을 산정할 때 사용되는 단위중량 γ_1과 γ_2의 값(tf/m³)은?

$$q_u = 1.3cN_c + 0.4\gamma_1 BN_\gamma + \gamma_2 D_f N_q$$

	γ_1	γ_2
①	1.43	1.7
②	1.17	1.7
③	1.43	1.9
④	0.9	1.9

19 그림과 같이 사질토로 구성된 경사 30°의 무한사면이 두 개가 있다. 왼쪽은 건조상태의 무한사면이고, 오른쪽은 수중에 잠긴 무한사면일 때, 두 사면의 안전율에 대한 설명으로 옳은 것은? (단, 사질토의 배수 내부마찰각 ϕ는 동일하다)

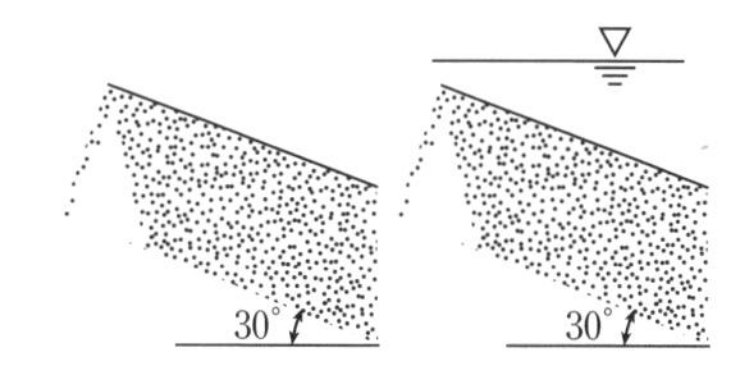

① 건조상태의 무한사면의 안전율이 더 크다.
② 건조상태의 무한사면의 안전율은 $\tan\phi$이다.
③ 수중에 잠긴 무한사면의 안전율이 더 크다.
④ 두 사면의 안전율은 $\sqrt{3}\tan\phi$로서 동일하다.

20 그림과 같은 사면의 안전율이 2.0일 때 안정수(stability number) N_s는?

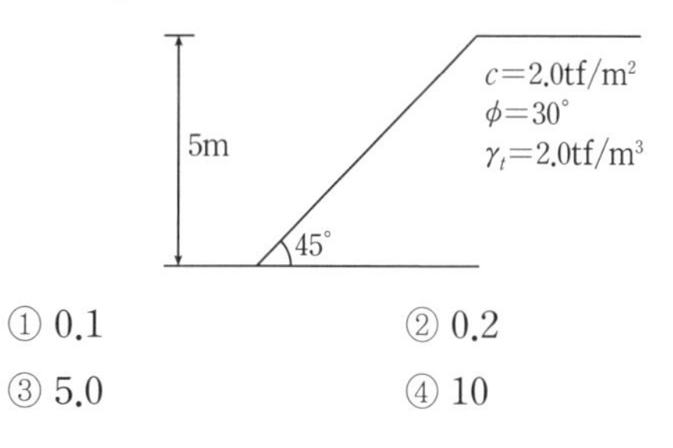

① 0.1 ② 0.2
③ 5.0 ④ 10

16③ 17② 18② 19④ 20① [정답]

2009. 7. 25. 국가직 7급

토목직 공무원

최근 기출문제

수험번호	성명
20090725	도서출판세화

01 다음 설명 중 옳지 않은 것은?

① 전단강도란 파괴가능면에서 전단에 저항할 수 있는 최대 저항력이다.
② $\overline{CU}$ 시험에서 얻어진 모어-쿨롱 파괴포락선은 모어원의 최대 전단응력점에 접한다.
③ 전단파괴면은 최대 주응력면과 $45° + \frac{\phi}{2}$의 각도를 이룬다.
④ 일반적으로 직접전단시험에서 얻어진 전단강도는 삼축압시험에서 얻어진 값보다 크다.

02 그림 A와 같은 무한 비탈면에 많은 강우가 내려 비탈면의 상태가 그림 B와 같이 바뀌었다. 그림 B의 비탈면 안전율에 대한 그림 A의 비탈면 안전율의 비(그림 A의 안전율/그림 B의 안전율)는? (단, 비탈면의 파괴는 암반과 모래 사이에서 발생한다고 가정한다)

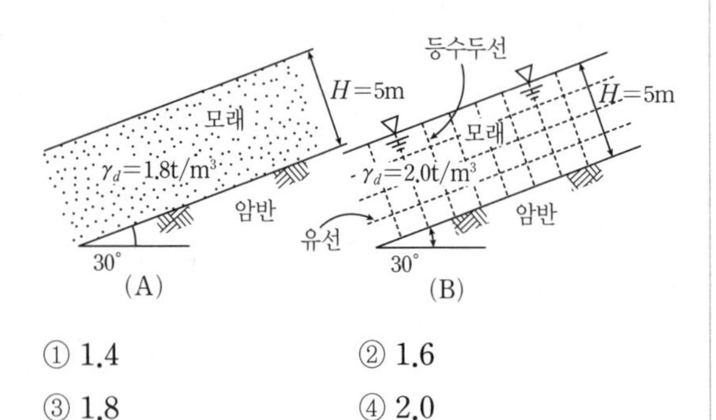

① 1.4 ② 1.6
③ 1.8 ④ 2.0

03 흙댐에 관한 설명 중 옳지 않은 것은?

① 흙댐 완공 후 물을 채우기 시작하면 상류측 사면의 전단응력은 증가한다.
② 흙댐 완공 후 물을 채우기 시작하면 상류측 사면의 간극수압은 증가한다.
③ 흙댐 완공 후 물을 채우기 시작하면 사면의 전단응력은 거의 일정하거나 약간 증가한다.
④ 흙댐 완공 후 물을 채우기 시작하면 하류측 사면의 간극수압은 증가한다.

04 얕은 기초에 대한 Terzaghi의 극한지지력 공식에 관한 설명 중 옳지 않은 것은?

① 기초의 근입깊이와 폭이 클수록 지지력도 커진다.
② 지지력계수는 내부마찰각의 함수이다.
③ 국부전단파괴시 내부마찰각(ϕ')은 수정값$\left(\frac{2}{3}\phi'\right)$으로 대체하여 사용한다.
④ 기초지반이 지하수에 의하여 포화되면 지지력은 감소한다.

05 그림과 같이 지하수위가 ㉠에서 ㉡으로 h만큼 상승할 때 A점에 작용하는 유효연직응력의 변화량은? (단, γ_{sat}은 포화단위중량, γ_t는 습윤단위중량, γ'은 수중단위중량, γ_w은 물의 단위중량을 의미한다)

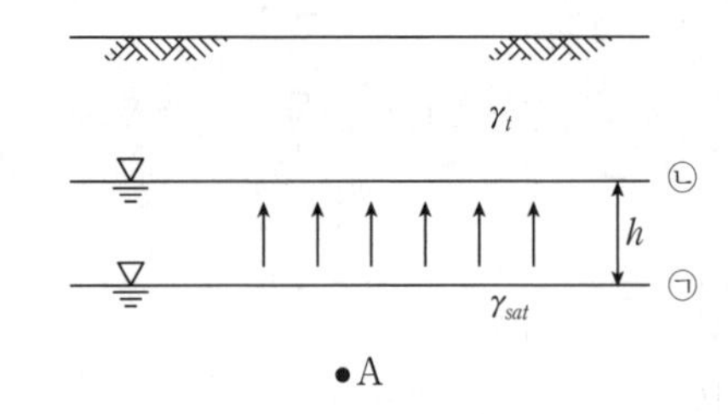

① $(\gamma' - \gamma_t)h$ ② $(\gamma_w - \gamma_t)h$
③ $(\gamma_{sat} - \gamma_t)h$ ④ $(\gamma_{sat} - \gamma')h$

01 ② 02 ④ 03 ① 04 ③ 05 ① [정답]

06 그림과 같이 연약지반 상에 원주(말뚝 둘레)가 1.0m, 길이가 18m인 콘크리트 말뚝을 설치하였다. 말뚝 시공 후 연약지반의 침하로 인한 부주면마찰에 의해 단위 면적당 주면마찰력 분포가 다음 그림과 같이 상향(+) 1.0t/m^{2}에서 하향(−) 1.0t/m^{2}으로 변화할 경우 말뚝의 선단에 작용하는 하중(ton)은?

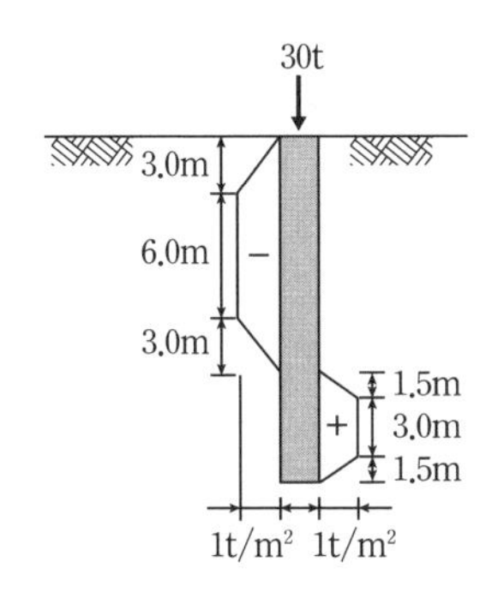

① 26.5 ② 30.0
③ 34.5 ④ 39.0

07 그림과 같은 수중에 잠긴 지반에서 a−a 면에 작용하는 유효응력(t/m^2)은? (단, 흙의 수중단위중량은 1.0t/m^{3}이다)

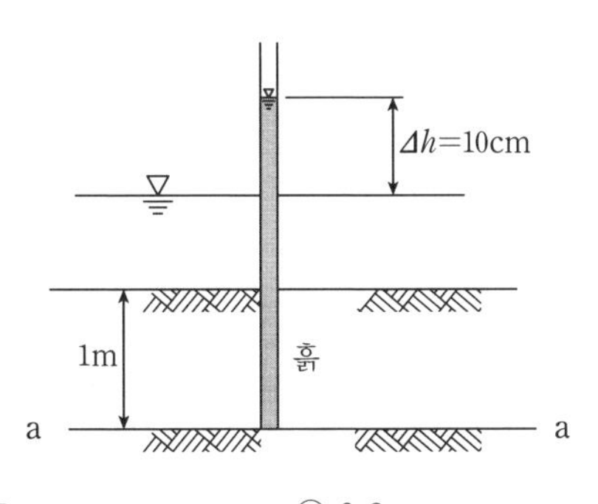

① 0.5 ② 0.9
③ 1.5 ④ 1.9

08 폭(B)이 3.0m인 콘크리트 줄기초를 일축압축강도(q_u)가 20t/m^{2}이고 포화단위중량이 γ_{sat} = 2.0t/m^{3}인 완전 포화된 점토지반에 시공하려고 한다. 기초의 근입깊이가 D_f = 1.0m이고 지하수위는 지표면 아래 4m에 위치할 때, 기초의 극한지지력 q_{ult}[t/m^2]은? (단, Terzaghi의 지지력 계수는 ϕ = 0°일 때 N_c = 5.7, N_q = 1, N_γ = 0이고, ϕ = 10°일 때 N_c = 10, N_q = 3, N_γ = 1로 가정한다)

① 100 ② 57
③ 109 ④ 59

09 Terzaghi는 일차원 압밀이론을 제안하였다. 이때 사용된 가정으로 옳지 않은 것은?

① 흙은 균질하고 완전히 포화되어 있으며 흙 입자와 물의 압축성은 무시한다.
② 유효응력이 증가하면 압축토층의 간극비는 반비례하여 감소한다.
③ 물은 연직과 수평방향으로 흐르고 흙의 압축은 연직방향으로만 발생한다.
④ 흙 속의 물의 이동은 Darcy의 법칙을 따르며 투수계수는 압밀 전과정에 걸쳐 일정하다.

10 다음 중 흙의 다짐 특성으로 옳지 않은 것은?

① 일반적으로 다짐에너지가 클수록 흙의 최대 건조단위중량은 커진다.
② 최적함수비는 최대 건조단위중량을 나타낼 때의 함수비이며 포화도는 100%를 나타낸다.
③ 다짐에너지가 증가할수록 최적함수비는 감소한다.
④ 조립토의 입도분포가 양호할수록 최적함수비는 작아지고 최대 건조단위중량은 커진다.

06 ③ 07 ② 08 ④ 09 ③ 10 ② **[정답]**

11 $\phi=30°$인 모래를 사용해서 삼축압축시험을 수행하였다. 구속응력이 $\sigma_1=\sigma_3=10.0\text{t/m}^2$일 때 최대로 가할 수 있는 축차응력(t/m²)은?

① 10　　② 15
③ 20　　④ 25

12 어떤 흙의 유효응력으로 나타낸 강도정수가 $c'=3.0\text{t/m}^2$, $\phi'=45°$이다. 이 흙으로 구성된 지반내 한 요소의 수평면에 작용하는 전연직응력이 10.0t/m^2이고 간극수압이 3.0t/m^2일 때, 그 면에서 발휘될 수 있는 최대 전단저항력(t/m²)은?

① 2.0　　② 5.0
③ 7.0　　④ 10.0

13 그림과 같은 지층분포를 가진 두 지반의 지표면에 크기가 다른 등분포하중이 무한히 넓은 면적에 작용하였다. 계측 결과 두 지반의 시간에 따른 압밀도가 동일할 경우 압밀계수 C_{v1}과 C_{v2}의 관계는? (단, 압밀진행 동안 압밀계수는 일정하며, 얇은 모래층(sand seam)은 배수가 충분히 발생할 수 있다고 가정한다)

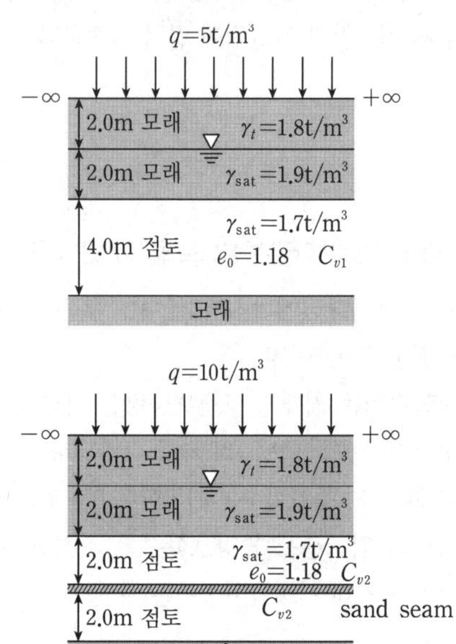

① $C_{v1}=0.5C_{v2}$　　② $C_{v1}=C_{v2}$
③ $C_{v1}=2C_{v2}$　　④ $C_{v1}=4C_{v2}$

14 그림과 같이 옹벽의 크기와 뒷채움재의 물성치는 동일하고 지하수 및 배수조건이 다른 경우 수압을 포함한 옹벽에 작용하는 전체토압의 크기를 순서대로 나열한 것은?

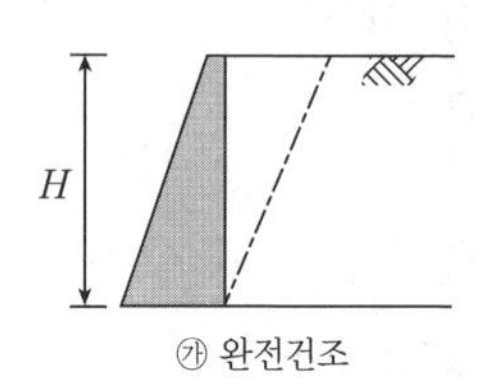

㉮ 완전건조

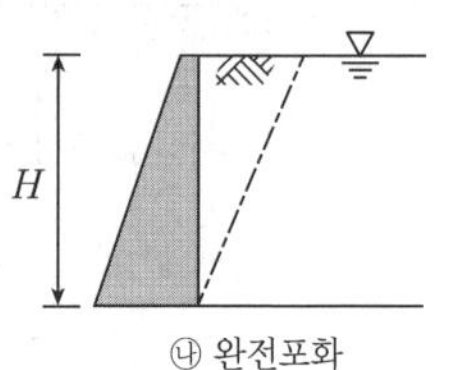

㉯ 완전포화

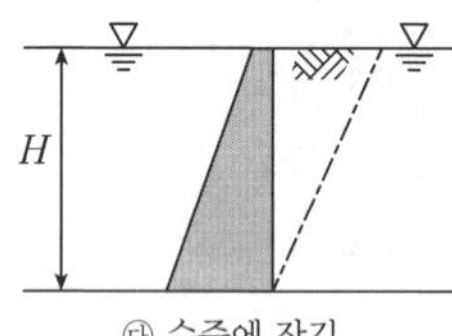

㉰ 수중에 잠김

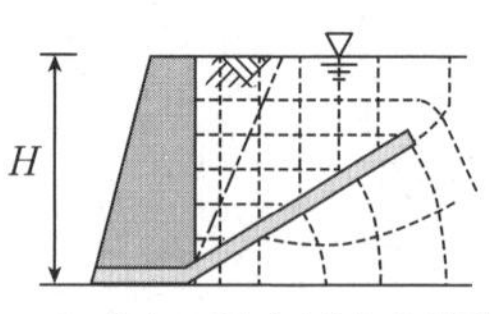

㉱ 배면 포화(경사배수재 설치)

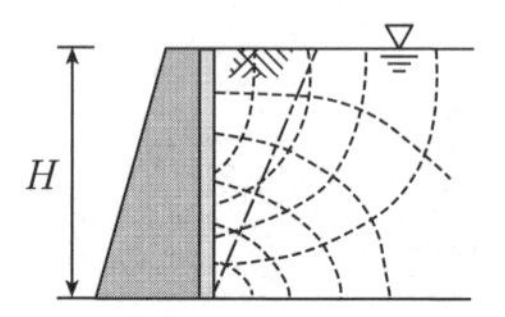

㉲ 배면 포화(연직배수재 설치)

① ㉯>㉲>㉱>㉮>㉰
② ㉯>㉱>㉲>㉮>㉰
③ ㉲>㉯>㉱>㉮>㉰
④ ㉯>㉱>㉲>㉰>㉮

15 연약한 점성토로 뒤채움된 5m 높이의 옹벽이 주동상태에 도달했을 때, 뒤채움재에 인장균열이 발생하면 인장균열 발생 이전에 비하여 몇 배의 주동토압이 옹벽에 작용하는가? (단, 뒤채움재의 물성치는 $\gamma_t=2.0\text{t/m}^3$, $\phi_u=0$, $c_u=2.0\text{t/m}^2$이고, 인장균열 발생 후 인장균열 깊이까지 존재하는 뒤채움재는 상재하중으로 작용하지 않는 것으로 한다)

① 1.2배　　② 1.5배
③ 1.8배　　④ 2.0배

11 ③　12 ④　13 ④　14 ①　15 ③ **[정답]**

16 그림과 같이 단면이 100mm×100mm인 튜브에 종류가 다른 흙 Ⅰ, Ⅱ, Ⅲ을 넣고 전수두차(Δh)를 300mm로 유지하면서 물을 흘려보냈다. 각 흙의 투수계수가 $K_I=7.5\times10^{-3}$cm/s, $K_{II}=3\times10^{-3}$cm/s, $K_{III}=5\times10^{-3}$cm/s일 때, 튜브를 통해 흐르는 물의 초당 유량(cm^3/s)은?

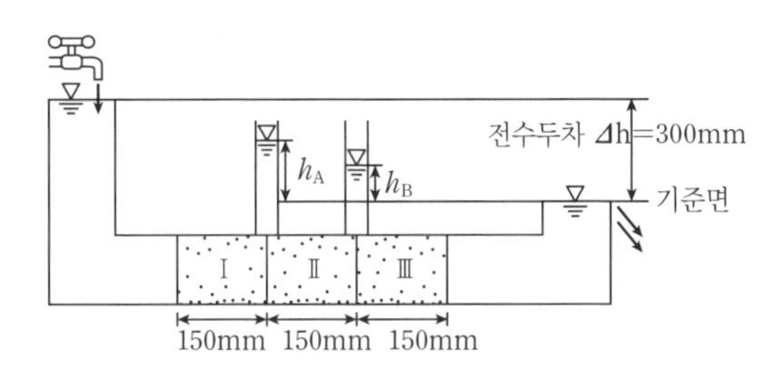

① 0.25 ② 0.30
③ 0.35 ④ 0.40

17 그림과 같이 피압을 받는 모래층 위에 놓인 11m 두께의 균질하고 포화된 점토층을 굴착하려 한다. 점토층의 간극비가 $e=0.5$이고, 비중이 $G_s=2.5$일 때, 한계동수경사(i_{cr})와 점토층에서 굴착이 가능한 최대 깊이(D)는?

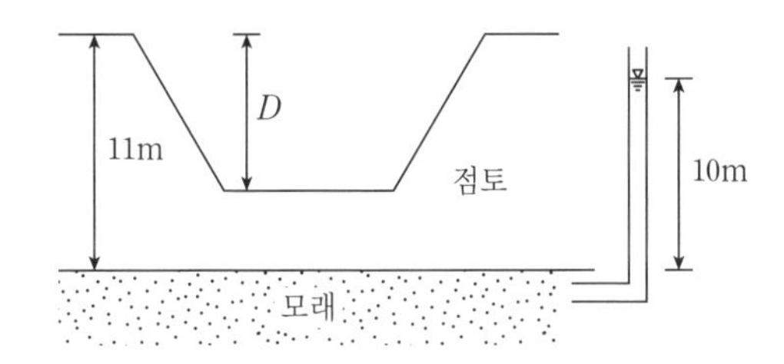

① $i_{cr}=1.0$, $D=6$m ② $i_{cr}=2.0$, $D=6$m
③ $i_{cr}=1.0$, $D=5$m ④ $i_{cr}=2.0$, $D=5$m

18 어떤 흙의 4번체와 200번체 통과율이 각각 80%와 30%이고, 액성한계는 25%, 소성한계가 10%일 때 이 흙을 통일분류법으로 분류하면?

① SM ② SC
③ GM ④ GC

19 그림과 같은 지반의 지표면에 11t/m²의 등분포하중이 무한히 넓은 면적에 작용할 때, 점토층의 1차 압밀침하량(cm)은? (단, 점토층은 정규압밀점토이며, log2≒0.3, log3≒0.5, log5≒0.7로 간주한다)

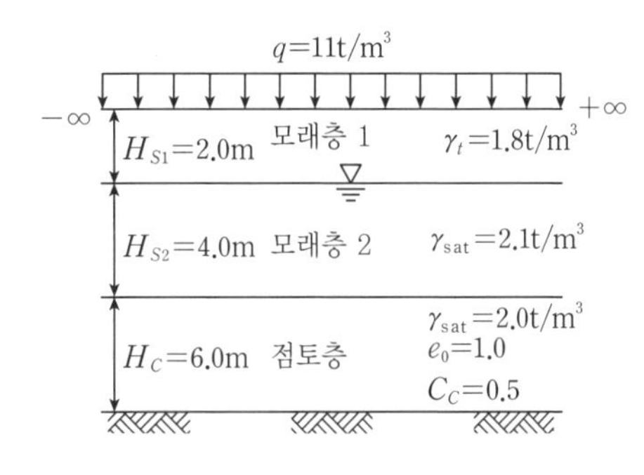

① 30 ② 35
③ 40 ④ 45

20 그림과 같이 옹벽 배면의 지표면에 등분포하중이 작용할 때, 옹벽에 작용하는 전주동토압(P_A)의 크기(t/m)와 옹벽 저면으로부터 토압의 작용점까지의 높이(h[m])는?

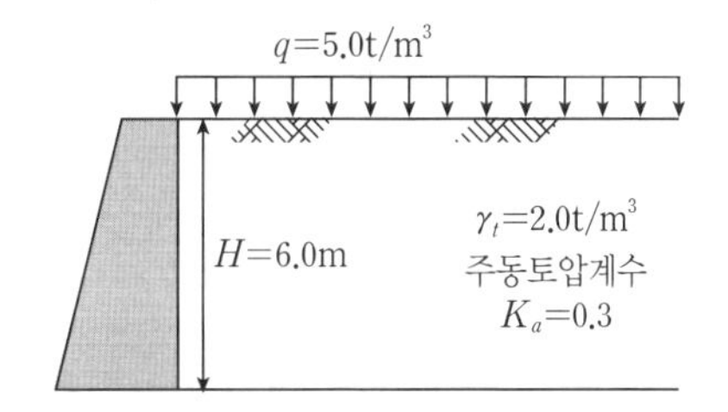

① $P_A=19.8$, $h≒2.75$ ② $P_A=22.8$, $h≒2.45$
③ $P_A=19.8$, $h≒2.45$ ④ $P_A=22.8$, $h≒2.75$

16② 17① 18② 19④ 20③ **[정답]**

2009. 9. 26. 지방직 7급

토목직 공무원

최근 기출문제

수험번호	성명
20090926	도서출판세화

01 다음 표는 어떤 흙의 입도분석결과와 Atterberg 한계 실험결과이다. 이 흙을 통일분류법으로 바르게 분류한 것은?

통과백분율					Atterberg 한계	
No.10	No.40	No.60	No.100	No.200	LL	PL
99%	94%	89%	82%	76%	40%	28%

① MH ② ML
③ CH ④ CL

02 수평다층지반에서 물이 왼쪽에서 오른쪽으로 수평방향으로만 흐른다고 가정할 때, 다음 중 옳지 않은 것은?

① 각 층에서의 동수경사는 서로 다르다.
② 왼쪽에서의 전수두가 오른쪽에서의 전수두보다 크다.
③ 각 층의 동일 수평위치에서 전수두는 서로 같다.
④ 각 층을 통과한 유량은 서로 다르다.

03 다음 그림의 경우 점 A와 점 B에서의 압력수두(h_p)와 전수두(h_t)는?

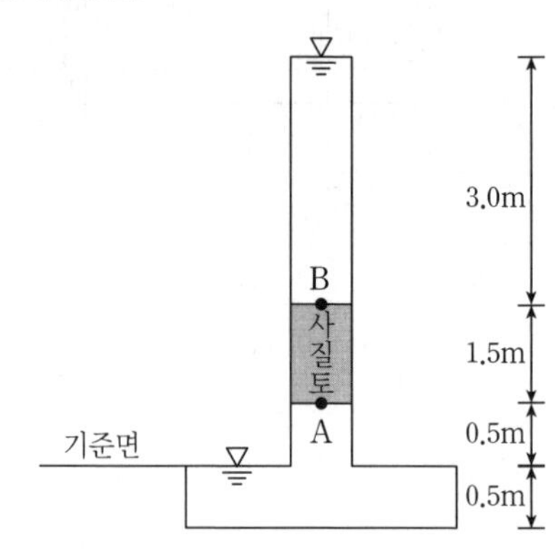

	A점	B점
①	h_p=0.0m, h_t=0.5m	h_p=6.0m, h_t=5.0m
②	h_p=−0.5m, h_t=0.0m	h_p=3.0m, h_t=3.0m
③	h_p=0.0m, h_t=0.5m	h_p=6.0m, h_t=3.0m
④	h_p=−0.5m, h_t=0.0m	h_p=3.0m, h_t=5.0m

04 단면적 20cm^2, 높이 2cm인 점토시료를 사용하여 압밀시험을 실시하였다. 임의 하중으로 압밀이 완료된 상태에서 시료의 높이가 1.2cm로 되었다면, 초기간극비(e_0)와 압밀이 완료된 후의 간극비(e_1)는 각각 얼마인가? (단, 시료의 건조중량은 54g, 비중은 2.7이다)

① e_0=1.0, e_1=0.2 ② e_0=0.8, e_1=0.3
③ e_0=1.2, e_1=0.5 ④ e_0=1.3, e_1=0.6

01 ② 02 ① 03 ④ 04 ① [정답]

05 다음 그림과 같이 초기 지하수위가 지표면에 위치하다가 3m를 하강하였다. 점토층 중앙부에서 연직유효응력의 증가량(t/m^2)은?

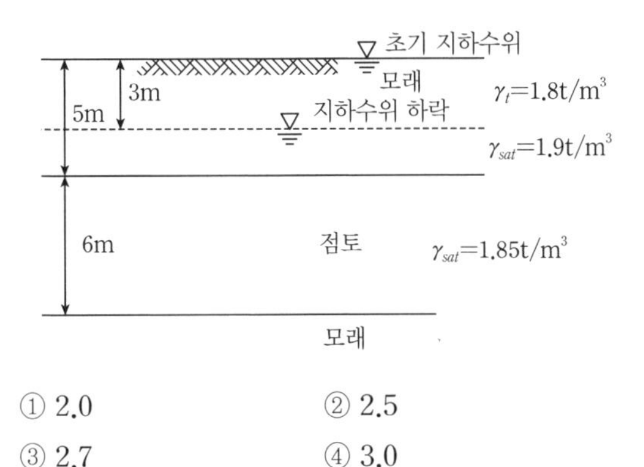

① 2.0 ② 2.5
③ 2.7 ④ 3.0

06 비중 2.6, 함수비 50%, 두께 4.6m인 포화점토층이 압밀 후 0.4m만큼 침하되었다면 압밀 후 점토층의 함수비(%)는?

① 약 32 ② 약 38
③ 약 42 ④ 약 46

07 모래질흙 시료를 사용하여 구속응력 10.0t/m^{2}으로 압밀배수삼축압축시험(CD-test) 결과, 파괴시 축차응력이 20.0t/m^{2}이었다면, 축차응력 작용방향을 기준하였을 때 파괴면의 각도는?

① 15° ② 30°
③ 45° ④ 60°

08 다짐곡선에 대한 설명으로 옳지 않은 것은?

① 일반적으로 최적함수비는 점성토보다 사질토가 크다.
② 다짐에너지가 클수록 최대 건조밀도는 증가한다.
③ 영공기간극곡선은 간극 내 공기의 부피가 0인 포화상태의 건조단위중량과 함수비의 관계곡선이다.
④ 동일한 흙이라도 다짐시험의 종류에 따라 최적함수비가 다르다.

09 옹벽에 작용하는 토압이론에 대한 설명으로 옳지 않은 것은?

① Rankine의 토압이론은 소성이론에 의한 것이다.
② 동일지반의 경우 토압의 크기는 일반적으로 수동토압 > 주동토압 > 정지토압이다.
③ Coulomb의 주동토압계수는 벽면 마찰각이 0이고 연직벽인 경우의 Rankine 주동토압계수와 같다.
④ 토압의 크기는 벽체의 변형방향에 따라 다르다.

10 정규압밀점토를 사용한 전단시험결과 파괴각(θ)이 60°이다. 만약 이 흙을 사용하여 구속응력 6.0t/m^{2}을 적용한 압밀배수삼축압축시험(CD-test)을 실시하였다면, 파괴시의 축차응력(t/m^2)은?

① 4.4 ② 12.0
③ 16.2 ④ 24.0

05 ③ 06 ③ 07 ② 08 ① 09 ② 10 ② [정답]

부록

11 단위중량이 1.6t/m^3, 점착력이 1.0t/m^2, 주동토압계수(K_a)가 0.25인 지반에 깊이 8m의 지중 강성벽체를 설치한 후, 다음 그림과 같이 5m 깊이로 굴착하였다. A점에서의 순토압(net earth pressure)과 작용방향은?

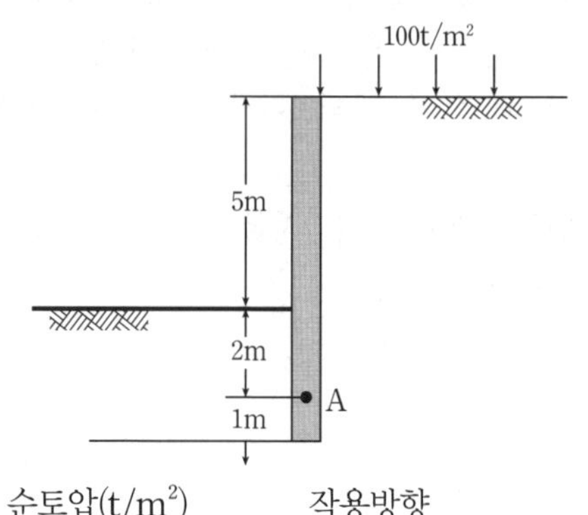

	순토압(t/m^2)	작용방향
①	15.0	←
②	12.5	←
③	15.0	→
④	12.5	→

12 전체단위중량(γ_t)이 1.8t/m^3, 점착력(c)이 0.27kg/cm^2, 내부마찰각(ϕ)이 30°인 지반을 연직으로 5.0m 굴착시, 붕괴에 대한 안전율은? (단, 안정수(Stability Number) N_s는 0.150이다)

① 0.5　② 1.0
③ 2.0　④ 3.0

13 다음 표는 100% 포화된 모래질흙에 대한 압밀비배수 삼축압축시험(CU-test) 결과이다.

구속응력	파괴시 축차응력	파괴시 간극수압
15.0t/m^2	10.0t/m^2	5.0t/m^2

위 시험에 사용된 시료와 구속응력(15.0t/m^2)을 적용하여 압밀배수삼축압축시험(CD-test)을 수행할 경우, 파괴시 축차응력(t/m^2)은?

① 5.0　② 10.0
③ 15.0　④ 20.0

14 폭 22m, 길이 28m의 전면기초에 3080t의 하중이 길이방향으로 도심의 우측 아래에 편심되어 작용하고 있다. A점의 지반에 작용하는 압력(t/m^2)은? (단, e_x=0.6m, e_y=0.4m, I_x=40245m^4, I_y=24845m^{4}이다.)

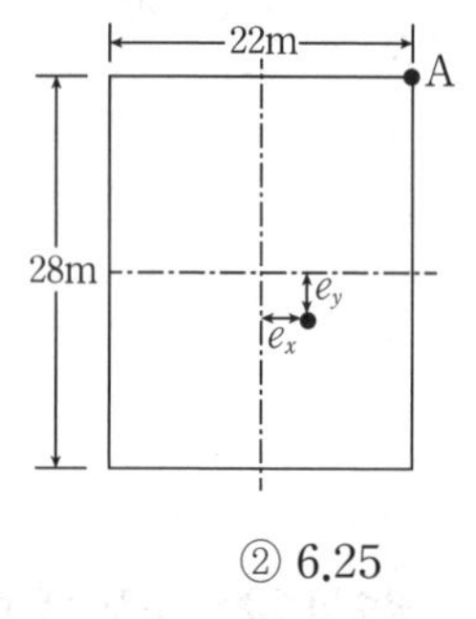

① 5.38　② 6.25
③ 6.75　④ 7.25

15 다음 그림과 같은 모래층이 두께가 9m인 점토층 아래에 있다. 점토층에서 융기(heaving)현상이 일어나지 않고 굴착할 수 있는 최대 연직굴착깊이 H[m]는?

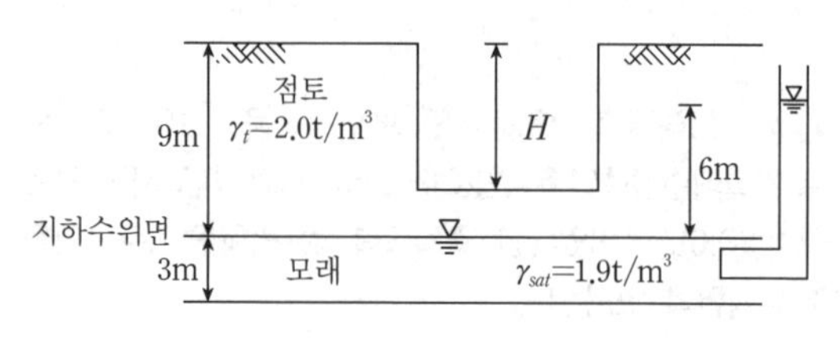

① 4.0　② 5.0
③ 6.0　④ 7.0

11 ④　12 ③　13 ③　14 ①　15 ③ **[정답]**

16 삼축압축시험 결과 간극수압 계수가 $A=0.5$, $B=0.8$인 지반 위에 3m 높이의 제방이 기 축조되어 있다. 이 제방 위에 단위중량(γ_t)이 2.0t/m³인 흙으로 제방 높이를 3m에서 6m로 올린 직후의 간극수압 증가량(t/m²)은? (단, 제방을 시공하는 동안에 발생되는 간극수압의 손실은 무시하고, 수평방향 토압은 연직방향 토압의 1/2로 가정한다)

① 2.6 ② 3.6
③ 4.6 ④ 5.6

17 다음 그림과 같이 무한사면이 흐르지 않는 물 속에 잠긴 경우 사면의 안전율은?

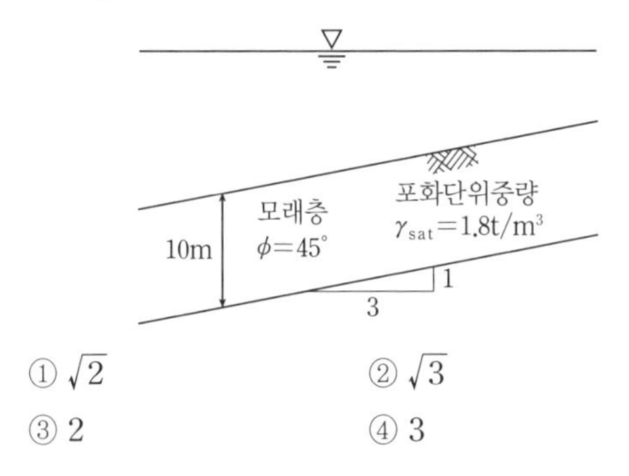

① $\sqrt{2}$ ② $\sqrt{3}$
③ 2 ④ 3

18 연약지반에 건물을 지지하기 위한 말뚝기초를 설치할 때 말뚝의 부마찰력을 저감시키기 위한 방안으로 옳지 않은 것은?

① 지반을 개량하여 잔류침하량을 감소시킨 후 말뚝을 설치한다.
② 말뚝에 역청재를 도포하여 마찰력을 감소시킨다.
③ 말뚝 외측에 케이싱을 설치하여 말뚝의 부마찰력을 차단시킨다.
④ 지반이 침하하면 말뚝도 함께 침하하도록 하여 부마찰력 작용을 막는다.

19 주택 단지를 현장지반조사를 하였더니 평균 비배수 전단강도가 5.0t/m²인 완전 포화된 깊은 점토지반이었다. 직경 0.5m 콘크리트말뚝을 점토지반 내 깊이 20m까지 근입시 시공 직후의 극한 하중의 크기(t)는? (단, 주면부착요소 $\alpha=0.82$이고, 말뚝과 지반 사이의 밀도차는 무시하고, 원주율은 $\pi=3$으로 가정한다)

① 131.4 ② 142.6
③ 151.5 ④ 162.3

20 어떤 지반 내 요소 P에 작용하는 2차원상의 응력상태가 다음 그림과 같을 때, AB면에 작용하는 수직응력(t/m²)과 전단응력(t/m²)은?

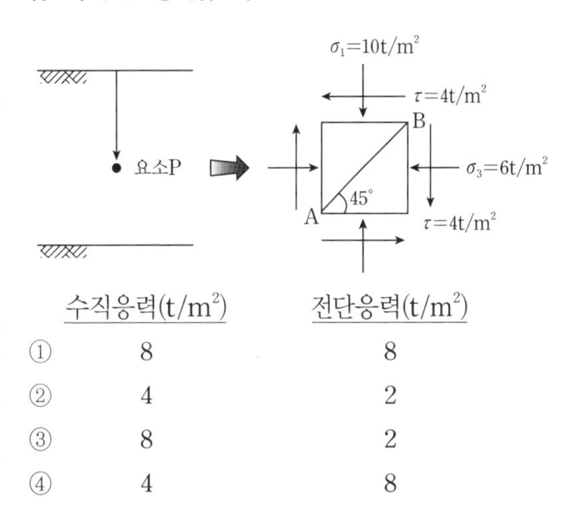

	수직응력(t/m²)	전단응력(t/m²)
①	8	8
②	4	2
③	8	2
④	4	8

16 ② 17 ④ 18 ④ 19 ① 20 ② [정답]

부록

2010. 7. 24. 국가직 7급

토목직 공무원

최근 기출문제

수험번호	성명
20100724	도서출판세화

01 사질토의 전단거동 특성에 대한 설명으로 옳지 않은 것은?

① 느슨한 시료에서 전단변형이 일어나면 간극이 줄어들고 압축되면서 전체 부피가 감소하고 전단저항이 증가한다.

② 느슨한 시료는 최대강도와 잔류강도의 차이가 크지 않다.

③ 시험과정에서 나타나는 시료의 부피변화는 입자간의 상대운동에 의한 것이 대부분이다.

④ 조밀한 시료는 잔류강도가 발현될 때까지 부피가 점점 감소한다.

02 사면의 안정과 관련된 설명으로 옳지 않은 것은?

① 포화된 점토지반 절취시 가장 위험한 때는 절취 후 간극수압이 평형조건으로 회복했을 때이다.

② 흙댐의 경우 착공에서 완공시까지 간극수압이 상승하므로 안전율이 감소한다.

③ 포화된 점토지반 위에 제방을 성토하는 경우가 가장 위험한 때는 완공 직후이다.

④ 흙댐에서 수위 급강하시 상류측 사면보다 하류측 사면의 안전율 변화폭이 크다.

03 다음 그림에서 무한사면의 지표면 아래 깊이가 Z인 곳에 있는 가상파괴면에 작용하는 전단응력 τ를 나타낸 식은? (단, b는 경사거리, γ는 흙의 단위중량이다)

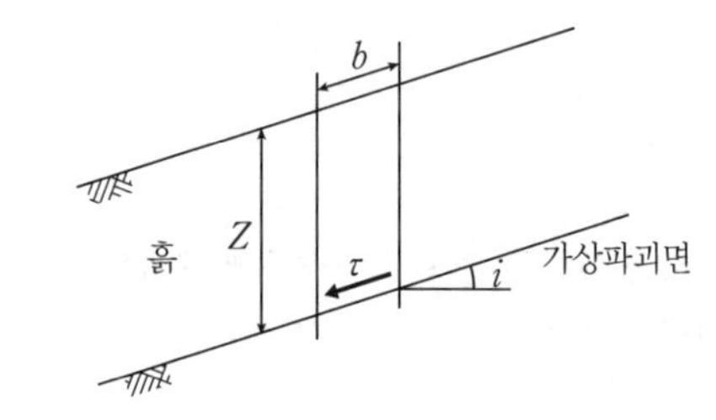

① $\tau=\gamma \cdot Z \cdot \cos^2 i$　② $\tau=\gamma \cdot Z \cdot \cos i \cdot \sin i$

③ $\tau=\gamma \cdot Z \cdot \sin^2 i$　④ $\tau=\gamma \cdot Z \cdot \cos i$

04 말뚝기초에 대한 설명으로 적절하지 않은 것은?

① 말뚝기초의 선단이 상부의 연약층을 지나 견고한 층에 닿도록 타입하면 향후 발생할 수 있는 부마찰력의 영향이 없어진다.

② 말뚝기초는 주로 상부구조물의 하중과 같은 하향력을 견디기 위해 설치하지만, 인장력과 같은 상향력에 저항하도록 설치하기도 한다.

③ 말뚝기초의 주면마찰력을 산정하는 방법 가운데 β방법은 유효응력으로 얻은 강도정수를 가지고 마찰저항각을 계산할 수 있는 방법이다.

④ 무리말뚝의 지지력은 단일말뚝의 지지력에 말뚝 개수를 곱한 값과 꼭 같지는 않다.

01 ④ 02 ④ 03 ② 04 ① [정답]

10 **기초지반의 흙이 탄성적이고 균질하며 등방성이라고 가정할 때, 지표면상에 놓인 기초의 접지압과 침하에 대한 설명으로 옳지 않은 것은?**

① 모래지반상의 연성기초에 등분포하중이 작용하면 접지압은 등분포로 작용하고 기초 중앙부에서 최소침하가 발생한다.
② 모래지반상의 강성기초에 등분포하중이 작용하면 접지압은 기초 모서리에서 최소가 되며 침하는 균등하게 발생한다.
③ 점토지반상의 연성기초에 등분포하중이 작용하면 접지압은 등분포로 작용하고 기초 모서리에서 최대침하가 발생한다.
④ 점토지반상의 강성기초에 등분포하중이 작용하면 접지압은 기초 모서리에서 최대가 되며 침하는 균등하게 발생한다.

11 **그림과 같이 길이가 1m이고 직경이 10cm인 원통형 관에 흙이 채워져 있다. 이 흙의 간극비(e)는 0.6이고, 10초간 흙 속을 통과한 유량의 합은 1cm^{3}였다. 이때 흙속을 통과한 침투속도(v_s[cm/s])는?**

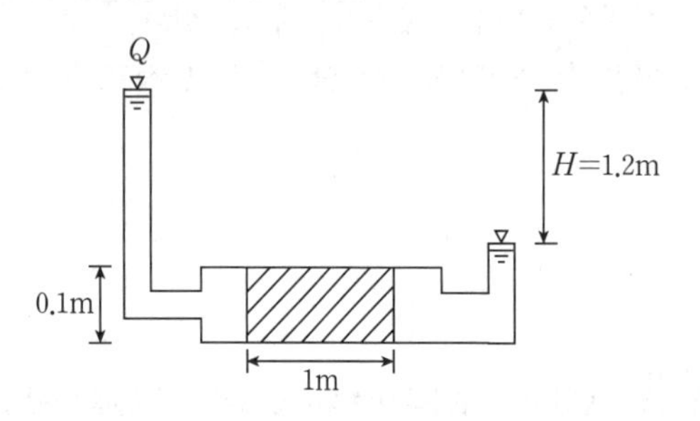

① 0.0004 ② 0.0014
③ 0.0034 ④ 0.0054

12 **투수계수에 영향을 미치는 요소에 대한 설명으로 옳지 않은 것은?**

① 흙입자의 입경이 클수록, 간극비가 증가할수록 투수계수는 증가한다.
② 온도가 증가함에 따라 물의 점성계수가 감소하므로 투수계수가 증가한다.
③ 점토의 경우 입자간의 인력이 우세한 면모구조가 반발력이 우세한 이산구조보다 투수계수가 크다.
④ 점토의 경우 이중층수의 두께가 두꺼울수록 투수계수가 증가한다.

13 **그림과 같이 압밀이 진행 중인 지반에서 A, B, C점에서의 압밀도(U) 크기를 순서대로 나타낸 것은?**

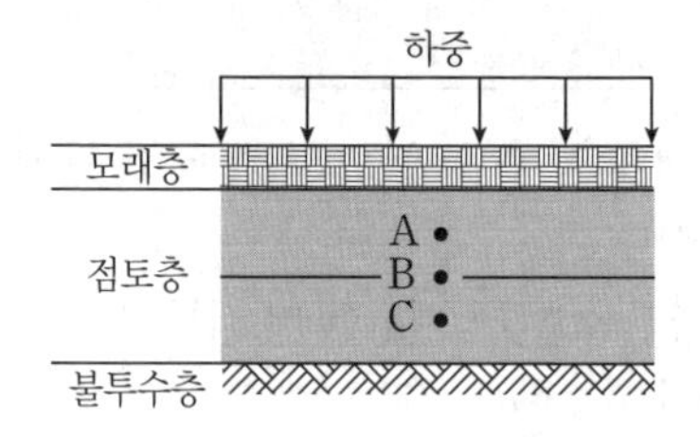

① $U_A<U_B<U_C$ ② $U_A=U_B=U_C$
③ $U_A>U_B>U_C$ ④ $U_A=U_C>U_B$

14 **압밀시험용 시료의 시험 전 초기 높이는 18mm, 시험 후의 건조중량은 81g이었다. 이 시료의 초기 간극비는? (단, 흙의 비중은 2.70, 사료 단면적은 30cm^{2}이다)**

① 0.75 ② 0.80
③ 0.85 ④ 0.90

15 **그림과 같이 상부 모래층을 깊이 10m까지 굴착하여 건물을 축조하고자 한다. 굴착 후 점토층 중앙 A점에서의 과압밀비(OCR)를 구하고, 건물이 완공된 후 발생한 상재하중의 증가량이 Δq = 20t/m^{2}일 때 점토층 중앙 A점의 최종 현상으로 옳은 것은? (단, 굴착 전의 점토지반은 정규압밀상태이다)**

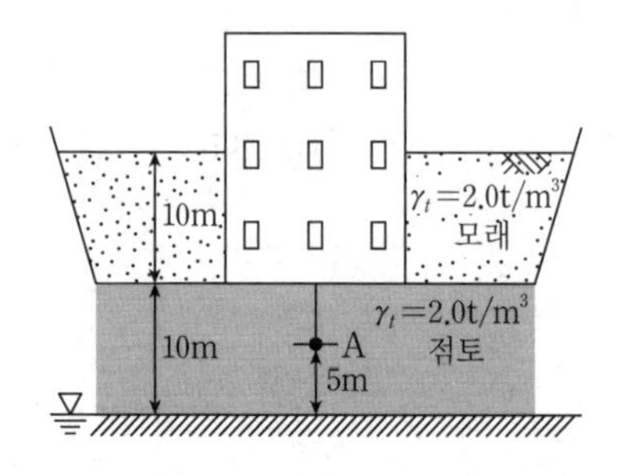

10③ 11③ 12④ 13③ 14② 15① [정답]

① $OCR=3$, 침하 또는 팽창 없음
② $OCR=5$, 팽창함
③ $OCR=3$, 압밀에 의한 침하 발생
④ $OCR=5$, 압밀에 의한 침하 발생

16 다음 그림은 버팀대와 흙막이벽으로 지지된 모래지반의 굴착단면이다. Peck의 가정을 적용하여 $0.65\gamma HK_a$의 토압이 전 벽체에 균등하게 작용할 때, 버팀대 B가 지지하는 하중의 크기(t/m)는?

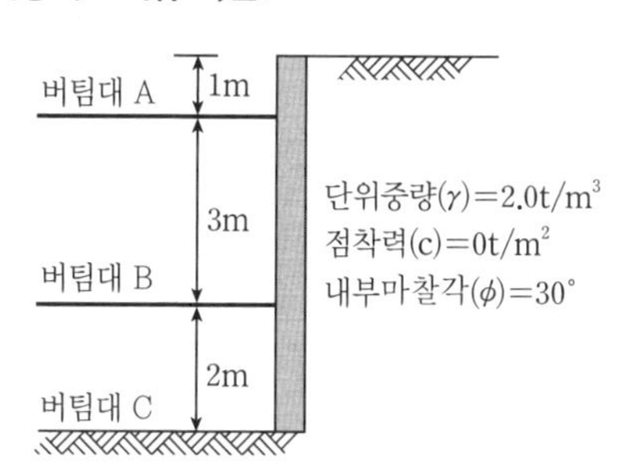

① 3.07 ② 4.07
③ 5.07 ④ 6.07

17 그림과 같이 옹벽배면의 상부에 지하수위가 있는 포화지반(a)과 그렇지 않은 습윤지반(b)의 주동토압 크기비는? (단, 주동토압계수 = 0.4, 포화단위중량 = 2.0t/m³, 습윤단위중량 = 1.5t/m³이다)

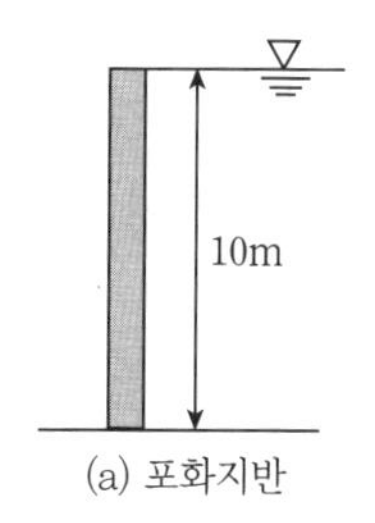

(a) 포화지반

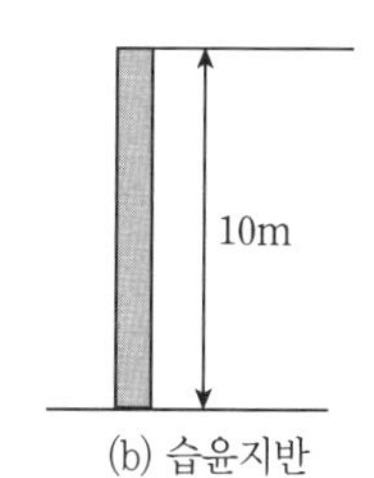

(b) 습윤지반

① 7 : 3 ② 7 : 4
③ 6 : 3 ④ 6 : 4

18 다음은 응력경로를 p－q Diagram으로 나타낸 것이다. 다음 설명 중 옳지 않은 것은?

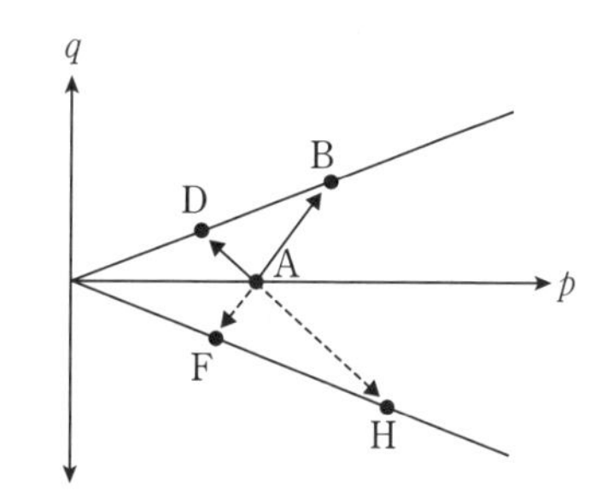

① AB : 축방향 압축상태로 σ_h는 감소하며, σ_v는 증가하는 상태
② AF : 축방향 인장상태로 σ_h는 일정하고, σ_v는 감소하는 상태
③ AH : 횡방향 압축상태로 σ_h는 증가하며, σ_v는 일정한 상태
④ AD : 횡방향 인장상태로 σ_h는 감소하며, σ_v는 일정한 상태

19 연약한 점토지반 위에 5m 높이의 제방을 축조하려고 한다. 이때 사용된 흙의 단위중량은 2.0t/m³이다. 지하수위는 지표면과 일치하며 Skempton의 간극수압계수 A = 0.8이고, B = 1.0이다. 제방의 축조가 완료된 직후 제방중앙 바닥면에서 발생되는 과잉간극수압(t/m²)은? (단, 횡방향 토압은 연직토압의 1/2로 가정한다)

① 7.0 ② 9.0
③ 11.0 ④ 13.0

20 사질토(c = 0)의 배수상태 삼축압축시험 결과가 다음과 같을 때, 전단파괴면이 최대 주응력면과 이루는 각 θ는?

• 구속응력 10.0t/m²
• 파괴시 축차응력 20.0t/m²

① 50° ② 55°
③ 60° ④ 65°

16 ④ 17 ① 18 ① 19 ② 20 ③ [정답]

부록

2010. 10. 9. 지방직 7급

토목직 공무원

최근 기출문제

수험번호	성명
20101009	도서출판세화

01 지하수위가 지표면과 일치하는 포화된 점토지반에서 깊이 1m 지점에 폭이 2m인 연속기초를 설치하였다. 점토의 포화단위중량이 $2t/m^3$이고, 비배수전단강도가 $3t/m^2$, $\phi_u = 0$일 때 Terzaghi 공식을 사용해서 계산되는 얕은기초의 극한지지력(t/m^2)은? (단, $\phi_u = 0$일 때 $N_c = 5.14$, $N_\gamma = 0$, $N_q = 1.0$이다)

① 14.42 ② 15.42
③ 16.42 ④ 17.42

02 그림과 같이 모래지반에서 지하수위가 지표면 아래 1m에서 2m로 낮아진다면, A－A′면에 작용하는 연직유효응력의 변화(t/m^2)로 옳은 것은? (단, 지하수위가 하강 후 모래의 습윤단위중량은 $1.8t/m^3$으로 한다)

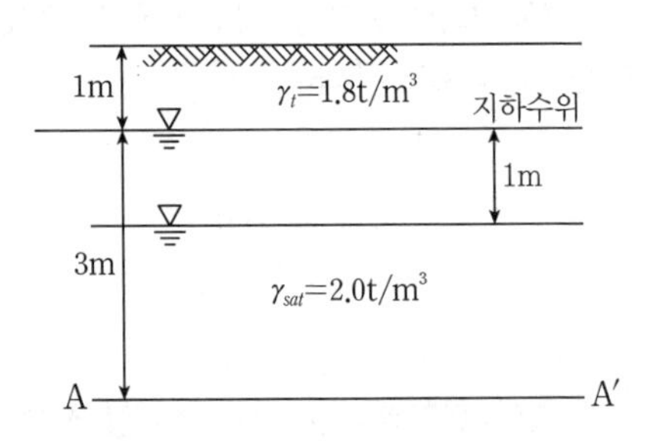

① 0.2 감소 ② 0.2 증가
③ 0.8 감소 ④ 0.8 증가

03 그림과 같이 A점에 설치한 피에조미터(piezometer) 내의 수위가 지표면보다 0.8m 위에 위치할 때 A점에서 흙의 전단강도(t/m^2)는?

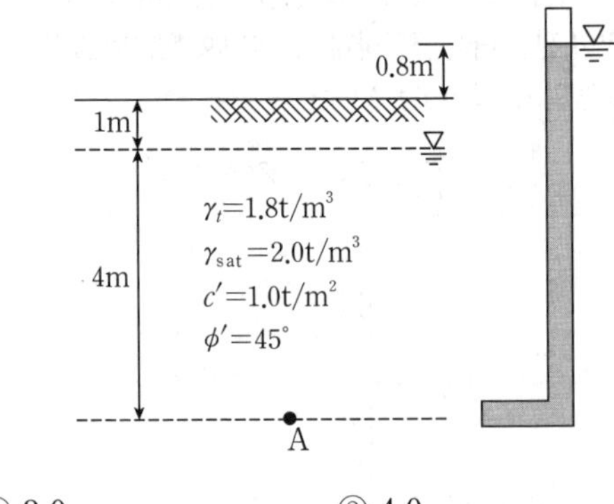

① 3.0 ② 4.0
③ 5.0 ④ 6.0

04 모래의 내부마찰각을 증가시키는 인자로 옳지 않은 것은?

① 상대밀도 증가 ② 입자의 모난 정도 증가
③ 균등계수 증가 ④ 구속응력 증가

01 ③ 02 ④ 03 ③ 04 ④ [정답]

05 흙댐에서 시간경과에 따른 안전율의 변화 및 안정 해석에 대한 설명으로 옳지 않은 것은?

① 흙댐이 정상침투상태가 되면 상류측 사면이 위험하다.
② 흙댐의 안전율은 공사시간 중 성토하중의 증가로 인해 성토완공 시까지 계속 감소한다.
③ 흙댐이 만수상태에 있다가 수위가 급강하하면 댐의 상류측 사면이 위험한 상태가 된다.
④ 댐 완공 직후의 안정해석은 이론적으로 전응력해석법과 유효응력해석법 모두 적용이 가능하다.

06 그림과 같이 불포화된 점토로 충진된 불연속면을 갖는 암블럭에 대해 활동파괴 가능성을 검토하고자 한다. 암블럭의 높이가 4m이고 습윤단위중량이 2.5t/m^{3}이며, 불연속면을 채우고 있는 불포화점토의 내부마찰각은 30°, 점착력은 $\sqrt{3}$t/m^{2}일 때 암블럭의 활동파괴에 대한 안전율은? (단, 암블럭의 단위폭당 중량은 $20\sqrt{3}$t/m이다)

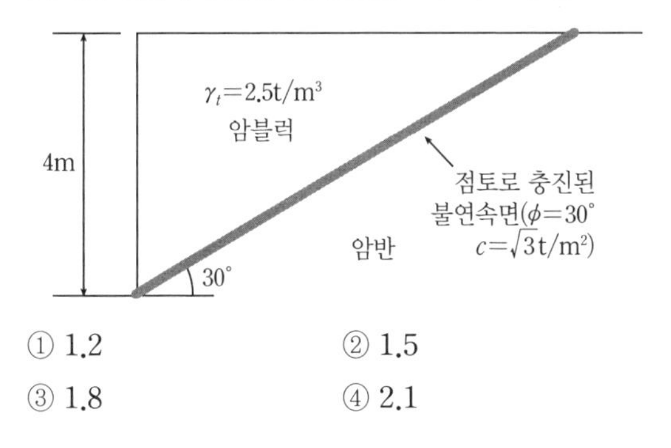

① 1.2　　② 1.5
③ 1.8　　④ 2.1

07 비배수 전단강도가 5.0t/m^{2}이고 포화단위중량이 2.0t/m^{3}인 포화된 점토지반에 한 변이 20cm인 정사각형 단면을 갖는 콘크리트 말뚝이 30m 깊이까지 관입되었을 때 말뚝의 극한 선단지지력(t)은? (단, ϕ=0일 때 지지력계수는 N_c=9, N_q=1이고, 말뚝의 형상계수와 한계관입깊이 개념은 무시한다)

① 3　　② 4
③ 5　　④ 6

08 지표면에 설치된 얕은기초에서 기초의 강성과 지반 종류에 따른 기초의 침하특성에 대한 설명으로 옳지 않은 것은?

① 포화된 점토지반 위에 있는 연성기초의 경우 즉시침하는 기초 중심부에서 최대이고 접지압은 균등이다.
② 포화된 점토지반 위에 있는 강성기초의 경우 즉시침하보다 압밀침하가 더 크게 발생한다.
③ 모래지반 위에 있는 연성기초의 경우 침하량의 대부분은 즉시침하로 구성된다.
④ 모래지반 위에 있는 강성기초의 경우 즉시침하는 균등하고 접지압은 기초 단부에서 최대이다.

09 토사의 습윤단위중량이 γ_t=1.8t/m^3, 포화단위중량이 γ_{sat}=2.0t/m^{3}이고, 정지토압계수(K_0)가 0.5인 균질한 지반이 있다. 지하수위가 지표면으로부터 5.0m 아래에 위치할 때 지표면으로부터 10m 깊이에 작용하는 연직전응력 σ_v(t/m^2)와 수평전응력 σ_h(t/m^2)는?

① σ_v=19.0, σ_h=7.0　　② σ_v=19.0, σ_h=120
③ σ_v=14.0, σ_h=7.0　　④ σ_v=14.0, σ_h=12.0

10 압밀-배수조건에서 삼축압축시험을 수행한 결과 사질토의 내부마찰각이 30°로 산정되었다. 동일한 시험조건에서 구속압이 1.4kg/cm^{2}였다면 사료가 파괴될 때 가해진 축차응력(kg/cm^2)은?

① 2.1　　② 2.8
③ 3.5　　④ 4.2

05 ① 06 ③ 07 ① 08 ④ 09 ② 10 ② [정답]

11 흙의 투수성에 대한 설명으로 옳지 않은 것은?

① 널말뚝 주변 지반의 분사현상에 대한 검토에서는 일반적으로 널말뚝의 근입깊이와 동일한 폭에 대한 평균상향침투압을 사용한다.
② 상향침투가 있을 때의 연직유효응력은 정수상태의 연직유효응력보다 작다.
③ 투수성이 낮은 점토의 투수계수는 압밀시험을 통해서 구할 수 있다.
④ 흙의 투수계수는 포화도에 따라 달라진다.

12 옹벽에 작용하는 토압에 대한 설명으로 옳지 않은 것은?

① 과압밀지반의 정지토압계수는 정규압밀지반의 정지토압계수보다 크다.
② 배면이 연직인 옹벽에서 흙과 옹벽 사이의 마찰각이 0이고 뒤채움흙의 지표면이 수평일 때 Rankine 토압과 Coulomb 토압의 크기는 같다.
③ 점토지반에서 인장균열이 발생한 후의 주동토압은 발생하기 전의 주동토압보다 크다.
④ 옹벽에 작용하는 토압은 옹벽의 수평변위에 관계없이 일정하다.

13 토립자의 비중이 2.7이고 건조단위중량이 1.8g/cm^{3}인 흙의 간극비는?

① 0.3　② 0.5
③ 0.9　④ 1.5

14 동일한 점토층이 그림과 같이 다른 지반조건에 위치하고 있다. 두께가 H인 점토층의 최종 압밀침하량은 어느 지반조건에서 더 큰가? (단, 두 지반조건에서 모래 및 점토가 가지는 모든 지반정수는 동일하다)

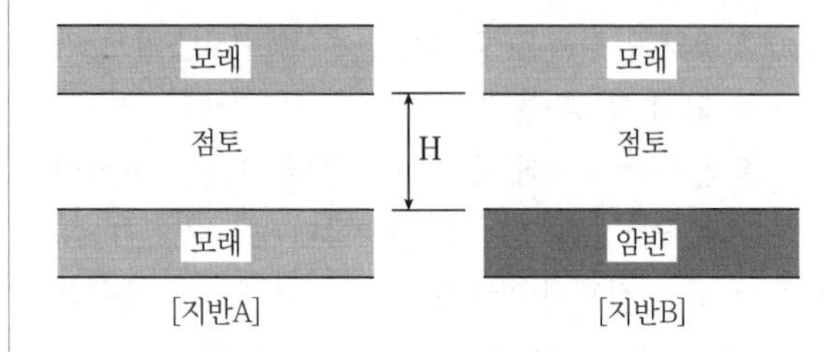

① A, B 서로 같다.　② A가 더 크다.
③ B가 더 크다.　④ 알 수 없다.

15 그림과 같이 간극률(n)이 0.5인 모래가 40cm 두께로 있다. 분사현상이 발생하기 시작하는 수두차(h[cm])는? (단, 모래의 비중은 2.5로 한다)

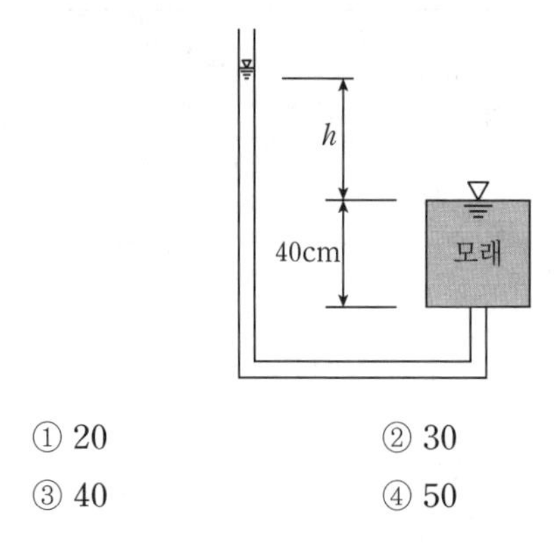

① 20　② 30
③ 40　④ 50

16 상대밀도가 50%이고 3.4m인 느슨한 모래층의 최소 간극비와 최대 간극비는 각각 0.5와 0.9이다. 이 모래층을 상대밀도가 75%가 되도록 다질 경우 모래층의 두께(m)는?

① 1.7　② 2.7
③ 2.8　④ 3.2

11 ① 12 ④ 13 ② 14 ① 15 ② 16 ④ **[정답]**

17 양면배수조건에 있는 10m 두께의 점토층이 최종적으로 50cm 침하할 것으로 예상된다. 만약, 5년 경과 후 점토층이 2cm 침하되었다면, 45cm의 침하가 발생하기 위해 필요한 시간(년)은? (단, 점토층의 평균압밀도가 50%와 90%일 때 시간계수는 각각 0.2와 0.85로 한다)

① 5.25 ② 17.25
③ 21.25 ④ 25.25

18 압밀시험 공시체의 단면적은 A이고 초기높이는 H이다. 1차원 압밀시험 완료 후 측정한 시료의 건조무게는 W_s, 비중은 G_s일 때 시료의 초기간극비(e_0)는? (단, 물의 단위중량은 γ_w이다)

① $\frac{HAG_s\gamma_w}{W_s}-1$ ② $1-\frac{HAG_s\gamma_w}{W_s}$
③ $1-\frac{AG_s\gamma_w}{HW_s}$ ④ $\frac{AG_s\gamma_w}{HW_s}-1$

19 그림과 같이 옹벽 전면에 수심 3m의 물이 있고 옹벽 배면에는 지하수위가 뒤채움흙의 지표면과 일치하고 있다. 이런 조건에서 옹벽에 작용하는 순토압(t/m)은?

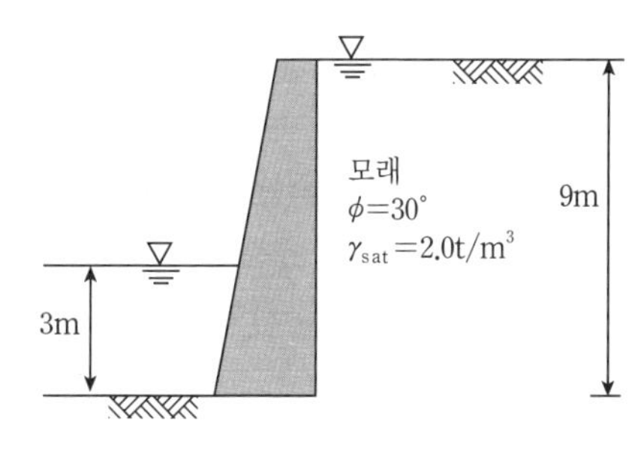

① 22.5 ② 31.5
③ 49.5 ④ 63.0

20 그림과 같이 옹벽 뒤채움흙의 지표면에 등분포하중이 작용할 때 이 등분포하중에 의해 옹벽에 작용되는 주동토압(P[t/m])과 그 작용위치(x[m])는?

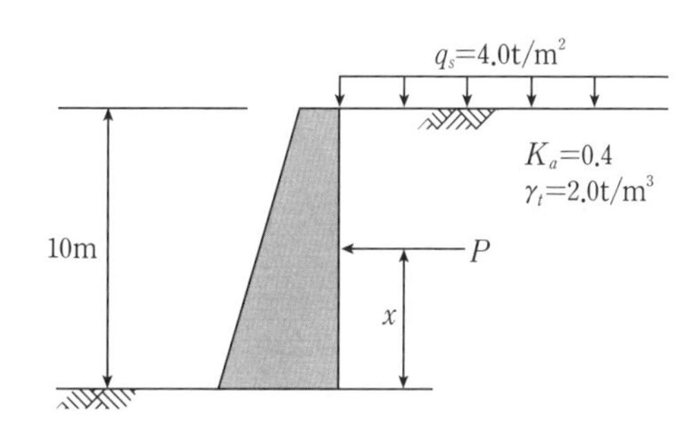

① $P=16.0$, $x=3.3$ ② $P=16.0$, $x=5.0$
③ $P=56.0$, $x=3.3$ ④ $P=56.0$, $x=5.0$

17③ 18① 19③ 20② **[정답]**

부록

토목직 공무원
최근 기출문제

수험번호	성명
20110723	도서출판세화

01 토압에 대한 설명으로 옳지 않은 것은?

① Rankine의 토압이론은 흙의 소성평형상태를 고려하고, Coulomb의 토압이론은 파괴면이 평면인 가상파괴 흙쐐기를 고려한다.
② Rankine의 토압이론은 벽체와 흙의 마찰을 고려하고, Coulomb의 토압이론은 벽체와 흙의 마찰을 고려하지 않는다.
③ Rankine의 토압이론에서는 주동토압계수와 수동토압계수는 항상 역수관계이나, Coulomb의 토압이론에서는 이 관계가 성립되지 않는다.
④ Rankine의 토압계수는 Mohr 원에서 유도되었고, Coulomb의 토압계수는 힘의 평형방정식에서 유도되었다.

02 흙의 물리적 성질이나 분류에 대한 설명으로 옳지 않은 것은?

① 액성지수가 1보다 크면 흙은 액체 상태이다.
② 활성도는 점토광물 중 카오리나이트가 몬모릴로나이트보다 일반적으로 크다.
③ 통일분류법에서 CH는 고소성의 무기질 점토를 의미한다.
④ 점토의 연경도가 함수비에 의존하는 이유는 점토입자 표면의 흡착수층의 두께가 함수비에 따라 다르기 때문이다.

03 다음과 같이 포화된 점토지반을 굴착하여 사면을 형성하는 경우, 예상되는 파괴면상의 점 A의 전단응력, 간극수압, 전단강도 및 안전율 변화에 대한 설명으로 옳지 않은 것은?

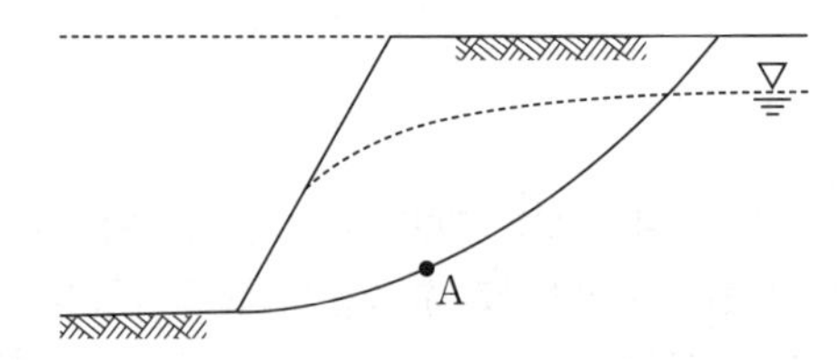

① 굴착이 종료된 후에 안전율은 증가한다.
② 굴착이 종료된 후에 전단강도는 감소한다.
③ 굴착이 진행되는 동안 전단응력은 증가한다.
④ 굴착이 진행되는 동안 간극수압은 감소한다.

04 말뚝에 작용하는 부마찰력에 대한 설명으로 옳지 않은 것은?

① 연약지반에서 지하수위가 감소하면 부마찰력이 발생할 수 있다.
② 군말뚝(무리말뚝)에 발생하는 부마찰력은 단말뚝보다 작다.
③ 부마찰력이 발생한 말뚝 두부에 상재하중을 작용시키면 부마찰력이 감소한다.
④ 부마찰력의 크기는 흙의 종류, 말뚝의 재료 등에 영향을 받지만, 말뚝과 흙 사이의 상대 변위속도에는 무관하다.

01 ② 02 ② 03 ① 04 ④ [정답]

05 흙의 동해에 대한 설명으로 옳지 않은 것은?

① 흙의 동해는 아이스렌즈(ice lens) 형성에 의한 동상과 아이스렌즈의 융해에 의한 강도저하를 말한다.
② 점토질 지층은 충분한 물이 공급되면 동상이 발생할 수 있다.
③ 지하수위가 깊어도 동결선이 모관상승고 이내면 동해를 받을 수 있다.
④ 실트질 흙은 점토질 흙에 비하여 간극이 커서 모관상승고가 낮으므로 동상 피해가 적다.

06 균질한 상태로 탄성거동을 하는 지반이 있다. 지반의 포와송비 μ가 0.25일 때, 탄성이론에 의한 지반의 정지토압계수는?

① 0.25 ② 0.33
③ 0.5 ④ 0.75

07 연약점토로 뒤채움된 옹벽이 다음과 같을 때, 비배수 조건에서 인장균열이 발생된 후의 주동토압의 합력 P_a(kN/m)는?

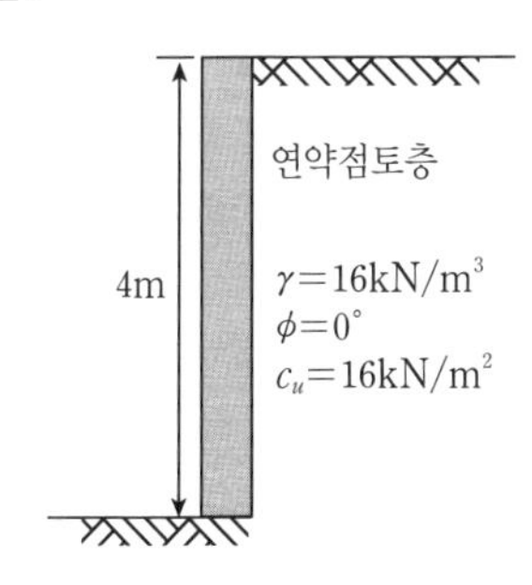

① 32 ② 64
③ 86 ④ 128

08 다음 그림과 같이 왼쪽에는 물이 담겨있는 수조, 오른쪽에는 모래가 담겨있는 토조가 있다. 분사현상이 발생되기 시작하는 수조와 토조 사이의 수위차 h(m)는? (단, 흙의 포화단위중량은 20kN/m^3, 물의 단위중량은 10kN/m^{3}이다)

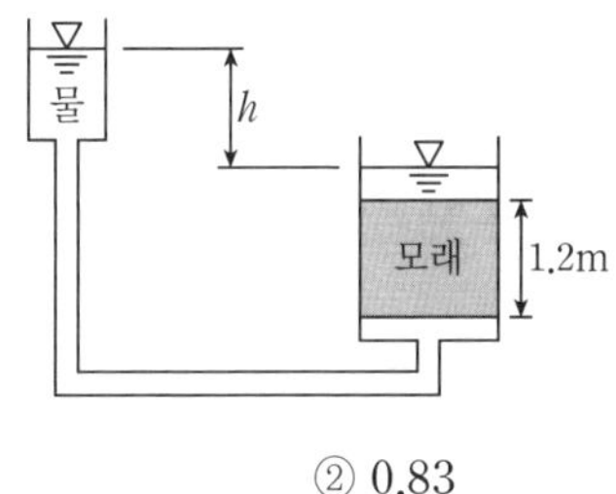

① 0.8 ② 0.83
③ 1.0 ④ 1.2

09 내부 마찰각이 30°인 건조모래를 트럭으로부터 쏟아 부어 다짐 없이 성토체를 만들려고 한다. 성토체의 사면붕괴에 대한 안전율이 1.5일 때 붕괴가 발생하지 않을 성토 사면각의 최댓값은?

① $\tan^{-1}\left(\frac{2}{3\sqrt{3}}\right)$ ② $\tan^{-1}\left(\frac{3\sqrt{3}}{2}\right)$
③ $\frac{2}{3\sqrt{3}}$ ④ $\frac{3\sqrt{3}}{2}$

10 높이 5m인 옹벽의 뒤채움이 다음과 같은 조건의 모래지반일 때 Rankine법에 의한 주동토압 산정결과가 큰 것부터 작은 것까지 순서대로 나열한 것은? (단, $\phi=30°$, $\gamma=18$kN/m^3, $\gamma_{sat}=20$kN/m^3, γ_w≒10kN/m^{3}이다)

㉠ 지하수가 존재하지 않는 경우
㉡ 지하수가 뒤채움재의 지표까지 존재하는 경우
㉢ 지하수가 옹벽 전·후면에 지표면과 같은 높이로 동시에 존재하는 경우
㉣ 옹벽배면에 경사배수재를 설치하여 뒤채움재에 연직배수가 발생하는 경우

① ㉡-㉣-㉠-㉢ ② ㉡-㉣-㉢-㉠
③ ㉣-㉡-㉠-㉢ ④ ㉣-㉡-㉢-㉠

05 ④ 06 ② 07 ① 08 ④ 09 ① 10 ① **[정답]**

부록

11 Terzaghi의 얕은기초 해석에 대한 설명으로 옳지 않은 것은?

① 전반전단 파괴시의 응력을 고려하여 극한지지력을 산정한다.
② 기초의 안전율은 일반적으로 2~3을 사용한다.
③ 점성토의 허용지지력은 기초폭과 관계없이 일정하고, 사질토는 기초폭에 비례하여 커진다.
④ 지지력계수는 내부 마찰각과 점착력의 함수로 구성되어 있다.

12 다음 2개의 다짐곡선에 대한 설명으로 옳지 않은 것은?

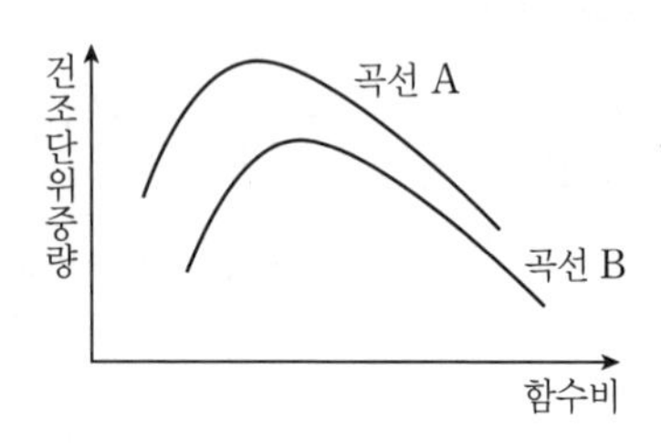

① 흙 종류가 동일할 경우, 곡선 A의 투수계수가 곡선 B의 투수계수보다 크다.
② 흙 종류가 동일할 경우, 곡선 A의 다짐에너지가 곡선 B의 다짐에너지보다 크다.
③ 다짐에너지가 동일할 경우, 곡선 A가 곡선 B보다 더 많은 조립분을 함유하고 있다.
④ 다짐에너지가 동일할 경우, 곡선 A가 곡선 B보다 더 양호한 입도분포를 보인다.

13 압축지수와 재압축지수에 대한 설명으로 옳지 않은 것은?

① 액성한계가 커질수록 압축지수도 커진다.
② 일반적으로 재압축지수의 크기는 압축지수보다 작다.
③ 불교란 점토의 압축지수가 교란 점토의 압축지수보다 작다.
④ 초기 간극비가 커질수록 압축지수도 커진다.

14 간극수압계수 A와 B에 대한 설명으로 옳지 않은 것은?

① 완전히 포화된 점토의 B 값은 1.0이다.
② 일반적으로 포화도가 커질수록 B 값도 커진다.
③ 일반적으로 정규압밀점토의 A 값은 과압밀점토의 A 값보다 작다.
④ 압밀비배수(CU) 시험에서 A 값을 구할 수 있다.

15 흙의 전단에 대한 설명으로 옳지 않은 것은?

① 비압밀비배수(UU) 삼축압축시험의 경우, 파괴시 축차응력의 크기는 구속응력의 크기와 무관하게 일정하다.
② 흙의 전단파괴는 전단응력이 최대인 면을 따라 발생한다.
③ 균등계수(C_u)가 작을수록 모래질 흙의 전단강도는 작아진다.
④ 시공 중 혹은 직후의 기초지반에 대한 단기 안정성을 평가하기 위해서는 비배수전단 시험을 수행한다.

11 ④ 12 ① 13 ③ 14 ③ 15 ② **[정답]**

16 2m×4m 크기의 직사각형 기초에 100kN/m²의 등분포하중이 작용할 때, 기초 아래 6m 깊이에서 2 : 1 경사법으로 구한 응력 증가량(kN/m²)은?

① 10 ② 15
③ 20 ④ 25

17 다음과 같이 20m(폭)×30m(길이)를 가진 전면 기초가 총 하중 32400kN의 하중을 받고 있다. 안전율이 1.5일 때 완전보상기초가 되기 위해 필요한 근입 깊이(m)은?

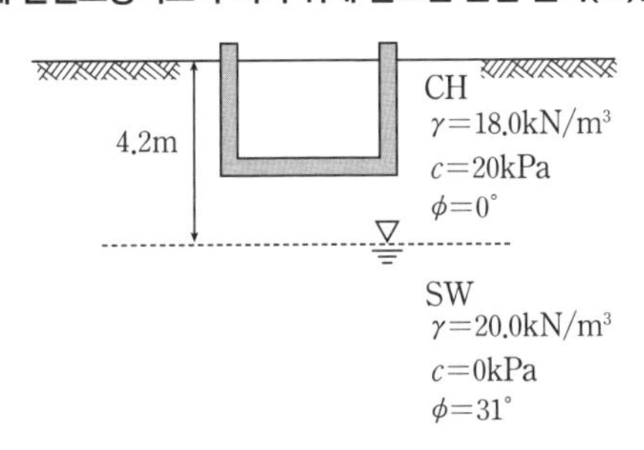

① 0.8 ② 2.0
③ 3.0 ④ 3.5

18 압밀시편 두께가 25mm인 점토에 연직응력(σ_0)을 25kPa 작용시켰을 때 간극비(e_0)는 1.5이었다. 이 시편에 25kPa의 응력을 증가시켜 연직응력(σ_1)이 50kPa이 되었을 때 5mm의 침하가 발생하였다. 이때 점토의 간극비(e_1)와 압축지수(C_c)는? (단, log2 = 0.3, log3 = 0.5이다)

① $e_1=0.5,\ C_c=1.7$ ② $e_1=0.5,\ C_c=2.0$
③ $e_1=1.0,\ C_c=2.0$ ④ $e_1=1.0,\ C_c=1.7$

19 다음과 같이 8m 두께의 포화점토 지반에 80kN/m²의 무한 등분포하중이 작용한다. 1년 경과 후 60cm의 침하량이 발생하였다면 압밀도(%)는? (단, 점토지반은 정규압밀점토이고, 압축지수 C_c는 0.5, 간극비(e_0)는 1.0, 물의 단위중량 γ_w은 10kN/m³이며, 지하수위는 지표면에 위치한다. 또한, 침하량 계산시 단일층으로 가정하고, log2 = 0.3, log3 = 0.5이다)

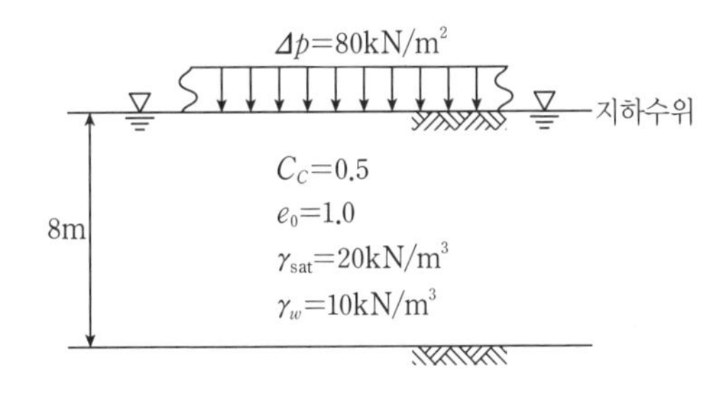

① 30 ② 50
③ 60 ④ 100

20 포화점토 시료에 대해 비압밀비배수(UU) 시험을 실시하였다. 구속압력 σ_3을 100kPa로 작용하였더니 파괴시 간극수압이 20kPa이었다. 이 포화점토에 구속압력 σ_3을 200kPa로 작용시켰다면 파괴시 간극수압(kPa)은?

① 40 ② 80
③ 120 ④ 140

16 ① 17 ② 18 ④ 19 ③ 20 ③ **[정답]**

2011. 10. 8. 지방직 7급

토목직 공무원

최근 기출문제

수험번호	성명
20111008	도서출판세화

01 다음과 같이 3개 층으로 구성된 지층의 수평방향 흐름에 대한 등가투수계수(cm/s)는?

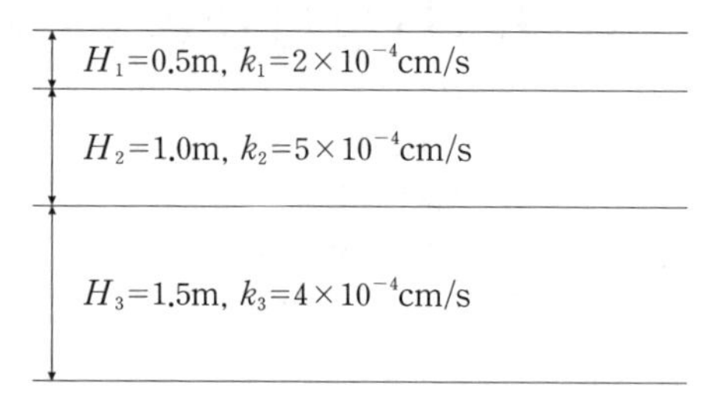

① 2×10^{-4}　② 3×10^{-4}
③ 4×10^{-4}　④ 5×10^{-4}

02 다음과 같은 옹벽에서 배면토에 발생하는 인장균열의 깊이(m)는?

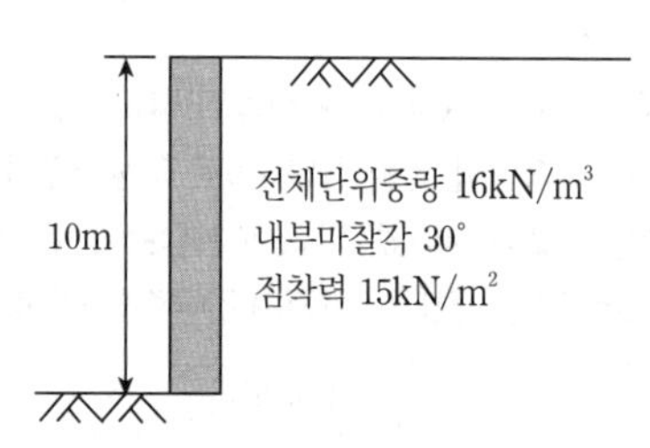

① $\dfrac{8}{15\sqrt{3}}$　② $\dfrac{8\sqrt{3}}{15}$
③ $\dfrac{15}{8\sqrt{3}}$　④ $\dfrac{15\sqrt{3}}{8}$

03 다음과 같이 사질토 지반에 설치된 지중 암거에 작용하는 단위길이당 수평토압(kN/m)은? (단, 소수점 첫째 자리에서 반올림한다)

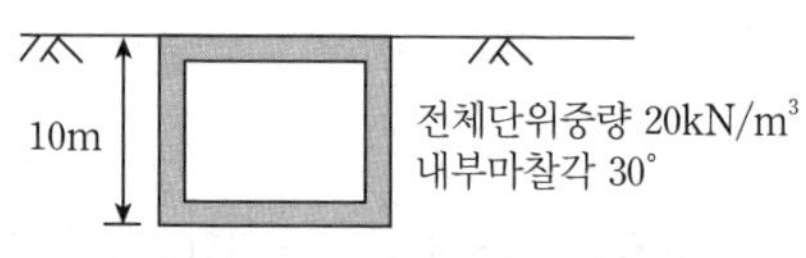

① 250　② 333
③ 500　④ 1000

04 사면에 대한 설명으로 옳지 않은 것을 모두 고른 것은?

㉠ 사면 선단에서 침식 및 굴착, 비나 눈 등의 자연적인 현상, 제방 내 수위의 갑작스런 저하 등이 사면 불안정을 초래할 수 있다.
㉡ 일반적으로 Bishop의 간편법으로 구한 안전율은 Fellenius 방법으로 구한 안전율보다 작다.
㉢ 포화점토지반에 절토시 안전율은 절토가 끝난 직후 가장 작다.
㉣ 일반적으로 사면의 실제 파괴면은 원호파괴 형태에 가깝다.

① ㉠　② ㉠, ㉣
③ ㉡, ㉢　④ ㉡, ㉢, ㉣

01 ③ 02 ④ 03 ③ 04 ③ [정답]

05 다음과 같이 호수 내 모래지반의 수위가 A에서 B로 2m 내려갈 때, 장기적으로 C 위치에서 흙의 유효연직응력 증가량(kN/m²)은? (단, 물의 단위중량은 10kN/m³, 흙의 포화단위중량은 19kN/m³이다)

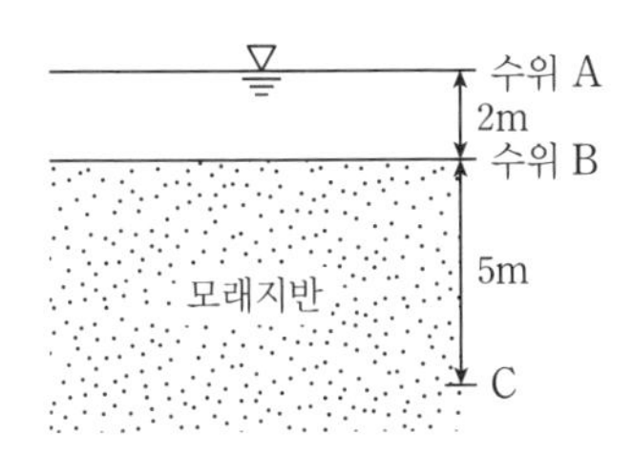

① 0 ② 5
③ 10 ④ 20

06 다음과 같이 단면이 서로 다른 각각의 실린더 안에 두 가지의 흙이 들어있다. 두 실린더 사이의 수두 차이를 일정하게 유지할 경우, C 지점의 압력수두(cm)는? (단, 흙 A의 투수계수는 2cm/min, 흙 B의 투수계수는 4cm/min이고, 흙 A 하부 단면적은 흙 B 하부 단면적의 2배이다)

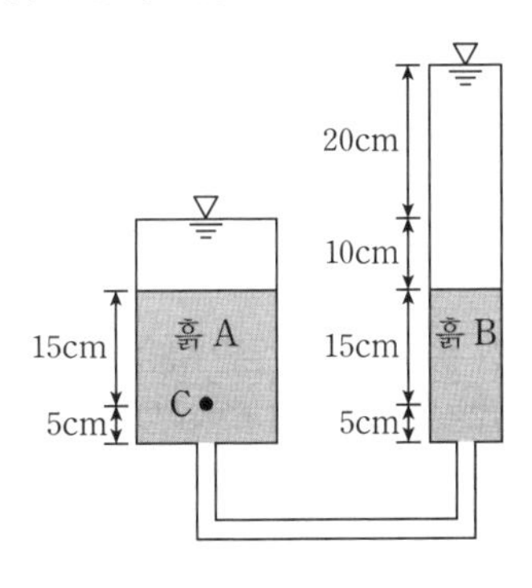

① 27.5 ② 32.5
③ 37.5 ④ 42.5

07 다음과 같은 지층에 성토하중 40kN/m²이 작용할 때, 지표면에서 4.5m 되는 지점 A의 총 유효연직응력(kN/m²)은? (단, 지하수위는 지표면과 일치하고, 물의 단위중량은 10kN/m³, A점의 압밀도는 40%이다)

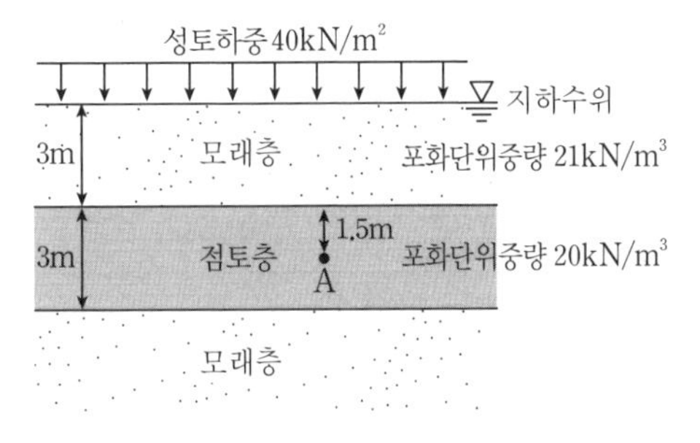

① 24 ② 64
③ 88 ④ 109

08 각 변의 길이가 0.5m이고, 길이가 20m인 연약점토에 근입된 정사각형 말뚝에 대해 β 방법에 의한 전체 주면마찰력(kN)은? (단, 지중의 평균 유효연직응력은 100kN/m², $\beta=0.25$이다)

① 250 ② 500
③ 750 ④ 1000

09 점토지반 위에 단위중량이 20kN/m³인 흙을 5m 성토할 때, 점토지반에 발생된 과잉간극수압이 60kN/m² 일 경우 간극수압계수 A는? (단, 지하수위는 지표면에 있으며, 간극수압계수 B는 1, 횡방향 토압계수는 0.5이다)

① 0.2 ② 0.3
③ 0.4 ④ 0.5

05 ① 06 ② 07 ② 08 ④ 09 ① [정답]

10 내부마찰각이 20°, 점착력이 20kN/m², 흙의 단위중량이 18kN/m³인 지반에 정사각형(3m×3m) 기초를 설치할 때, 전면전반 전단파괴에 대한 기초의 허용지지력(kN/m²)은? (단, 지하수위 깊이는 지표면에서 5m이며, 안전율은 3, 근입깊이는 1m, $N_c=18$, $N_q=8$, $N_\gamma=5$이다)

① 240 ② 300
③ 480 ④ 720

11 다음과 같이 지하수위면으로부터 지표면까지 지층이 모세관 현상에 의해 50% 포화되었다면, A점에서 유효연직응력(kN/m²)은? (단, 간극비는 0.5, 비중은 2.65, 물의 단위중량은 10kN/m³이며, 계산시 소수점 셋째자리부터 버린다)

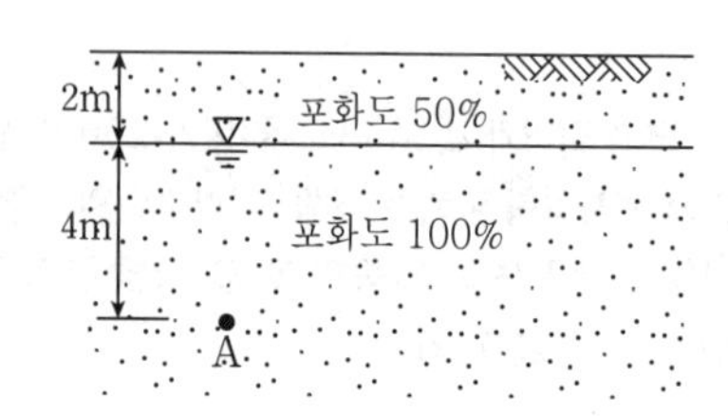

① 82.66 ② 115.98
③ 122.66 ④ 126.00

12 일축압축강도가 150kN/m², 전체 단위중량이 20kN/m³인 점토지반을 연직으로 깊이 5m까지 절토할 때, 전단파괴에 대한 안전율은?

① 1.5 ② 2.0
③ 3.0 ④ 6.0

13 어느 시료의 No.4체 통과량이 95%, No.10체 통과량이 90%, No.200체 통과량이 60%이다. 이 시료를 통일분류법으로 바르게 분류한 것은? (단, 이 시료의 액성한계는 45%, 소성한계는 20%이다.)

① CH ② MH
③ ML ④ CL

14 연직지반에 선단이 폐쇄된 말뚝을 항타로 설치할 때, 지반에서 발생되는 현상으로 옳지 않은 것은?

① 말뚝을 항타하는 경우 지반에 과잉간극수압이 발생한다.
② 말뚝을 항타하는 경우 지반에 높은 횡압이 발생한다.
③ 말뚝에 장기간 시간을 두고 항타와 중단을 반복하면 관입이 더욱 용이하다.
④ 말뚝을 항타 관입한 후에 시간이 지나면 말뚝이 다시 솟아오르는 현상이 발생할 수 있다.

15 토취장 흙의 평균 습윤단위중량은 16.8kN/m³이고, 함수비는 12%이다. 다짐된 도로제방의 부피가 10000m³, 건조단위중량이 18.0kN/m³, 함수비가 16%일 경우, 이 제방에 필요한 토취장 흙의 부피(m³)와 필요한 물의 양(kN)은? (단, 흙의 토량변화율은 무시한다)

	흙의 부피	물의 양
①	10000	7200
②	12000	7200
③	11000	8000
④	12000	8000

10 ① 11 ① 12 ③ 13 ④ 14 ③ 15 ② [정답]

16 두께가 16mm이고, 양면배수상태 시료에 대한 압밀실험에서 압밀도 50%에 이르는 시간이 8분이다. 현장에서 불투수층 암반 위에 놓인 두께 4m인 동일 시료의 점토층이 압밀도 90%에 도달하는 시간(분)은? (단, $T_{50}=0.2$, $T_{90}=0.85$로 가정한다)

① 4.25×10^{6}　② 8.50×10^{6}
③ 17.00×10^{6}　④ 34.00×10^{6}

17 다음과 같이 모래로 뒷채움된 콘크리트 옹벽이 있다. 지하수가 옹벽 정상부까지 채워질 때(만수위) 전체 주동토압과 지하수위가 옹벽 바닥 아래로 떨어질 때(갈수위) 전체 주동토압의 차이 (kN/m)는? (단, 물의 단위중량은 10kN/m³, 옹벽배면의 마찰각은 무시한다)

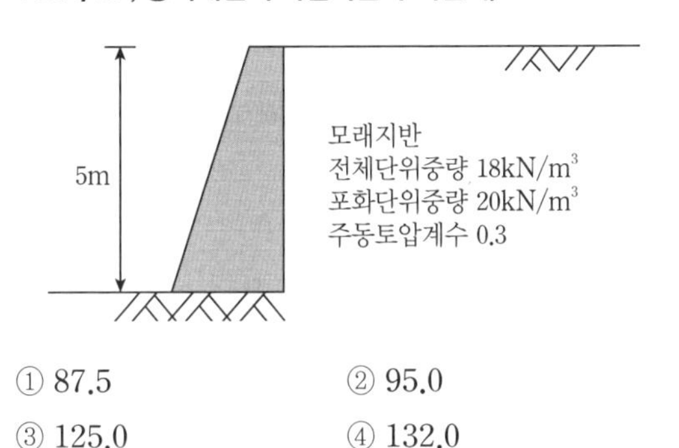

① 87.5　② 95.0
③ 125.0　④ 132.0

18 다음과 같은 널말뚝의 유선망에 대하여 단위폭당 침투유량(m³/s/m)과 점 A에서의 유효연직응력(kN/m²)은? (단, 포화단위중량은 20kN/m³, 물의 단위중량은 10kN/m³, 흙의 투수계수는 2.0×10^{-1}cm/s이다)

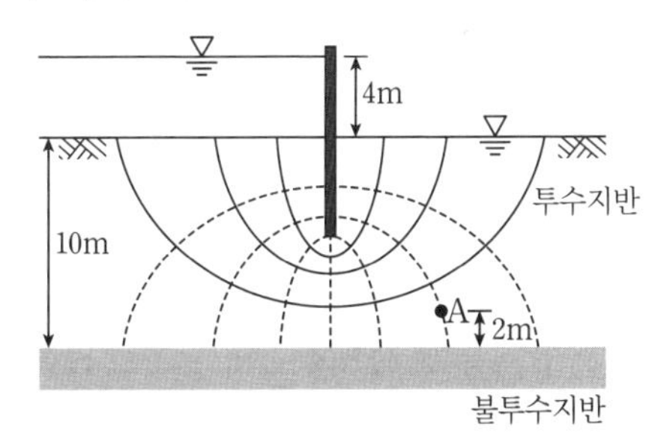

	침투유량	유효연직응력
①	4.0×10^{-3}	70
②	4.0×10^{-3}	80
③	2.0×10^{-3}	70
④	2.0×10^{-3}	80

19 정규압밀점토에 대하여 입밀비배수(CU) 삼축압축시험을 실시한 결과 유효응력에 대한 내부마찰각(ϕ')이 30°이다. 이 시료의 구속응력(σ_3)이 70kN/m²일 때, 파괴시 최대 전주응력(σ_1[kN/m²])은? (단, 파괴시 간극수압 Δu는 20kN/m²이다)

① 100　② 150
③ 170　④ 190

20 지하수 아래 위치한 두께가 4.0m인 점토층 위에 등분포 상재하중이 작용하여 점토층에 연직응력이 400kN/m² 만큼 증가하였다. 상재하중이 놓이기 전에 점토층 중간점의 초기 유효연직응력이 200kN/m²일 경우, 점토층의 최종 압밀침하량(cm)은? (단, 점토층의 선행압밀응력은 800kN/m², 압축지수는 0.3, 팽창지수 또는 재압축지수는 0.05, 초기간극비는 1.0, log1.5 = 0.18, log2 = 0.3, log3 = 0.48, log4 = 0.60이다)

① 4.8　② 6.0
③ 10.8　④ 28.8

16② 17② 18① 19③ 20① **[정답]**

부록

2012. 국가직 7급

토목직 공무원

최근 기출문제

수험번호	성명
20120000	도서출판세화

01 사면안정해석 방법 중 절편법이 아닌 것은?

① Fellenius 방법　② Culmann 방법
③ Bishop의 간편법　④ Janbu의 간편법

02 어느 지반에서 시료를 채취하여 실내시험을 한 결과, 흙시료의 총 중량은 2.21N, 흙만의 중량은 1.28N, 흙의 비중은 2.7, 포화되는 75%였다. 이 흙시료에서 물이 차지하는 체적[cm^3]은? (단, 물의 단위중량은 $10kN/m^3$로 한다)

① 69.75　② 93.00
③ 96.00　④ 165.75

03 그림과 같은 굴착현장에서 굴착면 하부지반 A의 거동을 평가하고자 한다. 이 때 현장상태를 가장 잘 반영할 수 있는 실내시험방법은?

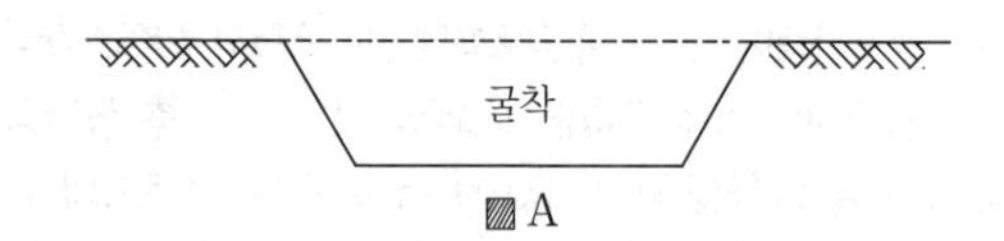

① 삼축압축시험(triaxial compression test)
② 삼축인장시험(triaxial extension test)
③ 직접전단시험(direct shear test)
④ 일축압축시험(unconfined compression test)

04 최대 건조단위중량과 건조단위중량이 각각 $16kN/m^3$와 $8kN/m^3$인 모래지반의 상대밀도가 75%라면 다짐도는?

① 75%　② 80%
③ 85%　④ 90%

05 포화된 점토지반의 지지력에 대한 설명으로 옳지 않은 것은?

① 지지력은 근입깊이가 깊을수록 증가한다.
② 기초 형상에 따라 지지력은 달라진다.
③ 지지력은 점착력에 의존한다.
④ 기초 폭이 클수록 지지력은 증가한다.

06 다음 그림의 응력경로에 대한 설명으로 옳지 않은 것은?

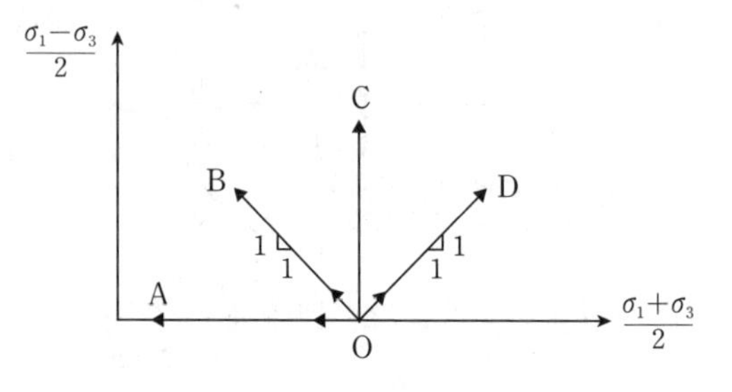

01 ②　02 ②　03 ②　04 ②　05 ④　06 ③　[정답]

① OA 경로에서 σ_1, σ_3 각각의 응력변화량의 절댓값은 같다.
② OB는 수평방향 인장시험의 응력경로를 의미한다.
③ OC 경로에서 σ_1, σ_3 각각의 응력변화량의 절댓값은 다르다.
④ OD는 수직방향 압축시험의 응력경로를 의미한다

07 그림과 같은 장치에서 분사현상에 대한 안전율이 3이 되려면 h〔cm〕는? (단, 흙의 비중은 2.65, 간극비는 0.65이다)

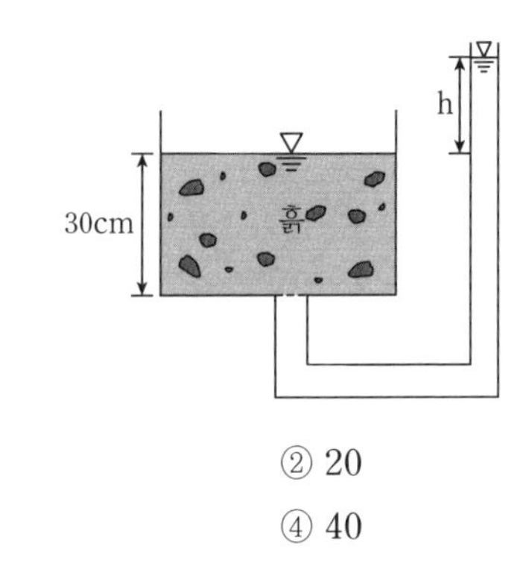

① 10 ② 20
③ 30 ④ 40

08 단위중량 18kN/m^3, 내부마찰각 30°, 점착력 9kN/m^{2}인 흙을 지지하고 있는 높이 6m의 옹벽 배면토에 인장균열이 발생하였다. 인장균열이 발생하기 전에 비해 발생 후 옹벽에 작용하는 전체 주동토압[kN/m]의 변화는? (단, $K_a = t^2(45° - \phi/2)$, 인장균열부의 상재하중 및 수압의 영향은 무시한다)

① 9 증가 ② 18 증가
③ 9 감소 ④ 18감소

09 지하수위가 지표면 아래 1m 되는 곳에 위치하고 모관현상으로 지표면까지 물로 포화되어 있다면, 지표면과 지하수위면 위치의 유효응력[kN/m^2]은? (단, 흙의 포화단위중량은 18kN/m^3, 물의 단위중량은 10kN/m^{3}로 한다)

	지표면	지하수위면
①	0	8
②	0	18
③	10	8
④	10	18

10 점착력이 없는 사질토 지반 위에서 직경 70cm인 원형 재하판을 이용한 평판 재하시험을 실시한 결과, 극한지지력은 285.6kN/m^{2}였다. 동일 지반 위에 놓인 직경 1.5m인 원형기초의 극한지지력[kN/m^2]은?

① 512 ② 525
③ 612 ④ 625

11 말뚝 기초에서 부주면 마찰력이 발생하는 경우로 옳지 않은 것은?

① 연약지반에 말뚝을 타입한 후 성토하는 경우
② 말뚝 주변 지하수위가 내려가는 경우
③ 상재하중이 말뚝 주변 지표면에 작용하는 경우
④ 연약지반에 말뚝 타입 후 말뚝 주변 지표 지반을 굴착 제거하는 경우

07 ① 08 ① 09 ④ 10 ③ 11 ④ **[정답]**

부록

12 그림과 같은 높이 6m의 옹벽 배면에 단위중량 18kN/m³, 내부마찰각 30°인 사질토 지반이 위치한다. 옹벽의 수평변위가 전혀 일어나지 않도록 지지하기 위한 정지토압〔kN/m〕의 크기와 옹벽저면으로부터의 작용위치〔m〕는?

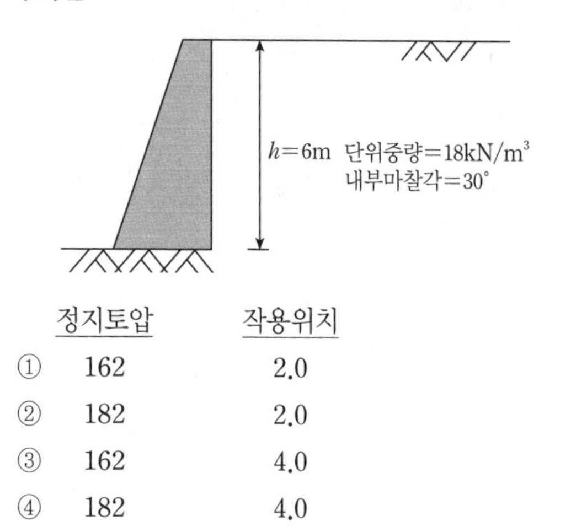

	정지토압	작용위치
①	162	2.0
②	182	2.0
③	162	4.0
④	182	4.0

13 수평지반에 대한 Coulomb 토압이론의 설명으로 옳지 않은 것은?

① 벽면 마찰을 고려하여 토압을 계산한다.
② 연직벽체의 경우 주동토압은 Rankine 주동토압보다 작다.
③ 흙쐐기를 강체로 가정한 토압이론이다.
④ 주동상태에서 연직벽체에 작용하는 수평응력은 최소 주응력이다.

14 10m 두께의 점토층이 모래층 사이에 분포하는 지반 위에 산업단지가 조성되었다. 조성 후 5년간 계측한 결과 12cm의 침하가 발생하였고, 이 때 평균 압밀도는 80%로 나타났다. 이 지반의 최종 압밀침하량[cm]은? (단, 모래의 침하는 없는 것으로 가정한다)

① 13.5　② 15.0
③ 17.5　④ 20.0

15 그림과 같은 독립기초(폭 2m, 길이 7m)에 작용하는 5,000kN의 하중으로 인해 지표면 아래 5m에 위치한 지중구조물 단면 상부에 야기되는 수직응력〔kN/m²〕은? (단, 2 : 1 분포법을 사용하여 산정한다)

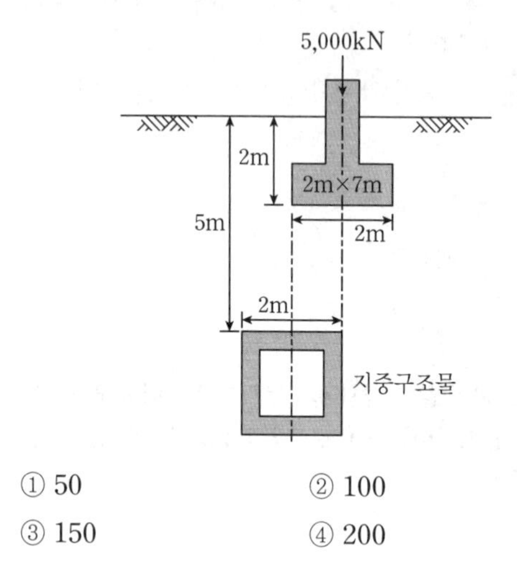

① 50　② 100
③ 150　④ 200

16 상부 모래층과 하부 암반층 사이에 위치하는 점토층의 압밀속도를 계산한 결과, 90% 압밀에 소요되는 시간이 5년이었다. 만일 하부에 암반층 대신 모래층이 존재한다면 90% 압밀에 소요되는 시간은?

① 1.25년　② 1.5년
③ 2.5년　④ 5년

12 ① 13 ④ 14 ② 15 ② 16 ① **[정답]**

17 10m 두께의 점토지반에서 시료를 채취하여 압밀시험을 수행한 결과, 하중강도의 간극비 관계가 다음과 같이 나타났다.

하중강도 (kN/m^2)	100	200	300
간극비	1.00	0.72	0.60

이 점토지반의 초기 평균 유효연직응력이 100kN/m^{2}인 상황에서 지표면에 200kN/m^{2}의 등분포 하중이 충분히 넓게 재하되었다면, 점토지반에 발생하는 최종 압밀침하량[m]은?

① 1.4 ② 1.6
③ 1.8 ④ 2.0

18 암반층 위에 5m 두께의 모래층이 경사 15°의 자연 무한사면으로 구성되어 있다. 이 토층의 내부 마찰각은 30°, 포화단위중량은 20kN/m^{3}이다. 지하수가 있는 경우와 지하수가 없는 경우의 안전율 비는? (단, tan30° = 0.5774, tan15° = 0.2679, 물의 단위 중량은 10kN/m^{3}로 하며, 지하수는 지표면과 일치하고 경사면과 평행하게 흐른다)

① 1 : 1.0 ② 1 : 1.5
③ 1 : 2.0 ④ 1 : 2.5

19 그림과 같이 지하수위가 ㉠에서 ㉡으로 h만큼 내려갔을 때 A점에 작용하는 유효연직응력의 변화량은? (단, γ_{sat}은 포화단위중량, γ_t는 습윤단위중량, γ'은 수중단위중량, γ_w는 물의 단위중량을 의미한다)

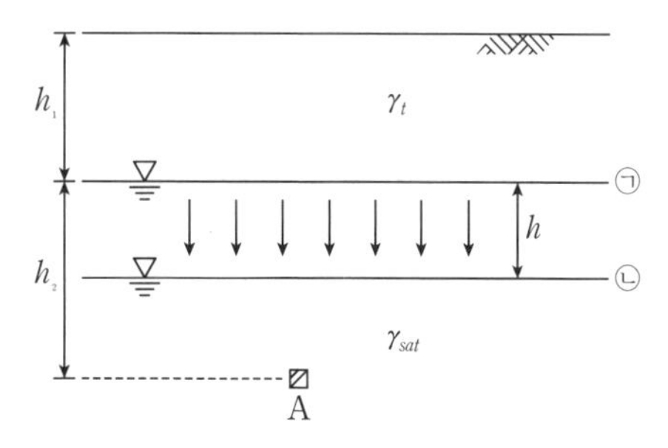

① $(\gamma_{sat}-\gamma_t)h$만큼 증가
② $(\gamma_w-\gamma_t)h$만큼 감소
③ $(\gamma_t-\gamma')h$만큼 증가
④ $(\gamma_t-\gamma')h$만큼 감소

20 어떤 느슨한 모래시료에 대한 파괴포락선의 식이 $\tau_f=\sigma' t30°$였다. 같은 시료에 대하여 구속압력 100kN/m^{2}를 가하여 압밀배수시험을 실시하였을 때, 이 시료의 파괴 시 축차응력[kN/m^2]은?

① 200 ② 220
③ 240 ④ 260

17 ④ 18 ③ 19 ③ 20 ① **[정답]**

부록

05 다음과 같이 지반이 2개층으로 구성되어 있을 때, Terzaghi 지지력 공식을 적용하는 방법에 대한 설명으로 옳지 않은 것은? (단, Terzaghi 지지력 공식은 $q_u = \alpha c N_c + q N_q + \beta \gamma B N_\gamma$이다)

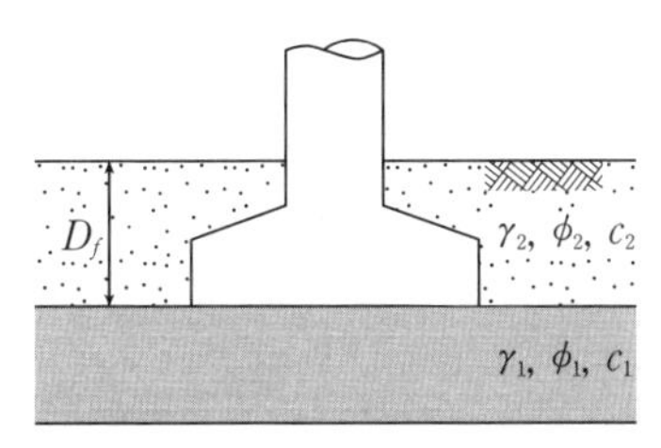

① 지지력계수, N_c, N_q, N_γ를 구할 때에는 ϕ_1을 적용한다.
② 첫째항, $\alpha c N_c$를 계산할 때, 점착력 c는 c_2를 적용한다.
③ 둘째항, $q N_q$를 계산할 때, 흙의 단위중량 γ는 γ_2를 적용한다.
④ 셋째항, $\beta \gamma B N_\gamma$를 계산할 때, 흙의 단위중량 γ는 γ_1를 적용한다.

06 다음 그림 A점에서의 연직유효응력(t/m²)은?

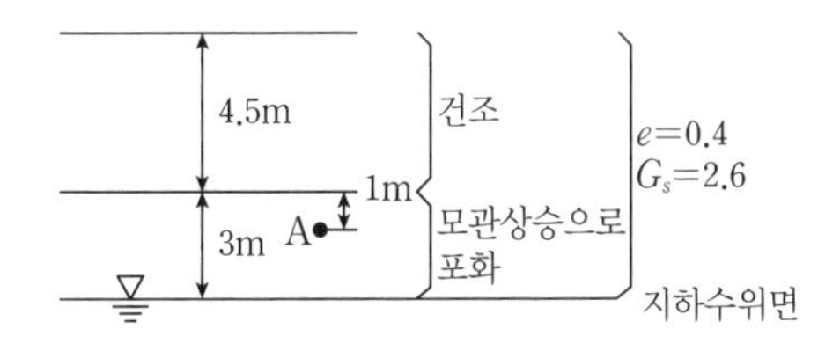

① 12.5 ② 14.5
③ 16.5 ④ 18.5

07 Boussinesq가 제안한 식을 이용하여 집중하중에 의한 지반내 응력 증가량을 구하는 경우에 대한 설명으로 옳은 것은?

① 연직응력 증가량은 깊이의 제곱에 비례한다.
② 연직응력 증가량은 하중의 작용점에서 수평방향으로 멀어질수록 증가한다.
③ 수평응력 증가량은 포와송비의 영향을 받지 않는다.
④ 전단응력 증가량은 탄성계수와 관련이 없다.

08 흙의 기본적 성질에 대한 설명으로 옳은 것은?

① 비중계분석법은 토립자의 침강속도가 입경의 세제곱에 비례한다는 Stokes의 법칙을 이용한 것이다.
② 유기질토(O)의 판별은 노건조시료와 자연건조시료의 액성한계(LL)를 비교하여 구할 수 있다.
③ 액성한계를 구하기 위한 유동곡선은 함수비－낙하횟수를 대수－대수지상에 도시한다.
④ 카올리나이트 성분이 많을수록 활성도가 증가한다.

09 동일한 다짐에너지로 다지는 경우, 다짐에 의한 점성토의 성질변화에 대한 설명으로 옳지 않은 것은?

① 최적함수비의 건조측에서는 면모구조를 가지며, 습윤측에서는 이산구조를 가진다.
② 최적함수비의 건조측 다짐시료가 습윤측 다짐시료보다 강도가 크다.
③ 최적함수비의 건조측에서는 최적함수비로 접근할수록 투수계수가 급속히 감소한다.
④ 최적함수비의 약간 건조측에서 다질 때 투수성이 최소가 된다.

05 ② 06 ① 07 ④ 08 ② 09 ④ **[정답]**

2013. 국가직 7급

토목직 공무원

최근 기출문제

수험번호	성명
20130000	도서출판세화

01 **다짐에 대한 설명으로 옳지 않은 것은?**

① 다짐에너지가 커지면 최대건조단위중량은 증가하고 최적함수비는 감소한다.

② 큰 강도가 필요한 경우, 최적함수비보다 약간 작은 함수비에서 건조측 다짐을 실시한다.

③ 동일한 에너지로 다진 경우, 함수비가 증가할수록 투수계수도 증가한다.

④ 다짐에너지가 큰 현장다짐장비를 모사하기 위한 실내다짐시험은 수정다짐시험이다.

02 **1차원 표준압밀시험에 대한 설명으로 옳지 않은 것은?**

① 응력제어방식을 이용하는 경우, 단계별로 하중을 변화시킨다.

② 단계별 재하하중의 지속시간은 24시간이다.

③ 단계별 재하하중의 크기는 전 단계 재하하중의 2배로 한다.

④ 압밀시험 중 물이 시료 속으로 역침투할 수 있으므로 시험 중에는 시료가 물에 잠기지 않게 한다.

03 **Rankine 토압이론에 대한 설명으로 옳지 않은 것은? (단, ϕ는 흙의 내부마찰각이다)**

① 옹벽 배면과 흙 사이의 마찰을 고려하지 않는다.

② 지표면이 수평인 경우, 주동상태시 옹벽 배면에서의 파괴면은 지표면과 $45° + \frac{\phi}{2}$의 각도를 갖는다.

③ 주동토압계수 산정식은 $\frac{(1+\sin\phi)}{(1-\sin\phi)}$이다.

④ 지표면이 수평인 경우, 수동파괴시 Mohr원상에서 최대주응력은 수평응력이다.

04 **점착력이 8kN/m², 단위체적 중량이 20kN/m³인 점성토 지반이 있다. 이 지반을 굴착할 경우, 인장균열깊이 [Z_c]와 한계 절토고 [H_c]는? (단, 내부마찰각 $\phi = 0°$이고 Rankine 토압이론을 이용하시오)**

	Z_c	H_c
①	0.8m	0.8m
②	0.8m	1.6m
③	1.6m	1.6m
④	1.6m	3.2m

05 **점성토 지반의 압밀에 대한 설명으로 옳지 않은 것은?**

① 압밀침하는 투수성이 낮은 지반에서 발생한 과잉간극수압이 오랜 시간에 걸쳐 소산되면서 흙이 압축되는 현상이다.

② 정규압밀점토는 현재 받고 있는 유효 상재압력 이상의 하중을 받은 적이 없는 점토를 말한다.

③ 과압밀지반은 상재압력의 추가 또는 지하수위의 급강하로 인해 발생한다.

④ Terzaghi 1차원 압밀이론에서 물의 흐름은 Darcy 법칙이 유효하며 투수계수는 일정한 것으로 가정한다.

01 ③ 02 ④ 03 ③ 04 ② 05 ③ [정답]

06 압밀시험결과를 이용하여 점성토의 압밀계수(C_v)는 1.5×10^{-4}cm^2/sec, 압축계수(a_v)는 3.0×10^{-2}cm^2/g으로 산정되었다. 이 점성토의 초기 간극비(e_0)가 1인 경우, 투수계수[cm/sec]는? (단, γ_w = 1 g/cm^{3}이다)

① 1.00×10^{-2}　　② 2.25×10^{-6}
③ 4.50×10^{-6}　　④ 5.00×10^{-3}

07 포화점토지반에 축조된 점토제방의 사면 및 절토사면의 안정에 대한 설명으로 옳지 않은 것은?

① 포화점토지반의 절토사면에서 시간에 따른 안전율은 시공완료시점 이후부터는 점차 증가한다.
② 포화점토지반의 절토사면에서 시간에 따른 흙의 전단강도는 시공완료시점 이후부터는 점차 감소한다.
③ 포화점토지반 위에 축조된 점토제방에서 시간에 따른 안전율은 시공완료시점에서 가장 작고 그 이후부터는 점차 증가한다.
④ 포화점토지반 위에 축조된 점토제방에서 시간에 따른 흙의 전단강도는 시공완료시점 이후부터는 점차 증가한다.

08 그림과 같이 기울기가 45도의 전단파괴면을 갖는 연직사면의 안전율은?(단, 단위폭당 파괴쐐기의 무게는 W, 단위폭당 전단파괴면의 면적은 L, 연직사면을 구성하는 토체의 점착력은 0, 내부마찰각은 ϕ이다)

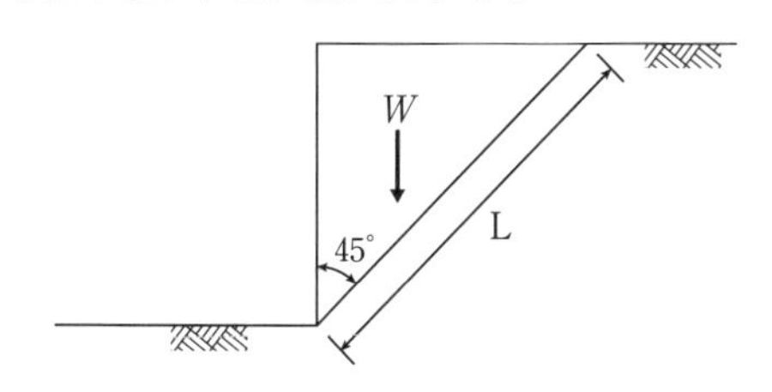

① $\tan\phi$　　② $\dfrac{1}{\tan\phi}$
③ $(\tan\phi)^2$　　④ $\left(\dfrac{1}{\tan\phi}\right)^2$

09 연성기초의 탄성(즉시)침하에 대한 설명으로 옳지 않은 것은?

① 탄성(즉시)침하량은 기초에 작용하는 압력이 커질수록 증가한다.
② 탄성(즉시)침하량은 지반의 탄성계수가 커질수록 증가한다.
③ 탄성(즉시)침하량은 기초의 폭이 커질수록 증가한다.
④ 기초의 설치심도가 깊어질수록 더 작은 침하가 발생한다.

10 그림과 같이 폭이 B로 일정하고 높이가 3m인 옹벽을 세우고자 한다. 전도에 대한 안전율을 2로 적용할 경우, 옹벽의 최소폭 B[m]는? (단, 흙의 단위중량은 16kN/m^3, 콘크리트의 단위중량은 24kN/m^3, 주동토압계수는 1/3이다)

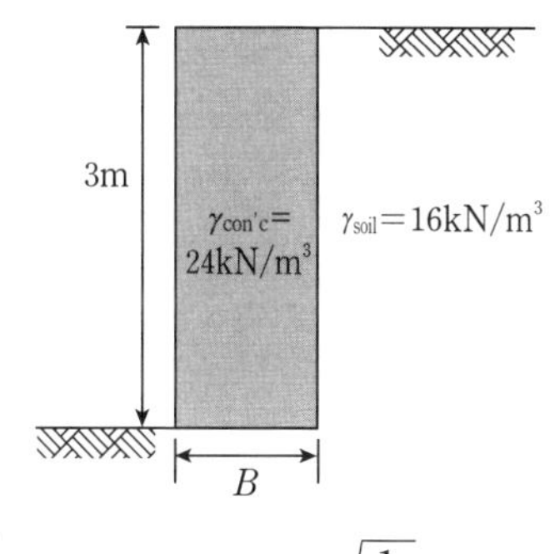

① $\sqrt{\dfrac{1}{3}}$　　② $\sqrt{\dfrac{1}{2}}$
③ $\sqrt{\dfrac{2}{3}}$　　④ $\sqrt{\dfrac{4}{3}}$

06 ② 07 ① 08 ① 09 ② 10 ④ **[정답]**

11 **기초의 탄성(즉시)침하와 접지압에 대한 설명으로 옳지 않은 것은?**

① 점성토지반 위에 놓이는 연성기초의 최대 침하는 기초 중앙부에서 발생한다.
② 강성기초는 지반조건(사질토 또는 점성토 등)에 따라 침하 형상이 변화한다.
③ 사질토지반 위에 놓이는 강성기초의 최대 접지압은 기초 중앙부에서 발생한다.
④ 점성토지반 위에 놓이는 강성기초의 최대 접지압은 기초 모서리부분에서 발생한다.

12 **삼축압축시험에서 흙 시료를 비배수 상태에 등방응력 400kN/m^{2}을 가한 후 시료의 과잉간극 수압을 측정하니 400kN/m^{2}이었다. 이러한 시료에 등방응력이 400kN/m^{2}인 상태에서 축차응력 600kN/m^{2}을 가했더니 과잉간극수압이 700kN/m^{2}으로 증가하였다. Skempton의 과잉간극수압계수 A 및 B는?**

	A	B
①	0.5	1.0
②	0.75	1.0
③	0.5	0.75
④	0.75	0.75

13 **평판재하시험(Plate Load Test)에 대한 설명으로 옳지 않은 것은?**

① 평판재하시험을 하기 위해 굴착 깊이에서 굴착 단면의 최소직경은 4B(B는 시험판의 직경)가 되도록 한다.
② 하중은 예상되는 극한하중의 1/4~1/5 정도로 단계별로 증가시키면서 가한다. 각 단계의 하중을 가한 후부터 최소한 1시간이 경과된 후에 다음 단계의 하중을 가한다. 시험은 파괴가 발생하거나 침하가 적어도 25mm가 발생할 때까지 실시한다.
③ 순수한 사질토지반에서 예상 기초의 침하량은 사용한 시험판(재하판)의 크기와 관계 없이 결정된다.
④ 순수한 점성토지반에서 예상 기초의 지지력은 사용한 시험판(재하판)의 크기와 관계없이 결정된다.

14 **지표면에 수위가 위치하던 원지반〔그림 (a)〕이 홍수로 인하여 수위가 지표면에서 5m까지 증가〔그림 (b)〕하였다가, 홍수가 끝난 후 5m의 지반침식〔그림 (c)〕이 발견되었다. 침식 후에도 수위가 지표면에 위치한다면, 홍수상태 〔그림 (b)〕의 지반요소 A에서의 유효응력은? 또한 원지반〔그림 (a)〕이 침식 후 지반〔그림 (c)〕으로 변화하는 과정에 대한 과압밀비는? (단, 지반의 포화단위 중량은 20kN/m^3, 물의 단위중량은 10kN/m^{3}를 사용한다)**

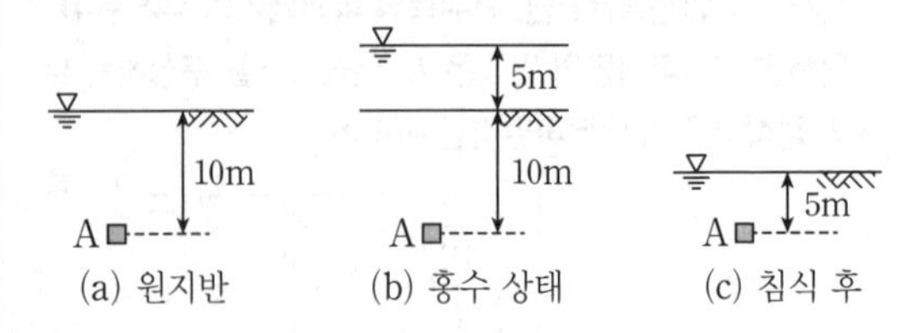

	유효응력	과압밀비
①	100kN/m^2	2
②	100kN/m^2	3
③	150kN/m^2	2
④	150kN/m^2	3

11 ② 12 ① 13 ③ 14 ① **[정답]**

15 말뚝 기초의 지지력에 대한 설명으로 옳지 않은 것은?

① 사질토지반에서 주면마찰력 산정 시, 타입식 말뚝의 수평토압계수는 천공식 말뚝의 값보다 크다.
② 점성토지반에서 주면마찰력 산정방법 중 β 방법은 유효응력으로 얻은 강도정수를 사용한다.
③ 사질토지반에서 한계깊이개념은 말뚝의 선단지지력 산정에서 적용되나 주면마찰력 산정에는 적용되지 않는다.
④ 부주면마찰력은 말뚝주위 지반의 침하가 말뚝의 침하보다 큰 경우에 발생한다.

16 그림과 같은 흙기둥에서 물이 A에서 C로 흐르고 있다. 상부 및 하부 수위가 그림과 같이 항상 일정하게 유지되면서 10초 동안에 100cm^{3}의 유량이 통과하였을 때, 이에 대한 설명으로 옳지 않은 것은? (단, 모든 손실수두는 흙에서만 일어나고, 흙의 포화단위중량은 20kN/m^3, 물의 단위중량은 10kN/m^3, 흙기둥의 단면적은 40cm^{2}이다)

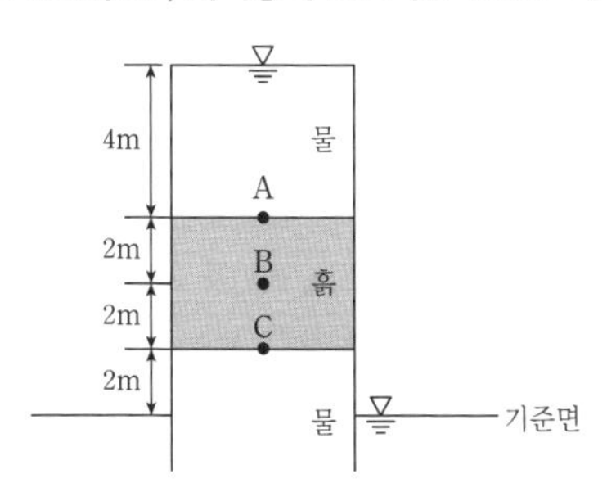

① A점과 B점의 압력수두 차이는 3m이다.
② B점의 단위체적당 침투수력은 25kN/m^{3}이다.
③ B점의 유효응력은 70kN/m^{2}이다.
④ 흙의 투수계수는 1.0cm/sec이다.

17 암석시료 채취기(Sampler)의 관입깊이가 100cm이었고, 이때 채취된 암석 시료를 상부로부터 차례대로 배열하면 암석 코아 길이가 각각 5cm, 8cm, 12cm, 6cm, 15cm, 9cm, 23cm, 12cm이었다. 이런 경우에 암석의 회수율(Recovery Ratio)과 RQD(Rock Quality Designation)는?

	회수율	RQD		회수율	RQD
①	1.0	0.38	②	1.0	0.62
③	0.9	0.38	④	0.9	0.62

18 수평방향 투수계수와 수직방향 투수계수가 각각 9×10^{-2}mm/sec와 4×10^{-2}mm/sec인 지반에 강널말뚝을 타입하고, 강널말뚝 앞뒤의 수위차를 10m로 유지하였다. 물 흐름을 해석하기 위해 좌표변환을 수행하여 지반내(지반 경계선 포함)에서 작도된 유선망이 11개의 등수두선과 6개의 유선으로 이루어졌다면, 지반을 통한 단위폭 당 침투유량[m^3/sec/m]은?

① 2.0×10^{-4} ② 3.0×10^{-4}
③ 3.25×10^{-4} ④ 4.5×10^{-4}

19 과압밀 점토시료를 사용하여 압밀 비배수 삼축압축시험을 수행하였다. 시험 결과에 가장 부합하는 유효응력경로는? $\left(단, p=\frac{\sigma_1+\sigma_3}{2}, p'=\frac{\sigma_1'+\sigma_3'}{2}, q=\frac{\sigma_1-\sigma_3}{2}, q'=\frac{\sigma_1'-\sigma_3'}{2}\right)$

①
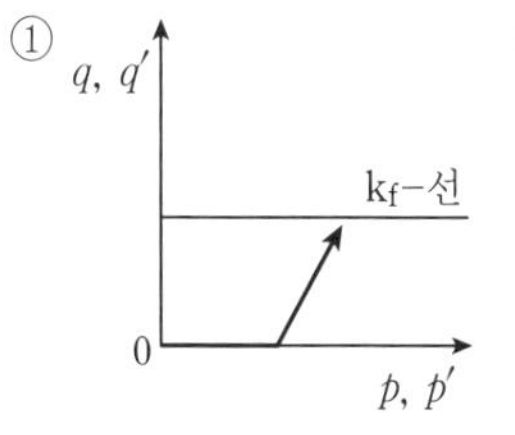

②
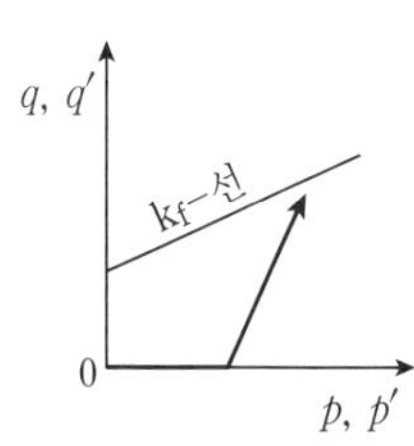

③
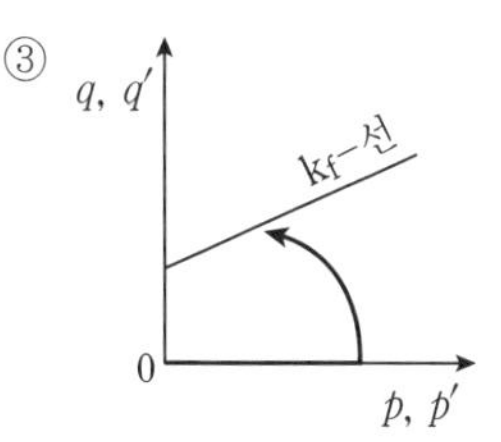

④
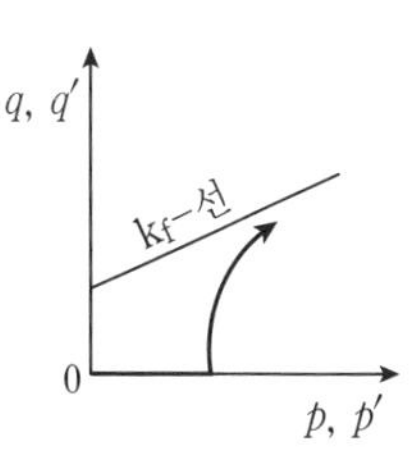

15 ③ 16 ④ 17 ④ 18 ② 19 ④ **[정답]**

20 구속압력 40kPa로 포화점토의 비압밀 비배수 삼축압축시험을 수행하는데 축차응력이 66kPa일 때 시편이 파괴되었다. 비배수 전단강도는? 만약 동일한 흙을 사용하여 비배수 상태로 일축압축강도시험을 수행한다면, 축하중이 얼마일 때 시료가 파괴되는가? (단, 시료에 실크랙이 없다고 가정한다)

	비배수 전단강도[kPa]	축하중[kPa]
①	33	66
②	33	106
③	66	66
④	66	106

20 ① [정답]

토목직 공무원

최근 기출문제

수험번호	성명
20140000	도서출판세화

01 자연시료에 대한 일축압축시험 결과 $q_u = 4.0\text{kN/m}^2$를 얻었다. 이 시료를 교란시킨 후 재성형된 공시체로 다시 일축압축시험을 실시하여 $q_u = 1.5\text{kN/m}^2$를 얻었을 때, 이 시료의 예민비는?

① 0.375 ② 1.33
③ 2.15 ④ 2.67

02 두께가 7m인 연약점토층의 초기간극비가 1.0이다. 5m의 높이로 성토 후 기존 점토층의 간극비가 0.7로 감소한다면 성토로 인한 연약점토층의 압밀침하량[m]은?

① 0.75 ② 1.05
③ 1.36 ④ 1.91

03 완전히 포화된 흙의 건조단위중량과 함수비가 각각 16kN/m^3와 25%일 때, 이 흙의 간극비(e)와 비중(Gs)은? (단, 물의 단위중량은 10kN/m^3로 가정한다)

	간극비[e]	비중[Gs]
①	0.63	2.52
②	0.65	2.60
③	0.67	2.67
④	0.68	2.72

04 지하구조물 설치를 위해 다음 그림과 같이 지반을 굴착하였을 때 굴착부 측면 A지점과 하부 B지점 각각에 대한 흙의 응력경로를 $p-q$도상에 옳게 표시한 것은?

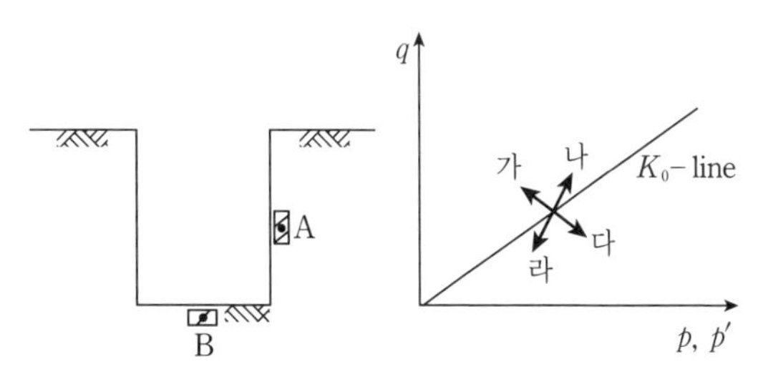

	A지점	B지점
①	가	라
②	나	라
③	가	다
④	나	다

05 무리말뚝의 배열과 관련된 설명 중 옳지 않은 것은?

① 무리말뚝의 배치는 정사각형, 직사각형, 지그재그 등으로 하는 것이 좋으며, 가능한 한 대칭으로 배치하는 것이 좋다.
② 각 말뚝의 하중분담률이 큰 차이가 나지 않도록 한다.
③ 경사면에 말뚝을 타입하는 순서는 높은 쪽부터 낮은 쪽으로 한다.
④ 무리말뚝을 타입할 때 중앙부보다 주변의 말뚝을 먼저 타입한다.

01 ④ 02 ② 03 ③ 04 ① 05 ④ [정답]

부록

06 다음 그림은 옹벽 배면 벽체의 변위에 따른 수평토압의 변화를 나타낸 것이다. 이에 대한 설명 중 옳지 않은 것은?

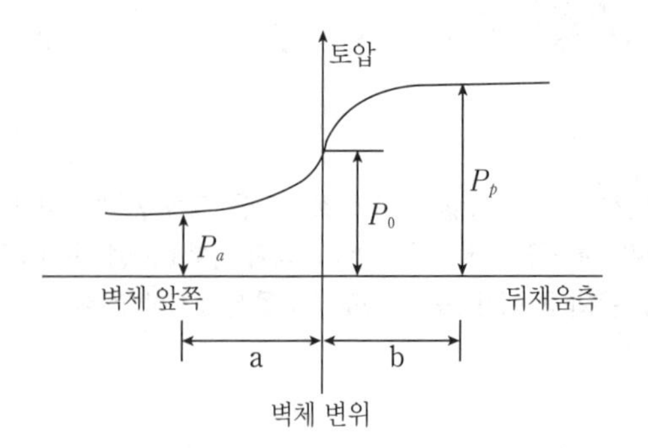

① 내부마찰각이 클수록 P_a 값이 감소한다.
② 벽체의 변위 a가 일반적으로 벽체의 변위 b보다 작다.
③ P_0 상태를 탄성평형으로 가정하여 토압계수를 유추 할 수 있다.
④ P_0 상태의 모어원은 파괴포락선 아래에 존재한다.

07 지표면까지 포화된 지반의 투수계수의 분포도는 다음 그림과 같다. 지하수가 수평방향으로만 흐른다면 지반의 등가 수평투수계수 $\bar{k}$ 및 각 층의 투수계수에 대한 상관관계를 설명한 것 중 옳지 않은 것은?

h	투수계수 k_1	
h	투수계수 k_2	투수계수 k_4
h	투수계수 k_3	

① $k_4 = k_2 + k_3 - 2k_1$
② $k_1 = 3\bar{k} - 2k_4$
③ $k_4 = \frac{1}{2}(k_2 + k_3)$
④ $\bar{k} = \frac{1}{3}(k_1 + k_2 + k_3)$

08 임의의 지반에서 응력상태를 $p-q$도상에 표시하면 그림과 같이 K_0-line에 위치하게 된다. 이때 지표면으로부터 깊이 5m에서 채취한 시료의 원위치수평응력 [kN/m²]은? (단, K_0-line 기울기를 β라 할 때, $\tan\beta = \frac{1}{3}$, 지반의 단위중량은 18kN/m²이다)

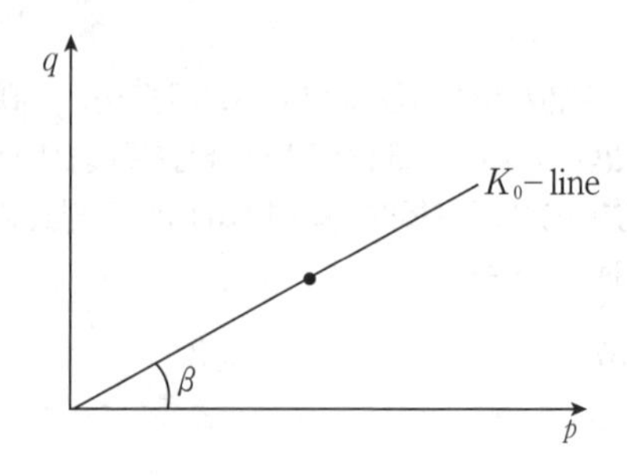

① 22.5　② 45
③ 90　④ 180

09 다음 그림과 같은 암반사면에 불연속면 AB가 있으며 AB면 틈에는 포화점토가 전체적으로 협재되어 있다. 이때 상부 암반의 활동에 대한 안전율은? (단, 점토의 비배수 점착력 c_u = 45kN/m², 암반의 단위중량 γ = 20kN/m³, 선 AB 윗부분의 면적은 9.0m²이다)

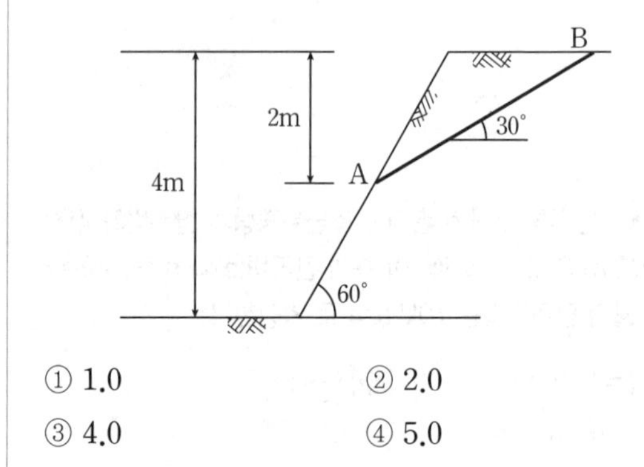

① 1.0　② 2.0
③ 4.0　④ 5.0

06 ②　07 ①　08 ②　09 ② [정답]

10 현장다짐 후 들밀도시험을 수행하였다. 들밀도시험을 위해 굴착된 굴착체적 V = 1,000cm^3, 흙입자만의 무게 W = 18N이었다. 실내표준다짐시 최대건조단위중량이 $\gamma_{d,m}$ = 20kN/m^{3}로 얻어졌다면 이 현장의 상대다짐도[%]는?

① 80　② 85
③ 90　④ 95

11 동일한 점토층에 대해 양면배수상태로 압밀시키는 경우가 일면배수상태로 압밀시키는 경우보다 몇 배의 압밀 시간이 소요되는가?

① 2　② 1/2
③ 4　④ 1/4

12 포화된 점토시료에 대하여 비압밀비배수상태(UU)의 삼축압축시험을 실시하였다. 시료를 셀 내부에 거치한 후 간극수압을 측정해 보니 0kN/m^{2}이었고, 이후 축차응력을 가하기 전 구속압력을 20kN/m^{2}까지 적용하였다. 이때의 간극수압[kN/m^2]은?

① 0　② 10
③ －20　④ 20

13 10m 두께의 점토층에서 채취한 점토시료를 사용하여 압밀시험(양면배수조건, 시료의 지름 75mm와 높이 20mm)을 수행한 결과 50% 압밀시키는 데 12분이 걸렸다. 만약 이 현장의 배수 조건이 실험실 배수조건과 같다면 10m 두께의 점토층이 50% 압밀에 도달하는 데 걸리는 시간[년]은?

① 5.23　② 5.71
③ 6.18　④ 6.66

14 그림과 같이 관 속에 위치한 모래층과 실트층을 통해 물이 흐르고 있다. 흐름에 따라 발생한 모래층과 실트층에서의 수두강하 비($\Delta h_{silt}/\Delta h_{sand}$)는? (단, 모래층의 투수계수 k_{sand} = 0.01cm/s, 실트층의 투수계수 k_{silt} = 1×10^{-5}cm/s, 시료의 단면적 A = 100cm^{2}이다)

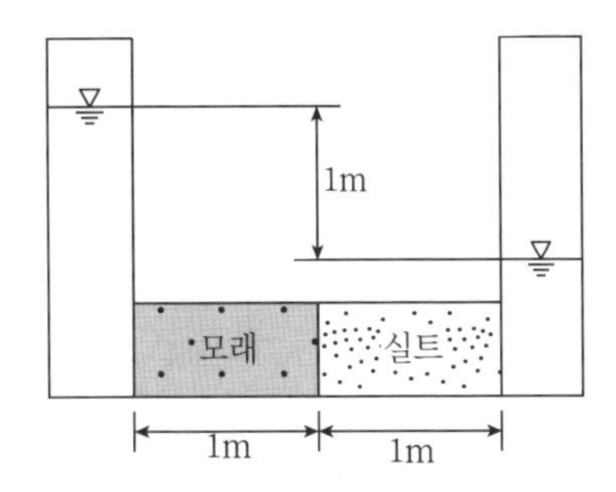

① 0.005　② 0.001
③ 200　④ 1000

15 그림과 같이 옹벽 배면의 지표면에 등분포하중이 작용하고 있다. 옹벽 배면에 발생하는 인장균열의 깊이〔m〕는?

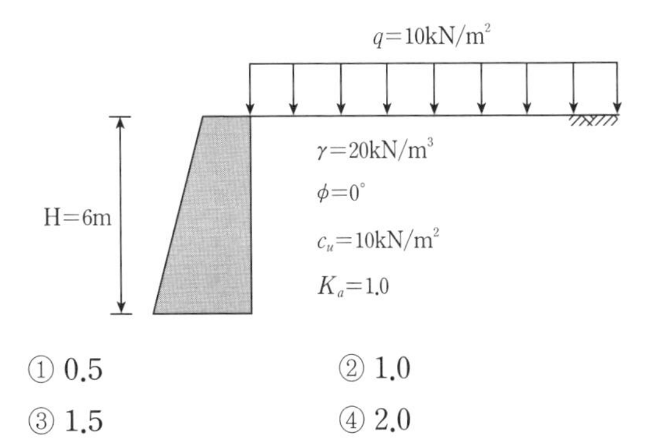

① 0.5　② 1.0
③ 1.5　④ 2.0

10③ 11④ 12④ 13② 14④ 15① [정답]

16 그림과 같은 지반조건에서 Terzaghi의 극한지지력 공식을 적용하여 지지력을 구하고자 할 때 γ_1과 γ_2의 값[kN/m³]은? (단, 흙의 포화 단위중량은 19kN/m³, 지하수위 상부 흙의 단위중량은 15kN/m³, 물의 단위중량은 10kN/m³로 가정하고, Terzaghi의 지지력 공식 $q_u = \alpha c N_c + D_f \gamma_1 N_q + \beta \gamma_2 B N_\gamma$이다)

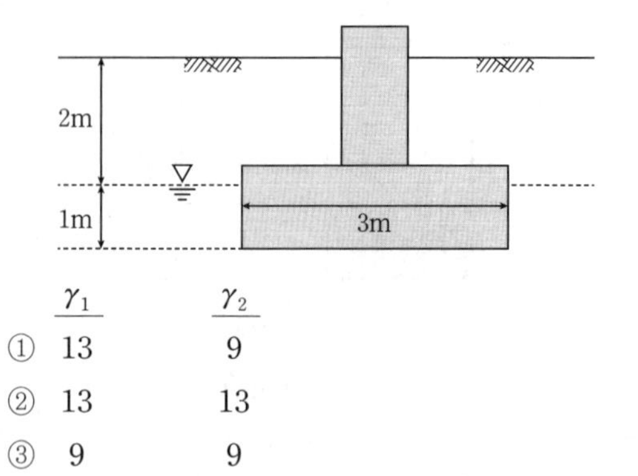

	γ_1	γ_2
①	13	9
②	13	13
③	9	9
④	9	13

17 그림과 같이 배면이 사질토로 채워진 중력식 옹벽의 활동에 대한 안전율은? (단, Rankine 토압이론을 사용하고, 주동토압계수는 0.3, 옹벽 저면과 지반과의 마찰각은 30°, 흙의 단위중량은 20kN/m³, 콘크리트의 단위중량은 25kN/m³, cos30° = 0.86이다.)

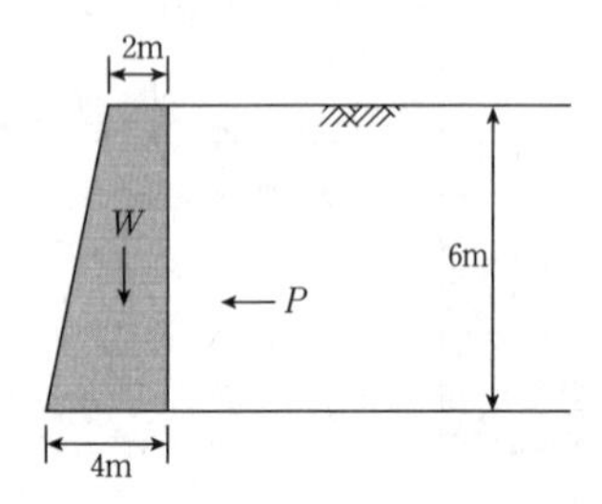

① 1.45　② 1.93　③ 2.42　④ 4.83

18 그림과 같이 유한사면 위에 연속구조물이 위치하는 경우 사면의 안전율은? (단, 가상파괴면 원호의 길이는 15m, 흙의 비배수 강도는 100kPa이고, 모멘트평형법을 사용한다)

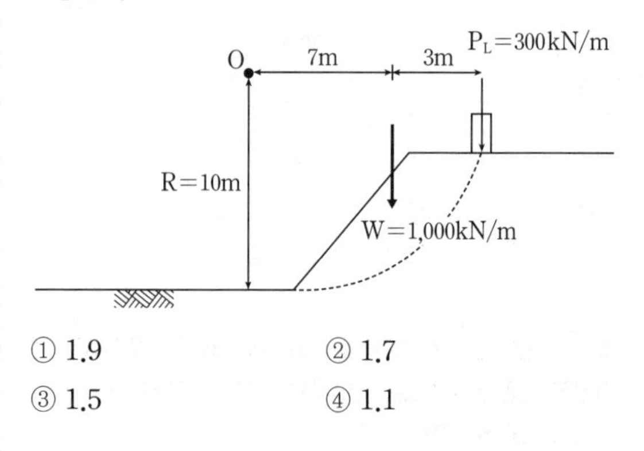

① 1.9　② 1.7　③ 1.5　④ 1.1

19 다음 그림과 같이 호수바닥 아래 지반(A지점)을 관통하는 지하통로를 설계하려 한다. 바닥면으로부터의 수위가 5m일 때(Case 1)와 물이 불어서 10m로 증가할 때(Case 2) A지점에서의 유효수직응력[kN/m²]은? (단, 호수바닥 아래 지반에서는 물의 흐름이 없는 정지상태로 가정한다)

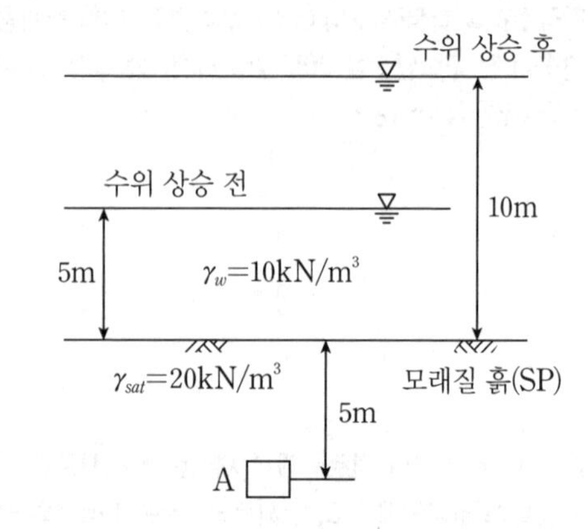

	Case 1	Case 2
①	50	50
②	5	5
③	5	50
④	50	5

16 ①　17 ③　18 ③　19 ① **[정답]**

20 말뚝의 단위면적당 주면마찰력은 그림과 같은 분포 형태를 가진다. 이 말뚝두부에 축방향 하중이 작용하였을 때, 축방향 하중전이 곡선의 형태와 가장 유사한 것은?

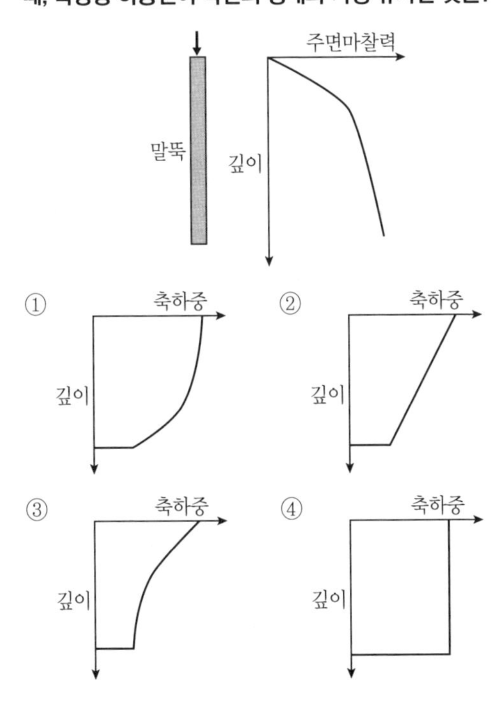

부록

20 ③ [정답]

2015. 국가직 7급

토목직 공무원

최근 기출문제

수험번호	성명
20150000	도서출판세화

01 그림과 같은 연직사면에서 평면 가상파괴면에 대한 안전율은? (단, N, T는 각각 파괴쐐기 무게에 의한 가상파괴면에 작용하는 수직력 및 활동력이며, 연직사면은 별도의 보강 없이도 자립할 수 있는 것으로 가정한다.

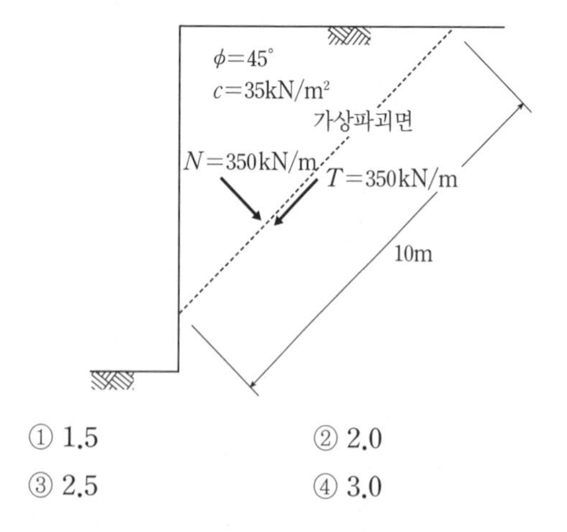

① 1.5 ② 2.0
③ 2.5 ④ 3.0

02 비탈면 또는 굴착면의 안정성을 저감시키는 요인으로 옳지 않은 것은? (단, 모든 요인은 영향범위내에서 변화되는 것으로 고려한다)

① 비탈면 내 지하수위의 상승
② 지진발생에 따른 수평하중의 증가
③ 굴착 후 지반 내 발생된 부의 과잉간극수압 (negative excess pore pressure)의 소산
④ 비탈면 내 모관흡수력 증대

03 모래치환법으로 현장밀도시험을 한 결과 원지반을 파낸 구멍의 부피는 2,000cm^{3}이고 파낸 흙의 중량은 33N이며, 함수비는 10%였다. 이 흙의 간극비는? (단, 이 흙의 비중(G_s)은 2.70이고 물의 단위중량은 10kN/m^{3}이다)

① 0.6 ② 0.7
③ 0.8 ④ 0.9

04 동상(frost heaving)에 대한 설명으로 옳지 않은 것은?

① 실트질 지반보다 자갈지반에서 동상이 잘 일어난다.
② 아이스렌즈를 형성하기 위한 물의 공급이 충분할수록 동상이 잘 일어난다.
③ 0도 이하 온도의 지속시간이 길수록 동상이 잘 일어난다.
④ 동상은 주로 지표 부근에서 잘 일어난다.

05 지반재료의 강성(stiffness)의 특성으로 옳지 않은 것은?

① 모든 지반재료의 강성은 응력경로에 무관하다.
② 사질토에서 구속응력의 증가는 지반 강성을 증가시킨다.
③ 정규압밀점토의 강성은 변형률 증가와 함께 감소한다.
④ 수평퇴적지층의 경우 대체로 퇴적방향에 따라 강성이 달라지는 이방성특성을 나타낸다.

01 ② 02 ④ 03 ③ 04 ① 05 ① [정답]

06 그림과 같은 지반에서 지표면에 100kN/m²의 상재하중에 의한 점토층의 1차압밀 침하량이 20cm일 때, 점토층의 1차압밀 완료 후 간극비는? (단, 점토층의 초기간극비 e_0는 1.0이며, Terzaghi의 1차원 압밀이론을 적용한다)

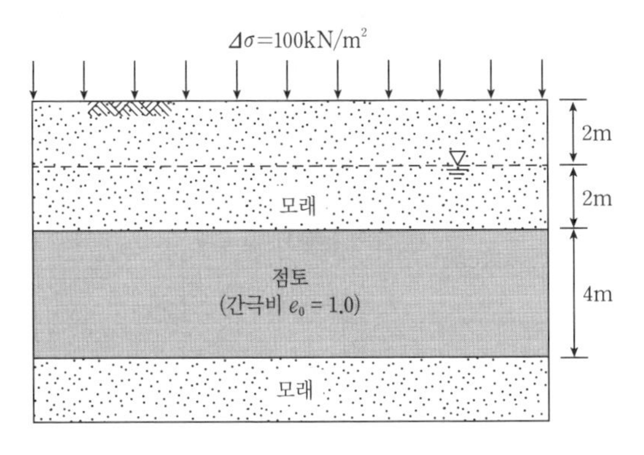

① 0.6　　② 0.7
③ 0.8　　④ 0.9

07 그림과 같이 10cm×10cm 정사각형 단면의 튜브 내에 투수계수가 다른 세 종류의 흙을 충전하고, ΔH=30cm의 정수두차를 유지하며 물을 침투시켰다. 이때, 흙 D를 통과하기 이전과 이후의 수두차 $h_C - h_D$[cm]는? (단, 흙 C, D, E의 투수계수는 각각 $k_C = 1.5\times10^{-3}$cm/sec, $k_D = 2\times10^{-3}$cm/sec, $k_E = 3\times10^{-3}$cm/sec이며, 수두손실은 흙에서만 발생한다.)

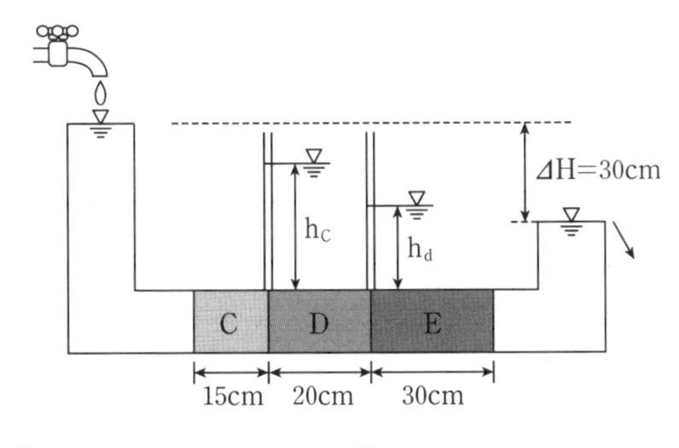

① 8　　② 10
③ 12　　④ 14

08 그림과 같이 점착력 50kN/m², 습윤단위중량 18kN/m³, 포화단위중량 20kN/m³인 지반에 근입깊이 1m가 되도록 직경 2m인 원형 기초를 설치하였다. 지하수위가 지표면 아래 1m에 위치할 때, 기초의 극한지지력[kN/m²]은? (단, $N_c = 10.8$, $N_q = 3.3$, $N_\gamma = 1.7$이고 물의 단위중량은 10kN/m³이며, 원형기초에 대한 Terzaghi 지지력공식 $q_{ult} = 1.3cN_c + qN_q + 0.3B\bar{\gamma}N_\gamma$을 사용한다)

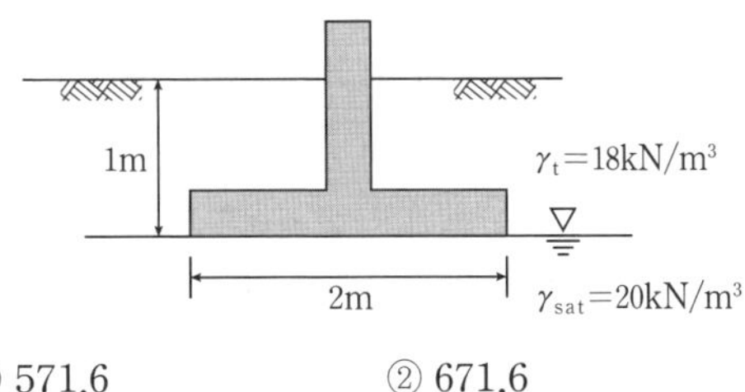

① 571.6　　② 671.6
③ 771.6　　④ 871.6

09 지반 내 응력을 평가하기 위한 방법 중 Boussinesq 이론에 대한 설명으로 옳은 것은?

① 탄성론에 근거하고 있으므로 지반 내 깊이에 따른 응력변화는 선형적으로 평가된다.
② 지반응력의 해는 흙의 탄성계수와 무관하다.
③ 탄성론에 근거하고 있으므로, 비균질, 비등방성 지반조건에서 응력을 산정하는 엄밀해로 간주된다.
④ Boussinesq 이론에 의한 수직응력의 산정에는 포아송비가 사용된다.

10 두께 2cm인 점토시료에 대한 압밀시험(양면배수) 결과, 평균압밀도 50%의 압밀이 진행되는데 10분(min)이 걸렸다. 동일한 점토층이 자갈층 위에 두께 2m로 놓여있다면(양면배수) 평균압밀도 70%의 압밀이 진행되는데 걸리는 시간[min]은? (단, 현장에서의 초기과잉간극수압 분포는 실내시험과 동일한 것으로 가정하고 평균압밀도 50%와 70%에 해당하는 시간계수는 각각 $T_{50} = 0.2$, $T_{70} = 0.4$로 가정한다)

① 50,000　　② 100,000
③ 200,000　　④ 800,000

06 ④ 07 ② 08 ③ 09 ② 10 ③ **[정답]**

11 얕은기초 하부지반의 전단파괴 양상에 대한 설명으로 옳지 않은 것은?

① 지반이 전단파괴가 일어날 때까지 저항할 수 있는 저항력을 극한지지력이라고 한다.
② 기초지반의 전단파괴는 전반전단파괴, 국부전단파괴, 관입전단파괴 등으로 나눌 수 있다.
③ 관입전단파괴는 일반적으로 조밀한 사질토 지반에서 발생하며, 흙의 파괴면은 지표면까지 확산되지 않는다.
④ Terzaghi의 얕은기초 지지력공식은 기초지반의 전반전단파괴를 가정하여 제안된 공식이다.

12 토압에 대한 설명으로 옳지 않은 것은?

① 일반적으로 과압밀점토의 정지토압계수는 정규압밀점토의 정지토압계수보다 크다.
② 옹벽의 하부에 설치하는 전단키(shear key)는 주동토압을 증가시키는 것이 주목적이다.
③ Coulomb의 토압이론은 흙과 벽체 사이의 마찰을 고려한다.
④ 토압은 지반변형에 따라 변한다.

13 점착력 = 0, 내부마찰각 = 30°인 모래질 흙에 대해 구속압 50kPa의 조건에서 배수 삼축압축시험(CD시험)을 실시할 경우, 전단파괴 시 전단파괴면 상의 전단응력[kPa]은? (단, Mohr-Coulomb의 파괴이론을 적용한다)

① 25　　② $25\sqrt{3}$
③ 50　　④ $50\sqrt{3}$

14 그림과 같이 5m × 10m의 직사각형 기초 시공으로 인해 사질토 지반위에 150kN/m²의 응력이 작용하고 있다. 응력 증가량을 2 : 1 방법으로 계산할 때, 기초 중앙하부 5m지점에서의 연직유효응력[kN/m²]은? (단, 지하수위는 지표면에 있고 사질토 지반의 포화단위중량은 20kN/m³이며, 물의 단위중량은 10kN/m³이다)

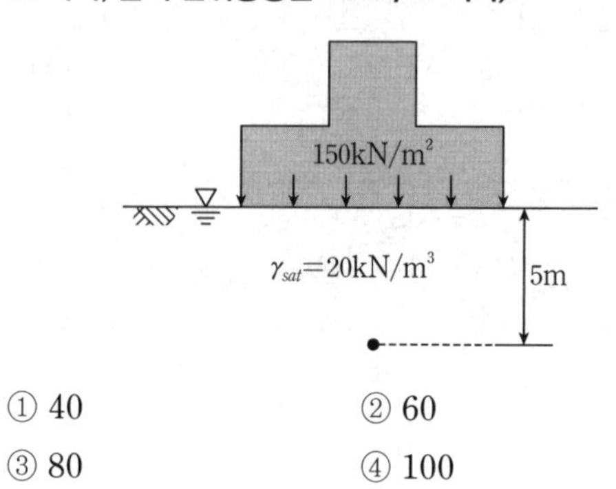

① 40　　② 60
③ 80　　④ 100

15 그림과 같이 정규압밀점토에 대한 삼축압축시험을 통해서 전응력경로(TSP)와 유효응력경로(ESP)가 얻어졌을 때, A점의 응력상태에서 시료에 가해진 축차응력 $\Delta\sigma_d$[kPa]와 간극수압 Δu[kPa]는? (단, $p=\frac{\sigma_1+\sigma_3}{2}$, $p'=\frac{\sigma_1'+\sigma_3'}{2}$, $q=\frac{\sigma_1-\sigma_3}{2}$, $q'=\frac{\sigma_1'-\sigma_3'}{2}$)

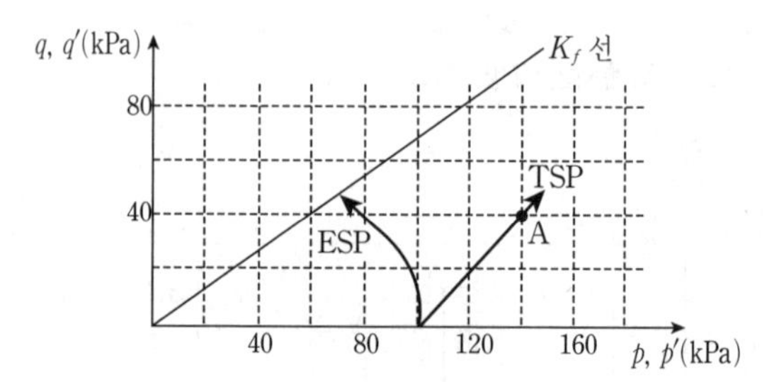

	$\Delta\sigma_d$	Δu
①	80	60
②	80	80
③	100	60
④	100	80

11 ③　12 ②　13 ②　14 ④　15 ①　**[정답]**

16 흙의 전단거동 특성에 대한 설명으로 옳지 않은 것은?

① 일반적으로 느슨한 사질토는 배수 삼축압축시험(CD시험) 중 체적이 지속적으로 감소한다.
② 조밀한 사질토는 압밀 비배수 삼축압축시험(CU시험) 중 간극수압이 감소할 수 있다.
③ 압밀 비배수 삼축압축시험(CU시험) 시 과압밀 점토의 거동은 사질토의 거동과 유사하다.
④ 상대밀도만 서로 다른 두 사질토 시편에 대해 동일한 구속압 조건의 배수 삼축압축시험(CD시험)을 수행하는 경우, 전단변형이 파괴 이후까지 충분히 커지면 두 시편의 간극비는 거의 같은 값으로 수렴한다.

17 양면배수조건으로 가정한 경우, 점토층의 3년 후 압밀침하량과 최종 압밀침하량이 각각 45cm, 50cm로 예측되었다. 같은 지반에서 배수조건을 일면배수조건으로 가정한다면, 예측되는 3년 후 압밀침하량[cm]과 최종 압밀침하량[cm]은? (단, 평균압밀도 50%, 70%, 82%, 90%에 해당되는 시간계수는 배수조건에 무관하게 각각 $T_{50}=0.2$, $T_{70}=0.4$, $T_{82}=0.6$, $T_{90}=0.8$로 가정한다)

	3년 후 압밀침하량	최종 압밀침하량
①	6.3	25
②	12.5	25
③	12.5	50
④	25.0	50

18 그림과 같이 수평으로 뒷채움한 역T형 옹벽에서 활동에 대한 안전율은? (단, 단위폭 당 활동면에 작용하는 뒷채움흙의 무게와 옹벽 무게의 합은 400kN/m, 기초저면과 흙의 마찰각은 31°, 흙의 내부마찰각은 30°, 흙의 점착력은 0, 흙의 습윤단위중량은 20kN/m³, tan 31° = 0.6, Rankine 토압이론을 적용하며, 지하수위의 영향과 옹벽전면의 수동측 저항력은 무시한다)

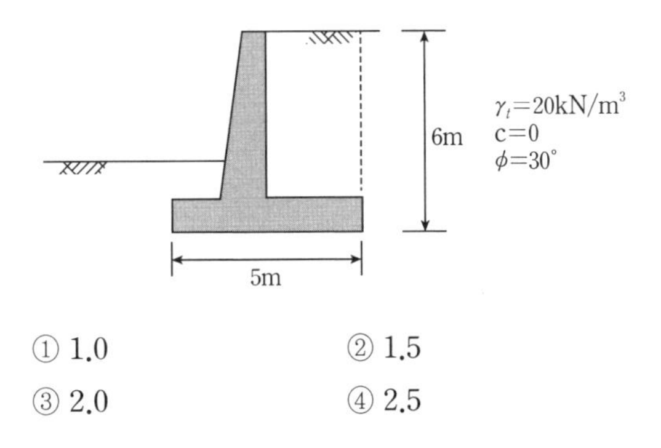

① 1.0 ② 1.5
③ 2.0 ④ 2.5

19 다음과 같은 옹벽에 작용하는 단위폭 당 전체 주동토압[kN/m]은? (단, K_{a1}과 K_{a2}는 지층별 주동토압계수이고 Rankine 토압이론을 적용하며, 물의 단위중량은 10kN/m³이다)

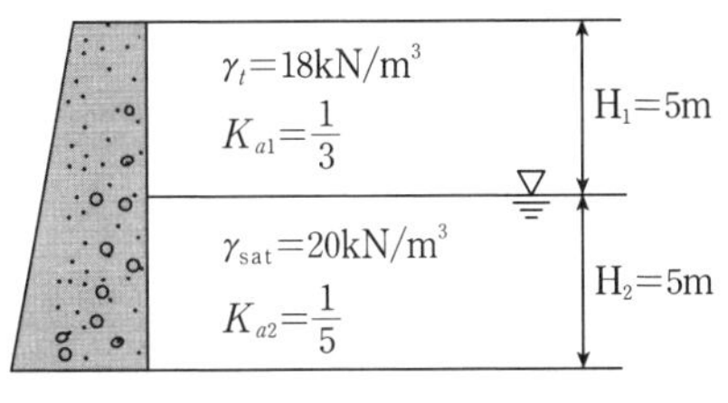

① 215 ② 265
③ 315 ④ 365

16 ③ 17 ④ 18 ③ 19 ③ [정답]

20 **흙의 다짐특성에 대한 설명으로 옳지 않은 것은?**

① 흙이 완벽하게 다져졌을 경우 이론적으로는 완전포화상태가 되어 다짐함수비에 따른 건조단위중량이 영공기간극곡선 상에 나타난다.

② 동일한 다짐에너지 조건일 때, 건조측에서는 다짐함수비가 증가할수록 투수계수가 증가하는 경향을 보이며, 최적함수비에서 최대투수계수를 나타낸다.

③ 최적함수비를 중심으로 다짐함수비가 작은 쪽을 건조측, 큰 쪽을 습윤측이라고 하며, 점성토에서는 건조측에서 면모구조, 습윤측에서 이산구조를 보이는 것이 일반적이다.

④ 일반적으로 다짐에너지가 클수록 최적함수비는 감소하고 최대건조단위중량은 증가한다.

20 ② [정답]

토목직 공무원

최근 기출문제

수험번호	성명
20160000	도서출판세화

01 점토의 공학적 특성에 대한 설명으로 옳지 않은 것은?

① 점토의 비율이 증가하면 흙의 소성지수(PI)도 증가한다.
② 예민한 점토의 현장 함수비는 액성한계보다 클 수 있다.
③ 점토의 함수비는 100%를 초과할 수 없다.
④ 점토의 액성한계는 100%를 초과할 수 있다.

02 포화 점토시료($\phi=0$)의 일축압축시험에 대한 설명으로 옳지 않은 것은?

① 최대 주응력 면과 파괴면이 이루는 각도는 45°이다.
② 최대 주응력의 크기는 일축압축강도의 $\frac{1}{2}$이다.
③ Mohr 응력원을 작도하였을 때, Mohr 응력원의 반경은 점착력의 크기와 같다.
④ 일축압축시험은 구속압력(σ_3)이 0인 비압밀 비배수(UU) 시험결과와 동일하다.

03 그림과 같이 지하수위가 지표면에 위치하는 사질토 지반(A)에 폭우가 내려 사면이 완전히 물속에 잠겼다(B). 이때 B의 안전율은 A의 안전율의 몇 배인가? (단, 흙의 마찰각은 30°, 흙의 포화단위중량은 20kN/m³, 물의 단위중량은 10kN/m³이다.)

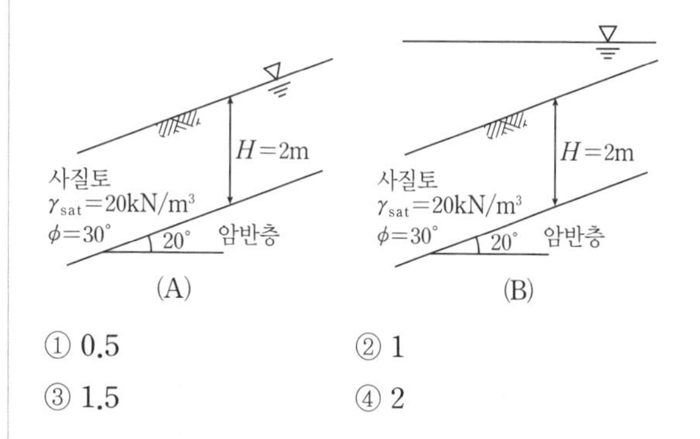

① 0.5
② 1
③ 1.5
④ 2

04 말뚝의 지지력에 대한 설명으로 옳은 것은?

① 부(주면)마찰력은 말뚝 주변 지반의 침하량이 말뚝의 침하량보다 클 때 발생한다.
② 일반적으로 군(무리)말뚝의 지지력은 단일말뚝의 지지력을 합한 값보다 크다.
③ 모래지반에서 말뚝의 주면마찰력은 근입깊이가 증가함에 따라 선형적으로 감소한다.
④ 모래지반에서 말뚝의 주면마찰력은 말뚝의 시공방법에 영향을 받지 않는다.

01 ③ 02 ② 03 ④ 04 ① **[정답]**

부록

05 시추조사결과 A와 B의 지반조건이 그림과 같이 최하단의 지반조건만 다르게 나타났다. 동일한 구조물을 각각의 지반 위에 건설할 경우, A지반에서 50% 압밀에 소요되는 시간(t_A)과 B지반에서 90% 압밀에 소요되는 시간(t_B)의 비(t_B/t_A)는? (단, 시간계수 $T_{v,50\%}=0.2$, $T_{v,90\%}=0.8$로 가정한다)

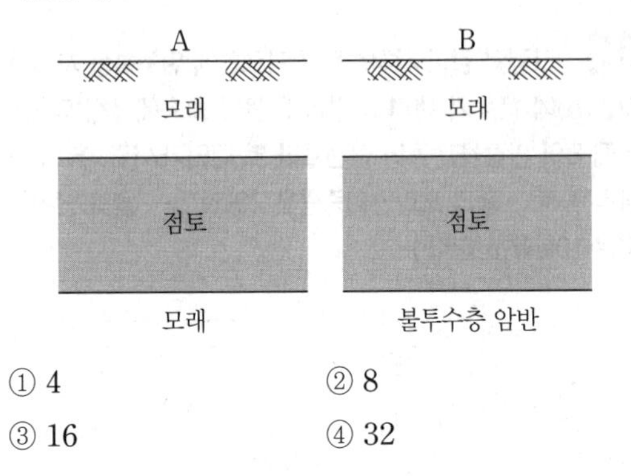

① 4 ② 8
③ 16 ④ 32

06 그림과 같이 정규압밀된 점토층 상부에 무한 등분포하중($q=20\text{kN/m}^3$)을 재하하고, 5년 후 A점과 B점의 과잉간극수압은 5kN/m^2로 관측되었다. 재하 직후 A점과 B점의 과잉간극수압과 5년 후 압밀도는? (단, 지반은 포화되었으며 지하수위는 지표면과 일치하고 점토의 포화단위중량은 20kN/m^3이다)

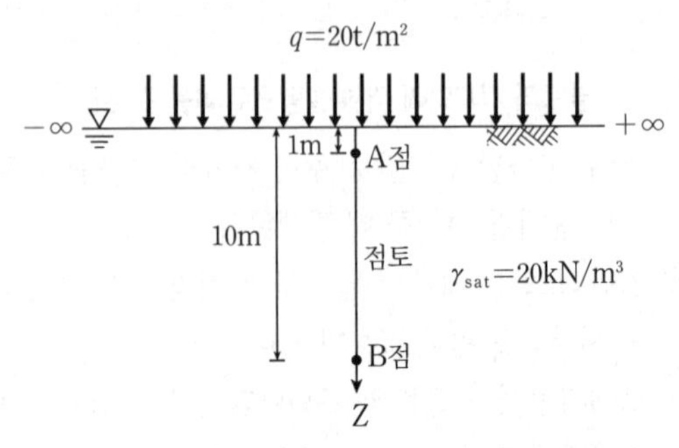

	과잉간극수압[kN/m^2]		압밀도[%]	
	A점	B점	A점	B점
①	20	20	25	25
②	20	20	75	75
③	10	100	25	25
④	10	100	75	75

07 토압이론에 대한 설명으로 옳지 않은 것은?

① Coulomb 주동토압은 배면의 활동 파괴면 중 토압이 최소가 되는 파괴면에서 산정된다.
② 옹벽배면이 연직, 배면지반이 수평, 그리고 벽면 마찰각을 무시하는 조건에서 Coulomb 토압계수와 Rankine 토압계수는 같다.
③ Rankine 토압이론에서는 흙의 점착력을 고려할 수 있으나 Coulomb 토압이론에서는 고려할 수 없다.
④ Coulomb 수동토압은 배면 파괴면을 직선으로 가정하므로 토압을 과대평가한다.

08 균질한 건조모래를 지지하는 벽체가 미소하게 움직이며 주동파괴가 발생하였다. 뒤채움 모래의 마찰각(ϕ)은 30°이고 단위중량(γ)은 20kN/m^3일 때 Rankine의 주동토압과 파괴각은?

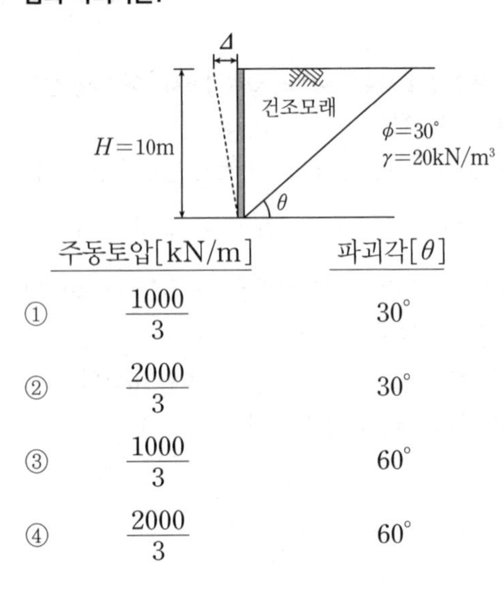

	주동토압[kN/m]	파괴각[θ]
①	$\frac{1000}{3}$	30°
②	$\frac{2000}{3}$	30°
③	$\frac{1000}{3}$	60°
④	$\frac{2000}{3}$	60°

05 ③ 06 ② 07 ① 08 ③ **[정답]**

09 그림과 같은 수리구조물에서 A점의 간극수압[t/m²]은? (단 물의 단위중량은 1t/m³로 계산한다)

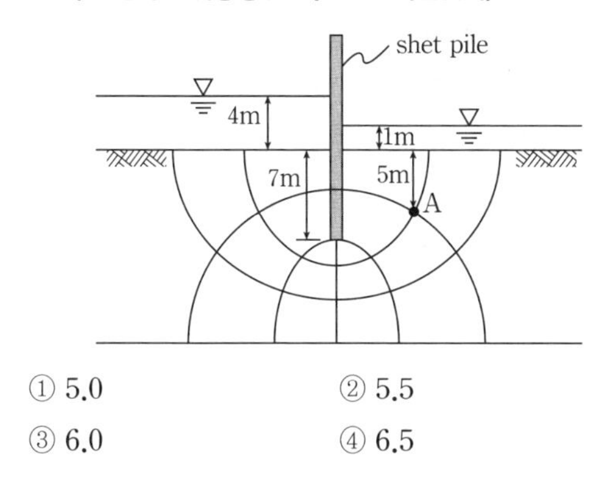

① 5.0 ② 5.5
③ 6.0 ④ 6.5

10 흙에 대한 직접전단시험 결과가 그림과 같을 때 점착력과 내부마찰각은? (단, tan25° = 0.47, tan27° = 0.5로 가정한다)

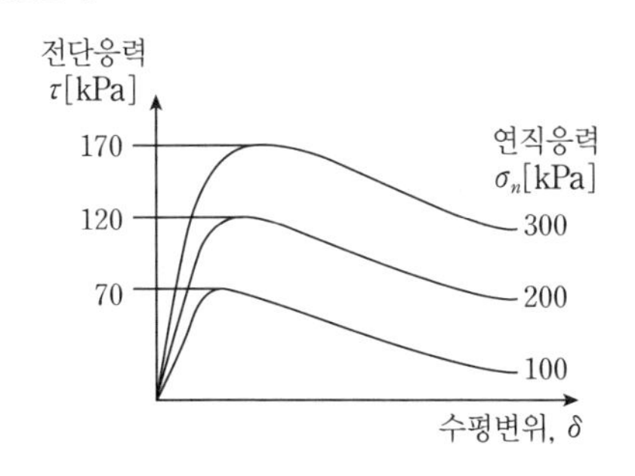

	점착력[kPa]	내부마찰각
①	20	25°
②	100	25°
③	20	27°
④	100	27°

11 Terzaghi 1차원 압밀이론을 유도하기 위한 가정으로 옳지 않은 것은?

① 흙은 균질하고 포화되어 있다.
② 흙 입자와 물의 압축성을 고려한다.
③ 흙 속에서 물의 흐름은 Darcy 법칙을 따른다.
④ 물은 연직방향으로만 흐른다.

12 옹벽에 작용하는 주동토압의 합력(P_A)과 합력의 작용위치(y)는? (단, Rankine 토압이론을 이용하고 물의 단위중량은 1t/m³이다)

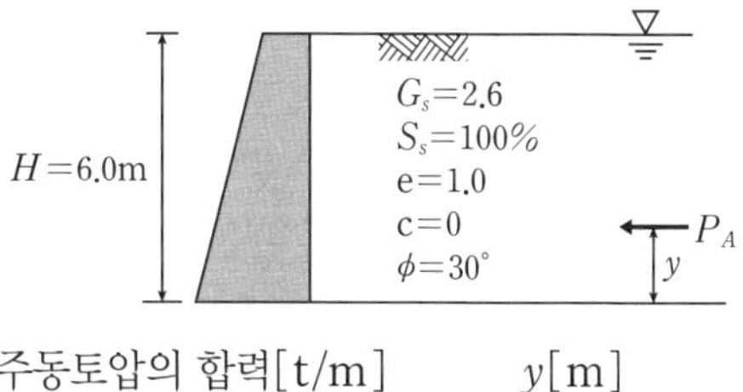

	주동토압의 합력[t/m]	y[m]
①	22.8	2.0
②	10.8	2.0
③	22.8	3.0
④	10.8	3.0

13 사면안정에 대한 설명으로 옳지 않은 것은?

① 점착력이 없는 사질토로 이루어진 무한사면의 안전율은 활동깊이가 깊어질수록 감소한다.
② 완전 포화된 점토 사면인 경우, 절토가 시작된 이후 사면의 안전율은 감소한다.
③ 정상침투상태에 있는 흙댐의 경우, 사면안정성에 있어 하류사면이 상류사면보다 위험하다.
④ 균질한 사면인 경우, 사면기울기가 클수록 선단파괴의 발생가능성이 높다.

14 액상화에 대한 설명으로 옳지 않은 것은?

① 느슨한 포화사질토 지반에 지진과 같은 동적하중이 작용할 때 발생한다.
② 지반 내 과잉간극수압이 증가하여 유효응력이 감소한다.
③ 진동삼축시험으로 액상화를 검토할 수 있다.
④ 진동으로 인해 체적이 팽창하여 배수가 촉진되는 현상이다.

09 ④ 10 ③ 11 ② 12 ① 13 ① 14 ④ [정답]

15 점토지반에 근입된 말뚝의 주면마찰력을 구하는 방법으로 토압계수를 고려한 방법은?

① α방법　　② β방법
③ γ방법　　④ λ방법

16 그림과 같이 모세관 현상에 의해 지표면까지 50% 포화되었을 때, A점에 작용하는 유효응력[kN/m²]은? (단, 물의 단위중량은 10kN/m³이다)

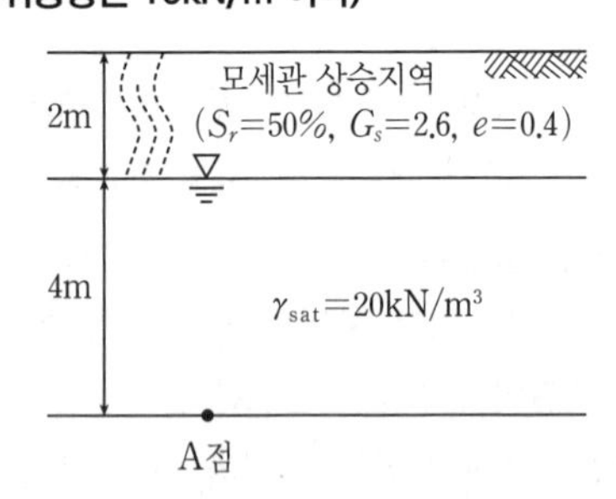

① 50　　② 60
③ 70　　④ 80

17 흙댐에 설치되는 필터재료를 선정할 때, 사용하지 않는 흙의 입경은?

① D_{15}　　② D_{30}
③ D_{50}　　④ D_{85}

18 그림과 같이 심도 10m에서 채취한 시료를 대상으로 K_0 압밀 배수 삼축압축(CD)시험을 수행하여 내부마찰각 30°, 점착력 0의 결과를 얻었다. $p'-q$상에서 현장상태(K_0 압밀)를 나타내는 A점과 파괴상태를 나타내는 B점의 좌표(p', q)는? (단, $p'=\frac{\sigma'_1+\sigma'_3}{2}$, $q=\frac{\sigma'_1-\sigma'_3}{2}$, $K_0=1-\sin\phi'$, 흙의 단위중량은 20kN/m³, 현장에서 지하수위는 발견되지 않았다)

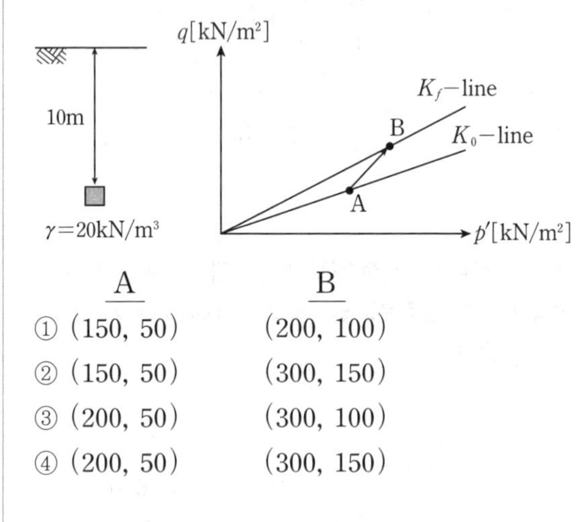

	A	B
①	(150, 50)	(200, 100)
②	(150, 50)	(300, 150)
③	(200, 50)	(300, 100)
④	(200, 50)	(300, 150)

19 흙의 다짐에 대한 설명으로 옳지 않은 것은?

① 다짐곡선에서 함수비는 흙 입자에 대한 간극수의 중량비로 정의한다.
② 영공기간극곡선은 모든 공기가 배제된 경우로 이때 포화도는 100%이다.
③ 다짐 시 습윤과정의 순서는 수화, 윤활, 포화, 팽창단계의 순이다.
④ 일반적으로 최적함수비는 윤활단계에서 나타난다.

15 ② 16 ④ 17 ② 18 ① 19 ③ [정답]

20 포화된 점토지반($\phi=0$)에서 평판재하시험(지름 0.3m)을 통해 얻어진 극한지지력은 100kN/m^{2}이다. 이 지반에 그림과 같이 얕은 기초(근입깊이 2m, 지름 3m)를 설치했을 경우, 극한지지력[kN/m^2]은? (단, 비배수 전단강도는 깊이에 따라 일정하며, 흙의 포화단위중량은 20kN/m^3, 물의 단위중량은 10kN/m^{3}이다)

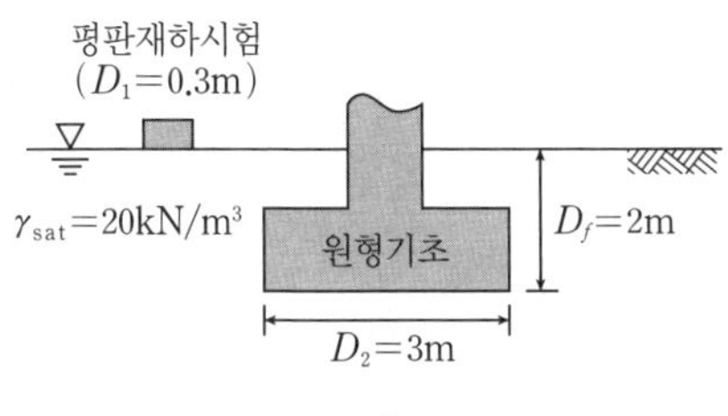

① 100 ② 120
③ 1000 ④ 1020

20 ② [정답]

토목직 공무원

최근 기출문제

수험번호	성명
20160000	도서출판세화

01 폐기물 매립장에서 누출된 침출수가 지하수를 통하여 100m 떨어진 하천으로 이동한다. 매립장 내부와 하천의 수위차가 5m이고, 매립장과 하천 사이에 있는 포화된 지반은 평균 투수계수가 2×10^{-3}cm/sec인 자유면 대수층으로 구성된 경우, 침출수가 하천에 도착하는 데 걸리는 시간[sec]은 얼마인가? (단, 이 대수층의 공극비 $e=0.25$이다)

① 1×10^7　　② 2×10^7
③ 3×10^7　　④ 4×10^7

02 지하수면이 지표면에 위치한 점토지반의 넓은 면적에 50kPa의 등분포하중이 재하되었다. 하중재하 6개월 후 점토지반 임의의 지점에서 물기둥은 지하수면 위 2m 높이에 위치한다. 이때 이 임의의 지점에서의 압밀도는 얼마인가? (단, 물의 단위중량은 10kN/m^{3}로 가정한다)

① 20%　　② 30%
③ 40%　　④ 60%

03 흙의 실내 전단시험에 대한 다음 설명 중 옳은 것을 모두 고르면?

㉠ 압밀배수 삼축압축시험 결과는 전응력 경로와 유효응력 경로가 같다.
㉡ 포화점토의 경우 비압밀비배수 삼축압축시험을 실시하면 $\phi=0$의 결과를 얻는다.
㉢ 일축압축시험 결과를 Mohr원으로 나타내면 $\sigma_3=0$이다.
㉣ 직접전단시험은 배수조건 조절이 쉬워 점성토지반에 적합한 시험방법이다.
㉤ 베인전단시험은 사질토지반의 전단강도를 측정하는 데 적합하다.

① ㉠, ㉡, ㉢　　② ㉠, ㉡, ㉣
③ ㉠, ㉢, ㉤　　④ ㉢, ㉣, ㉤

04 다음은 흙의 각 성분 사이의 관계에 대한 설명이다. 옳은 것을 모두 고르면?

㉠ 공극비(e)는 실수로 표현되며, 1보다 큰 값을 가질 수 없다.
㉡ 공극률(n)은 %로 표현되며, 100%보다 클 수는 없다.
㉢ 포화도(S)는 %로 표현되며, 0~100%의 값을 가질 수 있다.
㉣ 함수비(w)는 %로 표현되며, 일반적으로 100%보다 작지만 100%보다 클 수도 있다.

① ㉠, ㉡, ㉢　　② ㉠, ㉢, ㉣
③ ㉡, ㉢, ㉣　　④ ㉡, ㉣

05 정규압밀점토에 대한 압밀배수(CD) 삼축압축실험을 실시하였다. 초기 단계에서 구속응력은 100kPa이고, 전단파괴 시 축차응력은 200kPa이었다. 이때, 파괴면에 작용하는 전단응력의 크기[kPa]는 얼마인가?

① 50　　② $50\sqrt{3}$
③ 100　　④ $100\sqrt{3}$

01 ② 02 ④ 03 ① 04 ③ 05 ② [정답]

06 그림에서 A점에 작용하는 수평 전응력[kPa]으로 옳은 것은?

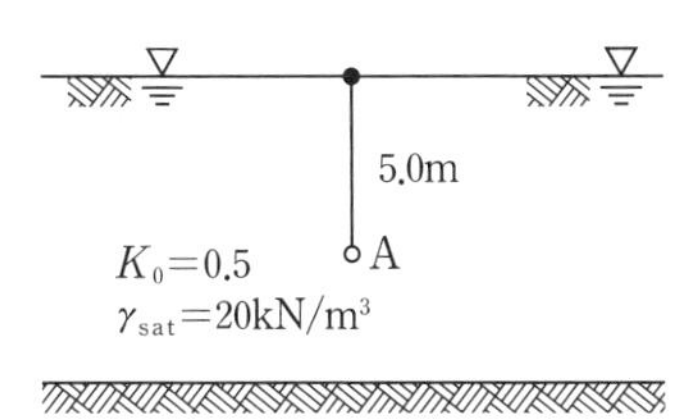

① 25 ② 50
③ 75 ④ 100

07 도로 성토를 위한 흙의 함수비가 20%였다. 이 흙을 원활히 다짐하기 위하여 최적함수비 상태로 만들려고 한다. 단위중량이 $18kN/m^3$인 이 흙의 최적함수비가 25%라면, $1m^3$의 흙에 필요한 물의 무게[N]는 얼마인가?

① 250 ② 500
③ 750 ④ 1,000

08 흙의 다짐에 관한 설명 중에서 옳지 않은 것은?

① 동일한 흙에서 다짐에너지가 커질수록 최대 건조단위중량은 증가하고, 최적함수비는 감소한다.
② 모래질 흙은 진동다짐방법이 바람직하다.
③ 일반적으로 흙이 조립토에 가까울수록 최적함수비는 작아진다.
④ 모래질을 많이 포함할수록 흙의 건조단위중량−함수비 곡선의 구배는 완만해진다.

09 다음 그림과 같은 정사각형 기초에서의 허용지지력은? (단, 안전율은 3이고, 지지력계수 $N_c=5.7$, $N_r=0$, $N_q=1.0$이다.)

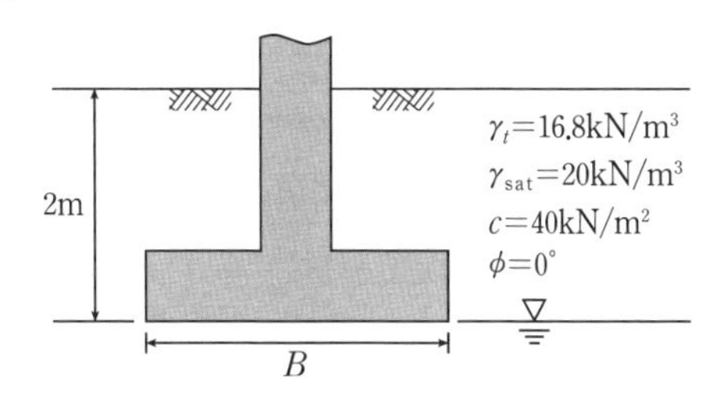

① $110kN/m^2$ ② $220kN/m^2$
③ $330kN/m^2$ ④ $440kN/m^2$

10 모래치환법에 의한 현장 들밀도시험 결과가 아래와 같다. 현장 흙의 건조단위중량[g/cm^3]은 얼마인가?

- 시험공에서 파낸 흙의 무게 $W=2,200g$
- 시험공에서 파낸 흙의 함수비 $w=10\%$
- 시험공을 채우기 전의 표준사의 무게 $(W_o)_{sand}=2,500g$
- 시험공을 채우고 남은 표준사의 무게 $(W_r)_{sand}=1,000g$
- 표준사의 건조단위중량 $(\gamma_d)_{sand}=1.5g/cm^3$

① 2.5 ② 2.2
③ 2.0 ④ 1.5

06 ③ 07 ③ 08 ④ 09 ① 10 ③ **[정답]**

11 다음 식은 Terzaghi의 압밀기본미분방정식을 나타낸 것이다. 이 식에 대한 설명으로 가장 옳지 않은 것은?

$$\frac{\partial u}{\partial t}=c_v\frac{\partial^2 u}{\partial z^2}$$

① 이 식은 지반 내 유효응력의 변화가 없고, 지반 내부 흙 요소의 체적 변화도 없다는 가정 하에 유도된 것이다.
② 이 식은 지반압축을 1차원으로, 지반 내 간극수의 흐름도 1차원으로 가정하여 유도된 것이다.
③ 이 식은 임의의 시간, 임의의 위치에서의 간극수압을 나타내고 있다.
④ 식 중에서 c_v는 압밀계수이고, 이 값은 투수계수에 비례한다.

12 그림과 같이 상하류측 수위가 각각 Δz만큼 상승하였을 때, 수위 상승 전과 후를 비교한 것으로 옳지 않은 것은? (단, 물의 단위중량은 γ_w로 한다)

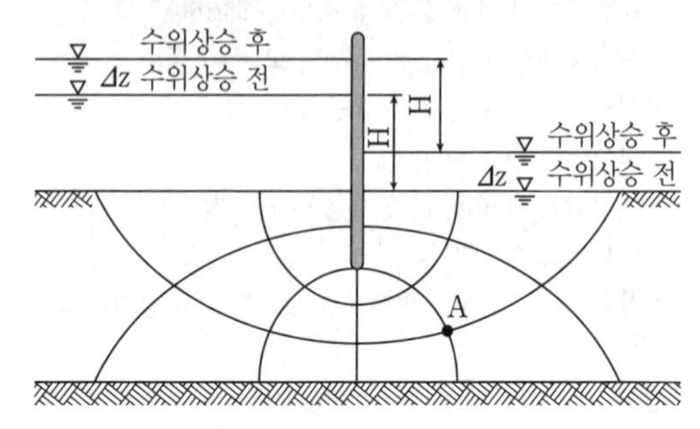

① 침투유량은 동일하다.
② A점에 대하여 전수두는 증가한다.
③ A점에 대하여 유효응력은 $\Delta z\gamma_w$만큼 감소한다.
④ A점에 대하여 간극수압은 $\Delta z\gamma_w$만큼 증가한다.

13 체분석시험 결과, 4.75mm체 통과율이 70%이고, 2mm체 통과율이 45%, 0.074mm체 통과율이 4%였고, D_{10} = 0.10mm, D_{30} = 0.60mm, D_{60} = 4.5mm이었다. 통일분류법 기준으로 이 흙을 분류하면 다음 중에서 어느 것에 해당하는가?

① SP ② SW
③ GP ④ GW

14 아래 내용은 흙 구조물의 안정해석을 위한 강도정수의 취득을 위하여 현장조건을 고려한 삼축압축 시험 방법을 나타낸 것이다. 이 중 가장 적절한 것은?

① 모래지반에서의 장기 안정해석 : CU－시험
② 다단계 재하 시의 안정해석 : CU－시험
③ 포화점토지반 위에 성토를 빠른 속도로 진행할 경우의 안정해석 : CU－시험
④ 흙 댐에서 수위 급강하 직후의 안정해석 : UU－시험

15 포화점토지반에서 직경이 30cm의 평판재하시험 결과, 극한 지지력은 50kPa로 나타났다. 포화점토지반 위에 놓인 직경이 1.5m 원형기초의 극한지지력으로 옳은 것은?

① 25kPa ② 50kPa
③ 100kPa ④ 250kPa

11 ① 12 ③ 13 ① 14 ② 15 ② [정답]

16 일반적으로 흙 댐의 하류측이 가장 위험한 경우는 다음 중 어느 것인가?

① 수위가 점차 상승하는 경우
② 수위가 급강하하는 경우
③ 댐이 완전히 포화된 경우
④ 만수 때의 정상침투 경우

17 그림은 모래지반에서 벽체의 회전에 따라 토압계수가 어떻게 변화하는지 보여주는 그림이다. ㉠~㉣ 괄호 안이 맞게 연결된 것은?

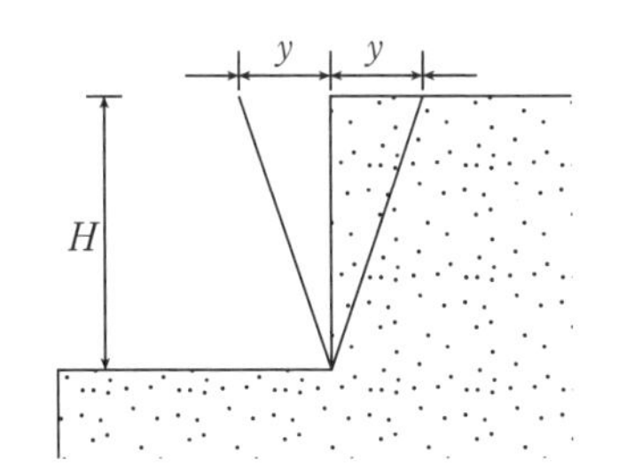

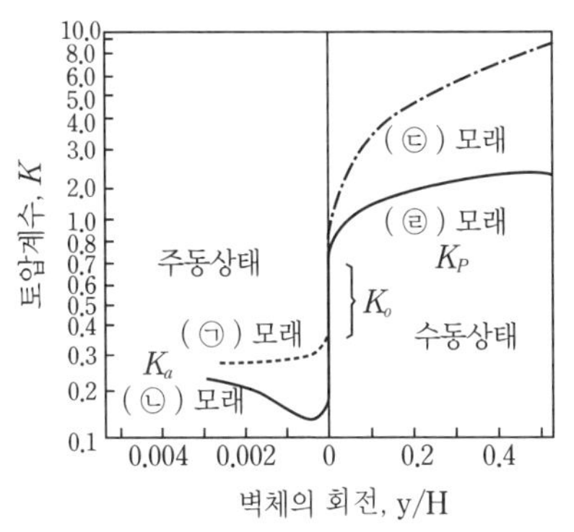

	㉠	㉡	㉢	㉣
①	촘촘한	느슨한	촘촘한	느슨한
②	촘촘한	느슨한	느슨한	촘촘한
③	느슨한	촘촘한	느슨한	촘촘한
④	느슨한	촘촘한	촘촘한	느슨한

18 지표면에 설치된 3.0m×3.0m인 기초에 20kN/m^{2}의 등분포하중이 작용한다. 이 하중에 의하여 3.0m 깊이에 생기는 연직응력 증가량은? (단, 지표면 아래 흙의 단위중량은 18kN/m^{3}로 균등하다고 가정한다)

① 2.5kPa ② 5kPa
③ 25kPa ④ 50kPa

19 배면이 연직이고 높이가 8m인 옹벽이 있다. 뒤채움 표면은 수평이고 흙의 단위중량이 19kN/m^3, 점착력이 9.5kN/m^2, 내부마찰각은 30°일 때, 인장균열이 발생하는 깊이는?

① $\frac{\sqrt{3}}{2}$m ② 1m
③ $\sqrt{3}$m ④ $2\sqrt{3}$m

20 왼쪽 그림의 D-D면에 작용하는 수직응력과 전단응력을 구하기 위해 오른쪽 그림과 같이 Mohr원을 작도하였다. 오른쪽 그림에서 평면기점(O_P)을 표시하면 어디인가?

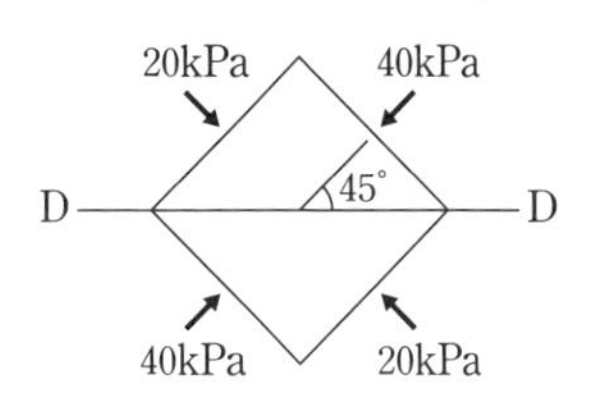

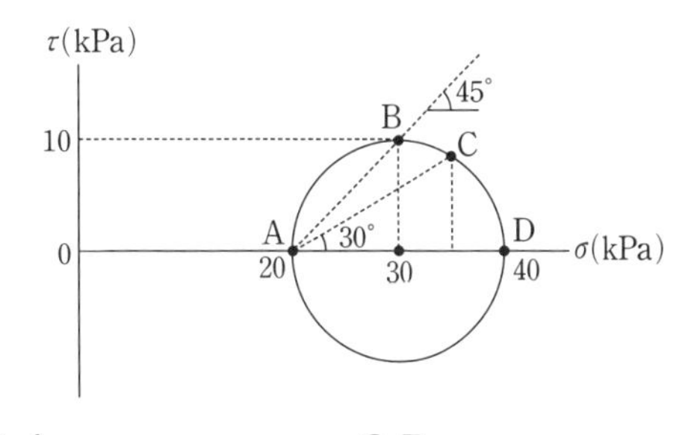

① A ② B
③ C ④ D

16 ④ 17 ④ 18 ② 19 ③ 20 ② **[정답]**

2017. 국가직 7급

토목직 공무원

최근 기출문제

수험번호	성명
20170000	도서출판세화

01 샌드드레인 공법이 적용된 연약점토층에서 수직방향의 압밀도가 90%이고 수평방향의 압밀도가 20%인 경우, 수평 및 수직 방향의 압밀도를 조합한 평균압밀도는?

① 90.5% ② 91.0%
③ 92.0% ④ 92.5%

02 그림과 같이 일정한 수위가 유지되도록 물이 지속적으로 상부에 공급되어 하부로 흘러 나가도록 제작된 수조에 0.4m 두께의 토사층이 있다. 이 층의 흙입자 알갱이 사이를 흐르는 실제 침투 유속은? (단, 흙의 투수계수는 2×10^{-1}cm/s이고 간극비는 0.8이다.)

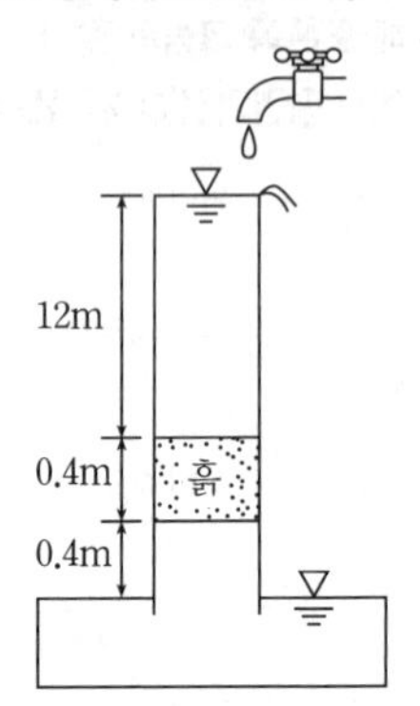

① 1.00cm/s ② 1.25cm/s
③ 2.25cm/s ④ 2.50cm/s

03 외력이 가해지지 않는 균질한 점성토(내부마찰각 = 0) 사면에서 파괴가 발생할 경우, 파괴면의 형상은?

① 원호파괴 ② 평면파괴
③ 쐐기파괴 ④ 전도파괴

04 점착력 15kN/m^2, 내부마찰각 0, 습윤단위중량 20kN/m^{3}인 평평한 지반을 흙막이 없이 연직으로 무지보 굴착(Open cut)할 때, 이론적으로 안정을 유지하면서 굴착 가능한 최대 깊이는?

① 1.5m ② 2.0m
③ 2.5m ④ 3.0m

05 그림과 같이 길이 10m, 선단면적 0.1m^2, 단면 둘레의 길이 1m인 말뚝이 사질토 지반에 근입될 경우, 말뚝의 극한지지력은? (단, 말뚝 극한선단지지력 산정 시 N_q항(N_q = 21)만을 고려하고, 한계(극한)주면마찰력과 극한선단지지력은 유효응력에 비례하여 증가한다고 가정한다)

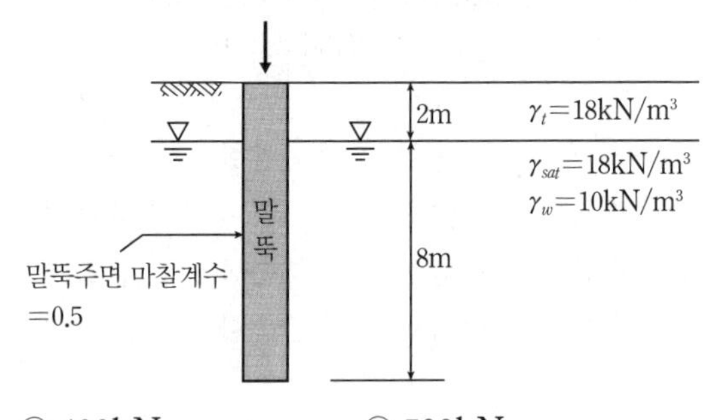

① 400kN ② 500kN
③ 710kN ④ 900kN

01 ③ 02 ③ 03 ① 04 ④ 05 ② [정답]

06 사질토에서 전단 중 발생하는 부피팽창현상(다일러턴시, Dilatancy)이 가장 크게 발생하기 위한 조건은?

① 높은 구속압과 높은 상대밀도
② 낮은 구속압과 높은 상대밀도
③ 높은 구속압과 낮은 상대밀도
④ 낮은 구속압과 낮은 상대밀도

07 그림과 같이 두 사각형 기초에 100kN/m²의 등분포 하중(q)이 작용할 때, A점 4m 아래에서 등분포 하중으로 인해 증가하는 연직응력($\Delta\sigma_v$)은? (단, m, n 값에 따른 영향계수 I는 표와 같다)

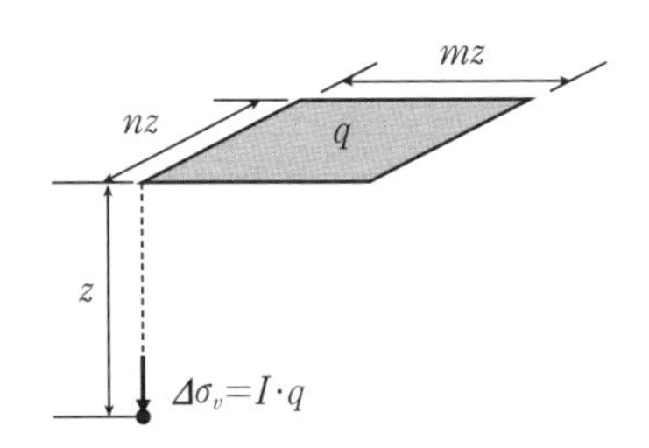

m	0.25	0.5	0.75	1
n	0.5	0.5	0.5	0.5
I	0.05	0.08	0.11	0.12
m	0.25	0.5	0.75	1
n	1	1	1	1
I	0.07	0.12	0.15	0.18

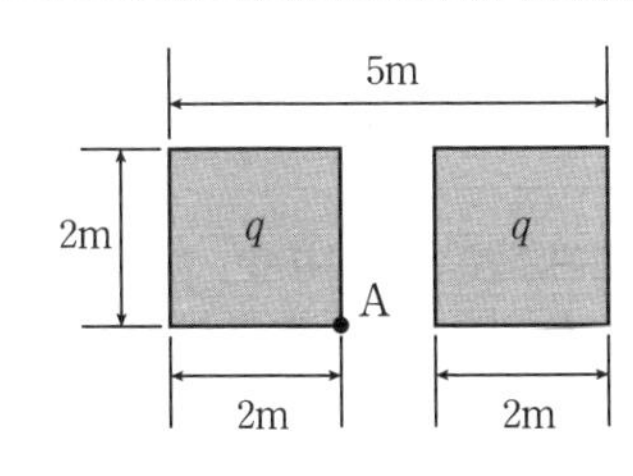

① 12kN/m²　② 14kN/m²
③ 16kN/m²　④ 18kN/m²

08 사질토 시료로 압밀배수 삼축압축시험(CD 시험)을 수행한 결과 유효구속압력(σ'_3)은 300kN/m², 파괴 시 유효축차응력($\sigma'_1 - \sigma'_3$)은 807kN/m²로 측정되었을 때, 흙의 내부마찰각은? (단, $\sqrt{2} = 1.41$이다)

① 25°　② 30°
③ 35°　④ 45°

09 그림과 같이 깊이 3m에 종방향으로 매설된 전력구 중심선을 따라 지표면에 10kN/m의 등분포 띠하중이 작용할 경우, 이로 인해 전력구의 윗면에 증가되는 등분포 하중은? (단, 등분포 띠하중과 전력구의 폭은 2m로 동일하며, 띠하중은 지중으로 2:1의 경사로 퍼져 등분포 하중으로 작용한다)

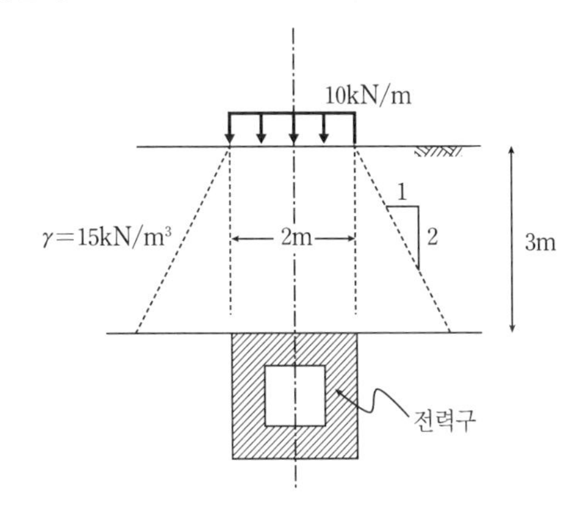

① 1.6kN/m　② 4.0kN/m
③ 5.0kN/m　④ 8.0kN/m

06 ② 07 ② 08 ③ 09 ② [정답]

부록

10 **그림과 같이 조밀한 사질토 위에 놓인 바닥면적 2m×3m인 독립기초 중심에 연직력 200kN, 장변방향으로 모멘트 30kN·m가 작용할 때, 최대접지압과 최소접지압의 차는? (단, 접지압은 직선형 분포로 가정한다)**

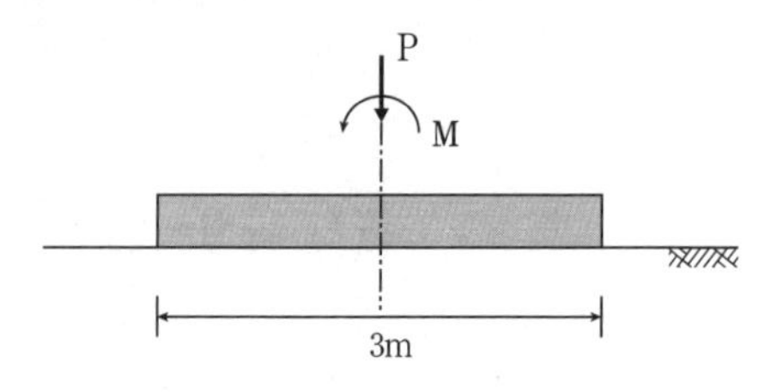

① 10kN/m² ② 20kN/m²
③ 30kN/m² ④ 40kN/m²

11 **평균압밀하중 2kN/m²를 받아 압밀이 종료된 4m 두께의 정규 압밀 점토층이 있다. 평균압밀하중을 20kN/m²으로 증가시킬 경우, 예상되는 1차압밀침하 증가량은? (단, 1차원 압밀 조건이며, 초기간극비 e_0 = 2.0, 압축지수 C_c = 0.45이다)**

① 0.50m ② 0.55m
③ 0.60m ④ 0.65m

12 **압밀에 대한 설명으로 옳지 않은 것은?**

① 2차압축지수는 간극비－압밀압력 곡선에서 직선부의 기울기이다.
② 1차압밀침하를 계산할 때는 흙 입자와 물을 모두 비압축성으로 가정한다.
③ 일반적으로 소성성이 큰 점토일수록 2차압밀이 더 크게 나타난다.
④ 이론적으로 동일한 점토지반에서 상재압의 크기에 관계없이 압밀도 50%에 도달하는 시간은 일정하다.

13 **직접전단시험에 대한 설명으로 옳지 않은 것은?**

① 전단파괴면이 미리 정해져 있다.
② 전단 진행에 따라 진행성파괴(progressive failure)가 발생할 우려가 있다.
③ 배수조건 조절과 시험 중 간극수압의 측정이 어렵다.
④ 시험 중 전단면에서의 응력은 일정하게 유지된다.

14 **그림과 같이 지하수위가 무한사면 지표면에 위치할 때, 무한사면의 안전율은? (단, 물의 단위중량은 10kN/m³이다)**

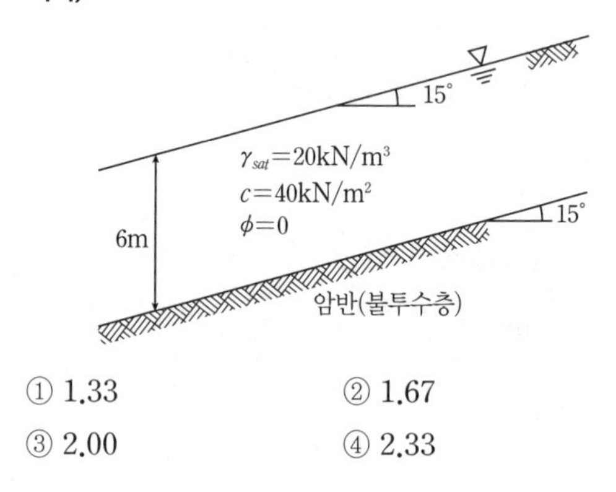

① 1.33 ② 1.67
③ 2.00 ④ 2.33

15 **전체단위중량이 20kN/m³, 함수비가 20%, 비중이 2.5인 흙의 포화도는? (단, 물의 단위중량은 10kN/m³이다)**

① 85% ② 90%
③ 95% ④ 100%

10② 11③ 12① 13④ 14① 15④ [정답]

16 **토압론에 대한 설명으로 옳지 않은 것은? (단, ϕ는 내부마찰각이며, 단위는 °이다)**

① Rankine 주동토압은 벽에 뒤채움 흙의 ϕ가 증가할수록 감소한다.
② Rankine 수동파괴면은 수평에 대하여 $\left(45° - \frac{\phi}{2}\right)$의 각도를 이룬다.
③ 벽체의 변위가 발생함과 동시에 Rankine의 수동 또는 주동토압이 발현된다.
④ Coulomb의 토압론은 벽과 배면토 사이의 마찰을 고려하고 파괴면을 직선으로 가정한다.

17 **흙의 다짐에 대한 설명으로 옳지 않은 것은?**

① 양족롤러는 점성토 지반을, 진동롤러는 사질토 지반을 다질 때 효과적이다.
② 점토는 함수비가 최적함수비보다 작은 건조측에서 다져질 경우 분산구조를 가진다.
③ 동다짐 공법의 지반개량심도는 추의 무게와 낙하고 등에 주로 영향을 받는다.
④ 일반적으로 시료의 세립분 함량이 증가할수록 최대건조단위중량은 감소하고, 최적함수비는 증가한다.

18 **그림과 같이 일정한 수위가 유지되면서 물이 토사층을 통과하여 하부로 흘러갈 때, 토사층 상단 A점과 하단 B점에서의 유효응력의 차는? (단, 흙의 포화단위중량은 $20kN/m^3$이며, 물의 단위 중량은 $10kN/m^3$이다)**

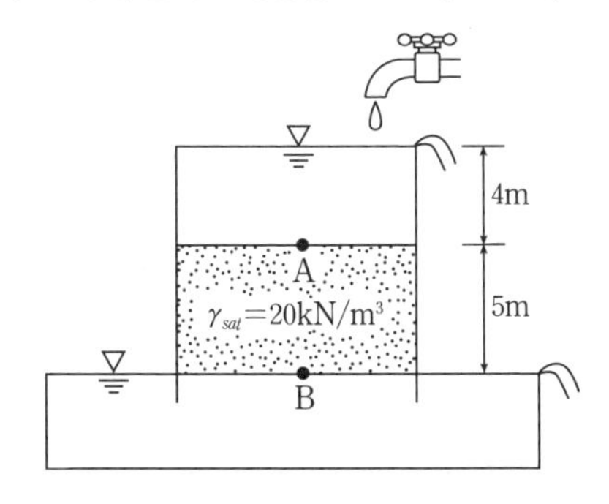

① $50kN/m^2$　② $95kN/m^2$
③ $140kN/m^2$　④ $185kN/m^2$

19 **말뚝기초에 대한 설명으로 옳지 않은 것은?**

① 말뚝은 시공방법에 따라 크게 타입말뚝, 매입말뚝, 현장타설말뚝 등으로 구분할 수 있다.
② 일반적으로 한계(극한)주면마찰력이 발현되기 위한 말뚝의 침하량은 극한선단지지력이 발현되기 위한 말뚝의 침하량보다 작다.
③ 타입말뚝은 항타관입 시 소음 및 진동이 많이 발생하며, 일반적으로 동일한 직경 및 크기를 가지는 매입말뚝의 지지력보다 작다.
④ 연약지반에 설치된 말뚝은 지하수위가 저하되면 부주면 마찰력이 발생할 수 있다.

20 **그림과 같이 지진으로 인하여 호안에 설치된 중력식 옹벽의 배면지반에 액상화가 발생하고 진동이 끝난 후에도 액상화 상태가 유지될 때, 진동이 끝난 후 옹벽 양쪽 연직면에 작용하는 수평력의 차는?**

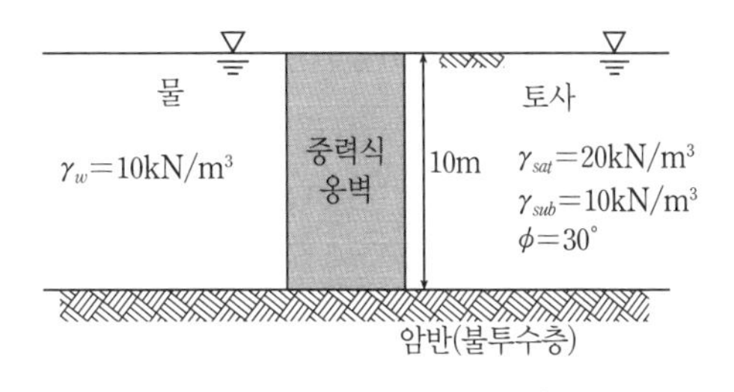

① 0　② 166kN/m
③ 250kN/m　④ 500kN/m

16 ③　17 ②　18 ③　19 ③　20 ④ **[정답]**

부록

토목직 공무원
최근 기출문제

수험번호	성명
20170000	도서출판세화

01 **흙의 전단강도 특성을 기술한 것으로 가장 옳은 것은?**

① 전단시험 시 느슨한 모래의 경우는 전단응력이 증가하여 첨두점에 이르고 이후에도 계속 전단을 가하면 전단응력이 오히려 감소한 후 극한전단강도에 수렴한다.
② 전단시험 시 조밀한 모래의 경우는 전단응력이 증가하여 첨두점에 이르고 이후에도 계속 전단을 가하면 전단응력이 오히려 감소한 후 극한전단강도에 수렴한다.
③ 전단시험 시 전단과정 중 조밀한 모래의 체적변형은 팽창한 후 수축한다.
④ 전단시험 시 전단과정 중 느슨한 모래의 체적변형은 수축한 후 팽창한다.

02 **최대수직응력 200kPa을 가했던, 두께 25mm의 1차원 압밀시료에 현재 50kPa의 수직응력이 작용하고 있다. 이때 수직응력을 100kPa로 증가시킬 경우 발생하는 침하량은 얼마인가? (단, 간극비(e_0) = 1.5, 압축지수(C_c) = 0.5, log(2) = 0.3, log(3) = 0.5로 가정한다)**

① 0.15mm ② 0.20mm
③ 0.25mm ④ 0.30mm

03 **체적 30,000m^{3}를 가지는 제방 건설을 위해 토취장에서 흙을 운반하여 성토를 수행하고자 한다. 이때 토취장에서 얻어지는 흙의 단위중량은 16.5kN/m^{3}이며, 함수비는 10%이다. 제방을 축조하기 위한 성토관리기준(건조단위중량)이 20kN/m^{3}일 때, 이 제방 건설을 위해 필요한 토취장 흙의 체적은 얼마인가?**

① 22,500m^3 ② 24,750m^3
③ 36,364m^3 ④ 40,000m^3

04 **다음 중 액상화(Liquefaction) 현상에 대한 설명으로 가장 옳지 않은 것은?**

① 한계간극비와는 관련이 없다.
② 표준관입시험으로 액상화 가능성을 검토할 수 있다.
③ 체적감소에 의해 발생한다.
④ 모래지반에서 많이 발생한다.

05 **그림과 같이 모래 사이로 물이 흐를 때 분사현상에 대한 안전율은 얼마인가? (단, 흙의 비중은 2.65, 간극비는 0.65, 그리고 A = 30cm, B = 5cm, C = 40cm로 가정한다)**

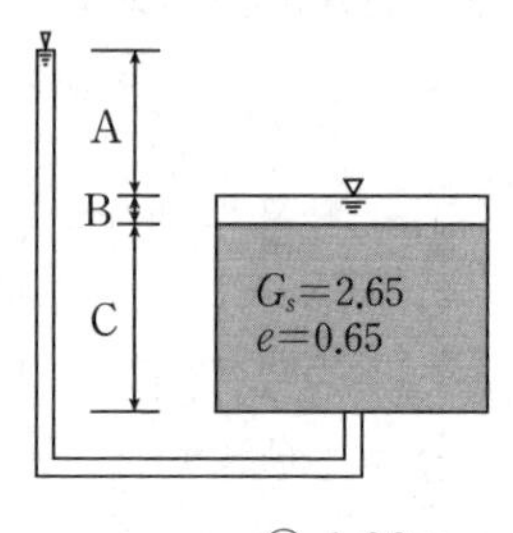

① 0.75 ② 1.00
③ 1.33 ④ 1.67

01 ② 02 ① 03 ④ 04 ① 05 ③ [정답]

06 흙의 공학적 분류법으로 통일분류법(USCS)과 AASHTO 분류법이 있다. 이들 분류법의 차이를 나타낸 것 중 가장 옳지 않은 것은?

① AASHTO분류법은 조립토와 세립토의 구분을 #200 통과율 35%를 기준으로 한다.
② AASHTO분류법은 유기질토의 판정이 없다.
③ 통일분류법의 소성도표에서 U선은 액성한계와 소성지수의 하한선을 나타낸다.
④ 통일분류법의 조립토에서 #200 통과량이 5% 미만일 때는 이중 기호를 사용하지 않는다.

07 현장에서 채취한 불교란 시료를 성형하여 압밀배수(CD) 삼축압축시험을 실시하였다. 구속응력 σ'_3 = 100kPa이고 공시체의 파괴 시 축차응력 $\Delta\sigma_{df}$ = 100kPa이라면 sinϕ'의 값은 얼마인가? (단, ϕ'은 내부마찰각이며 흙의 점착력은 0으로 가정한다)

① 0.33　　② 0.50
③ 0.87　　④ 1.00

08 점토지반에 평판재하시험을 실시한 결과, 한 변이 30cm인 재하판에 400kN/m^{2}의 응력하중을 가했을 때 4mm의 침하가 발생하였다면, 직경 2m의 실제 기초에 같은 하중을 가할 때 예상되는 침하량은 얼마인가?

① 6.9mm　　② 12.1mm
③ 26.7mm　　④ 177.8mm

09 다음은 토압에 대한 일반적인 서술이다. 다음 중 옳은 것을 모두 고른 것은?

㉠ 토압계수 값의 크기를 상대 비교하면, 수동토압계 > 정지토압계수 > 주동토압계수의 순서이다.
㉡ 물의 토압계수는 지반변형과 관계없이 항상 1.0이다.
㉢ 주동토압은 $\sigma_n - \tau$ 그래프상에서 초기 상태의 모아원이 흙의 변형으로 인하여 왼쪽방향으로 커지면서 파괴포락선에 접했을 때의 최소주응력을 의미한다.
㉣ Rankine 소성상태에 이르기 위한 옹벽의 최소 회전각은 수동상태가 되기 위한 회전각이 주동상태가 되기 위한 회전각보다 일반적으로 크다.

① ㉠, ㉡　　② ㉠, ㉢, ㉣
③ ㉡, ㉢, ㉣　　④ ㉠, ㉡, ㉢, ㉣

10 그림과 같이 단면적 3m^{2}의 원형 단면 튜브에 2종류의 흙이 충전되어 있다. 흙 a의 투수계수는 2×10^{-3}cm/sec이며, 흙 a 구간의 동수경사는 흙 b 구간의 동수경사의 두 배이다. 이때 흙 a, b 전체 블록에 해당하는 등가 투수계수는 얼마인가?

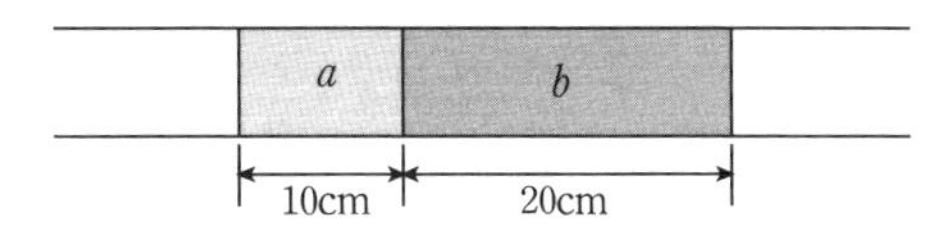

① 2×10^{-3}cm/sec　　② 3×10^{-3}cm/sec
③ 4×10^{-3}cm/sec　　④ 6×10^{-3}cm/sec

06 ③ 07 ① 08 ③ 09 ④ 10 ② **[정답]**

부록

11 그림과 같이 물이 흐르고 있다. 물이 흐르지 않는 경우와 비교했을 때, 물의 침투로 인하여 K면에서 증가하는 유효응력은 얼마인가? (단, 흙 A와 흙 B의 포화단위중량은 동일하게 $20kN/m^3$이고, 물의 단위중량은 $10kN/m^3$으로 가정한다)

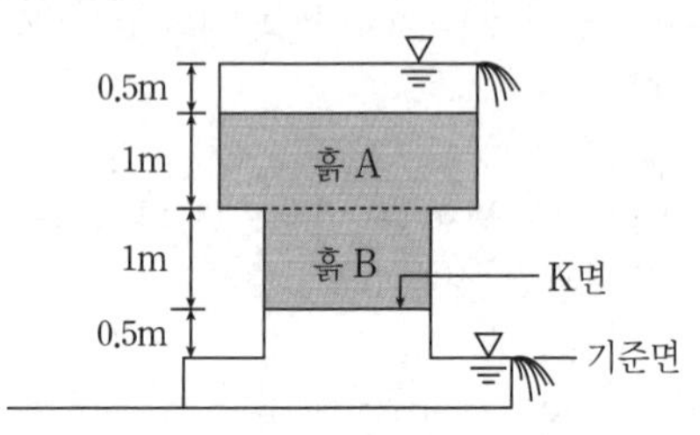

① $15kN/m^2$ ② $20kN/m^2$
③ $25kN/m^2$ ④ $30kN/m^2$

12 그림과 같은 무한사면이 있다. 사면은 사질토로 이루어져 있다. 지하수위는 지표면과 일치하고 있으며, 사면과 평행하게 침투가 발생하고 있다. 사질토의 포화단위중량은 $20kN/m^3$이며, 물의 단위중량은 $10kN/m^3$이다. 완전 건조상태(물의 침투가 없는 상황)에서 이 사면의 안전율이 3이라면 침투가 발생하고 있는 상황에서의 안전율은 얼마인가? (단, $\tan(\alpha) = \frac{1}{2\sqrt{3}}$로 계산한다)

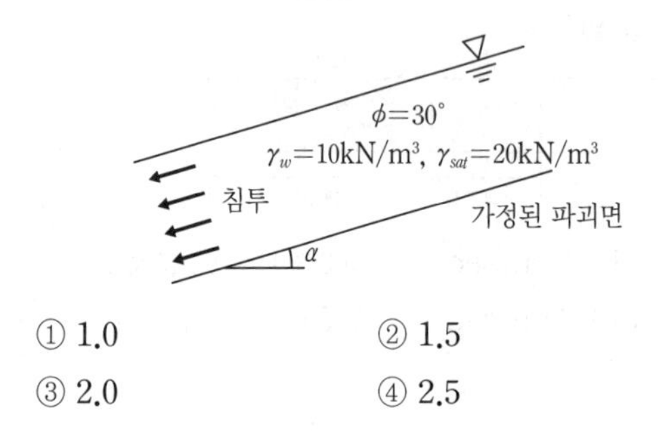

① 1.0 ② 1.5
③ 2.0 ④ 2.5

13 현장들밀도 시험을 수행하였다. 현장들밀도 시험을 위한 시험공에서 파낸 흙의 무게는 2.4kg, 함수비는 20%이며, 시험공을 채운 표준사의 무게는 1.7kg, 건조단위중량은 $1.7g/cm^3$이다. 동일한 흙에 대해 실내시험에서 구한 최대 건조단위중량이 $2.2g/cm^3$일 때, 상대다짐도는 얼마인가? (단, 소수점 둘째 자리 이하는 버린다)

① 89.1% ② 90.9%
③ 92.3% ④ 94.5%

14 다음은 등방초기응력조건에서 얻게 되는 여러 가지 응력경로를 나타낸 것이다. $\Delta\sigma_h = \frac{1}{2}\Delta\sigma_v$를 나타내는 응력경로는 무엇인가? (단, $p = \frac{\sigma_v + \sigma_h}{2}$, $q = \frac{\sigma_v - \sigma_h}{2}$이다)

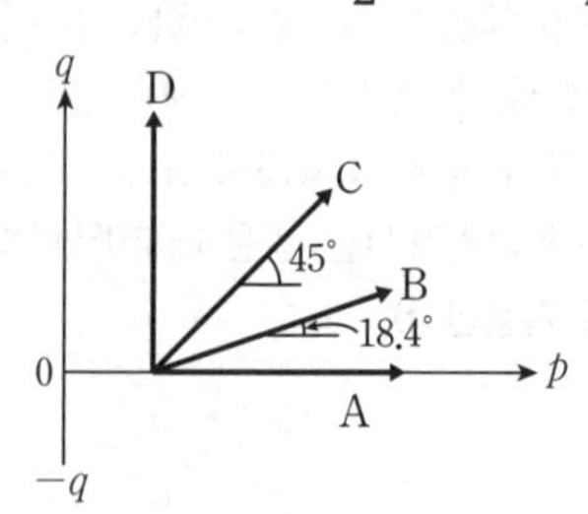

① A ② B ③ C ④ D

15 주어진 흙의 최대 간극비와 최소 간극비는 각각 0.8과 0.4이며, 단위중량은 $18kN/m^3$, 함수비는 20% 그리고 비중은 2.4이다. 이때 이 흙의 상대밀도는 얼마인가? (단, 물의 단위중량은 $10kN/m^3$으로 가정한다)

① 33.5% ② 40.2%
③ 50.0% ④ 58.1%

11 ④ 12 ② 13 ② 14 ② 15 ③ [정답]

16 그림과 같이 포화된 점성토층 위에 벽기초를 축조하려 한다. 기초 위에는 단위길이(m)당 130kN의 하중이 작용하며, 기초의 근입깊이(D)는 1.0m이다. 점성토의 포화단위중량은 20kN/m^{3}이고, 점착력은 20kPa, 내부마찰각은 0, 안전율(F_s)은 3을 적용할 때 Terzaghi 지지력공식을 사용하여 결정할 수 있는 기초의 최소 폭은 얼마인가? (단, $N_c=5.7$, $N_r=0$, $N_q=1$, $\gamma_w=10$kN/m^{3}으로 계산하고 소수점 셋째 자리에서 반올림한다)

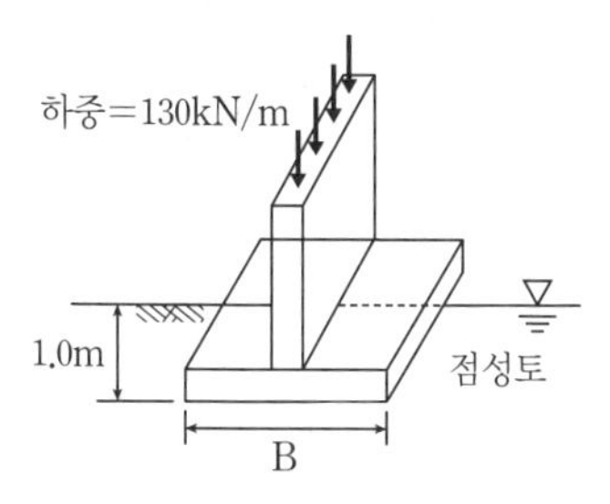

① 0.15m ② 1.15m
③ 2.15m ④ 3.15m

17 점착력이 5kPa인 건조토에 대한 직접전단시험을 통해 수직응력이 50kPa일 때 전단강도가 35kPa로 측정되었다. 이때 동일한 흙에 대해 수직응력이 100kPa일 때의 전단강도를 계산하면 얼마인가? (단, Mohr-Coulomb의 파괴이론에 근거하여 계산하시오)

① 45kPa ② 55kPa
③ 65kPa ④ 75kPa

18 다짐점토의 구조와 공학적 특성에 대한 다음 설명 중 가장 옳은 것은?

① 흙은 습윤 측에서 다질 때보다 건조 측에서 다질 때 더욱 면모화되는 경향이 있다.
② 낮은 압력에서 압밀시험을 하면 습윤 측에서 다진 흙의 압축성이 건조 측에서 다진 흙의 압축성에 비하여 훨씬 작은 것으로 나타난다.
③ 다질 때의 함수비가 그대로 유지된다고 가정하였을 때 동일한 다짐에너지에 대하여 건조 측보다 습윤 측의 강도가 더 크다.
④ 최적함수비(OMC)의 습윤 측에서 다짐이 된 흙의 팽창성이 건조 측에서 다짐이 된 흙의 팽창성보다 더 크다.

19 포화된 점토로 뒤채움된 옹벽이 있다. 배면은 연직이고 뒤채움 표면은 수평이다. 포화된 점토의 단위중량은 20kN/m^{3}이다. 비배수 조건($\phi=0$)의 경우 인장균열 최대 깊이가 2m이다. 이때 뒤채움 재료에 대해 비압밀비배수(UU) 삼축압축시험을 수행하였을 때, 구속압 15kN/m^{2}에서 파괴를 유발하는 축차 응력의 크기는 얼마인가? (단, Rankine 토압이론에 근거하여 계산하시오)

① 15kN/m^2 ② 20kN/m^2
③ 30kN/m^2 ④ 40kN/m^2

20 상층부는 모래층이고 하층부는 암반층인 두께 2m의 점토층이 하중을 받고 있다. 이 점토층의 투수계수(k)=3×10^{-7}cm/sec, 간극비(e)=0.5, 압축계수(a_v)=0.045cm^2/kg일 때 평균압밀도 50%에 도달하는 데 걸리는 시간은 며칠인가?

① 6.52일 ② 9.12일
③ 11.24일 ④ 13.50일

16 ④ 17 ③ 18 ① 19 ④ 20 ② [정답]

부록

2018. 3. 서울시 7급

토목직 공무원

최근 기출문제

수험번호	성명
20180300	도서출판세화

01 그림과 같이 $p-q$ 평면에 나타낸 여러 방향의 응력경로 중 등방하중으로 변화시킬 때의 응력경로를 나타낸 것은? (단, $p=\frac{\sigma'_v+\sigma'_h}{2}$, $q=\frac{\sigma'_v-\sigma'_h}{2}$이다)

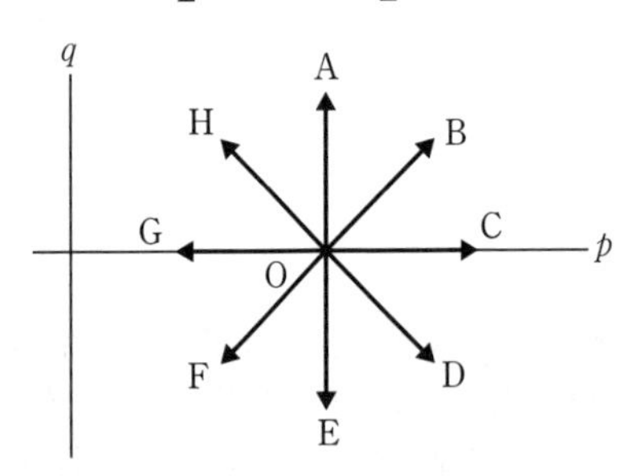

① OA, OE ② OB, OF
③ OC, OG ④ OD, OH

02 용적팽창현상(bulking)에 대한 설명 중 가장 옳은 것은?

① 함수비 변화에 영향을 받지 않는다.
② 점성토에서 주로 나타나는 현상이다.
③ 두 입자 사이의 수막에 작용하는 마찰력 때문에 나타난다.
④ 입자 크기에 영향을 받는다.

03 그림과 같이 최대전단응력(τ_{max})이 발생하는 a－b 면의 각도(θ)와 이때 최대전단응력의 크기는?

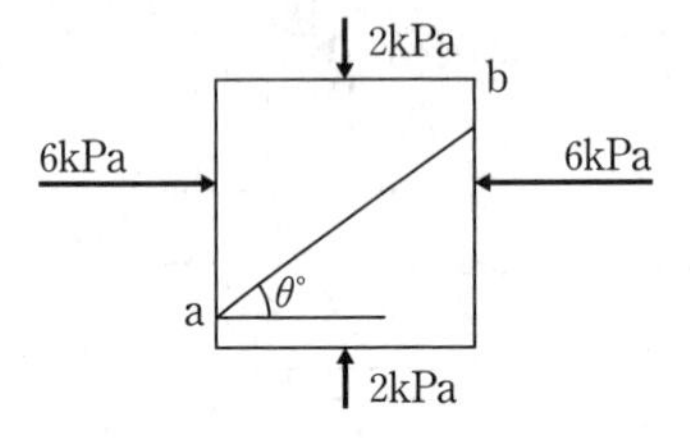

① $\theta=30°$, $\tau_{max}=2$kPa ② $\theta=45°$, $\tau_{max}=2$kPa
③ $\theta=60°$, $\tau_{max}=2$kPa ④ $\theta=30°$, $\tau_{max}=4$kPa

04 삼축압축시험에 대한 설명이다. 옳은 것을 〈보기〉에서 모두 고른 것은?

보기

㉠ 비압밀비배수시험은 구속압력을 바꿔가면서 3번 시험을 실시해도 파괴 시 전응력의 Mohr원은 크기가 모두 일정하여 $\phi=0°$의 결과를 얻는다.
㉡ 비압밀비배수시험은 구속압력을 바꿔가면서 3번 시험을 실시해도 파괴 시 유효응력의 Mohr원은 서로 같아서 1개만 얻어진다.
㉢ 비압밀비배수시험에서는 시료를 압밀시키기에 앞서 진료를 완전 포화시키기 위해 배압(back pressure)을 가할 수 있다.
㉣ 압밀배수시험은 흙시료를 압밀시키고 난 후 전단 시 간극수압이 발생하지 않도록 천천히 하중을 증가시키기 때문에 전응력경로와 유효응력경로가 같다.

① ㉠, ㉡, ㉢ ② ㉠, ㉢, ㉣
③ ㉠, ㉡, ㉣ ④ ㉠, ㉡, ㉢, ㉣

01 ③ 02 ④ 03 ② 04 ④ [정답]

05 항만접안시설을 축조하기 위해 토취장에서 흙을 채취하여 1,000m^{3}의 제방을 쌓으려고 한다. 토취장 흙의 간극비(e)는 0.8이고, 제방을 만든 후의 간극비(e)가 0.2일 때, 토취장에서 채취할 흙의 체적은?

① 1,100m^3 ② 1,300m^3
③ 1,500m^3 ④ 1,700m^3

06 그림과 같이 흙사면에서 원호 활동 파괴가 발생한다고 가정할 때 $\phi_u=0$ 해석법을 이용하여 사면의 안전율을 계산한 값은? (단, 사면 흙의 단위중량과 점착절편은 각각 $\gamma_t=20$kN/m^3, $c_u=40$kN/m^{2}이다)

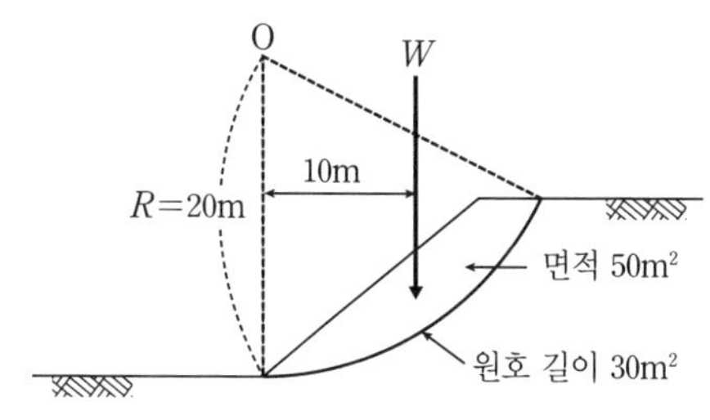

① 1.2 ② 1.5
③ 2.4 ④ 3.0

07 체분석 시험결과 0.074mm체 통과율이 14.8%, 0.25mm체 통과율이 38.7%, 4.76mm체 통과율이 79.4%였고 $D_{10}=0.04$mm, $D_{30}=0.2$mm, $D_{60}=1$mm였다. 또한 No.200체를 통과한 흙에 대한 액소성 한계시험을 실시하여 Casagrande 소성도에 표시하니 A선보다 위에 위치하였을 때 통일분류법에 따라 이 흙을 분류한 것은?

① SM ② SC
③ GM ④ GC

08 그림과 같이 균질한 지층에 기초 폭이 5m인 연속기초를 지표면 아래 1m 위치에 설치하려고 한다. 지하수위가 지표면에 위치하고 있을 때 Terzaghi 극한지지력의 크기는? (단, 지반의 점착력은 10kN/m^2, 내부마찰각은 30°, 흙의 포화단위중량은 20kN/m^3, 물의 단위중량(γ_w)은 10kN/m^{3}이고 $\phi=30°$일 때, $N_c=40$, $N_q=30$, $N_\gamma=20$이다)

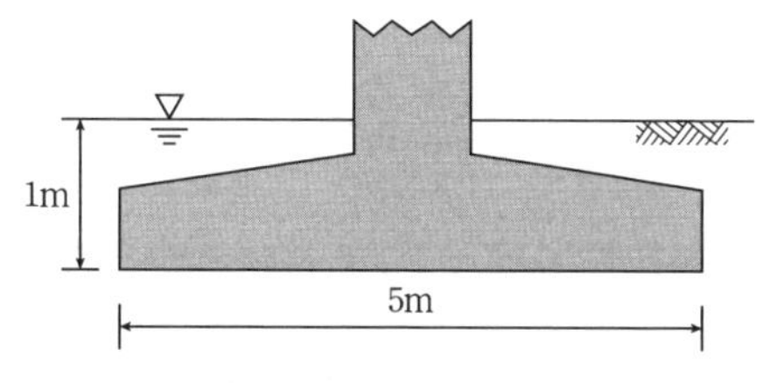

① 1,000kN/m^2 ② 1,200kN/m^2
③ 1,500kN/m^2 ④ 2,000kN/m^2

09 흙 속에서의 물 흐름과 관련된 설명이다. 틀린 것을 <보기>에서 모두 고른 것은?

보기

㉠ 대부분의 흙은 퇴적토이며, 퇴적토에서는 일반적으로 연직방향 투수계수가 수평 방향 투수계수보다 크다.
㉡ 흙 입자의 구조는 투수계수에 영향을 미치는데 점토의 경우 면목구조로 퇴적될 때 이산구조의 경우보다 더 작은 투수계수를 가진다.
㉢ 대부분의 흙에서 물의 흐름속도는 대단히 느리므로 층류로 간주할 수 있고 따라서 흐름속도는 동수경사에 비례한다.
㉣ 유선망에서 두 개의 유선 사이를 흐르는 침투유량의 크기는 요소의 크기에 관계 없이 같다.

① ㉠, ㉡ ② ㉠, ㉣
③ ㉡, ㉢ ④ ㉢, ㉣

05 ③ 06 ③ 07 ② 08 ② 09 ① [정답]

10 그림과 같이 널말뚝 하부로 물이 흐르는 유선망이 있다. 하부 기초지반의 투수계수 $k=3\times10^{-4}$m/s일 때 A, B점에서 각각의 피에조미터 수위는? (단, 기준은 지표면으로 한다)

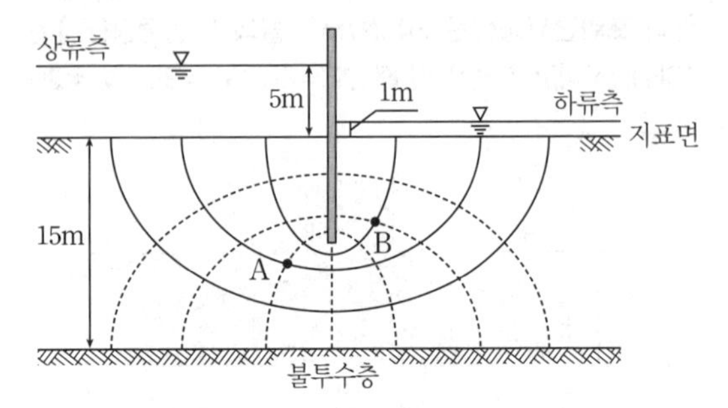

① 3.0m, 1.5m　② 3.5m, 2.0m
③ 4.0m, 1.5m　④ 4.5m, 2.0m

11 오염된 지반의 현장정화방법으로 현재 널리 사용되는 방법이 아닌 것은?

① 생분해법　② 증기추출법
③ 양수처리법　④ 토양확산법

12 포화모래에 대해 삼축압축시험을 실시하여 〈보기〉와 같은 시험결과를 얻었다. 점착력(c')을 0으로 가정하였을 때, 전단저항각 ϕ'(°)는?

보기

구속압력, $\sigma_3=100$kN/m^2
파괴 시 축차응력, $(\Delta\sigma_d)_f=100$kN/m^2
파괴 시 시료 내 과잉간극수압, $(\Delta u_d)_f=50$kN/m^2

① $\sin^{-1}0.333$　② $\sin^{-1}0.4$
③ $\sin^{-1}0.5$　④ $\sin^{-1}0.6$

13 지표면에 설치된 지름 10m의 원형기초에 80kN/m^{2}의 등분포 하중이 작용한다. 이 하중에 의해 지표면 아래 10m 깊이에 발생하는 연직응력의 증가량을 2 : 1 분포법으로 계산한 값은?

① 20.0kN/m^2　② 30.0kN/m^2
③ 40.0kN/m^2　④ 80.0kN/m^2

14 점토시료를 지름 6cm, 높이 2cm인 압밀링에 넣고 압밀시험을 실시한 후 시료의 무게를 측정하니 $W_t=80$g, 함수비(w)는 25%였다. 압밀시험으로 인하여 시료의 높이가 6mm 감소했으며, 시료의 비중은 2.0일 때 이 시료의 흙 입자만이 차지하는 높이는? (단, $\pi=3$, 물의 단위중량 $\gamma_w=1$g/cm^{3}이다)

① 0.73cm　② 0.95cm
③ 1.18cm　④ 1.35cm

15 그림과 같이 일면배수 상태인 10m 두께의 포화점토지반에 100kN/m^{2}의 무한등분포하중이 작용할 때, 1년 경과 후 발생되는 1차 압밀침하량은? (단, 점토지반은 정규압밀점토이고, 포화단위 중량은 20kN/m^3, 초기간극비(e_0)는 1.0, 압축지수(C_c)는 0.4, 압밀계수(C_v)는 19.7m^2/yr, 물의 단위중량은 10kN/m^{3}이며, log2 = 0.3, log3 = 0.5이다)

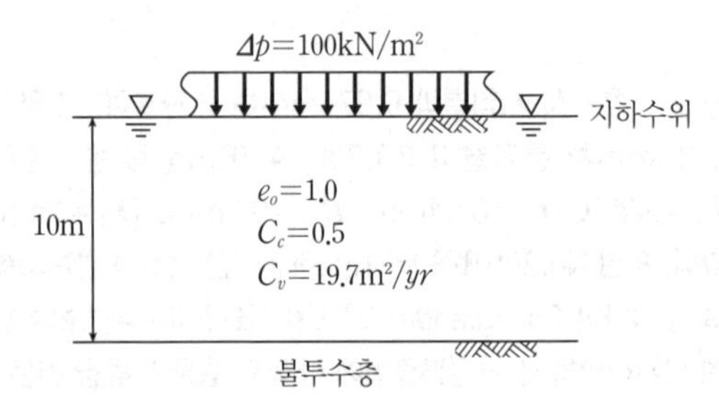

① 0.5m　② 0.8m
③ 0.9m　④ 1.0m

10 ② 11 ④ 12 ③ 13 ① 14 ③ 15 ① [정답]

16 사질토 지반에서 직경 30cm의 평판을 이용하여 재하시험을 실시하였다. 시험 결과 평판의 허용 지지력은 600kPa였고, 그때 침하량은 45mm였다. 직경 1.2m의 실제 기초에 400kPa의 하중을 가할 때 예상되는 침하량은?

① 76.8mm ② 115.2mm
③ 120.0mm ④ 180.0mm

17 점토에 대한 정지토압계수(k_0)의 설명 중 가장 옳은 것은?

① 정규압밀점토(NC－Clay)는 과압밀점토(OC－Clay)보다 크다.
② 정규압밀점토의 경우 소성지수가 클수록 커진다.
③ 지반의 연직전응력에 대한 수평전응력의 비를 의미한다.
④ 정규압밀점토의 경우 내부마찰각이 크면 큰 값을 보인다.

18 토취장에서 채취한 흙에 대해 다짐시험을 실시한 결과 최대 건조단위중량($\gamma_{(d,\ max)}$)은 16kN/m^3, 최적함수비(w_{opt})는 20%였다. 이 흙의 비중이 2.4일 때 포화도는? (단, 물의 단위 중량 γ_w = 10kN/m^{3}이다)

① 80% ② 86%
③ 90% ④ 96%

19 토압에 대한 일반적인 서술 중 가장 옳지 않은 것은?

① Rankine 이론에 의한 주동토압의 크기는 Coulomb 이론에 의한 주동토압의 크기보다 작다.
② 토압의 분포는 구조물과 흙의 상대적인 변위에 따라 달라지는데, 토류구조물 중 토압분포가 삼각형 형태에 가장 가까운 것은 옹벽이다.
③ 옹벽 설계 시 앞부리에서 작용하는 수동토압은 무시하거나 1/2만 고려한다.
④ Coulomb 토압이론에서 수동토압은 벽마찰각이 커질수록 커진다.

20 Casagrande의 소성도에 관한 내용 중 가장 옳지 않은 것은?

① 점토(유기질 점토)와 실트(유기질 실트)를 구분하는 A－line의 방정식을 보면 LL≤25.5%에서는 PI＝4%인 수평선이다.
② 유기질토(O)의 판별은 노건조시료의 액성한계를 측정하여 판정한다.
③ U－line의 방정식에 있어 LL, PI 값이 U－line보다 위쪽에 있는 흙은 없다.
④ 이중기호로 나타내는 빗금부분(CL－ML)은 A－line보다 아래쪽에 있다.

16① 17② 18④ 19① 20④ **[정답]**

부록

2018. 6. 23. 서울시 7급

토목직 공무원

최근 기출문제

수험번호	성명
20180623	도서출판세화

01 비중시험에서 사용되는 피크노메타의 무게는 520g이고, 증류수로 가득 채웠을 때 1,550g이다. 공기 건조된 510g의 흙 시료를 피크노메타에 넣고 공기를 제거한 다음 증류수로 가득 채웠을 때 1,870g이었다. 이 흙의 비중은?

① 2.68 ② 2.65
③ 2.61 ④ 2.25

02 상재하중이 있는 두께 3m(양면배수)의 포화 점토층이 75일 동안 90%의 1차 압밀이 진행되었다. 이 압력범위에 대한 점토의 압밀계수는? (단, 시간계수 T_{90} = 0.848이다)

① 0.00149cm^2/sec ② 0.00294cm^2/sec
③ 0.00322cm^2/sec ④ 0.00431cm^2/sec

03 정규압밀 점토에 대한 배수마찰각은 ϕ' = 30°이다. 동일한 점토에 대하여 일축압축시험을 실시한 결과, 일축압축강도 q_u = 100kN/m^{2}이었다. 일축압축시험에서 파괴 시 간극수압은?

① −30kN/m^2 ② −50kN/m^2
③ 30kN/m^2 ④ 50kN/m^2

04 현장다짐을 실시한 후 들밀도시험을 수행하였다. 파낸 흙의 체적과 무게가 각각 500cm^3, 750g이었으며, 함수비는 20%였다. 흙의 비중이 2.6이며, 실내표준 다짐 시 최대 건조단위중량이 $\gamma_{d\max}$ = 2.0t/m^{3}일 때, 상대 다짐도는?

① $\frac{500}{6}\%$ ② $\frac{500}{7}\%$
③ $\frac{500}{8}\%$ ④ $\frac{500}{9}\%$

05 표준다짐시험과 그 결과에 대한 설명 중 가장 옳지 않은 것은?

① 모래의 경우 초기에는 건조단위중량이 함수비의 증가에 따라 일반적으로 증가한다.
② 다져진 흙의 함수비를 측정하고 측정된 함수비로부터 건조 단위중량을 구할 수 있다.
③ 대부분의 점성토는 함수비와 건조단위중량의 관계가 종모양의 다짐특성을 보여준다.
④ 흙시료에 물의 양을 변화시키면서 섞은 흙을 해머를 사용하여 타격 횟수 25회씩 3층으로 몰드에 넣고 다진다.

01 ① 02 ② 03 ② 04 ③ 05 ① [정답]

06 점토광물에 대한 설명 중 가장 옳지 않은 것은?

① 몬모릴로나이트는 카올리나이트와 구조가 비슷한다. 이러한 점토입자 주변에 있는 물의 존재는 점토에 소성을 띠게 한다.
② 카올리나이트는 규소－깁사이트판이 1 : 1 격자식으로 반복되는 층을 이룬다.
③ 건조된 점토에 물을 첨가하면 양이온과 음이온이 점토 입자 주위에 떠돌아다니며 발생하는 배열을 확산이중층(diffuse double layer)이라 한다.
④ 점토광물은 규소사면체(silica tetrahedron)와 알루미늄 팔면체(alumina octahedron)의 두 기본단위로 구성된 알루미늄 규소염 복합물이다.

07 그림에서 투수계수 $K=2\times10^{-3}$cm/sec일 때 Darcy 유출속도 v는?

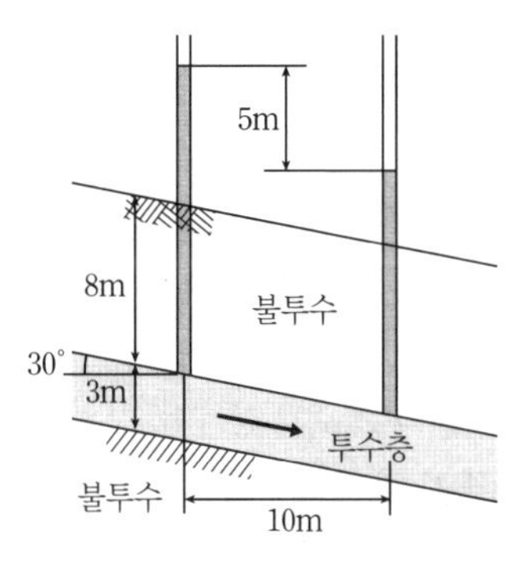

① 2×10^{-3}cm/sec ② 1×10^{-3}cm/sec
③ $\sqrt{3}\times10^{-3}$cm/sec ④ $\frac{\sqrt{3}}{2}\times10^{-3}$cm/sec

08 크기가 10m×20m인 전면기초가 점성토 지반 위에 설치되었다. 전면기초에 작용하는 전체 하중이 10,000kN이고, 점성토의 단위중량이 20kN/m³일 때, 완전 보상기초(compensated foundation)가 되기 위한 기초의 깊이는?

① 1.0m ② 2.0m
③ 2.5m ④ 3.0m

09 상대밀도(relative density, Dr)에 대한 설명 중 가장 옳지 않은 것은?

① 조립토를 상대밀도 85% 이상 다지기는 어렵다.
② 상대밀도에 대한 식은 간극비, 간극률, 건조단위중량, 밀도에 의해 정의될 수 있다.
③ 세립토의 현장 조밀함 또는 느슨함의 정도를 나타내기 위해 사용되는 용어이다.
④ 상대밀도 값의 범위는 흙이 가장 느슨한 상태일 때의 최솟값 0%부터 흙이 가장 조밀한 상태일 때의 최댓값 100%까지이다.

10 그림과 같은 원호활동 파괴를 가정한 점토지반에 놓인 줄기초의 극한지지력 q_u은?

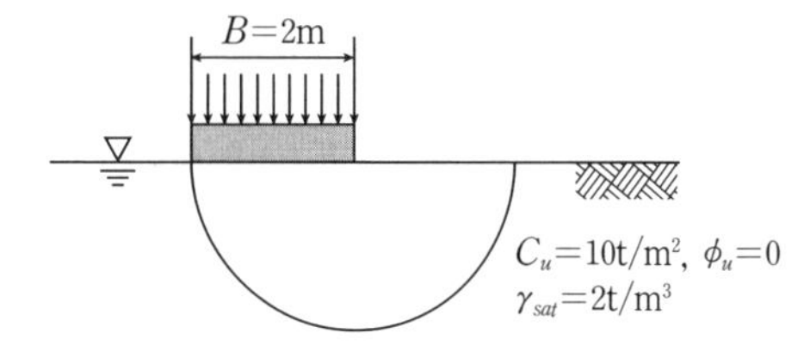

① 40πt/m² ② 30πt/m²
③ 20πt/m² ④ 10πt/m²

06 ① 07 ④ 08 ③ 09 ③ 10 ③ [정답]

11 사질토 지반에서 현장재하시험으로 결정된 직경 300mm판의 극한지지력이 150kN/m²이다. 실제 원형기초의 예측허용지지력이 250kN/m²일 때 원형기초의 폭(지름)은? (단, 안전율은 3이다)

① 1.0m　② 1.5m
③ 2.0m　④ 2.5m

12 폭이 4m인 연속기초를 내부마찰각 $\phi=20°$, 점착력 $c=30$kPa인 지반에 설치하였다. 흙의 전체 단위중량은 19kN/m³이고 안전율이 3일 때 기초의 허용지지력은? (단, 기초의 근입 깊이는 1m이고, 전반전단파괴가 일어난다고 가정하며, $\phi=20°$일 때 $N_c=17.69$, $N_r=4.97$, $N_q=7.44$이다)

① 253.42kPa　② 262.78kPa
③ 274.57kPa　④ 286.97kPa

13 옹벽에 작용하는 주동토압이 0이 되는 지표면으로부터의 깊이는? (단, 뒷채움 흙의 단위중량은 20kN/m³, 점착력은 20kN/m², 내부마찰각은 30°이다)

① $\sqrt{2}$m　② $\sqrt{3}$m
③ $2\sqrt{2}$m　④ $2\sqrt{3}$m

14 시료 채취기의 관입깊이가 100cm이고, 이중 회수된 시료는 5m 짜리 2개, 10cm 짜리 2개, 15cm 짜리 2개, 20cm 짜리 2개일 경우, 회수율과 RQD(Rock Quality Designation)는?

	회수율	RQD		회수율	RQD
①	1.0	1.0	②	1.0	0.9
③	0.9	0.9	④	0.9	0.8

15 포화 점토지반에 축조된 점토제방 사면의 거동에 대한 설명 중 가장 옳지 않은 것은?

① 사면의 안전율의 크기는 초기에는 시간에 따라 증가한다. 제방 시공완료 후에는 안전율이 최대가 된다.
② 압밀이 진행됨에 따라 점토의 전단강도는 점점 증가한다. 즉, 압밀이 완료될 때의 점토의 평균 전단강도는 배수 전단강도이다.
③ 점토제방 아래에 위치하는 지점에서 간극수압은 제방의 축조가 진행됨에 따라 계속 증가하다가 제방이 완공되면 배수(즉, 압밀)가 진행됨에 따라 감소한다.
④ 제방이 빠르게 축조되고 제방을 시공하는 동안 실제로 배수가 발생하지 않는다고 가정하면, 점토의 평균전단강도는 제방 시공완료 시까지 일정해진다. 이때의 전단강도는 비배수 전단강도이다.

16 불포화 점성토의 전단강도에 대한 설명 중 가장 옳지 않은 것은?

① 포화도가 100%인 경우에 전응력 파괴포락선은 수평선이 되며 $\phi=0$의 개념과 같다.
② 실제로 퇴적점성토의 경우 강우 또는 지하수면이 상승하면 포화되므로 부분 포화된 점토의 강도는 설계 시 고려되지 않는다.
③ 비배수 삼축압축시험은 불포화시료에 실시되고 전응력만을 측정할 수 있으며 현장에서 채취한 불포화시료는 실험실에서 포화시킨 후 비배수 강도를 결정해야 한다.
④ 일반적으로 실험실에서 이루어지는 삼축압축시험으로 불포화 시료의 정확한 유효응력을 결정할 수 있다.

11② 12④ 13④ 14② 15① 16④ [정답]

17 건조단위중량이 16.5kN/m³, 포화단위중량이 19.25kN/m³인 사질토층에서 지하수위의 위치는 지표면으로부터 6m 아래에 존재하고 지하수위 위 사질토층은 건조한 상태일 때, 지표면으로부터 19m 아래에서의 유효응력의 크기는? (단, 지하수는 정수압을 받고 있으며 물의 단위중량은 10kN/m³이다)

① 127.53kN/m² ② 186.75kN/m²
③ 219.25kN/m² ④ 232.25kN/m²

18 연약지반 처리공법 중 sand drain 공법에서 연직과 방사선 방향을 고려한 평균압밀도 U는? (단, 연직 압밀도 U_v=0.5, 방사선 방향 압밀도 U_r=0.7이다)

① 0.7 ② 0.75
③ 0.8 ④ 0.85

19 그림과 같이 널말뚝을 모래지반에 5m 깊이로 박았을 때 상류와 하류의 수두차가 6m였다. 이때 모래지반의 포화 단위 중량이 2.0t/m³이었다면 이 지반의 파이핑현상에 대한 안전율에 가장 근사한 값은? (단, 융기영역의 평균 등수두선 간격은 2.5로 간주한다)

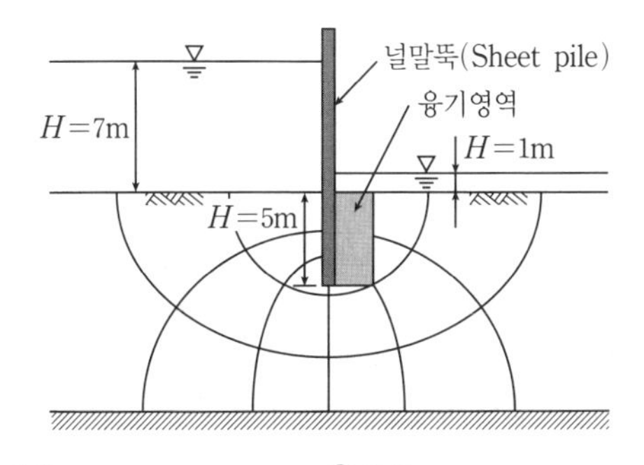

① 1.0 ② 1.5
③ 2.0 ④ 3.0

20 압밀시험에서 수직하중재하에 따른 응력경로로서 기울기 q/p 값은? (단, K_0=1/3이다)

① 1/4 ② 1/3
③ 1/2 ④ 1/1

17③ 18④ 19③ 20③ [정답]

부록

2018. 8. 18. 국가직 7급

토목직 공무원

최근 기출문제

수험번호	성명
20180818	도서출판세화

01 흙의 특성에 대한 설명으로 옳지 않은 것은?

① 성토된 점토지반은 일반적으로 양족롤러로 다진다.

② 점토광물에서 가장 많은 원자는 산소이다.

③ 흙의 함수비, 상대밀도, 포화도는 각각 100%를 초과할 수 없다.

④ 동상(frost heaving)에 의한 피해는 일반적으로 모래지반보다 점토지반에서 더 크다.

02 그림과 같이 초기간극비가 0.5인 점토층이 자갈층에 의한 압밀종료 후 간극비가 0.3으로 줄었다면 이 점토층에 발생한 최종압밀침하량은? (단, 압밀은 연직방향으로만 발생한다)

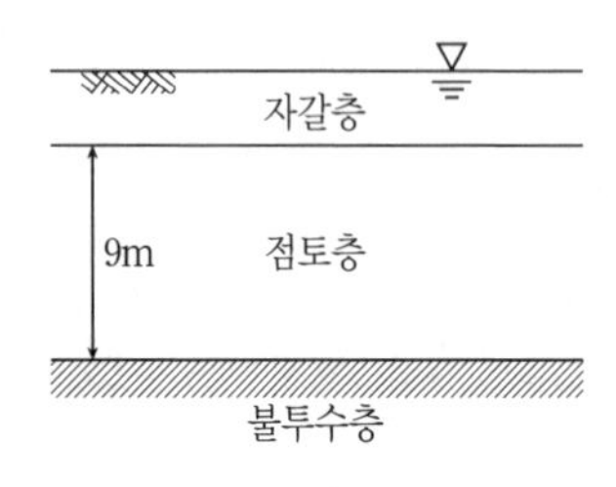

① 1.0m ② 1.2m

③ 1.5m ④ 2.0m

03 유선망에 대한 설명으로 옳지 않은 것은?

① 등수두선과 유선은 직교한다.

② 유선망의 요소(element)는 근사적으로 정사각형이다.

③ 불투수면의 수두는 동일하다.

④ 각 유선망의 요소(element)의 크기가 달라도 유입량 및 유출량이 같다.

04 말뚝기초에서 발생할 수 있는 부주면마찰력을 감소시키는 방법으로 옳지 않은 것은?

① 말뚝시공 전 선행하중을 가해 지반침하를 미리 발생시킨다.

② 표면적이 비교적 큰 말뚝을 사용하여 부주면마찰력이 덜 발생하도록 한다.

③ 말뚝직경보다 약간 큰 케이싱을 설치하여 부주면마찰력을 차단한다.

④ 말뚝표면에 역청재를 도장한다.

05 단위중량이 20kN/m^{3}인 점토지반 위에 지하 2층까지 주차장을 갖춘 건물을 건설할 때, 보상기초를 적용하여 건설할 수 있는 건물의 최대 층수는? (단, 한 층의 높이가 3m이고, 층당 하중은 15kN/m^{3}이다)

① 지상 4층 ② 지상 5층

③ 지상 6층 ④ 지상 8층

01 ③ 02 ② 03 ③ 04 ② 05 ③ [정답]

06 그림과 같이 지하수위가 지표면과 일치하는 반무한 모래사면의 안전율은? (단, 물의 단위중량은 10kN/m^{3}이라고 가정하고, 속도수두는 무시한다)

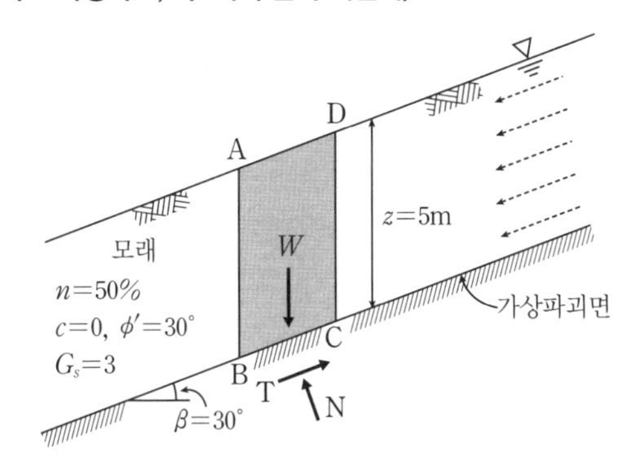

① 0.5 ② 1.0
③ 1.5 ④ 2.0

07 다음 중 지반반력계수(K)에 대한 설명으로 옳지 않은 것은?

① 지반반력계수는 기초의 형상에 따라 변화하는 성질이 있다.
② 기초의 크기(B)가 커지면 즉시침하량이(S_i)이 커지므로 지반반력계수(K)는 작아진다.
③ 근입깊이가 커지면 즉시침하량(S_i)이 감소되어 지반반력계수(K)가 커진다.
④ 지반의 탄성계수(E_s)가 증가하면 즉시침하량(S_i)이 작아지므로 지반반력계수(K)는 작아진다.

08 절편법을 이용한 사면안정해석 중에서 가상파괴면의 한 절편에 작용하는 힘의 상태를 그림으로 나타내었다. 다음 설명 중 옳지 않은 것은?

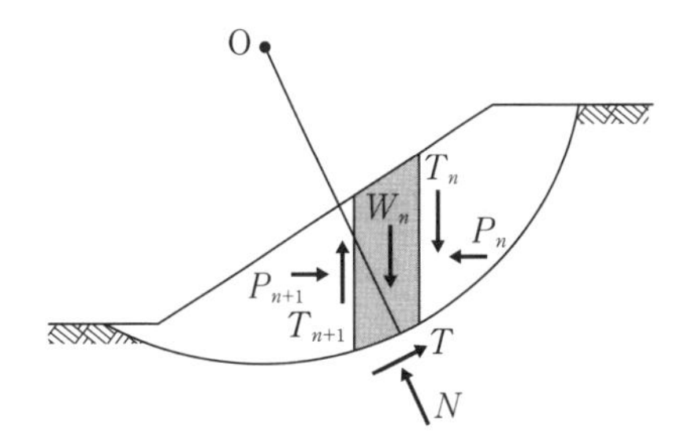

① Fellenius 방법은 T_n과 P_n의 합력이 T_{n+1}과 P_{n+1}의 합력과 크기가 같고 그 작용선이 일치한다고 가정하며, 절편의 양쪽에 작용하는 힘들은 무시하고 계산한다.
② 절편의 중량 W_n은 흙의 단위중량×절편의 높이×절편의 폭이다.
③ Bishop이 간편법은 절편의 측면에는 수평방향의 응력이 작용하지 않고($P_{n+1}-P_n=0$), 전단력(T_n과 T_{n+1})만 작용한다고 가정한다.
④ Janbu의 간편법은 Bishop의 간편법에서 세운 기본가정과 동일한 가정을 하되, Janbu는 가정으로 생긴 오차는 수정계수(correction factor)를 써서 보정할 것을 제안하였다.

09 그림과 같이 완전 포화된 비배수상태의 균질한 점성토로 뒤채움된 옹벽이 있다. 이때 최대인장균열이 발생하기 전과 후에 옹벽에 가해지는 주동토압의 크기 차이는? (단, 옹벽 뒤채움흙의 일축압축 강도는 20kN/m^2, 단위중량은 20kN/m^{3}이며 흙과 옹벽 사이에 마찰은 없다)

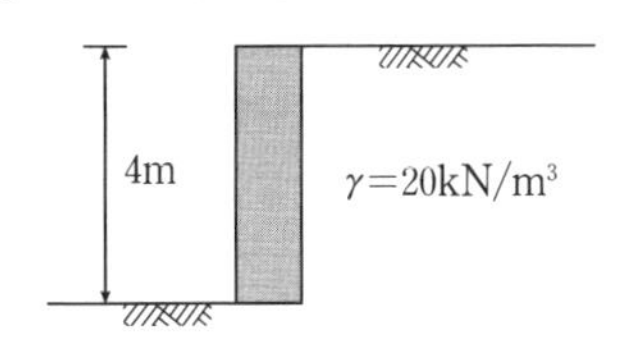

① 10kN/m^2 ② 40kN/m^2
③ 80kN/m^2 ④ 90kN/m^2

06 ① 07 ④ 08 ③ 09 ① [정답]

부록

10 단위중량은 16kN/m³, 내부마찰각은 30°인 모래 지반을 6m 굴착하기 위해 아래 그림과 같이 흙막이벽을 설치하고자 한다. O점(고정단)에 대한 전도의 설계안전율이 1.5일 때, 지표면으로부터 2m 깊이에 설치된 버팀보에 작용하는 하중은? (단, 흙막이벽은 강성벽체이며 벽체자중과 벽면마찰력은 고려하지 않고, 토압은 Rankine 토압이론을 적용하여 삼각형분포로 가정한다)

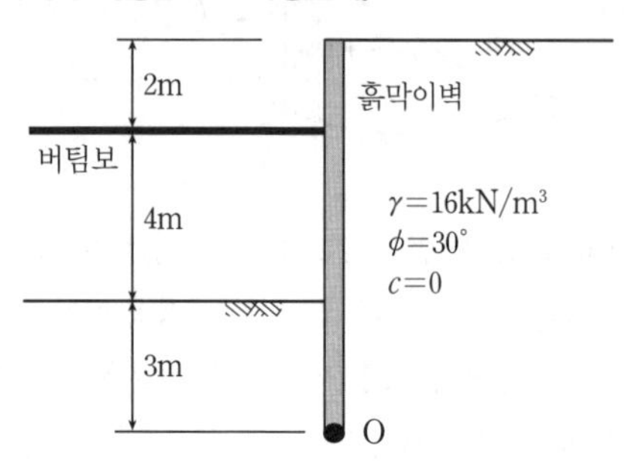

① 108kN ② 110kN
③ 112kN ④ 115kN

11 지진과 같은 갑작스러운 동적 하중에 의한 액상화 현상에 대한 설명으로 옳지 않은 것은?

① 액상화 가능성을 반복삼축압축시험으로 평가하는 경우 배수상태에서 시험을 수행한다.
② 세립분 함량이 50% 이상인 점성토는 액상화 가능성이 작다.
③ 액상화 현상이 발생하면 보일링 현상을 수반하기도 한다.
④ 액상화 과정에서 간극수압의 증가로 유효응력이 감소하여 전단강도를 상실한다.

12 옹벽의 높이가 H이고, 뒤채움흙이 수평인 점토지반에서는 옹벽 상단에서 어느 정도의 깊이까지는 부(-)의 토압이 작용하게 된다. 부(-)의 토압이 발생되는 깊이[z_0]는?

① $\dfrac{c\cdot\tan\left(45^\circ-\dfrac{\phi}{2}\right)}{\gamma}$ ② $\dfrac{c\cdot\tan\left(45^\circ+\dfrac{\phi}{2}\right)}{\gamma}$
③ $\dfrac{2c\cdot\tan\left(45^\circ-\dfrac{\phi}{2}\right)}{\gamma}$ ④ $\dfrac{2c\cdot\tan\left(45^\circ+\dfrac{\phi}{2}\right)}{\gamma}$

13 굴착공사로 주변의 지하수위가 전체적으로 지표면 아래 3m에서 5m로 하강하였을 때, 지하수위 하강 직후 점토층 중간지점에서의 과잉간극수압은?

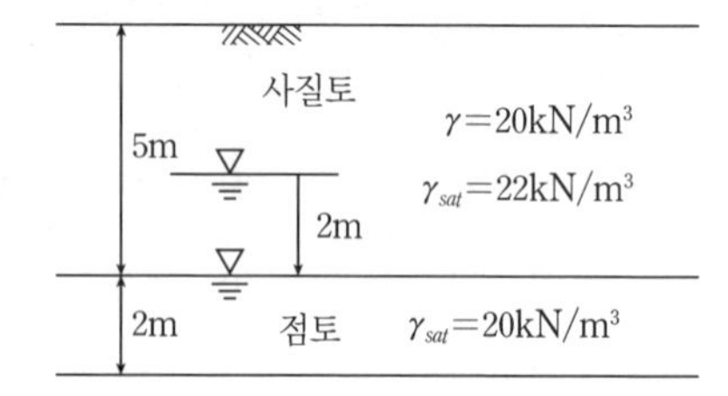

① 10kN/m² ② 16kN/m²
③ 22kN/m² ④ 28kN/m²

14 정규압밀 점토에 대해 압밀배수 삼축압축시험을 수행하였다. 구속압 100KN/m²하에서 축차응력 200kN/m²을 가하였을 때, 시료에 파괴가 발생하였다. 이때 $p-q$다이어그램상에서의 파괴폭락선(k_f선)의 기울기와 절편은? (단, $p=\dfrac{\sigma_1+\sigma_3}{2}$, $q=\dfrac{\sigma_1-\sigma_3}{2}$이다)

	기울기	절편
①	$\dfrac{1}{\sqrt{3}}$	100kN/m²
②	$\dfrac{1}{\sqrt{3}}$	0kN/m²
③	$\dfrac{1}{2}$	100kN/m²
④	$\dfrac{1}{2}$	0kN/m²

10 ① 11 ① 12 ④ 13 ② 14 ④ [정답]

15 그림과 같이 두께 13m의 투수성 지반에 40m 길이의 수리구조물을 설치하였다. 이 수리구조물 설치에 의한 수위차는 7m이고, 투수성 지반에 대한 유선망을 도시하면 그림과 같다. 이때 A점에 작용하는 양압력은? (단, 투수지반의 투수계수(k)는 2.4×10^{-2}cm/s, 비중(G_s)은 2.60, 간극비(e)는 0.50이며, 물의 단위중량은 10kN/m³이다)

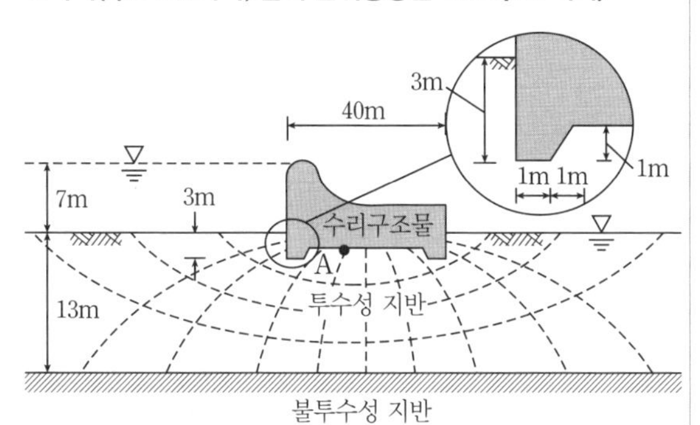

① 62kN/m^2 ② 72kN/m^2
③ 82kN/m^2 ④ 92kN/m^2

16 지반의 미소요소에 그림과 같은 응력이 작용하고 있다면, 수평면과 45° 기울어진 단면 A-A에 작용하는 수직응력과 전단응력은? (단, Mohr원에서 수직응력의 경우 압축력을 (+)로 전단응력의 경우 반시계방향회전을 (+)로 표시하며, 응력의 단위는 kN/m²이라 가정한다)

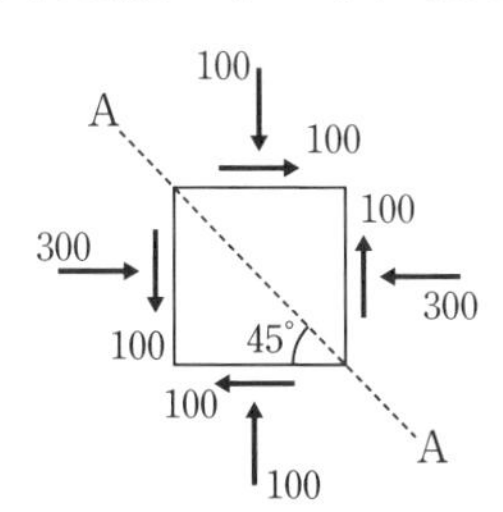

	수직응력	전단응력
①	300	−100
②	300	100
③	100	−100
④	100	100

17 점성토 지반의 내부마찰각(ϕ)이 30°, 선행압밀압력(p_c)이 200kN/m², 현재 받고 있는 유효연직응력(p)이 50kN/m²일 때, 과압밀계수(OCR)를 활용하여 구한 이 점성토 지반의 정지토압계수는?

① 2.0 ② 1.5
③ 1.0 ④ 0.5

18 흙의 간극을 물이 아닌 기름이 채우고 있다. 흙의 비중(G_s)이 2.65, 물의 단위중량(γ_w)이 10kN/m³, 기름의 단위중량(γ_{oil})은 9kN/m³, 기름의 포화도(S)는 50%이며 간극비(e)가 1일때, 이 흙의 단위중량은?

① 16.5kN/m^3 ② 16.0kN/m^3
③ 15.5kN/m^3 ④ 15.0kN/m^3

19 다짐 시 최적의 다짐상태는 최적함수비보다 함수비가 작은 건조측에서 또는 최적함수비보다 함수비가 큰 습윤 측에서 도달될 수 있다. 이와 관련하여 점성토의 다짐에 대한 설명으로 옳지 않은 것은?

① 낮은 압력에서는 최적함수비의 건조 측 압축성이 습윤 측 압축성보다 작다.
② 최적함수비의 건조 측 투수계수가 습윤 측 투수계수보다 작다.
③ 높은 압력에서는 최적함수비의 건조 측 압축성이 습윤 측 압축성보다 크다.
④ 최적함수비의 건조 측 강도가 습윤 측 강도보다 크다.

15① 16④ 17③ 18③ 19② [정답]

20 **지반 내에서 발생할 수 있는 모세관현상에 대한 설명으로 옳지 않은 것은?**

① 모세관현상의 상승고는 입경이 작을수록 증가한다.

② 모세관현상이 발생된 구역에서는 부(−)의 간극수압이 발생하므로, 전응력이 유효응력보다 작다.

③ 모세관현상이 시작되는 자유수면에서의 간극수압은 물의 단위중량×모세관의 상승고이다.

④ 모세관현상이 발생하는 구역이라 할지라도 포화도가 반드시 100%인 것은 아니며, 자유수면으로부터의 높이에 따라 포화도는 변할 수 있다.

20 ③ [정답]

토목직 공무원

최근 기출문제

수험번호	성명
20190817	도서출판세화

01 그림과 같이 흙의 삼상체계를 표시할 때, 간극의 부피(V_v), 물만의 중량(W_w), 흙입자만의 중량(W_s)은? (단, W_a는 공기의 중량, e는 간극비, G_s는 흙입자의 비중, w는 함수비, γ_w는 물의 단위중량, V_s는 흙입자만의 부피이다)

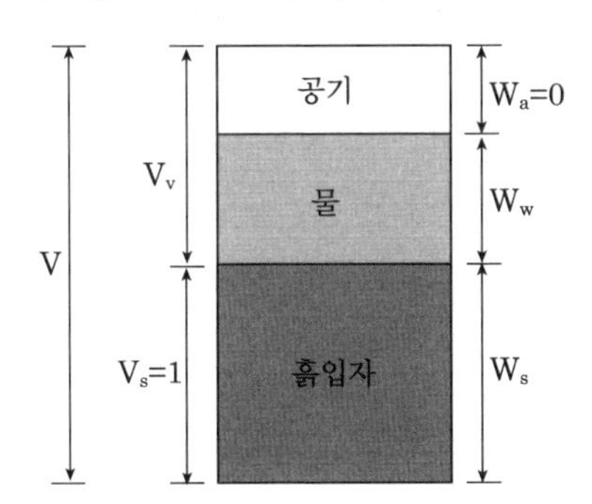

	V_V	W_W	W_S
①	e	G_s	$_wG_s$
②	1	$G_s\gamma_w$	$_wG_s\gamma_w$
③	e	$G_s\gamma_w$	$_wG_s\gamma_w$
④	e	$_wG_s\gamma_w$	$G_s\gamma_w$

02 그림과 같은 미소요소에 수직응력과 전단응력이 작용하고 있다면, 발생 가능한 최소주응력 및 최대주응력은? (단, Mohr원에서 수직응력의 경우 압축력을 (+)로, 전단응력의 경우 반시계방향을 (+)로 표시하며, 단위는 kN/m^{2}이다)

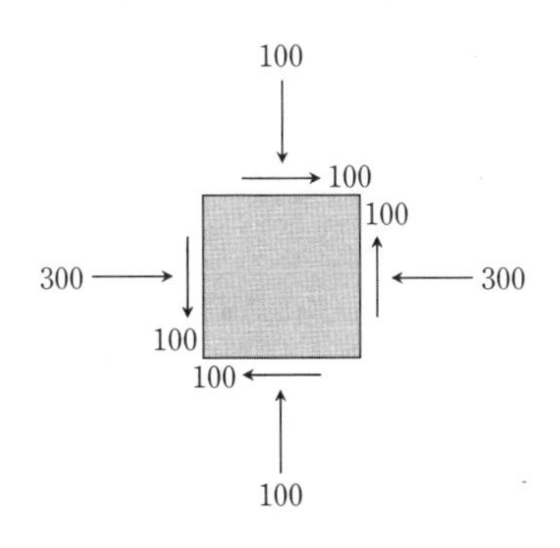

	최소주응력	최대주응력
①	$100\sqrt{2}-100$	$100\sqrt{2}$
②	$200-100\sqrt{2}$	$200+100\sqrt{2}$
③	$200-100\sqrt{2}$	$100\sqrt{2}$
④	$100\sqrt{2}-100$	$200+100\sqrt{2}$

03 포화된 점성토의 압밀비배수 삼축압축시험에 대한 설명으로 옳지 않은 것은?

① 전응력과 유효응력의 파괴포락선은 동일하지 않다.
② 파괴 시 간극수압을 측정할 수 있다.
③ 전단과정에서 시료의 체적변화가 발생한다.
④ 전응력 Mohr원과 유효응력 Mohr원의 크기는 같다.

04 Terzaghi의 1차원 압밀이론에 사용된 가정조건으로 옳지 않은 것은?

① 흙은 완전히 포화되어 있다.
② 흙입자는 압축성이다.
③ Darcy의 법칙이 성립된다.
④ 물은 비압축성이다.

01 ④ 02 ② 03 ③ 04 ② [정답]

부록

05 두께가 2cm인 점토시료에 대해 상재압 20kN/m² 으로 일면배수 실내압밀시험을 실시하였을 때, 10분 경과 후 평균과잉간극수압이 12kN/m²이 되었다. 동일한 점토로 구성된 4m 두께의 점토층이 양면배수조건에서 40% 압밀되는 데 소요되는 시간은? (단, 압밀도 40%와 60%에 대한 시간계수 T_v는 각각 0.13과 0.29이다)

① 500분
② 25,000분
③ 100,000분
④ 400,000분

06 그림과 같이 관개용수로가 강과 평행하게 계획되었다. 불투수성의 점토층 사이에 100mm 두께의 모래층이 협재되어 있을 때, 관개용수로에서 모래층을 통해 강으로 누수되는 단위폭당 누수량은? (단, 모래층의 투수계수는 80m/day이고, Darcy의 법칙이 성립하며, 강과 관개용수로의 수위는 일정하게 유지된다)

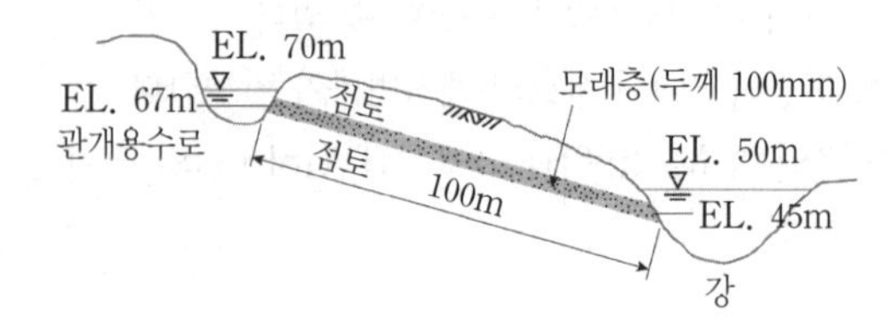

① 1.6m³/day/m
② 3.2m³/day/m
③ 8.0m³/day/m
④ 16.0m³/day/m

07 동일한 흙시료에 대해서 직접전단시험을 수행한 결과, 수직응력이 100kN/m²일 때 전단강도가 60kN/m², 수직응력이 200kN/m²일 때 전단강도가 100kN/m²이었다면, 이 흙시료의 점착력은? (단, Mohr-Coulomb의 파괴기준을 따른다)

① 20kN/m² ② 40kN/m²
③ 80kN/m² ④ 100kN/m²

08 내부마찰각 0, 일축압축강도 90kN/m², 습윤단위중량 20kN/m³인 평평한 지반을 흙막이 없이 연직으로 최대한 깊게 무지보 굴착(open cut)을 하려고 한다. 설계 안전율 1.5를 적용할 때, 설계 굴착깊이는? (단, 설계 안전율은 흙막이 없이 연직으로 무지보 굴착이 가능한 이론적 최대깊이를 설계 굴착깊이로 나눈 값이다)

① 3.0m ② 4.5m
③ 6.0m ④ 9.0m

09 흙의 다짐특성에 대한 설명으로 옳지 않은 것은?

① 일반적으로, 동일한 다짐에너지 조건에서 소성성이 작은 세립토가 소성성이 큰 세립토보다 최대건조단위중량이 작다.
② 일반적으로, 동일한 다짐에너지 조건에서 입도분포가 좋은 조립토가 입도분포가 나쁜 조립토보다 최대건조단위중량이 크다.
③ 동일한 흙시료에 대해서 다짐에너지가 클수록 최대건조단위중량은 커지고 최적함수비는 작아진다.
④ 일반적으로, 흙댐의 심벽 등 차수목적으로 흙을 다질 경우에는 습윤측 다짐을 하는 것이 좋다.

10 그림과 같이 기초폭이 2m인 띠기초를 지표면 아래 1.5m 깊이에 설치하였을 때, 기초의 전반전단파괴에 대한 극한지지력은? (단, 기초지반의 점착력 c는 10kN/m², 내부마찰각 ϕ는 20°, 습윤단위중량 γ_t는 18kN/m³이며, Terzaghi의 지지력공식과 지지력계수는 $N_c=18$, $N_\gamma=5$, $N_q=7$을 사용한다)

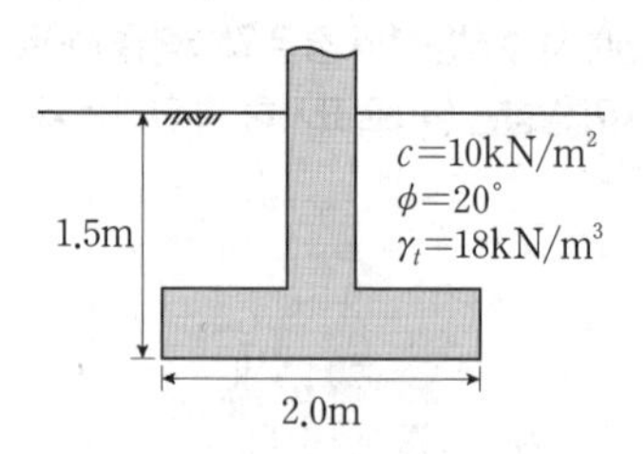

① 459kN/m² ② 479kN/m²
③ 499kN/m² ④ 519kN/m²

05 ③ 06 ① 07 ① 08 ③ 09 ① 10 ① [정답]

11 포화된 점토지반과 모래지반에 각각 직경 30cm의 평판재하시험을 한 결과 150kN/m²의 동일한 극한지지력을 얻었다. 동일한 점토지반과 모래지반에 각각 직경 1.5m의 얕은 기초를 시공했을 때, 각 지반에 설치된 기초의 극한지지력은? (단, 포화된 점토지반의 내부마찰각은 0이고, 모래지반의 점착력은 0이다)

	점토지반	모래지반
①	150kN/m²	750kN/m²
②	150kN/m²	150kN/m²
③	750kN/m²	750kN/m²
④	750kN/m²	150kN/m²

12 지반의 횡방향 토압에 대한 설명으로 옳지 않은 것은?

① 정지토압은 벽체의 수평변위가 전혀 발생하지 않을 때 벽체에 작용하는 토압이다.
② 수동토압은 흙이 벽체에게 밀려 수평방향 압축이 발생되어 파괴에 이르렀을 때의 토압이다.
③ 정지토압계수는 1.0보다 클 수 없다.
④ 정지토압계수는 실내 삼축압축시험으로 구할 수도 있다.

13 현장에서 수행하는 원위치 시험이 아닌 것은?

① 루전(Lugeon) 시험
② 콘관입시험
③ 공내재하시험
④ 비중계(Hydrometer) 시험

14 경사각이 β인 사질토 무한사면의 안전율에 대한 설명으로 옳은 것은? (단, 사질토층의 점착력은 0, 내부마찰각은 ϕ'이다)

① 사면의 안전율은 토층 두께에 반비례한다.
② 지하수위가 지표와 일치하는 경우 사면의 안전율은 지하수가 없을 경우 사면의 안전율보다 작다.
③ 지하수가 없을 경우 사면의 안전율은 $\dfrac{\tan\beta}{\tan\phi'}$로 표현된다.
④ 지하수위가 지표와 일치하는 경우 사면의 안전율은 사면의 높이에 반비례한다.

15 그림과 같이 점토지반 깊이 10m에서 초기 연직 전응력(σ_{v0})이 200kN/m²일 때, 지표면에 100kN/m²의 상재압(q) 재하 직후의 수평 전응력(σ_h)은? (단, 지하수위는 지표면에 위치하며, 지반의 정지토압계수는 0.5, 물의 단위중량은 10kN/m³이다)

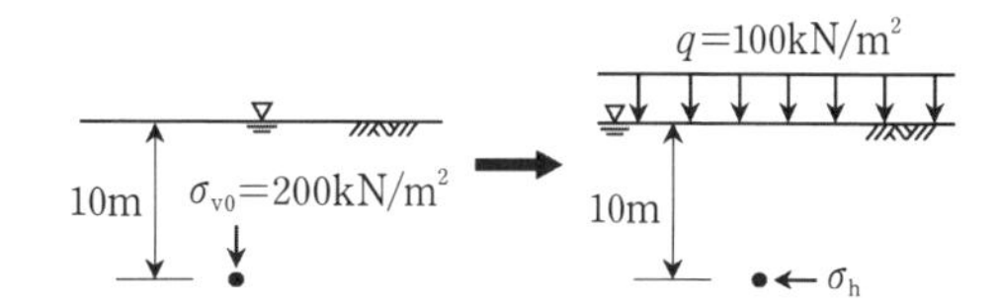

① 100kN/m²
② 150kN/m²
③ 200kN/m²
④ 250kN/m²

16 포화된 점성토에 대해 비압밀비배수 삼축압축시험을 수행하였다. 구속압 30kN/m²하에서 축차응력 40kN/m²을 가하였을 때, 시료에 파괴가 발생하였다. 이 지반에 단면적이 2m²인 말뚝기초를 타입한 직후 말뚝기초의 극한선단지지력은? (단, 말뚝기초의 극한선단지지력은 Meyerhof의 지지력 공식을 적용하며, N_c = 9이다)

① 180kN　② 270kN
③ 360kN　④ 720kN

11 ①　12 ③　13 ④　14 ②　15 ④　16 ③ [정답]

부록

17 그림과 같이 연직으로 시공된 옹벽이 O점을 기준으로 반시계방향으로 (+)회전변위가 발생하여 보강공법을 적용하였더니 시계방향으로 변위가 발생하여 초기 연직상태를 지나 오히려 (-)회전변위가 발생하였다. 옹벽이 '정지 → (+)회전 → 정지 → (-)회전'의 순서로 변위가 발생하는 동안 미소요소 A의 응력상태를 나타내는 Mohr원의 변화순서는? (단, 옹벽의 회전변위에 따른 토체의 전단파괴는 발생하지 않았으며, 미소요소 A의 응력은 벽체변위에 영향을 받는다)

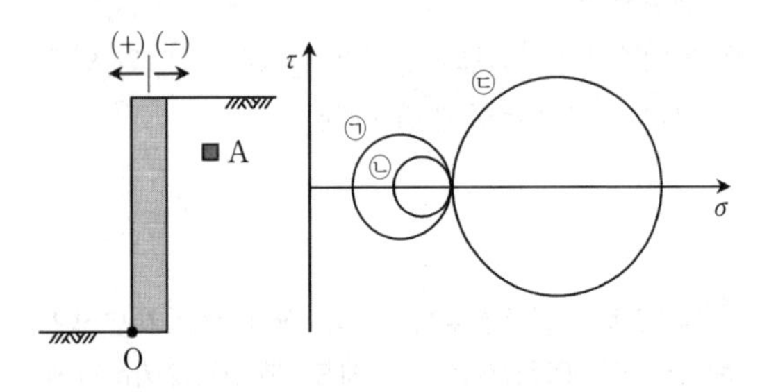

① ㉠ → ㉡ → ㉢ → ㉡
② ㉡ → ㉢ → ㉡ → ㉠
③ ㉡ → ㉠ → ㉡ → ㉢
④ ㉢ → ㉡ → ㉠ → ㉡

18 그림과 같이 널말뚝벽이 설치된 지반에서 정상침투 상태의 유선망을 도시하였을 때, A위치의 유효수직응력은? (단, 지반은 등방·균질하며, 포화단위중량은 20kN/m³, 물의 단위중량은 10kN/m³이다)

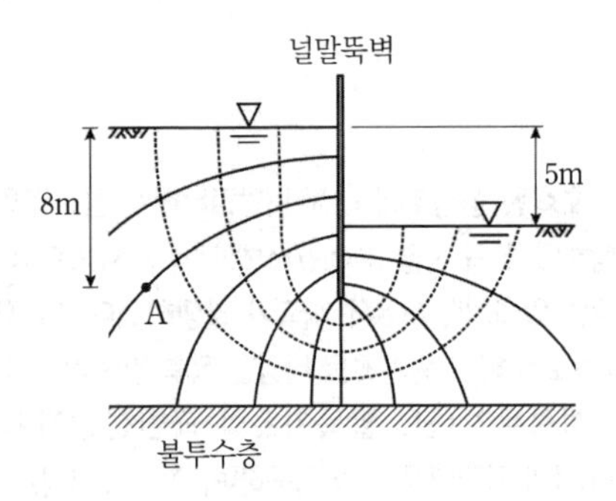

① $100kN/m^2$
② $90kN/m^2$
③ $80kN/m^2$
④ $70kN/m^2$

19 그림과 같이 지표면에 무한대로 넓은 영역에 분포하중 $150kN/m^2$을 재하한 직후 A점의 피에조미터 수위가 Δh만큼 상승한 후 시간에 따라 피에조미터 수위가 감소하였다. 하중재하 직후 상승한 피에조미터 수위 Δh와 피에조미터 수위가 9m 감소하였을 때 A점의 압밀도 U는? (단, 물의 단위중량은 $10kN/m^3$이며, e는 간극비, G_s는 비중, w는 함수비, LL은 액성한계이다)

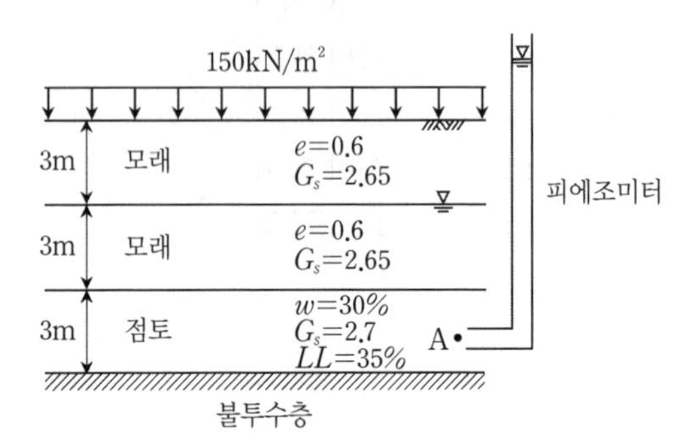

	피에조미터 상승 수위 Δh	A점의 압밀도 U
①	12m	60%
②	15m	60%
③	12m	40%
④	15m	40%

17 ③ 18 ② 19 ② [정답]

20 그림과 같이 널말뚝벽이 설치된 점성토 지반에서 B점의 간극수압이 A점의 간극수압의 2배 이하가 되고, 히빙에 대한 안전율이 2.0 이상을 만족하는 널말뚝벽의 최소 근입깊이 D는? (단, 점선 A-B는 총수두차의 50%가 손실되는 등수두선이고, 히빙존에서의 평균수두손실은 12m이며, 점성토의 포화단위중량과 물의 단위중량은 각각 20kN/m³과 10kN/m³이다)

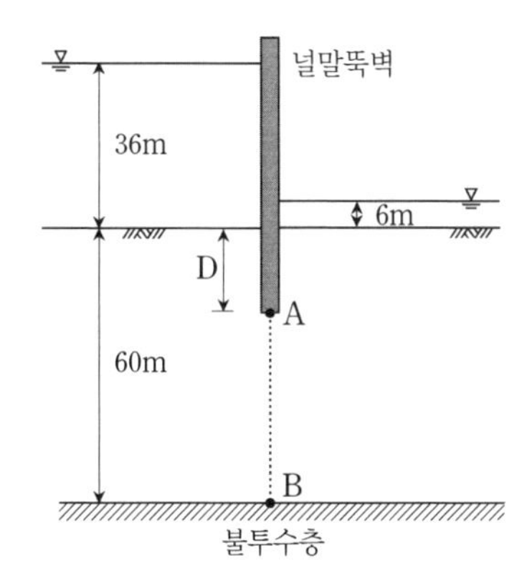

① 17.5m ② 19.5m
③ 22.0m ④ 24.0m

20 ④ [정답]

토목직 공무원

최근 기출문제

수험번호	성명
20191012	도서출판세화

01 건조된 흙 시료 500g을 사용하여 체분석시험을 수행한 결과가 아래 제시된 표와 같을 때, 유효입경(D_{10}), 균등계수(C_u), 곡률계수(C_c)를 각각 구한 값은?

체 직경(mm)	각 체에 남아 있는 흙의 무게(g)
4.0	0
2.0	50
1.6	100
1.2	50
0.8	100
0.4	50
0.1	100
0.075	50

① 0.1mm, 12, 1.33
② 1.2mm, 5.6, 1.2
③ 2.0mm, 0.4, 1.67
④ 2.0mm, 1.0, 2.4

02 지하수위가 지표면과 일치하는 사질토 지반의 지표에 접지압이 100kN/m²인 콘크리트 구조물(10m×10m)이 위치할 계획이다. 구조물 중앙에서 10m 아래 지점의 연직유효응력[kN/m²]으로 가장 옳은 것은? (단, 사질토의 포화단위중량은 20kN/m³이며, 물의 단위중량은 10kN/m³, 응력증가량은 2:1 방법으로 계산한다.)

① 50　② 75
③ 100　④ 125

03 다음 중 연약지반개량공법이 아닌 것은?

① 바이브로플로테이션(Vibroflotation) 공법
② 리버스서큘레이션(Reverse Circulation Drilling) 공법
③ 전기삼투(Electro−Osmosis) 공법
④ 페이퍼드레인(Paper Drain) 공법

04 무리말뚝의 무리효율에 대한 설명으로 가장 옳지 않은 것은?

① 말뚝의 시공방법 및 시공순서에 영향을 받는다.
② 시공 후 경과 시간에 따라 무리효율이 변한다.
③ 느슨한 사질토의 경우 무리효율은 말뚝 수가 많을수록 증가한다.
④ 말뚝캡에는 영향을 받지 않는다.

05 그림과 같은 단면의 성토체를 10m 길이로 건설할 때 토취장에서 채취해야 하는 토공량[m³]은? (단, 성토체 흙의 간극비는 0.5, 토취장 흙의 간극비는 0.7이다.)

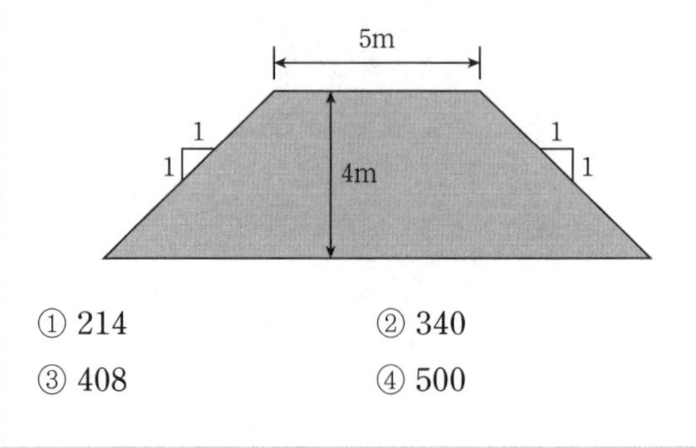

① 214　② 340
③ 408　④ 500

01 ① 02 ④ 03 ② 04 ④ 05 ③ [정답]

06 일차원 압밀실험과 같이 횡방향 변형을 구속하고 축하중을 가하는 실험을 수행하였다. 이러한 실험에 대한 응력경로(p-q diagram)의 기울기로 가장 옳은 것은? (단, $p=\frac{\sigma_v+\sigma_h}{2}$, $q=\frac{\sigma_v-\sigma_h}{2}$이다.)

① $\frac{1}{1+K_0}$　　② $\frac{1}{1-K_0}$

③ $\frac{1+K_0}{1-K_0}$　　④ $\frac{1-K_0}{1+K_0}$

07 지표면까지 포화된 사질토 지반(포화단위중량=20kN/m³)에 근입깊이가 2m인 정사각형기초(1m×1m)의 극한지지력[kN/m²]은? (단, Terzaghi의 지지력 공식 $q_{ult}=1.3cN_c+qN_q+0.4\gamma BN_\gamma$와 $N_c=40$, $N_q=25$, $N_\gamma=22$를 사용하며 물의 단위중량은 10kN/m³이고 지하수위는 지표면과 일치한다.)

① 588　　② 610

③ 1,088　　④ 1,176

08 점성토의 구조에 대한 설명으로 가장 옳은 것은?

① 점토시료가 완전히 교란되면 이산구조가 되면서 흙의 전단강도가 감소한다.

② 점토입자가 퇴적될 때 담수보다 해수에서 훨씬 더 이산화되기 쉽다.

③ 일반적으로 점토입자의 이중층의 두께가 얇을 때에는 이산화되기 쉽다.

④ 점성토를 최적함수비의 건조 측에서 다지면 입자구조가 이산화되기 쉽다.

09 그림과 같이 물이 위에서 아래쪽으로 흐르고 있다. A점에서의 유효응력[kN/m²] 값은? (단, 물의 단위중량은 10kN/m³이고, 흙의 포화단위중량은 20kN/m³이다.)

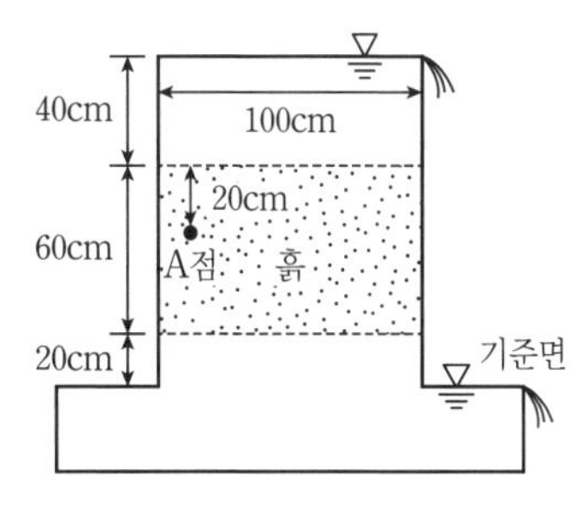

① 2　　② 4

③ 6　　④ 8

10 〈보기〉에서 제시한 지반조사에 대한 일반적인 사항 중 옳은 것을 모두 고른 것은?

보기

ㄱ. 삼축압축시험, 압밀시험 및 투수시험을 수행하기 위해서는 스플릿 스푼(split-spoon)을 이용하여 시료를 채취하여야 한다.
ㄴ. 표준관입시험을 수행하여 시험결과를 "50/10"으로 표기하였다면, 이는 10회 타격하여 50cm를 관입 하였다는 것을 의미한다.
ㄷ. 베인전단시험은 십자형의 베인을 시추공 바닥까지 내린 다음, 지중에 압입시킨 후 회전시켜 저항치를 측정하는 시험으로, 주로 사질토의 내부마찰각을 추정하는 데 사용한다.
ㄹ. 콘 관입시험으로부터 콘 관입저항치(q_c)와 마찰저항력(f_c)을 획득하고, 이를 이용하여 연속성 있는 지반의 구성 상태를 알 수 있다.

① ㄹ　　② ㄱ, ㄹ

③ ㄴ, ㄷ　　④ ㄱ, ㄴ, ㄷ, ㄹ

06 ④ 07 ① 08 ① 09 ③ 10 ① **[정답]**

11 모래층 위에 두께 10m의 점토층이 그림과 같이 있다. 지하수위는 지표면에 위치한다. 어떤 하중 재하 시 점토층에 90% 압밀이 발생하는 데 360일이 걸린다고 한다. 만일 점토층 상부 5m를 제거한 후 동일한 하중을 가한다고 할 때 90% 압밀이 발생하는 데 걸리는 시간은? (단, 점토층 제거 전·후 점토의 물성치 변화는 없다고 가정한다.)

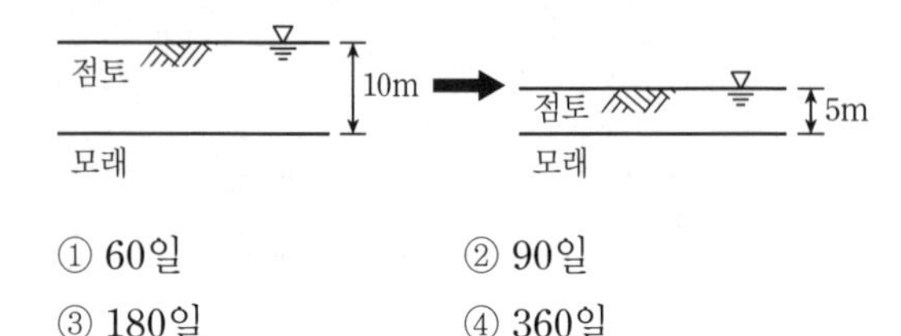

① 60일 ② 90일
③ 180일 ④ 360일

12 어떤 흙의 Mohr-Coulomb 파괴포락선이 $\tau_f = 10 + \frac{\sigma_n}{\sqrt{3}}$일 때 $p-q$ 다이어그램상의 파괴포락선인 K_f-선의 방정식으로 가장 옳은 것은?

① $q_f = 5 + \frac{\sqrt{3}}{2}p$ ② $q_f = 5\sqrt{3} + \frac{\sqrt{3}}{2}p$
③ $q_f = 5 + \frac{1}{2}p$ ④ $q_f = 5\sqrt{3} + \frac{1}{2}p$

13 0.5m×0.5m 크기의 평판재하시험을 균질한 점토지반에서 수행하여, 극한지지력 300kN/m²과 침하량 3mm를 얻었다. 이때 대상 지반에 정사각형 형태의 얕은 기초를 설치하고자 한다. 허용침하량은 24mm이고, 허용하중에 대한 안전율이 3일 때, 정사각형 기초에 가능한 최대허용하중의 크기[kN]로 가장 옳은 것은?

① 250 ② 1,000
③ 1,600 ④ 3,200

14 완전 포화된 현장 채취 불교란 점토시료 A와 불교란 시료 A를 완전 교란 시킨 후 같은 함수비로 재성형한 시료 B가 있다. 시료 A의 일축압축강도는 90kN/m²이고 시료 B의 일축압축강도는 20kN/m²이다. 〈보기〉 중 옳은 것을 모두 고른 것은?

보기
ㄱ. 이 점토의 예민비는 4.5이다.
ㄴ. 이 점토는 quick clay이다.
ㄷ. 시료 B의 비배수전단강도는 10kN/m²이며, 틱소트 로피 현상에 의해 시간이 지남에 따라 강도를 회복하는 경향을 보인다.

① ㄱ, ㄴ ② ㄱ, ㄷ
③ ㄴ, ㄷ ④ ㄱ, ㄴ, ㄷ

15 널말뚝이 설치된 균일한 지반에서 물의 흐름에 대한 유선망이 그림과 같이 주어졌다. 점 A 위치에서의 간극수압[kPa]으로 가장 옳은 것은? (단, 물의 단위 중량은 10kN/m³이다.)

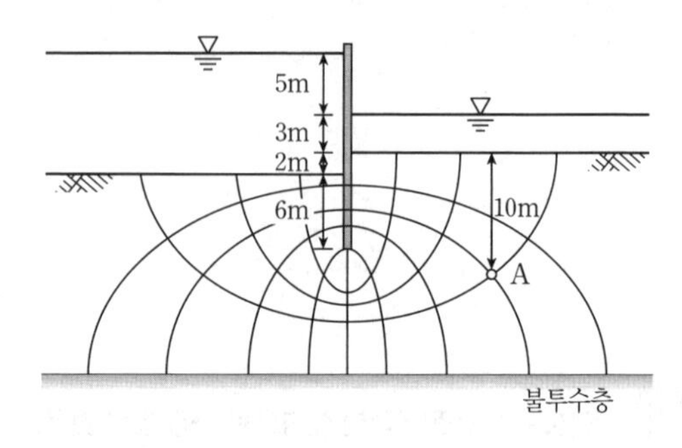

① 120 ② 130
③ 140 ④ 150

11 ② 12 ④ 13 ③ 14 ② 15 ③ [정답]

16 그림에 주어진 점토 유한사면에서 지진가속도가 수평방향으로 0.2g의 크기로 작용하였을 때 원호활동 파괴에 대한 사면의 안전율로 가장 옳은 것은? (단, A점은 가상파괴토체의 무게중심, 가상파괴면 반지름은 5m, 가상파괴면 원호의 길이는 7m, 점토의 비배수 전단강도는 100kPa, 파괴토체의 무게는 1,000kN/m이고 모멘트 평형법을 사용한다.)

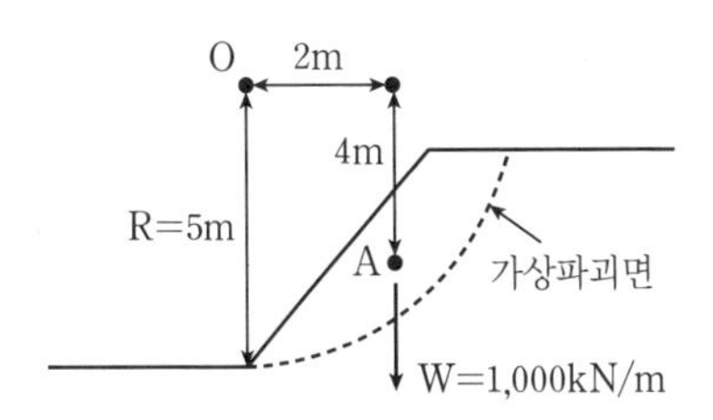

① 1.00　② 1.25　③ 1.45　④ 1.75

17 그림과 같이 포화된 사질토를 지지하고 있는 옹벽의 활동파괴 안전율이 1.0이기 위하여 콘크리트 옹벽 저면에 필요한 마찰계수는? (단, 콘크리트의 단위중량 γ_{conc} = 25kN/m^{3}이며, 옹벽 배면의 토압 산정에는 Rankine 계수를 활용한다.)

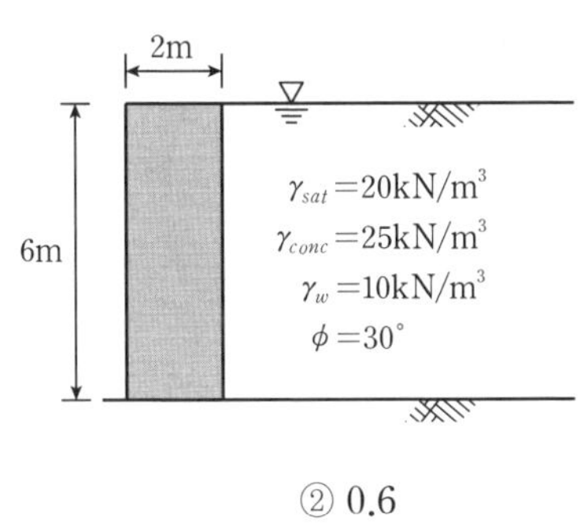

① 0.4　② 0.6　③ 0.8　④ 1.0

18 정규압밀점토에 대한 CU 삼축압축시험을 수행한 결과 점착력 c'=0, 내부마찰각 ϕ'=30°로 나타났다. 압밀 시 구속압력은 250kPa이었으며, 시료의 전단파괴 시 축차응력은 150kPa이었다. 전단과정에서 시료 내에 발생한 간극수압의 크기[kPa]는?

① 100　② 125　③ 150　④ 175

19 점토로 뒤채움 된 옹벽이 있다. 옹벽과 흙입자 사이에는 마찰이 없다고 가정한다. 옹벽 뒤채움 상단에 20kN/m^{2}의 등분포 상재하중이 가해지고 있다. 이때 발생하는 인장 균열의 최대깊이는? (단, 지하수위는 옹벽 하부보다 깊은 곳에 위치하며, 점토의 점착력(c)은 10kN/m^2, 내부 마찰각(ϕ)은 30°, 단위중량은 20kN/m^{3}이며 $\sqrt{2}$=1.4, $\sqrt{3}$=1.7로 근사한다.)

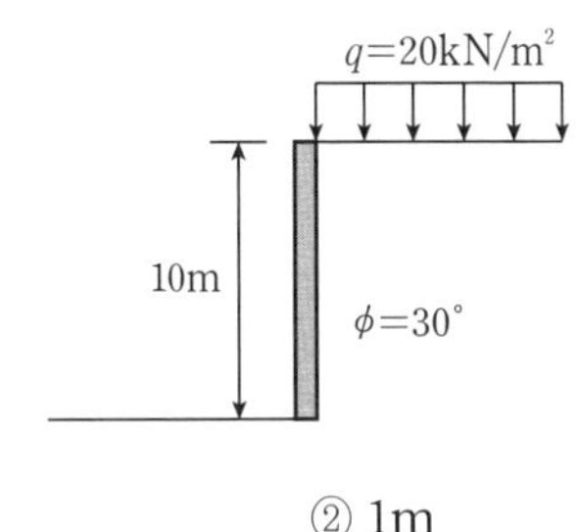

① 0.7m　② 1m　③ 1.4m　④ 2m

20 그림과 같이 점 A 위치에 스탠드파이프를 설치했을 때 수위가 2m 상승하였다. 점 A에서 연직 유효응력의 크기[kPa]는? (단, 흙의 비중 = 2.5, 함수비 = 40%, 포화도 = 100%, 물의 단위중량 = 10kN/m^{3}로 한다.)

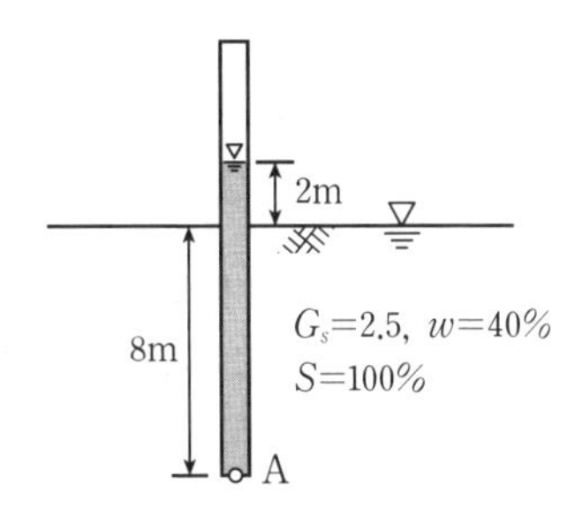

① 30　② 40　③ 50　④ 60

16 ② 17 ③ 18 ④ 19 ① 20 ② **[정답]**

부록

2020. 09. 26. 국가직 7급

토목직 공무원

최근 기출문제

수험번호	성명
20200926	도서출판세화

01 **흙의 동상 방지대책에 대한 설명으로 옳지 않은 것은?**

① 지표의 흙을 화학약품으로 처리하여 동결온도를 내린다.
② 배수구 등을 설치하여 지하수위를 저하시킨다.
③ 모관수의 상승을 차단하기 위해 차단층을 지하수위보다 높은 위치에 설치한다.
④ 동결 깊이보다 높게 있는 흙을 세립질 흙으로 치환한다.

02 **다짐은 역학적 에너지를 통해 흙을 조밀화시키는 것을 목적으로 한다. 다짐 후 지반에 대한 설명으로 옳지 않은 것은?**

① 강도 및 지지력의 증가
② 압축성 및 침하성의 증가
③ 지반의 안정성 증가
④ 투수성 및 물의 흐름 감소

03 **옹벽의 안정성 검토에 대한 설명으로 옳지 않은 것은?**

① 옹벽에 작용하는 모든 외력의 합력 작용점이 저판의 중앙 2/3 안에 들어오면 전도에 대하여 안정하다.
② 활동에 대한 안전율은 보통 수동토압을 무시하면 1.5를 적용한다.
③ 활동에 대하여 불안정한 것으로 판정될 경우 옹벽의 폭을 크게 하거나 저판 바닥면에 돌출부(전단키)를 설치한다.
④ 옹벽의 안정은 전도, 활동, 지지력, 전체안정성(원호활동)에 대하여 검토한다.

04 **그림과 같이 동일한 경사를 가진 두 토층이 수중에 존재한다. 무한사면으로 해석하는 경우 먼저 사면파괴가 발생하는 토층의 사면안전율은? (단, 물의 단위중량 γ_w = 10kN/m^{3}이다)**

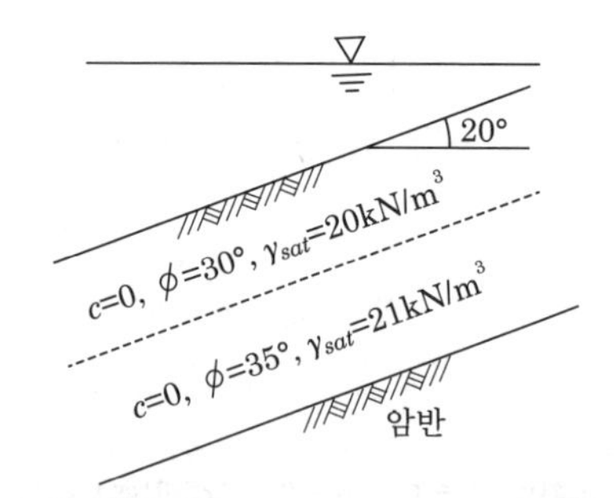

① $F_S=\dfrac{\tan30^\circ}{\tan20^\circ}$
② $F_S=\dfrac{1}{2}\dfrac{\tan30^\circ}{\tan20^\circ}$
③ $F_S=\dfrac{\tan35^\circ}{\tan20^\circ}$
④ $F_S=\dfrac{1}{2}\dfrac{\tan35^\circ}{\tan20^\circ}$

01 ④ 02 ② 03 ① 04 ① [정답]

05 그림과 같은 지반에 하중 30kN/m^2 작용 시, A점에서의 전단강도는? (단, 물의 단위중량 γ_w = 10kN/m^{3}이다)

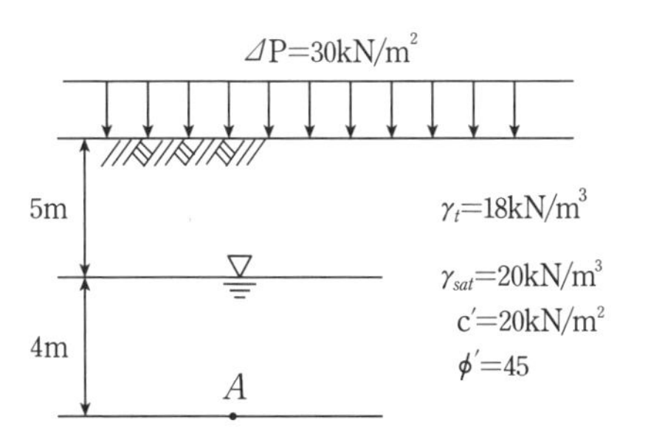

① 160kN/m^2 ② 180kN/m^2
③ 200kN/m^2 ④ 220kN/m^2

06 그림은 점토에 대한 압밀비배수 삼축압축시험에 대한 응력경로를 나타낸 것이다. 이에 대한 설명으로 옳지 않은 것은?

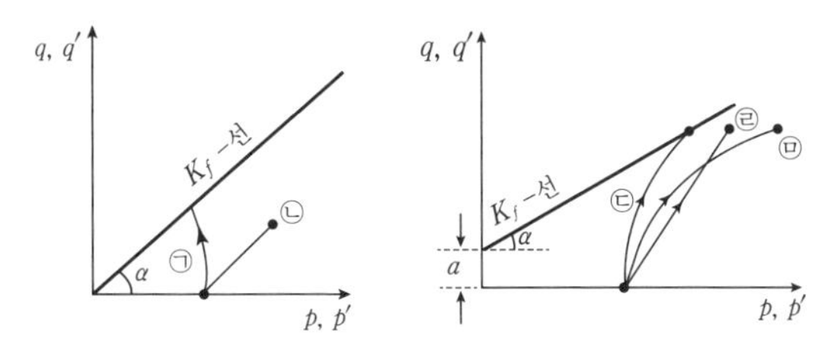

① 전응력경로와 유효응력경로 사이의 평균응력 차이는 과잉간극수압이다.
② ㉠은 정규압밀점토의 유효응력경로이고, ㉡은 정규압밀점토의 전응력경로이다.
③ ㉢은 과압밀점토의 유효응력경로이고, ㉣은 과압밀점토의 전응력경로이다.
④ ㉤은 과압밀점토의 정(+)의 과잉간극수압이 발생하는 유효응력경로이다.

07 순수 모래를 이용하여 250kPa의 구속압 상태에서 삼축압축시험을 수행하였을 때, 파괴 시 축차응력이 500kPa로 측정되었다. 이 시료의 내부마찰각과 수평면으로부터 파괴면의 각도는?

	내부마찰각	파괴면 각도
①	30°	60°
②	30°	75°
③	60°	60°
④	60°	75°

08 아주 오래 전에 조성된 점토사면이 집중 강우로 붕괴되었다. 붕괴된 사면을 보수 보강하기 위한 점토 사면의 안정해석에 적절한 전단강도정수 산정 시험은?

① 압밀배수(CD) 삼축시험
② 압밀비배수(CU) 삼축시험
③ 비압밀비배수(UU) 삼축시험
④ 압밀비배수(CU)와 비압밀비배수(UU) 삼축시험 둘 다

09 그림과 같은 침투 조건에 대한 설명으로 옳은 것은? (단, 각 흙의 단면적은 일정하다)

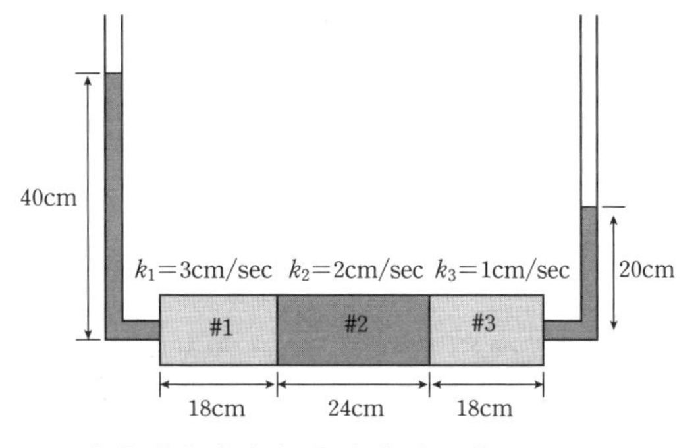

① 1번 흙에서의 유속이 가장 빠르다.
② 3번 흙에서의 유속이 가장 빠르다.
③ 3번 흙에서의 동수경사가 가장 크다.
④ 1번 흙과 2번 흙의 동수경사는 동일하다.

05 ② 06 ④ 07 ① 08 ② 09 ③ [정답]

부록

10 그림과 같은 지반에 저면의 폭이 2m인 연속 줄기초를 설치하였다. Terzaghi의 지지력 공식을 이용할 때, 기초의 극한지지력은? (단, 기초 바닥면에 형성되는 쐐기의 각도는 기초 저면에서 (45°+ϕ/2)이고, 비배수전단강도는 산술적 평균값으로 구한다. ϕ=0°일 때 지지력 계수는 N_c=5.0, N_q=1.0, N_γ=0이다)

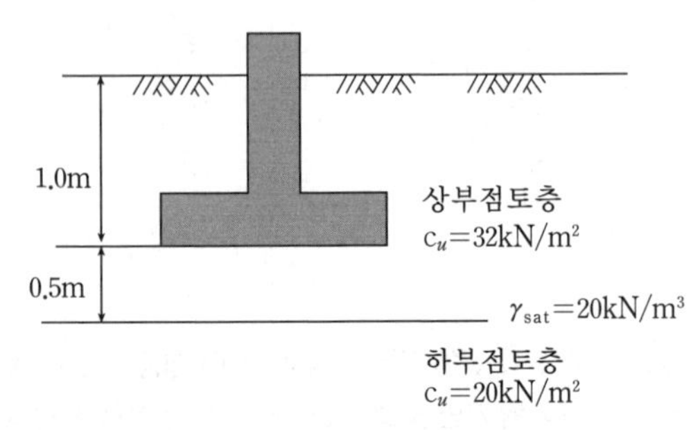

① 85kN/m² ② 120kN/m²
③ 150kN/m² ④ 180kN/m²

11 흙의 물리적 성질에 대한 설명으로 옳지 않은 것은?

① 간극의 용적비 중 간극률은 반드시 1 이하이며, 간극비는 1 이상 또는 이하일 수 있다.
② 함수비가 서로 다른 동일한 흙은 액성한계도 서로 다르다.
③ 동일한 흙에서 건조단위중량은 항상 수중단위중량보다 크다.
④ 0.075mm보다 작은 입경의 흙은 소성지수와 액성한계로 흙 분류를 할 수 있다.

12 흙의 압밀에 대한 설명으로 옳지 않은 것은?

① 압밀계수 값이 크면 과잉간극수압도 빨리 소산되어 압밀속도가 커진다.
② 교란된 시료에서 구한 압축지수 값을 이용하여 현장의 압밀침하량을 예측하면 실제보다 크게 예측된다.
③ 함수비가 큰 흙은 2차 압축지수 값도 크다.
④ 1차 압밀 이후 지속하중에 의한 장기적 침하발생은 흙입자의 재배열이 주원인이다.

13 지중응력 변화에 대한 설명으로 옳지 않은 것은?

① 대상 등분포하중(strip load)이 지표면에 작용할 경우, 같은 깊이에서는 대상 하중의 중심선으로부터 멀어질수록 연직응력의 증가량은 점점 감소한다.
② 무한대의 등분포하중(q)이 지표면에 작용할 경우, 어느 깊이에 있는 흙이든지 입자에 작용하는 연직방향 응력의 증가량은 q값으로 동일하다.
③ 대상 등분포하중이 지표면에 작용할 경우, 특정 깊이에서 작용하는 연직응력 증가량을 모두 더하면 지표면에 작용하는 대상 하중 크기와 다르다.
④ 무한대의 등분포하중(q)이 지표면에 작용할 경우, 어느 깊이에 있는 흙이든지 입자에 작용하는 수평방향 응력의 증가량은 ($K_o \times q$) 값으로 동일하다. (여기에서, K_o는 정지토압계수이다)

10 ③ 11 ② 12 ② 13 ③ **[정답]**

14 그림과 같은 지반에 허용내력이 1,000kN인 말뚝을 설치했을 때, 각 지층별 허용주면마찰력과 허용선단지지력이 발생하였다. 그 후 지하수위가 ㉠에서 ㉡으로 급강하했을 때, 말뚝의 허용지지력은? (단, 정(+) 주면마찰력과 부(-) 주면마찰력의 크기는 동일하다)

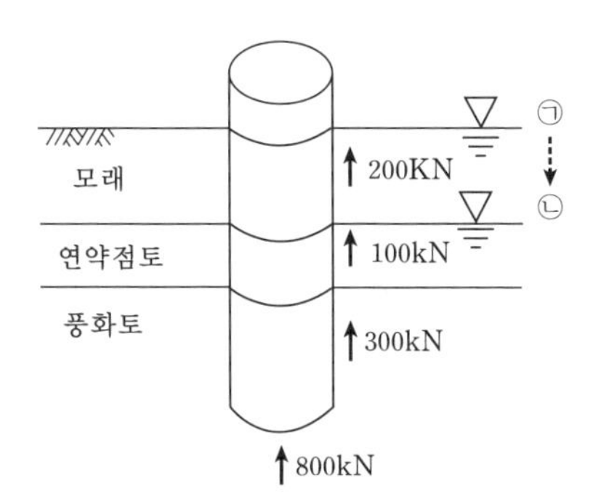

① 700kN ② 800kN
③ 1,000kN ④ 1,500kN

15 초기 간극비가 2.0인 18m 두께의 점토층이 압밀 후 간극비가 1.8로 감소되었다. 침하량이 75cm일 때, 지반의 평균압밀도는?

① 55.4% ② 62.5%
③ 70.0% ④ 80.0%

16 두께 2cm인 점토 시료에 대한 양면배수조건에서 압밀시험결과 압밀도 50%에 도달하는 데 2분이 걸렸다. 같은 조건하에서 두께 3m인 점토가 90% 압밀도에 도달하는 데 소요되는 기간은? (단, $T_{50}=0.2$, $T_{90}=0.85$이다)

① 약 90일 ② 약 114일
③ 약 120일 ④ 약 133일

17 비배수조건의 점성토지반에 사하중 500kN, 활하중 670kN을 지지할 수 있는 기초를 설치하고자 할 때, 필요한 기초의 면적은? (단, Meyerhof의 지지력공식을 사용하며, 기초지반은 일축압축강도가 100kPa, $N_c=5.2$, $N_q=0$, $N_\gamma=0$이고, 형상계수 $F_{cs}=1.5$, 깊이계수 $F_{cd}=1$, 하중경사계수 $F_{ci}=1$, 지지력에 대한 안전율은 3.0이다)

① 6m^2 ② 7m^2
③ 8m^2 ④ 9m^2

18 그림과 같이 균질한 지층의 지표면으로부터 3m 아래 지하수위가 존재하고 있다. 지하수위면 상부 1m까지 모관작용에 의해 포화되어 있을 때, 지하수위면 상부 0.5m(A점)에서 유효응력은? (단, 흙의 단위중량 $\gamma_t=18$kN/m^3, 흙의 포화단위중량 $\gamma_{sat}=20$kN/m^3, 물의 단위중량 $\gamma_w=10$kN/m^{3}이다)

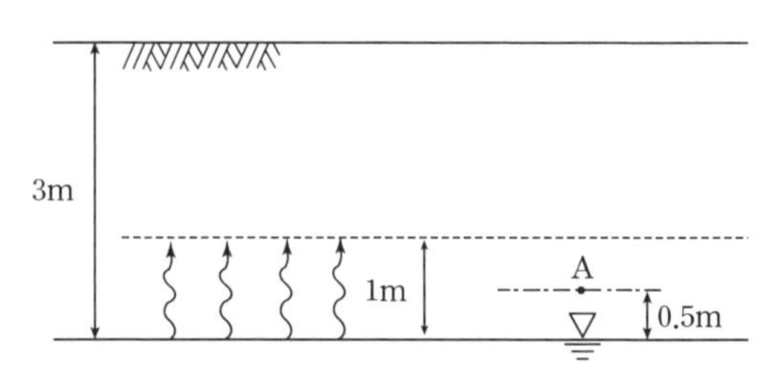

① 35kN/m^2 ② 41kN/m^2
③ 46kN/m^2 ④ 51kN/m^2

14 ① 15 ② 16 ④ 17 ④ 18 ④ **[정답]**

19 **토압에 대한 설명으로 옳지 않은 것은?**

① 벽면마찰을 고려한 실제 수동토압 파괴면은 곡면과 평면으로 이루어진 복합파괴면을 형성한다.
② Coulomb토압의 경우 벽면과 지반 사이의 마찰을 고려하며, 벽체 배면이 경사일 때도 토압산정이 가능하다.
③ Rankine토압의 경우 벽면과 지반 사이의 마찰을 고려하지 않으므로, 실제와 비교하여 수동토압은 크고 주동토압은 작게 산정되는 경향이 있다.
④ 수동토압이 완전히 발현되기 위한 한계 수평변위량은 주동토압이 완전히 발현되기 위한 한계 수평변위량보다 크다.

20 **그림은 벽체에 작용하는 토압상태를 Mohr원으로 표시한 것이다. Mohr원의 수직유효응력 축상의 A~D점의 의미를 옳게 정의한 것은? (단, C점은 정지상태일 때 수직유효응력이다)**

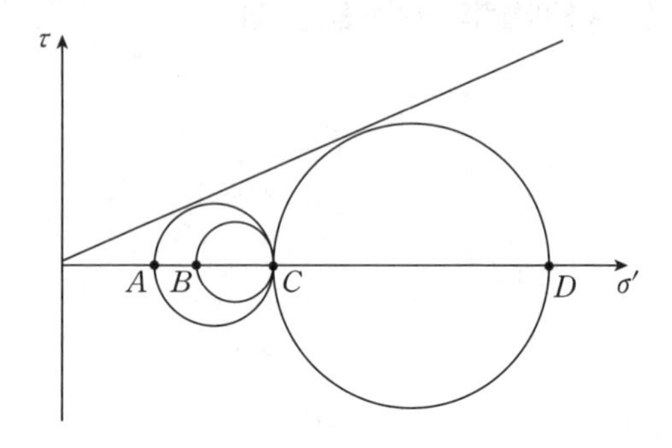

	A	B	C	D
①	수동상태의 극점	$K_o\sigma'_v$	σ'_v	주동상태의 극점
②	수동상태의 극점	σ'_v	$K_o\sigma'_v$	주동사태의 극점
③	주동상태의 극점	$K_o\sigma'_v$	σ'_v	수동상태의 극점
④	중동상태의 극점	σ'_v	$K_o\sigma'_v$	수동상태의 극점

19 ③ 20 ③ [정답]

토목직 공무원

최근 기출문제

수험번호	성명
20201017	도서출판세화

01 액성한계(LL : liquid limit) 40%, 소성한계(PL : plastic limit) 20%, 현장함수비(w) 30%인 흙의 액성지수(LI : liquidity index)는?

① 0 ② 0.5
③ 1.0 ④ 1.5

02 그림과 같이 지표면에 설치된 3m×3m 크기의 정사각형 기초에 50kN/m^{2}의 등분포하중이 작용하고 있다. 기초 아래 2m 깊이에서 연직응력 증가량[kN/m^2]은? (단, 지표면에 작용하는 하중이 분산되는 면적은 지중으로깊어지면서 $\tan\theta=\frac{1}{2}$의 경사에 따라 증가한다.)

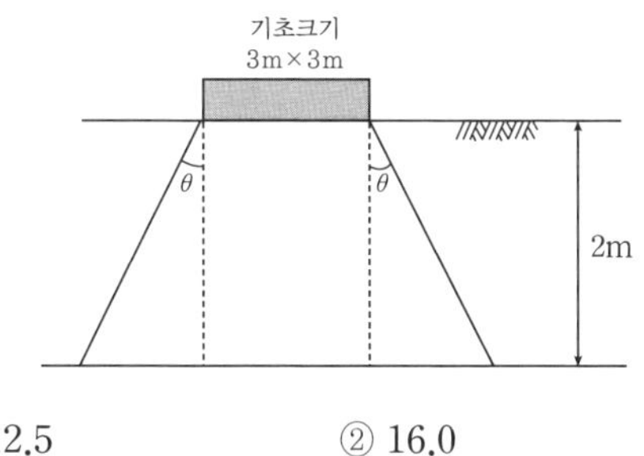

① 12.5 ② 16.0
③ 18.0 ④ 25.0

03 그림의 Darcy 실험장치에 대한 설명으로 가장 옳은것은?

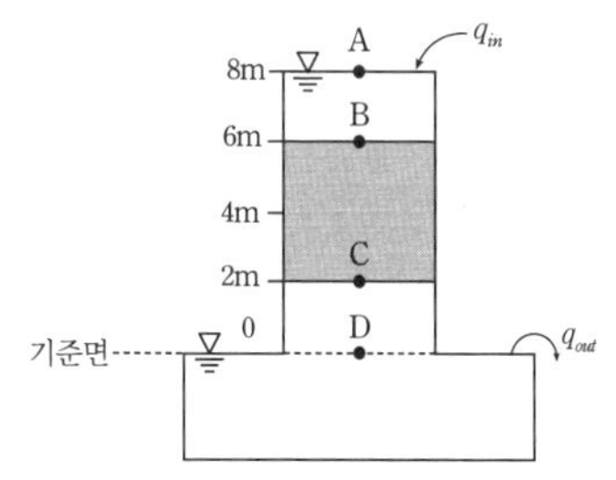

① A의 전수두가 B의 전수두보다 크다.
② B와 C의 전수두 차이는 4m이다.
③ C의 전수두는 2m이다.
④ D의 압력수두는 0m이다.

04 그림과 같은 응력을 받고 있는 요소에 대하여 a-a 면에 작용하는 응력[kPa]은?

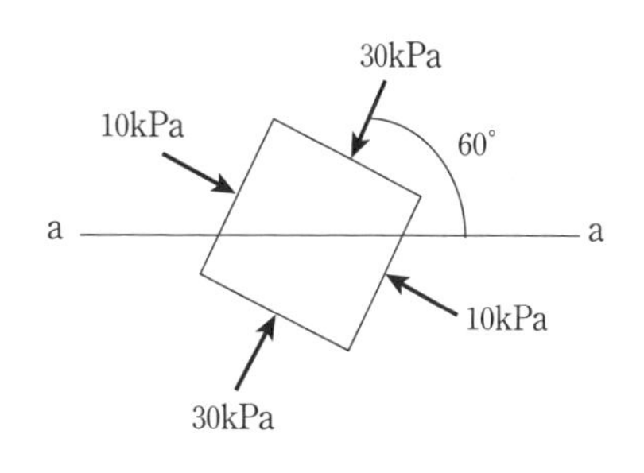

	σ	τ		σ	τ
①	25	$5\sqrt{3}$	②	25	$4\sqrt{3}$
③	20	$5\sqrt{3}$	④	20	$4\sqrt{3}$

01 ② 02 ③ 03 ④ 04 ① **[정답]**

부록

05 사면안정 대책공법으로는 안전율의 감소를 방지하는 소극적인 방법과 안전율을 증가시키는 적극적인 방법이 있다. 안전율 증가공법에 해당하지 않는 것은?

① 쏘일네일링 공법 ② 피복 공법
③ 그라우팅 공법 ④ 어스앵커 공법

06 Terzaghi 극한지지력 공식 $q_u = \alpha c N_C + q N_q + \beta \gamma B N_\gamma$에서, 기초의 형상계수 α, β에 대한 설명으로 가장 옳은 것은?

① 원형기초에서는 $\alpha = 1.3$, $\beta = 0.3$이다.
② 폭이 2m, 길이가 4m인 직사각형기초에서는 $\alpha = 1.2$, $\beta = 0.4$이다.
③ 정사각형기초에서는 $\alpha = 1.4$, $\beta = 0.3$이다.
④ 연속기초에서는 $\alpha = 1.5$, $\beta = 1.0$이다.

07 모래 함유율이 60%, 자갈 함유율이 30%이며, No.200체 통과율은 10%인 흙을 통일분류법으로 분류할 경우 해당되는 분류기호로 가장 옳은 것은?

① GP ② GP−GC
③ SP ④ SP−SC

08 그림과 같이 2개의 토층으로 구성된 지반에서 수평방향 등가투수계수와 수직방향 등가투수계수의 비($k_{H(eq)}/k_{v(eq)}$)는? (단, 각 지층은 균질하며, 등방성으로가정한다.)

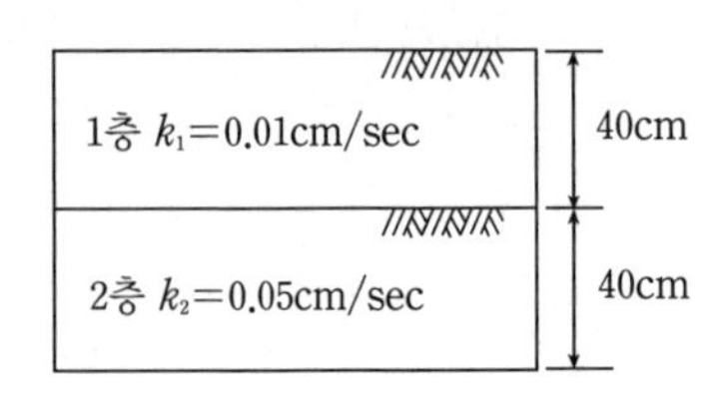

① 1.4 ② 1.5
③ 1.67 ④ 1.8

09 그림과 같은 조건에서 분사현상에 대한 안전율 2를 확보하려면 수두차(h)를 얼마[cm]로 제한하여야 하는가? (단, $\gamma_{sat} = 2\text{t}_f/\text{m}^3$, $\gamma_w = 1\text{t}_f/\text{m}^3$이며, $L = 10\text{cm}$이다.)

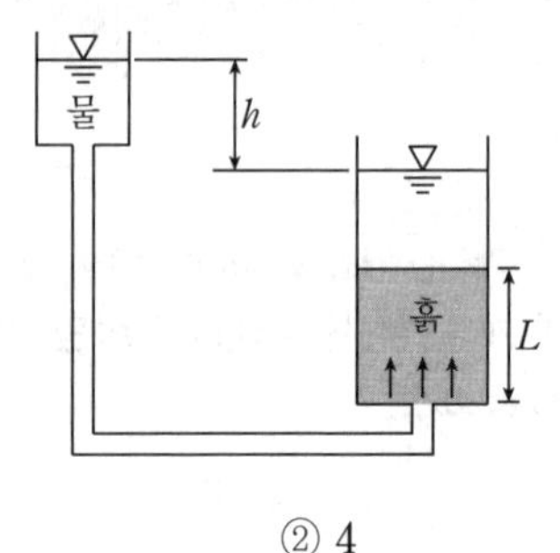

① 3 ② 4
③ 5 ④ 6

10 그림에서 A-A면 바로 아래의 유효응력[kN/m²]은?(단, 물의 단위중량은 10kN/m³, 흙의 간극비는 0.5, 흙의 비중은 2.4, 모(세)관 상승영역의 포화도는 50%이다.)

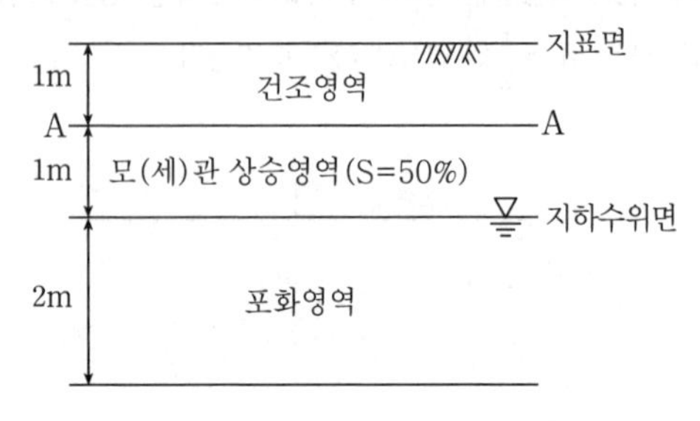

① 11 ② 16
③ 21 ④ 23

05 ② 06 ① 07 ④ 08 ④ 09 ③ 10 ③ [정답]

11 그림과 같이 정지토압계수가 0.5이며 포화된 모래 지반에서 지표면 아래 2m 깊이에 위치한 A점의 수평방향 전응력[kN/m^2]은? (단, 지하수위는 지표면에 위치하며, 흙의 포화단위중량은 20kN/m^3, 물의 단위중량은 10kN/m^{3}이다.)

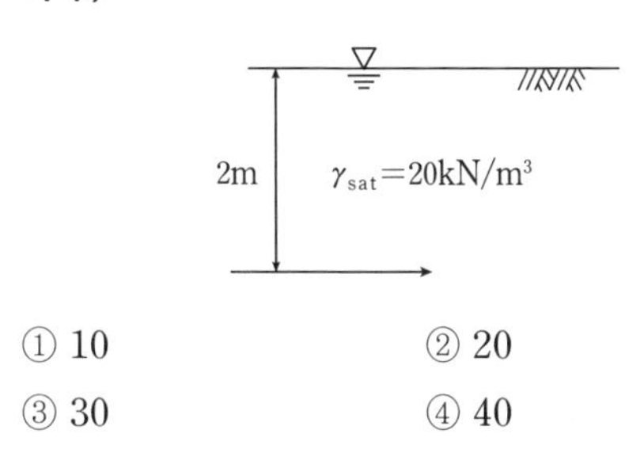

① 10　　② 20
③ 30　　④ 40

12 <보기>는 현장에서 흙을 다진 후 모래치환법으로 들밀도시험을 실시하여 얻은 결과이다. 현장 흙의 건조단위중량[g/cm^3]은?

보기

- 실험 구멍에서 파낸 흙의 무게 $W=1,800g$
- 실험 구멍에서 파낸 흙의 함수비 $w=20\%$
- 실험 구멍에 채워진 표준 모래의 건조 무게 $W_{sand}=1,400g$
- 실험 구멍에 채워진 표준 모래의 건조단위중량 $\gamma_{d,\,sand}=1.4g/cm^3$

① 1.6　　② 1.5
③ 1.4　　④ 1.3

13 그림에서 Terzaghi 극한지지력 공식 $q_u=\alpha cN_c+qN_q+\beta\gamma BN_\gamma$을 적용할 때, 지하수위의 위치에 따른 고려사항으로 가장 옳은 것은? (단, D_f는 기초의 근입 깊이, D는 기초 바닥면으로부터 지하수위까지의 거리이며, γ는 기초 바닥면 상부 및 하부측 흙의 단위중량, γ'는 흙의 수중단위중량, γ_{sat}는 흙의 포화단위중량이다.)

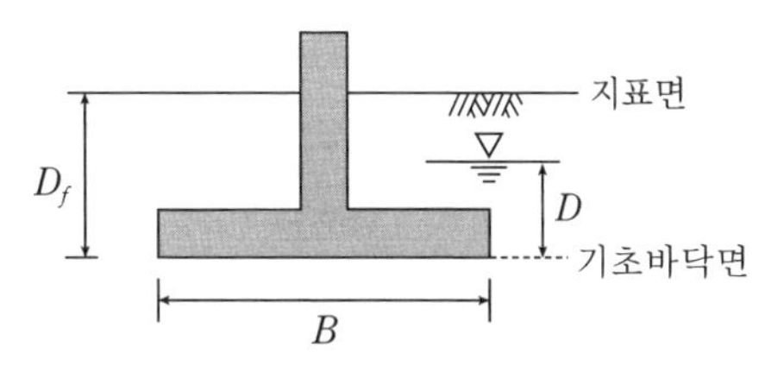

① 지하수위가 지표면에 위치할 경우, 둘째 항에서 $q=\gamma_{sat}D_f$이고, 셋째 항에서 γ는 γ'을 적용해야 한다.
② 지하수위가 지표면과 기초 바닥면 사이에 위치할 경우, 둘째 항에서 $q=\gamma(D_f-D)+\gamma'D$이고, 셋째 항에서 γ는 γ'을 적용해야 한다.
③ 지하수위가 기초 바닥면과 같은 높이에 위치할 경우, 둘째 항에서 $q=\gamma D_f$이고, 셋째 항에서 γ는 γ_{sat}을 적용해야 한다.
④ 지하수위가 기초 바닥면으로부터 $0.5\times B$보다 더 깊은 심도에 위치할 경우, 지하수위에 따른 영향은 고려하지 않아도 된다.

14 시료 채취 방법 중 교란시료를 채취하는 방법은?

① 분리형 원통 시료채취기(split spoon sampler)
② 얇은 관 시료채취기(thin wall tube sampler)
③ 피스톤 시료채취기(piston sampler)
④ Laval 시료채취기(Laval sampler)

11 ③　12 ②　13 ②　14 ① **[정답]**

15 그림과 같은 옹벽에 작용하는 횡방향 토압의 합력 [t_f/m]은? (단, $\gamma_{sat}=2t_f/m^3$, $\gamma_w=1t_f/m^3$, $\phi=30°$이며, Rankine토압이론을 적용한다.)

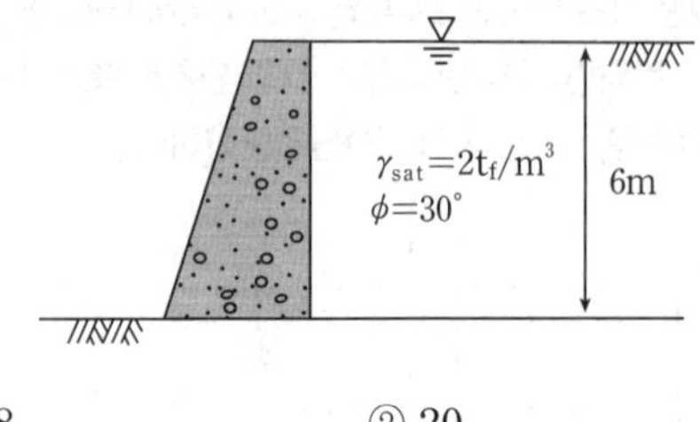

① 18 ② 20
③ 24 ④ 26

16 〈보기〉에서 설명하는 연약지반 개량공법으로 가장 옳은 것은?

보기
- 개발 초기에는 카드보드라는 두꺼운 종이를 배수재로 사용하였다.
- 현재는 종이 대신 플라스틱 배수제를 사용한다.

① 샌드 드레인 공법
② PBD공법
③ 팩 드레인 공법
④ 모래다짐말뚝(SCP) 공법

17 그림과 같이 지표면에 $q=60kN/m^2$의 등분포 상재 하중이 재하된 후, 50%의 압밀이 진행되었다. 이때, A 점에서의 전체 간극수압[kN/m^2]은? (단, 물의 단위중량은 $10kN/m^3$이다.)

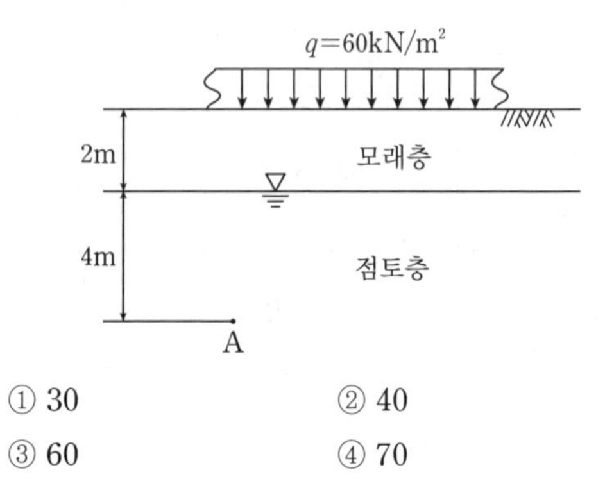

① 30 ② 40
③ 60 ④ 70

18 지표면에 지하수위가 존재하며, 일면배수조건의 두께가 4m인 완전 포화된 점토층의 압밀특성을 파악하기 위해 시료를 채취하여 일반적인 압밀시험을 수행하였다. 압밀시험에서 시료가 90% 압밀되는 데 10시간 걸렸다면, 현장에서 90% 압밀되는 데 걸리는 시간[hr]은? (단, 압밀시험 시 시료의 두께는 2cm이며, 시료 위와 아래에는 물이 이동할 수 있는 다공석판이 있다.)

① 2,000 ② 4,000
③ 40,000 ④ 1,600,000

15 ③ 16 ② 17 ④ 18 ④ **[정답]**

19 그림과 같이 옹벽에서 지표면에 등분포 상재하중 $q=10\text{kN/m}^2$이 작용할 때, 높이 6m 옹벽에 작용하는 전체 주동토압의 작용점이 옹벽 하부로부터 위치하는 거리[m]는? (단, 주동토압계수는 0.5, 흙의 단위 중량은 20kN/m³이고, 벽면 마찰은 무시한다. 또한, 소수점 둘째 자리에서 반올림한다.)

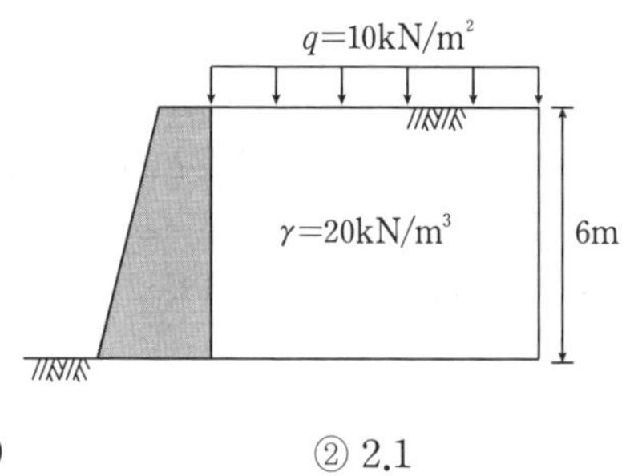

① 1.9 ② 2.1
③ 2.3 ④ 2.5

20 현장 지반조사의 시험 종류와 측정값을 짝지은 것으로 가장 옳지 않은 것은?

① 현장베인시험 — 전단저항각 ϕ
② 표준관입시험 — N값
③ 피에조콘관입시험 — 간극수압
④ 프레셔미터시험 — 횡방향 변형계수

19 ② 20 ① [정답]

부록

토목직 공무원

최근 기출문제

수험번호	성명
20210911	도서출판세화

01 상부와 하부의 모래층 사이에 있는 포화점토층이 90% 압밀되는 데 소요된 시간이 1년이었다. 같은 배수조건하에서 이 점토층보다 두께가 2배, 체적변화계수가 3배, 투수계수가 4배인 포화점토지반에 2배의 하중이 재하되었을 때 90% 압밀되는 데 필요한 시간[년]은?

① 2 ② 3
③ 4 ④ 5

02 그림과 같은 지층에서 수직방향 등가투수계수(k_v)에 대한 수평방향 등가투수계수(k_h)의 비(k_h/k_v)는? (단, k_1과 k_2는 각각 지층 1과 지층 2의 투수계수이다)

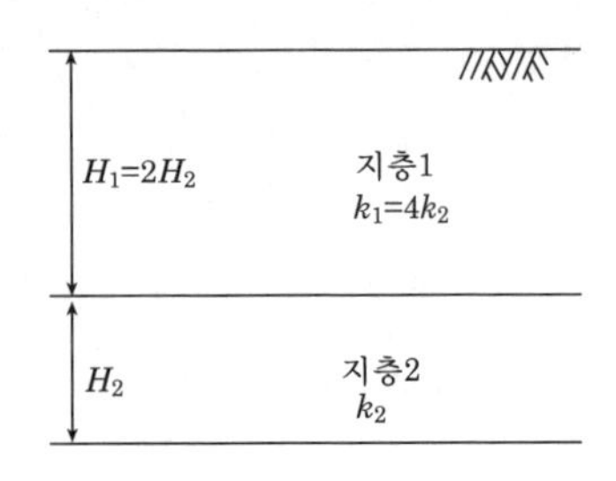

① 0.5 ② 1.5
③ 4.0 ④ 8.0

03 그림과 같이 건조한 모래(옹벽 1, 옹벽 2)와 포화된 모래(옹벽 3)로 뒤채움된 옹벽에 작용하는 주동토압(수압 포함)의 합력의 크기가 가장 작은 것은? (단, ϕ는 뒤채움 모래의 내부마찰각, γ_d는 건조단위중량, γ_{sat}은 포화단위중량이며, 물의 단위중량 $\gamma_w = 10\text{kN/m}^3$, $\gamma_d = 0.8\gamma_{sat}$이고 Rankine 토압이론을 이용한다)

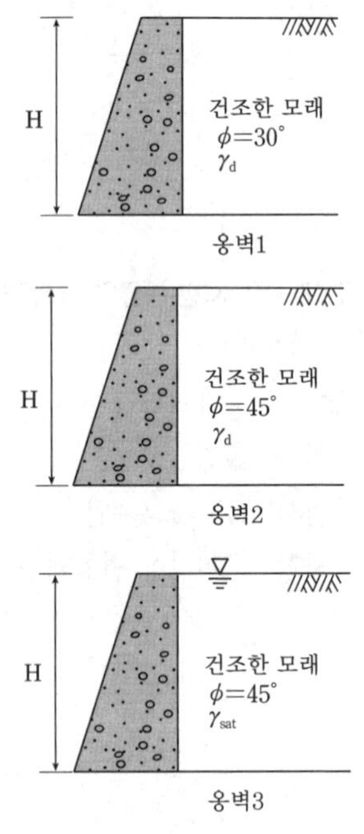

① 옹벽 1 ② 옹벽 2
③ 옹벽 3 ④ 모두 같다.

01 ② 02 ② 03 ② [정답]

04 그림과 같이 강우로 인하여 수위가 GL+15m에서 GL+30m로 상승하였을 때, GL－15m에 위치한 점 A에서의 유효수직응력의 증가량[kN/m^2]은? (단, 흙의 포화단위중량 γ_{sat} = $20kN/m^3$, 물의 단위중량 γ_w = $10kN/m^3$이고, 물의 흐름은 없다고 가정한다)

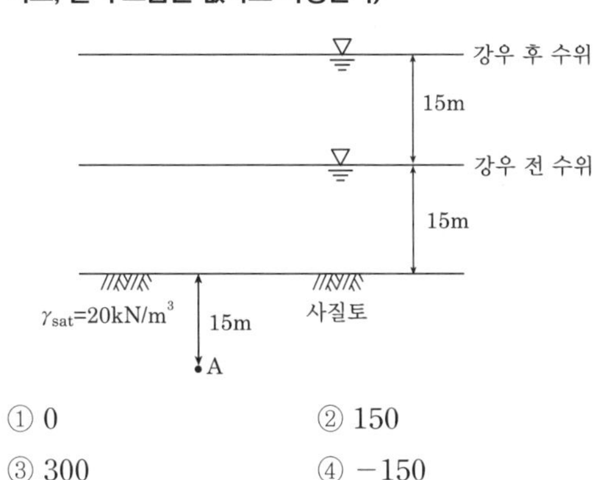

① 0 ② 150
③ 300 ④ －150

05 그림과 같이 높이 6m의 옹벽 뒤채움 흙이 습윤상태에서 포화상태로 될 때 옹벽에 작용하는 주동토압(수압 포함) 합력의 증가량[kN/m]은? (단, Rankine 토압이론을 이용하고, γ_t는 습윤단위중량, γ_{sat}은 포화단위중량, ϕ는 내부마찰각, c는 점착력이며, 물의 단위중량 γ_w = $10kN/m^3$이다)

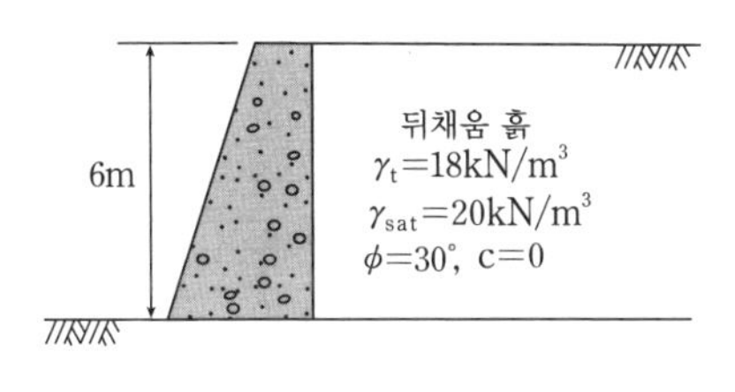

① 54 ② 108
③ 132 ④ 240

06 A와 B의 두 가지 흙시료에 대한 기본 물성치 시험 결과가 다음과 같을 때 두 시료 물성치에 대한 설명으로 옳지 않은 것은?

물성치	A 시료	B 시료
액성한계	0.62	0.34
소성한계	0.26	0.19
함수비	0.38	0.25
비중	2.72	2.67
포화도	1.00	1.00

① A 시료의 소성지수가 B 시료의 소성지수보다 크다.
② A 시료의 건조단위중량이 B 시료의 건조단위중량보다 작다.
③ A 시료의 습윤단위중량이 B 시료의 습윤단위중량보다 크다.
④ A 시료의 간극비가 B 시료의 간극비보다 크다.

04 ① 05 ③ 06 ③ [정답]

부록

07 그림과 같이 물이 모래층을 통과하여 아래쪽으로 흐를 때, A점에서의 전응력, 간극수압, 유효응력은? (단, 모래의 비중은 2.60, 간극비는 0.6, 물의 단위중량은 10kN/m³으로 가정한다)

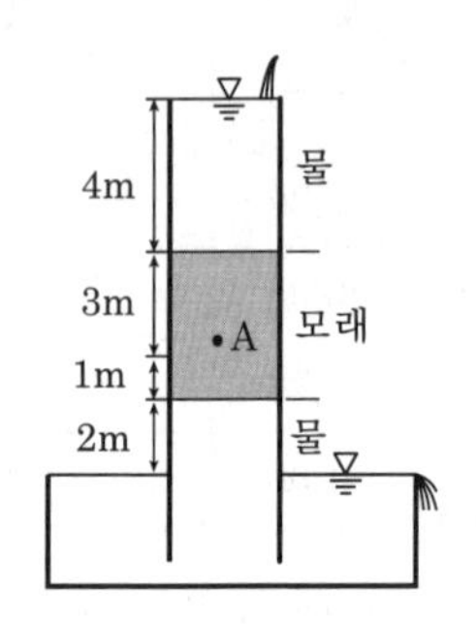

	전응력 [kN/m²]	간극수압 [kN/m²]	유효응력 [kN/m²]
①	100	−5	105
②	100	5	95
③	120	−10	130
④	120	10	110

08 암석은 형성과정에 따라 화성암, 퇴적암, 변성암으로 구분하는데, 이 중 퇴적과정을 통해 형성되는 퇴적암이 아닌 것은?

① 각력암(Breccia) ② 응회암(Tuff)
③ 석탄(Coal) ④ 점판암(Slate)

09 간극비가 0.6인 토취장 흙으로 간극비 0.25, 체적 3,000m³의 제방을 축조하려고 할 때 토취장에서 채취해야 할 흙의 체적[m³]은?

① 3,680 ② 3,840
③ 3,960 ④ 4,240

10 점성토 다짐에 대한 설명으로 옳지 않은 것은?

① 함수비가 낮은 건조측에서 다지면 면모구조를 형성하게 된다.
② 소성이 높으면 소성이 낮은 흙보다 최대건조단위중량은 작고 최적함수비는 크다.
③ 건조측 다짐에 비해 습윤측 다짐이 다짐에너지 증가에 따른 건조단위중량 변화에 대한 영향을 크게 받는다.
④ 최적함수비보다 약간 큰 함수비로 다지면 투수성이 최소가 된다.

11 그림과 같이 지하수위가 GL−4m에 위치한 점성토 지반 위에 30kN/m²의 무한 등분포하중 재하 직후, 점 A에서의 유효수직응력[kN/m²]은? (단, 습윤단위중량 γ_t = 15kN/m³, 포화단위중량 γ_{sat} = 20kN/m³, 물의 단위중량 γ_w = 10kN/m³이며, 비배수상태로 가정한다)

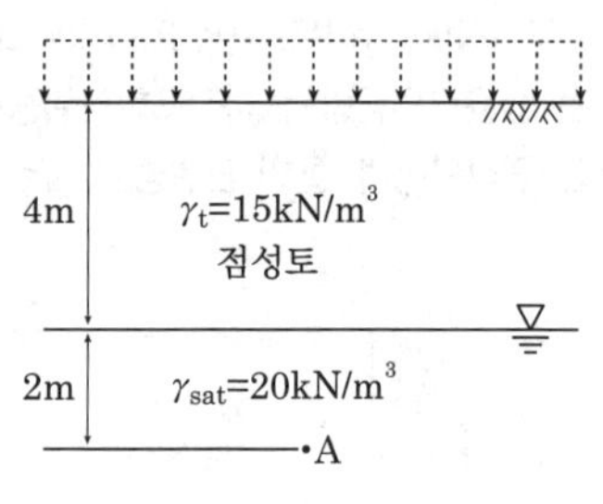

① 80 ② 100
③ 110 ④ 130

07 ① 08 ④ 09 ② 10 ③ 11 ① [정답]

12 비탈면의 안전율을 증가시키는 방법으로 옳지 않은 것은?

① 비탈면 기울기 증가
② 옹벽 설치
③ 소일네일링
④ 억지말뚝 설치

13 액상화(liquefaction) 현상에 대한 설명으로 옳지 않은 것은?

① 지진과 같은 매우 강한 진동하중에 의해 발생한다.
② 진동으로 인해 흙의 유효응력이 0이 되어 마치 액체처럼 거동하는 현상을 의미한다.
③ 모래지반 내 과잉간극수압의 소산으로 인해 발생하는 현상이다.
④ 액상화 방지를 위해서는 지층의 간극비를 한계 간극비보다 작도록 개량해야 한다.

14 그림과 같이 지반을 3m 굴착한 후 바닥면이 5m × 5m이고 자중이 5,000kN인 구조물을 설치하였을 때, 구조물 하부에 위치한 점 A에서의 수직 전응력 증가량[kN/m²]은? (단, 지반의 습윤단위중량 γ_t = 20kN/m³, 포화단위중량 γ_{sat} = 20kN/m³, 물의 단위중량 γ_w = 10kN/m³이며, 응력증분 계산은 2:1법을 사용한다)

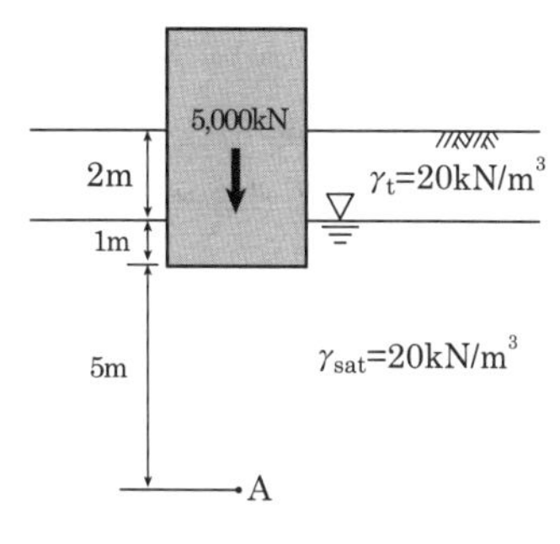

① 32.5
② 35
③ 37.5
④ 40

15 투수계수가 1×10^{-4}m/sec인 옹벽 배면 지반 내 유선망이 그림과 같을 때, 배수재로 침투되는 유량[m³/sec/m]은?

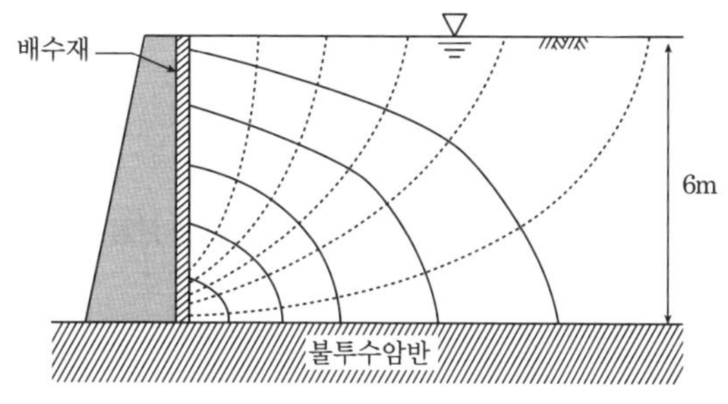

① 5.0×10^{-4}
② 6.0×10^{-4}
③ 7.2×10^{-4}
④ 8.4×10^{-4}

12 ① 13 ③ 14 ② 15 ② [정답]

16 앵커나 버팀보로 지지되는 토류벽에 작용하는 토압 분포가 옹벽에 작용하는 Rankine, Coulomb 토압분포와 다른 주된 이유는?

① 다일러턴시(dilatancy) – 벽체 변형에 따른 배면지반의 부피팽창
② 리칭(leaching) – 배면지반의 부착력 저하
③ 틱소트로피(thixotropy) – 벽체 변형 후 시간에 따른 배면지반의 강도회복
④ 아칭(arching) – 벽체 변형에 따른 토압재분배

17 두께가 10m인 포화점토층에서 1m의 1차 압밀침하량이 발생하였을 때의 함수비[%]는? (단, 점토층의 비중은 2.5, 초기 함수비는 40%이다)

① 32　② 36
③ 40　④ 48

18 사질토의 첨두내부마찰각(ϕ_p)에 대한 설명으로 옳지 않은 것은?

① 조밀한 사질토에서 구속압이 커질수록 ϕ_p는 커진다.
② 상대밀도가 커질수록 ϕ_p는 커진다.
③ 일반적으로 흙입자가 원형에 가까울수록 ϕ_p는 작아진다.
④ 일반적으로 삼축압축시험으로부터 구한 ϕ_p는 직접전단시험으로부터 구한 보다 작다.

19 그림과 같은 높이 5m의 옹벽 배면지반에 인장균열이 발생하였을 때 옹벽에 작용하는 주동토압의 합력[kN/m]은? (단, Rankine 토압이론을 이용하고, tan(55°) = 1.43, γ_t는 습윤단위중량, ϕ는 내부마찰각, c는 점착력이다)

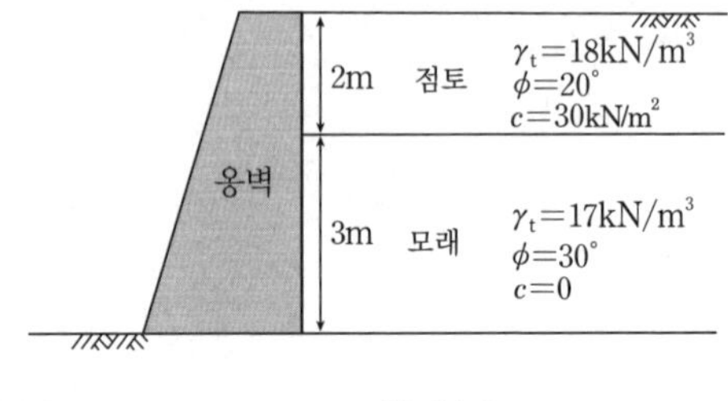

① 51.5　② 61.5
③ 71.5　④ 81.5

20 그림과 같이 피압대수층 상부 포화점토층에 널말뚝 벽체를 설치하고 굴착하려고 할 때, 히빙이 발생하지 않고 굴착할 수 있는 최대 깊이 H[m]는? (단, 물의 단위중량은 10kN/m³이고, 히빙은 벽체와 토사 사이 마찰 및 부착의 영향을 받지 않는다고 가정한다)

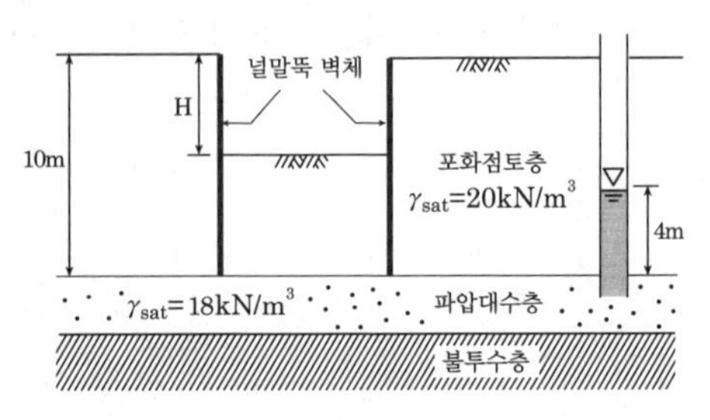

① 2　② 4
③ 6　④ 8

16 ④　17 ①　18 ①　19 ②　20 ④ [정답]

21 항타말뚝에 적용할 수 없는 재하시험은?

① 정동재하 시험(Statnamic test)
② 간편 말뚝재하시험(Simple pile load test)
③ 정재하 시험(Static load test)
④ 오스터버그셀 시험(Osterberg cell test)

22 삼축압축 전단시험에 대한 설명으로 옳지 않은 것은?

① 점토의 내부마찰각을 구하기 위해 압밀비배수(CU) 삼축압축시험과 압밀배수(CD) 삼축압축시험 모두 사용 가능하다.
② 사질토의 내부마찰각은 일반적으로 압밀배수(CD) 삼축압축시험을 수행하여 결정한다.
③ 정규압밀점토를 대상으로 압밀배수(CD) 삼축압축시험을 실시할 경우 점착력은 일반적으로 0으로 측정된다.
④ 암석시료의 길이/지름의 비가 작아질수록, 일축압축강도(구속압=0)는 증가하고 점차 취성파괴 모드로 바뀌게 된다.

23 직경 0.4m, 길이 10m의 폐단 외말뚝을 이용하여 무리말뚝 기초를 점토층에 설치하려고 한다. 심도별 비배수 전단강도 시험결과가 다음과 같을 때, 안전율 3을 적용하여 1,800kN의 상부하중을 지지하기 위해 필요한 외말뚝의 최소 개수는? (단, 극한선단지지력은 Meyerhof의 지지력 공식, 극한주면마찰력은 방법을 적용하며, 선단 지지력계수 N_c=9, 주면마찰력에 대한 부착력계수 α=0.5, 무리말뚝효율 η=1이며, 원주율=3으로 가정한다)

심도(m)	비배수전단강도[kN/m^2]
0	70
2.5	90
5.0	90
7.5	100
10.0	100
12.5	120

① 8　　② 9
③ 12　　④ 16

24 그림과 같이 연약점토층 상부에 비교적 낮은 높이의 급속성토를 할 경우 기초지반 내 예상파괴면 상 임의점 P의 시간에 따른 상태변화에 대한 설명으로 옳지 않은 것은?

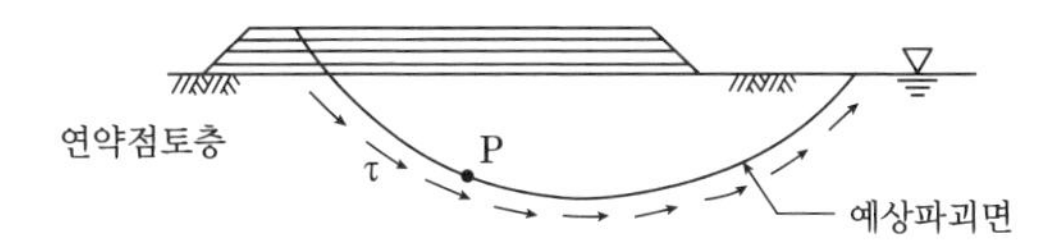

① 전단파괴에 대한 안전율은 성토 완료 직후 최솟값을 나타낸다.
② 전단강도는 성토시공 중 일정하다.
③ 전단응력은 성토시공 중 증가하다가 성토 완료 후부터 일정하다.
④ 간극수압은 성토시공 중 감소하다가 성토 완료 후부터 일정하다.

21 ④ 22 ④ 23 ② 24 ④ **[정답]**

부록

25 **이차압밀(secondary consolidation)에 대한 설명으로 옳지 않은 것은?**

① 이차압밀침하량 계산 시 작용된 하중의 크기는 고려하지 않는다.

② 유기질 점토와 압축성이 큰 점토 지반에서는 이차압밀침하가 크게 발생한다.

③ 이차압축지수는 $e-\log p$ 곡선에서 직선부의 기울기이다.

④ 조립토에서는 일반적으로 이차압밀을 무시할 수 있다.

25 ③ [정답]

토목직 공무원

최근 기출문제

수험번호	성명
20211016	도서출판세화

01 유선망에 대한 설명으로 옳은 것은?

보기

ㄱ. 유선과 등수두선은 직교하도록 그려야 한다.
ㄴ. 등수두선은 압력수두가 동일한 지점을 연결한 선이다.
ㄷ. 인접한 두 유선 사이, 즉 각 유로를 흐르는 유량은 같다.
ㄹ. 인접한 두 등수두선 사이의 손실수두는 다르다.

① ㄱ, ㄴ　② ㄱ, ㄷ
③ ㄴ, ㄹ　④ ㄷ, ㄹ

02 다음과 같은 모관 상승 현상에 대한 설명 중 옳지 않은 것은?

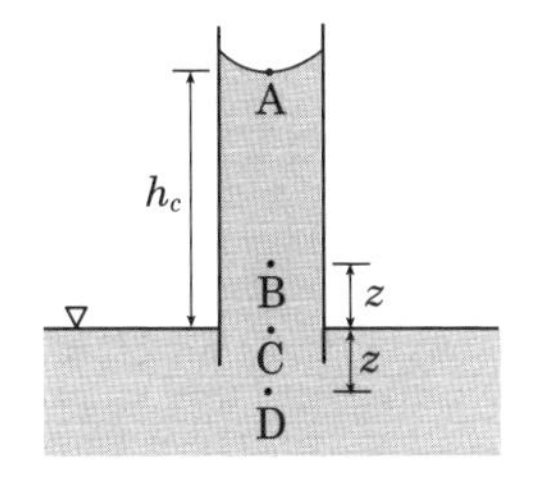

① C점과 D점의 전수두는 같다.
② A점에서의 수압은 $-\gamma_w \cdot h_c$이다.
③ B점에서의 수압과 D점에서의 수압은 절댓값이 같다.
④ D점은 자유수면 아래에 있어 모관 상승 방향으로 물이 흐른다.

03 흙의 투수계수에 대한 설명으로 옳지 않은 것은?

① 흙입자의 비표면적이 클수록 투수계수는 커진다.
② 포화도가 클수록 투수계수는 커진다.
③ 간극수의 점성계수가 클수록 투수계수는 작아진다.
④ 투수계수의 단위는 속도의 단위와 같다.

04 옹벽 구조물 배면이 정지토압상태에서 수동토압상태로 변할 때 배면 지반의 상태로 가장 옳은 것은?

	수평방향	연직방향
①	수축	수축
②	팽창	팽창
③	수축	팽창
④	팽창	수축

01 ② 02 ④ 03 ① 04 ③ [정답]

부록

05 Rankine의 토압이론에서 모래 지반의 정지토압, 주동토압, 수동토압 상태를 Mohr 원과 파괴포락선을 이용하여 나타냈다. 다음 설명 중 옳지 않은 것은?

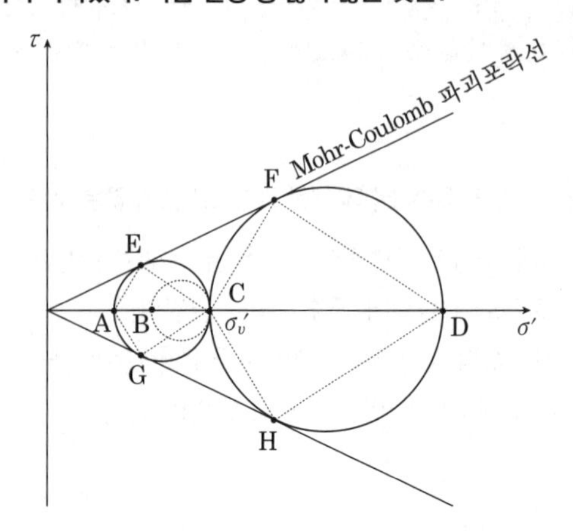

① A점은 주동토압, D점은 수동토압을 나타낸다.
② 선분 AE와 AG는 주동파괴면의 방향을, 선분 CF와 CH는 수동파괴면의 방향을 나타낸다.
③ 모래의 내부마찰각이 30°일 때 수동토압계수는 주동토압계수보다 9배 크다.
④ E와 G점은 주동파괴면에 작용하는 응력상태를, F와 H점은 수동파괴면에 작용하는 응력상태를 나타낸다.

06 건조된 사질토 시료에 대해 압밀배수 삼축압축시험을 수행하였다. 구속압 300kPa을 가한 시료에 대해 600kPa의 축차응력을 가하였을 때 전단파괴가 발생하였다. 최대 주응력면을 기준으로 시료의 전단 파괴면이 발생하는 각도로 가장 적절한 것은?

① 30°　　② 60°
③ 15°　　④ 45°

07 원기둥 형태 말뚝기초의 깊이별 단위주면마찰저항력 분포를 다음과 같이 가정하였다. 이 말뚝에 축하중을 가하여 최대 주면마찰력이 발현되었을 때 축방향 하중전이 곡선으로 가장 적절한 것은?

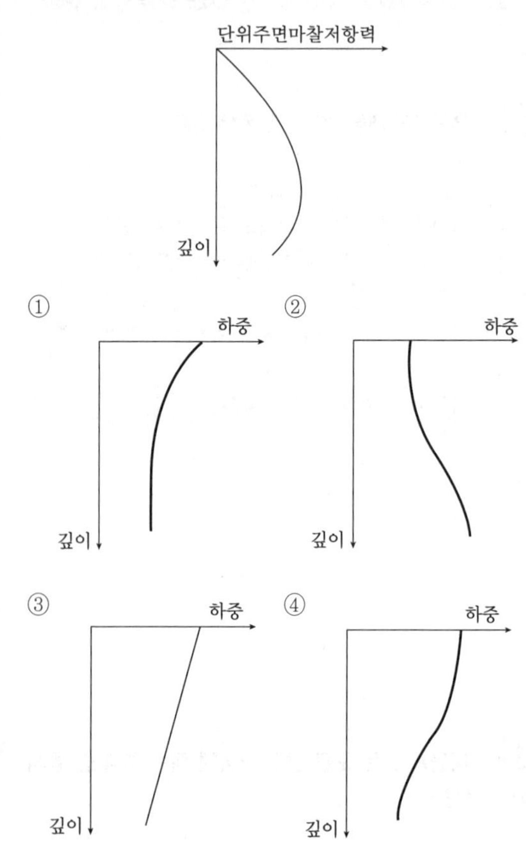

05 ② 06 ② 07 ④ [정답]

08 점토 지반을 보강 없이 수직으로 굴착하고자 한다. 주어진 점토 지반의 공학적 특성이 전체 단위중량 γ_t = 20kN/m^3, 비배수 전단강도 c_u = 30kPa, 내부마찰각 ϕ = 0°일 때, 굴착이 가능한 최대 깊이[m]는? (단, 단기 안전율은 1.5이다)

① 3 ② 4
③ 5 ④ 6

09 점토 지반의 내부마찰각이 0°이고, 비배수전단강도는 c_u는 9kPa로 가정한다면, 그림에서 설정한 원호파괴에 대한 유한사면의 안전율은? (단, 원호파괴가 발생하는 토체의 단위 폭당 무게 W는 160kN/m이고 무게중심의 위치 x는 4.5m이며 설정된 파괴 형상의 꼭지각 θ는 1rad이다)

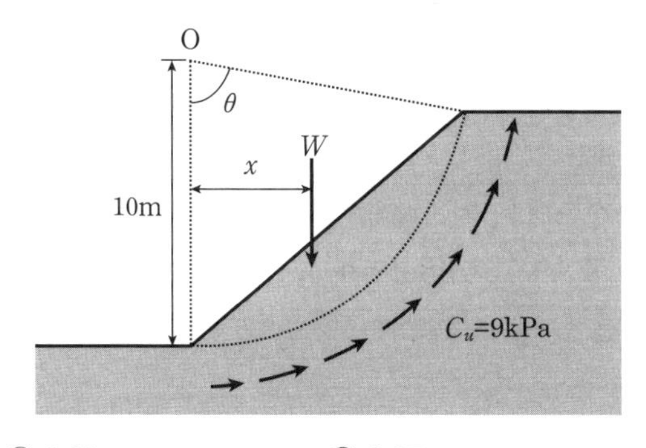

① 1.00 ② 1.25
③ 1.50 ④ 1.75

10 점착력이 0이고 $\sin(\phi')=\frac{1}{3}$인 시료를 등방압밀조건에서 p_0'= 100kPa로 압밀한 후 구속압 σ_3은 그대로 유지하면서 축응력 σ_1을 키우는 압밀비배수 삼축압축시험을 실시하였다. 전단파괴가 발생할 때 p_f'= 90kPa이라면 이 때 시료 내부에 발생하는 과잉간극수압의 크기[kPa]는?
(단, ϕ'=흙의 내부마찰각, $p=\frac{(\sigma_1+\sigma_3)}{2}$, $p'=\frac{(\sigma_1'+\sigma_3')}{2}$, $q=\frac{(\sigma_1-\sigma_3)}{2}$이다)

① 20 ② 30
③ 40 ④ 50

11 직접전단시험의 특징으로 옳지 않은 것은?

① 전단시험 과정에서 시료의 함수비가 변화할 수 있으며 간극수압 측정이 어렵다.
② 시료 내부의 가장 약한 부분에서만 전단파괴가 발생하는 것은 아니다.
③ 시험초기에는 시료의 수평면과 연직면이 주응력면이지만, 전단시험이 진행되면서 주응력면의 방향이 달라지게 된다.
④ 전단과정에서 시료 전체에 균일한 전단변형율이 발생하여 이를 전단탄성계수를 구하는 자료로 활용한다.

08 ② 09 ② 10 ③ 11 ④ **[정답]**

12 토취장에서 흙을 채취하여 부피 1,000m^{3}의 제방을 축조하려고 한다. 토취장 흙의 간극비는 2.0이고, 제방을 축조한 후의 간극비를 0.5로 한다면 토취장에서 채취해야 할 흙의 부피[m^3]는?

① 1,500　　② 2,000
③ 2,500　　④ 3,000

13 통일분류법을 사용하여 현장의 흙을 CL－ML로 분류하였다. 이러한 분류 결과를 얻기 위해서 수행한 실험 항목을 모두 고르면?

보기

ㄱ. 체분석 시험　　ㄴ. 비중계 시험
ㄷ. 액성한계 시험　　ㄹ. 소성한계 시험
ㅁ. 수축한계 시험

① ㄱ, ㄴ, ㄷ　　② ㄱ, ㄴ, ㄹ
③ ㄱ, ㄷ, ㄹ　　④ ㄷ, ㄹ, ㅁ

14 비배수전단강도가 c_u인 점토지반 위에 놓인 폭 B의 연속기초에 작용하는 등분포하중 q_{ult}에 의해 다음과 같이 점 O를 중심으로 하는 원형회전파괴가 발생한다고 가정한다면 q_{ult}의 크기는? (단, 기초의 자중은 무시한다)

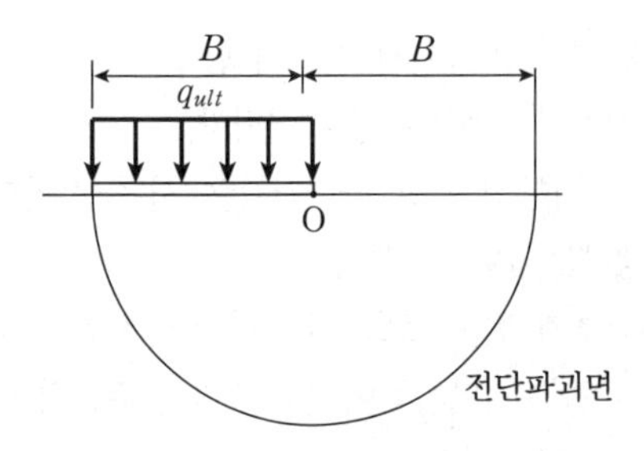

① πc_u　　② $(2+\pi)c_u$
③ $2\pi c_u$　　④ $4\pi c_u$

15 그림과 같이 길이 4m의 흙기둥을 통해서 물이 흐르고 있다면, 다음 설명 중 옳지 않은 것은? (단, 흙의 포화단위중량은 20kN/m^3, 물의 단위중량은 10kN/m^{3}이라고 가정한다)

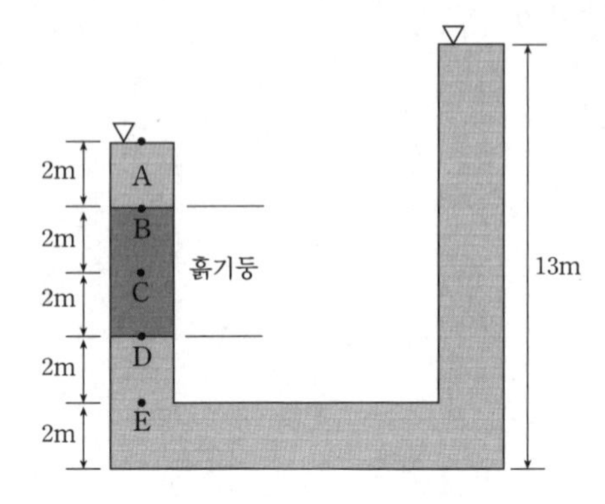

① B점과 C점에서의 압력수두 차이는 3.5m이다.
② 흙시료 내부의 동수경사는 0.75로 일정하다.
③ E점의 압력수두는 8m이다.
④ D점의 연직유효응력은 10kPa이다.

16 얕은 기초의 극한 지지력을 구하는 Meyerhof (1963)의 방법에서 고려하는 구성 요소에 해당하는 것으로 옳은 것은?

① 탄성계수, 근입깊이계수, 경사하중계수, 형상계수
② 지지력계수, 탄성계수, 경사하중계수, 근입깊이계수
③ 형상계수, 지지력계수, 탄성계수, 경사하중계수
④ 형상계수, 근입깊이계수, 경사하중계수, 지지력계수

12 ② 13 ③ 14 ③ 15 ③ 16 ④ **[정답]**

17 다음 설명 중 가장 옳지 않은 것은?

① 지반의 압밀도는 위치에 따라 다르며 평균압밀도는 시간계수의 함수로 나타낼 수 있다.
② 압밀 침하량은 하중–간극비 곡선, 압축지수 및 선행압밀하중 등을 이용하여 결정할 수 있다.
③ Terzaghi 1차원 압밀이론에서 흙은 균질하고 포화되어 있으며 흙입자는 압축성이 있는 것으로 가정한다.
④ 동일 점토시료에 대해 교란시료는 불교란시료에 비해 압축지수 값이 더 작게 나타난다.

18 압밀계수가 같은 두 점토층이 있다. 점토층 A는 양면배수 조건이고, 점토층 B는 일면배수 조건이다. A층에서 90% 압밀에 소요되는 시간과 B층에서 50% 압밀에 소요되는 시간이 같다. A층과 B층의 두께를 각각 , H_A, H_B라고 할 때, 각 층 두께 비율의 제곱값 $(H_A/H_B)^2$은? (단, 초기 과잉간극수압 분포는 동일하다. 평균압밀도가 50%일 때 시간계수 $T_{50}=0.2$이고, 90%일 때 $T_{90}=0.85$이다. 계산결과는 소수점 셋째 자리에서 반올림한다)

① 0.86　② 0.90
③ 0.94　④ 0.98

19 모래층 사이에 존재하는 4m 두께의 점토지반에서 채취한 두께 2cm의 시료에 대해 양면 배수 조건으로 표준압밀시험을 수행한 결과 50% 압밀에 도달하는 데 1시간이 소요되었다. 이 시험 결과로 얻은 압밀계수를 이용하여 해당 점토지반이 50% 압밀에 도달하는 시간을 구하면?

① 40,000시간　② 60,000시간
③ 80,000시간　④ 100,000시간

20 다음과 같이 도로 제방을 시공할 때 Z지점에서의 전단강도를 평가하기 위해 수행한 압밀배수 삼축압축시험의 결과로 적합한 응력경로는?

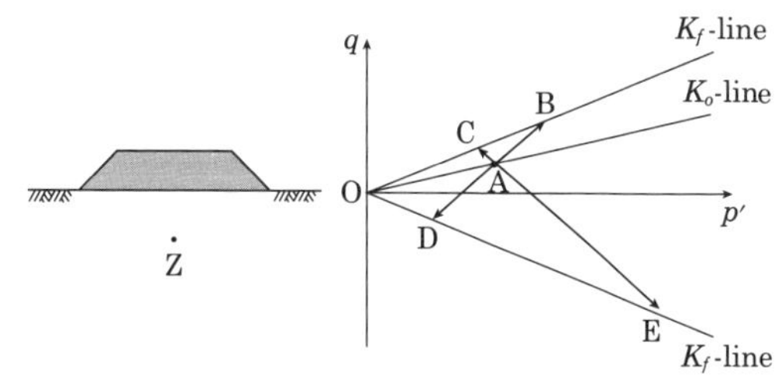

① A→B　② A→C
③ A→D　④ A→E

17 ③　18 ③　19 ①　20 ① [정답]

2022. 10. 15. 국가직 7급

토목직 공무원

최근 기출문제

수험번호	성명
20221015	도서출판세화

01 흙의 단위중량 표현으로 옳지 않은 것은? (단, w는 함수비, e는 간극비, G_S는 비중, γ_w는 물의 단위중량이다)

① 습윤단위중량 $\gamma_t = \left(\dfrac{1+w}{1+e}\right) G_s \gamma_w$

② 건조단위중량 $\gamma_d = \left(\dfrac{G_s \gamma_w}{1+e}\right)$

③ 수중단위중량 $\gamma_{sub} = \left(\dfrac{G_s - e}{1+e}\right)\gamma_w$

④ 포화단위중량 $\gamma_{sat} = \left(\dfrac{G_s + e}{1+e}\right)\gamma_w$

02 전체 부피가 $800m^3$이고 간극비 1.0인 흙을 다짐하여 간극비 0.5인 상태로 만들었을 때, 다짐한 이후 흙의 전체 부피[m^3]는?

① 400 ② 500
③ 600 ④ 700

03 A 점토층은 양면배수 조건이고, B 점토층은 일면배수 조건일 때, 각각의 점토층에서 압밀 50%에 소요되는 시간을 각각 t_A 및 t_B라고 한다면, t_A/t_B는? (단, 배수 조건을 제외한 나머지 조건들은 동일하다)

① 0.25 ② 0.5
③ 2.0 ④ 4.0

04 점토 시료에 대한 압밀시험을 통해 얻은 간극비-압력 관계 곡선으로부터 직접 구할 수 없는 것은?

① 압축지수 ② 압밀계수
③ 선행압밀압력 ④ 팽창지수

05 포화된 지반에서 지진이 발생한다면 액상화에 가장 취약한 흙은?

① 단단한 점토 ② 유기질 점토
③ 느슨한 모래 ④ 조밀한 모래

06 그림과 같이 경사진 불투수층 위에 균질한 흙으로 구성된 투수층의 투수 방향이 경사면과 평행할 때, A지점과 B지점 사이의 전수두 차이와 압력수두 차이를 바르게 연결한 것은?

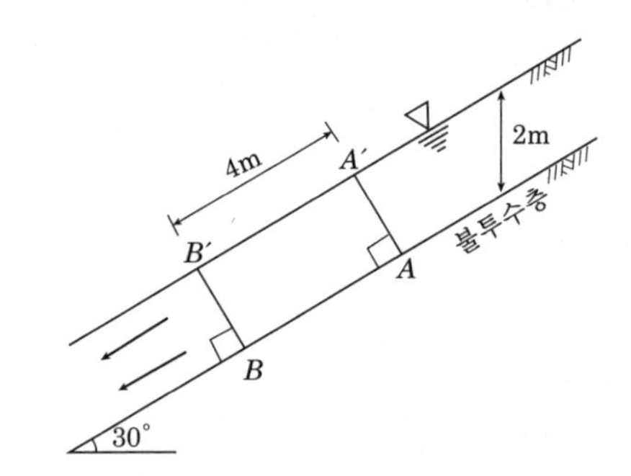

	전수두 차이[m]	압력수두 차이[m]
①	1.5	0
②	1.5	1.5
③	2.0	0
④	2.0	1.5

01 ③ 02 ③ 03 ① 04 ② 05 ③ 06 ③ [정답]

07 그림과 같이 물이 두 종류의 흙을 통과하여 아래쪽으로 흐를 때, 경계면 O지점에서의 전수두[m]는? (단, A는 단면적이고, k는 투수계수이다)

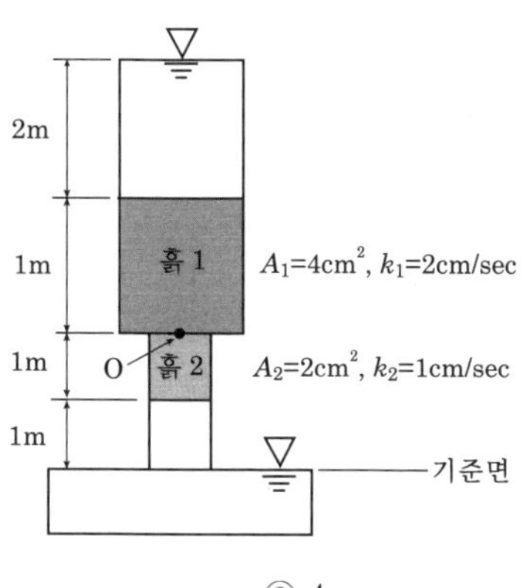

① 3 ② 4
③ 5 ④ 6

08 흙의 다짐 특성에 대한 설명으로 옳지 않은 것은?

① 다짐에너지가 클수록 최대건조단위중량은 증가한다.
② 다짐에너지가 클수록 최적함수비는 감소한다.
③ 세립토의 비율이 증가할수록 최적함수비는 증가한다.
④ 입도 분포가 나쁠수록 최대건조단위중량은 증가한다.

09 모래층 사이에 두께 4m인 포화된 점토층이 있고, 상부 모래층 지표면에 무한대의 등분포 상재하중 100kPa을 가하였다. 상재하중을 가하기 전, 점토층의 평균 유효연직응력이 100kPa일 때, 1차 압밀 침하량[cm]은? (단, 점토층의 선행압밀압력 σ'_p = 300kPa, 압축지수 C_c = 0.8, 재압축지수 C_r = 0.1, 초기간극비 e_o = 1.0이고, $\log_{10} 2$ = 0.3, $\log_{10} 5$ = 0.7로 가정한다)

① 4.8 ② 6.0
③ 14.0 ④ 48.0

10 비배수 점토로 뒷채움한 높이 5m의 옹벽에 주동토압이 작용하는 경우, 옹벽 배면에 발생하는 인장균열의 깊이[m]는? (단, 습윤단위중량은 16kN/m³, 점착력은 8kPa, 내부마찰각은 0°이다)

① 1.0 ② 1.5
③ 2.0 ④ 2.5

11 토압에 대한 설명으로 옳지 않은 것은?

① Coulomb 토압이론은 흙과 벽체 사이의 마찰을 고려한다.
② Rankine 토압이론은 흙과 벽체 사이의 마찰을 고려하지 않는다.
③ 동일한 흙에서 정지토압은 수동토압과 주동토압 사이의 크기를 가진다.
④ 동일한 흙에서 주동토압이 수동토압보다 크다.

12 그림과 같은 A지점에서의 전연직응력과 유효수평응력을 바르게 연결한 것은? (단, 정지토압계수 K_0는 0.5이고, 물의 단위중량은 10kN/m³으로 가정한다)

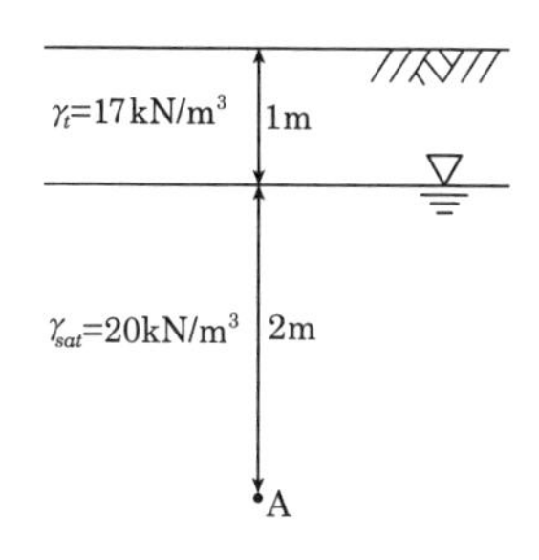

	전연직응력[kPa]	유효수평응력[kPa]
①	37	18.5
②	57	18.5
③	37	38.5
④	57	38.5

07 ② 08 ④ 09 ② 10 ① 11 ④ 12 ② [정답]

13 그림과 같이 점토층에서 지하수위가 지표면까지 상승할 경우, A지점에서 발생하는 과압밀비는? (단, 지하수위 상승 전 점토는 정규압밀상태이고, 모관 상승은 무시하며, 물의 단위중량은 10kN/m^{3}으로 가정한다)

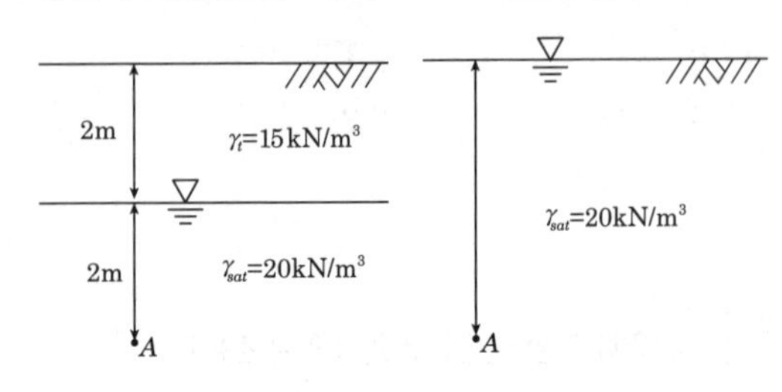

(Ⅰ)지하수위 상승 전　　(Ⅱ) 지하수위 상승 후

① 1.25　　② 1.5
③ 1.75　　④ 2.0

14 모래층 사이에 있는 두께 2m인 포화된 점토층에서 90%의 1차 압밀이 진행되는 데 100일이 소요되었다면, 이때 점토층의 압밀계수[cm^2/day]는? (단, T_{90} = 0.85로 가정한다)

① 0.85　　② 3.4
③ 85　　④ 340

15 한계평형법으로 비탈면안정을 해석할 경우, 고려해야 하는 흙의 성질과 거리가 먼 것은?

① 압축지수　　② 내부마찰각
③ 점착력　　④ 단위중량

16 다음은 건조한 모래에 대한 직접전단시험을 실시한 결과이다. 수직응력이 일정할 때, 느슨하거나 조밀한 모래의 전단변위에 따른 전단응력 및 체적 변화를 바르게 연결한 것은?

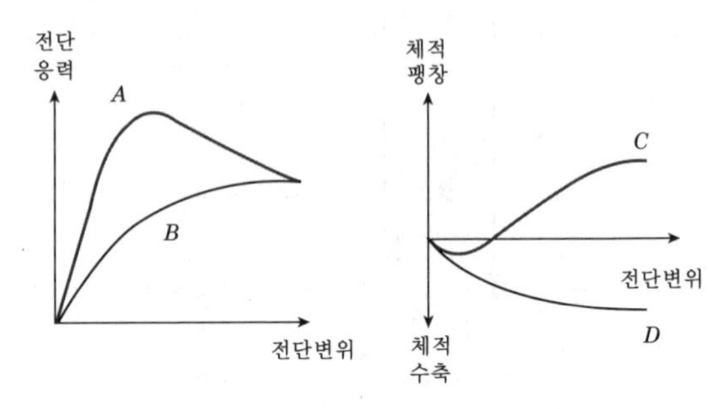

	느슨한 모래	조밀한 모래
①	A, C	B, D
②	B, C	A, D
③	A, D	B, C
④	B, D	A, C

17 비탈면안정 해석법 중 절편법에 대한 설명으로 옳지 않은 것은?

① 미지수의 개수가 방정식의 개수보다 많아 여러 가정이 필요하다.
② Bishop법, Fellenius법 등의 종류가 있다.
③ 서로 다른 여러 개의 지층으로 이루어진 비탈면에 적용할 수 없다.
④ 힘의 평형 또는 모멘트의 평형을 고려하여 안전율을 산정하는 방법이다.

13 ① 14 ③ 15 ① 16 ④ 17 ③ [정답]

18 모래 시료에 대하여 압밀배수 삼축압축시험을 실시하였다. 구속응력 200kPa로 압밀 후, 축차응력을 증가시켜 전단파괴시켰다. Mohr-Coulomb 파괴규준에 의한 파괴 시 축차응력[kPa]은? (단, 점착력은 0, 내부마찰각은 30°이다)

① 200　② 400
③ 600　④ 800

19 그림과 같이 지하수위가 가상파괴면 아래에 있을 경우, 경사각이 30°인 무한비탈면에서 지표면 아래 5m인 곳에 있는 가상파괴면에 작용하는 수직응력(σ) 및 전단응력(τ)의 크기를 바르게 연결한 것은? (단, 흙의 단위중량은 20kN/m^{3}이고, sin 30° = 0.5, cos 30° = 0.9로 가정한다)

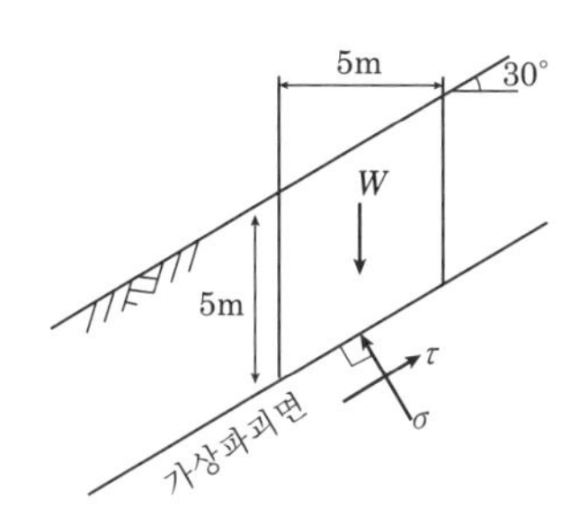

	수직응력 [kPa]	전단응력 τ[kPa]
①	81	45
②	81	50
③	90	45
④	90	50

20 점토 지반 위에 놓인 강성기초에 하중 Q가 작용할 때, 바닥면에 작용하는 접촉압력의 분포도로 가장 적절한 것은?

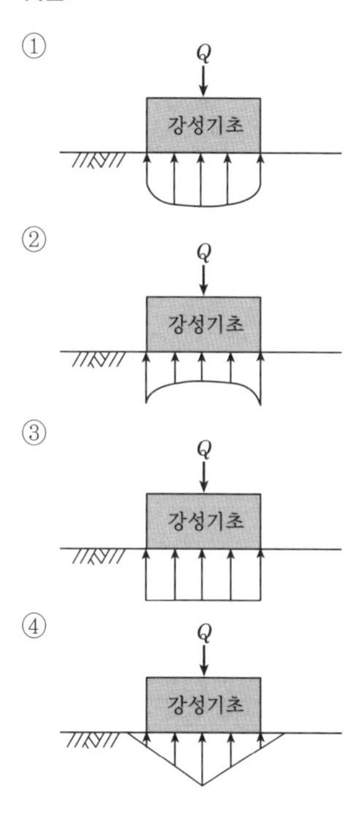

21 사질토 위에서 직경 30cm의 평판재하시험을 실시한 결과, 극한지지력이 400kPa이었다. 동일한 지반 위에 놓인 직경 6m인 기초의 극한지지력[kPa]은?

① 400　② 800
③ 4,000　④ 8,000

22 사질토 지반에 놓인 정사각형 얕은 기초의 탄성침하를 Schmertmann의 변형률 영향계수로 예측할 경우, 기초 바닥으로부터 기초 폭(B)의 몇 배 깊이까지 변형률 영향계수를 고려하는 것이 가장 적절한가?

① 0.5　② 1.0
③ 1.5　④ 2.0

18 ② 19 ① 20 ② 21 ④ 22 ④ **[정답]**

23 그림과 같이 포화된 점토 지반에 한 변의 길이가 1m인 정사각형 말뚝을 시공했을 때, β법에 의한 전체 주면 마찰력[kN]은? (단, 지중의 평균 유효연직응력을 사용하고, 한계깊이는 무시하며, 물의 단위중량은 10kN/m^{3}이다)

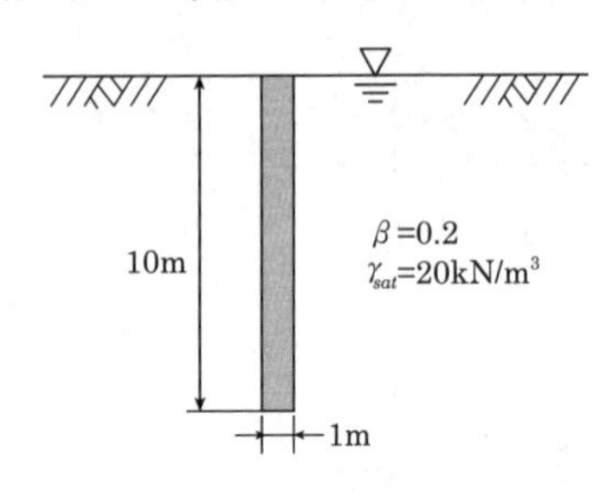

① 400　　② 600
③ 800　　④ 1,000

24 암반의 지중응력을 측정하는 현장시험으로 옳지 않은 것은?

① 오버코어링 시험(overcoring test)
② 플랫잭 시험(flat jack test)
③ 수압파쇄 시험(hydraulic fracturing test)
④ 슬레이킹 시험(slaking test)

25 그림과 같이 등분포하중(q_0) 100kPa이 연성기초에 작용할 때, 지표면 A지점 아래 4m 깊이에서의 연직응력 증가량 [kPa]은? (단, m과 n값에 따른 영향계수 I는 <조건>과 같다)

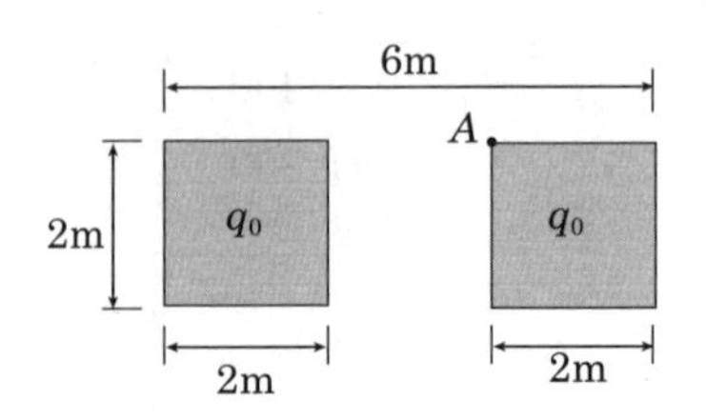

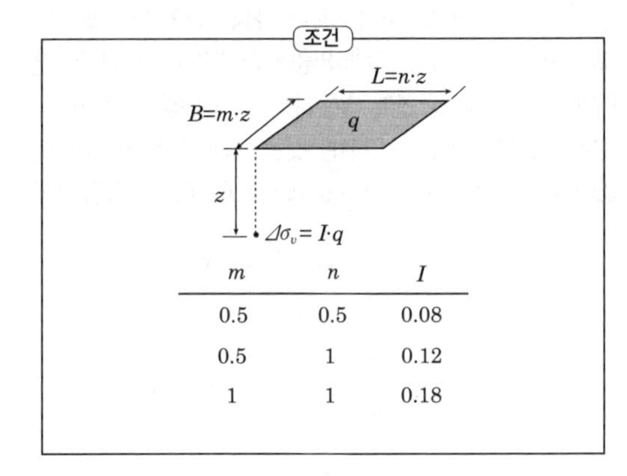

m	n	I
0.5	0.5	0.08
0.5	1	0.12
1	1	0.18

① 6　　② 12
③ 18　　④ 24

23 ① 24 ④ 25 ② [정답]

2022. 10. 29. 서울시 7급

토목직 공무원

최근 기출문제

수험번호	성명
20221029	도서출판세화

01 일반적으로 유한사면의 안정성을 향상시키는 요소로 옳지 않은 것은?

① 흙의 전단강도 증가
② 사면의 경사 완화
③ 사면하단의 압성토 제거
④ 배수시설 설치

02 포화된 점토에 대해 비압밀비배수 삼축압축시험을 수행하였다. 구속압력은 40kN/m^{2}이고, 축차응력을 100kN/m^{2}만큼 증가시켰을 때 공시체가 파괴되었다. 이 시료의 비배수 전단강도[kN/m^2]는?

① 40　② 50
③ 70　④ 100

03 그림과 같이 폭 10m, 길이 20m인 직사각형 전면기초를 균일한 지반에 설치하고자 한다. 완전보상기초(fully compensated foundation)가 되기 위한 근입깊이 D_f[m]는?(단, 건물의 총하중 Q = 40,000kN, 지반의 단위중량 γ = 20kN/m^{3}로 한다)

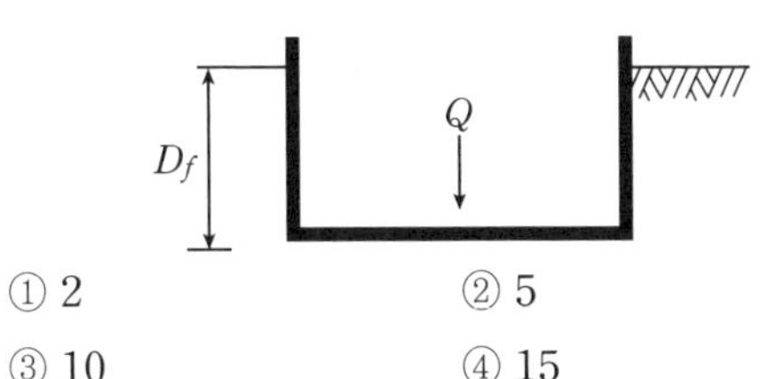

① 2　② 5
③ 10　④ 15

04 폭이 B인 정사각형 직접기초가 하부 지반에 q의 압력을 작용시키고 있다. 2:1 분포법을 이용할 때 작용 압력 q의 25%가 연직으로 작용하는 깊이는?

① 1.0B　② 1.5B
③ 2.0B　④ 2.5B

05 두께 40mm 점토 시료를 양면배수조건으로 실내 압밀시험을 수행하였다. 시험으로 얻어진 결과가 아래와 같을 때, 시험이 수행된 응력범위에서 점토의 투수계수[m/min]는? (단, 물의 단위중량 γ_w = 10kN/m^3, 평균압밀도가 50%가 될 때 시간계수는 0.2, 걸리는 시간은 2분으로 가정한다)

	유효응력[kN/m^2]	간극비
초기 상태	50	1.0
실험 후	100	0.5

① 1.0×10^{-6}　② 1.5×10^{-6}
③ 2.0×10^{-6}　④ 2.5×10^{-6}

01 ③ 02 ② 03 ③ 04 ① 05 ③ [정답]

부록

06 그림과 같은 조건에서 각각 하향침투와 상향침투가 발생할 경우, $A-A$단면에서의 유효응력[kN/m²]은? (단, 흙의 포화단위중량은 20kN/m³, 물의 단위중량은 10kN/m³로 가정한다)

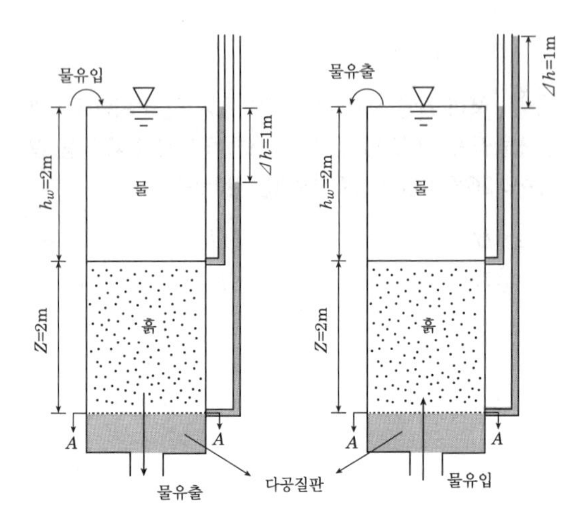

	하향침투 시 유효응력	상향침투 시 유효응력
①	10	30
②	20	40
③	30	10
④	40	20

07 그림과 같이 2개의 토층으로 물이 흐르고 있다. 수두차(h)가 1m로 일정하게 유지되고 있을 때, 유량[cm³/sec]은? (단, 흙의 단면적은 100cm²이고, 각각의 흙은 균질하고 등방성이다)

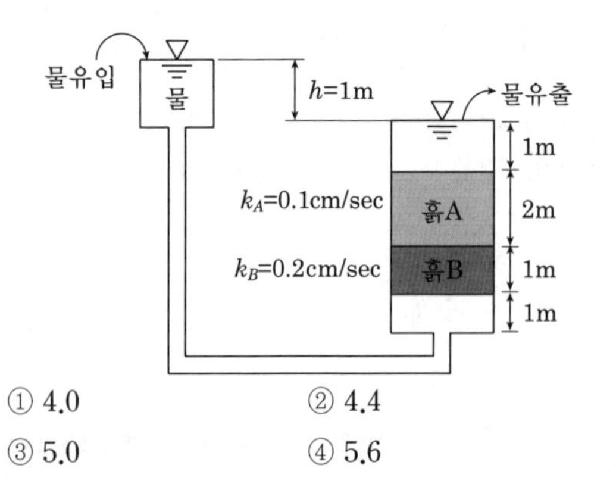

① 4.0　② 4.4
③ 5.0　④ 5.6

08 그림과 같이 지하수위가 지표면에 위치하는 점토 지반 표면에 무한 등분포하중 100kN/m²가 가해졌다. 하중 재하 후 피에조메타 내의 수위 높이(h)가 4m로 될 때까지 걸리는 시간[min]은? (단, 시간계수에 따른 평균압밀도는 아래 표와 같고, 점토의 압밀계수는 2×10^{-5}m²/min이며, 물의 단위중량은 10kN/m³로 가정한다. 또한, 피에조메타 높이는 평균압밀도를 나타낸다고 가정한다)

평균 압밀도	10	20	30	40	50	60	70	80	90
시간 계수	0.01	0.03	0.07	0.18	0.20	0.30	0.40	0.60	0.80

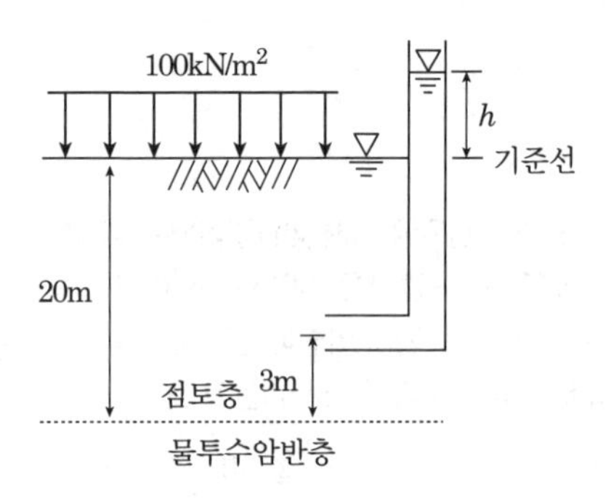

① 0.36×10^7
② 0.60×10^7
③ 0.80×10^7
④ 1.20×10^7

06 ③ 07 ① 08 ② [정답]

09 그림과 같이 해저에 모래층, 점토층 그리고 암반층이 순차적으로 구성되어 있다. 수심(h)이 10m에서 15m로 증가할 때, 이에 대한 설명으로 옳은 것만을 모두 고르면?

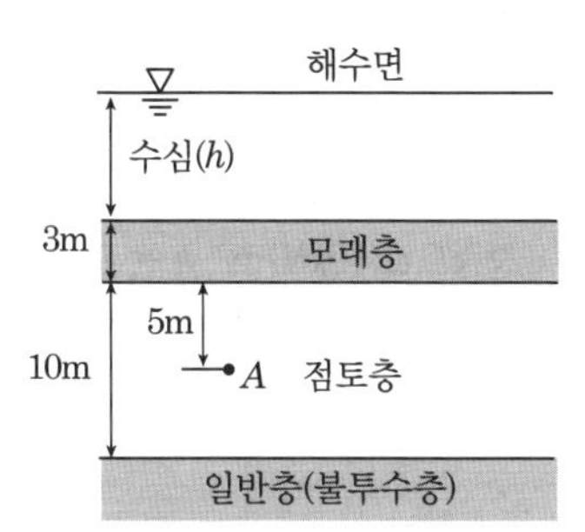

보기

ㄱ. 점토층 A점의 간극수압은 증가한다.
ㄴ. 점토층 A점의 유효응력은 감소한다.
ㄷ. 점토층의 침하량은 수심 증가량에 비례한다.
ㄹ. 수심 증가에 의해 과압밀비가 증가하였다.

① ㄱ ② ㄷ, ㄹ
③ ㄱ, ㄴ, ㄷ ④ ㄱ, ㄴ, ㄹ

10 그림과 같이 직사각형 콘크리트 옹벽의 A점에서 전도에 대한 안전율을 2배로 증가시키고자 한다. 이를 위해서 옹벽의 두께(D)는 몇 배 증가시켜야 하는가? (단, 옹벽의 높이는 유지하는 것으로 가정한다)

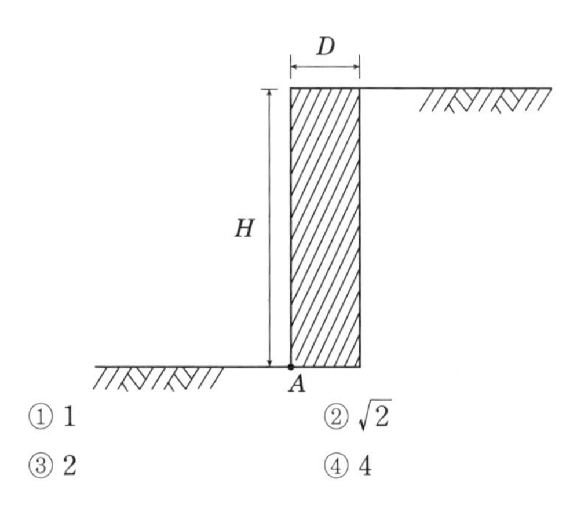

① 1 ② $\sqrt{2}$
③ 2 ④ 4

11 어떤 사질토 지반의 상대밀도가 50%이다. 이 사질토 지반의 최소 간극비는 0.5, 최대 간극비는 0.7이다. 이 지반의 간극비는?

① 0.4 ② 0.5
③ 0.6 ④ 0.7

12 직접전단시험에서 수직응력이 1,200kN/m^{2}일 때 전단강도가 1,000kN/m^{2}이었고, 수직응력이 2,400kN/m^{2}일 때 전단강도가 1,800kN/m^{2}이었다. 이 흙의 점착력[kN/m^2]은? (단, Mohr-Coulomb 파괴이론을 따른다고 가정한다)

① 200 ② 240
③ 300 ④ 400

13 지진이나 갑작스러운 충격하중으로 인해 액상화 현상이 발생하여 지반에 파괴가 발생할 수 있다. 이러한 액상화 현상에 대한 설명으로 옳지 않은 것은?

① 지진이 발생하는 경우, 지진동에 의해 모래가 수축하면서 간극수압이 상승하고 유효응력이 감소한다.
② 일반적으로 액상화에 취약한 지반은 퇴적 이력이 짧고 느슨한 모래지반에서 지하수위가 지표면 부근에 있는 경우이다.
③ 액상화로 인하여 비탈면의 횡방향 이동활동이 발생하여 사면파괴가 일어날 수 있다.
④ 배수가 잘 되지 않는 포화 점토지반에서 발생하기 쉽다.

09 ① 10 ② 11 ③ 12 ① 13 ④ **[정답]**

14 직경 400mm의 원형 콘크리트말뚝을 균일한 점토지반(ϕ_u = 0)에 10m를 연직으로 타입하였다. 점토의 비배수 일축압축강도는 80kN/m^{2}이고 단위중량은 19kN/m^{3}이다. 안전율은 3을 적용하고 부착력계수(α)는 깊이와 관계없이 1로 가정할 때, 말뚝의 허용지지력[kN]은? (단, π는 3으로 가정한다)

① 174.4 ② 334.4
③ 523.2 ④ 1,003.2

15 그림은 $p-q$ 좌표의 K_0 선과 K_f 선을 나타낸다. 사질토에서 K_0<1인 경우, 정지토압상태에서 수동토압상태로 변화하는 응력경로는?

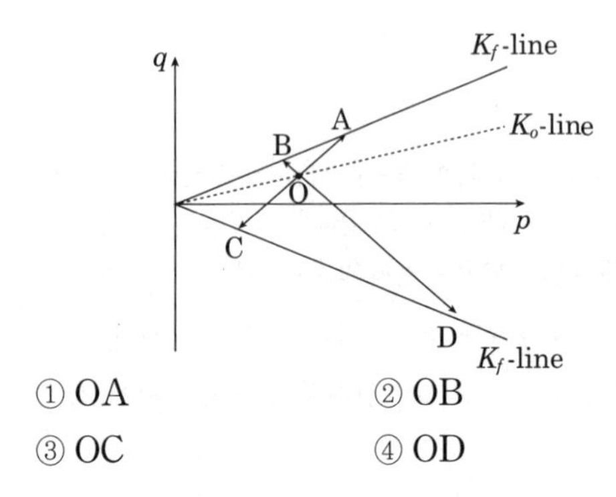

① OA ② OB
③ OC ④ OD

16 어떤 모래시료에 대한 압밀배수 삼축압축시험에서 파괴면의 각도는 수평면에 대해 60°이다. 시료에 파괴가 일어난 순간의 축차응력이 120kN/m^{2}일 때, 구속압력[kN/m^2]은? (단, Mohr-Coulomb 파괴이론을 따른다고 가정한다)

① 60 ② 90
③ 120 ④ 150

17 그림과 같은 지반조건에서 지표면에 있었던 지하수위가 지표 아래 4m 깊이로 하강하였다. 지하수위 하강 이후 지표에서의 포화도는 0%이고, 4m 깊이에서의 포화도는 100%로 깊이에 따라 선형으로 분포한다고 가정한다. 지하수위 하강으로 인해 지표면 아래 2m 깊이의 A점에서 발생한 수직 유효응력[kN/m^2]의 증가량은? (단, 지하수위 하강으로 간극비의 변화는 없고, 부분포화 상태에서의 간극수압은 $u = -S\gamma_w h_c$로 계산한다. 여기서, S는 포화도, γ_w는 물의 단위중량으로 10kN/m^3, h_c는 모세관 수두로 A점에서는 2m로 가정한다. 계산결과는 소수점 첫째 자리에서 반올림한다)

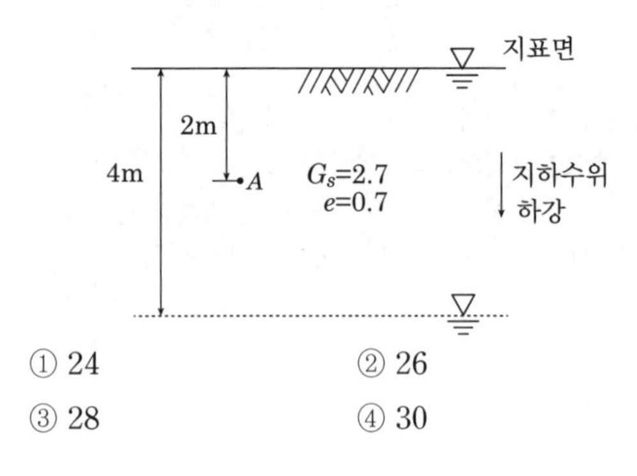

① 24 ② 26
③ 28 ④ 30

18 비배수 전단강도가 25kN/m^{2}인 포화된 점토지반을 연직으로 굴착하고자 한다. 안정수를 활용하여 굴착할 수 있는 최대 깊이[m]는? (단, 안정수는 0.2, 포화단위중량은 15kN/m^3, 안전율은 1로 가정한다)

① 1.67 ② 3.00
③ 3.33 ④ 8.33

14 ① 15 ④ 16 ① 17 ① 18 ④ [정답]

19 간극비가 0.81이고 함수비가 20%인 불포화 상태의 흙 시료가 있다. 이를 완전히 포화시키려면, 포화 시료 간극수 중량(W_1)은 현재 간극수 중량(W_0) 대비 몇 배 $\left(\frac{W_1}{W_0}\right)$인가? (단, 흙 입자의 비중은 2.7로 가정한다)

① 1.2　　② 1.5
③ 1.8　　④ 2.1

20 폭이 3m이고 길이가 10m인 직사각형 직접기초를 모래지반의 지표면 위에 설치하였다. Terzaghi 이론에 따라 극한지지력 Q_u를 구한 결과 30kN으로 산정되었다. 길이의 변화없이 기초의 폭을 3m에서 6m로 늘릴 때 기초의 극한지지력 Q_u[kN]는? (단, 깊이에 따라 흙의 성질은 변화가 없고 Terzaghi 이론에 따라 지표면 위에서의 극한지지력 $q_u = cN_c + \frac{1}{2}B\gamma N_\gamma + qN_q$로 계산한다)

① 30　　② 60
③ 90　　④ 120

19 ② 20 ④ [정답]

부록

〈저자 약력〉

- 한양대 대학원 졸
- 한국건축토목학원 대표
- 한국기술고시학원 대표
- 재단법인 스마트건설교육원 이사장
- 전 신성대학교 도시건설과 겸임교수

토목직 공무원·공기업

토질역학

4판 1쇄 발행 2023년 1월 20일
3판 1쇄 발행 2022년 1월 10일
2판 1쇄 발행 2021년 2월 10일
1판 1쇄 발행 2020년 5월 10일

편저자 박영태
펴낸이 박 용
펴낸곳 도서출판 세화
주소 경기도 파주시 화동길 325-22
영업부 (031)955-9331~2
편집부 (031)955-9333
FAX (031)955-9334
등록 1978. 12. 26(제 1-338호)

인지

정가 **40,000원**
ISBN 978-89-317-1190-5 13560